TECTÔNICA
GLOBAL

Os autores

Philip Kearey foi professor de geofísica aplicada no Departamento de Ciências da Terra da Bristol University, Reino Unido, até sua morte prematura em 2003. Em sua pesquisa, usou diversos tipos de dados geofísicos, em particular dados de gravidade e magnéticos, para elucidar a estrutura crustal no Caribe Oriental, Escudo Canadense e sul da Inglaterra.

Keith A. Klepeis é professor de geologia na University of Vermont, Estados Unidos. É especialista nas áreas de geologia estrutural e tectônicas continentais e vem trabalhando também na evolução de cinturões orogênicos e sistemas de falhas na Nova Zelândia, Patagônia, Antártica Ocidental, Austrália, Columbia Britânica e sul do Alasca.

Frederick J. Vine é professor emérito na Escola de Ciências Ambientais na University of East Anglia, Norwich, Reino Unido. É Fellow da Royal Society of London e tem recebido uma série de prêmios pelo seu trabalho de interpretação de anomalias magnéticas marinhas e ofiólitos, fragmentos da crosta oceânica encrustados na terra, em termos de expansão do assoalho oceânico.

K24t Kearey, Philip.
   Tectônica global / Philip Kearey, Keith A. Klepeis, Frederick J. Vine ; tradução: Daniel Françoso de Godoy, Peter Christian Hackspacher. – 3. ed. – Porto Alegre : Bookman, 2014.
   xii, 436 p. : il. ; 28 cm.

   Contém encarte colorido com 16 páginas.
   ISBN 978-85-8260-135-8

   1. Geologia. 2. Tectônica. I. Klepeis, Keith A. II. Vine, Frederick J. III. Título.

CDU 551.24

Catalogação na publicação: Ana Paula M. Magnus – CRB 10/2052

PHILIP **KEAREY**
Department of Geology
University of Bristol, UK

KEITH A. **KLEPEIS**
Department of Geology
University of Vermont
Burlington, Vermont, USA

FREDERICK J. **VINE**
School of Environmental Sciences
University of East Anglia
Norwich, UK

TECTÔNICA GLOBAL

3ª EDIÇÃO

Tradução:

Daniel Françoso de Godoy
Geólogo pela Universidade Estadual Paulista João Mesquita Filho (UNESP)
Mestre e Doutor em Geologia Regional pela UNESP

Peter Christian Hackspacher
Doutor em Geologia pela TU Clausthal/Alemanha
Pós-Doutor pela Univ. Göttingen/Alemanha
Professor Titular do Dep. de Petrologia e Metalogenia do Inst. de Geociências e Ciências Exatas – IGCE/UNESP

bookman

2014

Obra originalmente publicada sob o título *Global Tectonics, 3rd Edition*.
ISBN 9781405107778 / 1405107774

This edition first published 2009, © 2009 by Philip Kearey, Keith A. Klepeis, Frederick J. Vine
All Rights Reserved. Authorised translation from the English language edition published by Blackwell Publishing Limited. Responsibility for the accuracy of the translation rests solely with Bookman Companhia Editora Ltda, a Grupo A Educação S.A. company, and is not the responsibility of Blackwell Publishing Limited. No part of this book may be reproduced in any form without the written permission of the original copyright holder, Blackwell Publishing Limited.

Gerente editorial: *Arysinha Jacques Affonso*

Colaboraram nesta edição:

Coordenadora editorial: *Denise Weber Nowaczyk*

Capa: *Márcio Monticelli*

Preparação de originais: *Maria Eduarda Fett Tabajara*

Leitura final: *Isabela Beraldi Esperandio*

Editoração: *Techbooks*

Reservados todos os direitos de publicação, em língua portuguesa, à
BOOKMAN EDITORA LTDA., uma empresa do GRUPO A EDUCAÇÃO S.A.
Av. Jerônimo de Ornelas, 670 – Santana
90040-340 – Porto Alegre – RS
Fone: (51) 3027-7000   Fax: (51) 3027-7070

É proibida a duplicação ou reprodução deste volume, no todo ou em parte, sob quaisquer formas ou por quaisquer meios (eletrônico, mecânico, gravação, fotocópia, distribuição na Web e outros), sem permissão expressa da Editora.

Unidade São Paulo
Av. Embaixador Macedo Soares, 10.735 – Pavilhão 5 – Cond. Espace Center
Vila Anastácio – 05095-035 – São Paulo – SP
Fone: (11) 3665-1100   Fax: (11) 3667-1333

SAC 0800 703-3444 – www.grupoa.com.br

IMPRESSO NO BRASIL
PRINTED IN BRAZIL

Agradecimentos

As duas primeiras edições do *Global Tectonics* foram escritas em grande parte por Phil Kearey. Infelizmente Phil faleceu repentinamente em 2003 aos 55 anos, logo após começar a trabalhar na terceira edição. Somos gratos a sua esposa, Jane, por encorajar-nos a concluir uma terceira edição.

Phil tinha um dom especial para escrever de forma sucinta conceitos muitas vezes complexos, pelo qual várias gerações de estudantes lhe são gratos. Estamos conscientes de que apesar de todo o nosso esforço para imitar seu estilo muitas vezes foi insuficiente.

Agradecemos a Cynthia Ebinger, John Hopper, John Oldow e Peter Cawood pelas revisões do manuscrito original. Ian Bastow, José Cembrano, Ron Clowes, Barry Doolan, Mian Liu, Phil Hammer e Brendan Meade forneceram comentários úteis sobre aspectos específicos de alguns capítulos. KAK agradece a Gabriela Mora-Klepeis pela sua excelente assistência na pesquisa e a Pam e Dave Miller pelo seu apoio.

K.A.K.
F.J.V.

Prefácio

O estudo da tectônica, o ramo da geologia que lida com estruturas de grande escala da Terra e sua deformação, teve um grande avanço na década de 1960 com a formulação da tectônica de placas. Houve a confirmação simultânea da expansão de fundo oceânico e deriva continental, juntamente com o reconhecimento de falhas transformantes e zonas de subducção, e dados novos e melhorados, derivados da interpretação da geologia marinha, geofísica e sismologia de terremotos. Em 1970 a essência da tectônica de placa – sua extensão, a natureza do seu limite, a geometria e a cinemática de seus movimentos relativo e finito – foi bem documentada.

Com o surgimento de mais detalhes, logo se tornou visível que as placas e seus limites estavam bem definidos em áreas oceânicas, onde as placas são jovens, relativamente finas, mas rígidas, e estruturalmente uniforme, o que não é verdadeiro para as áreas continentais. As placas com crosta continental embutida geralmente são mais espessas, mais antigas e estruturalmente mais complexas do que as placas oceânicas. Além disso, a crosta continental em si é relativamente fraca e deforma mais facilmente por fratura e até mesmo por fluência. Assim, a natureza das placas tectônicas continentais é mais complexa do que a simples aplicação da teoria da tectônica de placas poderia prever, demandando muito mais tempo para ser documentada e interpretada. Um elemento importante tem sido o advento de dados de Posicionamento Global, revelando detalhes do campo da deformação em áreas complexas.

Outro aspecto importante da tectônica de placas, onde o progresso era inicialmente lento, é o mecanismo de condução de movimentos de placas. Com o desenvolvimento de novas técnicas sismológicas e do avanço em laboratório e modelagem computacional da convecção no manto terrestre pode-se esperar significativos progressos.

Desde 1990, quando foi lançada a primeira edição do *Global Tectonics*, tem havido muitos desenvolvimentos em nossa compreensão da estrutura da Terra e sua formação, particularmente em relação à tectônica de placas continentais e à convecção do manto. Como consequência, cerca de dois terços das figuras e dois terços do texto desta terceira edição são novos. A estrutura do livro permanece a mesma.

A ordem de apresentação dos dados e das ideias é em parte histórica, que por si só é interessante, mas também tem a vantagem de abordar dos conceitos simples para os mais complexos, a partir do atual para o passado distante, e de domínios oceânicos para continentais. Assim leva-se em consideração os fundamentos da tectônica de placas, que é bem ilustrado com referências de bacias oceânicas, da tectônica continental, culminando com tectônica no pré-cambriano, e uma discussão sobre a possível natureza implícita da convecção no manto.

O livro é destinado a estudantes de graduação nas ciências geológicas e alunos de pós-graduação e outros geocientistas que desejam obter uma visão sobre o tema. Assumimos um conhecimento básico de geologia sendo que, para uma descrição completa de metodologias geofísica e geoquímica, será necessário procurar em outros textos. Tentamos fornecer percepções sobre a tendência da pesquisa moderna e os problemas ainda pendentes, incluindo uma lista abrangente de referências para que o leitor possa acompanhar itens de interesse particular. Também incluímos perguntas para que os professores possam avaliar seus alunos.

O impacto inicial do conceito da tectônica de placas, no campo da geologia marinha e geofísica e sismologia, foi rapidamente seguido pela sua aplicação nas petrologias ígnea e metamórfica, paleontologia, geologia sedimentar e econômica, e todos os ramos da geociência. Mais recentemente foi reconhecida a sua relevância potencial para todo o sistema Terra. No passado, processos associados à tectônica de placas podem ter produzido alterações na água do mar e na química atmosférica, no nível do mar e nas correntes oceânicas, e no clima da Terra. Essas ideias são revistas no capítulo final sobre as implicações das placas tectônicas. A relevância da tectônica de placas à atmosfera e aos oceanos para a evolução da vida e, possivelmente, para a origem da vida na Terra é particularmente gratificante porque enfatiza a forma como a atmosfera, biosfera, hidrosfera e a Terra sólida estão interrelacionadas em um único e dinâmico sistema Terra.

K.A. Klepeis
F. J. VINE

Sumário

1 Perspectiva histórica	**1**
1.1 Deriva continental	2
1.2 A expansão dos assoalhos oceânicos e o nascimento da tectônica de placas	6
1.3 A teoria geossinclinal	7
1.4 O impacto da tectônica de placas	7
2 O interior da Terra	**8**
2.1 Sismologia de terremotos	9
2.1.1 Introdução	9
2.1.2 Descrições de terremotos	9
2.1.3 Ondas sísmicas	9
2.1.4 Localização do terremoto	10
2.1.5 Mecanismo de terremotos	10
2.1.6 Soluções de mecanismo focal de terremotos	11
2.1.7 Ambiguidade em soluções de mecanismo focal	12
2.1.8 Tomografia sísmica	13
2.2 Estrutura de velocidade da Terra	17
2.3 A composição da Terra	19
2.4 A crosta	19
2.4.1 A crosta continental	19
2.4.2 A crosta continental superior	20
2.4.3 A crosta continental média e inferior	20
2.4.4 A crosta oceânica	21
2.4.5 A camada oceânica 1	21
2.4.6 A camada oceânica 2	22
2.4.7 A camada oceânica 3	23
2.5 Ofiólitos	24
2.6 Metamorfismo de crosta oceânica	25
2.7 Diferenças entre crosta continental e oceânica	26
2.8 O manto	27
2.8.1 Introdução	27
2.8.2 Estrutura sísmica do manto	27
2.8.3 Composição do manto	27
2.8.4 A zona de baixa velocidade do manto	28
2.8.5 A zona de transição do manto	28
2.8.6 O manto inferior	29
2.9 O núcleo	29
2.10 A reologia da crosta e do manto	29
2.10.1 Introdução	29
2.10.2 Deformação frágil	30
2.10.3 Deformação dúctil	31
2.10.4 Perfis de resistência litosférica	33
2.10.5 A medição da deformação continental	34
2.10.6 Deformação no manto	35
2.11 Isostasia	37
2.11.1 Introdução	37
2.11.2 Hipótese de Airy	38
2.11.3 Hipótese de Pratt	38
2.11.4 Flexura da litosfera	39
2.11.5 Recuperação isostática	40
2.11.6 Testes de isostasia	40
2.12 Litosfera e astenosfera	43
2.13 Fluxo de calor terrestre	45
3 Deriva continental	**48**
3.1 Introdução	49
3.2 A reconstrução continental	49
3.2.1 Teorema de Euler	49
3.2.2 A reconstrução geométrica dos continentes	49
3.2.3 A reconstrução dos continentes em torno do Atlântico	49
3.2.4 A reconstrução do Gondwana	51
3.3 Evidência geológica para a deriva continental	52
3.4 Paleoclimatologia	53
3.5 Evidência paleontológica para a deriva continental	54
3.6 Paleomagnetismo	57
3.6.1 Introdução	57
3.6.2 Magnetismo das rochas	57
3.6.3 Magnetização natural remanescente	57
3.6.4 Campo geomagnético do passado e do presente	58
3.6.5 Curvas de deriva polar aparente	59
3.6.6 Reconstrução paleogeográfica baseada no paleomagnetismo	60
4 Expansão dos fundos oceânicos e de falhas transformantes	**63**
4.1 A expansão dos fundos oceânicos	64
4.1.1 Introdução	64
4.1.2 Anomalias magnéticas marinhas	64
4.1.3 Inversões geomagnéticas	65

4.1.4	A expansão dos fundos oceânicos	67
4.1.5	Hipótese de Vine-Matthews	68
4.1.6	Magnetostratigrafia	69
4.1.7	Datação de fundos oceânicos	74
4.2	Falhas transformantes	75
4.2.1	Introdução	75
4.2.2	Falhas transformantes dorsal-dorsal	76
4.2.3	Saltos de dorsais e deslocamentos de falha transformante	77

5 A base da tectônica de placas — 80

5.1	Placas e margens de placas	81
5.2	Distribuição dos terremotos	81
5.3	Movimento relativo das placas	83
5.4	Movimento absoluto de placas	85
5.5	Pontos quentes	87
5.6	Deriva polar verdadeira	91
5.7	Superpluma cretácea	93
5.8	Medidas diretas do movimento relativo das placas	94
5.9	Movimentos finitos de placa	96
5.10	Estabilidade das junções tríplices	99
5.11	Junções tríplices atuais	101

6 Dorsais oceânicas — 106

6.1	Topografia de dorsais oceânicas	107
6.2	Estrutura geral do manto superior abaixo das dorsais	108
6.3	Origem de anomalias do manto superior sob dorsais	111
6.4	Relação profundidade-idade da litosfera oceânica	112
6.5	Fluxo de calor e circulação hidrotermal	113
6.6	Evidência sísmica para uma câmara magmática axial	115
6.7	Segmentação ao longo do eixo de dorsais oceânicas	117
6.8	Petrologia de dorsais oceânicas	122
6.9	Estrutura rasa da região axial	123
6.10	Origem da crosta oceânica	124
6.11	Rifte de expansão e microplacas	127
6.12	Zonas de fraturas oceânicas	130

7 Riftes continentais e margens passivas — 133

7.1	Introdução	134
7.2	Características gerais dos riftes estreitos	134
7.3	Características gerais dos riftes amplos	141
7.4	Atividade vulcânica	148
7.4.1	Grandes províncias ígneas	148
7.4.2	Petrogênese de rochas de rifte	151
7.4.3	Ressurgência mantélica sob riftes	154
7.5	Iniciação do rifte	154
7.6	Processo de localização e desaparecimento da deformação	155
7.6.1	Introdução	155
7.6.2	Estiramento litosférico	155
7.6.3	Forças de flutuabilidade e fluxo da crosta inferior	157
7.6.4	Flexura litosférica	159
7.6.5	Enfraquecimento induzido pela deformação	162
7.6.6	Estratificação reológica da litosfera	165
7.6.7	Rifteamento magma-assistido	168
7.7	Margens continentais passivas	169
7.7.1	Margens vulcânicas	169
7.7.2	Margens não vulcânicas	173
7.7.3	A evolução das margens passivas	175
7.8	Estudos de casos: A transição do estágio de rifte para o de margem passiva	178
7.8.1	O sistema de riftes do Leste Africano	178
7.8.2	O rifte de Woodlark	180
7.9	O ciclo de Wilson	182

8 Transformantes continentais e falhas de rejeito direcional — 185

8.1	Introdução	186
8.2	Estilo de falhas e fisiografia	186
8.3	Estrutura profunda de transformantes continentais	197
8.3.1	Transformante do Mar Morto	197
8.3.2	Falha de San Andreas	198
8.3.3	A falha Alpina	200
8.4	Margens continentais transformantes	203
8.5	Deformação contínua *versus* descontínua	205
8.5.1	Introdução	205
8.5.2	Movimentos relativos de placa e campos de velocidade de superfície	205
8.5.3	Sensibilidade dos modelos	208
8.6	Mecanismos de localização e não localização de deformação	211
8.6.1	Introdução	211
8.6.2	Heterogeneidade litosférica	211
8.6.3	*Feedback* (realimentação) do abrandamento da deformação	213
8.7	Medindo a resistência de transformantes	217

9 Zonas de subducção — 220

9.1	Fossas oceânicas	221
9.2	Morfologia geral dos sistemas de arco de ilhas	221
9.3	Anomalias gravimétricas das zonas de subducção	223

9.4 Estrutura das zonas de subducção a partir de terremotos ... 223
9.5 Estrutura termal do *slab* descendente ... 229
9.6 Variações nas características das zonas de subducção ... 231
9.7 Prismas acrescionários ... 233
9.8 Atividade plutônica e vulcânica ... 238
9.9 Metamorfismo em margens convergentes ... 242
9.10 Bacias retroarco ... 246

10 Cinturões orogênicos ... 252

10.1 Introdução ... 253
10.2 Convergência oceano-continente ... 253
    10.2.1 Introdução ... 253
    10.2.2 Sismicidade, movimentos de placas e geometria de subducção ... 254
    10.2.3 Geologia geral dos Andes centrais e do sul ... 257
    10.2.4 Estrutura profunda dos Andes centrais ... 258
    10.2.5 Mecanismos de orogêneses não colisionais ... 260
10.3 Bacias sedimentares compressionais ... 266
    10.3.1 Introdução ... 266
    10.3.2 Bacias antepaís ... 266
    10.3.3 Inversão de bacia ... 267
    10.3.4 Formas de encurtamento em cinturões de dobras e empurrão de antepaís ... 268
10.4 Colisão continente-continente ... 270
    10.4.1 Introdução ... 270
    10.4.2 Movimentos relativos de placa e história colisional ... 270
    10.4.3 Campos de velocidade da superfície e sismicidade ... 272
    10.4.4 Geologia geral do Himalaia e do Planalto Tibetano ... 275
    10.4.5 Estrutura profunda ... 279
    10.4.6 Mecanismos de colisão continental ... 281
10.5 Colisão arco-continente ... 291
10.6 Acreção de terrenos e crescimento continental ... 293
    10.6.1 Análise de terrenos ... 293
    10.6.2 Estrutura de orógenos acrescionários ... 297
    10.6.3 Mecanismos de acreção de terrenos ... 301

11 Tectônica pré-cambriana e o ciclo do supercontinente ... 306

11.1 Introdução ... 307
11.2 Fluxo de calor pré-cambriano ... 307
11.3 Tectônica Arqueana ... 309
    11.3.1 Características gerais do manto litosférico cratônico ... 309
    11.3.2 Geologia geral dos crátons arqueanos ... 309
    11.3.3 Formação da litosfera arqueana ... 310
    11.3.4 Estrutura crustal ... 314
    11.3.5 Tectônica horizontal e vertical ... 316
11.4 Tectônica do proterozoico ... 318
    11.4.1 Geologia geral da crosta proterozoica ... 318
    11.4.2 Crescimento continental e estabilização cratônica ... 321
    11.4.3 Tectônica de placas proterozoica ... 322
11.5 O ciclo do supercontinente ... 327
    11.5.1 Introdução ... 327
    11.5.2 Reconstruções pré-mesozoicas ... 327
    11.5.3 Um supercontinente neoproterozoico ... 327
    11.5.4 Primeiros supercontinentes ... 330
    11.5.5 Aglutinação e fragmentação de Gondwana-Pangeia ... 331

12 O mecanismo da tectônica de placas ... 335

12.1 Introdução ... 336
12.2 Hipótese da Terra em contração ... 336
12.3 Hipótese da Terra em expansão ... 336
    12.3.1 Cálculo do antigo momento de inércia da Terra ... 337
    12.3.2 Cálculo do antigo raio da Terra ... 337
12.4 Implicações do fluxo de calor ... 338
12.5 Convecção no manto ... 340
    12.5.1 O processo de convecção ... 340
    12.5.2 Viabilidade da convecção do manto ... 340
    12.5.3 A extensão vertical da convecção ... 342
12.6 As forças atuantes nas placas ... 343
12.7 Mecanismos motrizes da tectônica de placa ... 345
    12.7.1 Mecanismo de arrasto do manto ... 345
    12.7.2 Mecanismo de força de borda ... 346
12.8 Evidências para convecção no manto ... 346
    12.8.1 Introdução ... 346
    12.8.2 Tomografia sísmica ... 347
    12.8.3 Superintumescimento ... 348
    12.8.4 A camada D″ ... 349
12.9 Natureza da convecção no manto ... 350
12.10 Plumas ... 352
12.11 O mecanismo do ciclo do supercontinente ... 354

13 Implicações da tectônica de placas ... 357

13.1 Mudança ambiental ... 358
    13.1.1 Alterações no nível do mar e na composição química da água do mar ... 358

13.1.2 Alterações na circulação oceânica e o
        clima da Terra   359
13.1.3 Áreas e clima continentais   363
13.2 Geologia econômica   364
  13.2.1 Introdução   364
  13.2.2 Depósitos minerais autóctones e
         alóctones   365
  13.2.3 Depósitos de bacias sedimentares   371
  13.2.4 Depósitos relacionados ao clima   372
  13.2.5 Energia geotérmica   373
13.3 Riscos naturais   373

Exercícios de revisão   375
Referências   379
Índice   415

Perspectiva histórica | 1

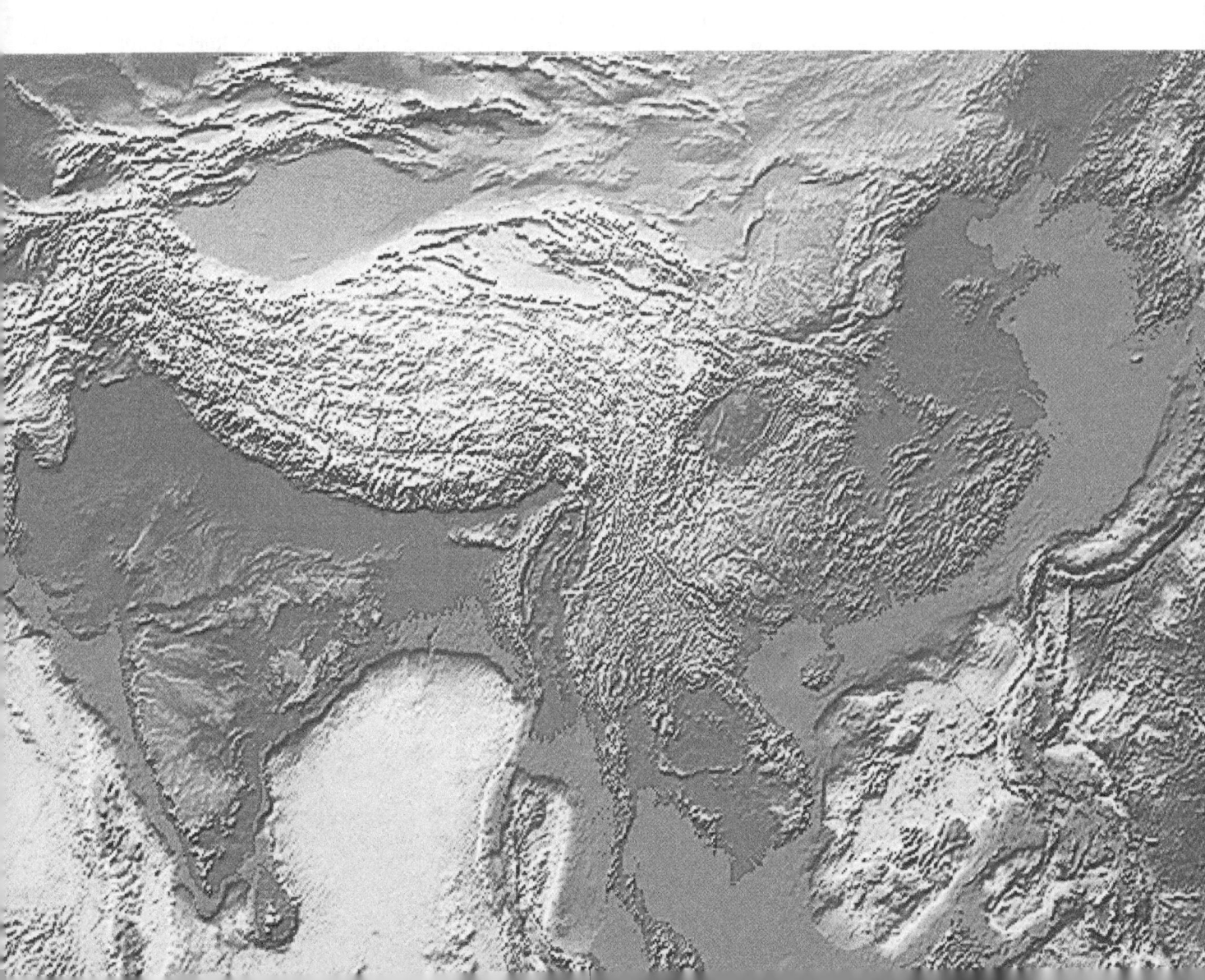

1.1 DERIVA CONTINENTAL

Embora a teoria da nova tectônica global, ou tectônica de placas, tenha sido amplamente discutida a partir de 1967, a história de uma visão mobilista da Terra retrocede consideravelmente (Rupke, 1970; Hallam, 1973a; Vine, 1977; Frankel, 1988). Desde o mapeamento inicial e o traçado do litoral dos continentes ao redor do Oceano Atlântico, já havia um fascínio com a semelhança entre os contornos das costas das Américas e da Europa e da África. Possivelmente, o primeiro a notar a similaridade e sugerir uma antiga separação foi Abraham Ortelius, em 1596 (Romm, 1994). Em 1620, Francis Bacon, em seu *Novum Organum*, comentou sobre a semelhança entre as formas das costas oeste da África e da América do Sul: isto é, a costa *atlântica* da África e a costa *Pacífica* da América do Sul. Ele também observou as configurações similares entre o Novo e o Velho Mundo, "ambos largos e estendidos em direção ao norte, estreitos e pontudos em direção ao sul". Talvez por causa dessas observações, pois não parecem haver outras, Bacon é muitas vezes erroneamente apresentado como tendo sido o primeiro a notar a semelhança ou "encaixe" das costas atlânticas da América do Sul e da África e até mesmo por ter sugerido que elas estavam unidas e se separaram. Em 1668, François Placet, um predecessor francês, relacionou a separação das Américas com o Dilúvio de Noé. Influenciado pela Bíblia, ele postulou que, antes do dilúvio, a Terra era única e indivisível e que as Américas foram formadas pelo conjunção de ilhas flutuantes ou separadas da Europa e da África, pela destruição de uma massa de terra preexistente, "Atlantis". É preciso lembrar que, durante os séculos XVII e XVIII, a Geologia, como a maioria das ciências, foi desenvolvida por clérigos e teólogos que achavam que a ocorrência de fósseis marinhos e sedimentos aquáticos em terras altas eram explicáveis pelo dilúvio bíblico e outras catástrofes.

Quem também notou o encaixe dos contornos das costas atlânticas da América do Sul e da África e sugeriu que esses continentes poderiam ter estado lado a lado foi Theodor Christoph Lilienthal, professor de Teologia em Königsberg, na Alemanha. Em um trabalho datado de 1756, ele também relacionou a separação deles ao catastrofismo bíblico, baseando-se no trecho "no tempo de Peleg, a terra foi dividida". Em documentos datados de 1801 e 1845, o explorador alemão Alexander von Humbolt notou semelhanças geométricas e geológicas entre as margens opostas do Atlântico, mas também especulou que o Atlântico foi formado por um evento catastrófico, "um fluxo de águas revoltas... dirigido primeiro para o nordeste, depois para o noroeste e de volta para o nordeste.... O que chamamos de Oceano Atlântico não é nada mais do que um vale escavado pelo mar". Em 1858, um americano, Antonio Snider, fez as mesmas observações, mas postulou o termo "drift" (deriva), relacionando-o a "catastrofismos múltiplos" – o Dilúvio sendo a última grande catástrofe. Assim, Snider sugeriu drift *stricto sensu*, chegando até a sugerir uma reconstrução pré-deriva (Fig. 1.1).

No século XIX, tivemos a substituição gradual do conceito de catastrofismo pelo de "uniformitarismo" ou "atualismo", como proposto pelos geólogos britânicos James Hutton e Charles Lyell. Hutton escreveu: "Não há poder a ser empregado que não seja o natural para o mundo, não podemos admitir nenhuma exceção da qual não saibamos o princípio, e não há eventos extraordinários a serem alegados para explicar uma aparência comum". Geralmente refere-se a isso na paráfrase de Archibald Geikie sobre as palavras de Hutton, "o presente é a chave para o passado", isto é, os processos lentos que acontecem sobre, na e abaixo da superfície da Terra têm atuado ao longo do tempo geológico, dando forma à superfície atual. Apesar dessa mudança na base do pensamento geológico, os proponentes da deriva continental ainda recorreram a eventos catastróficos para explicar a separação dos continentes. George Darwin, em 1879, e Oswald Fisher, em 1882, associaram a deriva a partir da Lua do Pacífico. Essa ideia persistiu até o século XX e, provavelmente, explica em parte a relutância dos cientistas em considerar seriamente o conceito de deriva continental durante a primeira metade do século XX (Rupke, 1970).

Um conceito uniformitarista de deriva foi sugerido pela primeira vez por F. B. Taylor, um físico americano, em 1910, e Alfred Wegener, um meteorologista alemão, em 1912. Pela primeira vez, considerou-se que ocorre deriva hoje e que vem ocorrendo, pelo menos, ao longo dos últimos 100-200 Ma da história da Terra. Assim, a deriva foi invocada para explicar as semelhanças geométricas e geológicas do traçado das bordas dos continentes ao redor dos oceanos Atlântico e Índico, bem como a formação dos jovens sis-

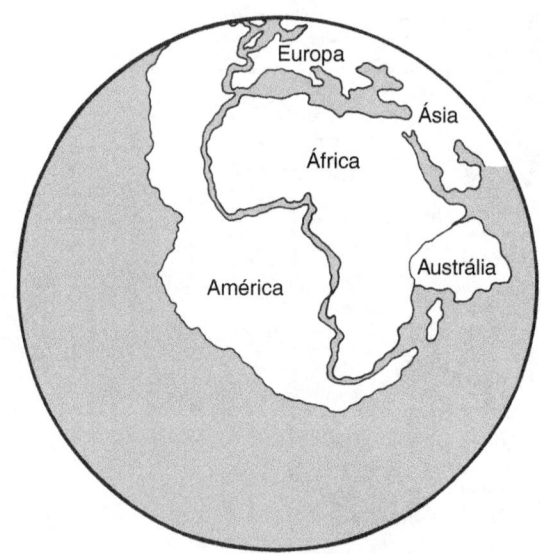

Figura 1.1 A reconstrução dos continentes por Snider (Snider, 1858).

temas montanhosos em suas terminações extremas. Taylor usa principalmente a deriva para explicar a distribuição dos cinturões de montanhas dobradas e "a origem da superfície da Terra" (Taylor, 1910) (Fig. 1.2 e Figura 1.1 do encarte colorido).

O pioneiro da teoria da deriva continental é geralmente reconhecido como sendo Alfred Wegener, que, além de meteorologista, foi astrônomo, geofísico e balonista amador (Hallam, 1975), tendo dedicado grande parte de sua vida ao desenvolvimento dessa teoria. Wegener detalhou muitos dos dados geológicos mais antigos, pré-deriva, e insistiu que a continuidade das estruturas mais antigas, formações, faunas e floras fósseis em todas as linhas de costa dos atuais continentes seria mais facilmente compreendida com uma reconstituição pré-deriva. Ainda hoje, esses elementos são as principais características do registro geológico dos continentes, as quais favorecem a hipótese da deriva continental. Entre as informações trazidas por Wegener para esta tese, temos o registro da presença de uma glaciação generalizada no PermoCarbonífero, a qual afetou a maioria dos continentes do hemisfério sul, enquanto o norte da Europa e a Groenlândia registravam condições tropicais. Wegener postulou que, neste momento, os continentes estavam unidos em uma única massa de terra, com os atuais continentes do sul centrados no polo e os continentes do norte ocupando a linha do equador (Fig. 1.3). Wegener denominou esta assembleia continental de Pangeia (literalmente, "toda a Terra"), embora atualmente prefiramos pensar como

A. du Toit, que postulou que a Terra foi formada por dois supercontinentes (du Toit, 1937) (Fig. 11.27). Aquele mais ao norte é denominado Laurásia (a partir de uma combinação de Laurentia, uma região do Canadá, e Ásia), constituído da América do Norte, Groenlândia, Europa e Ásia. O supercontinente do sul é chamado de Gondwana (literalmente, "terra dos Gonds", uma antiga tribo do norte da Índia) e é constituído da América do Sul, Antártica, África, Madagáscar, Índia e Austrália. O que separava os dois supercontinentes para o leste era um predecessor do mar "Mediterrâneo" chamado de Oceano paleo-Tethys (como a deusa grega do mar), enquanto em torno da Pangeia havia o Oceano proto-Pacífico ou Panthalassa (literalmente, "todos os mares").

Wegener apresentou a sua nova tese no livro *Die Entstehung der Kontinente und Ozeane* (*A Origem dos Continentes e Oceanos*), que teve quatro edições no período 1915-1929. Muitas das discussões acadêmicas posteriores foram baseadas na tradução da edição inglesa de 1922, que apareceu em 1924, sendo que a apreciação do trabalho anterior foi adiada devido à Primeira Guerra Mundial. Na época, muitos cientistas da Terra tiveram dificuldades para compreender suas ideias, pois a aceitação de seu trabalho exigia uma rejeição da ortodoxia científica existente, que era baseada em um modelo da Terra estática. Wegener baseou sua teoria em dados retirados de várias disciplinas diferentes e, em muitas delas, ele não era um especialista. A maioria dos cientistas da Terra encontrou falhas em detalhes e assim tendeu a rejeitar *in toto* seu trabalho.

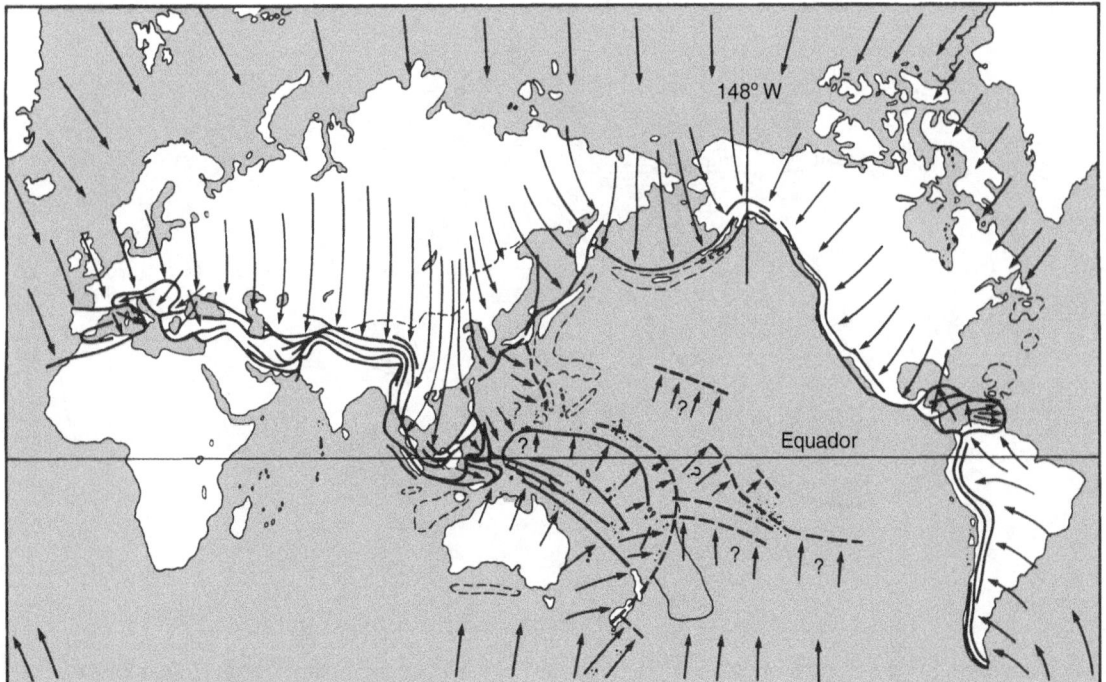

Figura 1.2 Mecanismo de Taylor para a formação de cadeias de montanhas cenozoicas por deriva continental (segundo Taylor, 1910).

Talvez Wegener tenha feito um desserviço a si próprio no ecletismo de sua abordagem. Vários de seus argumentos estavam errados: por exemplo, sua estimativa da taxa de deriva entre a Europa e a Groenlândia, utilizando técnicas geodésicas, estava errada quanto à magnitude. O mais importante, do ponto de vista de seus críticos, foi a falta de um mecanismo razoável para movimentos continentais. Wegener havia sugerido que a deriva continental ocorreu em resposta à força centrípeta experimentada pelos continentes devido à rotação da Terra. Cálculos simples mostraram que as forças exercidas por este mecanismo eram muito pequenas. Embora nas edições posteriores de seu livro esta abordagem tenha sido abandonada, as objeções da maioria da comunidade científica tinham se estabelecido. Du Toit, no entanto, reconheceu os bons argumentos geológicos para a união dos continentes do sul, e A. Holmes, no período 1927-1929, desenvolveu uma nova teoria sobre o mecanismo de movimento continental (Holmes, 1928).

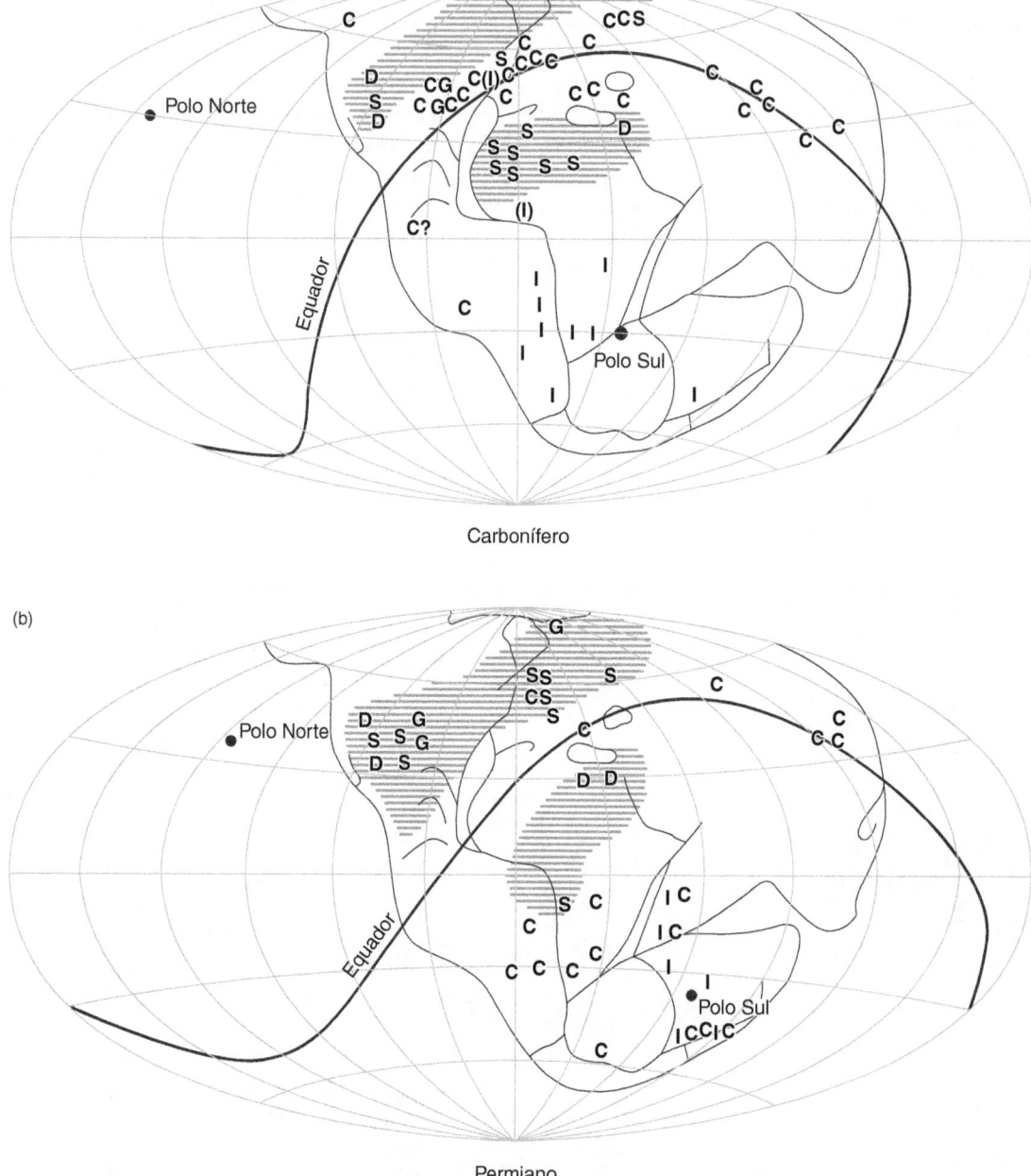

Figura 1.3 A reconstrução dos continentes (Pangeia) por Wegener, com indicadores paleoclimáticos, e paleopolos e equador para (a) Carbonífero e (b) Permiano. I, gelo; C, carvão; S, sal; G, gesso; D, arenito do deserto; áreas hachuradas, zonas áridas (adaptado de Wegener, 1929, reproduzido a partir de Hallam, 1973a, p. 19, com a permissão da Oxford University Press).

Ele propôs que os continentes eram movidos pelas correntes de convecção alimentadas pelo calor do decaimento radioativo (Fig. 1.4). Apesar de suas ideias diferirem consideravelmente dos conceitos atuais de convecção e criação do fundo do oceano, Holmes determinou a base a partir da qual desenvolveram-se as ideias modernas.

No período entre as Guerras Mundiais, duas escolas de pensamento se desenvolveram – os adeptos e os não adeptos da deriva, estes em maior número. Uma ridicularizava as ideias da outra. Os "não deriva" enfatizaram a falta de um mecanismo plausível, como já observamos, sendo que tanto a convecção como a expansão da Terra foram consideradas improváveis. Os "não deriva" tinham dificuldade em esclarecer a presente separação das províncias faunísticas, que poderiam ser muito mais facilmente explicadas se os continentes estivessem juntos anteriormente. Suas tentativas de explicar essas ligações aparentes ou migrações de fauna também foram ridicularizadas. Eles tiveram que usar vários meios improváveis, como ilhas trampolins, ligações ístmicas ou transportados. É interessante notar que, nessa época, muitos geólogos do hemisfério sul, como du Toit, Lester King e S.W. Carey, foram defensores da deriva, talvez porque o registro geológico dos continentes do sul e da Índia favorecessem a ideia de que havia um único supercontinente (Gondwana) antes de 200 Ma atrás.

Pouco foi escrito sobre a deriva continental no período entre as críticas iniciais ao livro de Wegener e próximo a 1960. Na década de 1950, foi desenvolvido o método paleomagnético, empregando metodologia sugerida pela P.M.S. Blackett (Seção 3.6). Em seguida, S.K. Runcorn e seus colaboradores demonstraram que movimentos relativos tinham ocorrido entre a América do Norte e a Europa. O trabalho foi estendido por K.M. Creer, na América do Sul, e por E. Irving, na Austrália. Resultados paleomagnéticos tornaram-se mais aceitos quando a técnica de desmagnetização, na qual a magnetização primária pôde ser isolada, foi desenvolvida. A integração entre a datação faunística, métodos radiométricos recém-desenvolvidos e dados paleomagnéticos para o Mesozoico até os tempos atuais mostrou diferenças significativas, além do âmbito do erro, nos movimentos entre vários continentes.

Uma deferência importante no desenvolvimento de ideias relacionadas com a deriva continental foi a de que, antes da Segunda Guerra Mundial, os geólogos haviam estudado somente as áreas terrestres. Seus resultados revelaram que a crosta continental preserva todo um espectro da história da Terra, que retrocede a cerca de 4.000 Ma ao presente e, provavelmente, em algumas centenas de milhões de anos da idade da Terra e do próprio sistema solar. Suas pesquisas também revelaram a importância de

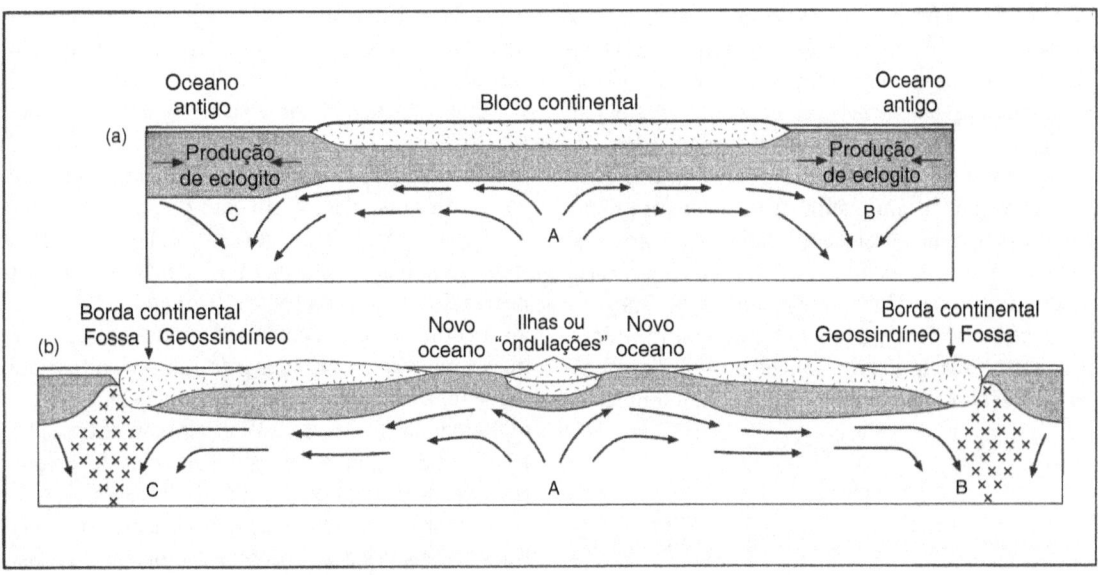

Figura 1.4 O conceito de convecção como sugerido por Holmes (1928), quando se acreditava que a crosta oceânica era uma continuação espessa da "camada basáltica" continental. (a) Correntes ascendentes em A espalham-se lateralmente, colocando um continente sob extensão e dividindo-o, fazendo com que a obstrução do antigo assoalho do oceano possa ser superada. Isso é efetivado pela formação de eclogito em B e C, onde correntes subcontinentais encontram subcorrentes oceânicas e se curvam para baixo. A alta densidade do eclogito faz com que ele afunde e abra espaço para os continentes avançarem. (b) O afundamento do eclogito em B e C contribui para a principal circulação convectiva. O eclogito se funde no fundo para formar magma basáltico, que sobe em correntes ascendentes em A, cicatrizando as lacunas no continente fragmentado e formando um novo assoalho oceânico. Ondulações locais, como uma ilha de gelo, podem ser formadas a partir de velhos SIAL deixados para trás. Pequenos sistemas de corrente, iniciados pela flutuabilidade do magma basáltico, ascendem sob os continentes e alimentam derrames de basaltos ou, abaixo do "velho" assoalho do oceano (Pacífico), alimentando os derrames responsáveis pelas ilhas vulcânicas e montes submarinos (adaptado de Holmes, 1928).

movimentos verticais da crosta continental nos estudos de processos repetitivos de soerguimento, erosão, subsidência e sedimentação. Mas, como disse J. Tuzo Wilson, um geofísico canadense, isso é como olhar para o convés de um navio para ver se ele está se movendo.

1.2 A EXPANSÃO DOS ASSOALHOS OCEÂNICOS E O NASCIMENTO DA TECTÔNICA DE PLACAS

Se existe a possibilidade de que as áreas continentais tenham estado juntas, se partido e se distanciado, então deve haver algum registro disso dentro de bacias oceânicas. No entanto, somente após a Segunda Guerra Mundial e, mais especificamente, desde 1960, foram obtidos dados suficientes a partir dos 60% da superfície da Terra coberta por águas profundas para a compreensão da origem e história das bacias oceânicas. Percebe-se que, em contraste com os continentes, as áreas oceânicas são muito jovens geologicamente (provavelmente não superiores a 200 Ma de idade) e que movimentos horizontais ou laterais têm sido importantes durante a história de sua formação.

Em 1961, após um levantamento intensivo do fundo do mar durante o pós-guerra, R.S. Dietz propôs o mecanismo de "expansão dos assoalhos oceânicos" para explicar o afastamento continental. Embora Dietz tenha cunhado o termo "expansão dos assoalhos oceânicos", o conceito foi concebido um ou dois anos antes por H.H. Hess. Ele sugeriu que os continentes se movem em resposta ao crescimento das bacias oceânicas entre eles e que a crosta oceânica é criada a partir do manto da Terra na crista do sistema de dorsal mesoceânica, em um intumescimento ou elevação vulcânica submarina ou em um soerguimento que ocupa uma posição mediana em muitos dos oceanos do mundo (Fig. 1.5). A crosta oceânica é muito mais fina do que a crosta continental, com uma espessura média de cerca de 7 km, enquanto a espessura média continental tem cerca de 40 km, além de ser quimicamente diferente e estruturalmente muito menos complexa.

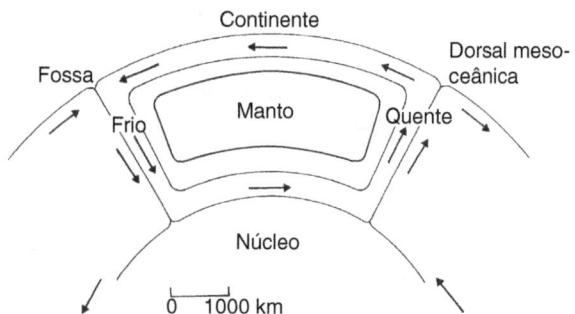

Figura 1.5 O conceito de expansão dos assoalhos oceânicos (segundo Hess, 1962).

Acreditava-se que o movimento lateral da crosta oceânica era conduzido por correntes de convecção no manto superior semelhantes a uma correia transportadora. A fim de manter a área da superfície da Terra constante, propôs-se ainda que a crosta oceânica era empurrada de volta para dentro do manto e reabsorvida em fossas oceânicas. Estas são vastas depressões batimétricas, situadas às margens de certos oceanos e associadas com intensa atividade vulcânica e sísmica. Por essa perspectiva, os continentes são elementos totalmente passivos – jangadas de material menos denso que são separadas e unidas pelos assoalhos oceânicos efêmeros. Os continentes são uma espuma de material geralmente muito mais velho que foi derivado ou separado do interior da Terra ou em uma fase muito precoce da sua história ou, pelo menos em parte, de forma constante ao longo do tempo geológico. Em vez de blocos da crosta, agora pensamos em termos de "placas" de manto superior e crosta relativamente rígidos, em torno de 50-100 km de espessura, as quais chamamos de litosfera (um termo originalmente cunhado por R. A. Daly há muitos anos e que significa "camada de rocha"). Placas litosféricas podem ter ambas as crostas continental e oceânica embutidas entre si.

A teoria sobre a expansão do assoalho do oceano foi confirmada entre 1963 e 1966, seguindo a sugestão de F. J. Vine e D. H. Matthews, segundo a qual os lineamentos magnéticos do fundo do mar podem ser explicados pela expansão dos assoalhos oceânicos e pela reversão do campo magnético da Terra (Seção 4.1). Este modelo de correia transportadora da crosta oceânica é visto como um gravador que registra a história das inversões do campo magnético da Terra.

Outro conceito que levou ao desenvolvimento da teoria da tectônica de placas veio com o reconhecimento, por J. T. Wilson, em 1965, de uma nova classe de falhas, denominadas falhas transformantes, que conectam cinturões lineares de atividade tectônica (Seção 4.2). A Terra era então vista como um mosaico de seis grandes placas e de outras placas menores em movimento relativo. A teoria foi posta sobre uma base geométrica rigorosa pelo trabalho de D. P. McKenzie, R. L. Parker e W. J. Morgan entre 1967 e 1968 (Capítulo 5) e confirmada por sismologia de terremoto pelo trabalho de B. Isacks, J. Oliver e L. R. Sykes.

A teoria tem sido consideravelmente ampliada por estudos intensivos dos processos geológicos e geofísicos que afetam as margens das placas. Provavelmente, o aspecto sobre o qual existe atualmente mais discórdia é a natureza do mecanismo que provoca os movimentos das placas (Capítulo 12).

Embora a teoria básica da tectônica de placas esteja bem estabelecida, seu entendimento não é completo. A investigação sobre a evolução das placas tectônicas ainda ocupará os cientistas da Terra por muitas décadas.

1.3 A TEORIA GEOSSINCLINAL

Antes da aceitação da tectônica de placas, o modelo estático da Terra envolvia a formação de faixas tectonicamente ativas, as quais se formaram essencialmente por movimentos verticais sobre os geossinclíneos. Uma revisão sobre o desenvolvimento da hipótese geossinclinal e sua explicação em termos de placas tectônicas são fornecidas por Mitchell & Reading (1986).

A teoria geossinclinal prevê faixas alongadas, geograficamente fixas, de subsidência profunda e sedimentos espessos como os precursores de cadeias de montanhas nas quais os estratos foram expostos por dobramento e elevação dos sedimentos geossinclinais (Dickinson, 1971). Uma infinidade de termos específicos foi criada para descrever as associações litológicas de preenchimentos sedimentares e as localizações relativas dos geossinclíneos.

A maior falha da teoria geossinclinal foi que as características tectônicas foram classificadas sem que houvesse compreensão da sua origem. A nomenclatura geossinclinal, consequentemente, representou um entrave para o reconhecimento de um mecanismo causador comum. A relação da sedimentação com o mecanismo mobilístico das placas tectônicas (Mitchell & Reading, 1969) permitiu o reconhecimento de dois ambientes específicos nos quais os geossinclíneos se formaram, ou seja, as margens continentais falhadas ou abandonadas e as margens continentais ativas ou principais de falhas profundas, do oceano em sentido ao continente. Estas últimas são agora conhecidas como zonas de subducção (Capítulo 9). Embora alguns autores mantenham a terminologia geossinclinal para descrever associações sedimentares (por exemplo, termos como eugeossinclíneo e miogeossinclíneo para sedimentos com e sem membros vulcânicos, respectivamente), este uso não é recomendado, e o termo geossinclíneo não deve ser reconhecido mais como relevante para os processos de placas tectônicas.

1.4 O IMPACTO DA TECTÔNICA DE PLACAS

A tectônica de placas tem grande significado, uma vez que representa a primeira teoria que fornece uma explicação unificada das principais características da superfície da Terra. Como tal, tem permitido uma inédita ligação de muitos aspectos diferentes da geologia que tinham sido considerados, previamente, como independentes e não relacionados. Um entendimento mais aprofundado da geologia tem surgido a partir da interpretação de muitos ramos da geologia no quadro básico fornecido pela tectônica de placas. Assim, por exemplo, explicações podem ser fornecidas para as distribuições de flora e fauna do passado, as relações espaciais de suítes vulcânicas em margens de placas, a distribuição no espaço e no tempo das condições de diferentes fácies metamórficas, o esquema de deformação em cadeias de montanhas, ou orógenos, e a associação de diferentes tipos de depósitos econômicos.

O reconhecimento da natureza dinâmica da Terra aparentemente sólida levou à constatação de que os processos da tectônica de placas podem ter tido um impacto importante em outros aspectos do sistema da Terra no passado. Mudanças na atividade vulcânica em geral, e em especial nas cadeias mesoceânicas, teriam mudado a química da atmosfera e da água do mar. Mudanças na taxa de acreção em cadeias mesoceânicas poderiam explicar as principais mudanças do nível do mar no passado e as configurações variáveis dos continentes, e o soerguimento de cadeias de montanhas deve ter afetado as circulações oceânica e atmosférica. A natureza e as implicações dessas mudanças, especialmente para o clima da Terra, são exploradas no Capítulo 13.

Algumas dessas implicações foram documentadas por Wegener, em especial em relação à distribuição da fauna e da flora no passado e a paleoclimas regionais. Hoje, percebe-se que processos de placas tectônicas impactam a física e a química da atmosfera e dos oceanos, bem como a vida na Terra em muitas outras maneiras, ligando, portanto, os processos atmosféricos, oceânicos e da Terra sólida em um único sistema dinâmico global.

O fato de o conceito de placas tectônicas ser tão bem sucedido em unir tantos aspectos da ciência da Terra não é suficiente para considerá-lo perfeitamente compreendido. Na verdade, é o teste crítico das implicações da teoria das placas tectônicas que levou a modificações e extrapolações, por exemplo, na consideração da relevância dos processos da tectônica de placas em áreas continentais (Seção 2.10.5) e do passado geológico mais remoto (Capítulo 11). Espera-se que a teoria das placas tectônicas seja empregada com cautela e crítica.

LEITURA ADICIONAL

Hallam, A. (1973) *A Revolution in the Earth Sciences: from continental drift to plate tectonics*. Oxford University Press, Oxford, UK.

LeGrand, H.E. (1988) *Drifting Continents and Shifting Theories*. Cambridge University Press, Cambridge, UK.

Marvin, U.B. (1973) *Continental Drift: the evolution of a concept*. Smithsonian Institution, Washington, DC.

Oreskes, N. (1999) *The Rejection of Continental Drift: theory and method in American Earth Science*. Oxford University Press, New York.

Oreskes, N. (ed.) (2001) *Plate Tectonics: an insider's history of the modern theory of the Earth*. Westview Press, Boulder.

Stewart, J.A. (1990) *Drifting Continents and Colliding Paradigms: perspectives on the geoscience revolution*. Indiana University Press, Bloomington, IN.

2 | O interior da Terra

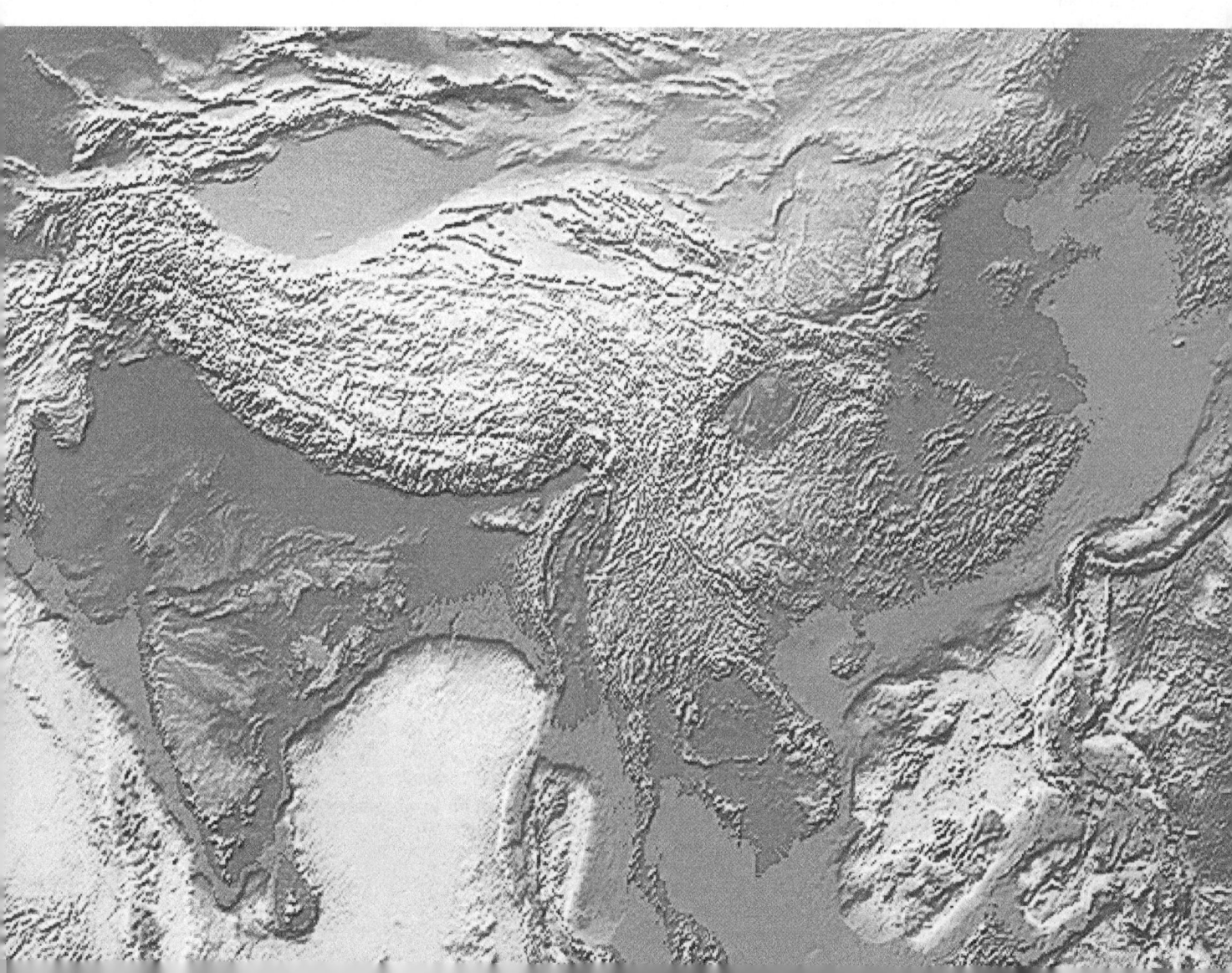

2.1 SISMOLOGIA DE TERREMOTOS

2.1.1 Introdução

Grande parte do nosso conhecimento sobre a constituição interna da Terra veio a partir do estudo das ondas sísmicas geradas por terremotos. Essas ondas seguem vários caminhos através do interior da Terra, e, medindo seus tempos de deslocamento para diferentes locais ao redor do globo, é possível determinar sua estratificação em grande escala. Também é possível fazer inferências sobre as propriedades físicas desses estratos se considerarmos as velocidades com que transmitem as ondas sísmicas.

2.1.2 Descrições de terremotos

Terremotos normalmente são considerados originários de um único ponto, conhecido como *foco* ou *hipocentro* (Fig. 2.1), que está, invariavelmente, a cerca de 700 km da superfície. Na realidade, a maioria dos terremotos é gerada pelo movimento ao longo de um plano de falha, então a região focal pode se estender por vários quilômetros. O *epicentro* é o ponto na superfície da Terra verticalmente acima do foco. O ângulo formado entre o epicentro, o centro da Terra e o ponto em que as ondas sísmicas são registradas é conhecido como *ângulo epicentral* Δ. A *magnitude* de um terremoto é uma medida de sua liberação de energia em uma escala logarítmica; uma mudança na magnitude de um na escala *Richter* implica um aumento de 30 vezes na liberação de energia (Stein & Wysession, 2003).

2.1.3 Ondas sísmicas

A energia de deformação liberada por um terremoto é transmitida através da Terra por vários tipos de ondas sísmicas (Fig. 2.2), que se propagam por deformação elástica através da rocha. As ondas que penetram o interior da Terra são conhecidas como *ondas de corpo* e consistem em dois tipos de ondas, que correspondem às duas maneiras possíveis de deformar um meio sólido. As *ondas P*, também conhecidas como ondas *longitudinais* ou *de compressão*, correspondem à deformação elástica de compressão/dilatação. Elas provocam a oscilação de partículas do meio propagante na direção da onda, de forma que as perturbações (*disturbances*) desenvolvem-se como uma série de compressões e rarefações (*rarefactions*). A velocidade de uma onda P, V_p, é dada por:

$$V_p = \sqrt{\frac{k + \frac{4}{3}\mu}{\rho}}$$

onde k é o módulo de *bulk*, μ o módulo de cisalhamento (rigidez), e ρ a densidade do meio de transmissão. As *ondas S*, também conhecidas como ondas *de cisalhamento* ou *transversais*, correspondem à deformação elástica do meio de transmissão por cisalhamento e fazem com que as partículas da rocha oscilem perpendicularmente à direção de propagação. A velocidade da onda S, V_s, é dada por:

$$V_s = \sqrt{\frac{\mu}{\rho}}$$

As ondas S não podem ser transmitidas através de um líquido por terem rigidez zero.

Uma consequência das equações de velocidade para as ondas P e S é que a velocidade de P é cerca de 1,7 vezes maior que a velocidade de S no mesmo meio. Consequentemente, para um caminho de deslocamentos idênticos, as ondas P chegam antes das ondas S. Esta propriedade foi reconhecida cedo na história da sismologia, sendo refletida nos nomes das ondas de corpo (P é derivado de *primus* e S de *secundus*). A passagem de ondas de corpo através da Terra está em conformidade com as leis da óptica geométrica, que afirmam que estas podem ser refratadas e refletidas em descontinuidades de velocidade.

Ondas sísmicas cujos caminhos de deslocamentos são restritos à proximidade de uma superfície livre, como a superfície da Terra, são conhecidas como *ondas de superfície*. *Ondas Rayleigh* fazem com que as partículas do meio de

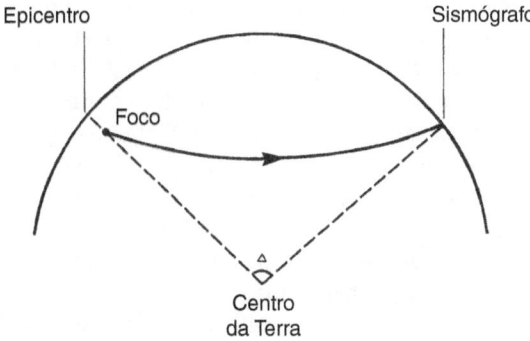

Figura 2.1 Ilustração do ângulo epicentral Δ.

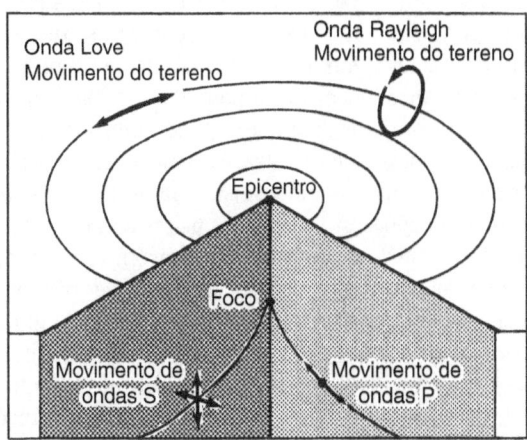

Figura 2.2 Foco e epicentro de um terremoto e as ondas sísmicas que emanam dele (segundo Davies, 1968, com a permissão da Iliffe Industrial Publications Ltd).

transmissão descrevam uma elipse em um plano vertical que contém a direção de propagação. Elas podem ser transmitidas na superfície de um meio espaço uniforme ou um meio no qual a velocidade muda com a profundidade. As *ondas Love* são transmitidas sempre que a velocidade da onda S da camada de superfície é menor do que a da camada subjacente. Ondas Love são essencialmente ondas de cisalhamento com polarização horizontal e propagam por reflexão múltipla dentro desta camada de baixa velocidade, que atua como um guia de onda.

Ondas de superfície se deslocam a velocidades mais baixas do que ondas de corpo no mesmo meio. Ao contrário de ondas de corpo, ondas de superfície são dispersivas, isto é, seus diferentes componentes de comprimento de onda se deslocam em diferentes velocidades. Dispersão surge por causa da estratificação da velocidade no interior da Terra, comprimentos de onda mais longos penetram em profundidades maiores e, portanto, mostram velocidades mais altas. Como resultado, os estudos de dispersão da onda de superfície fornecem um importante método de determinação da estrutura de velocidade e características de atenuação sísmica dos 600 km superiores da Terra.

2.1.4 Localização do terremoto

Sismos são detectados por sismógrafos, instrumentos que respondem a deslocamentos muito pequenos do terreno, a velocidades ou a acelerações associadas com a passagem de ondas sísmicas. Desde 1961, há uma extensa rede global, padronizada, de estações sismográficas para monitorar a atividade de terremotos. A Rede de Sismógrafos Padronizada Mundial (WWSSN) inicial, com base em instrumentos analógicos, foi gradualmente substituída, desde 1986, pela Rede Sismográfica Global (Digital) (GSN). Em 2004, havia 136 estações GSN bem distribuídas por todo o globo, incluindo uma no fundo do mar entre o Havaí e a Califórnia. Espera-se que esta seja a primeira de várias em áreas oceânicas desprovidas de ilhas oceânicas para estações terrestres. O equipamento digital facilita muito o tratamento dos dados e também tem a vantagem de registrar sobre um alcance dinâmico e uma largura de banda de frequência muito maior do que o registro anterior óptico e em papel. Consegue-se isso através de uma combinação de alta frequência, baixo ganho e sismógrafos de banda larga (Butler et al., 2004). A maioria dos países tem pelo menos uma estação GSN, e muitos países também têm arranjos de sismógrafos nacionais. Juntas, essas estações não fornecem apenas os dados brutos para todos os estudos globais e regionais de sismologia, mas também têm uma função importante em relação ao monitoramento do tratado de proibição de testes nucleares e sistemas de alerta de vulcões e de tsunami.

Terremotos que ocorrem em distâncias grandes, ou *telessísmicas*, de um sismógrafo são localizadas pela identificação de várias *fases*, ou chegadas sísmicas, nos registros do sismógrafo. Por exemplo, se as ondas P e S se deslocam em diferentes velocidades, o tempo de separação entre a chegada da fase P e da fase S torna-se progressivamente mais longo à medida que o comprimento do caminho aumenta. Ao fazer uso de um modelo-padrão para a estratificação da velocidade da Terra e empregando muitas fases sísmicas correspondentes a caminhos de diferentes deslocamentos ao longo dos quais as ondas sísmicas são refratadas ou refletidas em descontinuidades de velocidade, é possível traduzir as diferenças de seus tempos de deslocamento em distância do terremoto ao observatório. Triangulação usando distâncias calculadas dessa forma, a partir de vários observatórios, permite a localização do epicentro a ser determinado.

As profundidades focais de eventos telessísmicos são determinadas pela medição da diferença de tempo entre a chegada direta da fase P e da fase pP (Båth, 1979). A fase pP é um evento múltiplo de caminhos curtos que segue um caminho semelhante ao de P após passar primeiro por uma reflexão na superfície da Terra acima do foco, fazendo com que a diferença de tempo P–pP seja a medida de profundidade focal. Esse método é menos preciso para focos em profundidades menores de 100 km, pois a separação de tempo P–pP torna-se muito pequena. As profundidades focais de terremotos locais podem ser determinadas se houver uma rede de sismógrafos nas vizinhanças do epicentro. Neste caso, a profundidade focal é determinada por triangulação no plano vertical, utilizando a diferença de tempo P–S para calcular a distância ao foco.

2.1.5 Mecanismo de terremotos

Acredita-se que a maioria dos terremotos ocorra de acordo com a *teoria da recuperação elástica*, que foi desenvolvida após o terremoto de São Francisco de 1906. Nessa teoria, um sismo representa uma súbita liberação de energia de deformação que se acumulou ao longo de um período de tempo.

Na Fig. 2.3a, um bloco de rocha atravessado por uma fratura preexistente (ou falha) está sendo deformado de tal forma que, eventualmente, poderá causar movimento relativo ao longo do plano da falha. A linha AB é um marcador que indica o estado de deformação do sistema, e a linha tracejada, a localização da falha. Quantidades relativamente pequenas de deformação podem ser acomodadas pela rocha (Fig. 2.3b). Ao final, porém, a deformação atinge o nível em que excede as forças de atrito e cimentação opostas ao movimento do plano de falha (Fig. 2.3c). Neste ponto da falha, o movimento ocorre instantaneamente (Fig. 2.3d). O terremoto de São Francisco de 1906 resultou de um deslocamento de 6,8 m ao longo da Falha de San Andreas. Neste modelo, falhamentos reduzem a deformação no sistema praticamente a zero, mas, se as forças de cisalhamento persistem, a deformação é novamente reconstruída

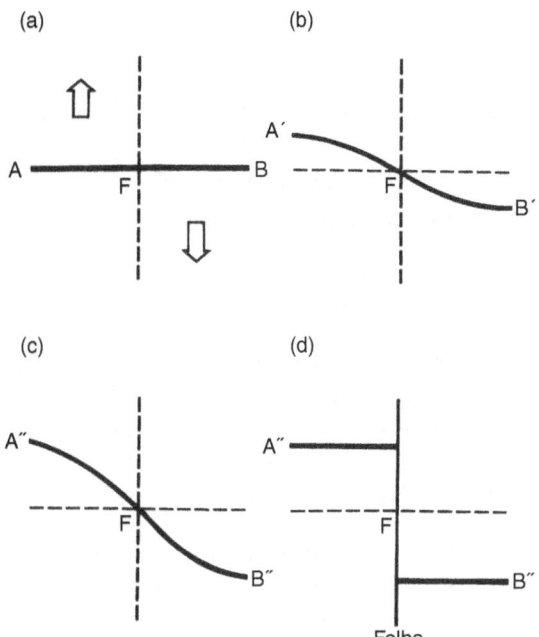

Figura 2.3 Mecanismo de recuperação elástica de geração de terremoto.

até o ponto em que o movimento de falha ocorre. A teoria da recuperação elástica, consequentemente, implica que a atividade do terremoto representa uma resposta gradual à deformação persistente.

2.1.6 Soluções de mecanismo focal de terremotos

As ondas sísmicas geradas por terremotos, quando registradas em estações sismográficas em todo o mundo, podem ser usadas para determinar a natureza da falha associada ao terremoto, inferir a orientação do plano de falha e obter informações sobre o estado de esforço da litosfera. O resultado de tal análise é referido como uma *solução de mecanismo focal* ou uma *solução do plano de falha*. A técnica representa um método muito poderoso para analisar os movimentos da litosfera, em especial aqueles associados com a tectônica de placas. As informações estão disponíveis em uma escala global, ligadas a soluções provenientes de terremotos com magnitude superior a 5,5. Não é necessário o registro nas imediações do terremoto, de forma que os dados podem ser obtidos a partir de regiões talvez inacessíveis para o estudo direto.

Segundo a teoria da recuperação elástica, a energia de deformação liberada por um terremoto é transmitida por ondas sísmicas que irradiam a partir do foco. Considere o plano de falha mostrado na Fig. 2.4 e o *plano auxiliar* ortogonal a ele. As primeiras ondas sísmicas que chegam aos registradores em volta do terremoto são as ondas P, que causam compressão/dilatação das rochas por onde se deslocam. Os quadrantes sombreados, definidos pela falha e pelos planos auxiliares, são comprimidos pelo movimento ao longo da falha; dessa forma, o primeiro movimento da onda P que chega a esses quadrantes corresponde a uma compressão. Os quadrantes sem sombra são estirados ou dilatados pelo movimento da falha. O primeiro movimento das ondas P nesses quadrantes é, portanto, de dilatação. Assim, a região em torno do terremoto é dividida em quatro quadrantes definidos pelo plano de falha e pelo plano auxiliar baseado nos primeiros movimentos das ondas P. Não temos ondas P propagando-se ao longo desses planos como o movimento da falha, somente movimentos de cisalhamento em suas direções; eles são conhecidos como *planos nodais*.

De forma simplista, uma solução de mecanismo focal pode ser obtida pelo registro de um terremoto em um número de sismógrafos distribuídos em torno de seu epicentro, determinando a natureza dos primeiros movimentos das ondas P e, em seguida, selecionando os dois planos ortogonais que melhor separam as primeiras chegadas compressionais das dilatacionais, isto é, os planos nodais. Na prática, a técnica é complicada pela forma esferoidal da Terra e pelo aumento progressivo da velocidade sísmica com a profundidade, que faz com que as ondas sísmicas sigam caminhos de deslocamentos curvos entre o foco e os registradores. Considere a Fig. 2.5. A linha pontilhada representa a continuação do plano de falha, e sua intersecção com a superfície da Terra representaria a linha que separa os movimentos iniciais compressional e extensional se as ondas geradas pelo terremoto seguissem uma linha reta. No entanto, os caminhos de deslocamento são curvos, e a intersecção da superfície da linha tracejada, correspondendo ao caminho que deveria ter sido seguido por uma onda proveniente do foco na direção do plano de falha, representa o plano nodal real.

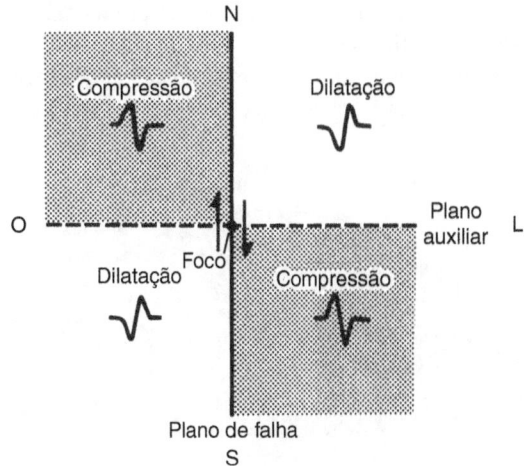

Figura 2.4 Distribuição em quadrante compressional e dilatacional dos primeiros movimentos de ondas P de um terremoto.

Fica claro que o simples mapeamento de movimentos iniciais compressional e dilatacional na superfície da Terra não pode fornecer imediatamente a solução de mecanismo focal. No entanto, as complicações podem ser superadas considerando-se as direções nas quais as ondas sísmicas deixam a região focal, uma vez que é evidente que compressões e dilatações são restritas a certas faixas angulares.

Uma solução de mecanismo focal é obtida, em primeiro lugar, determinando-se a localização do foco pelo método descrito na Seção 2.1.4. Então, para cada estação que registra o terremoto, usa-se um modelo para a estrutura da velocidade da Terra, visando calcular o caminho de deslocamento da onda sísmica a partir do foco para a estação e, portanto, calcular a direção na qual a onda deixou a região focal. Essas direções são depois plotadas, usando um símbolo apropriado para o movimento inicial compressional ou dilatacional, em uma projeção equiárea da metade inferior da *esfera focal*, ou seja, uma esfera imaginária de raio pequeno, mas arbitrário, centrada no foco (Fig. 2.5). Uma rede equiárea, que facilita a representação, é ilustrada na Fig. 2.6. A escala em torno da circunferência dessa rede se refere ao azimute, ou componente horizontal da direção, enquanto os mergulhos são plotados na escala radial de 0° na periferia a 90° no centro. Planos através do foco são representados em tais redes por grandes círculos com uma curvatura adequada aos seus mergulhos; por isso, um diâmetro representa um plano vertical.

Vamos supor que, para um terremoto em particular, o movimento de falha seja direcional ao longo de um plano de falha próximo à vertical. Esse plano e o plano auxiliar são plotados como um grande círculo ortogonal sobre a projeção da esfera focal, como mostrado na Fig. 2.7. A linha definida pela intersecção dos planos é quase vertical, e o sentido de movimento ao longo da falha é ortogonal a este cruzamento, ou seja, quase horizontal. As duas regiões sombreadas e as duas não sombreadas da projeção, definidas pelos planos nodais, agora correspondem às direções nas quais os primeiros movimentos compressional e dilatacional, respectivamente, deixaram a região focal. Uma solução de mecanismo focal é assim obtida, plotando todos os dados observados sobre a projeção da esfera focal e depois traçando um par de planos ortogonais que melhor divide a área da projeção em zonas de primeiros movimentos compressional e dilatacional. Quanto mais estações registrarem os terremotos, mais bem definidos serão os planos nodais.

2.1.7 Ambiguidade em soluções de mecanismo focal

Na Fig. 2.7, parece que a mesma distribuição de quadrantes compressional e dilatacional seria obtida se o plano nodal representasse o plano de falha real. Assim, o mesmo padrão de primeiro movimento seria obtido tanto para o movimento sinistral ao longo de um plano norte-sul como para o movimento dextral ao longo de um plano leste-oeste.

Na Fig. 2.8a, um terremoto ocorreu como resultado de uma falha ao longo de um plano de cavalgamento f_1 mergulhando para oeste. f_1 e seu plano auxiliar ap_1 associado dividem a região em torno do foco em quadrantes que representam compressão ou dilatação como resultado do movimento de falhas. São mostradas as direções nas quais os primeiros movimentos de compressão C_1 e C_2 e os primeiros movimentos dilatacional D_1 e D_2 deixam o foco, e C_2 e D_2 são plotados na projeção da esfera focal na Fig. 2.8b, em que os dois planos nodais também são mostrados. O fato da Fig. 2.8a ser uma secção vertical faz com que os primeiros movimentos indicados sejam plotados ao longo de um azimute leste-oeste. Registros em estações com outros azimutes ocupariam outras posições dentro do espaço de projeção. Considere agora a Fig. 2.8c, na qual o plano ap_1 se torna um plano de falha f_2, e f_1 o plano auxiliar ap_2. Considerando o movimento ao longo do plano de cavalgamento, é óbvio que as mesmas regiões ao redor da falha são comprimidas ou dilatadas, de modo que uma idêntica projeção de esfera focal é obtida. Resultados semelhantes são obtidos quando a falha é normal (Fig. 2.9). Em teoria, o plano de falha pode ser distinguido pela utilização da simples teoria de falha de Anderson (Seção 2.10.2), que prevê que as falhas normais têm mergulhos de mais de 45° e as de cavalgamento menores de 45°. Assim, f_1 é o plano de falha na Fig. 2.8, e f_2 o plano de falha na Fig. 2.9.

É evidente que os diferentes tipos de falhas podem ser identificados em uma solução de mecanismo focal pelo padrão distintivo de regiões de compressão e dilatação resultando na esfera focal. Na verdade, também é possível diferenciar terremotos que se originaram por uma combinação de tipos de falhas, como o normal acompanhado por algum movimento direcional. A precisão com que as direções dos planos nodais podem ser determinadas é dependente do número e da distribuição de estações que registram a chegada do evento. Não é possível, no entanto, distinguir a falha e os planos auxiliares.

Acreditava-se que a distinção entre os planos nodais podia ser feita com base no padrão de chegadas de ondas S. Ondas P irradiam em todos os quatro quadrantes da região de

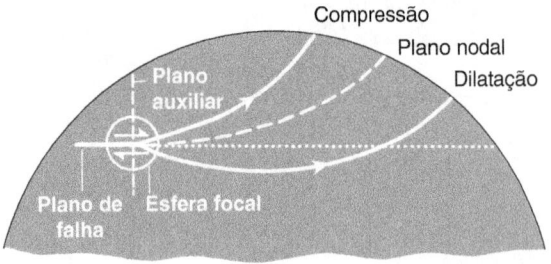

Figura 2.5 Distribuição das primeiras chegadas compressional e dilatacional de um terremoto na superfície de uma Terra esférica na qual a velocidade sísmica aumenta com a profundidade.

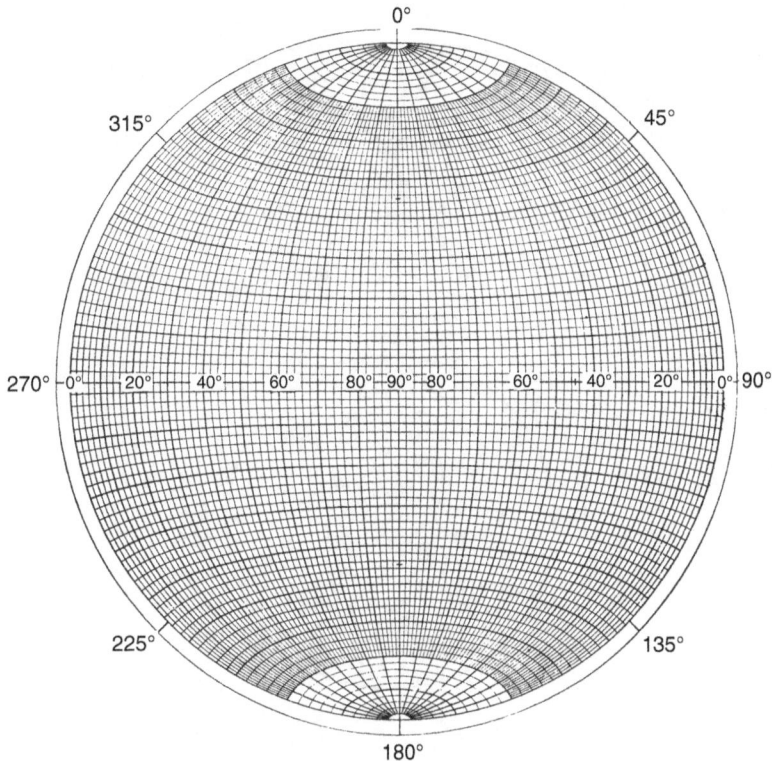

Figura 2.6 Rede equiárea de Lambert.

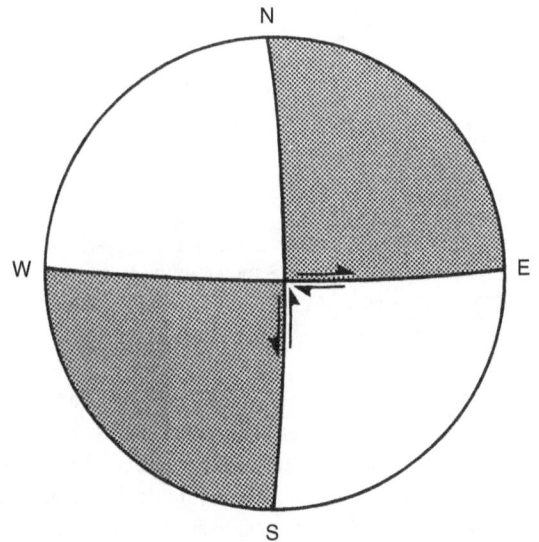

Figura 2.7 Ambiguidade na solução de mecanismo focal de uma falha transcorrente. As regiões dos primeiros movimentos de compressão estão sombreadas.

origem, como mostrado na Fig. 2.10a. No entanto, para este modelo simples, que é conhecido como fonte tipo I ou fonte de par simples, as ondas S, cujo movimento correspondente básico é cisalhante, devem ser restritas à região do plano auxiliar (Fig. 2.10b). O registro do padrão de radiação de ondas S deve, então, tornar possível a determinação do plano de falha real. Verificou-se, no entanto, que em vez desse padrão simples, a maioria dos terremotos produz radiação de ondas S ao longo da direção de ambos os planos nodais (Fig. 2.10c). Essa observação inicialmente pôs em dúvida a validade da teoria da recuperação elástica. Considera-se, agora, que o falhamento ocorre em um ângulo, normalmente pouco menor do que 45% do esforço máximo de compressão, σ_1, e que as bissetrizes dos quadrantes dilatacional e compressional, denominados P e T, respectivamente, se aproximam das direções de máximo e mínimo esforço principal de compressão, dando uma indicação do campo de esforços que deu origem ao terremoto (Fig. 2.10c) (Seção 2.10.2).

Este tipo II, ou mecanismo de fonte de duplo par, dá origem a um padrão de radiação de ondas S de quatro lóbulos (Fig. 2.10c), que não pode ser usado para resolver a ambiguidade de uma solução de mecanismo focal. Geralmente, a única evidência sobre a identidade do plano de falha vem de uma análise da geologia local na região do terremoto.

2.1.8 Tomografia sísmica

Tomografia é uma técnica pela qual imagens tridimensionais são obtidas a partir do processamento das propriedades integradas do meio quando os raios se cruzam ao longo de seus caminhos. A tomografia é mais conhecida em suas aplicações médicas, em que as imagens das secções planas específicas do corpo são obtidas utilizando-se raios X. A tomografia sísmica refere-se à derivação da estrutura de velo-

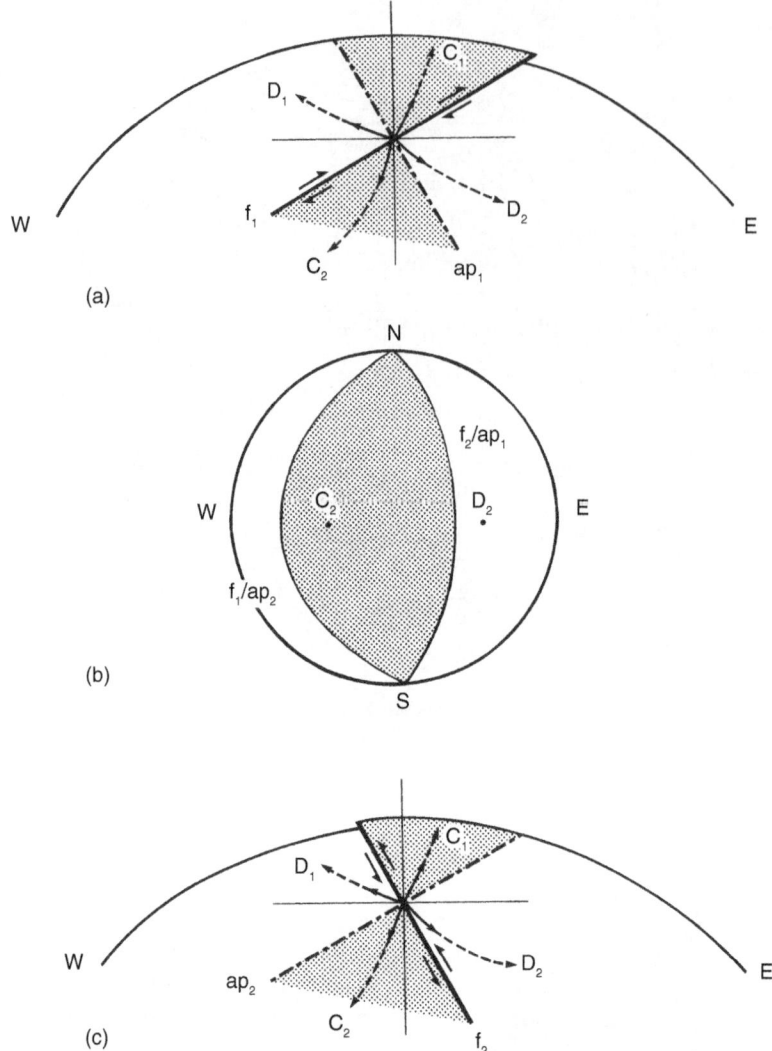

Figura 2.8 Ambiguidade na solução de mecanismo focal de uma falha de empurrão. As áreas sombreadas representam regiões dos primeiros movimentos de compressão (C), áreas sem sombra representam regiões dos primeiros movimentos de dilatação (D), f refere-se a um plano de falha, ap a um plano auxiliar. Mudar a natureza dos planos nodais como em (a) e (c) não altera o padrão de primeiro movimento mostrado em (b), a projeção do hemisfério inferior da esfera focal.

cidade tridimensional da Terra a partir de ondas sísmicas. É consideravelmente mais complexa do que a tomografia médica, já que as fontes naturais de ondas sísmicas (terremotos) são de localização incerta, os caminhos de propagação das ondas são desconhecidos e os receptores (sismógrafos) são de distribuição restrita. Essas dificuldades podem ser superadas, e desde o final dos anos 1970 a tomografia sísmica tem gerado novas e importantes informações sobre a estrutura da Terra. O método foi primeiramente descrito por Aki et al. (1977) e foi revisado por Dziewonski & Anderson (1984), Thurber & Aki (1987) e Romanowicz (2003).

A tomografia sísmica faz uso do registro preciso do tempo de deslocamento de ondas sísmicas de terremotos distribuídos geograficamente e registrados em um conjunto de estações sismográficas. Os variados caminhos de deslocamento de ondas sísmicas provenientes de terremotos até os receptores se cruzam várias vezes. Se houver alguma região da velocidade sísmica anormal no espaço atravessado pelos raios, os tempos de deslocamento das ondas que atravessam essa região são afetados. A interpretação simultânea de anomalias de tempo de deslocamento para os muitos caminhos que se cruzam permite que as regiões anômalas sejam delineadas, fornecendo um modelo tridimensional do espaço de velocidade.

As ondas de corpo e de superfície (Seção 2.1.3) podem ser usadas na análise da tomografia. Com ondas de corpo, o tempo de deslocamento real de fases P ou S é utilizado. O processamento com ondas de superfície é mais complexo, já que elas são dispersivas, isto é, sua velocidade depende de seu comprimento de onda. A profundidade de penetração

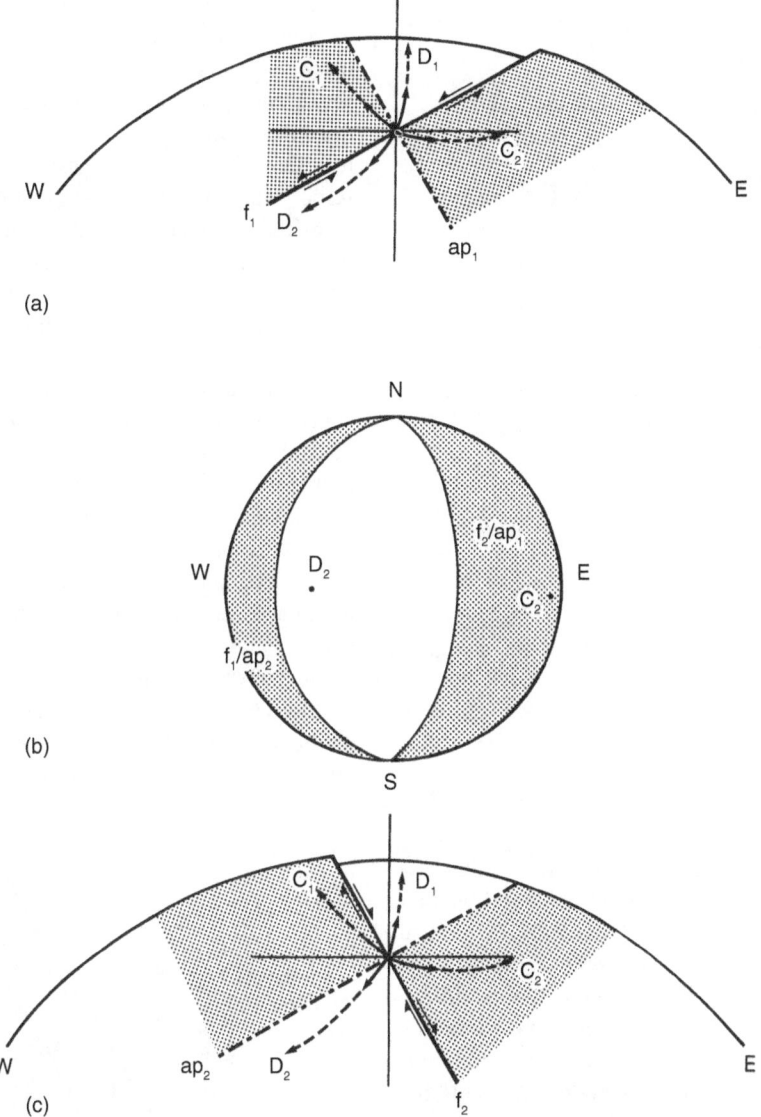

Figura 2.9 Ambiguidade na solução de mecanismo focal de uma falha normal. Legenda igual à da Fig. 2.8.

de ondas de superfície também depende do comprimento de onda; quanto mais longo, maior a profundidade atingida. Considerando que a velocidade sísmica geralmente aumenta com a profundidade, os comprimentos de onda maiores se deslocam mais rapidamente. Assim, quando as ondas de superfície são utilizadas, é necessário medir as velocidades de fase ou grupo de seus comprimentos de onda de diferentes componentes. Devido a sua baixa frequência, as ondas de superfície fornecem menos resolução do que as ondas de corpo. No entanto, elas mostram a Terra de uma forma diferente à medida que as ondas Rayleigh ou Love (Seção 2.1.3) possam ser usadas, considerações adicionais sobre a velocidade de cisalhamento e sua anisotropia são fornecidas.

O procedimento normal em uma tomografia sísmica é assumir um modelo inicial "unidimensional" do espaço de velocidade em que a velocidade é radialmente simétrica.

O tempo de deslocamento de uma onda de corpo do terremoto até o sismógrafo é então igual à soma dos tempos de viagem através dos elementos individuais do modelo. Qualquer variação lateral de velocidade dentro do modelo é, então, refletida em variações de tempos de chegada em relação ao tempo médio de chegada de eventos não perturbados. Da mesma forma, a dispersão das ondas de superfície através de um modelo heterogêneo difere da dispersão média através de um modelo simétrico radial. O método parte de uma hipótese simplista com base no Princípio de Fermat, que assume que os raios para um modelo de velocidade radial simétrica e lateralmente variáveis são idênticos se as heterogeneidades forem pequenas e que as diferenças de tempos de viagem são causadas exclusivamente por heterogeneidade na estrutura de velocidade do caminho de viagem. Isso elimina a necessidade de cálculo de novos ca-

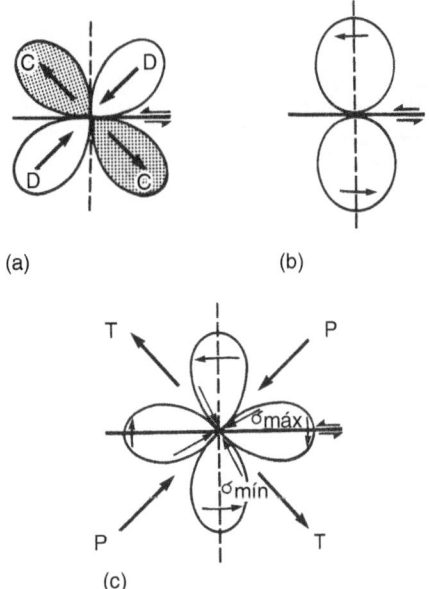

Figura 2.10 (a) Padrão de radiação de ondas P para um tipo I e tipo II de mecanismo de fonte de terremoto; (b) padrão de radiação de ondas S a partir de uma fonte do tipo I (par simples); (c) padrão de radiação de ondas S de uma fonte do tipo II (duplo par).

minhos de deslocamentos dados por refrações nas perturbações de velocidade.

Existem duas abordagens principais para a tomografia sísmica, dependendo de como a heterogeneidade da velocidade do modelo é representada. *Métodos locais* fazem uso de ondas de corpo e subdividem o espaço do modelo em uma série de elementos discretos para que tenha a forma de um conjunto tridimensional de blocos. Um conjunto de equações lineares é então derivado, ligando as anomalias nos tempos de chegada às variações de velocidade ao longo dos diferentes caminhos de deslocamento. A solução das equações pode ser obtida geralmente usando técnicas de inversão de matriz para obter a anomalia de velocidade em cada bloco. *Métodos globais* expressam as variações de velocidade do modelo em termos de uma combinação linear de funções contínuas básicas, como funções harmônicas esféricas.

Métodos locais podem fazer uso de ambos os eventos telessísmico ou local. No método telessísmico (Fig. 2.11), um grande conjunto de eventos sísmicos distantes é registrado em uma rede de sismógrafos em relação ao volume de interesse. Devido a seu longo caminho de deslocamento, as frentes de onda incidentes podem ser consideradas planares. Supõe-se que desvios dos tempos de chegada previstos sejam causados por variações de velocidade sob a rede. Na prática, os desvios do tempo de viagem médio são computados para compensar qualquer efeito estranho experimentado pelas ondas externas ao volume de interesse. A inversão da série de equações de tempo relativo de viagem através do volume fornece a velocidade relativa das perturbações em cada bloco do modelo. O método pode ser estendido pelo uso de uma distribuição mundial de eventos telessísmicos registrados para modelar todo o manto. No método local, as fontes sísmicas estão localizadas dentro do volume de interesse (Fig. 2.12). Neste caso, o local e o horário dos terremotos devem ser conhecidos com precisão, e o emprego de métodos de traçado de raios utilizados para a construção dos caminhos de viagens. O procedimento de inversão é, então, semelhante àquele para telessismos. Um dos usos da distribuição da velocidade tridimensional resultante é melhorar determinações da profundidade focal.

Métodos globais frequentemente fazem uso de ondas de superfície e de corpo com caminhos de viagens longas. Se a Terra fosse perfeitamente esférica, essas ondas de superfície seguiriam rotas de grandes círculos. No entanto, fazendo uso do Princípio de Fermat, presume-se que os caminhos de raio em uma Terra heterogênea sejam igualmente grandes círculos, com tempos de viagem anômalos resultantes da heterogeneidade. Na configuração de estação única, a superfície da dispersão da onda é medida para os raios que viajam diretamente do terremoto para o receptor. Informações a partir de eventos de tamanho moderado podem ser utilizadas, mas os parâmetros da fonte devem ser bem conhecidos. O método do grande círculo utiliza ondas de circuito múltiplas, ou seja,

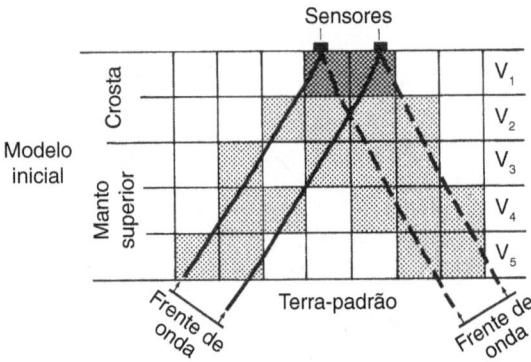

Figura 2.11 Geometria do método de inversão telessísmica. Anomalias de velocidade no interior dos compartimentos são derivadas de anomalias de tempo de chegada relativo de eventos telessísmicos (adaptado de Aki et al., 1977, com permissão da American Geophysical Union. Copyright © 1977 American Geophysical Union).

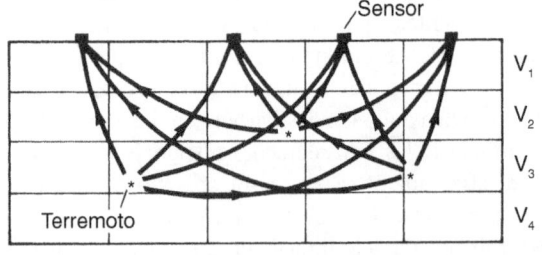

Figura 2.12 Geometria do método de inversão local.

ondas que viajaram diretamente da fonte para o receptor e, em seguida, circum-navegaram a Terra para serem registradas novamente (Fig. 2.13). Aqui a dispersão diferencial entre o primeiro e o segundo passo é medida, eliminando quaisquer efeitos indesejáveis da fonte. Este método é apropriado para a modelagem global, mas só pode usar eventos de grande magnitude que dão múltiplos circuitos observáveis.

2.2 ESTRUTURA DE VELOCIDADE DA TERRA

O conhecimento das camadas internas da Terra tem sido em grande parte obtido com o uso das técnicas da sismologia de terremotos. As camadas mais rasas têm sido estudadas com o uso de matrizes locais de registradores, enquanto as camadas mais profundas têm sido investigadas utilizando-

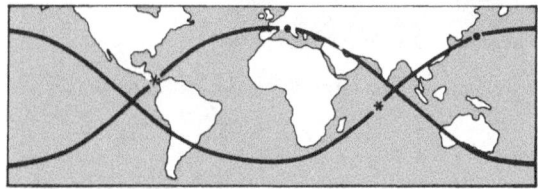

Figura 2.13 Caminhos de grande círculo de dois terremotos (estrelas) para estações de registro (pontos) (segundo Thurber & Aki, 1987).

-se redes globais para detectar sinais sísmicos que percorrem o interior da Terra.

A crosta continental foi definida por Andrija Mohorovičić a partir de estudos das ondas sísmicas geradas pelo terremoto da Croácia de 1909 (Fig. 2.14). Dentro de uma faixa de cerca de 200 km do epicentro, as ondas P foram as primeiras ondas sísmicas a chegar por que viajaram diretamente a partir do foco para os registradores a uma velocidade de 5,6 km s^{-1}. Esta fase sísmica foi chamada de P$_g$. No entanto, em intervalos maiores, as ondas P, com a velocidade muito maior, de 7,9 km s^{-1}, tornam-se as primeiras a chegar, denominadas fase P$_n$. Esses dados foram interpretados pelas normas técnicas da sismologia de refração, com P$_n$ representando ondas sísmicas que tinham sido criticamente refratadas em uma descontinuidade de velocidade a uma profundidade de cerca de 54 km. Essa descontinuidade foi posteriormente chamada de descontinuidade de Mohorovičić, ou Moho, e marca o limite entre a crosta e o manto. Trabalhos posteriores têm demonstrado que Moho é universalmente presente sob os continentes e marca um aumento abrupto na velocidade sísmica para cerca de 8 km s^{-1}. Sua geometria e caráter reflexivo são muito diversos e podem incluir um ou mais refletores sub-horizontais ou de mergulho (Cook, 2002). A crosta continental tem, em média, cerca de 40 km de espessura,

mas afina a menos de 20 km abaixo de alguns riftes tectonicamente ativos (ver Seções 7.3, 7.8.1), chegando a até 80 km por baixo de cinturões orogênicos jovens (ver Seções 10.2.4, 10.4.5) (Christensen & Mooney, 1995; Mooney et al., 1998).

A descontinuidade no interior da crosta continental foi descoberta por Conrad em 1925, usando métodos semelhantes. Além das fases P$_g$ e P$_n$, ele notou a presença de uma fase adicional P* (Fig. 2.15), que interpretou como a chegada criticamente refratada de uma interface, em que a velocidade aumentou de cerca de 5,6 a 6,3 km s^{-1}. Essa interface foi posteriormente denominada descontinuidade de Conrad. O modelo de Conrad foi prontamente aceito pelos primeiros petrologistas, que acreditavam que duas camadas estariam necessariamente presentes na crosta continental. A camada superior, rica em silício e alumínio, foi chamada de SIAL e colocada como fonte de magmas graníticos, enquanto a parte inferior, com uma camada rica em silício-magnésio, foi denominada SIMA, acreditando-se ser a fonte de magmas basálticos. Hoje sabe-se, porém, que a crosta superior tem uma composição mais máfica que o granito (Seção 2.4.1) e que a maioria dos magmas basálticos se originam no manto. Consequentemente, a necessidade petrológica de uma crosta de duas camadas não existe mais e, quando aplicável, é preferível usar os termos crosta superior e inferior. Ao contrário de Moho, a descontinuidade de Conrad não está sempre presente no interior da crosta continental, embora a velocidade sísmica geralmente aumente com a profundidade.

Em algumas regiões, a estrutura de velocidade da crosta continental sugere uma divisão natural em três camadas. A faixa de velocidade da camada crustal média fica entre 6,4-6,7 km s^{-1}. A velocidade típica da crosta inferior, onde uma crosta média está presente, é 6,8-7,7 km s^{-1} (Mooney et al., 1998). Exemplos de estrutura de velocidade de crosta continental em um rifte tectonicamente ativo, uma margem rifteada e um cinturão orogênico jovem são mostrados nas Figs. 7.5, 7.32a e 10.7, respectivamente.

A crosta oceânica tem sido estudada principalmente pela sismologia de explosão. Moho está sempre presente, e a espessura de grande parte da crosta oceânica é marcadamente constante em cerca de 7 km, independente da profundidade de água acima dela. As camadas internas da crosta oceânica e sua constância em áreas muito amplas serão discutidas mais adiante (Seção 2.4.4).

Ao estudar as camadas mais profundas da Terra, são usadas ondas sísmicas com caminhos de deslocamentos mais longos. A estrutura de velocidade tem sido construída através do registro dos tempos de viagem de ondas de corpo em toda a gama de possíveis ângulos epicentrais. Ao assumir que a Terra é radialmente simétrica, é possível inverter o tempo de viagem de dados para fornecer um modelo da estrutura de velocidade. A determinação moderna da curva velocidade-profundidade (Kennett et al., 1995) para ambas as ondas P e S é mostrada na Fig. 2.16.

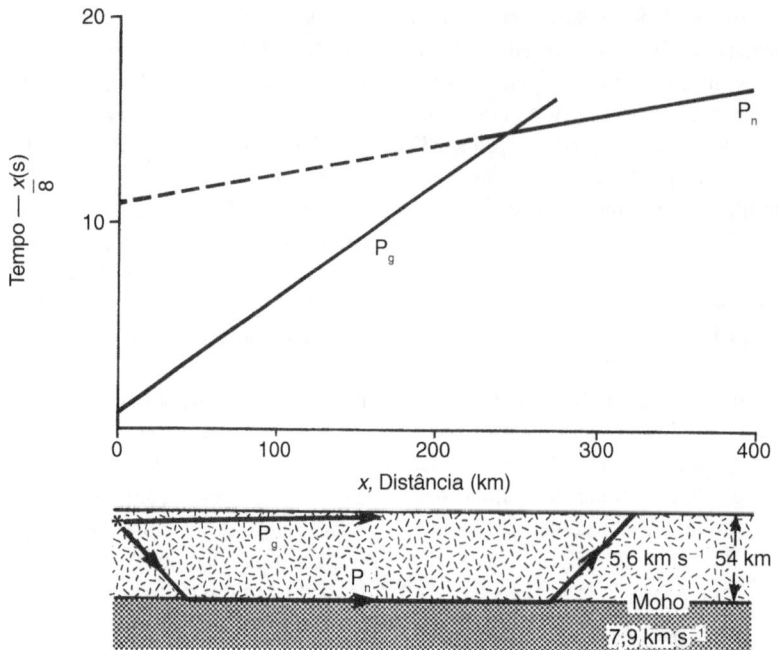

Figura 2.14 Relação tempo-distância reduzida para as ondas diretas (P_g) e ondas criticamente refratadas na Moho (P_n) a partir de uma fonte de terremoto.

Velocidades aumentam abruptamente na Moho, tanto em ambientes continentais como oceânicos. Uma zona de baixa velocidade (LVZ) está presente entre aproximadamente 100 e 300 km de profundidade, embora a profundidade para o limite superior seja muito variável (Seção 2.12). A LVZ parece estar universalmente presente para as ondas S, mas pode estar ausente em determinadas regiões para as ondas P, especialmente sob áreas de escudos antigos. Entre 410 e 660 km, a velocidade aumenta rapidamente de uma forma gradual dentro da zona de transição do manto que separa o manto superior do manto inferior. Cada incremento de velocidade, provavelmente, corresponde a uma mudança de fase mineral para uma forma mais densa em profundidade (Seção 2.8.5). As velocidades P e S aumentam progressivamente na parte inferior do manto.

A descontinuidade de Gutenberg marca a fronteira manto-núcleo a uma profundidade de 2.891 km, em que

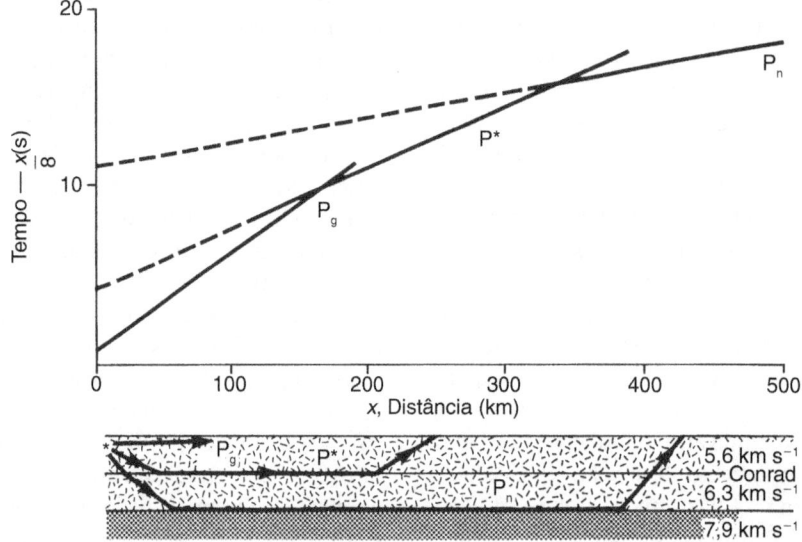

Figura 2.15 Relação tempo-distância reduzida para as ondas diretas (P_g), ondas criticamente refratadas na descontinuidade de Conrad (P^*) e ondas criticamente refratadas na Moho (P_n) de uma fonte de terremoto.

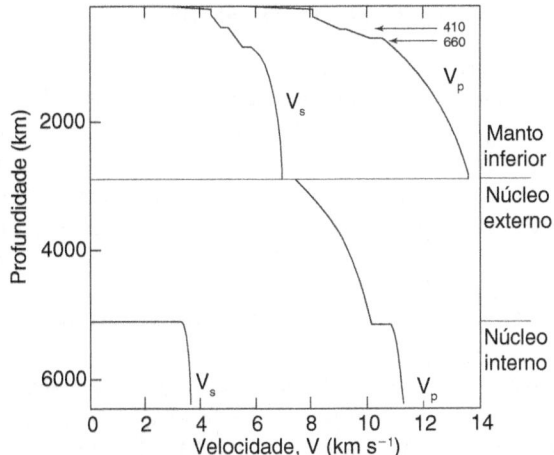

Figura 2.16 Velocidade das ondas sísmicas em função da profundidade na Terra mostrando as principais descontinuidades. O modelo da Terra AK 135 definido por Kennett et al., 1995 (segundo Helffrich & Wood, 2001, com permissão da *Nature* **412**,501-7. Copyright © 2001 Macmillan Publishers Ltd.).

a velocidade das ondas P diminui abruptamente. Ondas S não são transmitidas através do núcleo externo, o qual, por conseguinte, se acredita estar em um estado fluido. Pensa-se que o campo geomagnético (Seção 3.6.4) é originado pela circulação de um bom condutor elétrico nesta região. A uma profundidade de 5.150 km, a velocidade aumenta abruptamente, e as ondas P e S são mais uma vez transmitidas. Acredita-se, portanto, que este núcleo seja sólido como uma consequência da enorme pressão de confinamento. Parece não haver zona de transição entre o núcleo interno e o externo, como acreditado originalmente.

2.3 A COMPOSIÇÃO DA TERRA

Acredita-se que todos os corpos do sistema solar tenham sido formados por condensação e acúmulo do material primitivo interestelar que compunha a nebulosa solar. A composição do Sol é a mesma que a composição média desse material. Uma energia gravitacional foi lançada durante a acreção e, junto com o decaimento radioativo de nuclídeos radioativos de curta duração, eventualmente levou ao aquecimento da proto-Terra, de modo que se diferenciou em um corpo radialmente simétrico composto de uma série de conchas cuja densidade aumenta em relação ao seu centro. A diferenciação impede que qualquer estimativa sobre a composição global da Terra seja feita por amostragem direta. No entanto, acredita-se que os meteoritos sejam os representantes de material dentro da nebulosa solar e que as estimativas da composição da Terra possam ser feitas a partir deles. A presença de fases metálica e silicática em meteoritos é usada para indicar que a Terra é constituída por um núcleo de ferro/níquel cercado por um manto de silicatos de baixa densidade e crosta.

Dados sísmicos, combinados com o conhecimento da massa e o momento de inércia da Terra, revelaram que o peso atômico médio da Terra é cerca de 27, com uma contribuição de 22,4 a partir do manto e da crosta e 47,0 a partir do núcleo. Nenhum tipo de meteorito possui um peso atômico de 27, tendo os vários tipos de condrito valores um pouco menores e os meteoritos de ferro consideravelmente maiores. No entanto, é possível misturar as proporções de diferentes composições de meteoritos de forma a dar o peso atômico correto e a razão núcleo/manto. Três modelos são apresentados na Tabela 2.1.

É evidente que pelo menos 90% da Terra seja composta de ferro, silício, magnésio e oxigênio, com a maior parte do restante composta por cálcio, alumínio, níquel, sódio e possivelmente enxofre.

2.4 A CROSTA

2.4.1 A crosta continental

Apenas a parte superior da crosta está disponível para amostragem direta na superfície ou através de poços. Em profundidades maiores no interior da crosta, praticamente todas as informações sobre sua composição e estrutura são indiretas. Estudos geológicos de rochas metamórficas de alto grau formadas em profundidades de 20-50 km e que foram trazidas à superfície pela atividade tectônica posterior forneceram algumas informações úteis (Miller & Paterson, 2001a;. Clarke et al., 2005). Fragmentos de rochas

Tabela 2.1 Estimativas da composição total da Terra e da Lua (em percentagem do peso) (segundo Condie, 1982a)

	Terra			Lua
	1	2	3	4
Fe	34,6	29,3	29,9	9,3
O	29,5	30,7	30,9	42,0
Si	15,2	14,7	17,4	19,6
Mg	12,7	15,8	15,9	18,7
Ca	1,1	1,5	1,9	4,3
Al	1,1	1,3	1,4	4,2
Ni	2,4	1,7	1,7	0,6
Na	0,6	0,3	0,9	0,07
S	1,9	4,7	–	0,3

1: 32,4% de meteorito de ferro (com 5,3% de FeS) e 67,6% de óxido de condritos de bronzita.
2: 40% de condrito carbonático tipo I, 50% de condrito comum e 10% de meteorito de ferro (contendo 15% de enxofre).
3: Fração não volátil de condritos carbonáticos tipo I com FeO/FeO + MgO de 0,12 e SiO_2 suficiente reduzida para Si para produzir uma razão metal/silicato de 32/68.
4: Baseado em Ca, Al, Ti = 5 × condritos carbonáticos de tipo I, FeO = 12% para acomodar a densidade lunar, e razão de condritos = Si/Mg.

exóticas, ou *xenólitos*, que são trazidas de grandes profundidades para a superfície da Terra através da rápida ascensão de magmas (Rudnick, 1992) também fornecem amostras de material crustal profundo. Além disso, muita informação sobre a crosta foi derivada a partir do conhecimento da variação de velocidades sísmicas com a profundidade e da forma como estas estão relacionadas às determinações experimentais de velocidades medidas em faixas de temperatura e pressão compatíveis com as condições da crosta terrestre. A pressão aumenta com a profundidade a uma taxa de cerca de 30 MPa km^{-1}, principalmente devido à pressão litostática confinada das rochas sobrejacentes, mas, também, em algumas regiões, com uma contribuição de forças tectônicas. A temperatura aumenta a uma taxa média de cerca de 25°C km^{-1}, mas diminui para cerca da metade desse valor na Moho por causa da presença de fontes de calor radioativo no interior da crosta (Seção 2.13). As observações combinadas de estudos geológicos e geofísicos mostram que a crosta continental é verticalmente estratificada em termos de sua composição química (Rudnick & Gao, 2003).

A variação de velocidades sísmicas com a profundidade (Seção 2.2) resulta de uma série de fatores. O aumento da pressão com a profundidade provoca um rápido aumento da incompressibilidade, densidade e rigidez ao longo dos 5 km superiores quando poros e fraturas estão fechados. O aumento desses parâmetros com a pressão é equilibrado pela diminuição resultante da expansão térmica com o aumento da temperatura, de modo que há poucas mudanças na velocidade com a profundidade. Velocidades mudam com a composição química e também com as mudanças na mineralogia resultantes de mudanças de fase. Descontinuidades bruscas de velocidade são geralmente causadas por mudanças na composição química, enquanto limites gradacionais de velocidade são normalmente associados a mudanças de fase que ocorrem em um intervalo vertical discreto.

Modelos sobre a composição química média da maior parte da crosta continental variam muito devido à dificuldade de fazer tais estimativas. McLennan & Taylor (1996) apontaram que o fluxo de calor da crosta continental (Seção 2.13) tem relação com a abundância do calor produzido pelos elementos, K, Th e U, e com o conteúdo de sílica da crosta. Com base nisso, eles argumentam que, em média, a crosta continental tem uma composição andesítica ou granodiorítica com K_2O menor do que 1,5% por peso. Isso é menos silícico que as estimativas anteriores. A abundância do calor produzindo elementos, e outros elementos "incompatíveis", na crosta continental é de grande importância, porque o grau em que eles são enriquecidos na crosta reflete até que ponto estão esgotados no manto.

2.4.2 A crosta continental superior

Teorias anteriores sobre a estrutura da crosta sugerem que a crosta continental superior seja composta de rochas de composição granítica. Essas afirmações não são devido apenas à ocorrência generalizada de grandes anomalias gravimétricas negativas sobre plútons de granitos. Essas anomalias demonstram que a densidade dos plútons (cerca de 2,67 Mg m^{-3}) é cerca de 0,10-0,15 Mg m^{-3} menor do que o valor médio da crosta superior. A composição média da crosta superior pode ser estimada, embora com alguma incerteza, pela determinação da composição média de um grande número de amostras coletadas em todo o mundo e por análises das rochas sedimentares que retrabalharam a crosta pelo processo de erosão (Taylor & Scott, 1985; Gao et al., 1998). Essa composição corresponde a um tipo de rocha entre granodiorito e diorito e é caracterizada por uma concentração relativamente elevada dos elementos que produzem calor.

2.4.3 A crosta continental média e inferior

Em uma crosta continental com espessura média de 40 km (Christensen & Mooney, 1995; Mooney et al., 1998), a crosta média tem cerca de 11 km de espessura e varia em profundidade de 12 km, no topo, a 23 km na base (Rudnick & Fountain, 1995; Gao et al., 1998). A crosta inferior média começa, portanto, a 23 km de profundidade e tem 17 km de espessura. No entanto, a profundidade e a espessura de ambas, crosta média e inferior, variam consideravelmente conforme a configuração. Em riftes tectonicamernte ativos e margens rifteadas, a crosta média e inferior são geralmente finas. A crosta inferior, nessas configurações, pode variar de poucos a mais de 10 km de espessura (Figs. 7.5, 7.32a). Em faixas orogênicas mesocenozoicas, onde a crosta é mais espessa, a crosta inferior pode chegar a 25 km (Rudnick & Fountain, 1995).

A faixa de velocidade da crosta inferior (6,8-7,7 km s^{-1}, Seção 2.2) não pode ser explicada por um simples aumento da velocidade sísmica com a profundidade. Consequentemente, teremos composição química mais máfica, ou fases de alta pressão, mais densas. Informações derivadas de estudos geológicos suportam essa conclusão, indicando que a crosta continental se torna mais densa e mais máfica com a profundidade. Resultados desses estudos mostram, ainda, que a concentração de elementos produtores de calor diminui rapidamente da superfície para baixo. Essa diminuição se deve, em parte, a um aumento no grau de metamorfismo, mas também ao aumento da proporção de litologias máficas.

Em áreas de crosta continental fina, como em riftes e em margens passivas, a crosta média e inferior podem ser compostas por rochas metamórficas de grau baixo a moderado. Em regiões da crosta muito espessas, como em cinturões orogênicos, a crosta média e inferior são tipicamente compostas por assembleias minerais de alto grau metamórfico. A crosta média em geral pode conter composições mais evoluídas e menos máficas em comparação à crosta inferior. Rochas metassedimentares podem estar presentes em ambas as camadas. Se a crosta inferior está seca, a sua composição pode corresponder a uma forma de alta pressão; o granulito, com composição que varia de granodiorito a diorito (Christensen & Fountain, 1975; Smithson & Brown, 1977), contendo plagioclásio e piroxênio. Nas raízes de orógenos superespessados, parte da crosta inferior pode registrar a transição para a fácies eclogito, onde o plagioclásio é instável e rochas máficas transformam-se em assembleias minerais muito densas, compostas de granada e piroxênios (Seção 9.9). Se a crosta inferior estiver hidratada, rochas basálticas podem ocorrer na forma de anfibolito. Se for misturado com material mais rico em silício, esta teria uma velocidade sísmica na faixa correta. Estudos de secções expostas da crosta inferior antiga sugerem que ambos os tipos de rochas, seca e hidratada, normalmente estão presentes (Oliver, 1982; Baldwin et al., 2003).

Outro indicador da composição da crosta inferior é o parâmetro de deformação elástica, o coeficiente de Poisson, que pode ser expresso em termos da razão das velocidades das ondas P e S para um meio específico. Esse parâmetro varia sistematicamente com a composição da rocha, entre aproximadamente 0,20 e 0,35. Valores mais baixos são característicos de rochas com alto teor de sílica, e mais altos, em rochas máficas com relativamente baixo teor de sílica. Por exemplo, abaixo do principal Rifte da Etiópia na África Oriental (Fig. 7.2), razões de Poisson variam de 0,27 a 0,35 (Dugda et al., 2005). E a crosta localizada fora do rifte caracterizada pela variação de 0,23 a 0,28. As razões mais elevadas sob o rifte são atribuídas à intrusão e ampla modificação da crosta inferior por magmas máficos (Fig. 7.5).

Sem dúvida, a crosta inferior tem a composição mais complexa conforme sugerido por estes modelos geofísicos simplistas. Estudos de xenólitos da crosta profunda e magmas crustais contaminados indicam que há significantes variações regionais em sua composição, idade e história térmica. Investigações com reflexão sísmica profunda (Jackson, H.R., 2002; van der Velden et al., 2004) e estudos geológicos (Karlstrom & Williams, 1998; Miller & Paterson, 2001a; Klepeis et al., 2004) demonstraram que essa complexa composição é acompanhada por uma estrutura muito heterogênea. Essa heterogeneidade reflete uma ampla gama de processos que criam e modificam a crosta inferior. Esses processos incluem a colocação e a cristalização do magma derivado do manto, a geração e a extração de fundido crustal, metamorfismo, erosão, subsidências tectônicas e muitos outros tipos de retrabalhamento tectônico (Seções 9.8, 9.9).

2.4.4 A crosta oceânica

A crosta oceânica (Francheteau, 1983) está em equilíbrio isostático com a crosta continental, de acordo com o mecanismo de Airy (Seção 2.11.2), e é, consequentemente, muito mais fina. Estudos de refração sísmica têm confirmado isso e mostrado que a crosta oceânica tem normalmente 6-7 km de espessura sob uma lâmina de água média de 4,5 km. Uma crosta oceânica espessa ocorre onde a taxa de suprimento de magma está anormalmente elevada devido a temperaturas mais altas que o normal no manto superior. Por outro lado, crostas mais finas do que o normal formam-se onde as temperaturas do manto superior são mais baixas do que o comum, normalmente por causa de uma taxa muito baixa de formação (Seção 6.10).

Antigas pesquisas com refração produziram dados de tempo-distância de precisão relativamente baixa, indicando três camadas principais, pela simples inversão com o uso de modelos de camadas planas. As velocidades e as espessuras dessas camadas são apresentadas na Tabela 2.2. Estudos de refração mais recentes, empregando equipamentos muito mais sofisticados e procedimentos de interpretação específicos (Kennett, B.L.N; 1977), mostraram que a subdivisão das camadas principais é possível (Harrison & Bonatti, 1981) e que, em vez de uma estrutura em que as velocidades aumentam para baixo em saltos discretos, parece haver um aumento progressivo da velocidade com a profundidade (Kennett & Orcutt, 1976; Spudich & Orcutt, 1980). A Fig. 2.17 compara a estrutura de velocidade da crosta oceânica conforme determinado pelas investigações iniciais e pelas mais recentes.

2.4.5 A camada oceânica 1

A camada 1 tem sido extensivamente amostrada por perfuração e amostragem. Materiais de superfície do fundo do mar compõem-se de depósitos inconsolidados, incluindo

Tabela 2.2 Estrutura crustal oceânica (segundo Bott, 1982)

	Velocidade P (km s^{-1})	Espessura média (km)
Água	1,5	4,5
Estrato 1	1,6–2,5	0,4
Estrato 2	3,4–6,2	1,4
Estrato 3	6,4–7,0	5,0
Moho		
Manto superior	7,4–8,6	

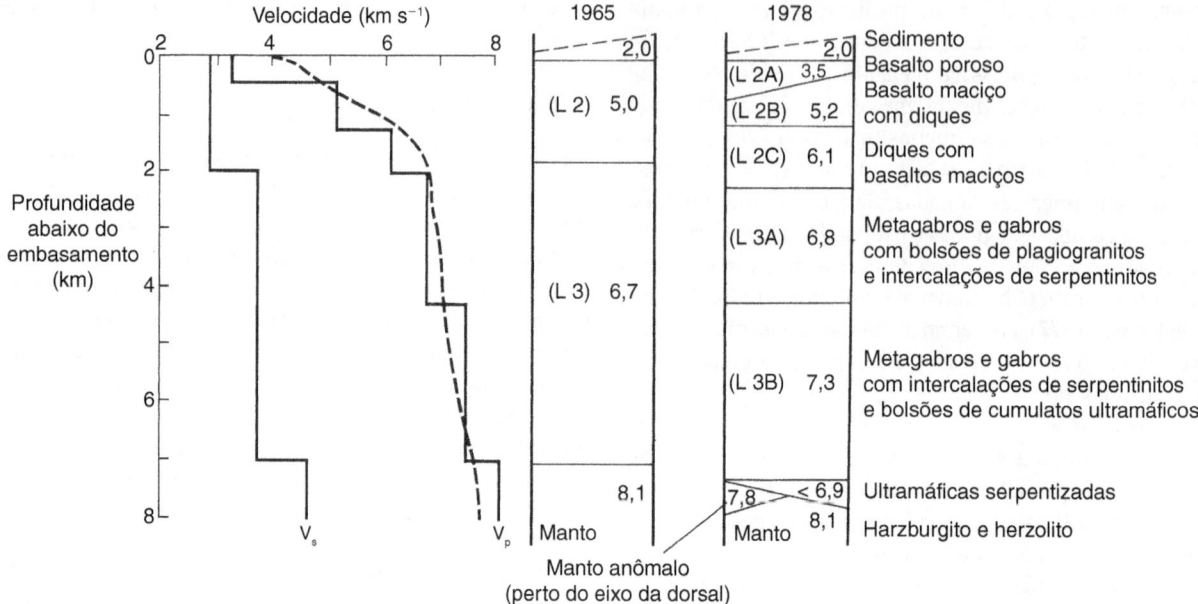

Figura 2.17 Estrutura de velocidade das ondas P e S da crosta oceânica e sua interpretação em termos de modelos estratificados propostos em 1965 e 1978. Os números referem-se a velocidades em km s^{-1}. A curva tracejada refere-se ao aumento gradativo da velocidade com a profundidade deduzida a partir de técnicas mais sofisticadas de inversão (segundo Spudich & Orcutt, 1980, e Harrison & Bonatti, 1981).

sedimentos terrígenos nos oceanos profundos, transportados através de correntes de turbidez, e os depósitos pelágicos, como argilas ricas em zeólitas marrons, oozes de calcário e silício e nódulos de manganês. Esses sedimentos do mar profundo são frequentemente redistribuídos por correntes de fundo e de contorno, em grande parte controladas por anomalias térmicas e halinas dentro dos oceanos. As águas densas, frias e salinas provenientes dos polos afundam, migrando através de fluxos profundos para as regiões equatoriais e sendo defletidas pela força de Coriolis. As correntes resultantes dão origem a depósitos sedimentares denominados *contouritas* (Stow & Lovell, 1979).

A camada 1 tem, em média, 0,4 km de espessura. Ela espessa progressivamente a partir das cristas oceânicas, onde é fina ou ausente. Há, no entanto, uma diferença sistemática na espessura dos sedimentos dos oceanos Pacífico e Atlântico/Índico. O primeiro é margeado por trincheiras, preenchidas e trapeadas com sedimentos de origem continental, e os últimos não são, permitindo maior entrada terrestre. A interface entre a camada 1 e a camada 2 é consideravelmente mais robusta do que a do fundo do mar, devido à natureza vulcânica e falhada da camada 2. Na camada 1, existe um grande número de horizontes que aparecem como destacados refletores em registros de sísmica de reflexão. Edgar (1974) descreveu a estratigrafia acústica no Atlântico Norte, tendo encontrado até quatro refletores sobre o embasamento (Fig. 2.18). O horizonte A corresponde a um chert Eoceno. Sondagens em alto-mar indicam a manutenção do caráter reflexivo, mesmo quando pouco ou nenhum chert está presente. Nesses locais, isso pode corresponder a um hiato na base do Cenozoico sob o chert. O horizonte A* ocorre abaixo do A e representa a interface entre argilas ricas em metálicos do Cretáceo/Paleogeno e argilas subjacentes de euxinicas pretas. O horizonte B representa a base das argilas negras, onde elas se sobrepõem a um calcário Jurássico Superior/Cretáceo Inferior. O horizonte B pode representar um horizonte sedimentar, que também pode ter sido identificado como semelhante ao basalto do topo da camada 2.

Refletores semelhantes a A e B foram identificados no Pacífico e no Caribe, onde são chamados de A', B' e A'', B'', respectivamente.

2.4.6 A camada oceânica 2

A camada 2 é variável em sua espessura, na faixa de 1,0-2,5 km. Sua velocidade sísmica é igualmente variável na faixa de 3,4-6,2 km s^{-1}. Esse intervalo pode ser atribuído a sedimentos consolidados ou a material ígneo extrusivo. Amostragem direta e dragagem de cristas de dorsal oceânica, livre de sedimento, e a necessidade de uma litologia altamente magnética neste nível (Seção 4.2) comprovam uma origem ígnea. Os basaltos amostrados são olivina toleítos contendo plagioclásio cálcico e pobres em sódio, potássio e elementos incompatíveis (Sun et al., 1979). Eles exibem pouca variação espacial na composição dos elementos principais, com exceção de localidades próximas a ilhas oceânicas (Seção 5.4).

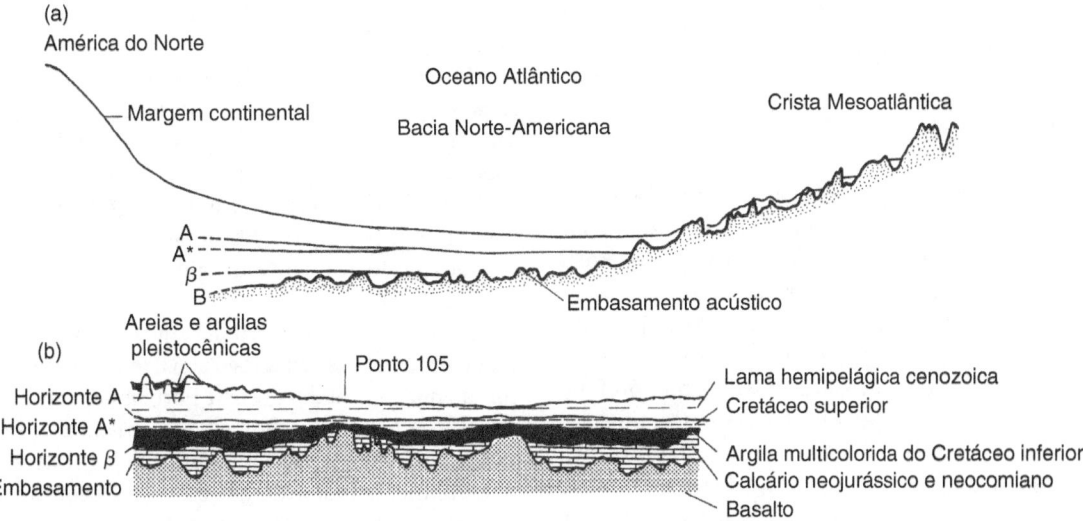

Figura 2.18 (a) Refletores sísmicos principais no Oceano Atlântico ocidental. (B) Litologias correspondentes determinadas por perfuração em águas profundas (segundo Edgar, 1974, Fig. 1. Copyright © 1974, com permissão da Springer Science and Business Media).

Três subdivisões da camada 2 foram reconhecidas. A subcamada 2A só está presente em cristas do oceano perto de centros eruptivos em áreas afetadas por hidrotermalismo de água do mar e varia de espessura de zero a 1 km. Sua natureza, porosa, de natureza pedregosa, como indicado por uma velocidade da onda P de 3,6 km s^{-1}, permite circulação desse tipo. As velocidades muito baixas (2,1 km s^{-1}) do topo da camada 2 mais jovem localizada na Dorsal Mesoatlântica (Purdy, 1987) provavelmente indicam uma porosidade de 30-50%, e as velocidades muito maiores de camadas 2 mais velhas indicam que a porosidade deve ter sido reduzida de forma bastante rápida depois de sua formação. A subcamada 2B forma o embasamento acústico normal da camada 1 quando a subcamada 2A não é desenvolvida. Sua maior velocidade de 4,8-5,5 km s^{-1} sugere uma menor porosidade. Com o tempo, a camada 2A pode ser convertida para 2B pelo preenchimento de poros por minerais secundários, como calcita, quartzo e zeólitas. A subcamada 2C tem cerca de 1 km de espessura, e sua faixa de velocidade de 5,8-6,2 km s^{-1} pode indicar uma alta proporção de rochas máficas intrusivas. Essa camada grada para baixo da camada 3.

A sondagem DSDP / ODP 504B perfurou 1.800 m do topo do embasamento ígneo em uma crosta de 6 Ma no Rifte Costa Rica, no centro leste do Pacífico, encontrando lavas almofadadas e diques. Pode-se afirmar que, para essa região, o limite sísmico da camada 2/3 está dentro de um complexo de diques e é associado com mudanças graduais na porosidade e na alteração (Detrick et al., 1994).

2.4.7 A camada oceânica 3

A camada 3 é o principal componente da crosta oceânica e representa a sua base plutônica (Fox & Stroup, 1981). Alguns pesquisadores a subdividiram em subcamada 3A, com uma faixa de velocidade de 6,5-6,8 km s^{-1}, e uma subcamada inferior 3B, com maior velocidade (7,0-7,7 km s^{-1}) (Christensen & Salisbury, 1972), embora a maioria dos dados sísmicos possa ser explicada em termos de uma camada com um gradiente de velocidade ligeiramente positivo (Spudich & Orcutt, 1980).

Hess (1962) sugeriu que a camada 3 foi formada a partir de material do manto superior, cuja olivina tinha reagido com água em diferentes graus para produzir peridotito serpentinizado, e, de fato, 20-60% de serpentinização pode explicar o intervalo observado de velocidade das ondas P. No entanto, para a crosta oceânica de espessura normal (6-7 km), esta afirmação não é válida, pois o valor do coeficiente de Poisson para a camada 3A, que pode ser estimado diretamente a partir do conhecimento das velocidades de ondas P e S, é muito inferior ao esperado para peridotito serpentinizado. De fato, o coeficiente de Poisson para a camada 3A está mais de acordo com uma composição gabroica, que também fornece velocidades sísmicas dentro do intervalo observado. É possível, no entanto, que toda ou pelo menos parte da camada 3B, onde reconhecida, consista de material ultramáfico serpentinizado.

O conceito de uma camada 3 predominantemente gabroica está de acordo com os modelos sugeridos para a origem da litosfera oceânica (Seção 6.10). Esta proposta de que a camada 3 se forma pela cristalização de uma câmara magmática ou de câmaras magmáticas, com uma camada superior, possivelmente corresponde à subcamada 3A, de gabro isotrópico, e uma camada inferior, possivelmente correspondente à 3B, consistindo de cumulatos de gabro e rochas ultramáficas formadas por cristalsettling. Este acamamento foi confirmado com observação direta e amostragem por submersível sobre a Zona de Fratura Vema, no Atlântico Norte (Auzende et al., 1989).

2.5 OFIÓLITOS

O estudo da litosfera oceânica tem sido apoiado por investigações de sequências de rochas semelhantes em continente conhecidas como ofiólitos (literalmente, "rocha serpente", referindo-se à semelhança com a cor e a textura da pele de cobra; ver Nicolas, 1989, para um tratamento completo do tema). Ofiólitos geralmente ocorrem em orógenos colisionais (Seção 10.4), e sua associação com sedimentos profundos, basaltos, gabros e rochas ultramáficas sugere que se originaram como litosfera oceânica, sendo posteriormente cavalgados sobre um ambiente continental por um processo conhecido como *obdução* (Dewey, 1976; Ben-Avraham et al.; 1982, Seção 10.6.3). A sequência ofiolítica completa (Gass, 1980) é mostrada na Tabela 2.3. A analogia do ofiólito com a litosfera oceânica é suportada pela semelhança geral da química (embora haja uma diferença considerável no detalhe), graus metamórficos correspondente aos gradientes de temperatura existentes abaixo de centros de expansão, a presença de minérios e a observação de que os sedimentos se formaram em águas profundas (Moores, 1982). Salisbury & Christensen (1978) compararam a estrutura de velocidade da litosfera oceânica com velocidades sísmicas medidas em amostras do complexo ofiolítico de Bay of Islands, em Newfoundland, e concluíram que a velocidade de determinadas camadas são idênticas. A Fig. 2.19 mostra a correlação entre a litosfera oceânica e três corpos de ofiólito bem estudados.

Em um dado momento, parecia que as investigações da petrologia e da estrutura da litosfera oceânica poderiam ser convenientemente realizadas pelo estudo das sequências de ofiólitos em terra. No entanto, essa analogia simplista tem sido contestada, e tem-se sugerido que ofiólitos não representam típicas litosferas oceânicas e não foram alojados exclusivamente durante a colisão continental (Mason, 1985).

A datação de eventos indica que a obdução de ofiólitos ocorreu muitas vezes logo após a sua criação. A colisão continental, no entanto, ocorre normalmente muito depois da formação de uma cordilheira mesoceânica, de modo que a idade do fundo do mar que sofreu obdução deve ser consideravelmente maior do que a orogenia colisional. Ofiólitos consequentemente representam litosfera que sofreu obdução enquanto jovem e quente. Evidências geoquímicas (Pearce, 1980; Elthon, 1991) têm sugerido que os sítios originais de ofiólitos foram bacias retroarco (Seção 9.10; Cawood & Suhr, 1992), bacias oceânicas do tipo do Mar Vermelho ou regiões antearco de zonas de subducção (Flower & Dilek, 2003). O último ajuste parece, à primeira vista, improvável. No entanto, a petrologia e a geoquímica do embasamento ígneo de antearco, que é bem característico, é muito comparável às de muitos ofiólitos. A formação em um ambiente antearco também poderia explicar o curto intervalo de tempo entre a formação e o alojamento e a

Tabela 2.3 Correlação da estratigrafia do ofiólito com a litosfera oceânica (segundo Gass, 1980, com a permissão do Ministério da Agricultura e Recursos Naturais do Chipre)

Sequência ofiolítica completa	Correlação oceânica
Sedimentos	Camada 1
Vulcânicas máficas, comumente almofadas, mesclando-se em um complexo de diques máficos acamadados	Camada 2
Intrusivas de alto nível Trondhjemitos Gabros	Camada 3
Camadas acumuladas Olivinagabros Piroxenitos Peridotitos	–Moho–
Harzburgito, comumente serpentinizado ± lherzolito, dunito, cromitito	Manto superior

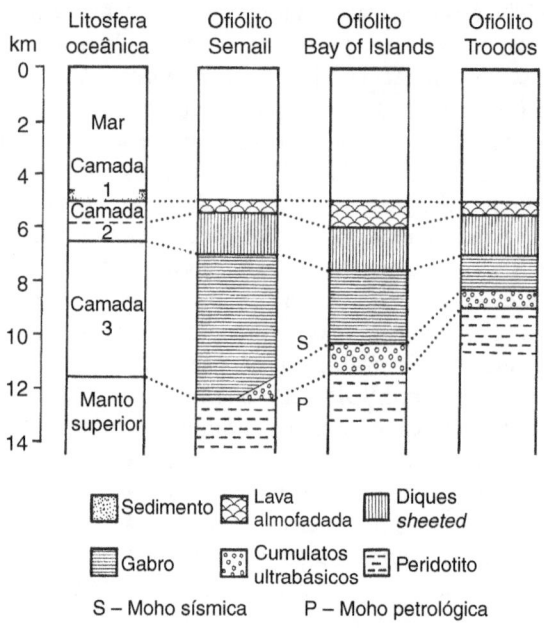

Figura 2.19 Comparação da estrutura da crosta oceânica com complexos ofiolíticos (segundo Mason, 1985, com a permissão da Blackwell Publishing).

evidência para o alojamento "quente" de muitos ofiólitos. A origem retroarco ou antearco também é suportada pela geoquímica detalhada das lavas da maioria dos ofiólitos, o que indica que eles são derivados de fundidos que se formaram acima de zonas de subducção.

Houve muitos mecanismos diferentes propostos para a obdução de ofiólitos, mas nenhum pôde explicar satisfatoriamente todos os casos. Por isso, deve-se reconhecer que podem existir vários mecanismos operativos e que, embora certamente formadas por algum tipo de processo acrescionário, sequências de ofiólito podem diferir bastante, principalmente quanto à geoquímica detalhada, da litosfera criada no meio de cristas de dorsais oceânicas nas bacias oceânicas maiores.

Embora muitos ofiólitos estejam altamente alterados e tectonizados, por causa da maneira como são erguidos e colocados na crosta superior, não existem indicações definitivas de que há mais de um tipo de ofiólito. Alguns têm o conjunto completo de unidades listado na Tabela 2.3 e ilustrado na Fig. 2.19, outros consistem apenas em sedimentos marinhos profundos, lavas almofadadas e peridotito serpentinizado, com a presença de pouco ou nenhum gabro. Se presentes esses gabros, ocorrem frequentemente como intrusões dentro do peridotito serpentinizado. Esses últimos tipos são muito semelhantes à natureza inferida da fina crosta oceânica que se forma onde as taxas de fornecimento de magma são baixas. Acredita-se que esse tipo de crosta se forma quando a taxa de formação da crosta é muito baixa (Seção 6.10), nas proximidades de falhas transformantes a taxas de acreção baixa (Seção 6.7) e nos estágios iniciais de formação de crosta oceânica não vulcânica em margens continentais passivas (Seção 7.7.2). Parece provável que Hess (1962), ao sugerir que a camada 3 da crosta oceânica era manto serpentinizado, foi em parte influenciado pela sua experiência e conhecimento de ofiólitos deste tipo nos cinturões das montanhas Apalaches e dos Alpes.

2.6 METAMORFISMO DE CROSTA OCEÂNICA

Muitas das rochas coletadas de bacias oceânicas mostram evidências de metamorfismo, incluindo abundante associações de fácies xisto verde e metassomatismo alcalino. Na proximidade de tais rochas, no entanto, encontram-se variedades completamente inalteradas.

É provável que esse metamorfismo seja acompanhado pela circulação hidrotermal da água do mar no interior da crosta oceânica. Há muitas evidências da existência dessa circulação, como a presença de depósitos metálicos que provavelmente foram formados por lixiviação e concentração de minerais pela água do mar, observações de fontes hidrotermais ativas em cordilheiras oceânicas (Seção 6.5) e o metamorfismo observado dentro de sequências ofiolíticas.

A circulação hidrotermal ocorre pelo fluxo de convecção, provavelmente através de toda a crosta oceânica (Fyfe & Lonsdale, 1981) e é de grande importância. Ela influencia os modelos de produção de calor, como estima-se que aproximadamente 25% do calor que escapa da superfície da Terra é proveniente das dorsais mesoceânicas. A circulação deve modificar a química da crosta oceânica e, consequentemente, afetará o relacionamento químico da litosfera e da astenosfera ao longo do tempo geológico, devido à reciclagem de litosfera que ocorre em zonas de subducção. É também responsável pela formação de certos depósitos de minério economicamente importantes, especialmente sulfetos maciços.

Esses processos hidrotermais são mais convenientemente estudados em assembleias metamórficas de complexos de ofiólitos, e o modelo descrito a seguir foi derivado de Elthon (1981).

O metamorfismo hidrotermal de lavas efusivas almofadadas e outras extrusivas dá origem a assembleias minerais de baixa temperatura ($<230°C$) e a fácies xisto verde (Fig. 2.20). A distribuição da alteração é altamente irregular e é controlada por fissuramento localizado das rochas extrusivas. O metamorfismo em temperatura mais alta é generalizado dentro do complexo do dique *sheeted*, produzindo assembleias minerais típicas de fácies actinolita, embora ocorram bolsões de rocha inalterada. As temperaturas metamórficas mais elevadas são obtidas na base do complexo dique *sheeted* e na parte superior da secção gabroica. Raramente, rochas retrógradas de fácies xisto verde ocorrem neste nível. A alteração diminui para cerca de apenas 10% no último quilômetro da secção gabroica de topo, e, portanto, o metamorfismo é restrito à localidade de fissuras e diques, embora não seja finalizado completamente em profundidade. De acordo com este modelo, a circulação de água ocorre extensivamente nos 3 km superiores da crosta, produzindo as assembleias metamórficas e resfriando a crosta. Metamorfismo de alta temperatura só ocorre perto dos centros de propagação. Em profundidade, a circulação diminui à medida que minerais secundários são depositados dentro dos canais de fluxo.

Como a dorsal se propaga continuamente, a litosfera oceânica é movida lateralmente a partir da fonte de calor, passando a sofrer metamorfismo retrógrado. Isso depende de um abastecimento adequado de água, já que a distribuição de água é o principal controlador do grau de metamorfismo. A ausência de água suficiente permite a preservação

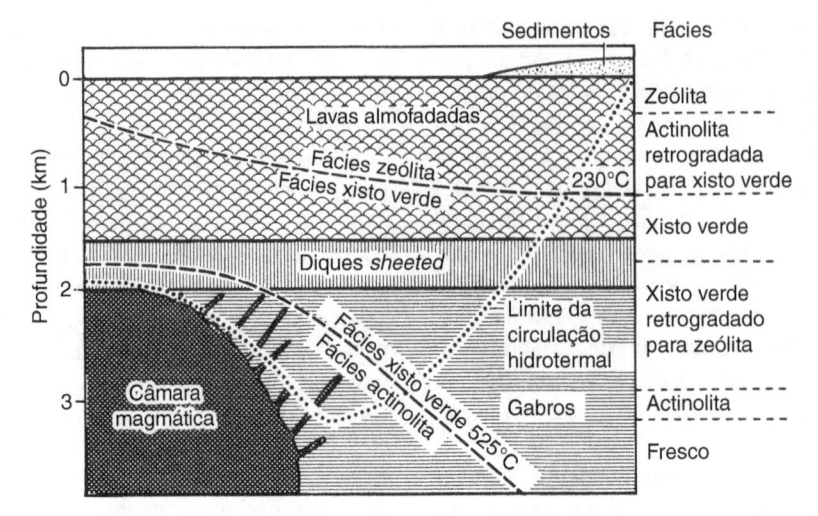

Figura 2.20 Esquema de modelo de metamorfismo hidrotermal da crosta oceânica em um centro de difusão (redesenhado de Elthon, 1981).

reliquiar de assembleias de alta temperatura. A natureza heterogênea da distribuição de fácies metamórficas é consequentemente explicada por uma circulação heterogênea de fluidos, não pela variação extrema de temperatura. Como indicado nas Seções 2.4.7 e 2.5, partes da crosta oceânica consistem em serpentinito, isto é, rochas ultramáficas hidratadas. As rochas ultramáficas podem ser formadas por diferenciação magmática dentro da camada de gabro ou derivadas diretamente do manto.

2.7 DIFERENÇAS ENTRE CROSTA CONTINENTAL E OCEÂNICA

Com base nas informações apresentadas neste e nos capítulos seguintes, as principais diferenças entre as crostas continental e oceânica podem ser resumidas da seguinte forma:

1 *Acamamento*. As camadas de grande escala da crosta continental são mal definidas e altamente variáveis, refletindo uma complexa história geológica. Localmente, há uma subdivisão pela descontinuidade de Conrad, mas isso não se aplica globalmente. Por outro lado, as camadas da maioria da crosta oceânica são bem definidas em três camadas distintas. No entanto, a natureza dessas camadas, em especial das camadas 2 e 3, pode mudar de modo bastante acentuado com a profundidade.

2 *Espessura*. A espessura da crosta continental média é de 40 km, mas é bastante variável, tendo apenas alguns quilômetros abaixo de riftes e espessamento de até 80 km abaixo de cadeias montanhosas jovens. Grande parte da crosta oceânica tem uma espessura notavelmente constante de cerca de 7 km, apesar da camada 1, a camada sedimentar, aumentar sua espessura para as margens do oceano, o que não acontece nas fossas oceânicas. Diferenças na espessura e resistência à fluência (Seção 2.10.4) da crosta continental fazem com que a crosta inferior das regiões continentais tenha deformação pervasiva mais fácil do que nas camadas inferiores da crosta oceânica (Seção 2.10.5).

3 *Idade*. A crosta continental tem pelo menos 4,0 Ga, a idade das rochas mais antigas descobertas (Seção 11.1). Em uma escala muito ampla, a mais antiga crosta é constituída por crátons pré-cambrianos ou áreas de escudo cercadas por cinturões orogênicos mais jovens, ativos e inativos. A crosta oceânica, no entanto, tem mais de 180 Ma, com idade aumentando progressivamente para fora das cristas oceânicas (Seção 4.1). Os oceanos são, consequentemente, vistos como características essencialmente transitórias da superfície da Terra. Cerca de 50% da superfície dos fundos oceânicos atuais foram criados nos últimos 65 milhões de anos, o que implica que 30% da superfície da Terra sólida tenham sido criados durante os últimos 1,5% do tempo geológico.

4 *Atividade tectônica*. A crosta continental pode ser dobrada e amplamente falhada, preservando evidências de ter sido submetida a vários eventos tectônicos. A crosta oceânica, no entanto, parece ser muito mais estável, pois sofreu relativamente pouca deformação, exceto em margens de placas.

5 *Atividades ígneas*. Há muitos poucos vulcões ativos na grande maioria da crosta continental. Os únicos locais de grande atividade são cadeias de monta-

nhas do tipo andinas (Seção 9.8). A atividade dentro dos oceanos é muito maior. Cordilheiras oceânicas e arcos insulares são as áreas de maior atividade vulcânica e plutônica da Terra. Ilhas oceânicas são uma terceira distinção, mas em um ambiente oceânica menos prolífico para a atividade ígnea.

2.8 O MANTO

2.8.1 Introdução

O manto constitui a maior subdivisão interna da Terra, tanto por massa quanto por volume, e se estende da Moho, a uma profundidade média de cerca de 21 km, até a fronteira manto-núcleo, a uma profundidade de 2.891 km. Em uma escala bruta, acredita-se que ele seja quimicamente homogêneo, além de haver abundância de elementos traços e ser formado por minerais de silicato. A mineralogia e a estrutura dos silicatos mudam com a profundidade e dão origem a uma zona de transição entre 410 e 660 km de profundidade, que separa o manto superior e o inferior.

Materiais do manto são só raramente trazidos à superfície, em complexos de ofiólito (Seção 2.5), em pipes kimberlíticos (Seção 13.2.2) e como xenólitos em basaltos alcalinos. Consequentemente, a maioria das informações sobre o manto é indireta e baseada na variação das velocidades sísmicas com a profundidade, combinada com estudos do comportamento mineral a altas temperaturas e pressão, e em experimento com onda de choque. Estudos geoquímicos de meteoritos e rochas ultramáficas são também utilizados para fazer previsões sobre o manto.

2.8.2 Estrutura sísmica do manto

A parte superior do manto constitui um nível de alta velocidade com normalmente 80-160 km de espessura, no qual velocidades sísmicas permanecem constantes com no máximo 7,9 km s^{-1} ou aumentam um pouco com a profundidade. Essa parte do manto compõe a porção inferior da litosfera (Seção 2.12). Abaixo da litosfera, encontra-se uma *zona de baixa velocidade*, estendendo-se até uma profundidade de aproximadamente 300 km. Esta parece estar presente sob a maioria das regiões da Terra, com a exceção do manto abaixo das áreas cratônicas. A partir da base dessa zona, as velocidades sísmicas aumentam lentamente até atingir uma grande descontinuidade a uma profundidade de 410 km, marcando a região superior da *zona de transição*. Há uma velocidade descontínua a uma profundidade de 660 km, a base da zona de transição.

Dentro do manto inferior, as velocidades aumentam lentamente com a profundidade até a base a 200-300 km, onde gradientes diminuem e baixas velocidades estão presentes. Essa camada mais baixa, na fronteira manto-núcleo, é conhecida como *Camada D''* (Seção 12.8.4) (Knittle & Jeanloz, 1991). Estudos sísmicos detectaram fortes heterogeneidades laterais e a presença de zonas finas (5-50 km de espessura) de *velocidade ultrabaixa* na base da Camada D'' (Garnero et al., 1998).

2.8.3 Composição do manto

O fato de que grande parte da crosta oceânica é constituída de material de uma composição basáltica derivada do manto superior sugere que o manto superior seja formado tanto de peridotito quanto de eclogito (Harrison & Bonatti, 1981). A principal diferença entre esses dois tipos de rocha é que o peridotito contém olivina abundante e menos de 15% de granada, enquanto o eclogito contém pouca ou nenhuma olivina e pelo menos 30% de granada. Ambos possuem uma velocidade sísmica que corresponde ao valor observado no manto superior de cerca de 8 km s^{-1}.

Diversas linhas de evidência sugerem que o manto superior é peridotítico. Abaixo das bacias oceânicas, a velocidade P_n é frequentemente anisotrópica, com velocidades superiores a 15% perpendiculares às cristas do oceano. Isso pode ser explicado pela orientação preferencial de cristais de olivina, cujo eixo principal [100] está nessa direção. Nenhum dos minerais comuns do eclogito exibem a elongação cristalográfica necessária. Uma composição peridotítica também é indicada por estimativas do coeficiente de Poisson das velocidades P e S e pela presença de peridotitos nas seções basais de sequências ofiolíticas e como nódulos em basaltos alcalinos. A densidade de eclogitos também é alta demais para explicar a topografia da Moho de estruturas crustais isostaticamente compensadas.

A composição média do manto pode ser estimada de várias formas: usando as composições de vários tipos de rochas ultramáficas, a partir da compilação geoquímica, de misturas de diferentes meteoritos e usando dados de estudos experimentais. É necessário distinguir entre manto não empobrecido e manto empobrecido que sofreu fusão parcial, de modo que muitos dos elementos que não são substituídos facilmente nos minerais do manto foram removidos e combinados na crosta. Estes últimos, chamados de elementos "incompatíveis", incluem os elementos que produzem calor K, Th e U. A partir da composição de basaltos de cristas mesoceânicas (MORB), fica claro que o manto de onde os basaltos são derivados por fusão parcial é relativamente empobrecido nesses elementos. Tanto que, se o manto inteiro tivesse essa composição, seria responsável por apenas uma pequena fração do fluxo de calor na superfície da Terra que emana do manto (Hofmann, 1997). Esta e outras linhas de evidência geoquímica levaram geoquímicos a concluir que todo ou a maioria do manto inferior deve ser mais enriquecido em elementos incompatíveis do que o manto superior e que ele normalmente não é envolvido na produção do fundente que atinge a superfície. Entretanto, as evidências sismológicas referentes à litosfera oceânica subductada (Seções 9.4, 12.8.2) e à heterogeneidade lateral da Camada D" sugerem uma ampla convecção do manto e, portanto, sua mistura (Seção 12.9). Helffrich & Wood (2001) consideram que as várias linhas de evidência geoquímica podem ser conciliadas com a convecção total do manto se várias heterogeneidades, pequenas e grandes, no manto inferior reveladas por estudos sismológicos forem remanescentes de oceanos subductados e crosta continental. Eles estimam que esses remanescentes compõem cerca de 16% e 0,3%, respectivamente, do volume de manto.

Embora as estimativas da composição do manto total variem, é geralmente aceito que pelo menos 90% do manto em massa possa ser representado em termos de óxidos FeO, MgO e SiO_2, e 5-10% são compostos de CaO, Al_2O_3 e Na_2O.

2.8.4 A zona de baixa velocidade do manto

A zona de baixa velocidade (Fig. 2.16) é caracterizada por baixas velocidades sísmicas, alta atenuação sísmica e uma alta condutividade elétrica. Os efeitos sísmicos são mais pronunciados para as ondas S do que para as ondas P. As baixas velocidades sísmicas poderiam surgir a partir de uma série de mecanismos diferentes, incluindo temperatura anormalmente elevada, mudança de fase, mudança de composição, presença de fraturas abertas ou fissuras e fusão parcial. Todos parecem ser improváveis, exceto o último, e é geralmente aceito que velocidades sísmicas mais baixas surgem por causa da presença de material fundido. A fusão nesta região é provável pelo fato de ser neste ponto que o material do manto mais se aproxima do seu ponto de fusão (Seção 2.12, Fig. 2.36).

Apenas uma quantidade muito pequena de fusão é necessária para reduzir a velocidade sísmica do manto para os valores observados e para fornecer a atenuação observada de propriedades. A fração líquida de menos de 1%, distribuída ao longo de uma rede de fissuras e contornos de grão, produziria esses efeitos (O'Connell & Budiansky, 1977). A fusão também pode ser responsável pela alta condutividade elétrica desta zona. Para ocorrer a fusão parcial, é provável que uma pequena quantidade de água seja necessária para abaixar o ponto de fusão de silicatos e que ela seja fornecida a partir do colapso de fases mantélicas hidratadas. A base da zona de baixa velocidade e até mesmo sua existência podem ser controladas pela disponibilidade de água no manto superior (Hirth & Kohlstedt, 2003).

A zona mantélica de baixa velocidade é de grande importância para as placas tectônicas, uma vez que representa uma camada de baixa viscosidade ao longo da qual os movimentos relativos da litosfera e astenosfera podem ser acomodados.

2.8.5 A zona de transição do manto

Existem duas grandes descontinuidades de velocidade no manto a profundidades de 410 km e 660 km. A primeira marca o topo da zona de transição e a última a sua base. As descontinuidades raramente são nítidas e ocorrem em uma faixa finita de profundidade, por isso acredita-se que elas representam mudanças de fase em vez de mudanças na química. Embora essas descontinuidades possam ocorrer devido a mudanças na composição química do manto nestas profundezas, mudanças de fase induzidas por pressão são consideradas a explicação mais provável. Estudos de alta pressão têm mostrado que a olivina, o mineral dominante no manto peridotito, sofre transformações para a estrutura do espinélio nas condições de pressão/temperatura a 410 km de profundidade e depois para perovskita e magnesiowustita a 660 km (Tabela 2.4) (Helffrich & Wood, 2001). Na litosfera subductante, onde a temperatura a estas profundidades é mais fria do que no manto normal, a profundidade com que essas descontinuidades ocorrem são deslocadas exatamente como previsto por modelagem térmica e alta pressão experimental (Seção 9.5). Isso dá um excelente suporte para a hipótese de que os limites superior e inferior da zona de transição são definidos por transformações de fase. Os outros componentes do manto peridotito, piroxênio e granada, também passam por mudanças de fase neste intervalo de profundidade, mas eles são graduais e não produzem descontinuidades na variação da velocidade sísmica com a

Tabela 2.4 Fases de transformações da olivina que supostamente definem a zona de transição do manto superior (segundo Helffrich & Wood, 2001)

Profundidade	Pressão		
410 km	13-14 GPa	$(Mg, Fe)_2SiO_4$ = $(Mg, Fe)_2SiO_4$ Olivina Wadsleyita (β-estrutura espinélio)	
520 km	18 GPa	$(Mg, Fe)_2SiO_4$ = $(Mg, Fe)_2SiO_4$ Wadsleyita Ringwoodita (γ-estrutura espinélio)	
660 km	23 GPa	$(Mg, Fe)_2SiO_4$ = $(Mg, Fe)SiO_3$ + $(Mg, Fe)O$ Ringwoodita Perovskita Magnesiowüstita	

profundidade. O piroxênio transforma a estrutura de granada em pressões correspondentes a 350-500 km de profundidade; a cerca de 580 km de profundidade, a Ca-perovskita começa a exsolver da granada; e, a 660-750 km, a granada restante dissolve-se na fase perovskita derivada da transformação da olivina. Assim, o manto inferior consiste principalmente em fases com estrutura perovskita.

2.8.6 O manto inferior

O manto inferior representa aproximadamente 70% da massa da Terra sólida e quase 50% da massa da Terra inteira (Schubert et al., 2001). O aumento geralmente suave em velocidades de ondas sísmicas com a profundidade na maioria desta camada levou à suposição de que é relativamente homogênea na sua mineralogia, tendo principalmente uma estrutura perovskita. No entanto, estudos sismológicos mais detalhados revelaram que o manto inferior tem heterogeneidade térmica e/ou composicional, provavelmente como resultado da penetração da litosfera oceânica subductada pela descontinuidade de 660 km (Seção 2.8.3).

Os 200-300 km inferiores do manto, a Camada D" (Seção 12.8.4), são muitas vezes caracterizados por uma diminuição na velocidade sísmica, que é provavelmente relacionada a um aumento do gradiente de temperatura acima do limite manto-núcleo. Essa camada inferior mostra grandes mudanças laterais na velocidade sísmica, indicando que é muito heterogênea. Zonas de velocidade ultrabaixa, que mostram 10% ou maior redução em ambas as velocidades das ondas P e S em relação ao manto circundante, têm sido interpretadas de modo a refletir a presença de material parcialmente fundido (Williams & Garnero, 1996). Essas zonas são lateralmente muito heterogêneas e bastante finas (5-40 km de espessura vertical). Experimentos de laboratório sugerem que o ferro líquido do núcleo reage com silicatos do manto na Camada D", com a produção de ligas metálicas e silicatos não metálicos da perovskita. A Camada D" é importante porque governa interações manto-núcleo e também pode ser a fonte de plumas do manto profundo (Seções 12.8.4, 12.10).

2.9 O NÚCLEO

O núcleo, um esferoide com um raio médio de 3.480 km, ocorre a uma profundidade de 2.891 km e ocupa o centro da Terra. A fronteira manto-núcleo (descontinuidade de Gutenberg) gera fortes reflexões sísmicas e provavelmente representa uma interface de composição.

O núcleo externo, a uma profundidade de 2.891-5.150 km, não transmite ondas S e, assim, deve ser fluido. Isso é confirmado pela geração do campo geomagnético nessa região por processos dinâmicos e pelas variações de longo período observadas no campo geomagnético (Seção 3.6.4). Os movimentos convectivos responsáveis pelo campo geomagnético envolvem velocidades de $\sim 10^4$ m a^{-1}, cinco ordens de magnitude maior do que a convecção no manto. Um estado líquido também é indicado pela resposta da Terra à atração gravitacional do Sol e da Lua.

A fronteira entre o núcleo externo e o núcleo interno a 5.150 km de profundidade é nítida e não é representada por qualquer forma de zona de transição. Acredita-se que o núcleo interno seja sólido por várias razões. Certas oscilações da Terra, produzidas por terremotos muito grandes, só podem ser explicadas por um núcleo interno sólido. É reconhecido que a fase sísmica se propaga de e para o núcleo interno como uma onda P, mas percorre o interior do núcleo como uma onda S. A amplitude de uma fase refletida no núcleo interno também sugere que ele deve ter uma rigidez finita e, assim, ser um sólido.

Experimentos de ondas de choque têm mostrado que os principais constituintes tanto do núcleo interno como do externo devem ser de elementos de um número atômico maior que 23, como ferro, níquel, vanádio ou cobalto. Desses elementos, só o ferro está presente em abundância suficiente no sistema solar para formar a maior parte do núcleo. Mais uma vez, considerando a abundância do sistema solar, parece que o núcleo deve conter cerca de 4% de níquel. Esta mistura de ferro-níquel fornece uma composição para o núcleo exterior, que é 8-15% demasiado denso e, portanto, deve conter uma pequena quantidade de algum elemento ou elementos mais leves. O núcleo interno, no entanto, tem velocidade sísmica e densidade de acordo com uma composição de ferro puro.

Existem vários candidatos para os elementos leves presentes no núcleo externo, incluindo silício, oxigênio, enxofre e potássio (Brett, 1976). O silício requer um modelo mais complexo para a formação da Terra, e o enxofre é conflitante com a ideia de que o interior da Terra é muito desprovido de elementos voláteis. O oxigênio parece ser o elemento leve mais provável, pois o FeO é suficientemente solúvel em ferro. A presença de potássio é especulativa, mas é interessante na medida em que forneceria uma fonte de calor no núcleo que estaria ativa em toda a história da Terra. Também ajudaria a explicar uma aparente deficiência de potássio na Terra em comparação com meteoritos.

2.10 A REOLOGIA DA CROSTA E DO MANTO

2.10.1 Introdução

A *reologia* é o estudo da deformação e do fluxo de materiais sob a influência de um esforço aplicado (Ranalli, 1995). Onde a temperatura, a pressão e as magnitudes dos esforços aplicados são relativamente baixas, as rochas tendem a quebrar ao longo de superfícies discretas para formar fraturas e falhas. Onde esses fatores são relativamente altos, as rochas tendem a se deformar por fluxo dúctil. Medidas de esforço são usadas para quantificar a deformação.

O *esforço* (σ) é definido como a força exercida por unidade de área em uma superfície e é medido em Pascal (Pa). Qualquer esforço agindo sobre uma superfície pode ser expresso em termos de um esforço normal perpendicular à superfície e dois componentes do esforço cisalhante no plano da superfície. O estado de esforço em um meio é adequadamente expresso pelas magnitudes e direções dos três *principais esforços* que agem em três planos no meio ao longo do qual o esforço cisalhante é zero. Os principais esforços são ortogonais entre si e são denominados σ_1, σ_2 e σ_3, referindo-se ao máximo, intermediário e mínimo, respectivamente. Nas geociências, o esforço de compressão é expresso como positivo, e o esforço tracional como negativo. A magnitude da diferença entre os esforços principais máximos e mínimos é chamada de *esforço diferencial*. O *esforço desviatório* representa a variação de um campo de esforço de sua simetria. O valor do esforço diferencial e as características do esforço deviatório influenciam tanto a extensão quanto o tipo de distorção vivido por um corpo.

A *deformação* (ε) é definida como qualquer mudança no tamanho ou na forma de um material. A deformação geralmente é expressa como razões que descrevem as alterações na configuração de um sólido, como a mudança no comprimento de uma linha dividido pelo seu comprimento original. Materiais *elásticos* seguem a lei de Hooke, em que a deformação é proporcional ao esforço, sendo o esforço reversível até que um esforço crítico, conhecido como *limite elástico*, seja atingido. Esse comportamento geralmente ocorre em baixos níveis de esforço e altas taxas de deformação. Além do limite elástico, que é uma função de temperatura e pressão, as rochas deformam por fraturamento frágil ou por fluxo dúctil. O *esforço de escoamento* (ou resistência ao escoamento) é o valor do esforço diferencial acima do limite elástico em que a deformação se torna permanente. Materiais *plásticos* mostram deformação contínua, irreversível, sem fratura.

O valor de tempo durante o qual o esforço é aplicado também é importante na deformação dos materiais da Terra (Park, 1983). A reologia de rochas no curto prazo (segundos ou dias) é diferente daquela do mesmo material aplicado com a duração de meses ou anos. Esta diferença surge porque as rochas apresentam maior resistência às altas taxas de deformação do que às baixas taxas de deformação. Por exemplo, quando um bloco de rocha é golpeado com um martelo, ou seja, submetido a um rápido esforço "instantâneo", ele quebra. No entanto, quando esquecido por um período de meses, ele deforma lentamente, fluindo. Este fluxo lento de longo prazo sob esforço constante é conhecido como *fluência*. Em escalas de tempo de milhares de anos, informações sobre o esforço e a reologia da litosfera vêm principalmente a partir de observações de isostasia e flexão da litosfera (Seção 2.11.4). Em escalas de tempo de milhões de anos, a reologia da Terra geralmente é estudada usando uma abordagem mecânica do contínuo, que descreve as relações macroscópicas entre esforço e deformação e seus derivativos de tempo. Alternativamente, a longo prazo, a reologia da Terra pode ser estudada usando uma relação microfísica, em que o resultado de experimentos laboratoriais e observações de microestruturas são usados para considerar o comportamento das rochas. Ambas as abordagens têm gerado resultados muito úteis (ver Seções 7.6.6, 8.6.2, 10.2.5).

2.10.2 Deformação frágil

Acredita-se que a fratura frágil seja causada por fissura progressiva ao longo de uma rede de fraturamento em micro e mesoescala. As fissuras enfraquecem a rocha, produzindo locais de alta concentração de esforço de tração perto de suas pontas. As orientações de fissuras em relação ao esforço aplicado determinam a localização e a magnitude dos locais de esforço máximo. Fraturamento ocorre onde o esforço local máximo excede a resistência da rocha.

Esta teoria, conhecida como teoria de Griffith da fratura, funciona bem sob condições de esforço de tração aplicada ou onde um dos esforços principais é compressional. Quando a magnitude do esforço de tração excede a resistência à tração do material, rachaduras ortogonais a esse esforço falham primeiro, e ocorre uma fratura de extensão. Abaixo de uma profundidade de algumas centenas de metros, onde todos os principais esforços são geralmente de compressão, o comportamento das rupturas é mais complexo. Fissuras fecham sob compressão e são, provavelmente, completamente fechadas em profundidades de mais de 5 km, devido à crescente pressão de sobrecarga. Isso implica que a resistência à compressão de um material é muito maior do que a resistência à tração. Por exemplo, a resistência à compressão do granito à pressão atmosférica é de 140 MPa, e sua resistência à tração apenas cerca de 4 MPa.

Onde todas as fissuras estiverem fechadas, a fratura depende da força inerente do material e da magnitude do esforco diferencial (Seção 2.10.1). Experimentos mostram que as fraturas cisalhantes, ou falhas, preferencialmente formam-se em ângulos de <45° em ambos os lados do máximo esforço de compressão principal, quando um esforço crítico de cisalhamento nos planos é excedido. Esse esforço crítico cisalhante (σ_s^*) depende do esforço normal (σ_n) em superfícies de potencial de falha e do coeficiente de atrito interno (μ) nessas superfícies, que resistem ao movimento relativo entre elas. Esta relação, chamada de critério de fratura de Mohr-Coulomb, é descrito pela seguinte equação linear:

$$|\sigma_s^*| = c + \mu\sigma_n$$

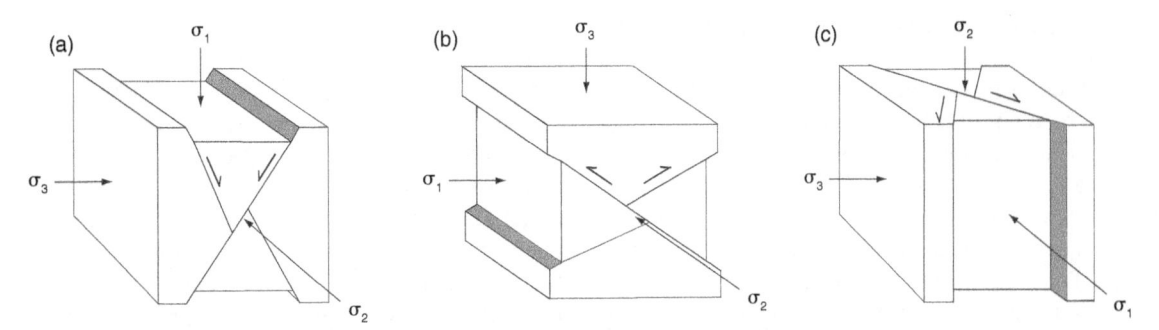

Figura 2.21 Três classes de falhas determinadas pela orientação das tensões principais: (a) falha normal, (b) falha de empurrão, (c) falha transcorrente (segundo Angelier, 1994, com permissão da Pergamon Press Copyright Elsevier 1994).

A coesão (c) descreve a resistência do material à fratura de cisalhamento em um plano de esforço normal zero. Byerlee (1978) mostrou que muitos tipos de rochas têm quase o mesmo coeficiente de atrito, dentro da faixa de 0,6-0,8. A forma da equação, escrita usando o valor absoluto do esforço crítico de cisalhamento, permite que um par de fraturas simétricas ao eixo de esforço principal de compressão máxima se forme. A pressão do fluido dos poros aumenta a fratura por redução do coeficiente de atrito e por redução do esforço normal (σ_n) em toda a falha. O efeito da pressão dos fluidos dos poros explica a falha em profundidade, o que, de outro modo, pareceria exigir esforços de cisalhamento muito altos por causa do alto esforço normal.

Sob este regime de fissuras fechadas compressivas, o tipo de falha que resulta, de acordo com a teoria de Anderson (1951), depende de qual dos principais esforços é vertical (Fig. 2.21). Falhas normais, transcorrentes e de empurrão ocorrem dependendo se σ_1, σ_2 ou σ_3, são respectivamente, verticais. Esta teoria é conceitualmente útil. No entanto, não explica a ocorrência de algumas falhas, como falhas normais de baixo ângulo (Seção 7.3), que apresentam mergulhos de $\leq 30°$, falhas de empurrão planas ou falhas que se desenvolvem em rochas anisotrópicas anteriormente fraturadas.

A resistência da rocha aumenta com a pressão, chamada de *pressão confinante*, mas diminui com a temperatura. Nos 10-15 km da crosta superior, o efeito anterior é dominante, e a resistência da rocha tende a subir com a profundidade. A pressão confinante da rocha aumenta com a profundidade a uma taxa de cerca de 33 MPa km^{-1}, dependendo da densidade das rochas sobrejacentes. Abaixo dos 10-15 km, o efeito da temperatura aumenta, e as rochas podem enfraquecer progressivamente para baixo. No entanto, esta relação simplista pode ser complicada por variações locais de temperatura, conteúdo de fluido, composição da rocha e fraquezas preexistentes.

A deformação de sólidos frágeis pode assumir a forma de *cataclase* (Fig. 2.22) (Ashby & Verrall, 1977). Esta resulta de fraturamento cisalhante repetitivo, que atua para reduzir o tamanho do grão da rocha, e pelo deslizamento ou rolamento de grãos uns sobre os outros.

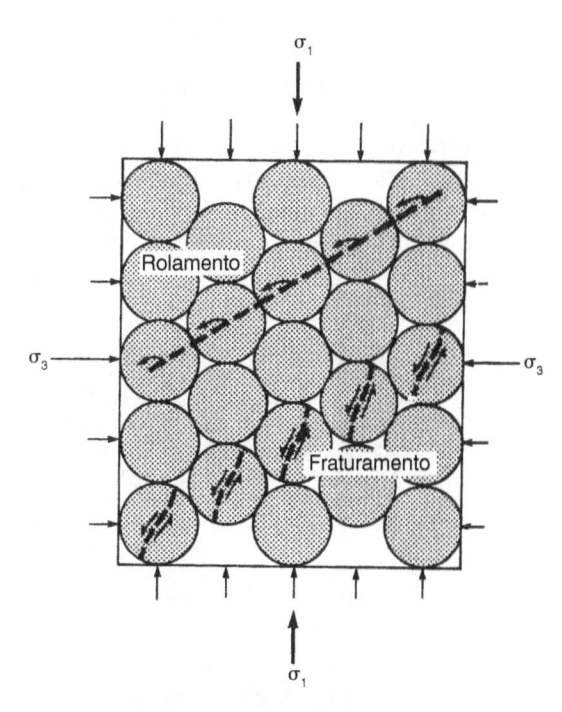

Figura 2.22 Deformação de um sólido frágil por fluxo cataclástico (adaptado de Ashby & Verrall, 1977, com a permissão da Royal Society of London).

2.10.3 Deformação dúctil

Os mecanismos de fluxo dúctil em sólidos cristalinos têm sido deduzidos a partir de estudos de metais, que têm a vantagem de fluir mais facilmente em baixas temperaturas e pressões. Em geral, onde a temperatura de um material é menor do que cerca de metade da sua temperatura de fusão (T_m em Kelvin), materiais reagem a baixo esforço fluindo lentamente, ou *com fluência*, no estado sólido. Em altas temperaturas e pressões, a resistência e o fluxo de minerais de silicato, que caracterizam a crosta (Tullis,

2002) e manto (Li et al., 2004), foram estudados usando aparelhos experimentais.

Existem vários tipos de fluxo dúctil que podem ocorrer na crosta e no manto (Ashby & Verrall, 1977). Todos são dependentes da temperatura ambiente e, menos acentuadamente, da pressão. O aumento da temperatura age para diminuir a viscosidade aparente e aumentar a taxa de deformação, enquanto o aumento da pressão produz um fluxo mais lento. Em geral, para o fluxo dúctil, o esforço diferencial ($\Delta\sigma$) e a taxa de deformação ($\delta\varepsilon/\delta\tau$) estão relacionados através da lei de fluxo na forma de:

$$\Delta\sigma = [(\delta\varepsilon/\delta\tau)/A]^{1/n} \exp[E/nRT],$$

onde E é a energia de ativação do processo de fluência assumido, T é a temperatura, R é a constante universal dos gases, n é um inteiro e A é uma constante determinada experimentalmente.

Fluxo plástico ocorre quando a resistência ao escoamento do material é excedida. O movimento ocorre pelos deslizamentos de um grande número de defeitos na estrutura cristalina dos minerais. Deslizamento dentro de uma rede cristalina ocorre quando bonds individuais (distância interatômica) de átomos vizinhos quebram e se reorientam através de planos de deslocamento (Fig. 2.23). Esse processo resulta em defeitos lineares, chamados de *deslocamentos*, que separam partes deslocadas de outras não deslocadas do cristal. A resistência ao escoamento de materiais deformados dessa maneira é controlada pela magnitude dos esforços necessários para superar a resistência da estrutura de cristal para o movimento dos deslocamentos. A deformação (*strain*) produzida tende a ser limitada pela densidade de deslocamentos. Quanto maior a densidade, mais difícil será o deslocamento em um processo conhecido como endurecimento por deformação ou trabalho.

Fluência tipo power law, também conhecida como *fluência por deslocamento* (*dislocation creep*), ocorre em temperaturas superiores a 0,55 T_m. Nessa forma de fluências, a taxa de deformação é proporcional à enésima do esforço, onde $n \geq 3$. A fluência tipo *power law* é semelhante ao *deslocamento tipo glide*. No entanto, a difusão de átomos e de sítios locais desocupados por átomos chamados de *vacância*

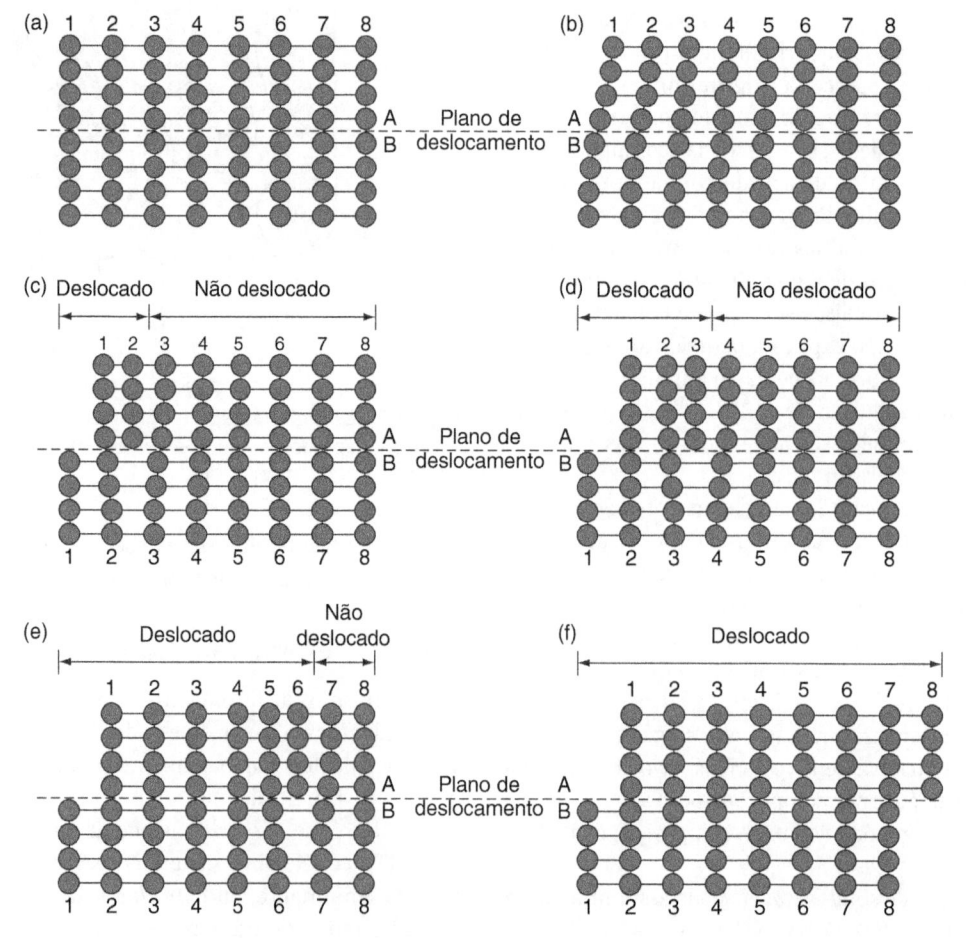

Figura 2.23 Fluxo plástico pela migração de um deslocamento linear de borda através de um cristal (a partir de Structural Geology, de Robert J. Twiss e Eldridge M. Moores. © 1992 por W.H. Freeman and Company. Usado com permissão).

é aceita pelas temperaturas mais altas (Fig. 2.24). Esse processo difusivo, chamado de *deslocamento tipo salto* (*climb*), faz com que as barreiras ao movimento de deslocamento sejam removidas logo que se formam. Como resultado, o trabalho de endurecimento não ocorre, e a fluência de estado estacionário (*steady state creep*) é facilitada. Esse mecanismo resulta em *recristalização dinâmica* pela qual os grãos novos se formam a partir de grãos antigos. Devido à maior temperatura, o ponto de resistência ao escoamento é menor do que para o fluxo plástico, onde a deformação é resultado de esforços mais baixos. A fluência tipo *power law* parece ser uma importante forma de deformação no manto superior, onde governa o fluxo convectivo (Weertman, 1978). Newman & White (1997) sugerem que a reologia da litosfera continental é controlada pela fluência tipo *power law* com um esforço de expoente três.

A *fluência por difusão* domina quando as temperaturas excedem $0,85\ T_m$ e resulta da migração de átomos individuais e vacância em um gradiente de esforço (Fig. 2.25). Onde a migração ocorre por meio de uma estrutura cristalina, esta é conhecida como *fluência Nabarro-Herring*. Onde ela ocorre ao longo dos limites de cristal, é conhecida como *fluência tipo Coble*. Em ambas as formas de fluência, a taxa de deformação ($\delta\varepsilon/\delta\tau$) é proporcional ao esforço diferencial ($\Delta\sigma$), com a constante de proporcionalidade sendo a viscosidade dinâmica (η). Esta relação é dada por:

$$\Delta\sigma = 2\eta(\delta\varepsilon/\delta\tau)$$

A viscosidade aumenta com o quadrado do raio do grão, de modo que uma redução no tamanho de grãos deverá resultar em enfraquecimento reológico. Acredita-se que a fluência por difusão ocorre na astenosfera (Seção 2.12) e no manto inferior (Seção 2.10.6).

A *fluência superplástica* tem sido observada em metais e também pode ocorrer em algumas rochas. Esse tipo de fluência resulta do deslizamento coerente de cristais ao longo de limites de grãos, onde o movimento ocorre sem abertura de espaços entre os grãos. O deslizamento pode ser acomodado pelos mecanismos de difusão e deslocamento. A fluência superplástica é caracterizada por reologia tipo *power law* com um expoente de esforço de um ou dois, associada a altas taxas de deformação. Alguns estudos (por exemplo, Karato, 1998) têm inferido que a fluência superplástica contribui para a deformação no manto inferior, apesar dessa interpretação ser controversa.

2.10.4 Perfis de resistência litosférica

Na maioria dos tratamentos quantitativos de deformação em grandes escalas, assume-se que a litosfera consiste em múltiplas camadas caracterizadas por diferentes reologias (por exemplo, Seção 7.6.6). O comportamento reológico de cada camada depende do nível de esforço diferencial ($\Delta\sigma$) e do menor entre os esforços limite frágil e dúctil calculados (Seção 2.10.1). A resistência total da litosfera e de suas camadas constituintes pode ser estimada integrando o esforço limite em relação à profundidade. Esta resistência integrada é altamente sensível ao gradiente geotérmico, bem como à composição e à espessura de cada camada e à presença ou ausência de fluidos.

Os resultados dos experimentos de deformação e as provas de variações de composição com a profundidade (Seção 2.4) têm levado pesquisadores a propor que a litosfera é caracterizada por um tipo "sanduíche de geleia" de camadas reológicas (Ranalli & Murphy, 1987), onde resistentes camadas separam uma ou mais camadas fracas. Por exemplo, Brace & Kohlstedt (1980) investigaram os limites da resis-

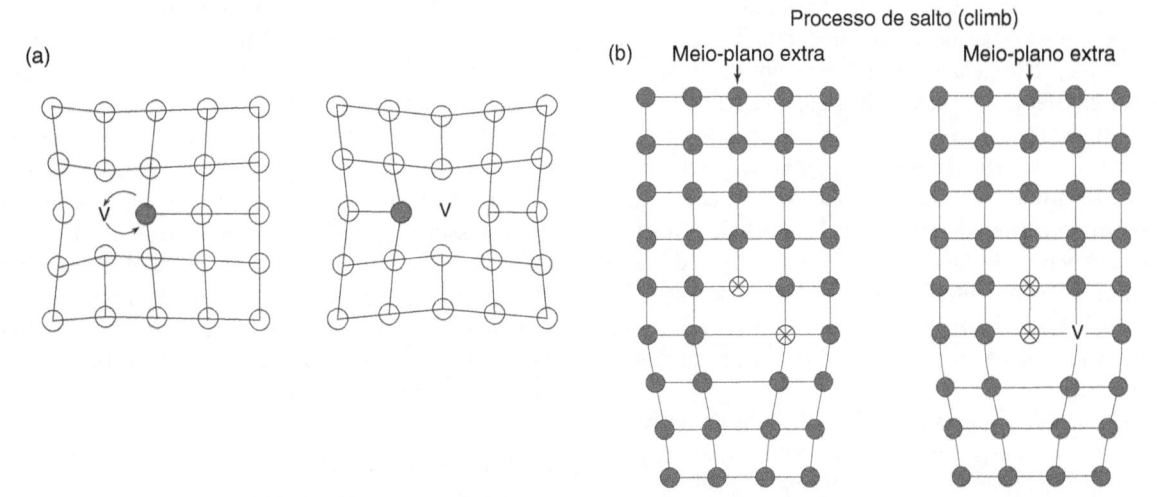

Figura 2.24 (a) A difusão de uma vacância (v) através de um cristal; (b) o salto descendente de um deslocamento de borda com átomos adjacentes (cruzados) intercambia ligações, deixando para trás um espaço vazio que se move por difusão (a partir de Structural Geology, de Robert J. Twiss e Eldridge M. Moores. © 1992 por W.H. Freeman and Company. Usado com permissão).

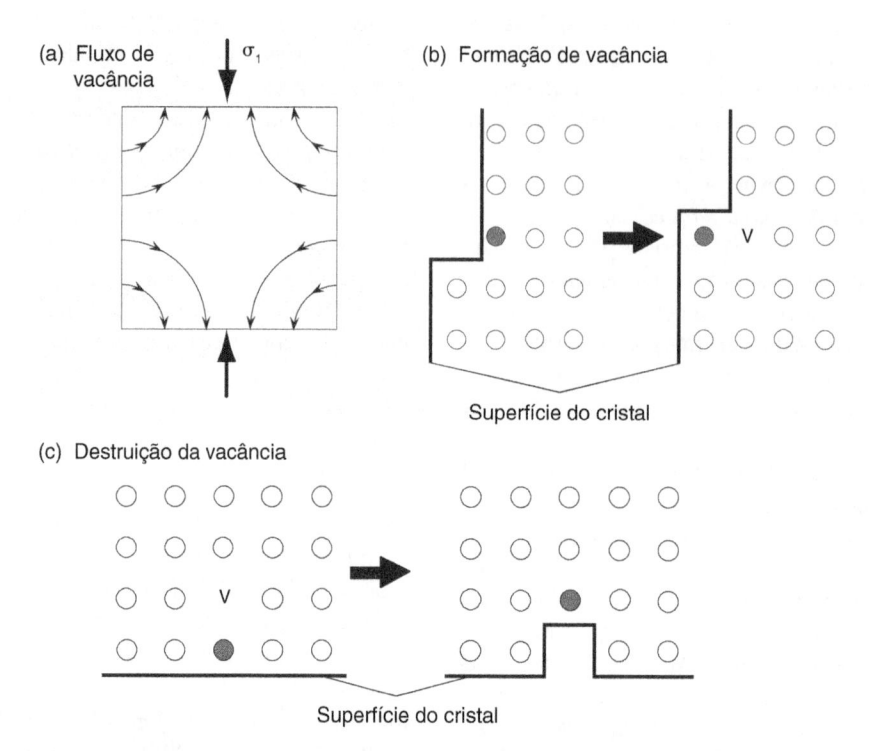

Figura 2.25 Fluência Nabarro-Herring: (a) vacâncias difundidas para superfícies de alto esforço normal; (b) criação de uma vacância (v) em uma superfície de esforço de compressão mínima; (c) destruição de uma vacância de uma superfície de esforço compressivo máximo (a partir de Structural Geology, de Robert J. Twiss e Eldridge M. Moores. © 1992 por W.H. Freeman and Company. Usado com permissão). Linhas contínuas em b e c marcam a superfície do cristal; círculo preenchido marca o íon cuja posição muda durante a criação da vacância.

tência litosférica com base em medições de quartzo e olivina, que são constituintes primários da crosta e do manto superior da crosta continental, respectivamente. Os resultados das medições destes e de outros (por exemplo, Ranalli & Murphy, 1987; Mackwell et al., 1998) sugerem que, dentro da litosfera oceânica, a crosta superior frágil dá lugar a uma região de alta resistência a uma profundidade de 20-60 km, dependendo do gradiente de temperatura (Fig. 2.26a). Abaixo dessa profundidade, a resistência diminui, gradando para a astenosfera. A crosta continental, no entanto, é muito mais espessa do que a crosta oceânica, e, nas temperaturas de 400-700°C registradas em sua camadas inferiores, os minerais são muito mais fracos do que a olivina encontrada nessas profundidades na litosfera oceânica. Onde a litosfera oceânica se comporta como uma única placa rígida devido a sua alta resistência, a litosfera continental não faz isso (Seções 2.10.5, 8.5) e, normalmente, é caracterizada por uma ou mais camadas de fraqueza em níveis de profundidade (Fig. 2.26b,c).

A Fig. 2.26c,d mostra duas outras curvas de resistência, determinadas experimentalmente para a litosfera continental, que ilustram os efeitos potenciais da água na resistência de várias camadas. Essas curvas foram calculadas usando reologias para diabásio e outras rochas da crosta e do manto, a uma taxa de deformação de $(\delta\varepsilon/\delta\tau) = 10^{-15}$ s^{-1}, um típico gradiente térmico de crosta continental com um fluxo de calor de superfície de 60 mW m^{-2} e uma espessura crustal de 40 km (Mackwell et al., 1998). A camada superior (0-15 km de profundidade) é representada por quartzo saturado em H$_2$O e pela lei da resistência ao atrito de Byerlee (1978) (Seção 2.10.2), e a crosta intermediária (15-30 km de profundidade) por quartzo saturado em H$_2$O e pela fluência tipo *power law* (Seção 2.10.3). Estes e outros perfis de resistência postulados comumente são usados em modelos termomecânicos de deformação continental (Seções 7.6.6, 8.6.2, 10.2.5). No entanto, é importante ter em mente que o uso de qualquer perfil em uma determinada configuração envolve uma incerteza considerável e é objeto de muito debate (Jackson, J., 2002; Afonso & Ranalli, 2004; Handy & Brun, 2004). Em locais onde as condições do meio parecem mudar com frequência, como dentro de orógenos e arcos magmáticos, várias curvas podem ser necessárias para descrever variações na resistência da rocha com a profundidade para diferentes períodos de tempo.

2.10.5 A medição da deformação continental

Zonas de deformação continental comumente são mais largas e mais difusas do que zonas de deformação que afetam a litosfera oceânica. Esta característica resulta da espessura, composição e perfil pressão-temperatura da crosta continental, o que torna o fluxo dúctil em suas partes inferiores mais desenvolvido do que em regiões oceânicas. A largura e a difusividade dessas zonas tornam alguns conceitos da tectônica de placas, como os movimentos rígidos de placas ao longo de limites estreitos, difíceis de serem aplicados aos continentes. Consequentemente, a análise da deformação continental muitas vezes requer uma estrutura que é diferente da utilizada para estudar a deformação na litosfera oceânica (ver Seção 8.5).

Na escala das grandes feições tectônicas, como riftes intracontinentais amplos (Seção 7.3), transformantes continentais (Seção 8.5) e cinturões orogênicos (Seção 10.4.3), a deformação pode ser descrita por um campo de velocidade regional horizontal, e não pelo movimento relativo de blocos rígidos (por exemplo, Fig. 8.18b). Métodos de estimativa dos campos de velocidade regional de regiões deformadas normalmente envolvem informações da combinação de medições por satélite de GPS (Clarke et al., 1998), taxas de deslizamento de falha (England & Molnar, 1997) e sismicidade (Jackson et al., 1992). Um dos desafios dessa abordagem é o curto intervalo de tempo na escala de década sobre o qual os dados do GPS são coletados. Esses intervalos curtos geralmente incluem alguns grandes terremotos. Consequentemente, os movimentos da superfície medida refletem a deformação elástica não permanente, acumulada entre os principais eventos sísmicos, no lugar de deformações permanentes que ocorrem durante rupturas (Bos & Spakman, 2005; Meade & Hager, 2005). Esta característica resulta em campos de velocidade regional que raramente mostram as descontinuidades associadas com deslizamento em falhas mestras. Em vez disso, os deslocamentos em falhas são descritos como funções contínuas, e campos de velocidade são tomados para representar a deformação média ao longo de uma determinada região (Jackson, 2004). No entanto, os campos de velocidade regional têm provado ser extremamente úteis para descrever a deformação continental. Os métodos comumente utilizados para processá-los e interpretá-los são discutidos nas Seções 5.3 e 8.5.

O Radar de Abertura Sintética (SAR) também é usado para a medição de deslocamentos terrestres, incluindo aqueles associados com atividade vulcânica e terremotos (Massonnet & Feigl, 1998). A técnica envolve o uso de dados SAR para medir pequenas mudanças na superfície de elevações por satélites que voam sobre a mesma área, pelo menos, duas vezes, chamado de SAR, interferométrico de passagem repetitiva ou InSAR. Os dados de GPS e as medidas de deformação fornecem observações mais precisas e frequentes de deformação em áreas específicas, mas o InSAR é especialmente bom para revelar a complexidade espacial de deslocamentos que ocorrem em áreas tectonicamente ativas. Na Cordilheira dos Andes centrais e em Kamchatka, medidas InSAR têm sido utilizadas para avaliar os riscos vulcânicos e os movimento de magma em arcos vulcânicos (Pritchard & Simons, 2004). No sudeste do Irã, os dados InSAR foram usados para determinar campos de deformação e fonte de parâmetros de um terremoto de magnitude M_w = 6,5 que afetou a cidade de Bam em 2003 (Wang et al., 2004). O uso combinado de dados GPS e InSAR revelaram os deslocamentos verticais associados a uma parte do sistema de Falhas de San Andreas perto de São Francisco (Fig. 8.7b).

2.10.6 Deformação no manto

Medições de anisotropia sísmica (Seção 2.1.8) e resultados de experimentos de física mineral foram usados para inferir mecanismos de deformação e padrões de fluxo no manto (Karato, 1998; Park & Levin, 2002; Bystricky, 2003). A deformação de minerais do manto, incluindo a olivina, por fluência por deslocamento (*dislocation creep*) resulta em qualquer orientação preferencial da estrutura do cristal ou uma orientação preferencial de formas minerais. Esse alinhamento afeta a velocidade de propagação das ondas sísmicas em direções diferentes. Medições deste direcionamento e outras propriedades potenciais permitem que pesquisadores levantem áreas do manto que estão deformando por fluência por deslocamento (Seção 2.10.3) e determinem se o fluxo é majoritariamente vertical ou quase horizontal. No entanto, essas interpretações são complicadas por fatores como temperatura, tamanho de grão, presença de água e fusão parcial, e quantidade de esforço (Hirth & Kohlstedt, 2003; Faul et al., 2004).

A maior parte dos autores vê a fluência tipo *power law* (ou fluência por deslocamento) como o mecanismo de deformação dominante no manto superior. Experimentos em olivina, evidências estruturais em nódulos derivados do manto e a presença de anisotropia sísmica sugerem que a fluência tipo *power law* ocorre até uma profundidade de pelo menos 200 km. Esses resultados contrastam com muitos estudos de ricochete isostático pós-glacial (Seção 2.11.5), que tendem a favorecer um mecanismo de fluência por difusão para o fluxo no manto superior. Karato & Wu (1993) resolveram esta aparente discrepância sugerindo que uma transição da fluência tipo *power law* para fluência por difusão ocorre em profundidade no manto superior. A fluência por difusão pode tornar-se cada vez mais proeminente com a profundidade com o aumento de pressão e temperatura e a diminuição do esforço. Uma fonte de incerteza potencial em estudos de reologia do manto usando ricochete glacial é o papel da fluência transitória, em que a taxa de deformação varia com o tempo sob constante esforço. Devido ao fato de a deformação total associada com ricochete ser muito pequena ($\leq 10^{-3}$) em comparação com as grandes deformações associadas com convecção do manto,

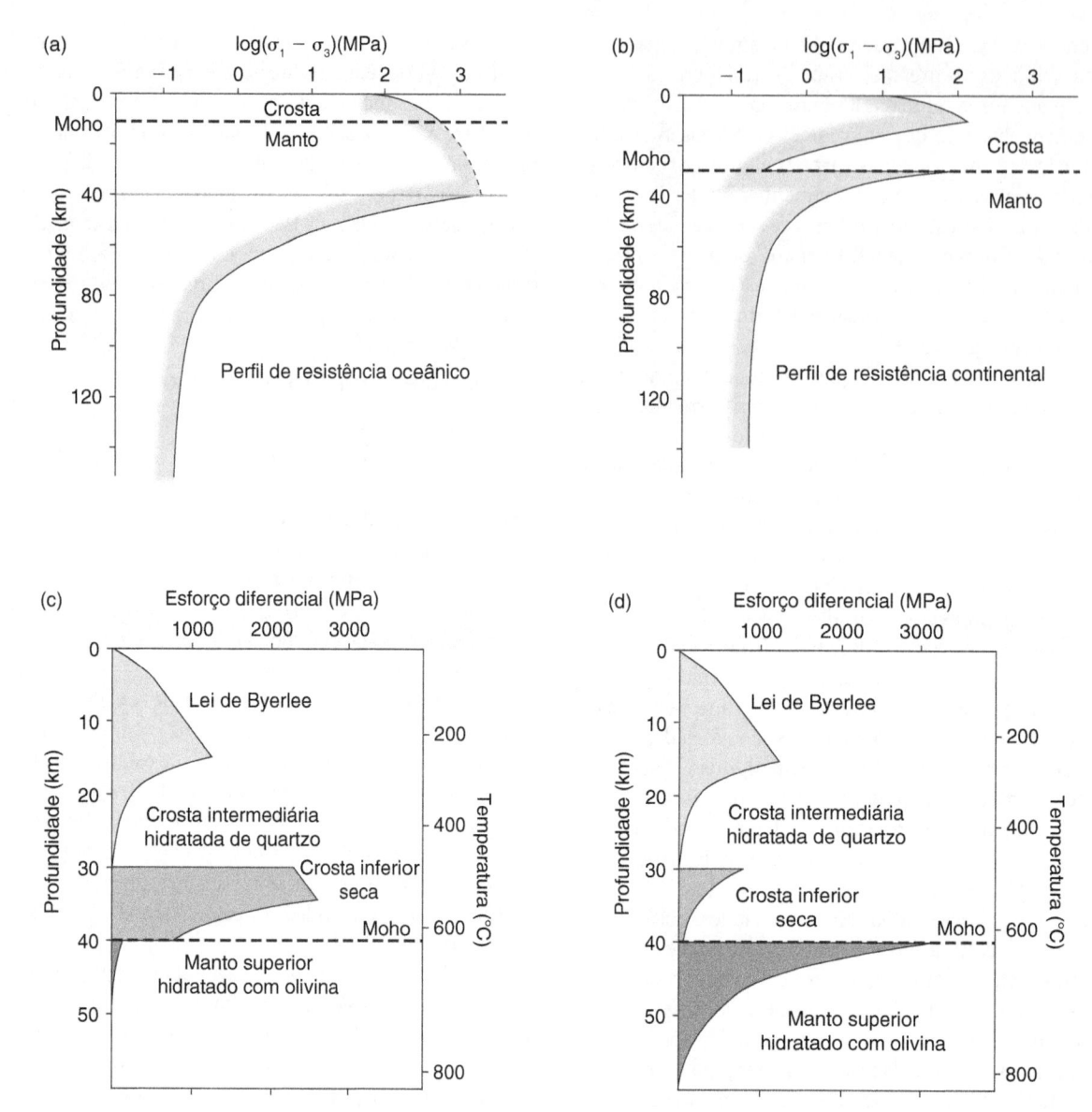

Figura 2.26 Perfis esquemáticos de resistência através de (a) litosfera oceânica e (b) continental (segundo Ranalli, 1995, fig. 12.2. Copyright © 1995, com a permissão da Springer Science and Business Media). Perfil em (a) mostra uma crosta máfica de 10 km de espessura e uma litosfera de 75 km de espessura. Perfil em (b) mostra uma crosta de 30 km de espessura não estratificada e uma litosfera fina, com 50 km de espessura. Perfis em (c) e (d) incorporam uma crosta média hidratada e mostram uma crosta inferior seca e um manto superior hidratado, e uma crosta inferior hidratada e um manto superior seco, respectivamente (modificado de Mackwell et al. 1998, com a permissão da American Geophysical Union Copyright. © 1998 American Geophysical Union). Ver texto para explicação.

a fluência transitória pode ser importante durante o ricochete isostático pós-glacial (Ranalli, 2001).

Em contraste com o manto superior, a maior parte do manto inferior é sismicamente isotrópica, sugerindo que a fluência por difusão é o mecanismo dominante associado ao fluxo mantélico em grandes profundidades (Karato et al., 1995). Ao contrário da fluência por deslocamento, a fluência por difusão (e também a fluência superplástica) resulta em uma estrutura cristalina isotrópica em minerais do manto inferior, como perovskita e magnésio-wustite. Grandes incertezas sobre a reologia do manto inferior existem porque os materiais do manto inferior são difíceis de serem reproduzidos em laboratório. No entanto, avanços em experiências de alta pressão têm permitido que pesquisadores mensurem algumas propriedades físicas dos minerais do manto inferior. Algumas medições sugerem que a reologia do manto inferior depende fortemente da ocorrência e da geometria de fases muito fracas, como o óxido de magnésio (Yamazaki & Karato, 2001). Murakami et al. (2004) demonstraram que, em condições de pressão e temperatura próximas ao limite manto-núcleo, a perovskita MgSiO$_3$ transforma-se em uma forma de alta pressão que pode influenciar as características sísmicas do manto abaixo da descontinuidade D″ (Seção 12.8.4).

Ao contrário da maior parte do manto inferior, observações na base da mesosfera, na camada D″ (Seção 2.8.5), indicam a presença de anisotropia sísmica (Panning & Romanowicz, 2004). O predomínio da polarização V_{SH} sobre V_{SV} em ondas de cisalhamento implica em fluxo horizontal em grande escala, possivelmente semelhante ao encontrado nos 200 km superiores do manto. A origem da anisotropia, devido ao alinhamento da estrutura de cristal ou à orientação preferencial das formas minerais, é incerta. No entanto, essas observações sugerem que D″ é um camada mecânica limite para a convecção do manto. Exceções ao padrão de fluxo horizontal na base do manto inferior são igualmente interessantes. Duas exceções ocorrem na parte inferior de regiões extensas de baixa velocidade na parte inferior do manto abaixo do Pacífico central e do sul da África (Seção 12.8.2), onde medições de anisotropia indicam o início da ressurgência vertical (Panning & Romanowicz, 2004).

Outra zona de anisotropia sísmica e fluxo horizontal semelhante ao da camada D″ também pode ocorrer na parte superior do manto inferior ou da mesosfera (Karato, 1998). No entanto, esta última interpretação é altamente controversa e aguarda testes em investigações futuras. Se essa zona de fluxo horizontal não existe, então a convecção no manto, provavelmente, ocorre em camadas e não envolve o manto todo (Seção 12.5.3)

2.11 ISOSTASIA

2.11.1 Introdução

O fenômeno da isostasia diz respeito à resposta da camada externa da Terra à adição e remoção de grandes cargas. Esta camada, apesar de ser relativamente forte, é incapaz de suportar os grandes esforços gerados, por exemplo, pelo peso positivo de uma cadeia de montanha ou pela falta relativa de peso de uma bacia oceânica. Por tais feições existirem na superfície da Terra, algum mecanismo de compensação é necessário para evitar grandes esforços gerados.

A isostasia foi reconhecida pela primeira vez no século XVIII, quando um grupo de franceses geodesistas foi medir o comprimento de um grau de latitude no Equador, em uma tentativa de determinar se a forma da Terra corresponde a um elipsoide oblato ou prolato. Fios de prumo foram utilizados como referência vertical no levantamento, e reconheceu-se que uma correção teria de ser aplicada para a deflexão horizontal causada pela atração gravitacional dos Andes. Quando essa correção, com base na massa dos Andes

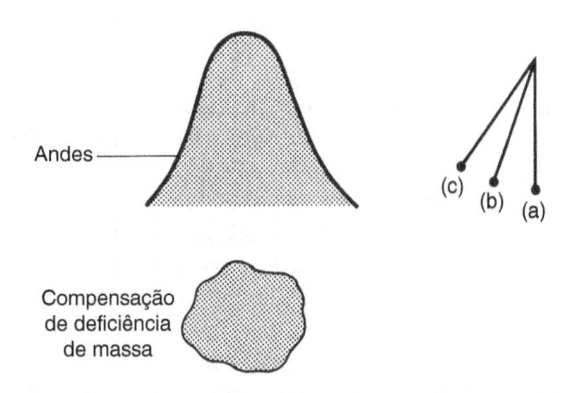

Figura 2.27 Atração gravitacional horizontal da massa dos Andes acima do nível do mar provocaria a deflexão (c) de um prumo a partir da vertical (a). A deflexão observada (b) é menor, indicando a presença de uma deficiência de massa compensada sob os Andes (ângulos de deflexão e distribuição de massa são apenas esquemáticos).

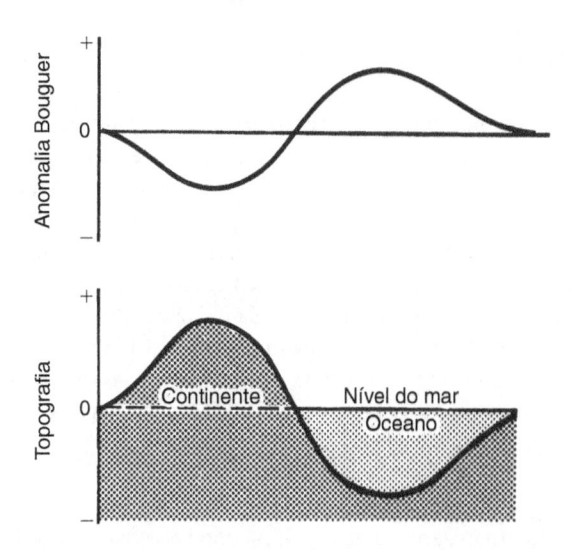

Figura 2.28 Correlação inversa de anomalias Bouguer com topografia, indicando a sua compensação isostática.

acima do nível do mar, foi aplicada, no entanto, verificou-se que a deflexão vertical foi menos real do que a prevista (Fig. 2.27). Este fenômeno foi atribuído à existência de uma massa negativa anômala abaixo dos Andes que compensa, ou seja, suporta, a massa positiva das montanhas. No século XIX, observações semelhantes foram feitas nos arredores do Himalaia e reconheceu-se que a compensação de carga de superfície em profundidade é um fenômeno generalizado.

A presença de compensação de subsuperfície é confirmada pela variação no campo gravitacional da Terra sobre grandes regiões. Anomalias Bouguer (Kearey et al. 2002) são geralmente negativas sobre as áreas continentais e positivas sobre bacias oceânicas (Fig. 2.28). Essas observações confirmam que a topografia positiva dos continentes e a topografia negativa dos oceanos é compensada por regiões em profundidade, com contrastes de densidade que são, respectivamente, positivos e negativos, e cuja massa anômala se aproxima das características da superfície.

O princípio da isostasia é que, debaixo de certa profundidade, conhecida como profundidade de compensação, a pressão gerada por todos os materiais sobrejacentes é igual em todas as partes, isto é, os pesos das colunas verticais de unidades de perfil, embora internamente variáveis, são idênticos a uma profundidade de compensação, se a região está em equilíbrio isostático.

Duas hipóteses sobre a forma geométrica de uma compensação isostática local foram propostas em 1855 por Airy e Pratt.

2.11.2 Hipótese de Airy

A hipótese de Airy assume que a camada mais externa da Terra é de densidade constante e recobre uma camada de maior densidade. A topografia da superfície é compensada pela variação da espessura da camada externa, de tal forma que a sua flutuabilidade equilibra a carga de superfície. Uma analogia simples seria blocos de gelo de diversas espessuras flutuando na água, com o mais espesso mostrando a maior elevação acima da superfície. Assim, as cadeias de montanhas seriam sustentadas por uma raiz espessa, e bacias oceânicas por uma camada externa afinada ou antirraiz (Fig. 2.29a). A base da camada mais externa é, portanto, uma imagem de espelho exagerada da topografia da superfície. Considere as colunas da unidade de corte transversal por baixo de uma serra e uma região de elevação zero mostradas na Fig. 2.29a. Equiparando seus pesos, chega-se a:

$$g[h\rho_c + T_A\rho_c + r\rho_c + D_A\rho_m] = g[T_A\rho_c + r\rho_m + D_A\rho_m]$$

onde g é a aceleração da gravidade.

Reorganizando a equação, há condição para o equilíbrio isostático:

$$r = \frac{h\rho_c}{(\rho_m - \rho_c)}$$

Um cálculo similar fornece a condição para a compensação de uma bacia oceânica:

$$a = \frac{z(\rho_c - \rho_w)}{(\rho_m - \rho_c)}$$

Se substituirmos as densidades adequadas para a crosta, o manto e a água do mar nessas equações, elas irão prever que o relevo na Moho deve ser de aproximadamente sete vezes o relevo na superfície da Terra.

2.11.3 Hipótese de Pratt

A hipótese de Pratt assume uma profundidade constante para a base da camada mais externa da Terra, cuja densidade varia de acordo com a topografia da superfície. Assim, as

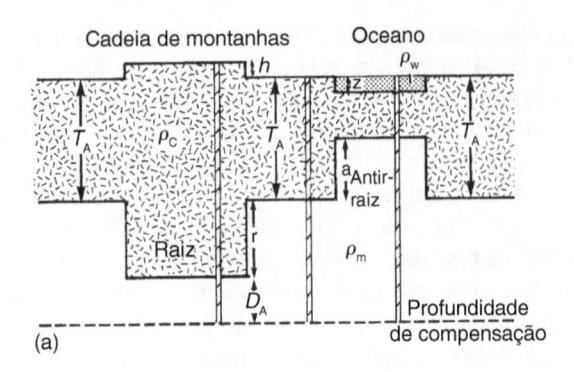

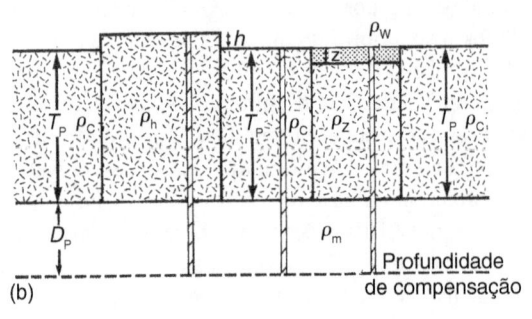

Figura 2.29 (a) Mecanismo de compensação isostática de Airy. h, altura da montanha acima do nível do mar; z, profundidade de águas de densidade ρ_w; T_A, espessura normal da crosta de densidade ρ_c; r, espessura de raiz; a, espessura de antirraiz; D_A, profundidade de compensação abaixo da raiz; ρ_m, densidade do manto. (b) O mecanismo de compensação isostática de Pratt. Legenda como de (a), exceto T_p, espessura normal da crosta; ρ_h, densidade da crosta abaixo das montanhas; ρ_z, densidade da crosta abaixo do oceano; D_p, profundidade de compensação abaixo de T_p.

cadeias de montanhas seriam sustentadas por material de densidade relativamente baixa, e bacias oceânicas por material de densidade relativamente alta (Fig. 2.29b). Igualando os pesos das colunas da unidade de corte transversal debaixo de uma serra e uma região de altitude zero, temos:

$$g(T_p + h)\rho_h = gT_p\rho_c$$

que, no rearranjo, fornece a condição para o equilíbrio isostático da serra:

$$\rho_h = \frac{T_p\rho_c}{(T_p + h)}$$

Um cálculo semelhante para uma bacia oceânica fornece:

$$\rho_z = \frac{(T_p\rho_c - z\rho_w)}{(T_p - z)}$$

Nestes primeiros modelos de isostasia, assumiu-se que a camada externa da Terra, cuja topografia é compensada, correspondeu à crosta. Certamente, o grande contraste de densidade existente em toda a Moho desempenha um papel importante na compensação. Acredita-se, no entanto, que a camada compensada seja um pouco mais grossa e inclua parte do manto superior. Esta resistente camada externa da Terra é conhecida como litosfera (Seção 2.12). A litosfera é sustentada por uma camada muito mais fraca, conhecida como astenosfera, que deforma pelo fluxo e que pode, assim, ser deslocada por movimentos verticais da litosfera. O contraste de densidade em todo o limite litosfera-astenosfera é, no entanto, muito pequeno.

Ambas as hipóteses de Airy e Pratt são em sua essência aplicações do Princípio de Arquimedes, segundo o qual blocos adjacentes atingem o equilíbrio isostático através de suas flutuações no substrato fluido. Eles assumem que blocos adjacentes são dissociados por planos de falhas e atingem o equilíbrio por soerguimento ou subsidência de forma independente. No entanto, esses modelos de compensação *local* implicam propriedades mecânicas nada razoáveis para a crosta e o manto superior (Banks et al., 1977), porque preveem que o movimento independente ocorreria até mesmo para cargas muito pequenas. A litosfera não é comprovadamente tão fraca quanto isso implica, já que anomalias gravimétricas grandes existem sobre intrusões ígneas com idades superiores a 100 Ma. A litosfera deve, portanto, ser capaz de suportar o esforço diferencial de até 20-30 MPa por períodos de tempo consideráveis sem a necessidade de compensação local.

2.11.4 Flexura da litosfera

Modelos mais realistas de isostasia envolvem compensação regional. Uma abordagem comum é fazer a analogia entre a litosfera e o comportamento de uma folha elástica sob carga. A Fig. 2.30 ilustra a resposta elástica do carregamento; a região abaixo da carga afunda sobre uma área relativamente ampla, deslocando materiais astenosféricos, e é complementada com o desenvolvimento de saliências periféricas. Durante longos períodos de tempo, no entanto, a litosfera pode agir de uma maneira viscoelástica e sofrer algumas deformações permanentes por fluência (Seção 2.10.3).

Por exemplo, o deslocamento vertical z da litosfera oceânica sob carga pode ser calculada pela modelagem como uma folha elástica, resolvendo a equação diferencial de quarta ordem:

$$D\frac{d^4z}{dx^4} + (\rho_m - \rho_w)zg = P(x)$$

onde $P(x)$ é a carga em função da distância horizontal x, g a aceleração da gravidade, e ρ_m e ρ_w as densidades da astenosfera e da água do mar, respectivamente. D é um parâmetro chamado de rigidez definido por:

$$D = ET_e^3/12(1-\sigma^2)$$

onde E é o módulo de Young, σ o coeficiente de Poisson e T_e a espessura da camada elástica da litosfera.

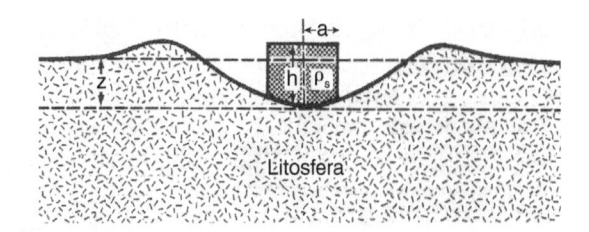

Figura 2.30 Vergamento flexural descendente da litosfera, como resultado de uma carga bidimensional de metade da largura a, altura h e densidade ρ_s.

A relação específica entre o deslocamento z e a carga, para a carga bidimensional de meia largura a, altura h e densidade ρ_s mostrada na Fig. 2.30, é:

$$z_{máx} = h(\rho_s - \rho_w)(1 - e^{-\lambda a}\cos\lambda a)/(\rho_m - \rho_s)$$

onde

$$\lambda = \sqrt[4]{(\rho_m - \rho_w)g/4D}$$

e ρ_w e ρ_m são as densidades da água e do manto, respectivamente.

Note que, como a camada elástica torna-se mais rígida, D se aproxima do infinito, λ se aproxima de zero, e a depressão relativa ao carregamento torna-se pequena. Por outro lado, como a camada se torna mais fraca, D se aproxima de zero, λ se aproxima do infinito, e a depressão se aproxima de $h(\rho_s - \rho_w)/(\rho_m - \rho_s)$ (Watts & Ryan, 1976). Isso é equi-

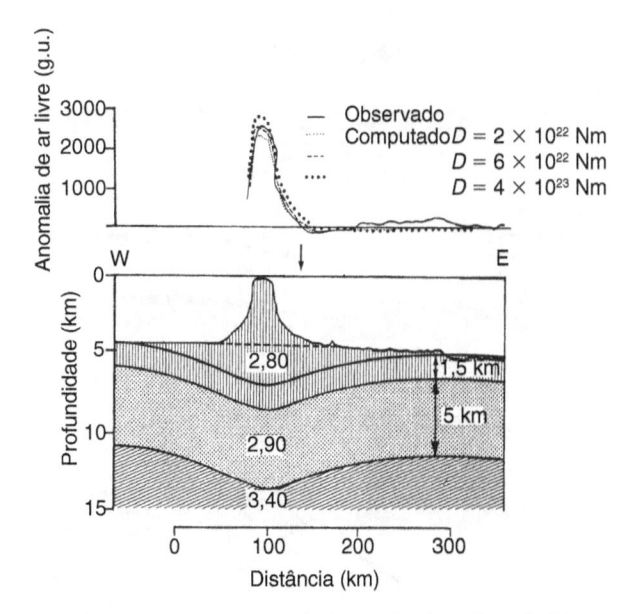

Figura 2.31 Interpretação da anomalia de ar livre do Monte submarino Meteor, a nordeste do Oceano Atlântico, em termos de Vergamento flexural descendente da crosta. Um modelo com a rigidez flexural (D) de 6×10^{22} Nm parece melhor para simular a anomalia observada. Densidades em Mg m^{-3}. A seta marca a posição 30° N, 28° W (adaptado de Watts et al. 1975, com permissão da American Geophysical Union. Copyright © 1975 American Geophysical Union).

valente ao tipo Airy de equilíbrio isostático e indica que, para este mecanismo operar, a camada elástica e o fluido de substrato devem estar muito fracos.

Pode ser demonstrado que, para a litosfera oceânica longe de dorsais mesoceânicas, cargas com a metade da largura ou menos de aproximadamente 50 km são suportadas pela resistência finita da litosfera. Cargas com meias-larguras superiores a cerca de 500 km estão próximas ao equilíbrio isostático. A Fig. 2.31 ilustra o equilíbrio alcançado pela litosfera oceânica quando carregada por uma montanha submarina (Watts et al., 1975). Assim, como resultado de sua rigidez, a litosfera tem resistência interna suficiente para suportar cargas relativamente pequenas, sem compensação da subsuperfície. Tais cargas incluem pequenas feições topográficas características e variações na densidade da crosta terrestre, devido, por exemplo, a pequenos corpos graníticos ou máficos no interior da crosta. Este modelo mais realista de compensação isostática, que leva em conta a rigidez flexural da litosfera, é denominado *isostasia flexural* (Watts, 2001).

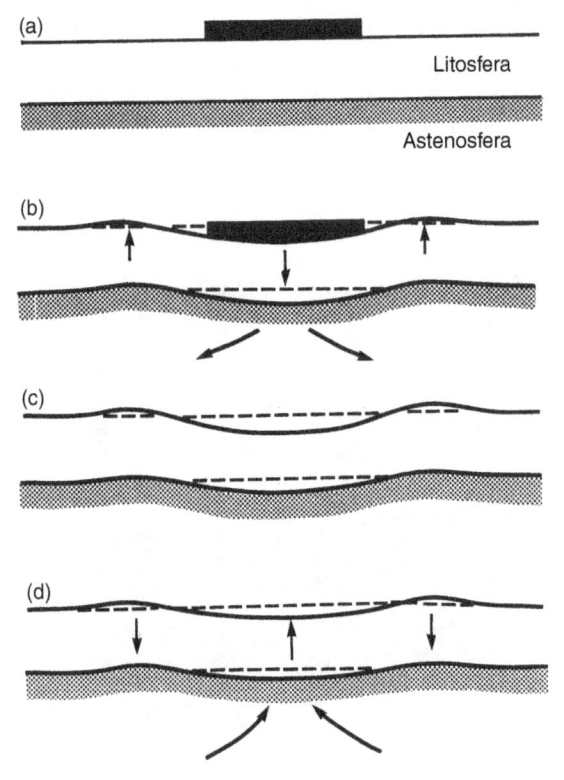

Figura 2.32 Teoria da recuperação isostática. (a) A carga de uma calota de gelo sobre a litosfera causa vergamento descendente, acompanhado por elevação da litosfera periférica e fluxo lateral na astenosfera (b). Quando a calota de gelo derrete (c), o equilíbrio isostático é recuperado pelo fluxo reverso na astenosfera, afundamento de protuberâncias periféricas e elevação da região central (d).

2.11.5 Recuperação isostática

A resposta do equilíbrio flexural da litosfera com a carga é independente de propriedades mecânicas precisas da astenosfera subjacente, desde que facilite o fluxo. A manutenção do equilíbrio após a remoção da carga é conhecida como um fenômeno de *recuperação isostática*, sendo controlada pela viscosidade da astenosfera. A medição das taxas de recuperação isostática fornece um meio de estimar a viscosidade do manto superior. A pesquisa na Fennoscandia é um exemplo adequado à proposta, sendo que desde o final do século XIX mostrou-se que esta região está passando por elevação após o derretimento da camada de gelo do Pleistoceno (Fig. 2.32). As taxas de elevação máxima ocorrem em torno do Golfo de Bótnia, onde a região está soerguendo a uma taxa de mais de 10 mm a^{-1}. Vinte mil anos atrás, a superfície da terra estava coberta por uma camada de gelo de cerca de 2,5 km de espessura (Fig. 2.32a). A litosfera acomodou esta carga por flexão (Fig. 2.32b), resultando em um afundamento de 600-700 m e um deslocamento lateral de material astenosférico. Esta etapa situa-se atualmente na Groenlândia e na Antártida, sendo que na Groelândia a superfície da terra está afundada em mais de 250 m abaixo do nível do mar pelo peso do gelo. O derretimento do gelo foi concluído há cerca de 10.000 anos (Fig. 2.32c) e, desde essa época, a litosfera voltou à sua posição original através do soerguimento da terra, a fim de recuperar o equilíbrio isostático. Uma situação semelhante ocorre no norte do Canadá, onde a superfície da terra ao redor de Hudson Bay está soerguendo após a remoção da cobertura de gelo. A taxa de recuperação isostática fornece uma estimativa sobre a viscosidade do manto superior de 10^{21} Pa s (segundos Pascal), e medições baseadas na modelagem mundial da recuperação pós-glacial e sua carga oceânica associada sugerem que esta feição geralmente se aplica em todo o manto superior (Peltier & Andrews, 1976). Em comparação com a viscosidade da água (10^{-3} Pa s) ou com o fluxo de lava (4×10^3 Pa s), a viscosidade do manto sublitosférico é extremamente elevada, e seu comportamento de fluidos é apenas aparente em processos com uma grande constante de tempo. O conhecimento da viscosidade do manto, no entanto, fornece um importante controle sobre a natureza da convecção do manto, como será discutido na Seção 12.5.2.

2.11.6 Testes de isostasia

O estado de compensação isostática de uma região pode ser avaliado pela utilização de anomalias gravimétricas. A *anomalia isostática*, IA, é definida como a anomalia Bouguer menos a anomalia gravimétrica da compensação da subsuperfície. Considere um platô largo e achatado de elevação h compensada por uma raiz de espessura r. A correção de tal feição é pequena na parte central do platô, de modo que nele a anomalia Bouguer, *BA*, está relacionada com a anomalia de ar livre, *FAA*, pela relação:

$$BA = FAA - BC$$

onde *BC* é a correção Bouguer, igual a $2\pi G \rho_c h$, onde ρ_c é a densidade da camada compensada. Para uma compensação de Airy:

$$IA = BA - A_{raiz}$$

onde A_{raiz} é a anomalia gravimétrica da raiz compensada. Uma vez que a raiz é ampla se comparada à sua espessura, a anomalia pode ser aproximada à de uma fatia infinita, $2\pi G(\rho_c - \rho_m)r$, onde ρ_m é a densidade do substrato. Combinando as duas equações acima:

$$IA = FAA - 2\pi G \rho_c h - 2\pi G(\rho_c - \rho_m)r$$

A partir do critério de Airy para o equilíbrio isostático:

$$r = h\rho_c /(\rho_m - \rho_c)$$

A substituição desta condição na equação revela que a anomalia isostática é igual à anomalia de ar livre ao longo de uma superfície grande e plana, e isso representa um método simples para avaliar o estado de equilíbrio isostático. A Fig. 2.33 mostra anomalias de ar livre, Bouguer e isostática sobre uma superfície larga e plana com diferentes graus de compensação. Embora instrutivo para ilustrar a semelhança de anomalias de ar livre e isostática e a natureza muito diferente da anomalia Bouguer, esse cálculo simples da anomalia isostática de Airy é claramente insatisfatório por não levar em conta a topografia e a compensação regional, devido à flexão da litosfera.

Para testar isostasia sobre feições topográficas de formas irregulares, é necessário um cálculo mais preciso da anomalia isostática. Esse procedimento envolve o cálculo da forma da compensação necessária por uma determinada

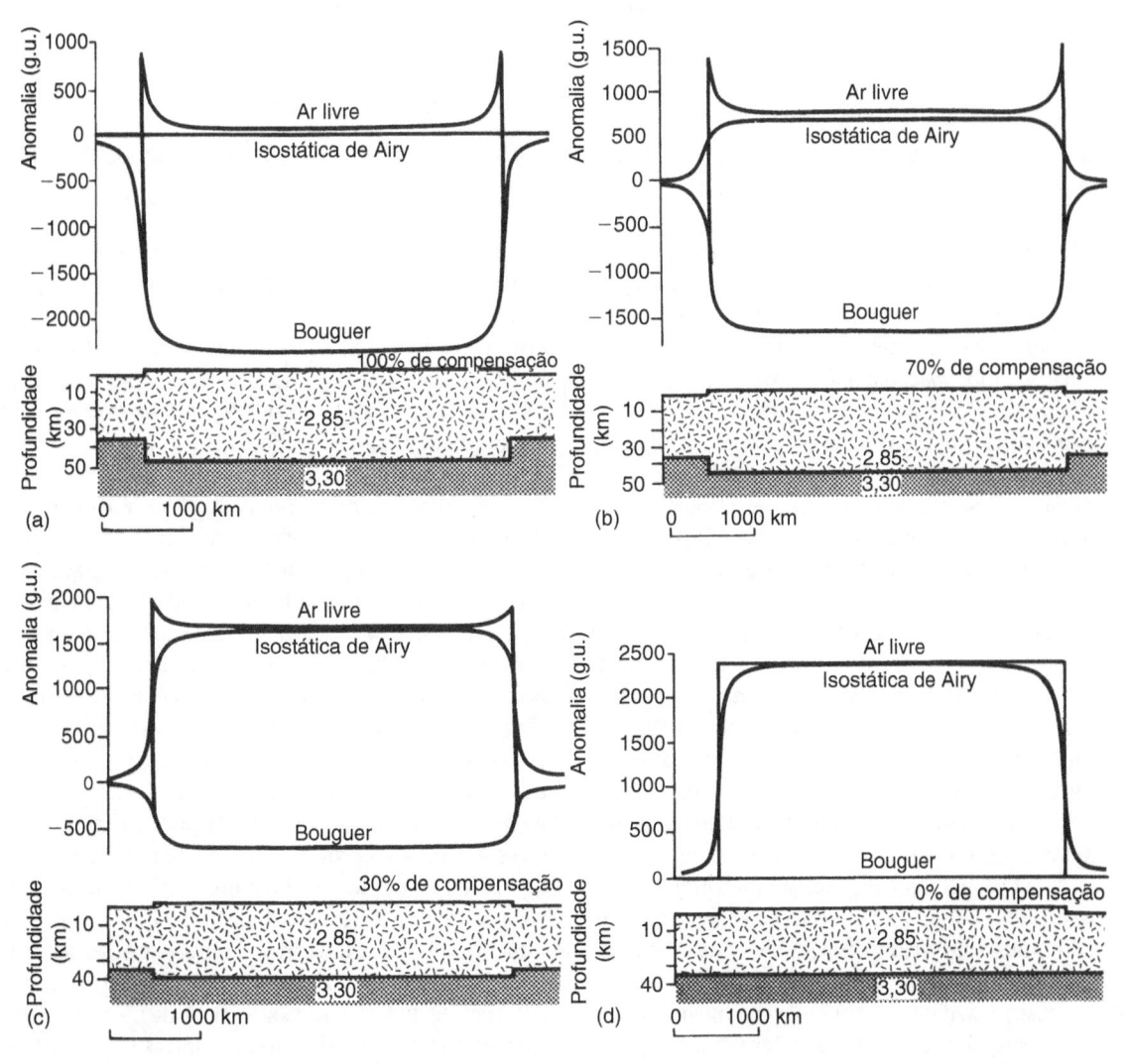

Figura 2.33 Anomalias de ar livre, Bouguer e isostática de Airy sobre uma cordilheira idealizada (a) em equilíbrio isostático perfeito, (b) com 70% de compensação isostática, (c) com 30% de compensação isostática, (d) descompensada. Densidades em Mg m^{-3}.

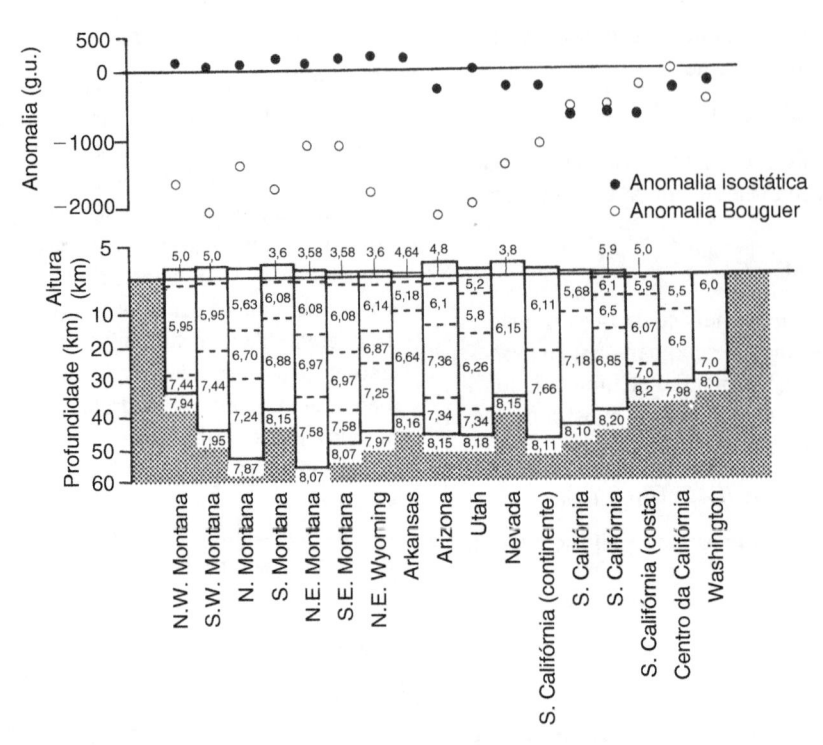

Figura 2.34 Anomalias gravimétricas Bouguer e isostáticas e sua relação com secções de velocidade sísmica do oeste dos Estados Unidos. Velocidades em km s^{-1} (adaptado de Garland, 1979).

hipótese de isostasia, computando sua anomalia gravimétrica e, em seguida, subtraindo isso da anomalia Bouguer observado para fornecer a anomalia isostática. A técnica de computar a anomalia gravimétrica de um modelo hipotético é conhecida como *modelagem forward*.

Anomalias gravimétricas podem, portanto, ser usadas para determinar se uma feição da superfície é isostaticamente compensada em profundidade. Elas não podem, no entanto, revelar a forma de compensação e indicar qual tipo de mecanismo é atuante. Isso deve-se ao fato de a compensação ocorrer em um nível relativamente profundo e as diferenças nas anomalias produzidas por uma raiz/antiraiz (de acordo com a hipótese de Airy) ou por unidades de diferentes densidades (de acordo com a hipótese de Pratt) serem muito pequenas. Além disso, as anomalias gravimétricas na maioria das regiões contêm componentes de onda curta resultantes de estruturas geológicas localizadas e não compensadas que obscurecem as diferenças regionais no campo decorrentes das diferentes formas de compensação.

Um teste mais sofisticado de isostasia envolve a análise espectral da topografia e da anomalia gravimétrica da região em estudo (Watts, 2001). A relação entre gravidade e topografia muda com o comprimento de onda. Além disso, a maneira como ela muda varia para diferentes modelos isostáticos. Assim, medindo-se a frequência gravimétrica e informações topográficas, é possível determinar o tipo de compensação relacionada à área. A técnica também produz uma estimativa da T_e, a espessura elástica da litosfera (Seções 2.11.4, 2.12).

Informações sobre a forma geométrica de compensação isostática também podem ser adquiridas por uma análise combinada dos dados de gravimetria e de refração sísmica, uma vez que essas técnicas podem fornecer uma imagem razoavelmente detalhada da estrutura de subsuperfície da região em consideração. Tais estudos demonstraram que o amplo equilíbrio isostático dos continentes e oceanos é atingido principalmente por variações na espessura da crosta, de acordo com a hipótese de Airy. A Fig. 2.34 mostra secções de velocidade sísmica da parte ocidental dos Estados Unidos, cuja superfície topográfica é largamente compensada pela topografia da Moho, embora, em vários locais, variações de densidade do manto superior devam ser invocadas para explicar a compensação isostática. A secção transversal da parte ocidental dos Estados Unidos (Fig. 2.35) revela que a espessura da crosta terrestre não é, necessariamente, relacionada à elevação topográfica, a exemplo das Grandes Planícies, que atingem uma altura média de 1 km e são sustentadas por crosta de 45-50 km de espessura, e da Província Basin and Range, a uma média de 1,2 km acima do nível médio do mar e sustentada por uma espessura crustal média de 25-30 km (Seção 7.3). Claramente, a Província Basin and Range deve ser parcialmente compensada por um mecanismo tipo Pratt resultante da presença de material de baixa densidade no manto superior. Da mesma forma, cordilheiras oceânicas (Seção 6.2) devem a sua elevação a uma região de material de baixa densidade no manto superior, em vez de a uma crosta espessa.

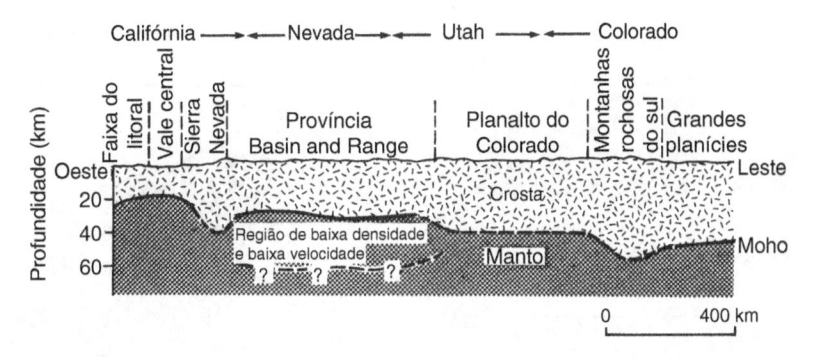

Figura 2.35 Secção de São Francisco, Califórnia, a Lamar, Colorado, com base em dados de refração sísmica (adaptado de Pakiser 1963, com permissão da American Geophysical Union. Copyright © 1963 American Geophysical Union).

Há regiões da superfície da Terra que não obedecem aos conceitos de isostasia discutidos neste livro. As hipóteses discutidas assumem que o apoio de feições de superfície é alcançado por seu equilíbrio hidrostático com o substrato. Em certas áreas, no entanto, como nas margens de placas convergentes, características de superfície são suportadas dinamicamente por esforços horizontais. Tais características fornecem as maiores anomalias isostáticas observadas na superfície da Terra.

2.12 LITOSFERA E ASTENOSFERA

Há muito tempo se reconhece que, para estruturas em grande escala atingirem o equilíbrio isostático, é preciso que a camada mais externa da Terra seja sustentada por uma camada pouco resistente que deforma por fluxo. Este conceito tem assumido importância fundamental, uma vez que se percebeu que as subdivisões da Terra, que controlam os movimentos de placas tectônicas, devem ser baseadas em reologia, em vez de composição.

A litosfera é definida como a camada resistente e mais externa da Terra, que deforma de uma forma essencialmente elástica. Ela é composta por crosta e manto superior. A litosfera é sustentada pela astenosfera, uma camada muito menos resistente que reage ao esforço de uma forma fluida. A litosfera é dividida em placas, das quais o componente crustal pode ser oceânico e/ou continental, e os movimentos relativos das placas ocorrem na astenosfera.

No entanto, depois de fazer essas definições simplistas, o exame de várias propriedades que caracterizam essas camadas revelam que elas levam a ideias diferentes sobre sua espessura. As propriedades consideradas são térmica, sísmica, elástica, sismogênica e temporal.

Acredita-se que a temperatura seja o principal fenômeno que controla a resistência do material em subsuperfície. A pressão hidrostática aumenta com a profundidade de uma forma quase linear, e assim o ponto de fusão de rochas também aumenta com a profundidade. A fusão irá ocorrer quando a curva de temperatura interceptar a curva de fusão

(*solidus*) para o material presente nesta profundidade (Fig. 2.36). Acredita-se que a astenosfera represente a localização no manto onde o ponto de fusão esteja mais próximo. Essa camada com certeza não é completamente fundida, já que transmite ondas S, mas é possível que uma pequena quantidade de fusão esteja presente. A profundidade na qual a astenosfera ocorre depende do gradiente geotérmico e da temperatura de fusão dos materiais do manto (Le Pichon et al., 1973). Abaixo das dorsais oceânicas, onde gradientes de temperatura são elevados, a astenosfera ocorre em baixa profundidade. Na região da crista (Seção 6.10), a litosfera é particularmente fina. O gradiente diminui para as bacias oceânicas profundas, e a litosfera espessa neste sentido. Este aumento correlaciona-se com a profundidade da água conforme a subsidência da litosfera como resultado da contração no resfriamento (Seção 6.4). A espessura média da litosfera sob os oceanos é, provavelmente, de 60-70 km. Abaixo dos continentes, uma parcela substancial do fluxo de calor observado é produzida no interior da crosta (Seção 2.13), de modo que o gradiente de temperatura na litosfera

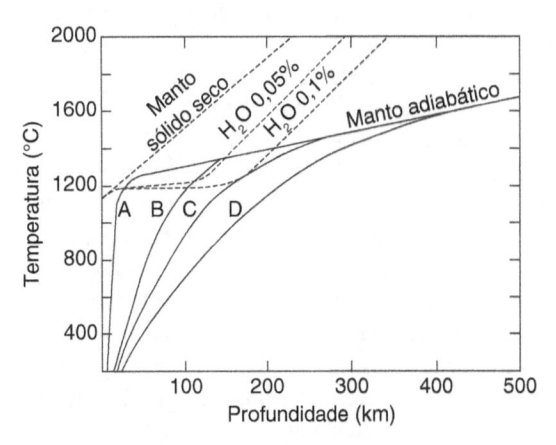

Figura 2.36 Variação da temperatura com a profundidade sob regiões continentais e oceânicas. A, dorsal oceânica; B, bacia oceânica; C, plataforma continental; D, Escudo Arqueano (adaptado de Condie, 2005b, com permissão da Elsevier Academic Press).

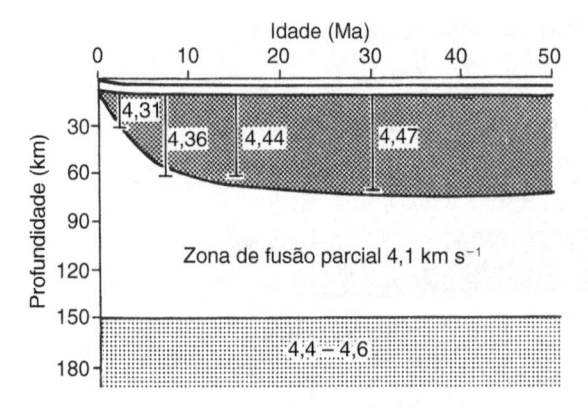

Figura 2.37 Modelo de ondas de cisalhamento associando espessamento da litosfera oceânica *versus* a idade. Velocidades em km s^{-1} (adaptado de Forsyth, 1975, com a permissão da Blackwell Publishing). A transição de 150 km pode ser um pouco mais profunda.

subcrustal deve ser consideravelmente menor do que nas áreas oceânicas. É provável que o manto *solidus* não seja extendido até uma profundidade muito maior; assim, a litosfera continental tem uma espessura de 100-250 km, com seu máximo sob áreas cratônicas (Seção 11.3.1).

A profundidade da Zona de Baixa Velocidade (LVZ) para ondas sísmicas (Seção 2.2) superpõe muito bem com o modelo de temperatura da litosfera e da astenosfera. Sob a litosfera oceânica, por exemplo, ela aumenta progressivamente, afastando-se das cristas das dorsais mesoceânicas e atingindo uma profundidade de aproximadamente 80 km abaixo da crosta de 80 Ma de idade (Forsyth, 1975) (Fig. 2.37). Abaixo dos continentes, ela ocorre em profundidades maiores, de acordo com os gradientes geotérmicos inferiores (Fig. 2.36). Dentro da LVZ a atenuação de energia sísmica, particularmente a energia das ondas de cisalhamento, é muito elevada. Tanto a baixa velocidade sísmica quanto a alta atenuação são consistentes com a presença de uma camada de baixa resistência a este nível. Como seria de esperar de um limite de temperatura controlada, a interface litosfera-astenosfera não é bem definida e ocupa uma zona de vários quilômetros de espessura.

Quando a superfície da Terra é carregada, a litosfera reage pela flexão para baixo (Seção 2.11.4). Exemplos incluem o carregamento de áreas continentais por pacotes de gelo ou grandes lagos glaciais, o carregamento de litosfera oceânica por montanhas submarinas e o carregamento das margens de ambos, na transição do oceano-continente, por deltas de grandes rios. A quantidade de flexão depende da magnitude da carga e da rigidez da litosfera. Este último, por sua vez, depende da espessura elástica efetiva da litosfera, T_e (Seção 2.11.4). Assim, se a magnitude da carga pode ser calculada e a quantidade de flexão determinada, T_e pode ser deduzida. No entanto, como indicado na Seção 2.11.6, T_e pode ser determinada de modo mais geral a par-

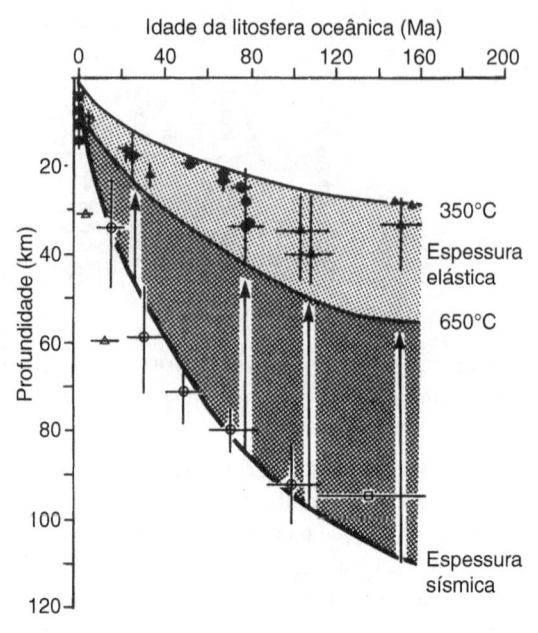

Figura 2.38 Comparação do valor de espessura "sísmica" de curto prazo e da espessura "elástica" de longo prazo para a litosfera oceânica de idades diferentes (adaptado de Watts et al.,1980, com permissão da American Geophysical Union. Copyright © 1980 American Geophysical Union).

tir da análise espectral da gravidade e de dados topográficos. Resultados obtidos pela aplicação desta técnica para áreas oceânicas são muito consistentes. Eles revelam que a espessura elástica da litosfera oceânica é invariavelmente menor do que 40 km e diminui de forma sistemática para cristas oceânicas (Watts, 2001) (Fig. 2.38). Por outro lado, os resultados obtidos para áreas continentais variam de 5 a 110 km, sendo os maiores valores obtidos para áreas mais antigas – os crátons pré-cambrianos. No entanto, McKenzie (2003) afirma que, se houver contrastes de densidade na subsuperfície que não tenham expressão topográfica, as chamadas cargas enterradas, a técnica gera uma superestimativa da espessura elástica. Acredita-se que tais cargas sejam mais comuns em áreas continentais, particularmente nos crátons, por causa de sua litosfera espessa e rígida. Em áreas oceânicas, as cargas são normalmente superimpostas na crosta e expressas na topografia. McKenzie (2003) vai mais longe ao sugerir que, se provisões forem feitas para cargas enterradas, a espessura elástica da litosfera será provavelmente inferior a 25 km em ambas as áreas oceânica e continental. Por outro lado, Perez-Gussinge & Watts (2005) afirmam que T_e é maior do que 60 km para a litosfera continental mais velha do que 1,5 Ga de idade e menor do que 30 km para as áreas continentais mais jovens do que 1,5 Ga de idade. Eles sugerem que este é um resultado da mudança de espessura, do gradiente geotérmico e da composição da litosfera continental com o tempo devido a uma diminuição nas temperaturas do manto e no conteúdo volátil (Seção

11.3.3). Em áreas tectonicamente ativas, como a Província Basin and Range, a espessura elástica pode chegar a 4 km (Bechtel et al., 1990). Tais espessuras elásticas muito finas existem, sem dúvida, devido a altos gradientes geotérmicos.

Outro aspecto da litosfera é a profundidade máxima em que os focos dos terremotos ocorrem. Esta espessura, chamada de *sismogênica*, é geralmente inferior a 25 km, ou seja, semelhante ou um pouco menor do que a espessura elástica na maioria das áreas (Watts & Burov, 2003). Por isso, parece haver apoio à conclusão de McKenzie (2003) de que a análise espectral da topografia e anomalias gravimétricas sistematicamente superestimam T_e, especialmente em áreas de escudos pré-cambrianos, por causa da topografia suave e da presença de cargas enterradas. No entanto, existem explicações alternativas que invocam o papel da camada dúctil na crosta continental inferior, dissociando a camada elástica superior da parte inferior da litosfera, o papel do aumento da pressão de sobrecaga na inibição do atrito de deslizamento e o fato de haver algumas evidências de terremotos e falhas na crosta inferior e no manto superior. Acredita-se que este último possa ocorrer nos casos relativamente raros em que a crosta inferior e/ou manto superior são hidratados (Watts & Burov, 2003).

Assim, o conceito da litosfera como uma camada de resistência uniformemente elevada é visto como demasiadamente simplista quando a estratificação reológica é considerada. Os 20-40 km superiores da litosfera são frágeis e respondem ao esforço abaixo do ponto de resistência por deformação elástica acompanhado por fluência transiente. Abaixo da zona frágil, existe uma camada que deforma por fluxo plástico acima de um ponto de resistência de cerca de 100 MPa. A parte inferior, que é contínua com a astenosfera, deforma por fluência tipo *power law*, sendo definida como a região onde a temperatura aumenta com a profundidade de $0,55\,T_m$ a $0,85\,T_m$. A litosfera é melhor entendida como uma camada viscoelástica, em vez de elástica (Walcott, 1970), pois, como demonstrado por Walcott, o tipo de deformação experimentado depende da duração das cargas aplicadas. Em períodos de poucos milhares de anos, a maior parte da região exibindo fluência tipo *power law*, não deforma significativamente e, como consequência, está incluída na litosfera elástica. Um carregamento de longo prazo, entretanto, ocorrendo em períodos de poucos milhões de anos, permite que deformação *power law* ocorra para que esta região então pertença à astenosfera.

A litosfera pode, portanto, ser definida de várias maneiras diferentes que proporcionam diferentes estimativas de sua espessura. É preciso ter isso em mente ao longo de qualquer consideração sobre processos de placas tectônicas.

Acredita-se que a astenosfera se estenda a uma profundidade de cerca de 700 km. As propriedades da região subjacente são mal conhecidas. Ondas sísmicas que atravessam esta região não sofrem grande atenuação (Seção 9.4), e, por isso, é geralmente aceito que esta é uma camada de maior resistência, denominada *mesosfera*. Os acamamentos composicional e reológico da Terra são comparados na Fig. 2.39.

2.13 FLUXO DE CALOR TERRESTRE

O estudo de processos térmicos no interior da Terra é um pouco especulativo, porque a interpretação da distribuição de fontes de calor e dos mecanismos de transferência de calor são baseados em medições feitas próximo à superfície. Tal estudo é importante, apesar do processo de fuga de calor do interior da Terra ser causado direta ou indiretamente pelas atividades tectônicas e ígneas.

Quase todo o calor sobre a superfície da Terra vem do Sol, que representa cerca de 99,98% do total de energia da superfície da Terra. A maior parte desta energia térmica, entretanto, é irradiada novamente para o espaço, enquanto o restante penetra apenas algumas centenas de metros abaixo da superfície. Consequentemente, a energia solar tem um efeito negligenciável em processos térmicos que ocorrem no interior da Terra. A perda de energia geotérmica de fontes de calor no interior da Terra constitui cerca de 0,022% do total da energia de superfície. Outras fontes de energia incluem a energia gerada pela desaceleração gradual da rotação da Terra e a energia liberada por terremotos, mas estas representam apenas cerca de 0,002% do total de energia. É assim evidente que a energia geotérmica é a principal fonte de energia que impulsiona os processos internos da Terra.

Acredita-se que a energia geotérmica é derivada, em parte, da energia desprendida durante o decaimento radioativo de isótopos de vida longa, em particular K^{40}, U^{235}, U^{238} e Th^{232}, e também do calor liberado durante os primeiros estágios da formação da Terra. Esses isótopos seriam responsáveis pela perda geotérmica atual se presentes em proporções semelhantes às de meteoritos condríticos. O decaimento radioativo é exponencial, de modo que, durante o início da história da Terra, a concentração de isótopos radioativos teria sido significativamente maior do que hoje, e a energia térmica disponível para seus processos internos de energia teria sido muito maior (Seção 12.2). Modelos atualmente aceitos para a formação da Terra exigem uma fase inicial de fusão e diferenciação de sua estrutura originalmente homogênea. Acredita-se que essa fusão tenha sido alimentada em parte pela energia térmica fornecida pelo decaimento de isótopos radioativos de vida curta, como Al^{26}, Fe^{60} e Cl^{36}. A diferenciação da Terra também teria contribuído com energia para a Terra decorrente da perda de energia potencial gravitacional com o denso núcleo de ferro-níquel segregado a um estado de baixa energia no centro da Terra.

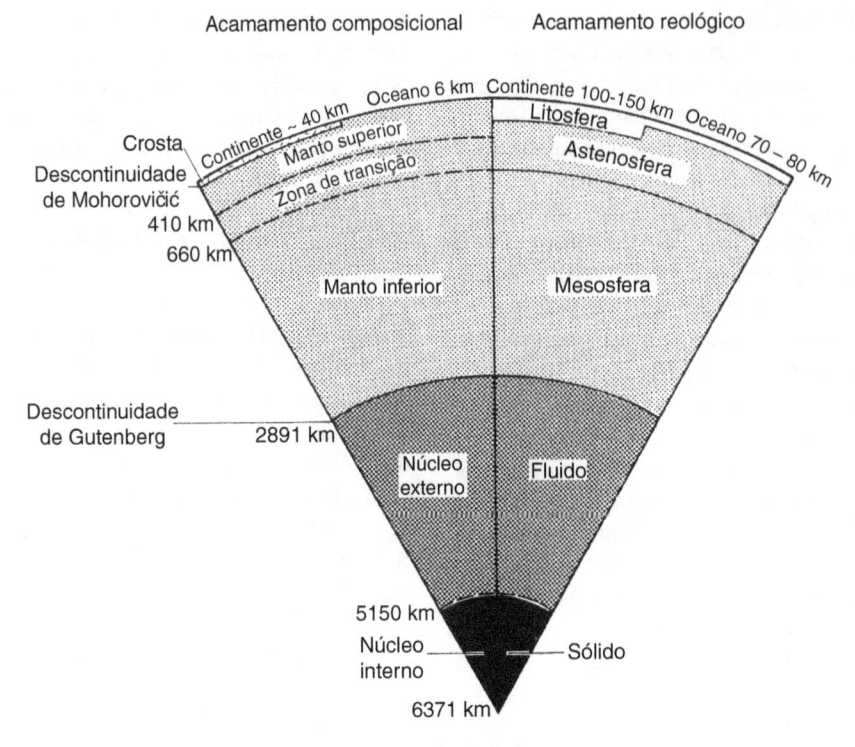

Figura 2.39 Comparação entre as camadas composicionais e reológicas da Terra.

O fluxo de calor através de uma unidade de área da superfície da Terra, H, é dado por:

$$H = K \frac{\delta T}{\delta z}$$

onde $\delta T/\delta z$ é o gradiente térmico perpendicular à superfície e K a condutividade térmica do meio através do qual o calor está fluindo. As unidades de H são $mW\ m^{-2}$.

Em terra, as medições de fluxo de calor são normalmente feitas em poços artesianos. Termômetros de mercúrio máximo ou sondas termistor são usados para determinar o gradiente de temperatura vertical. A condutividade térmica é medida em amostras do núcleo usando uma técnica similar ao método de disco Lee. Apesar de parecerem relativamente simples, medições acuradas de fluxo de calor no solo são difíceis de realizar. A perfuração de um poço exige o uso de lubrificantes líquidos que perturbam o regime térmico do poço, fazendo com que ele tenha de ser deixado por diversos meses para permitir que a perturbação se dissipe. Estratos porosos devem ser evitados uma vez que a água dos poros atua como um dissipador de calor e distorce os gradientes térmicos normais. Como consequência, raramente é possível utilizar poços perfurados para fins de exploração de hidrocarbonetos ou hidrogeológica. Em muitas áreas, as leituras só podem ser realizadas em profundidades abaixo de aproximadamente 200 m, de modo a evitar os efeitos térmicos transientes de glaciações.

Medições de fluxo de calor são consideravelmente mais fáceis de realizar no mar. As temperaturas do fundo dos oceanos permanecem essencialmente constantes e, assim, não surgem complicações por causa de perturbações térmicas transientes. Um termômetro é colocado na camada de sedimentos superiores moles do fundo do mar e, após a estabilização de alguns minutos, o gradiente de temperatura é medido por uma série de sondas termistor. Um testemunhador associado com coleta de amostra de sedimento para medições de condutividade térmica; alternativamente, o papel de um dos termistores pode ser alterado para proporcionar uma fonte de calor. A mudança na temperatura da amostra com o tempo depende da taxa na qual o calor é conduzido para longe dela, e isso permite fazer uma medição *in situ* e direta da condutividade térmica do sedimento.

Uma grande proporção de energia geotérmica escapa da superfície por condução através da Terra sólida. Na região do sistema de cristas oceânicas, no entanto, a circulação da água do mar desempenha um papel importante no transporte de calor para a superfície, e cerca de 25% do fluxo de energia geotermal na superfície da Terra são perdidos dessa forma.

O padrão de províncias de fluxo de calor na superfície da Terra é amplamente correlacionado com grandes subdivisões fisiográficas e geológicas. Em continentes, a magnitude do fluxo de calor geralmente diminui a partir do último grande evento tectônico (Sclater et al., 1980). Valores de fluxo de calor são, portanto, baixos sobre os escudos pré-cambrianos e muito maiores sobre as regiões afetadas pela orogênese cenozoica. Dentro dos oceanos, o fluxo de calor diminui com a idade da litosfera (Seção 6.5), com valores altos sobre o sistema de cristas oceânicas e oceanos ativos marginais e valores baixos ao longo das bacias oceânicas profundas e oceanos marginais inativos.

O fluxo de calor médio em áreas continentais é 65 mW m^{-2} e, em áreas oceânicas, é 101 mW m^{-2}, dos quais cerca de 30% são uma contribuição da atividade hidrotermal no sistema de cristas mesoceânicas (Pollack et al., 1993). Como 60% da superfície da Terra são sustentados por crosta oceânica, cerca de 70% da energia geotérmica é perdida através da crosta oceânica e 30% através da crosta continental.

LEITURA ADICIONAL

Anderson, D.L. (2007) *New Theory of the Earth*, 2nd edn. Cambridge University Press, Cambridge, UK.

Bott, M.H.P. (1982) *The Interior of the Earth, its Structure, Constitution and Evolution*, 2nd edn. Edward Arnold, London.

Condie, K.C. (2005) *Earth as an Evolving Planetary System*. Elsevier, Amsterdam.

Fowler, C.M.R. (2005) *The Solid Earth: an introduction to global geophysics*, 2nd edn. Cambridge University Press, Cambridge.

Jacobs, J.A. (1991) *The Deep Interior of the Earth*. Chapman & Hall, London.

Nicolas, A. (1989) *Structure of Ophiolites and Dynamics of Oceanic Lithosphere*. Kluwer Academic Publishers, Dordrecht.

Park, R.G. (1988) *Geological Structures and Moving Plates*. Blackie, London and Glasgow.

Ranalli, G. (1995) *Rheology of the Earth*, 2nd edn. Chapman & Hall, London.

Stein, S. & Wysession, M. (2003) *An Introduction to Seismology, Earthquakes, and Earth Structure*. Blackwell Publishing, Oxford.

Twiss, R.J. & Moores, E.M. (2006) *Structural Geology*, 2nd edn. W.H. Freeman, New York.

3 Deriva continental

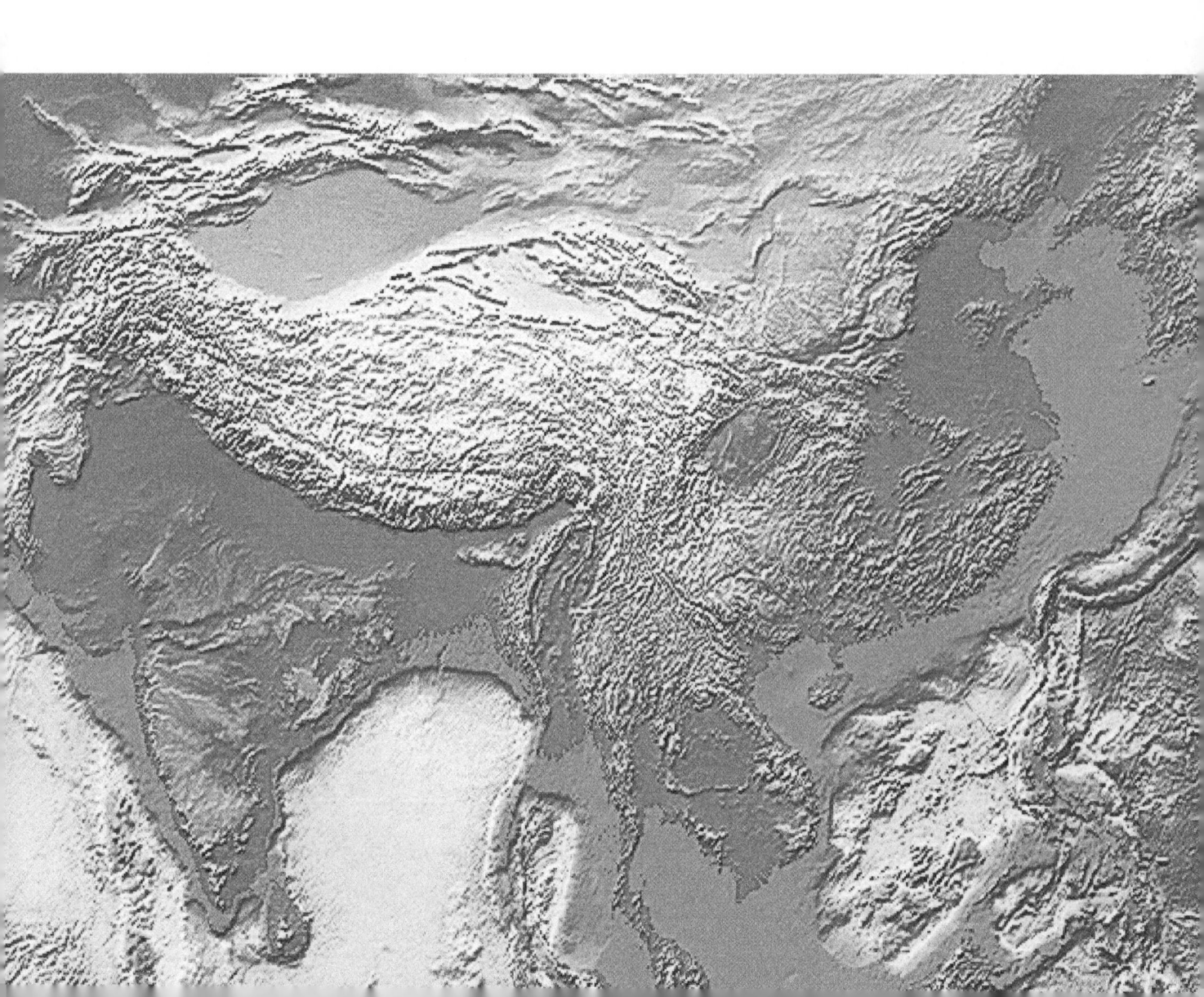

3.1 INTRODUÇÃO

Desde o século XVI já se observava que as linhas de costa ocidental e oriental do Oceano Atlântico pareciam se encaixar como peças de um quebra-cabeça (Seção 1.1). No entanto, a significância dessa observação não foi totalmente percebida até o século XIX, quando o encaixe geométrico das bordas continentais foi considerado como principal fator de evidência na construção da hipótese da deriva continental. O caso da hipótese foi reforçado com a correspondência de características geológicas ao longo das linhas de costas justapostas. A aplicação da técnica de paleomagnetismo nos anos 1950 e 1960 forneceu a primeira evidência quantitativa de que os continentes se moveram, pelo menos em uma direção norte-sul, durante o tempo geológico. Além disso, foi demonstrado que os continentes já haviam sido submetidos a movimentos relativos, e isso confirmou que havia realmente ocorrido deriva continental.

3.2 A RECONSTRUÇÃO CONTINENTAL

3.2.1 Teorema de Euler

Para efetuar uma reconstrução acurada ao longo de oceanos fechados, é necessário estar apto para descrever matematicamente a operação envolvida no ajuste geométrico. Isso é realizado de acordo com um teorema de Euler, que mostra que o movimento de uma porção de uma esfera em toda sua superfície é exclusivamente definido por uma única rotação angular sobre um polo de rotação (Fig. 3.1). O polo de rotação e seu ponto antípodo no diâmetro oposto da esfera são os dois únicos pontos que permanecem em uma posição fixa em relação à parte em movimento. Consequentemente, o movimento de um continente em toda a superfície da Terra para sua posição pré-deriva pode ser descrito por seu polo e ângulo de rotação.

3.2.2 A reconstrução geométrica dos continentes

Apesar de a reconstrução poder ser feita manualmente por modelos móveis dos continentes em torno de um globo perfeitamente construído (Carey, 1958), as reconstruções mais rigorosas são feitas matematicamente por computador; deste modo, é possível minimizar o grau de incompatibilidade entre as margens continentais justapostas.

A técnica geralmente adotada em ajustes continentais feitos em computador é assumir uma série de polos de rotação para cada par de continentes arranjados em uma grade de pontos de latitude e longitude. Para cada posição de polo, o ângulo de rotação é determinado para pôr as margens continentais juntas com a menor proporção de lacunas e sobreposição. O ajuste não é feito sobre as linhas de costas, pois a crosta continental se estende sob o mar em torno da

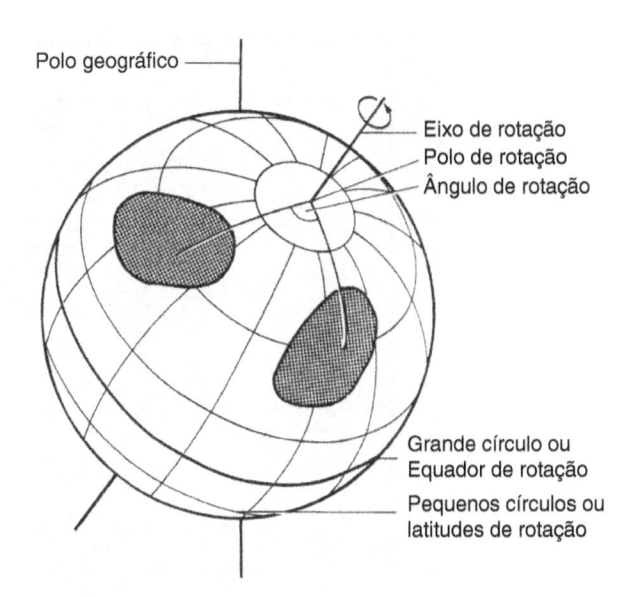

Figura 3.1 Teorema de Euler. Diagrama ilustrando como o movimento de um continente na Terra pode ser descrito por um ângulo de rotação associado a um polo de rotação.

plataforma até o talude continental. Consequentemente, a verdadeira junção entre a litosfera continental e oceânica é considerada como sendo em alguma isóbata marcando o ponto médio do talude continental, por exemplo, o contorno de 1000 m. Tendo determinado o ângulo de rotação, a qualidade do ajuste é quantificada por algum critério com base no grau de incompatibilidade. Essa qualidade de ajuste é geralmente conhecida como a função objetiva. Valores da função objetiva são inseridos na grade de posição de polo de rotação e contornados. A localização da função objetiva mínima revelada por esse procedimento fornece então o polo de rotação para o qual as bordas continentais se ajustam mais exatamente.

3.2.3 A reconstrução dos continentes em torno do Atlântico

A primeira reconstrução matemática dos continentes baseada somente em critérios geométricos foi feita por Bullard et al. (1965), que ajustaram os continentes dos dois lados do Atlântico (Fig. 3.2). Isso foi realizado pelo ajuste sequenciado de pares de continentes após serem determinados seus melhores ajustes de polos de rotação pelo procedimento descrito na Seção 3.2.2. A única rotação envolvendo apenas as partes da mesma porção de terra é a da Península Ibérica em relação ao resto da Europa. Isso é justificado por causa da presença conhecida de litosfera oceânica na Baía de Biscaia, que é fechada por essa rotação. Evidência geológica (Seção 3.3) e informações fornecidas pelos lineamentos magnéticos no Atlântico (Seção 4.1.7) indicam que a reconstrução representa a configuração continental durante o Neotriássico/Eojurássico, cerca de 200 Ma atrás.

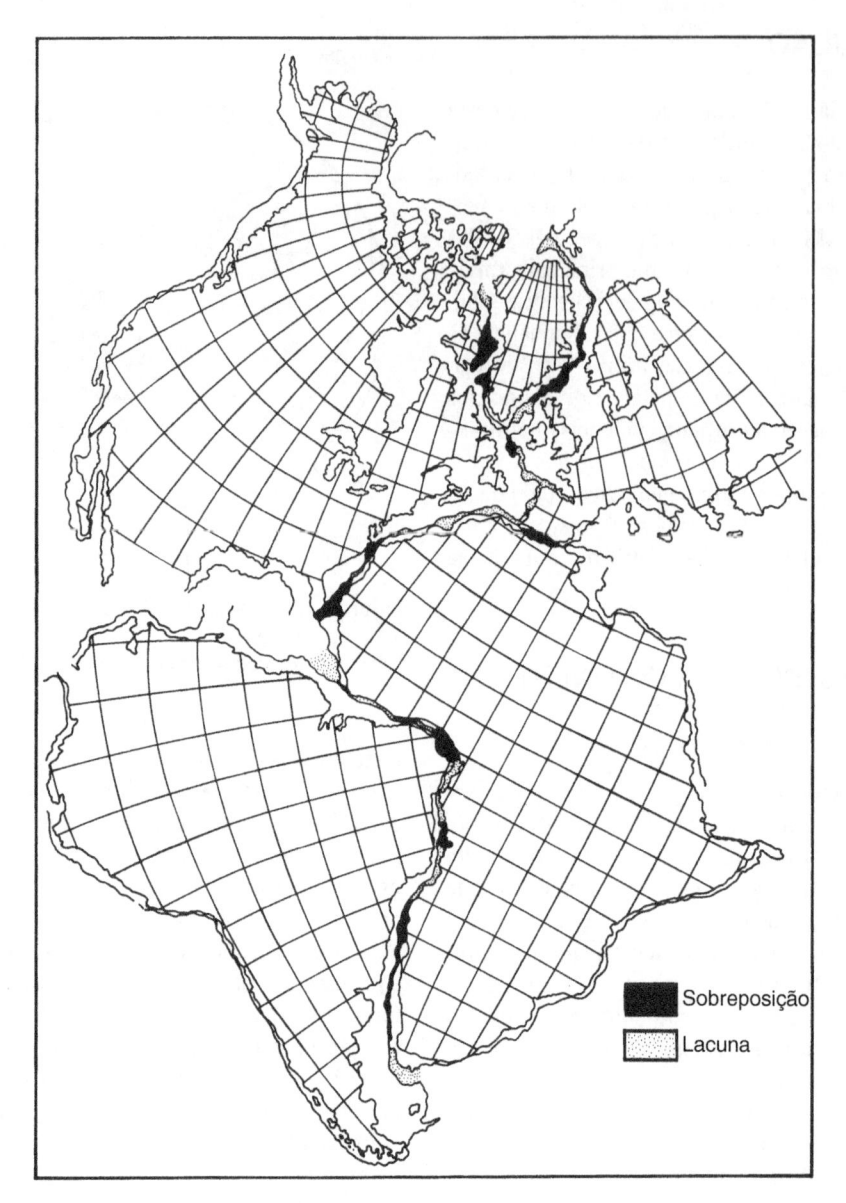

Figura 3.2 Ajuste dos continentes em torno do Oceano Atlântico, obtido pela correspondência da isóbata de 500 fathom (920 m) (adaptado de Bullard et al., 1965, com permissão da Royal Society of London).

O exame da Fig. 3.2 revela um número de sobreposições de significância geológica, algumas das quais podem ser relacionadas com o processo de estiramento e afinamento durante a formação das margens continentais separadas. A Islândia está ausente porque é da era Cenozoica e sua formação durante o processo de abertura do Atlântico é posterior à reconstrução. A Plataforma Bahama parece sobrepor a margem continental e o continente africano. É provável, no entanto, que a plataforma represente um acúmulo de sedimentos capeado por um coral sobre crosta oceânica que se formou depois das Américas terem se separado (Dietz & Holden, 1970). De forma similar, o Delta do Níger, na África, parece formar uma sobreposição quando, na verdade, também se desenvolveu, em parte, sobre a crosta oceânica formada após a separação.

A maior crítica da reconstrução é a sobreposição da América Central sobre a América do Sul e a ausência do Mar do Caribe. Isso deve ser visto, no entanto, à luz do nosso conhecimento sobre a história da abertura do Atlântico baseada, em grande parte, no seu padrão de lineamentos magnéticos. Considerações geológicas e geométricas sugerem que os blocos crustais paleozoicos subjacentes à América Central estavam originalmente situados na região agora ocupada pelo Golfo do México, uma área existente no interior da reconstrução (Fig. 3.3). O Atlântico Norte começou a abrir cerca de 180 Ma atrás, e o Atlântico Sul um

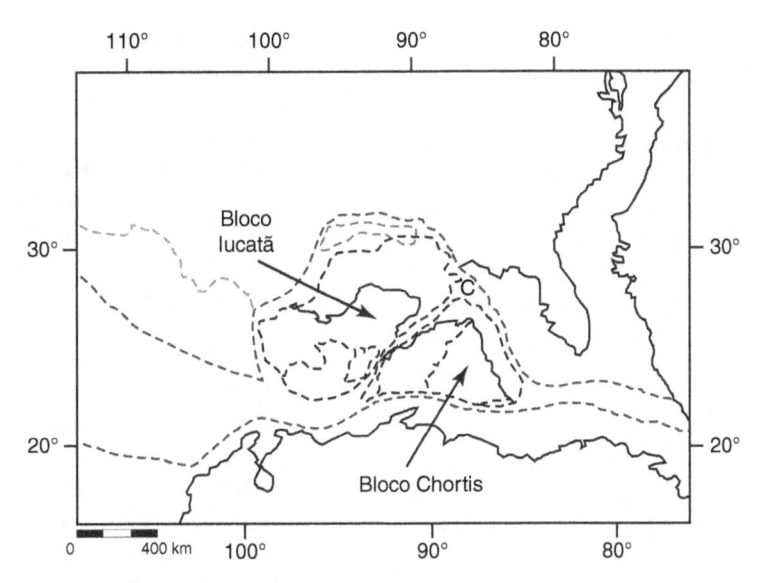

Figura 3.3 Reconstrução da região da América Central segundo o ajuste de Bullard et al. dos continentes circundantes do Atlântico (Fig. 3.2). C: localização das porções pré-Mesozoicas de Cuba (adaptado de White, 1980, com permissão da *Nature* **283**, 823–6. Copyright 1980 Macmillan Publishers Ltd).

pouco mais tarde, cerca de 130 Ma atrás. Os polos de rotação do Atlântico Norte e Sul foram diferentes o suficiente para que a abertura criasse o espaço entre as Américas do Norte e do Sul, agora ocupado pelo Caribe. Isso também permitiu uma rotação no sentido horário dos blocos da América Central fora do Golfo do México para as suas presentes posições. Há cerca de 80 Ma, os polos de rotação do Atlântico Norte e Sul mudaram para uma localização quase idêntica na região do atual Polo Norte, de modo que todo o Oceano Atlântico efetivamente abriu como uma única unidade.

3.2.4 A reconstrução do Gondwana

Evidências geométricas têm sido usadas para o reposicionamento dos continentes do hemisfério sul que constituem o Gondwana. A primeira tentativa foi feita por Smith & Hallam (1970) e está ilustrada na Fig. 3.4. As formas das bordas continentais da costa leste da África, Madagáscar, Índia, Austrália e Antártica não são apropriadas o bastante para se encaixarem como os continentes circundantes do Atlântico. Essa reconstrução foi confirmada por análises subsequentes dos dados de lineamentos magnéticos do Oceano Índico (Seção 4.1.7).

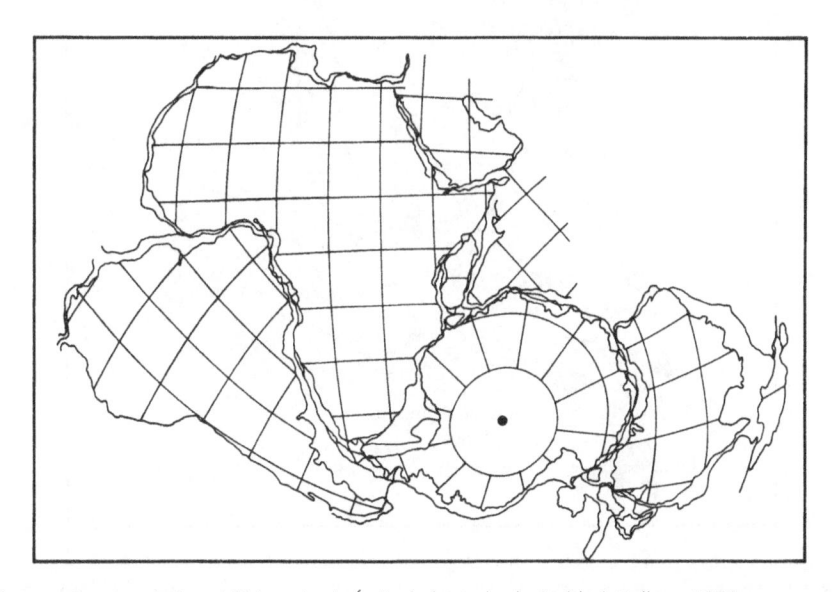

Figura 3.4 Ajuste dos continentes do hemisfério sul e da Índia (adaptado de Smith & Hallam, 1970, com permissão da *Nature* **255**, 139–44. Copyright 1970 Macmillan Publishers Ltd).

3.3 EVIDÊNCIA GEOLÓGICA PARA A DERIVA CONTINENTAL

As reconstruções continentais discutidas nas Seções 3.2.3 e 3.2.4 são baseadas somente no ajuste geométrico das bordas das plataformas continentais. Se elas representam a verdadeira configuração antiga dos continentes, deve ser possível traçar características geológicas contínuas de um continente a outro pelos ajustes. Esta coincidência requer o quebramento do supercontinente transversalmente à direção geral das feições geológicas. Isso não ocorre sempre, visto que a localização do quebramento é com frequência controlada pela geologia do supercontinente e toma lugar ao longo de linhas de fraqueza que podem seguir paralelamente ao núcleo geológico. Porém, restam várias características que podem ser correlacionadas entre margens continentais justapostas; algumas delas estão listadas abaixo.

1 *Cinturão de dobras*. A continuidade do cinturão apalachiano no leste da América do Norte com o cinturão caledoniano no norte da Europa, ilustrado na Fig. 3.5, é um exemplo bem estudado (Dewey, 1969). Dentro dos depósitos sedimentares associados a cinturões de dobras, há frequentemente evidências adicionais da deriva continental. O tamanho do grão, a composição e a distribuição de idades de minerais de zircão detríticos nos sedimentos podem ser usados para determinar a natureza e a direção da sua fonte. A fonte de sedimentos caledonianos do norte da Europa estende-se para o oeste, em um local atualmente ocupado pelo Atlântico, indicando que, no passado, esse local deve ter sido ocupado por crosta continental (Rainbird et al., 2001; Cawood et al., 2003).

2 *Províncias de idade*. A correlação dos padrões de idades de um lado a outro do Atlântico é mostrado na Fig. 3.6, que ilustra a correspondência entre os crátons pré-cambrianos e as rochas da era Paleozoica.

3 *Províncias ígneas*. Rochas ígneas distintivas podem ser traçadas entre continentes, como mostrado na Fig. 3.7. Isso se aplica para ambas as rochas extrusivas e intrusivas, como é o caso de doleritos mesozoicos que se estendem ao longo do sul da África, da Antártica e da Tasmânia, e para a direção aproximadamente linear dos anortositos pré-cambrianos (Seção 11.4.1) ao longo da África, de Madagáscar e da Índia (Smith & Hallam, 1970).

4 *Secções estratigráficas*. Sequências estratigráficas distintivas também podem ser correlacionadas entre continentes adjacentes. A Fig. 3.8 mostra secções estratigráficas da sucessão do Gondwana, uma sequência continental de sedimentos do Neopaleozoico (Hurley, 1968). Camadas guia de tilitos e carvão e sedimentos contendo floras de *Glossopteris* e *Gangamopteris* (Seção 3.5) podem ser correlacionados pela América do Sul, África do Sul, Antártica, Índia e Austrália.

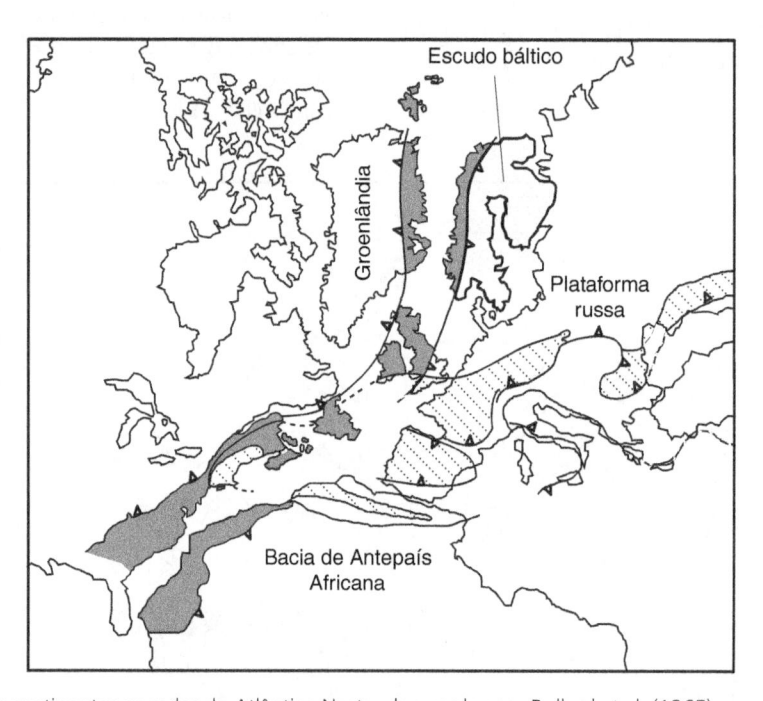

Figura 3.5 O ajuste dos continentes ao redor do Atlântico Norte, de acordo com Bullard et al. (1965), e as tendências dos cinturões de dobras apalachianos-caledonianos e variscanos (Paleozoico precoce e tardio) (sombreado escuro e claro, respectivamente). As duas fases de construção de montanha são sobrepostas no leste da América do Norte (adaptado de Hurley, 1968; the Confirmation of Continental Drift. Copyright © 1968 por Scientific American, Inc. Todos os direitos reservados.)

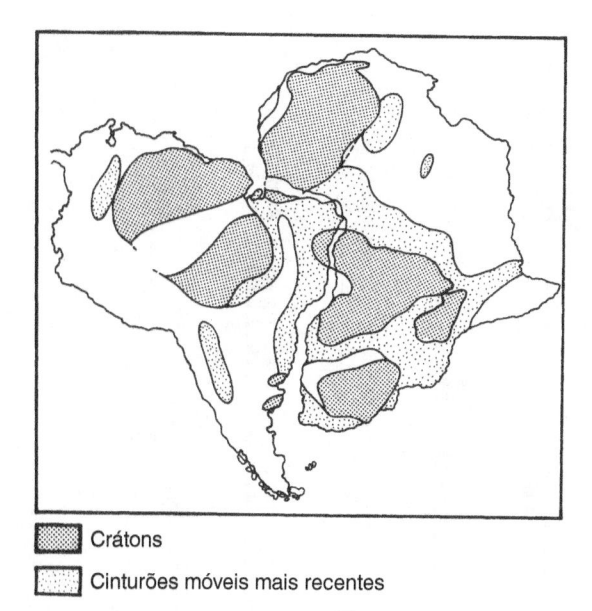

Figura 3.6 Correlação dos crátons e cinturões móveis mais jovens ao longo do Oceano Atlântico Sul fechado (adaptado de Hurley, 1968, the Confirmation of Continental Drift. Copyright © 1968 por Scientific American, Inc. Todos os direitos reservados.)

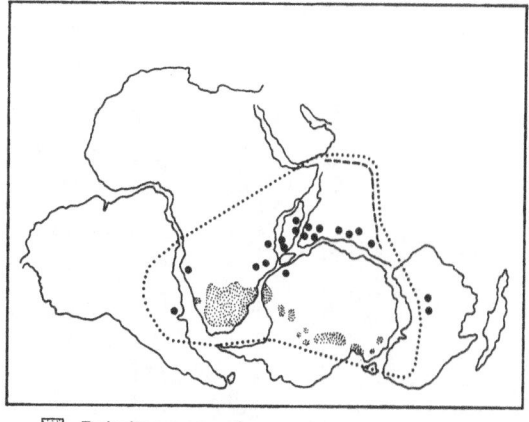

Figura 3.7 Correlação de depósitos glaciais permocarboníferos, doleritos mesozoicos e anortositos pré-cambrianos entre os continentes do Gondwana (adaptado de Smith & Hallam, 1970, com permissão da *Nature* **225**, 139–44. Copyright 1970 Macmillan Publishers Ltd.).

5 *Províncias metalogenéticas*. Regiões contendo manganês, minério de ferro e estanho podem ser correlacionadas entre as linhas de costas adjacentes em tal reconstrução (Evans, 1987).

3.4 PALEOCLIMATOLOGIA

A distribuição de regiões climáticas na Terra é controlada por uma complexa interação de vários fenômenos, incluindo fluxo solar (isto é, latitude), direções do vento, correntes oceânicas, elevação e barreiras topográficas (Seções 13.1.2, 13.1.3). A maioria desses fenômenos é pouco reconhecida no registro geológico. Em uma larga escala, no entanto, a latitude é o principal fator de controle do clima e, ignorando pequenas regiões microclimáticas dependentes de raras combinações de outros fenômenos, parece provável que o estudo de indicadores climáticos em rochas antigas pode ser usado para inferir, de modo geral, sua antiga latitude. Consequentemente, a paleoclimatologia, o estudo de climas passados (Frakes, 1979), pode ser usada para demonstrar que os continentes migraram pelo menos em um sentido norte-sul. Deve ser levado em conta, porém, que a Terra se encontra atualmente em um período interglacial, e assim um paralelo entre os climas moderno e antigo pode não ser completamente justificado. Importantes indicadores de paleolatitude estão listados abaixo.

1 *Carbonatos e depósitos de recife*. Esses depósitos são restritos para água quente e ocorrem à latitude de 30° nos dias de hoje, onde temperaturas estão na estreita faixa de 25-30°C.
2 *Evaporitos*. Evaporitos são formados sob condições quentes e áridas em regiões onde a evaporação excede o influxo de água do mar e/ou precipitação e são geralmente encontrados em bacias que bordejam um mar com conexão limitada ou intermitente com o oceano propriamente dito (Seção 13.2.4.). Nos dias de hoje, eles não se formam perto do equador, mas nas zonas subtropicais áridas de alta pressão entre cerca de 10° e 50°, onde as condições exigidas prevalecem, e acredita-se que evaporitos fósseis formaram uma faixa latitudinal semelhante (Windley, 1984).
3 *Red beds*. Incluem arenitos, arenitos arcoseanos, folhelhos e conglomerados que contêm hematita. Eles formam-se sobre condições de oxidação onde há um suprimento adequado de ferro. Um clima quente é necessário para a desidratação da limonita para a hematita, e hoje em dia eles são restritos a latitutes menores que 30°.
4 *Carvão*. O carvão é formado pela acumulação e degradação da vegetação onde a taxa de acúmulo excede a de remoção e decomposição. Isso ocorre tanto nas florestas tropicais, onde as taxas de crescimento são muito altas, quanto em florestas temperadas, onde o crescimento é mais lento, mas a decomposição é inibida por invernos frios. Assim, carvões podem se formar em latitudes altas ou baixas, sendo que cada tipo tem uma flora distintiva. Na compilação de Wegener de dados paleoclimáti-

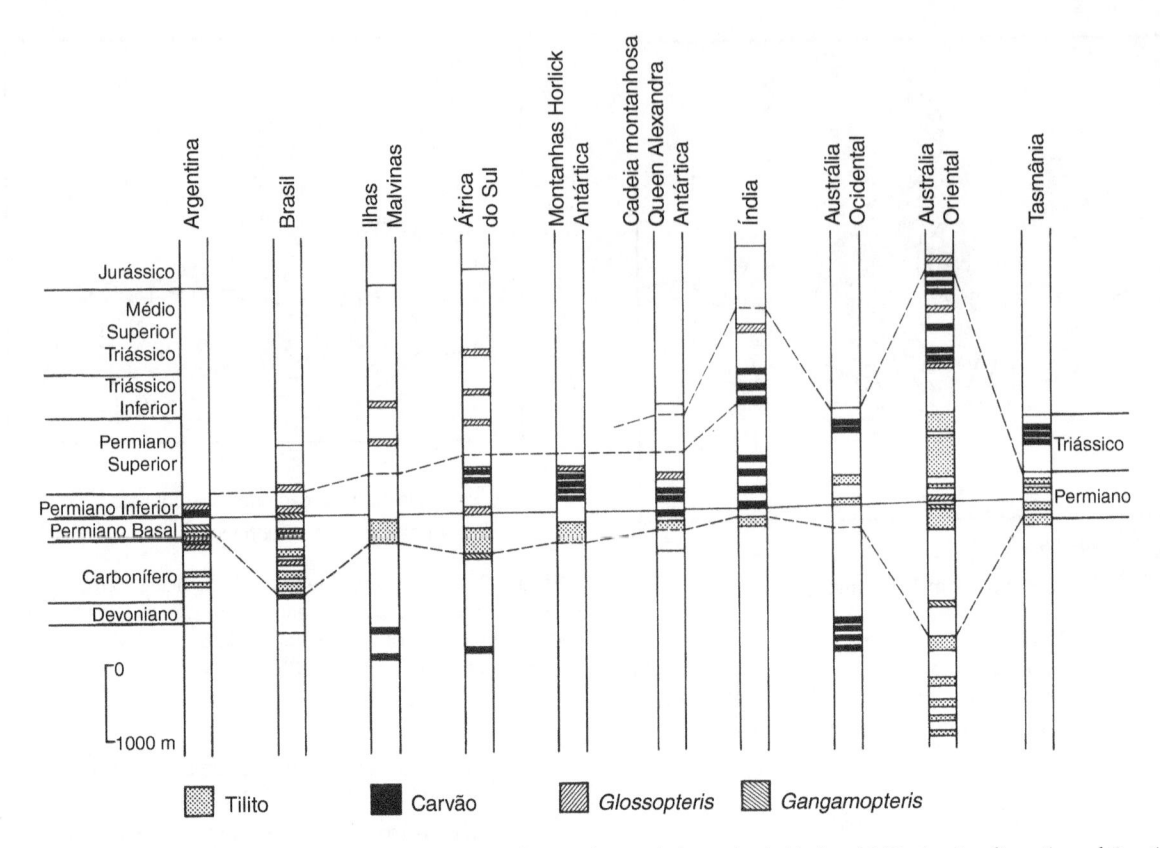

Figura 3.8 Correlação da estratigrafia entre continentes do Gondwana (adaptado de Hurley, 1968, the Confirmation of Continental Drift. Copyright © 1968 por Scientific American, Inc. Todos os direitos reservados.)

cos para o Carbonífero e o Permiano (Fig. 1.3), os carvões do Carbonífero são predominantemente do tipo de baixa latitude, enquanto os carvões Permianos do Gondwana são do tipo de alta latitude. Carvões mais jovens eram tipicamente formados em latitudes altas.

5 *Fosforitos*. Nos dias de hoje, fosforitos formam latitudes de até 45° a partir do equador, ao longo das margens oeste dos continentes onde ocorrem ressurgência de águas profundas ricas em nutrientes ou em zonas áridas em latitudes baixas ao longo de rotas marítmas de orientação leste-oeste.

6 *Bauxitas e lateritas*. Esses óxidos de alumínio e ferro formam-se em um ambiente altamente oxidante. Acredita-se que eles somente se originam sob condições de intemperismo tropical ou subtropical.

7 *Depósitos desérticos*. Deve ser empregado cuidado na abordagem de qualquer um desses depósitos, porque as condições do deserto podem prevalecer, tanto em ambientes quentes como frios. No entanto, estratos de dunas de arenitos de deserto podem ser usados para inferir o sentido dominante dos ventos antigos. A comparação destes com a direção dos sistemas de vento modernos encontrados em suas latitudes atuais pode indicar se o continente foi submetido a alguma rotação.

8 *Depósitos glaciais*. Geleiras e calotas polares, com exceção daquelas de tamanho limitado formadas em cadeias de montanhas, são limitadas a regiões dentro do intervalo de aproximadamente 30° a partir dos polos nos dias de hoje.

Os resultados da aplicação dessas técnicas paleoclimáticas indicam fortemente que os continentes mudaram sua posição latitudinal ao longo do tempo geológico. Durante o Permiano e o Carbonífero, por exemplo, os continentes do Gondwana estavam experimentando uma extensiva glaciação (Martin, 1981), devendo estar situados próximo ao polo sul (Fig. 3.9). Na mesma época, na Europa e no leste dos Estados Unidos, depósitos de carvão e extensos recifes estavam se formando, os quais posteriormente deram lugar a desertos quentes com depósitos evaporíticos. Os continentes do norte foram assim experimentando um clima tropical de latitudes equatoriais (ver também Fig. 1.3).

3.5 EVIDÊNCIA PALEONTOLÓGICA PARA A DERIVA CONTINENTAL

A deriva continental afetou a distribuição dos antigos animais e plantas (Briggs, 1987), criando barreiras à sua dispersão (Hallam, 1972). Um exemplo óbvio disso seria o crescimento de um oceano entre dois fragmentos de um

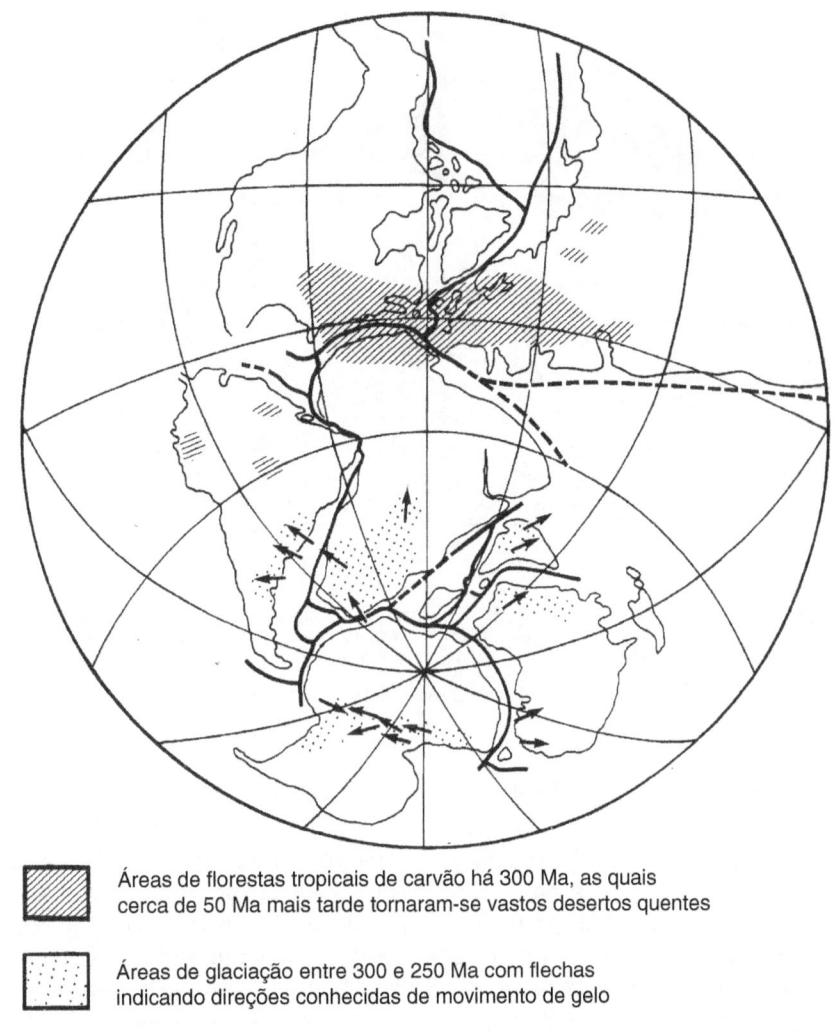

Áreas de florestas tropicais de carvão há 300 Ma, as quais cerca de 50 Ma mais tarde tornaram-se vastos desertos quentes

Áreas de glaciação entre 300 e 250 Ma com flechas indicando direções conhecidas de movimento de gelo

Figura 3.9 Uso de dados paleoclimáticos para controlar e corroborar reconstruções continentais (modificado de Tarling & Tarling, 1971).

supercontinente que impediu a migração das formas de vida terrestre entre eles. A distribuição passada dos tetrápodes implica que a comunicação entre todas as partes do Gondwana e da Laurásia deve ter sido fácil. Restos do réptil neopermiano Mesossauro são encontrados no Brasil e no sul da África. Embora adaptado para nadar, acredita-se que o Mesossauro era incapaz de viajar grandes distâncias e não poderia ter atravessado os 5.000 km de oceano atualmente existentes entre essas duas localidades.

Oceanos também podem representar barreiras para a dispersão de certos animais que estão adaptados para viver em ambientes marinhos relativamente rasos. A dispersão generalizada de invertebrados marinhos só pode ocorrer durante os estágios larvais, quando eles fazem parte do plâncton (Hallam, 1973b). Para a maioria das espécies, a fase larval é muito curta para a duração da travessia de um grande oceano. Consequentemente, limites de antigas províncias faunais frequentemente se correlacionam com suturas, que representam as linhas de junção entre continentes antigos que sofreram justaposição pelo consumo de um oceano interveniente. A distribuição de trilobitas cambrianos sugere fortemente que no Paleozoico Inferior existiam vários continentes separados por bacias oceânicas maiores. A similaridade entre as espécies de amonitas atualmente encontradas na Índia, Madagáscar e África indica que apenas mares rasos poderiam ter existido entre essas regiões no Jurássico.

De forma similar, a paleobotânica revela o padrão de fragmentação continental. Antes da quebra continental, todos os continentes do Gondwana favoreceram, no Permocarbonífero, as distintivas floras *Glossopteris* e *Gangamopteris* (Hurley, 1968; Plumstead, 1973) (Fig. 3.8), que se acredita serem formas de clima frio. Ao mesmo tempo, uma variada flora tropical existiu na Laurásia (Fig. 3.10). Após a fragmentação, porém, a flora dos continentes individualizados diversificaram e seguiram caminhos de evolução separados.

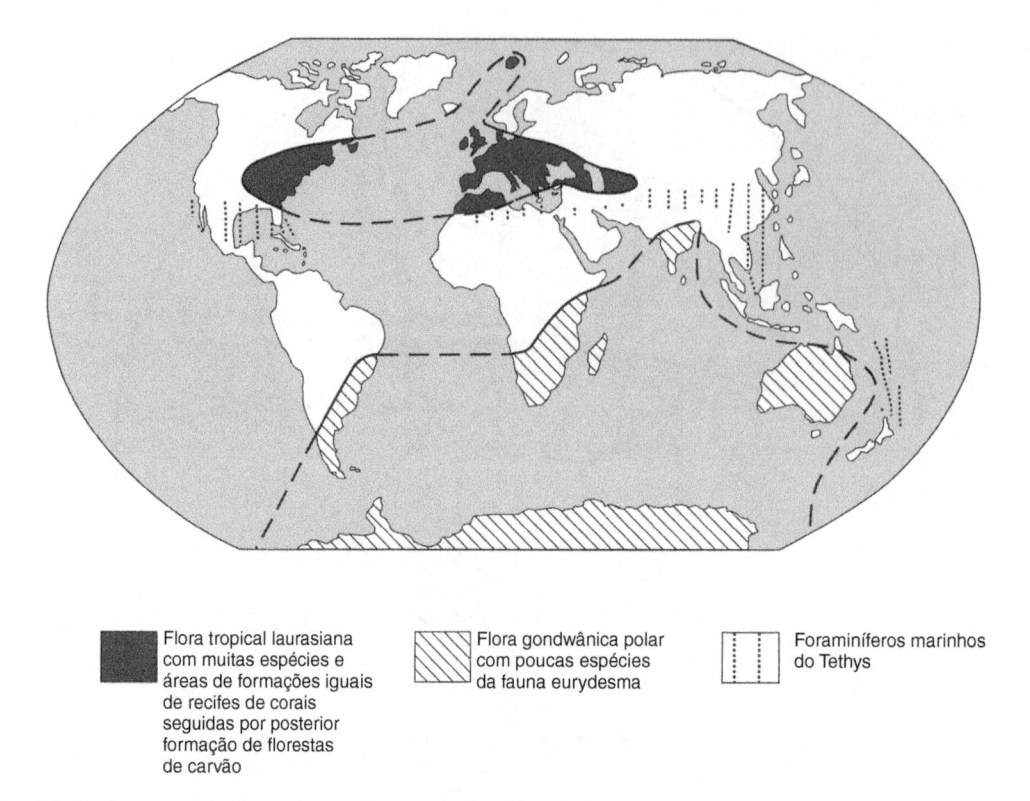

Figura 3.10 Distribuição atual da flora e fauna da Pangeia (modificado de Tarling & Tarling, 1971).

Legenda:
- Flora tropical laurasiana com muitas espécies e áreas de formações iguais de recifes de corais seguidas por posterior formação de florestas de carvão
- Flora gondwânica polar com poucas espécies da fauna eurydesma
- Foraminíferos marinhos do Tethys

Uma forma menos óbvia de barreira de dispersão é o clima, visto que os movimentos latitudinais dos continentes podem criar condições climáticas inadequadas para determinados organismos. Na verdade, os movimentos continentais relativos podem modificar o padrão de correntes oceânicas, a temperatura média anual, a natureza das flutuações sazonais e muitos outros fatores (Valentine & Moores, 1972) (Seção 13.1.2). Além disso, os processos das placas tectônicas podem dar origem a alterações em topografia, que modificam o habitat disponível para colonização (Seção 13.1.3).

A diversidade de espécies também é controlada pela deriva continental. A diversidade aumenta em direção ao equador, de modo que a diversidade no equador é cerca de 10 vezes a dos polos. Consequentemente, seria esperado que a deriva em uma direção norte-sul controlasse a diversidade em um continente. A diversidade também aumenta com a fragmentação continental (Kurtén, 1969). Por exemplo, 20 ordens de répteis existiam no Paleozoico na Pangeia, mas, com sua fragmentação no Mesozoico, 30 ordens de mamíferos desenvolveram-se nos vários continentes. Cada fragmento continental torna-se um núcleo para a radiação adaptativa das espécies como resultado do isolamento genético e da divergência morfológica de faunas separadas. Consequentemente, mais espécies evoluem como diferentes tipos, ocupando nichos ecológicos similares. A Fig. 3.11, de Valentine & Moores (1970), compara a variação do número de famílias de invertebrados fósseis existentes no Fanerozoico com o grau de fragmentação continental como representado por modelos topológicos. A correlação entre o número de espécies e a fragmentação é facilmente perceptível. Um exemplo dessas divergências é a evolução dos mamíferos comedores de formiga. Como resultado de divergência evolutiva, este modo especializado de comportamento é seguido por ordens diferentes em continentes separados: os ursos (*Edentata*) da América do Sul, os pangolins (*Pholidota*) do nordeste da África e sudeste da Ásia, os aardvarks (*Tubulidentata*) do centro e do sul da África e os tamanduás-espinhos (*Monotremata*) da Austrália.

A sutura continental leva à homogeneização das faunas pela migração cruzada (Hallam, 1972) e à extinção de qualquer grupo menos adaptado que enfrente uma concorrência mais forte. Por outro lado, o quebramento continental leva ao isolamento das faunas, que seguem seus próprios desenvolvimentos evolucionários. Por exemplo, os mamíferos marsupiais provavelmente chegaram à Austrália provindos da América do Sul, no Cretáceo Superior, ao longo de uma rota de migração pela Antártida (Hallam, 1981) antes da transgressão marinha do Cretáceo Superior, que removeu a ligação terrestre entre a América do Sul e antártida, fechando a rota para a posterior evolução dos mamíferos placentários. O espalhamento do assoalho oceânico, em seguida, assegurou o isolamento da Austrália quando o nível do mar caiu, e os marsupiais evoluíram sem concorrência até o Neógeno, quando a colisão entre a Ásia e Nova Guiné permitiu a colonização pelos mamíferos placentários provindos da Ásia.

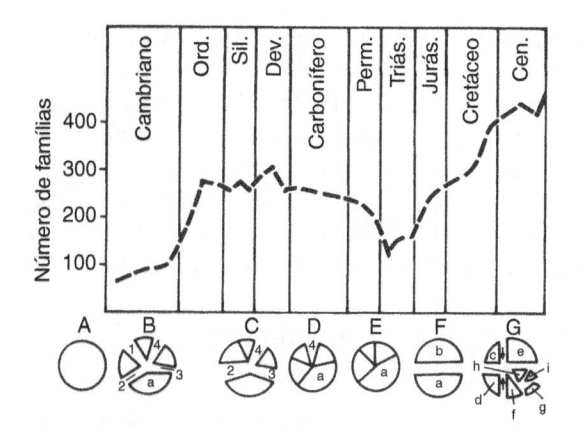

Figura 3.11 Correlação da diversidade de invertebrados com a distribuição do tempo e dos continentes. A, o início da Pangeia; B, a fragmentação da Pangeia, produzindo oceanos precedendo as orogenias caledoniana (1), apalachiana (2), variscana (3) e uraliana (4); C, sutura durante as orogenias caledoniana e acadiana; D, sutura durante as orogenias apalachiana e variscana; E, sutura dos Urais e remontagem da Pangeia; F, abertura do Oceano Tethys; G, fragmentação da Pangeia. a, Gondwana; b, Laurásia; c, América do Norte; d, América do Sul; e, Eurásia, f, África; g, Antártida; h, Índia; i, Austrália (Valentine & Moores, 1970, com permissão da *Nature* **228**, 657-9. Copyright 1970 Macmillan Publishers Ltd).

3.6 PALEOMAGNETISMO

3.6.1 Introdução

A ciência do Paleomagnetismo está preocupada com o estudo do magnetismo fóssil que é retido em certas rochas. Se esse magnetismo originou-se na época em que a rocha foi formada, a medição de sua direção pode ser usada para determinar a latitude em que a rocha foi criada. Se essa latitude difere da latitude em que a rocha é encontrada, essa é uma evidência muito forte de que a rocha tenha se movido sobre a superfície da Terra. Além disso, se puder ser demonstrado que o padrão de movimento difere do de rochas da mesma idade em um continente diferente, um movimento relativo entre eles deve ter ocorrido. Dessa forma, medições paleomagnéticas demonstraram que a deriva continental ocorreu e forneceram as primeiras estimativas quantitativas de movimentos continentais relativos. Para mais informações sobre os métodos paleomagnéticos, ver Tarling (1983) e McElhinny & McFadden (2000).

3.6.2 Magnetismo das rochas

Técnicas paleomagnéticas fazem uso do fenômeno de certos minerais serem capazes de manter um registro da direção passada do campo magnético da Terra. Esses minerais são todos paramagnéticos, isto é, eles contêm átomos que possuem um número excessivo de elétrons. Campos magnéticos são gerados pela rotação e pelos movimentos orbitais dos elétrons. Em conchas com elétrons emparelhados, seus campos magnéticos essencialmente cancelam uns aos outros. Os elétrons desemparelhados presentes em substâncias paramagnéticas levam os átomos a agir como pequenos ímãs ou dipolos.

Quando uma substância paramagnética é colocada em um campo magnético externo fraco, como o da Terra, os dipolos atômicos giram, de forma a tornarem-se paralelos à direção do campo externo. Essa magnetização induzida se perde quando a substância é removida do campo enquanto os dipolos retornam às orientações originais.

Certas substâncias paramagnéticas que contêm um grande número de elétrons desemparelhados são denominadas ferromagnéticas. A estrutura magnética dessas substâncias tende a transformar-se em uma série de domínios magnéticos, dentro dos quais os átomos são acoplados pela interação do campo magnético dos elétrons desemparelhados. Essa interação só é possível em temperaturas abaixo da temperatura de Curie; acima dessa temperatura, o nível de energia é tal que proíbe a colagem magnética interatômica, e então a substância se comporta de forma paramagnética.

Dentro de cada domínio, o alinhamento interno de dipolos atômicos ligados faz com que o domínio possua uma direção magnética da trama. Quando colocados em um campo magnético, os domínios cujas direções magnéticas estão no mesmo sentido que o campo externo crescem em tamanho em relação aos domínios alinhados em outras direções. Após a remoção do campo externo, uma direção preferida resultante do crescimento e do encolhimento dos domínios é retida para que a substância apresente uma direcionalidade magnética geral. Essa magnetização retida é conhecida como magnetismo permanente ou remanescente.

3.6.3 Magnetização natural remanescente

As rochas podem adquirir uma magnetização natural remanescente (MNR) de várias maneiras. Se a MNR se forma ao mesmo tempo que a rocha, ela é chamada de magnetização primária; se adquirida durante a história subsequente da rocha, é denominada magnetização secundária.

A remanescência primária de rochas ígneas é conhecida como *magnetização termorremanescente* (MTR). Ela é adquirida enquanto a rocha esfria a partir do seu estado fundido para abaixo da temperatura de Curie, que ocorre após a solidificação. Nessa fase, seus minerais ferromagnéticos se magnetizam no mesmo sentido que o campo geomagnético naquele momento, o qual é mantido durante sua história subsequente.

A remanescência primária em rochas sedimentares clásticas é conhecida como *magnetização remanescente detrítica* (MRD). Enquanto as partículas sedimentares permanecem na coluna de água, todos os minerais ferromagnéticos alinham-se segundo a direção do campo geomagnético. Ao chegarem no fundo, as partículas se depositam, e a direção de maior alongamento preserva o azimute do campo geomagnético, mas a inclinação é perdida (Fig. 3.12). Após o soterramento, quando o sedimento está em um estado pastoso úmido, as partículas magnéticas realinham-se com o campo geomagnético, como resultado de atividade microssísmica, e essa orientação é mantida enquanto a rocha se consolida.

A MNR secundária é adquirida durante a história subsequente da rocha, de acordo com vários mecanismos possíveis. A *magnetização remanescente química* (MRQ) é adquirida quando os minerais ferromagnéticos são formados como resultado de uma reação química, como a oxidação. Quando o tamanho suficiente para a formação de um ou mais domínios é atingido, os grãos tornam-se magnetizados na direção do campo geomagnético no momento da reação. A *magnetização remanescente isotérmica* (MRI) ocorre em rochas que foram submetidas a um forte campo magnético, como no caso de um relâmpago. A *magnetização remanescente viscosa* (MRV) pode surgir quando uma rocha permanece em um campo magnético relativamente fraco durante um longo período de tempo, enquanto os domínios magnéticos relaxam e adquirem a direção do campo externo.

Algumas MRQ podem ser adquiridas logo após a formação, por exemplo, durante a diagênese ou durante um evento de metamorfismo de idade conhecida, e, portanto, preservam informações paleomagnéticas úteis.

MRQ, MTR e MRD tendem a ser "fortes" e permanecem estáveis durante longos períodos de tempo, enquanto certos componentes secundários da MNR, notadamente MRVs, tendem a ser "fracos" e perdem-se com relativa facilidade. Assim, é possível destruir os componentes "fracos" e isolar os componentes "fortes" pela técnica de *limpeza magnética*. Isso envolve o monitoramento da orientação e da força da magnetização de uma amostra de rocha enquanto esta é submetida a um campo de intensidade crescente ou a uma temperatura crescente. Tendo isolado a magnetização remanescente primária, sua força e direção são medidas com um magnetômetro giratório ou um magnetômetro supercondutor. O segundo instrumento é extremamente sensível e capaz de medir orientações MRN de rochas com uma concentração muito baixa de ferromagnéticos minerais.

3.6.4 Campo geomagnético do passado e do presente

O campo magnético da Terra se aproxima do campo que seria esperado de um grande ímã de barra embutido dentro do globo inclinado em um ângulo de cerca de 11° com o eixo de rotação. A causa real do campo geomagnético certamente não é tal processo magnetostático; para tanto, o magneto teria que possuir uma magnetização grande demais e estaria em uma região onde a temperatura seria muito superior à temperatura de Curie.

Acredita-se que o campo geomagnético tenha surgido de um processo dinâmico, envolvendo a circulação convectiva de carga elétrica no fluido do núcleo exterior, conhecido como magneto-hidrodinâmica (Seção 4.1.3). No entanto, este modelo é conveniente para preservar o modelo de dipolo, já que cálculos simples podem então ser feitos para prever o campo geomagnético em qualquer ponto da Terra.

O campo geomagnético sofre mudanças progressivas com o tempo, decorrentes de variações no padrão da circulação convectiva no núcleo, conhecidas como *variação secular*. Uma manifestação desse fenômeno é que a direção do campo magnético em uma localização geográfica específica gira de forma irregular em torno da direção implícita por um modelo de dipolo axial, com uma periodicidade de

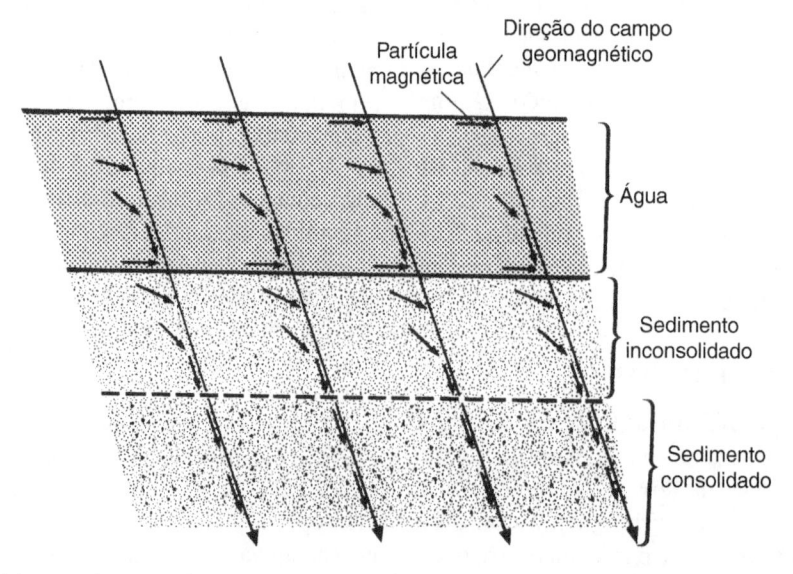

Figura 3.12 Desenvolvimento da magnetização remanescente detrítica.

alguns milhares de anos. Em um estudo de paleomagnetismo, os efeitos da variação secular podem ser removidos pela coleta de amostras em uma posição que tem um intervalo estratigráfico de muitos milhares de anos. A média dos dados dessas amostras deve, em seguida, remover a variação secular, de modo que, para fins de análise paleomagnéticas, o campo geomagnético no passado possa ser considerado como originado a partir de um dipolo alinhado ao longo do eixo de rotação da Terra.

Medições paleomagnéticas fornecem a intensidade, o azimute e a inclinação da magnetização remanescente primária, que refletem os parâmetros geomagnéticos no momento e no local em que a rocha foi formada. Ao assumir o modelo dipolo geocêntrico axial para o campo geomagnético, discutido anteriormente, a inclinação I pode ser usada para determinar a paleolatitude ϕ em que a rocha se formou, de acordo com a relação $2\tan \phi = \tan I$. Com o conhecimento da paleolatitude e o azimute da magnetização remanescente primária, isto é, a direção do norte antigo, a localização aparente do paleopolo pode ser computada. Esses cálculos, combinados com a determinação das idades das amostras por métodos radiométricos ou bioestratigráficos, tornam possível o cálculo da localização aparente do polo norte magnético em um determinado tempo para o continente a partir do qual as amostras foram coletadas. Análises paleomagnéticas de amostras de uma ampla faixa de idades podem então ser usadas para rastrear como a posição aparente do polo movimentou-se ao longo da superfície da Terra.

É importante reconhecer que as direções de magnetização remanescentes não podem fornecer uma estimativa de paleolongitude, visto que o campo dipolo assumido é axissimétrico. Há uma consequente incerteza na localização antiga de qualquer local de amostragem, que poderia ter sido situado em qualquer lugar ao longo de um pequeno círculo, definido pela paleolatitude, centrado na posição do polo.

Se um estudo paleomagnético fornece a posição de um polo magnético diferente da do polo presente, isso implica ou que o polo magnético da Terra se moveu ao longo do tempo geológico, ou seja, o polo magnético tem perambulado em relação ao polo de rotação, ou que os polos permaneceram estacionários e, portanto, foi o local de amostragem que se moveu, isto é, a deriva continental ocorreu. Parece que migrações do polo magnético para longe do polo geográfico são improváveis, porque todos os modelos teóricos para a geração de campo preveem um componente dipolo dominante paralelo ao eixo de rotação da Terra (Seção 4.1.3). Consequentemente, os estudos paleomagnéticos podem ser usados para fornecer uma medida quantitativa da deriva continental.

Uma descoberta precoce de trabalho paleomagnético foi que, em qualquer estudo, cerca de metade das amostras analisadas apresentava uma direção de magnetização primária remanescente com sentido de 180° diferente do restante. Embora permaneça a possibilidade de autorreversão do magnetismo da rocha, acredita-se ser este um fenômeno raro, portanto estes dados são considerados reflexo de mudanças na polaridade do campo geomagnético. O campo pode permanecer normal por, talvez, um milhão de anos, e, em seguida, em um intervalo de alguns milhares de anos, o polo norte magnético torna-se o polo sul magnético, constituindo um período de polaridade invertida. Reversões da polaridade são aleatórias, mas com certeza afetam sincronicamente todas as regiões da Terra, de modo que, juntamente com datação radiométrica ou paleontológica, é possível construir uma escala de tempo de polaridade. Este assunto será aprofundado no Capítulo 4.

3.6.5 Curvas de deriva polar aparente

Dados paleomagnéticos podem ser apresentados de duas maneiras. Uma forma é imaginar o que se acredita ser a verdadeira situação, isto é, representar o continente em uma sucessão de posições, de acordo com as idades dos locais de amostragem (Fig. 3.13a). Essa forma de representação requer a pressuposição das paleolongitudes dos locais de amostragem. A outra maneira é considerar o continente como permanecendo em uma posição fixa e traçar as posições aparentes dos polos para os diversos tempos, no intuito de fornecer uma trajetória da *deriva polar aparente* (DPA) (Fig. 3.13b). Como discutido anteriormente, essa representação não reflete eventos reais, mas supera a falta de controle da paleolongitude e facilita a representação de informações de diferentes regiões no mesmo diagrama.

A observação de que a posição aparente dos polos diferenciava-se entre as rochas de diferentes idades do mesmo continente demonstrou que esses continentes haviam se movido sobre a superfície da Terra. Além disso, o fato de as trajetórias da DPA dos diversos continentes serem diferentes demonstrou, de forma inequívoca, que movimentos relativos dos continentes tinham ocorrido, isto é, que houve a deriva continental. Estudos paleomagnéticos, portanto, confirmaram e forneceram as primeiras medições quantitativas da deriva continental. A Fig. 3.14a ilustra a trajetória da DPA para a América do Norte e a Europa do Ordoviciano ao Jurássico. A Fig. 3.14b mostra o resultado da rotação da Europa e sua trajetória da DPA, de acordo com os parâmetros de rotação de Bullard et al. (1965), para se aproximar do Oceano Atlântico. As trajetórias da DPA da Europa e da América do Norte de então eram muito semelhantes, desde o momento em que os continentes se aproximaram no final da orogenia caledoniana, há aproximadamente 400 Ma, até a abertura do Atlântico.

Trajetórias da DPA podem ser usadas para interpretar os movimentos, colisões e rompimento dos continentes (Piper, 1987) e são especialmente úteis para os continentes pré-Mesozoicos, cujos movimentos não podem ser rastrea-

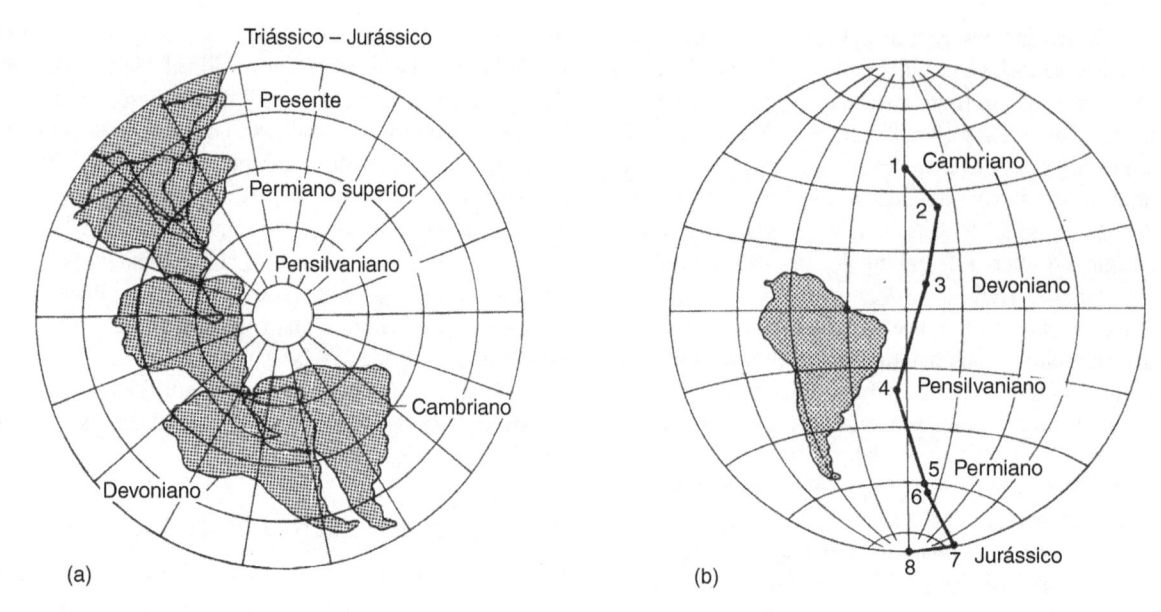

Figura 3.13 Dois métodos para exibição de dados paleomagnéticos: (a) assumindo polos magnéticos fixos e aplicando mudanças latitudinais para o continente; (b) assumindo um continente fixo e traçando a trajetória de deriva polar. Trabalhos subsequentes modificaram o detalhe dos movimentos mostrados. Note que o polo sul foi representado (adaptado de Creer, 1965, com a permissão da Royal Society of London).

dos pelo padrão de lineamentos magnéticos em suas bacias oceânicas circundantes (Seção 4.1.6). A Fig. 3.15 representa o ciclo Wilson completo (Seção 7.9) de abertura e fechamento de uma bacia oceânica entre dois continentes. Antes de se separarem, os dois segmentos A e B do continente inicial têm trajetórias de DPA similares. É improvável que sejam idênticas visto que é improvável que a separação inicial e sutura final coincidam. Após o quebramento, os dois segmentos descrevem trajetórias de DPA divergentes até o tempo 8, que mostra uma mudança do movimento para uma direção convergente. Após a sutura no tempo 12, os dois segmentos seguem uma trajetória polar comum.

Considera-se que os continentes do sul, mais a Índia, formaram um único continente, Gondwana, a partir do final do Pré-Cambriano até o Mesojurássico. Durante esse período, de aproximadamente 400 Ma, eles deveriam ter a mesma trajetória de deriva polar quando reagrupados. A Fig. 3.16 ilustra uma moderna trajetória de deriva polar do Gondwana (Torsvik & Van der Voo, 2002). O traçado da trajetória relativa à América do Sul pode ser comparado ao proposto inicialmente por Creer (1965) (Fig. 3.13b). O aparente maior detalhamento mostrado na Fig. 3.16 pode, no entanto, ser infundado. Há discordância considerável sobre os detalhes da trajetória de DPA para o Gondwana, provavelmente por causa da escassez de dados confiáveis (Smith, 1999; McElhinny & McFadden, 2000). Curiosamente, o caminho defendido por Smith (1999), com base em uma análise detalhada de dados paleomagnéticos e paleoclimáticos, é muito similar ao de Creer (1965). Todas as trajetórias de DPA para o Gondwana têm o polo sul nas proximidades do sudeste da África durante o Carbonífero, assim como apresentou Wegener (Fig. 1.3), e, durante o Ordoviciano, no noroeste da África, onde há evidência de uma glaciação menor na região do Saara nesse período (Eyles, 1993).

3.6.6 Reconstrução paleogeográfica baseada no paleomagnetismo

Reconstruções das posições relativas das principais áreas continentais em vários momentos dos últimos 200 Ma são mais bem projetadas usando a informação detalhada sobre a evolução atual das bacias oceânicas fornecida pelas anomalias magnéticas lineares oceânicas (Seção 4.1.7). De forma a posicionar os continentes em suas corretas paleolatitudes, resultados paleomagnéticos devem ser combinados às reconstruções para identificar as posições dos paleopolos e do paleoequador. A sequência de mapas paleogeográficos no Capítulo 13 (Figs. 13.2-13.7) foi obtida dessa forma. Para qualquer momento antes de 200 Ma atrás, as informações providas pelos dados oceânicos não estão mais disponíveis, e as reconstruções são baseadas em resultados paleomagnéticos e correlações geológicas. Exemplos dessas reconstruções pré-Mesozoicas serão discutidas no Capítulo 11.

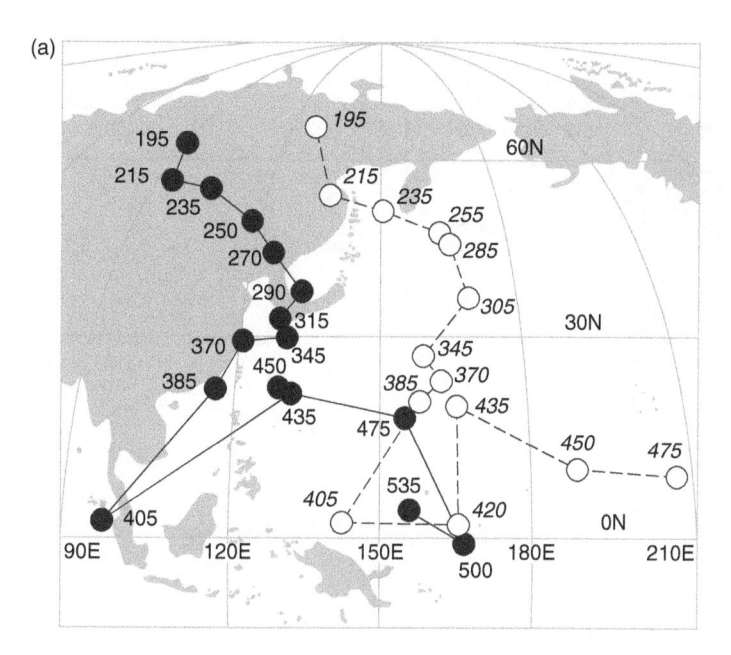

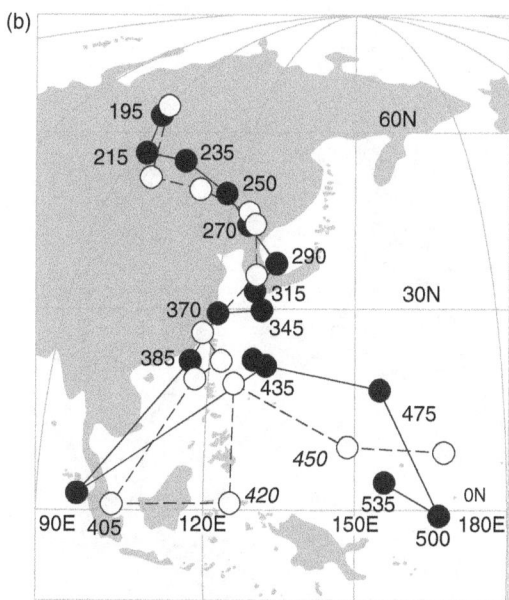

Figura 3.14 Trajetórias de deriva polar aparente para a América do Norte (círculos pretos e linha contínua) e a Europa (círculos brancos e linha tracejada) (a) com a América do Norte e a Europa em suas posições atuais e (b) após o fechamento do oceano Atlântico. As idades para cada posição média do polo são dadas em Ma, com aquelas para a Europa em itálico (adaptado de McElhinny & McFadden, 2000, com permissão da Academic Press. Copyright Elsevier, 2000).

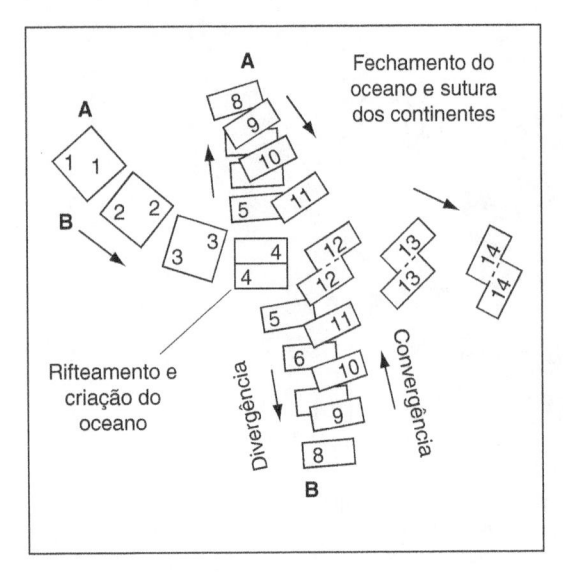

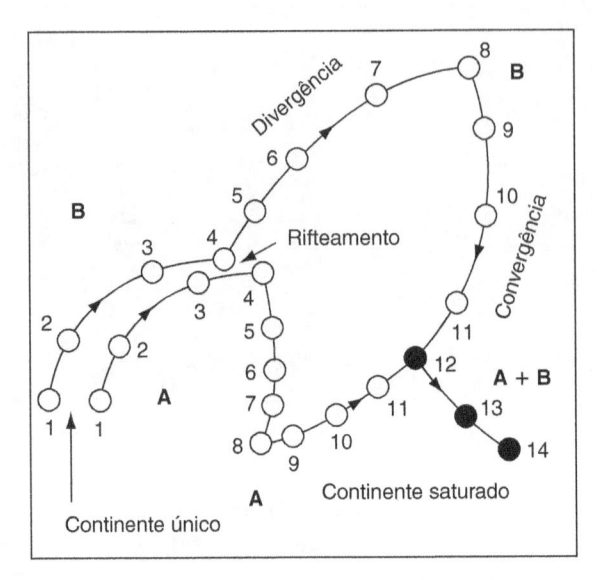

Figura 3.15 Assinatura paleomagnética de divergência e convergência de placa (adaptado de Irving et al., 1974, com permissão da American Geophysical Union. Copyright © 1974 American Geophysical Union).

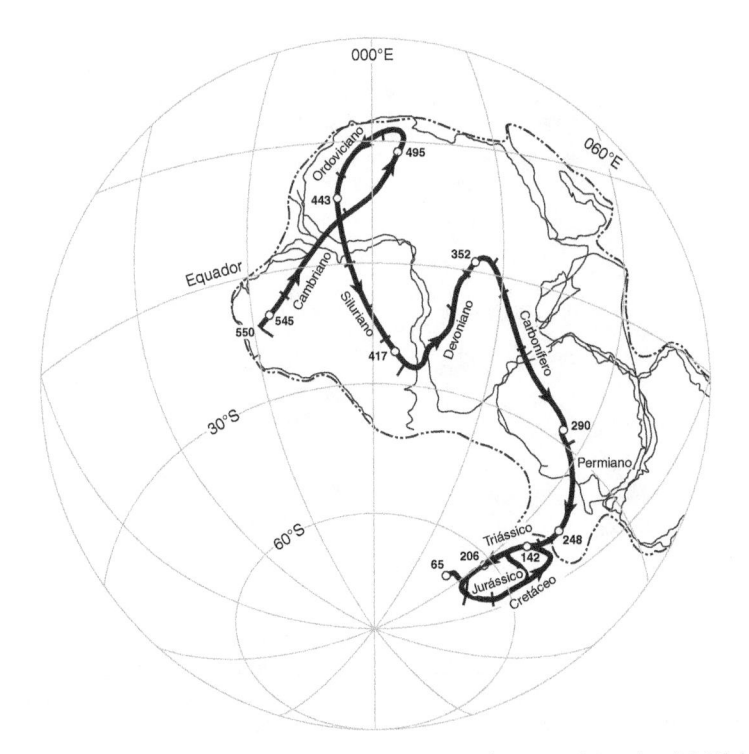

Figura 3.16 Trajetória de DPA para o Gondwana, baseada na reconstrução de Lottes & Rowley (1990) (adaptado de Torsvik & Van der Voo, 2002, com permissão da Blackwell Publishing).

LEITURA ADICIONAL

Frakes, L.A. (1979) *Climates Throughout Geologic Time*. Elsevier, New York.

McElhinny, M.W. & McFadden, P.L. (2000) *Paleomagnetism: continents and oceans*. Academic Press, San Diego.

Tarling, D.H. & Runcorn, S.K. (eds) (1973) *Implications of Continental Drift to the Earth Sciences*, vols 1 & 2. Academic Press, London.

Tarling, D.H. & Tarling, M.P. (1971) *Continental Drift: a study of the Earth's moving surface*. Bell, London.

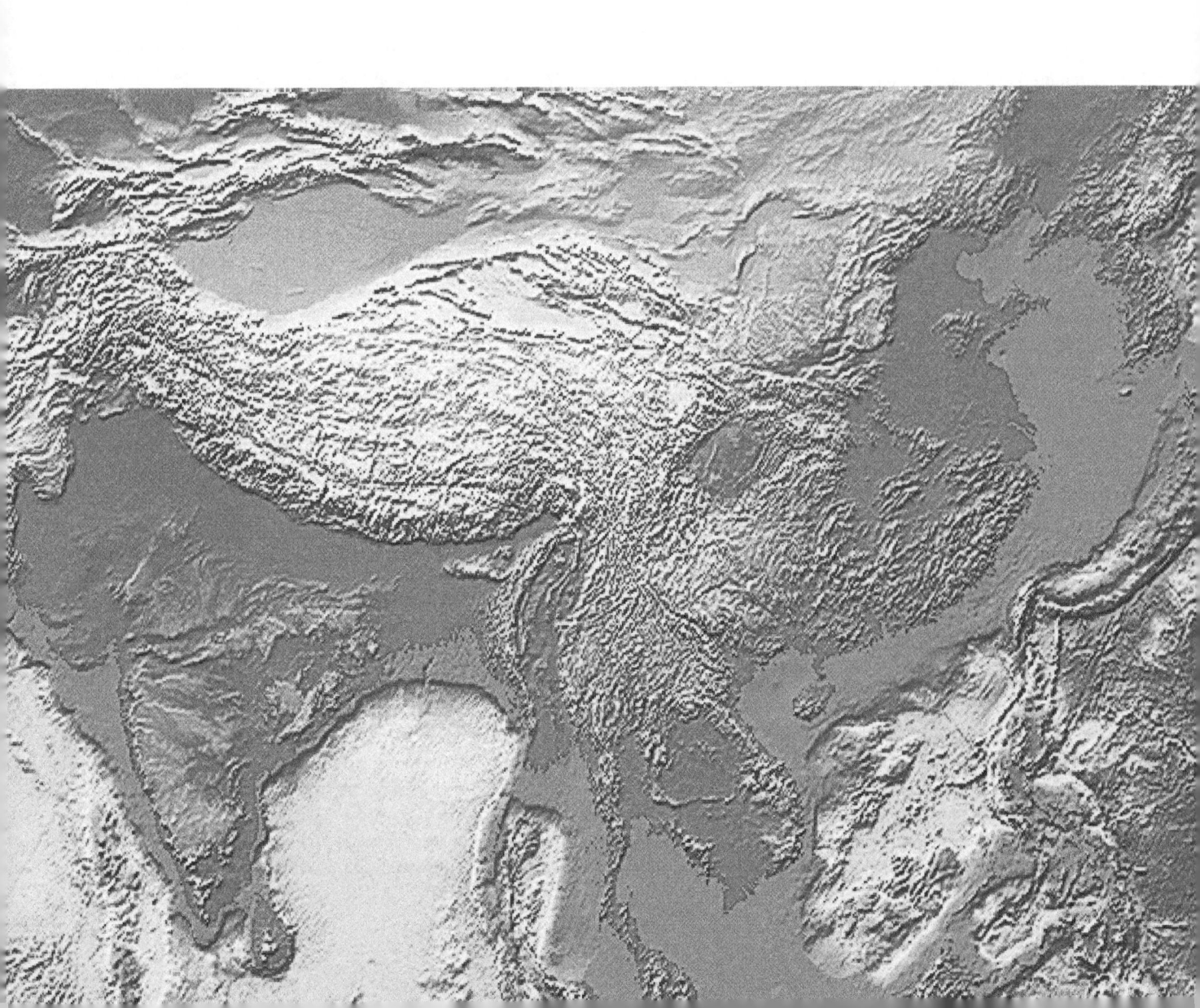

Expansão dos fundos oceânicos e de falhas transformantes

4

4.1 A EXPANSÃO DOS FUNDOS OCEÂNICOS

4.1.1 Introdução

Ao final dos anos 1950, foram apresentadas muitas evidências da deriva continental, apesar da teoria não ser bem aceita. Até então, as atividades de pesquisa se concentraram na determinação das configurações pré-deriva dos continentes e na avaliação de suas consequências geológicas. Os caminhos pelos quais os continentes atingiram suas posições atuais não haviam sido determinados. Para estudar a cinemática da deriva continental, foi necessário estudar as regiões que hoje separam os continentes antes justapostos. Consequentemente, nessa época os interesses passaram dos continentes às bacias oceânicas.

Qualquer tipo de observação direta do fundo do mar, como perfuração, dragagem ou operações submersíveis, é demorada, cara e fornece apenas uma baixa densidade de dados. Grande parte das informações disponíveis sobre as áreas oceânicas foi, portanto, fornecida por levantamentos geofísicos realizados a partir de navios ou aeronaves. Um desses métodos envolveu a medição de variações da força do campo magnético da Terra. Isso é conseguido usando magnetômetros *fluxgate*, precessão de prótons ou magnetômetros de absorção óptica, que requerem pouco quanto à orientação do sensor rebocado na popa do navio ou aeronave a uma distância suficiente para minimizar os seus efeitos magnéticos. Dessa forma, os valores de campo total são obtidos precisamente para ±1 nanotesla (nT) ou cerca de 1 parte em 50.000. Magnetômetros fornecem um registro praticamente contínuo da força do campo magnético geral ao longo do traçado da viagem. Esses valores absolutos são posteriormente corrigidos para variações externamente induzidas do campo magnético que dão origem a um efeito diurno e para o campo magnético regional decorrente dessa parte do campo magnético gerado no núcleo da Terra. Em teoria, a anomalia magnética resultante deve ser unicamente devido a contrastes nas propriedades magnéticas das rochas subjacentes. As anomalias se originam geralmente da proporção de pequenos minerais ferromagnéticos (Seção 3.6.2) contidos dentro das rochas, dos quais o mais comum é a magnetita. Em geral, as rochas ultramáficas e máficas contêm uma elevada proporção de magnetita e, assim, originam grandes anomalias magnéticas. As rochas metamórficas são moderadamente magnéticas, e as rochas ígneas ácidas e sedimentares são geralmente pouco magnéticas. Uma descrição completa sobre o método de levantamento magnético é dada em Kearey et al. (2002).

Em terra, anomalias magnéticas refletem a geologia variável da crosta continental superior. A crosta oceânica, no entanto, é conhecida por ser lateralmente uniforme (Seção 2.4.4) e, assim, a menos que as propriedades magnéticas sejam heterogêneas, seria esperado que anomalias marinhas magnéticas refletissem essa uniformidade de composição.

4.1.2 Anomalias magnéticas marinhas

O levantamento magnético é facilmente realizado e há medições feitas a partir de navios de pesquisa desde meados dos anos 1950, tanto em pesquisas específicas quanto rotineiramente para a localização de outras investigações oceanográficas.

Um importante mapa de anomalia magnética (Fig. 4.1) foi construído após pesquisas detalhadas ao longo da costa ocidental da América do Norte (Mason & Raff, 1961; Raff & Mason, 1961). O campo magnético foi mostrado ser qualquer coisa, menos uniforme, e revelou um padrão inesperado de listras definido por gradientes acentuados que separavam regiões lineares de alta amplitude de anomalias positiva e negativa. Essas linhas magnéticas são muito persistentes e podem ser seguidas por muitas centenas de quilômetros. Suas continuidades são, no entanto, interrompidas por zonas de fraturas oceânicas mestras, onde as anomalias individuais são separadas lateralmente por distâncias de até 1.100 km.

Pesquisas posteriores mostraram que lineações magnéticas estão presentes em praticamente todas as áreas oceânicas. Elas têm geralmente 10-20 km de largura e caracterizam-se por uma amplitude de pico a pico de 500-1.000 nT. Elas correm paralelas às cristas do sistema de dorsal mesoceânica (Capítulo 6) e são simétricas sobre os eixos da dorsal (Fig. 4.2).

A fonte dessas anomalias não pode ser da camada oceânica 1, que é composta de sedimentos não magnéticos. Elas não podem surgir em uma profundidade correspondente à camada 3, já que fontes apenas dentro dessa camada seriam muito profundas para gerar gradientes de anomalias magnéticas acentuadas. A fonte das anomalias deve, por conseguinte, ser, pelo menos em parte, na camada oceânica 2. Essa conclusão é consistente com a composição basáltica da camada 2, determinada por dragagem e perfuração (Seção 2.4.6), uma vez que o basalto é conhecido por conter uma proporção relativamente elevada de minerais magnéticos. Portanto, o lineamento magnético confirma que a camada 2 é toda composta por esse tipo de rocha.

Se lineamentos magnéticos são gerados por uma camada de composição homogênea, como os contrastes magnéticos originam as que são responsáveis pela justaposição de grandes anomalias magnéticas positivas e negativas? A forma de uma anomalia magnética é determinada tanto pela forma geométrica da fonte quanto pela orientação do seu vetor de magnetização. A camada oceânica 2 mantém profundidade e espessura relativamente constantes. Qualquer anomalia decorrente da topografia acidentada no topo da camada atenuaria muito rapidamente para dar conta da amplitude das anomalias observadas na superfície de 3 a 7 km acima do leito marinho. Consequentemente, os lineamentos devem surgir porque blocos adjacentes da camada 2 são magnetizados em diferentes direções. A Fig. 4.3 mostra

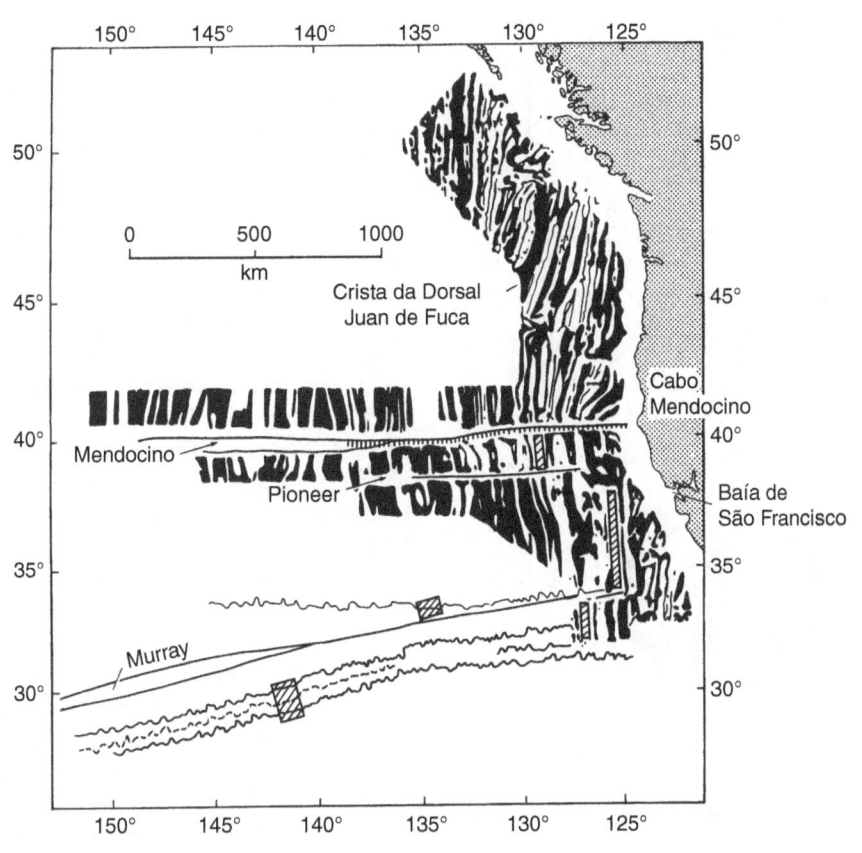

Figura 4.1 Lineamentos de anomalia magnética no nordeste do Oceano Pacífico. Anomalias positivas em preto; também são mostradas zonas de fraturas oceânicas onde os lineamentos apresentam separação normal (segundo Menard, 1964, com permissão do espólio do falecido Professor H. William Menard).

uma interpretação de anomalias magnéticas observadas ao longo da Dorsal Juan de Fuca, no nordeste do Pacífico. A camada 2 foi dividida em uma série de blocos paralelos à crista oceânica, que tenham sido atribuídos a vetores magnetizados que estão na direção do campo geomagnético ambiente ou na direção inversa. A interpretação mostra que as anomalias observadas são simuladas por um modelo em que as intensidades da magnetização variam e que os valores relativamente altos de cerca de 10 A m^{-1} são importantes para produzir os contrastes necessários.

4.1.3 Inversões geomagnéticas

A possibilidade de que o campo geomagnético inverta a polaridade foi sugerida pela primeira vez durante o início do século XX, quando se observou que inversões de magnetizações estavam presentes em algumas amostras de rocha e que as baixas amplitudes das anomalias magnéticas registradas ao longo de certas sequências vulcânicas eram explicáveis por um vetor de magnetização invertido.

No início dos anos 1960, o conceito de inversões do campo geomagnético estava sendo revivido, tanto por causa do grande número de medições paleomagnéticas revelando magnetização invertida, como pela demonstração de que a autoinversão, pela qual uma magnetização invertida pode surgir da interação com material normalmente magnetizado, era um fenômeno muito raro. Em meados dos anos 1960, seguindo o trabalho de Cox et al. (1964, 1967) sobre os fluxos de lava expelidos em poucos milhões de anos, o conceito foi amplamente aceito. Mais recentemente, estudos paleomagnéticos de sedimentos depositados rapidamente, sequências de fluxo de lava e intrusões ígneas lentamente resfriadas têm mostrado que uma inversão magnética ocorre ao longo de um período de cerca de 5.000 anos. Ela é acompanhada por uma redução na intensidade do campo para cerca de 25% do seu valor normal, que começa algum tempo antes da inversão e continua por algum tempo depois, com uma duração total de cerca de 10.000 anos.

Não existe uma teoria geral para a origem do campo geomagnético. No entanto, se reconhece que a maior parte tem origem no interior da Terra e deve ser causada por processos dinâmicos. A origem magnetostática parece impossível, pois nenhum material conhecido é suficientemente magnético para dar lugar à magnitude do campo observado na superfície, e temperaturas de subsuperfície seriam bem acima do ponto de Curie, mesmo sabendo-se que a sua dependência de pressão é, em grande parte, desconhecida. A

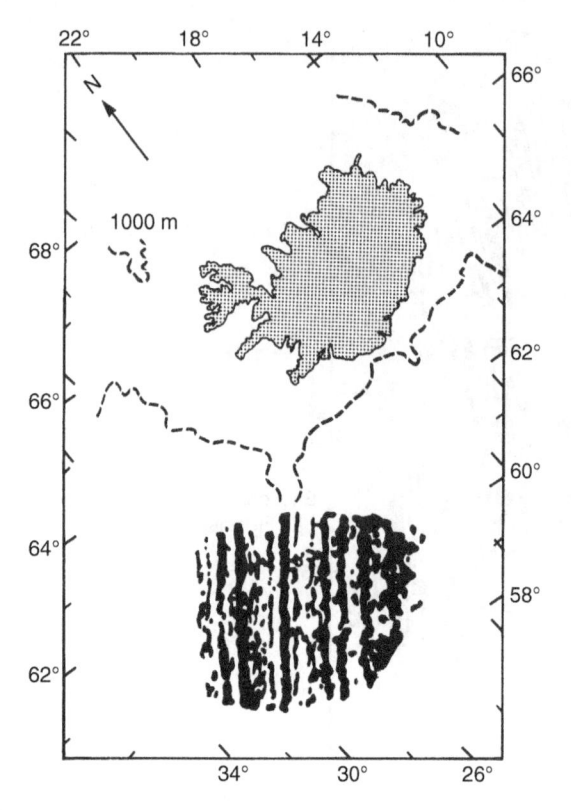

Figura 4.2 Lineamentos magnéticos em ambos os lados da Dorsal Mesoatlântica no sul da Islândia. Anomalias positivas em preto (segundo Heirtzler et al., 1966, em *Deep Sea Research* **13**, 428, com permissão da Pergamon Press. Copyright Elsevier 1966).

variação temporal do campo gerado internamente também seria inexplicável por tal modelo.

Acredita-se que o campo geomagnético tenha se originado por processos magneto-hidrodinâmicos dentro da parte fluida (exterior) do núcleo da Terra. A magneto-hidrodinâmica é o ramo da física preocupado com a interação de movimentos fluidos, correntes elétricas e campos magnéticos. Na verdade, esse processo também parece ser responsável pelos campos magnéticos de outros planetas e algumas estrelas. O processo requer que o corpo celeste a ser rotacionado seja parcial ou totalmente composto por um líquido móvel que seja um bom condutor elétrico. O fluido turbulento ou de convecção constitui um dínamo, porque se move em um campo preexistente magnético, gerando uma corrente elétrica que tem um campo magnético associado a ele. Quando o campo magnético é fornecido exclusivamente pela corrente elétrica, o dínamo é denominado "autoanimado". Sendo "animado", o dínamo torna-se autoperpétuo, desde que haja uma fonte de energia primária para manter correntes de convecção. O processo é complexo, e soluções analíticas estão disponíveis somente para configurações muito mais simples, que não podem se aproximar da verdadeira configuração no núcleo. Acredita-se que o campo se mantenha por convecção no núcleo externo, que é termicamente ou gravitacionalmente impulsionado, tanto por fontes de calor no núcleo, como o potássio (^{40}K), quanto por calor latente e constituintes de luz liberados durante a solidificação do núcleo interno devido ao resfriamento lento da Terra (Seção 2.9) (Merrill et al., 1996).

A formulação matemática do geodínamo não foi possível devido à complexidade dos processos físicos que ocorrem no núcleo fluido da Terra. Consequentemente, os teóricos tiveram que recorrer à modelagem numérica. Inicialmente, essas simulações foram bastante limitadas pelo poder de computação disponível para o grande número de integrações numéricas envolvidas. Simulações realistas em grande escala do modelo de dínamo tiveram de aguardar o advento dos supercomputadores na década de 1990. Os primeiros resultados numéricos com integrações de modelos totalmente tridimensionais, não lineares e geodinâmicos foram publicados em 1995 (por exemplo, Glatzmaier & Roberts, 1995). Essas e outras simulações até 2000 foram revisadas por Kono & Roberts (2002). Os modelos simulam muitas das estruturas de campo da Terra, como a variação secular e uma componente axial dominante dipolar, e, em alguns casos, inversão magnética. Alguns dos últimos são muito semelhantes em duração e características àqueles deduzidos a partir de estudos paleomagnéticos (Coe et al., 2000).

As taxas às quais as inversões geomagnéticas ocorreram no passado geológico são altamente variáveis (ver Figs. 4.4, 4.13). Tem havido um aumento gradual na taxa de inversões durante o Cenozoico, após um período no Cretáceo quando o campo teve polaridade normal constante durante 35 Ma. Estudos paleomagnéticos revelaram período prolongado de inversão de polaridade igual no Carbonífero e no Permiano Tardio (McElhinny & McFadden, 2000). Isso parece significar que o geodínamo pode existir em qualquer um dos dois estados: um que gera um campo de polaridade constante para dezenas de milhões de anos e um durante o qual o campo inverte a polaridade pelo menos uma vez a cada milhão de anos. Isso é surpreendente, na medida em que se espera que inversões convectivas no núcleo aconteçam em intervalos de centenas de anos. É difícil imaginar processos ou condições no núcleo que poderiam ser responsáveis por dois estados diferentes, que, uma vez atingidos, persistiriam por dezenas de milhões de anos. Esse prazo é característico da convecção no manto. Mudanças no padrão de convecção do manto poderiam produzir alterações nas condições físicas no limite manto-núcleo na escala de tempo apropriada. Pequenas alterações na velocidade sísmica no manto, reveladas por tomografia sísmica, são interpretadas em termos de variações de temperatura associadas à convecção, embora pudessem ser em parte devidas à falta de homogeneidade química (Seção 12.8.2). Isso levanta a possibilidade de que o fluxo de calor na fronteira manto-núcleo não seja uniforme, mudando significativamente ao longo de períodos de 10-100 Ma. A

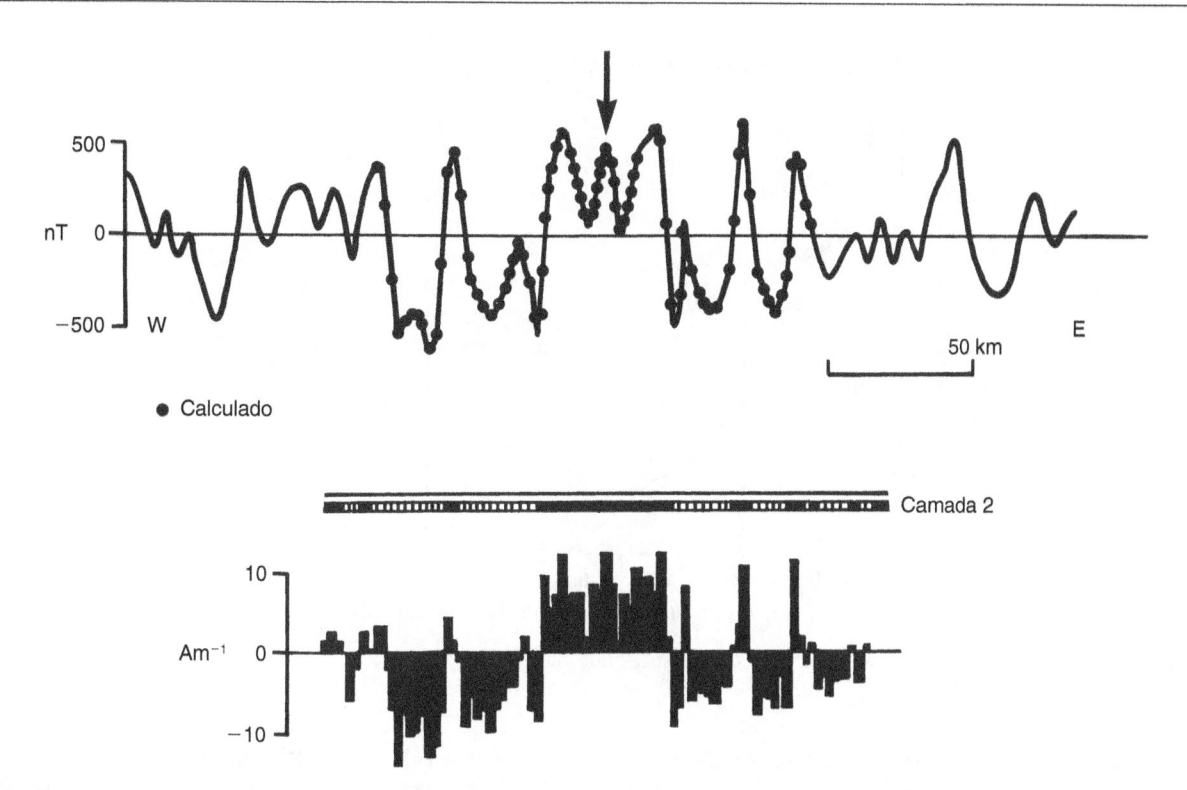

Figura 4.3 Interpretação de um perfil de anomalia magnética na Dorsal Juan de Fuca, no nordeste do Oceano Pacífico, em termos de magnetização normal e inversa de dois blocos retangulares da camada oceânica 2. A seta marca a crista da dorsal (adaptado de Bott, 1967, com permissão da Blackwell Publishing).

baixa viscosidade e a relativa rápida reviravolta no núcleo externo vai garantir que a temperatura na fronteira manto-núcleo seja essencialmente uniforme. As diferenças de temperatura inferidas na parte inferior do manto irão, no entanto, dar origem a uma distribuição não uniforme do fluxo de calor na fronteira manto-núcleo. Se for anômala, o material frio perto do limite vai aumentar o gradiente de temperatura e o fluxo de calor, enquanto o material mais quente diminuirá o gradiente e o fluxo de calor. Os novos avanços nas simulações computacionais do geodínamo tornam possível explorar essa possibilidade. Os resultados iniciais de tais cálculos (Glatzmaier et al., 1999) são muito interessantes e incentivam que diferentes distribuições de fluxo de calor produzam mudanças significativas na frequência de inversão, podendo muito bem explicar as variações observadas na Fig. 4.4.

Os resultados obtidos a partir de simulações numéricas do geodínamo desde meados de 1990 representam observações capazes de trazer avanços na modelagem e na compreensão da possível origem do campo magnético da Terra. No entanto, é preciso ter em mente que, embora a formulação física desses modelos seja imaginada como completa, os parâmetros assumidos não estão na faixa apropriada para a Terra. Isso ocorre porque o poder computacional disponível ainda não é adequado para lidar com a resolução espacial e temporal que seria necessária nas integrações.

4.1.4 A expansão dos fundos oceânicos

No início dos anos 1960, Dietz (1961) e Hess (1962) haviam proposto que a deriva continental poderia ser realizada por um processo que Dietz denominou expansão dos fundos oceânicos (Seção 1.2). Foi sugerido que novas litosferas oceânicas são criadas pela ressurgência e fusão parcial de material da astenosfera nas dorsais oceânicas. Como o oceano cresce gradualmente com uma progressiva criação de litosfera, os continentes marginais ao oceano são afastados. A deriva entre a América do Norte e a Europa, por exemplo, teria acontecido pelo crescimento gradual do Oceano Atlântico nos últimos 180 Ma. Uma vez que a Terra não está aumentando em superfície por qualquer quantidade significativa (Seção 12.3), o aumento no tamanho dos oceanos crescendo por expansão dos fundos oceânicos seria equilibrado pela destruição da litosfera na mesma proporção em outro oceano. Neste oceano a litosfera diminui por subducção em fossas oceânicas profundas localizadas em torno de suas margens.

Acreditava-se que o mecanismo de condução desses movimentos era as correntes de convecção do manto sublitosférico (Fig. 1.5) e que se formariam células em que o manto ascenderia sob dorsais oceânicas, trazendo material quente à superfície e dando origem à nova litosfera. O fluxo, em seguida, moveria-se horizontalmente, para longe da dorsal, conduzindo a litosfera lateralmente na mesma dire-

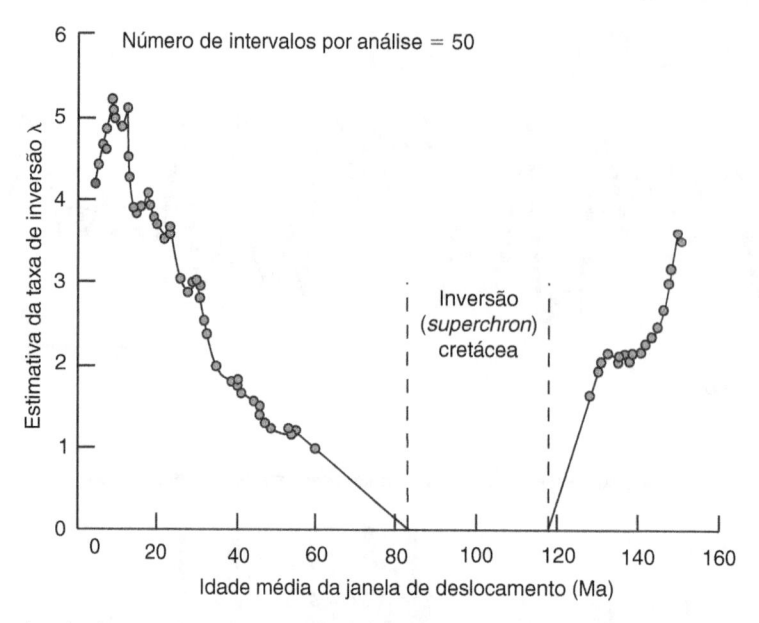

Figura 4.4 Frequência estimada de reversões geomagnéticas durante os últimos 160 Ma (adaptado de Merrill et al., 1996, com permissão da Academic Press. Copyright Elsevier 1996).

ção por arraste viscoso em sua base e, finalmente, desceria de volta para o manto profundo nas fossas oceânicas, ajudando a subducção da litosfera. Esse possível mecanismo será mais discutido na Seção 12.7.

4.1.5 Hipótese de Vine-Matthews

É surpreendente constatar que os mapas magnéticos dos oceanos mostrando lineamentos magnéticos (Seção 4.2) estavam disponíveis há vários anos antes das verdadeiras avaliações dos mesmos terem sido realizadas. A hipótese de Vine & Matthews (1963) era de elegante simplicidade, combinando a noção de expansão dos fundos oceânicos (Seção 4.1.4) com o fenômeno da inversão do campo geomagnético (Seção 4.1.3).

A hipótese de Vine-Matthews explica a formação de lineamentos magnéticos da seguinte forma. Uma nova crosta oceânica é criada pela solidificação do magma injetado e extrudido na crista de uma dorsal oceânica (Fig. 4.5). No resfriamento, a temperatura passa pelo ponto de Curie, abaixo do qual o comportamento ferromagnético se torna possível (Seção 3.6.2). O magma solidificado, em seguida, adquire uma magnetização com a mesma orientação que o campo geomagnético ambiente. O processo de formação de litosfera é contínuo e prossegue simetricamente conforme a litosfera anteriormente formada em ambos os lados da crista se move para o lado. Mas, se o campo geomagnético invertesse a polaridade enquanto a nova litosfera se forma, a crosta de cada lado da dorsal consistiria em uma série de blocos paralelos à crista, que possuem magnetizações remanescentes normais ou invertidas em relação ao campo

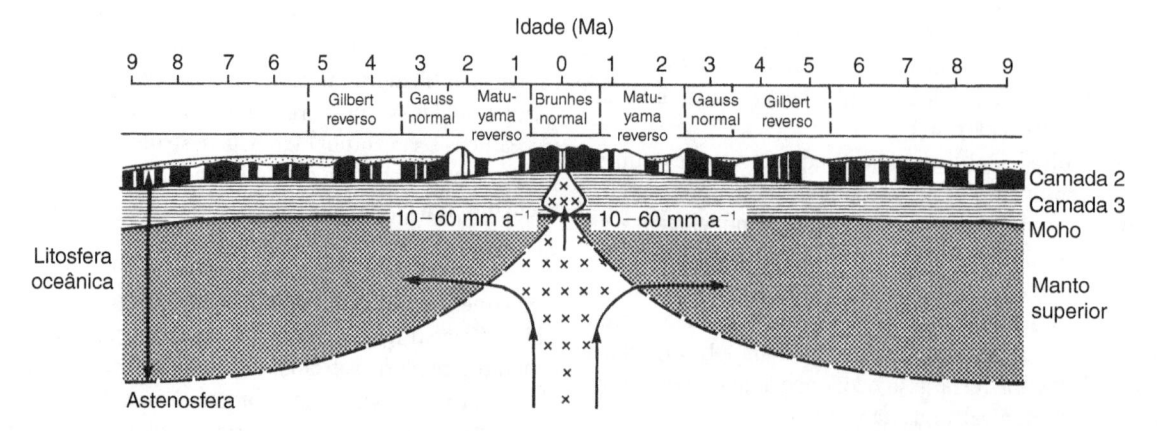

Figura 4.5 Expansão de fundo oceânico e a geração de lineamentos magnéticos pela hipótese de Vine-Matthews (adaptado de Bott, 1982, com permissão de Edward Arnold (Publishers) Ltd).

geomagnético. A crista da dorsal pode assim ser vista como um gravador de duas cabeças em que a história da inversão do campo magnético da Terra é registrada dentro da crosta oceânica (Vine, 1966).

A intensidade da magnetização remanescente em basaltos oceânicos é significativamente maior do que a magnetização induzida. Uma vez que a forma de uma anomalia magnética é regida pela orientação de seu vetor de magnetização total, isto é, a resultante dos componentes induzidos e remanescentes, as formas dos lineamentos magnéticos são efetivamente controladas pelo remanescente de direção primária. Consequentemente, os blocos da crosta normalmente magnetizados formados em altas latitudes do norte possuem um vetor de magnetização que mergulha abruptamente para o norte, e o vetor de material inversamente magnetizado está inclinado abruptamente para a direção sul. O perfil magnético observado durante essa parte da crosta será caracterizado por anomalias positivas ao longo de blocos normalmente magnetizados e por anomalias negativas sobre os blocos inversamente magnetizados. Uma situação similar existe em altas latitudes do sul. Crostas magnetizadas em baixas latitudes também geram, dessa forma, anomalias positivas e negativas, mas, por causa da inclinação relativamente rasa do vetor de magnetização, a anomalia sobre qualquer bloco especial é marcadamente dipolar, com componentes positivos e negativos. Isso obscurece a simetria da anomalia sobre a crista da dorsal, já que os blocos individuais não são mais associados a uma única anomalia positiva ou negativa. No entanto, no equador magnético, onde o campo é horizontal, anomalias negativas coincidem com blocos normalmente magnetizados e anomalias positivas com blocos inversamente magnetizados, precisamente a situação inversa à de latitudes altas. Além disso, a amplitude da anomalia diminui dos polos para o equador conforme a intensidade do campo geomagnético, e, portanto, da magnitude da remanescência, diminui nessa direção. A Fig. 4.6 ilustra como a forma e a amplitude das anomalias magnéticas sobre uma cordilheira oceânica marcante leste-oeste variam com a latitude.

A orientação da cordilheira também afeta a forma e a amplitude da anomalia, porque só o componente do vetor de magnetização contido no plano vertical através do perfil magnético afeta a anomalia magnética. Esse componente é máximo quando a dorsal é leste-oeste e o perfil norte-sul e mínimo para cristas orientadas norte-sul. A variação em amplitude e forma das anomalias magnéticas com a orientação de uma crista de latitude fixa é mostrada na Fig. 4.7. Em geral, a amplitude de anomalias magnéticas diminuem à medida que diminui a latitude e conforme a direção da dorsal avança de leste-oeste para norte-sul. A simetria das anomalias é mais aparente para as dorsais em altas latitudes magnéticas (por exemplo, maior do que 64°, o que equivale a latitudes geográficas maiores que 45°), dorsais norte-sul em todas as latitudes e cristas leste-oeste no equador magnético.

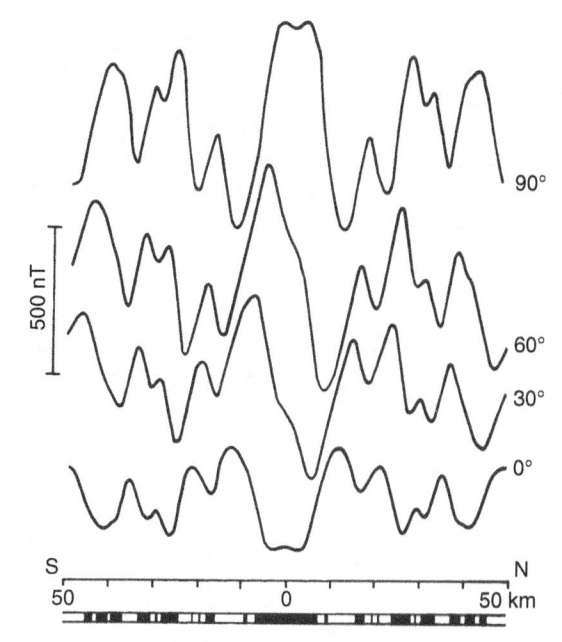

Figura 4.6 Variação do padrão de anomalia magnética com a latitude geomagnética. Todos os perfis são norte-sul. Ângulos referem-se à inclinação magnética. Nenhum exagero vertical.

4.1.6 Magnetostratigrafia

Uma vez que a escala temporal da inversão geomagnética tenha sido calibrada, anomalias magnéticas oceânicas podem ser utilizadas para datar a litosfera oceânica. O método tem sido progressivamente refinado, de modo que agora é possível deduzir as idades desde meados do Jurássico às vezes com uma precisão de alguns milhões de anos.

A hipótese de Vine-Matthews explica a sequência de anomalias magnéticas longe de cristas oceânicas em termos das magnetizações normal e invertida da crosta oceânica adquiridas durante a inversão de polaridade do campo geomagnético. A verificação da hipótese foi fornecida pela consistência da sequência de inversão implicada com a observada de forma independente em terra. Cox et al. (1967)

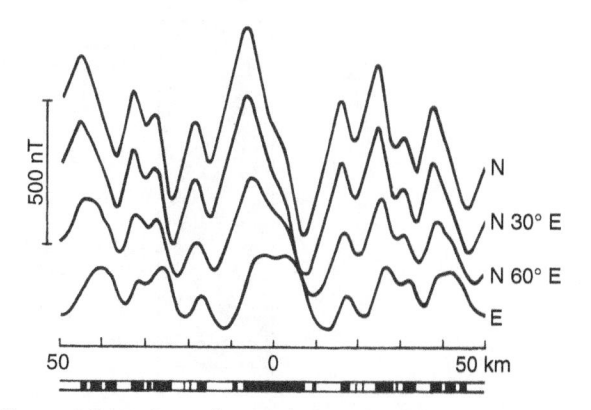

Figura 4.7 Variação do padrão de anomalia magnética com a direção do perfil em uma latitude fixa. A inclinação magnética é de 45° em todos os casos. Nenhum exagero vertical.

mediram o remanescente da magnetização das lavas de uma série de terrenos. As lavas foram datadas por um refinado método potássio-argônio, o que permitiu a construção de uma inversão de escala de tempo de 4,5 Ma. A escala de tempo não poderia ser estendida a épocas anteriores, pois os erros envolvidos na datação K-Ar se tornam muito grandes. Da mesma forma, eventos de polaridade de menos de 50.000 anos de duração não podem ser resolvidos. A escala de tempo até 5 Ma, que foi aperfeiçoada mais tarde por Cande e Kent (1992), é dada na Fig. 4.8. Na terminologia magnetostratigráfica, a polaridade chrons é definida com durações da ordem de 106 anos. Chrons podem ser predominantemente de polaridade invertida ou normal, ou podem conter eventos mistos.

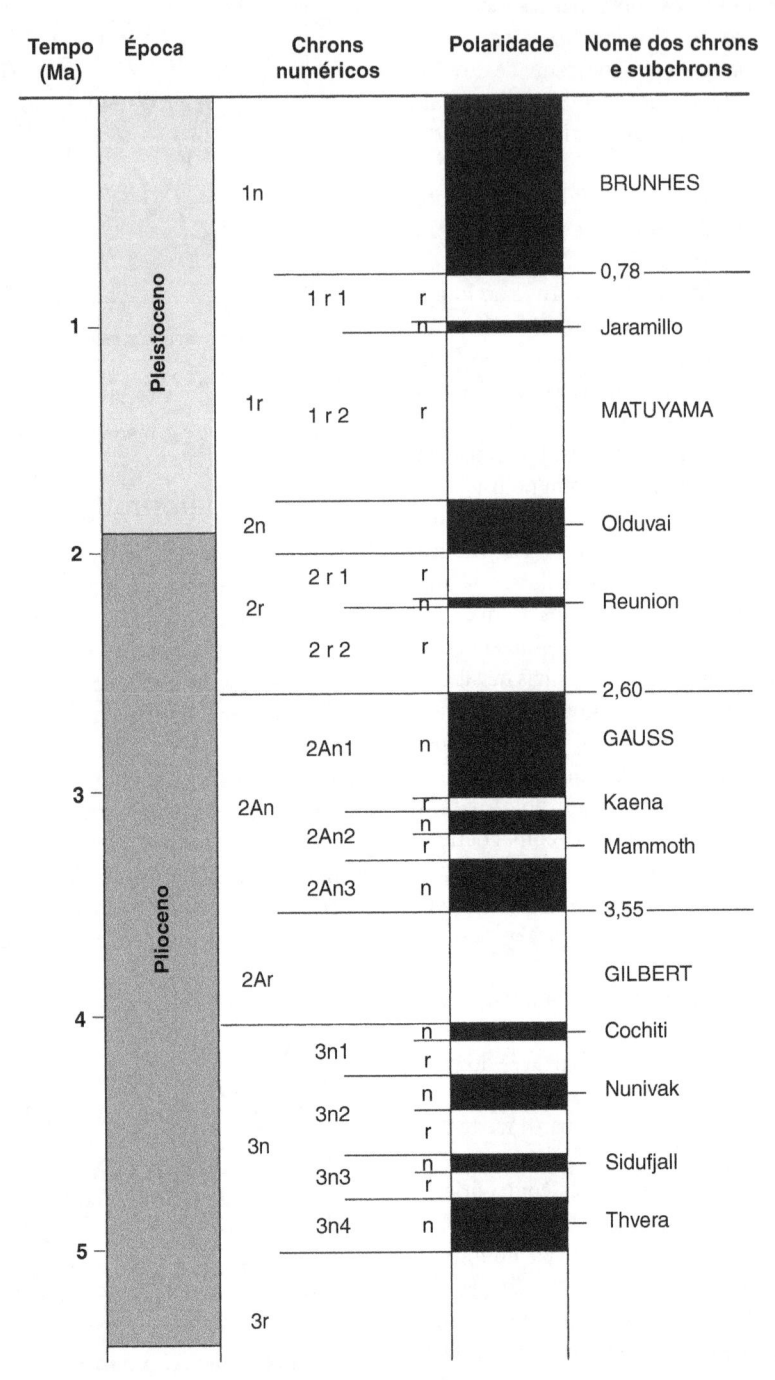

Figura 4.8 Escala de tempo de polaridade geomagnética para o Plio-Pleistoceno (modificado de Cande & Kent, 1992, com permissão da American Geophysical Union. Copyright © 1992 American Geophysical Union). Chrons numéricos são baseados na sequência numerada de anomalias magnéticas marinhas.

A verificação posterior da inversão geomagnética na escala de tempo foi fornecida por investigações paleomagnéticas de núcleos de mar profundo (Opdyke et al., 1966). Ao contrário de fluxos de lava, esses núcleos proporcionam um registro contínuo, permitindo datações estratigráficas precisas de sua microfauna. Esse método é mais convenientemente aplicado a núcleos obtidos em altas latitudes magnéticas, onde a inclinação geomagnética é alta, porque os núcleos são tomados verticalmente e não são orientados azimutalmente. Uma excelente correlação foi encontrada entre esses resultados e os de sequências de lava, o que confirmou que pelo menos 11 inversões do campo geomagnético tinham ocorrido ao longo dos últimos 3,5 Ma. Trabalhos em outros núcleos estendem a história da inversão para 20 Ma (Opdyke et al., 1974).

Pitman & Heirtzler (1966) e Vire (1966) usaram a inversão radiometricamente datada de escala de tempo para calcular os perfis magnéticos que seriam esperados perto da crista das regiões de dorsais mesoceânicas. Pela variação da taxa de propagação, foi possível obter simulações muito próximas de todas as sequências anômalas observadas (Fig. 4.9) e, consequentemente, determinar as taxas de propagação. A compilação de tais taxas é mostrada na Tabela 4.1.

Extensões desse trabalho mostram que a mesma sequência de anomalias magnéticas, resultante da propagação e inversões do campo magnético da Terra, pode ser observada ao longo de muitos flancos de dorsais (por exemplo, Fig. 4.10). Mais tarde, o trabalho mostrou que anomalias magnéticas lineares semelhantes são desenvolvidas sobre a crosta oceânica que remonta ao Jurássico. Embora não haja uma crosta oceânica mais velha do que isso, as investigações paleomagnéticas em terra têm mostrado que as inversões geomagnéticas têm ocorrido pelo menos há cerca de 2,1 Ga.

O fato de a taxa de expansão ter variado com o tempo é aparente a partir de uma análise de perfis magnéticos de diferentes oceanos. Exemplos são dados na Fig. 4.11, em que a taxa de expansão no Atlântico Sul é considerada constante, e a distância de várias anomalias magnéticas das cristas de dorsais em outros oceanos é plotada contra a distância para a mesma anomalia no Atlântico Sul. Pontos de inflexão nas curvas para os outros oceanos indicam quando a taxa de expansão muda se a suposição de que a taxa de difusão se manteve constante no Atlântico Sul estiver correta. No entanto, as taxas de expansão podem ter mudado com o tempo em todos os oceanos.

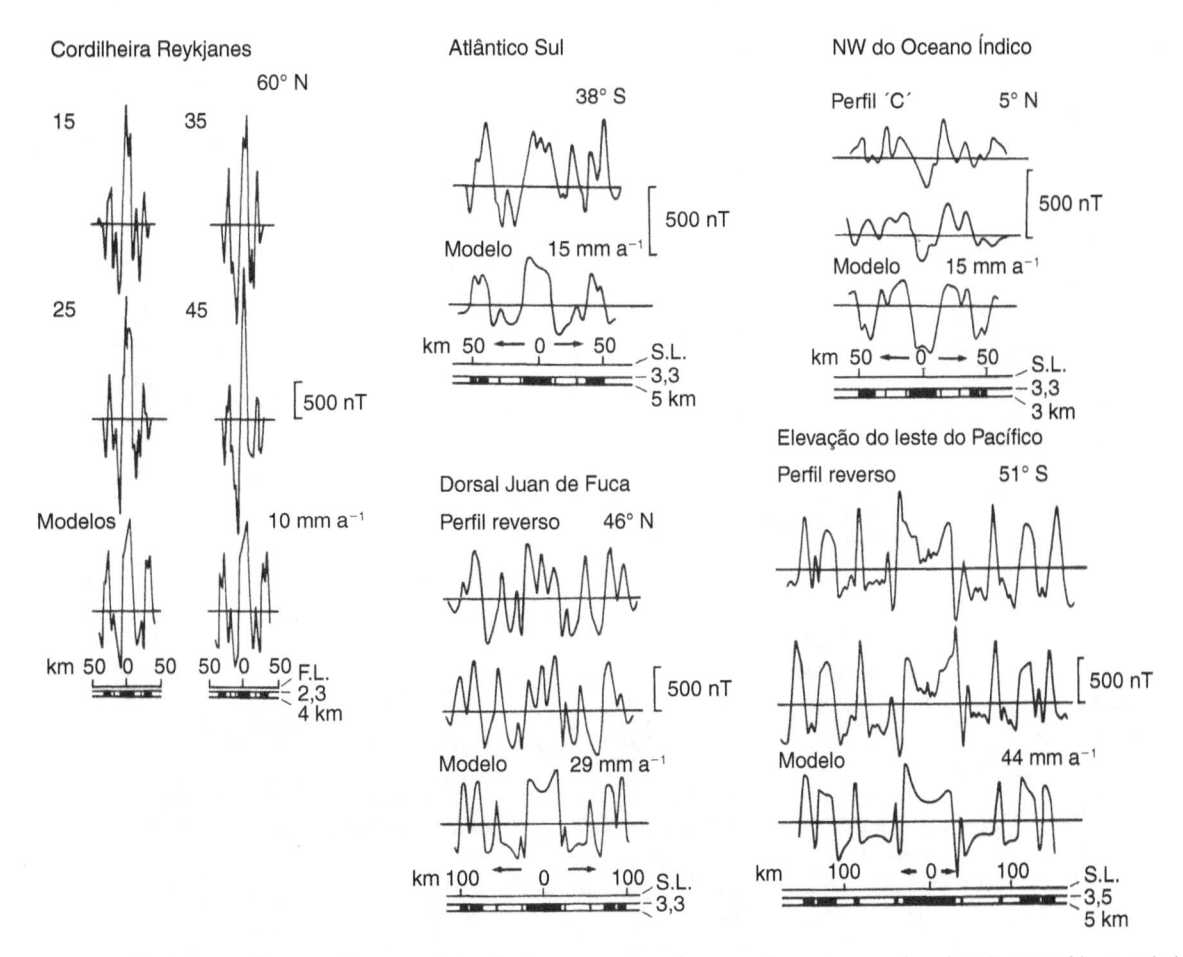

Figura 4.9 Perfis de anomalia magnética e modelos de diversos centros de expansão em termos da coluna temporal inversa (adaptado de Vine, 1966, *Science* **154**, 1405-1415, com permissão da AAAS).

Tabela 4.1 Taxas de expansão em dorsais mesoceânicas ("taxa de expansão" é definida como a taxa de acreção por flanco de dorsal)

Dorsal	Latitude	Taxa observada (mm a^{-1})	Taxa prevista (mm a^{-1})
Juan de Fuca	46,0° N	29	*
Golfo da Califórnia	23,4° N	25	24,7
Cocos –			
Pacífico	17,2° N	37	39,4
Pacífico	3,1° N	67	65,4
Galápagos	2,3° N	22	22,0
Galápagos	3,3° N	34	34,6
Nazca –			
Pacífico	12,6° S	75	74,2
Alto do Chile Rise	43,4° S	31	30,2
Pacífico –			
Antártida	35,6° S	50	49,5
Antártida	51,0° S	44	44,6
Antártida	65,3° S	26	29,0
Atlântico Norte	86,5° N	6	5,7
Atlântico Norte	60,2° N	9,5	9,2
Atlântico Norte	42,7° N	11,5	11,9
Atlântico Central	35,0° N	10,5	11,0
Atlântico Central	23,0° N	12,5	12,6
Cayman	18,0° N	7,5	5,9
Atlântico Sul	38,5° S	18	17,6
Antártida –			
América do Sul	55,3° S	10	9,3
África –			
Antártida	44,2° S	8	7,4
Noroeste do Oceano Índico	4,2° N	14	14,6
Noroeste do Oceano Índico	12,0° S	18,5	17,9
Noroeste do Oceano Índico	24,5° S	25	24,5
Sudeste do Oceano Índico	25,8° S	28	28,8
Sudeste do Oceano Índico	50,0° S	38	37,3
Sudeste do Oceano Índico	62,4° S	34,5	33,7
Golfo de Aden	12,1° N	8	8,6
Golfo de Aden	14,6° N	12	12,1
Mar Vermelho	18,0° N	10	8,2

Baseado em dados de DeMets et al. (1990) e Vine (1966).
* Não disponível porque a placa Farallon é omitida do modelo.

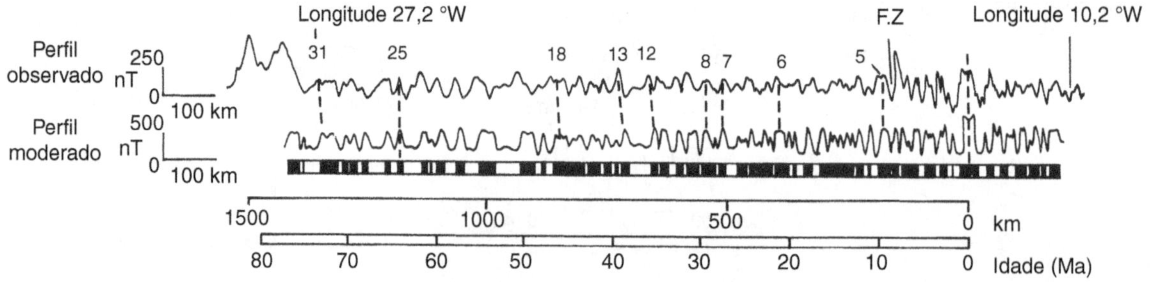

Figura 4.10 Perfil e modelo de anomalia magnética sobre o sul da Dorsal Mesoatlântica (adaptado de Heirtzler et al., 1968, com permissão da American Geophysical Union. Copyright © 1968 American Geophysical Union).

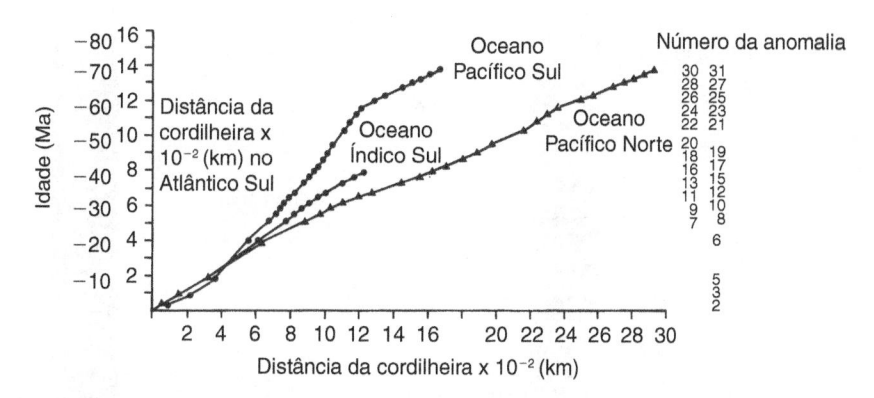

Figura 4.11 Relação entre a distância de uma determinada anomalia no Atlântico Sul e a distância para a mesma anomalia nos oceanos Índico Sul, Pacífico Norte e Pacífico Sul. Os números à direita referem-se aos números de anomalia magnética (adaptado de Heirtzler et al., 1968, com permissão da American Geophysical Union. Copyright © 1968 American Geophysical Union).

A primeira escala temporal geomagnética de longa duração foi construída por Heirtzler et al. (1968). Mais uma vez eles supuseram que a expansão no Atlântico Sul havia permanecido constante na mesma taxa deduzida para os quatro últimos Ma. Um modelo de blocos normal e inversamente magnetizado foi construído, simulando o padrão de anomalia observada e o eixo de distância transformado em uma escala de tempo de inversões geomagnéticas retrocedendo cerca de 80 Ma no tempo. Anomalias proeminentes correspondentes aos períodos de polaridade normal foram numeradas de 1 a 32 com o tempo crescente (Fig. 4.10).

A 3ª Etapa do Programa Deep Sea Drilling (DSDP), em 1968, foi projetada especificamente para testar a hipótese de expansão dos fundos oceânicos e a suposição de uma constante taxa de expansão no Atlântico Sul (Maxwell et al., 1970). Uma série de furos foram feitos no Atlântico Sul ao longo de uma travessa em ângulo reto à Dorsal Mesoatlântica (Fig. 4.12a). A idade da crosta oceânica teria, idealmente, sido determinada pela datação radiométrica de basaltos da camada 2 que foram atingidos em cada perfuração. No entanto, os basaltos eram muito intemperizados para que isso fosse possível, e, assim, suas idades foram determinadas, embora ligeiramente subestimadas, por datação paleontológica de sedimentos basais da camada 1. Na Fig. 4.12b, a idade mais antiga do sedimento é plotada contra a distância do eixo da dorsal, e é facilmente perceptível que há uma notável relação linear, com a idade da crosta aumentando com a distância da dorsal. As idades previstas implicam uma taxa de meia expansão na faixa de 20 mm a^{-1}, como previsto, e, portanto, concordam bem com a idade do fundo do oceano e com a escala de tempo de inversão proposta por Heirtzler et al. (1968) (Fig. 4.10).

Uma revisão completa da calibração da escala de tempo da polaridade foi realizada por Cande & Kent (1992, 1995). Ela se baseou em dados de anomalia magnética de oceanos, estudos magnetostratigráficos de sequências sedimentares em terra e no mar e datação radiométrica de nove horizontes estratigráficos específicos. De tudo isso, concluiu-se que a expansão de fundos oceânicos no Atlântico Sul foi contínua, com algumas variações sobre uma taxa essencialmente constante, e que ainda era adequado usar o Atlântico Sul como um padrão com o qual a história da dispersão em outras bacias oceânicas poderia ser comparada. A escala de tempo revista para os últimos 80 Ma sugerida por Cande & Kent (1995) é ilustrada na Fig. 4.13.

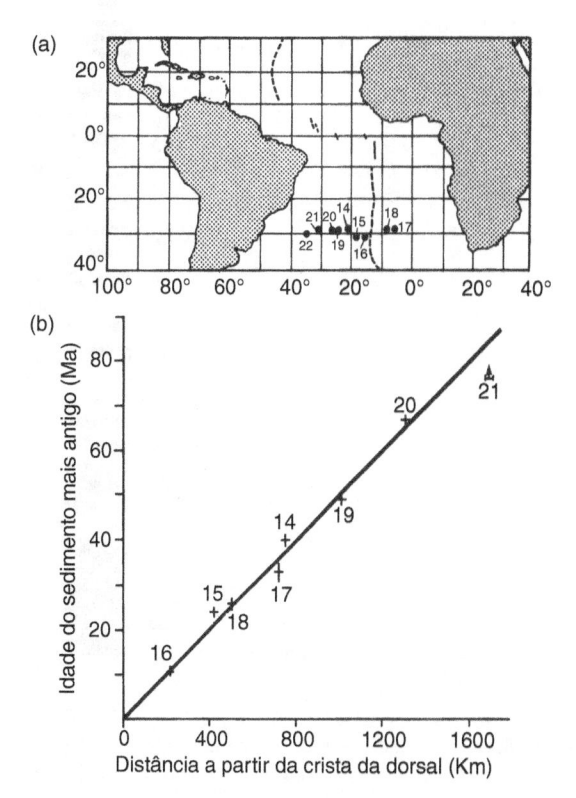

Figura 4.12 (a) Mapa de localização dos locais de perfuração na 3ª Etapa do DSDP no Atlântico Sul. (b) Relação entre a maior idade de sedimentos e a distância da crista da Dorsal Mesoatlântica (segundo Maxwell et al., 1970, *Science* **168**, 1047-1059, com permissão da AAAS).

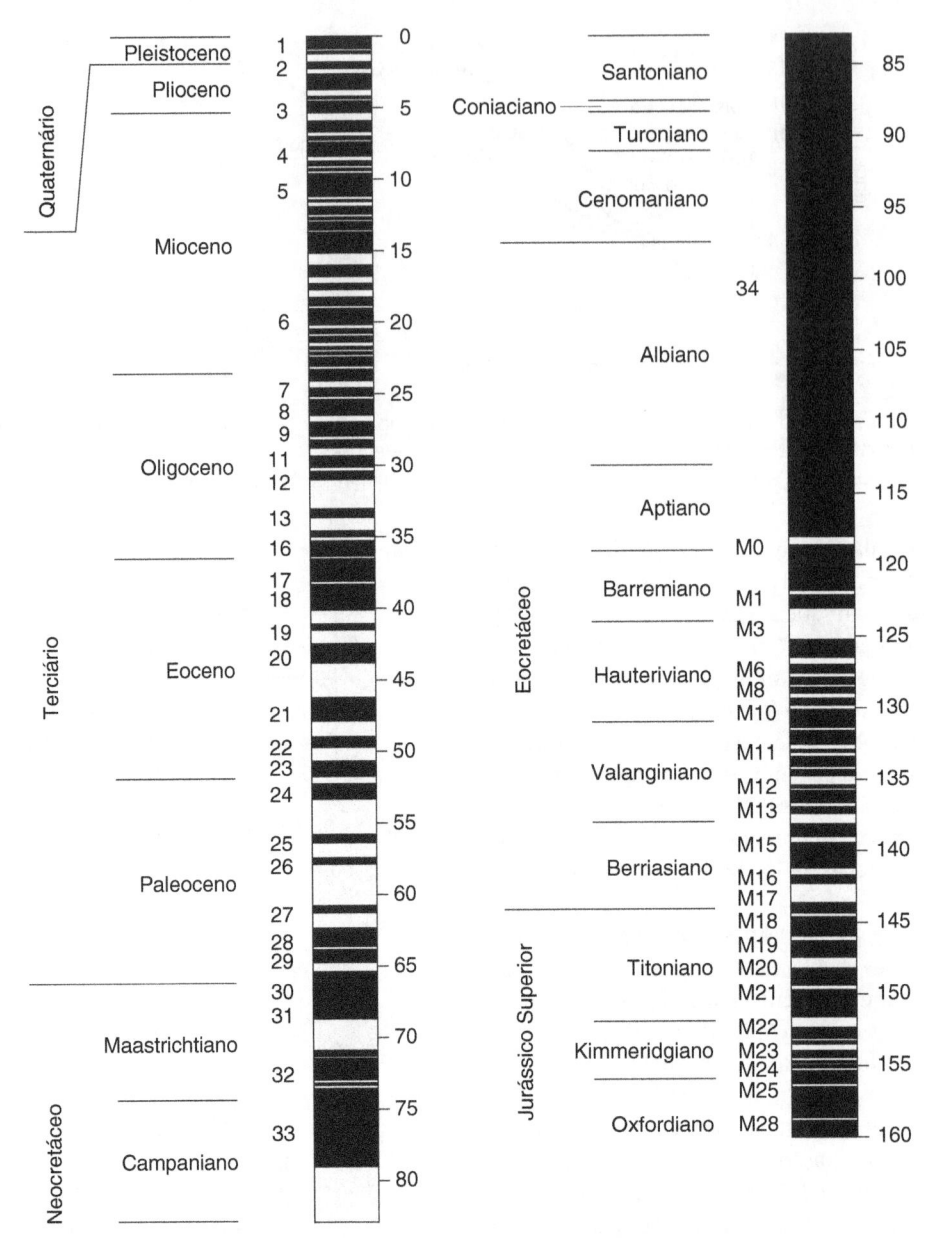

Figura 4.13 Escala de tempo da polaridade geomagnética nos últimos 160 Ma, juntamente com os números de anomalias magnéticas oceânicas (segundo McElhinny & McFadden, 2000, com permissão da Academic Press. Copyright Elsevier 2000).

A descoberta de Larson & Pitman (1972) sobre as anomalias magnéticas mais velhas em três regiões do oeste do Pacífico permitiu que a escala de tempo geomagnética de Heirtzler fosse estendida, retrocedendo 160 Ma. Lineamentos de padrão semelhante também foram encontrados no Atlântico. A escala do tempo foi estendida assumindo uma taxa constante de expansão no Pacífico, calibrada por perfuração DSDP no Pacífico e no Atlântico. Os períodos mais longos de polaridade *invertida* nesta sequência são numerados de M0 a M28 (M representando o Mesozoico). Parece que a expansão nas bacias oceânicas principais tem sido contínua, já que todos os eventos de polaridade estão presentes, embora a taxa de expansão tenha variado.

A versão da reversão da escala do tempo a 160 Ma mostrada na Fig. 4.13 combina a escala de tempo de Cande & Kent (1995), para o Cretáceo Superior e o Cenozoico (anomalias 1-34), com a de Kent & Gradstein (1986) para o Jurássico Superior e o Eocretáceo (anomalias M0-M28).

4.1.7 Datação de fundos oceânicos

O uso da escala de tempo geomagnética para datar a litosfera oceânica se baseia na identificação de padrões característicos de lineamentos de anomalia magnética e em sua relação com a cronologia da inversão datada. Marcadores especialmente notáveis muito utilizados são as anomalias 5, 12-13, 21-26 e 31-32. Também de interesse é o prolongado período de polaridade normal no Cretáceo. Esse período corresponde a zonas magnéticas calmas dentro dos oceanos onde não existem anomalias lineares magnéticas. Em muitos casos, no entanto, o reconhecimento de certas anomalias não é possível, e a abordagem usual é construir o padrão de anomalia esperado para partes relevantes da escala de tempo e compará-lo com a sequência observada.

Uma vez estabelecida a cronologia da inversão, podemos identificar lineamentos de idade conhecida em mapas magnéticos e transformados em isócronas para que o fundo do mar possa ser subdividido em províncias de idade (Scotese et al., 1988). Resumos das isócronas derivados de anomalias magnéticas oceânicas lineares também são identificados por Cande et al. (1989) e Müller R.D. et al. (1997) (Figura 4.1 do encarte colorido). Lineamentos com a mesma idade em ambos os lados de uma dorsal mesoceânica podem ser montados em conjunto pelo emprego de técnicas semelhantes às utilizadas para margens continentais (Seção 3.2.2). Dessa forma, reconstruções de configurações da placa podem ser feitas em diferentes épocas, e toda a evolução das bacias oceânicas atuais determinada (Scotese et al., 1988). A Fig. 4.14 mostra esse método aplicado à história mesozoica e cenozoica do Atlântico Norte. Exemplos de áreas com histórias de expansão mais complexas, envolvendo dorsais extintas e saltos de dorsais, incluem o Oceano Índico (Norton & Sclater, 1979) e a região da Groenlândia, Islândia e Escócia (Nunns, 1983).

4.2 FALHAS TRANSFORMANTES

4.2.1 Introdução

A teoria da expansão dos fundos oceânicos propõe que a litosfera oceânica é criada em dorsais mesoceânicas e é equilibrada pela destruição complementar da litosfera oceânica em zonas de subducção. Embora essa teoria explique perfeitamente a geometria do comportamento da litosfera em duas dimensões, um problema surge quando a terceira dimensão é considerada, ou seja, onde os sulcos e trincheiras terminam na horizontal? Esse problema foi abordado por Wilson (1965), que propôs que os fins dessas características eram ligados por uma nova classe de falhas que ele chamou de falhas transformantes. Essas falhas não levam à criação nem à destruição da litosfera, mas o movimento

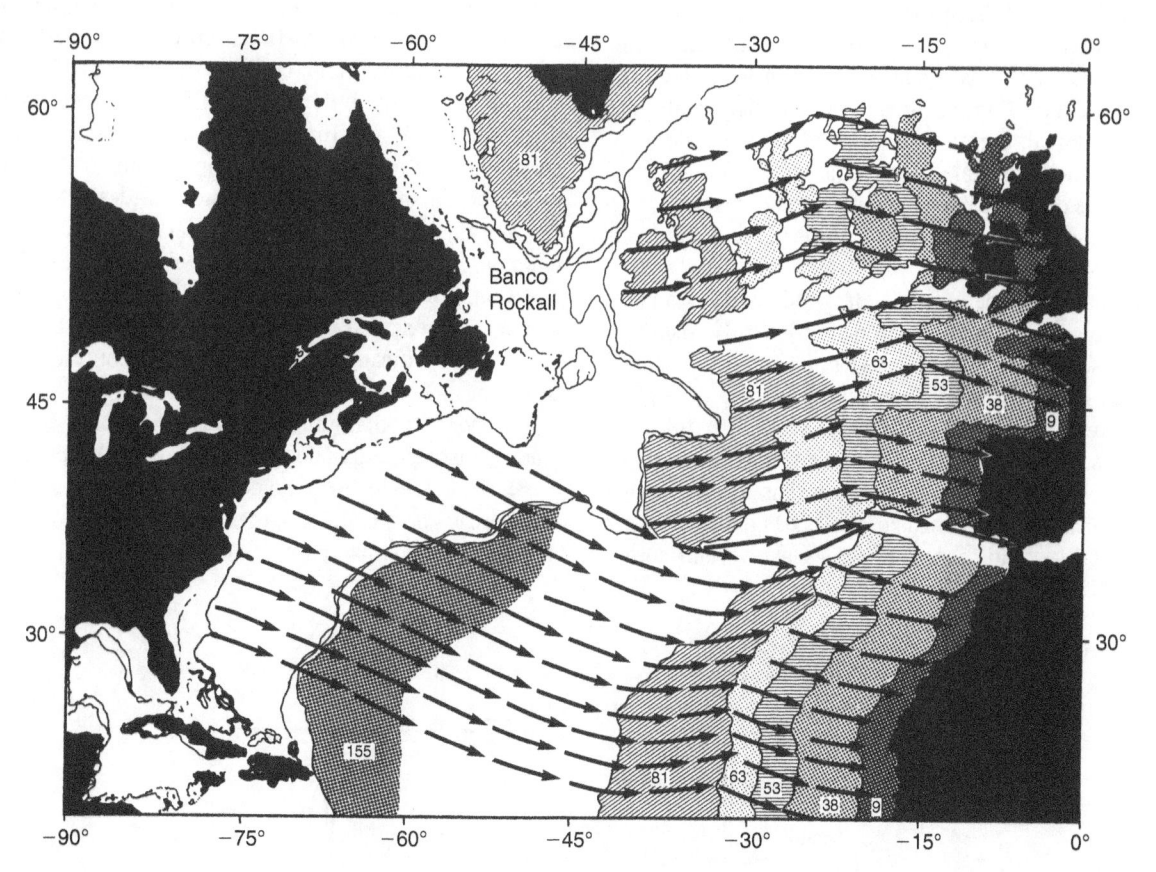

Figura 4.14 Posição relativa da Europa e da África no que diz respeito à América do Norte, ilustrando a sua separação durante o Mesozoico e o Cenozoico. Idades de reconstrução mostradas em milhões de anos (adaptado de Pitman & Talwani, 1972, com permissão da Geological Society of America).

é transcorrente, com a litosfera adjacente em movimento tangencial.

A existência de grandes movimentos laterais relativos da litosfera foi sugerida pela primeira vez a partir de anomalias magnéticas marinhas no nordeste do Pacífico (Fig. 4.1), que foram encontradas separadas ao longo de zonas de fratura. A combinação de deslocamentos sinistrais ao longo das falhas Mendocino e Pioneer somam 1.450 km, enquanto a separação dextral em toda a Falha Murray é de 600 km no oeste e de apenas 150 km no leste (Vacquier, 1965).

No entanto, interpretar essas zonas de fratura como falhas transcorrentes de grande escala causa um grande problema: não há maneira óbvia para como as falhas terminam, como é certo que elas não circum-navegam a Terra para juntar-se a si mesmas. Wilson (1965) propôs que as falhas terminariam nas extremidades das dorsais ou fossas, que comumente se encontram em ângulos retos. Wilson chamou esta nova classe de falhas transformantes, porque o deslocamento lateral do outro lado da falha é usado para transformá-la ou na formação de nova litosfera em um segmento terminado de dorsal oceânica ou na subducção da litosfera em uma fossa. A Fig. 4.15 mostra a visão em planta de cristas oceânicas que foram deslocadas por falhas transcorrentes e transformantes. A falha transcorrente ou direcional (Fig. 4.16b) provoca um deslocamento sinistral ao longo de um plano vertical que deve estirar até o infinito além das cristas da dorsal. A falha transformante (Fig. 4.15a), no entanto, só está ativa entre o deslocamento das cristas da dorsal, e o movimento relativo da litosfera em ambos os lados é dextral. Falhas transformantes diferem de outros tipos de falhas pois implicam o, ou derivam do, fato de que a área falhada, nesse caso a litosfera, não é conservada em dorsais ou fossas.

Wilson (1965) definiu seis classes de falhas transformantes que dependem dos tipos de feições não conservativas a que se juntam (Fig. 4.16). Estas podem ser uma dorsal oceânica, a placa de subsidência em uma fossa ou a placa cavalgante com movimento inferior (*underthrusting*) em uma fossa. A Fig. 4.16a mostra os seis tipos possíveis de falha transformante dextral; mais seis, baseados no movimento sinistral, também são possíveis. A Fig. 4.16b mostra como as falhas transformantes se desenvolveriam com o tempo. Os casos (i) e (v) permanecerão inalterados, os casos (ii) e (iv) vão crescer, e os casos (iii) e (vi) diminuirão de comprimento com o passar do tempo.

4.2.2 Falhas transformantes dorsal-dorsal

Sykes (1967) determinou um mecanismo de soluções focais de terremotos que ocorrem nos arredores da fratura de zonas que compensam a Dorsal Mesoatlântica para a esquerda em latitudes equatoriais (Fig. 4.17). Eventos ao longo do eixo da dorsal são consistentes com falha normal ao longo de planos norte-sul. Eventos ao longo das zonas de fratura são muito mais comuns, e a liberação de energia é de cerca de uma centena de vezes maior do que ao longo da crista. Entre os segmentos de separação de dorsal temos o tipo deslocamento direcional com um plano nodal consistente com movimento transformante dextral. Eventos ao longo da zona de fratura, além das extremidades da dorsal, são raros. Esses resultados impressionantes confirmam o conceito de falha transformante e, ainda, confirmam a hipótese de expansão dos fundos oceânicos.

Antes do reconhecimento da falha transformante, as zonas de fraturas paralelas que aparecem para deslocar o topo da Dorsal Mesoatlântica, em latitudes equatoriais entre a África e a América do Sul, foram entendidas como representantes de falhas sinistrais transcorrentes deslocando uma crista originalmente em linha reta (Fig. 4.15b). Contudo, a sua reinterpretação, como falhas transformantes dorsal-dorsal (Fig. 4.15a), implica que os deslocamentos sobre elas não mudam com o tempo. Assim, a geometria, ou *locus*, da sequência de falhas dorsal deslocada-crista transformante no Atlântico equatorial permaneceu essencialmente inalterada durante toda a abertura do Atlântico Sul. Como resultado, o *locus* emparelha as bordas da plataforma continental da América do Sul e da África e reflete a geometria do rifteamento original do supercontinente Gondwana nessa área.

Wilson (1965) também sugeriu exemplos de falhas transformantes na área do extremo norte do Atlântico (Fig. 4.18). Durante o início do Paleogeno, a Dorsal Mesoatlântica bifurcava para o sul da Groenlândia. O ramo ocidental, que está hoje inativo, passava por Baffin Bay, terminando

(a) Falha transformante — Dextral

(b) Falha transcorrente — Sinistral

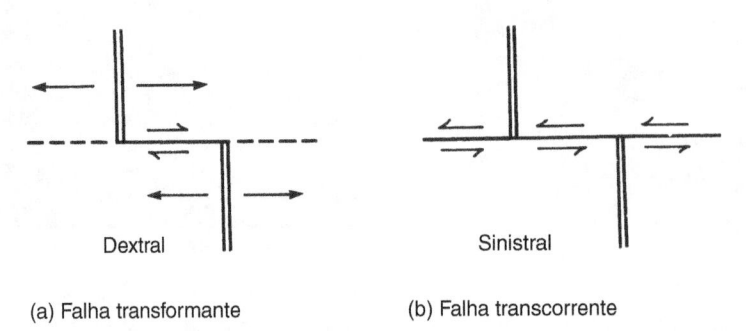

Figura 4.15 Comparação de falhas transformantes e transcorrentes.

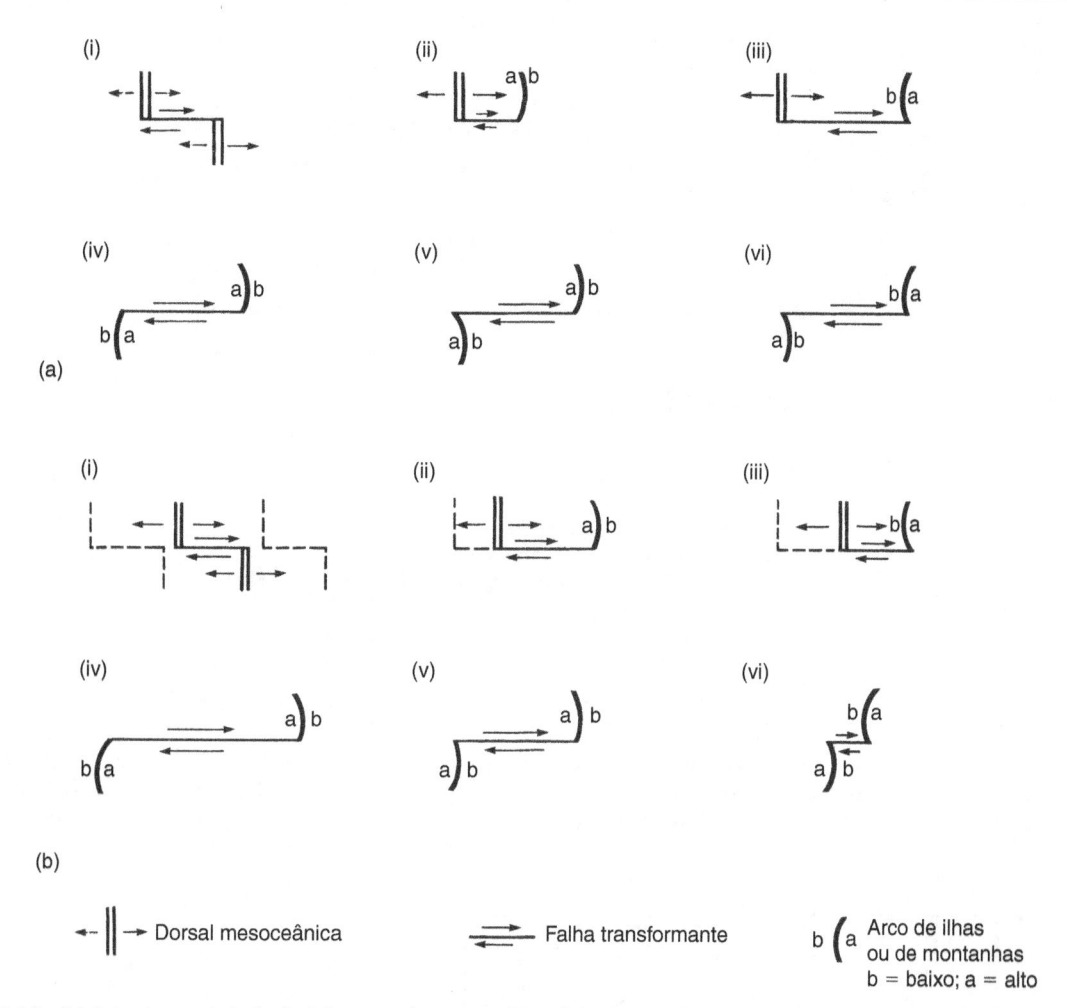

Figura 4.16 (a) Seis tipos possíveis de falha transformante dextral: (i) dorsal para dorsal; (ii) dorsal para arco côncavo, (iii) dorsal para arco convexo; (iv) arco côncavo para arco côncavo; (v) arco côncavo para arco convexo; (vi) arco convexo para arco convexo. (b) Aspecto das falhas transformantes dextrais após um período de tempo (adaptado de Wilson, 1965, com permissão da *Nature* **207**, 334-47. Copyright © 1965 Macmillan Publishers Ltd).

contra a Falha de Wegener, extinta falha transformante sinistral dorsal-dorsal. O ramo oriental ativo passa pela Islândia e termina a sudoeste de Spitsbergen na Falha De Geer. Essa falha transformante dextral dorsal-dorsal conecta-se à Dorsal Gakkel na Bacia Ártica. Wilson previu que essa é uma dorsal expandindo-se muito lentamente que é transformada nas Montanhas Verkhoyansk da Sibéria por rotação em torno de um fulcro perto das Ilhas da Nova Sibéria (Fig. 4.18).

4.2.3 Saltos de dorsais e deslocamentos de falha transformante

Acredita-se que os diferentes deslocamentos observados em todos os lineamentos magnéticos da Zona de Fratura Murray (Fig. 4.1) decorram de uma mudança de localização da crista da dorsal ao sul da zona de fratura de cerca de 40 Ma atrás. A mudança no deslocamento de anomalias da mesma idade implica em um "salto da dorsal" de aproximadamente 500 km a leste (Harrison & Sclater, 1972). Saltos de dorsais bem documentados, que também reduzem o deslocamento da crosta da mesma idade em ambos os lados de uma zona de fratura, ocorrem no extremo sul do Oceano Atlântico (Barker, 1979). Neles, ao sul da Zona de Fratura Falkland-Agulhas, a crista da dorsal saltou para o oeste em três ocasiões desde a abertura do Atlântico Sul, há 98, 63 e 59 Ma. Ao fazê-lo, reduziu o deslocamento original de 1.400 km para cerca de 200 km. Outros saltos de dorsal, produzindo grandes alterações na geometria da crista da dorsal nos últimos 10 Ma, têm ocorrido ao norte da Islândia (Vogt et al., 1970) e ao longo da crista da Elevação do Pacífico Leste no centro-leste do Pacífico (Herron, 1972).

Em geral, porém, saltos de dorsais são relativamente raros, como evidenciado pela posição mediana de cristas oceânicas entre continentes separados. A geometria de segmentos da crista da dorsal e de falhas transformantes é mais provável de ser modificada, de forma menos dramática, pela crista de expansão (Seção 6.11) e por mudanças na direção de expansão (Seção 5.9).

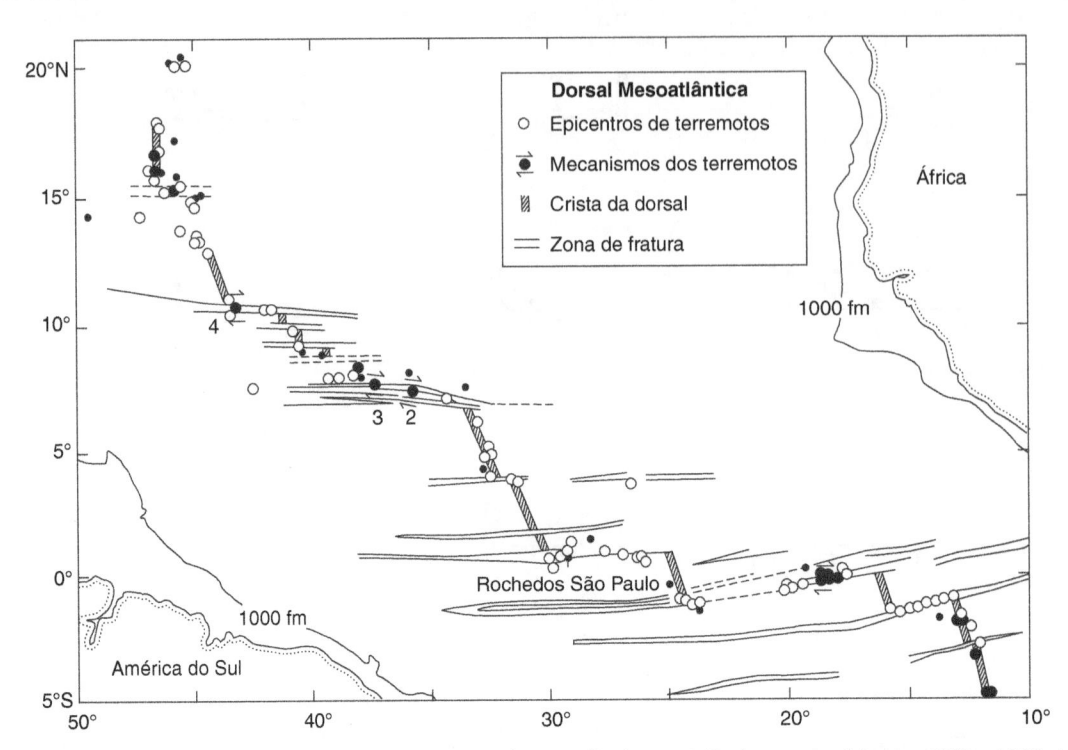

Figura 4.17 Epicentros de terremotos que ocorreram na Dorsal Mesoatlântica no Atlântico equatorial entre 1955 e 1965. As setas ao lado de quatro dos sismos indicam o sentido do cisalhamento e a direção do plano de falha inferida a partir de soluções de mecanismo focal (adaptado de Sykes, 1967, com permissão da American Geophysical Union. Copyright © 1967 American Geophysical Union).

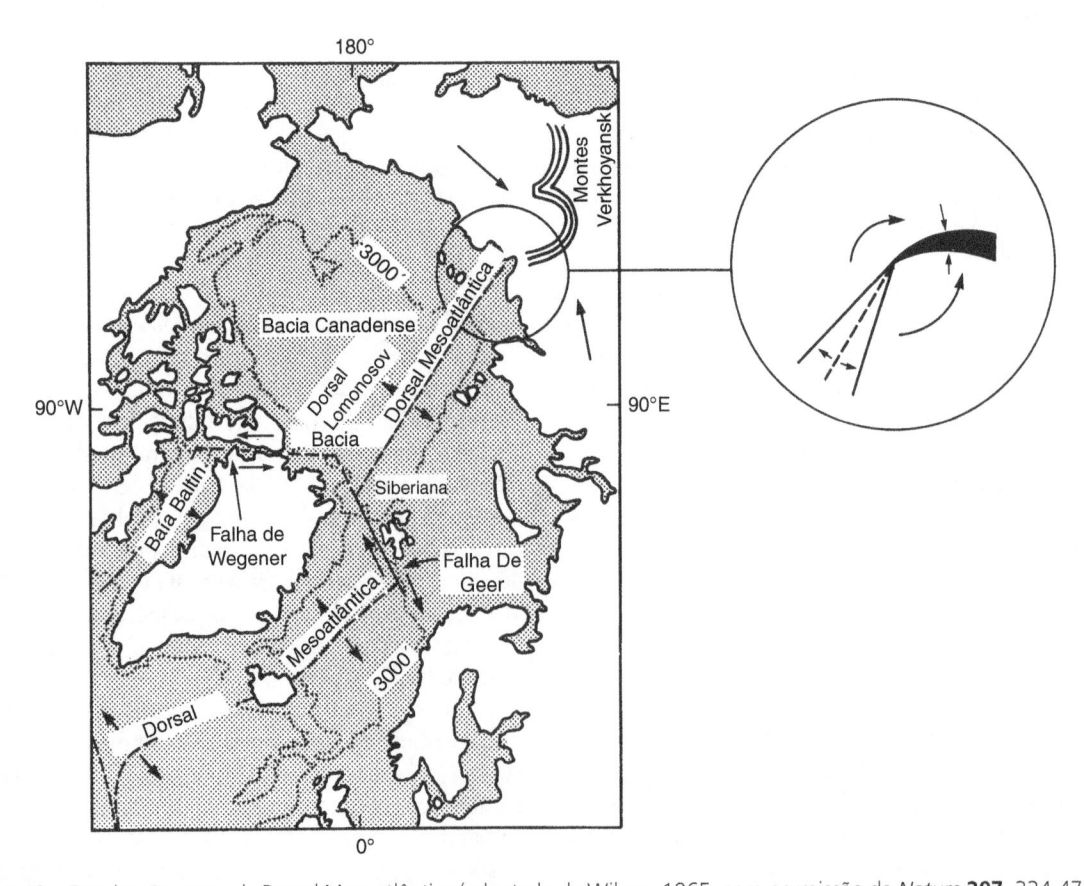

Figura 4.18 Terminação norte da Dorsal Mesoatlântica (adaptado de Wilson, 1965, com permissão da *Nature* **207**, 334-47. Copyright © 1965 Macmillan Publishers Ltd).

LEITURA ADICIONAL

Cox, A. & Hart, R.B. (1986) *Plate Tectonics. How it works*. Blackwell Scientific Publications, Oxford.

Jacobs, J.A. (1994) *Reversals of the Earth's Magnetic Field*. Cambridge University Press, Cambridge.

Jones, E.J.W. (1999) *Marine Geophysics*. Wiley, Chichester, England.

Merrill, R.T., McElhinny, M.W. & McFadden, P.L. (1996) *The Magnetic Field of the Earth: paleomagnetism, the core and the deep mantle*. Academic Press, San Diego.

Opdyke, N.D. & Channel, J.E.T. (1996) *Magnetic Stratigraphy*. Academic Press, San Diego.

5 | A base da tectônica de placas

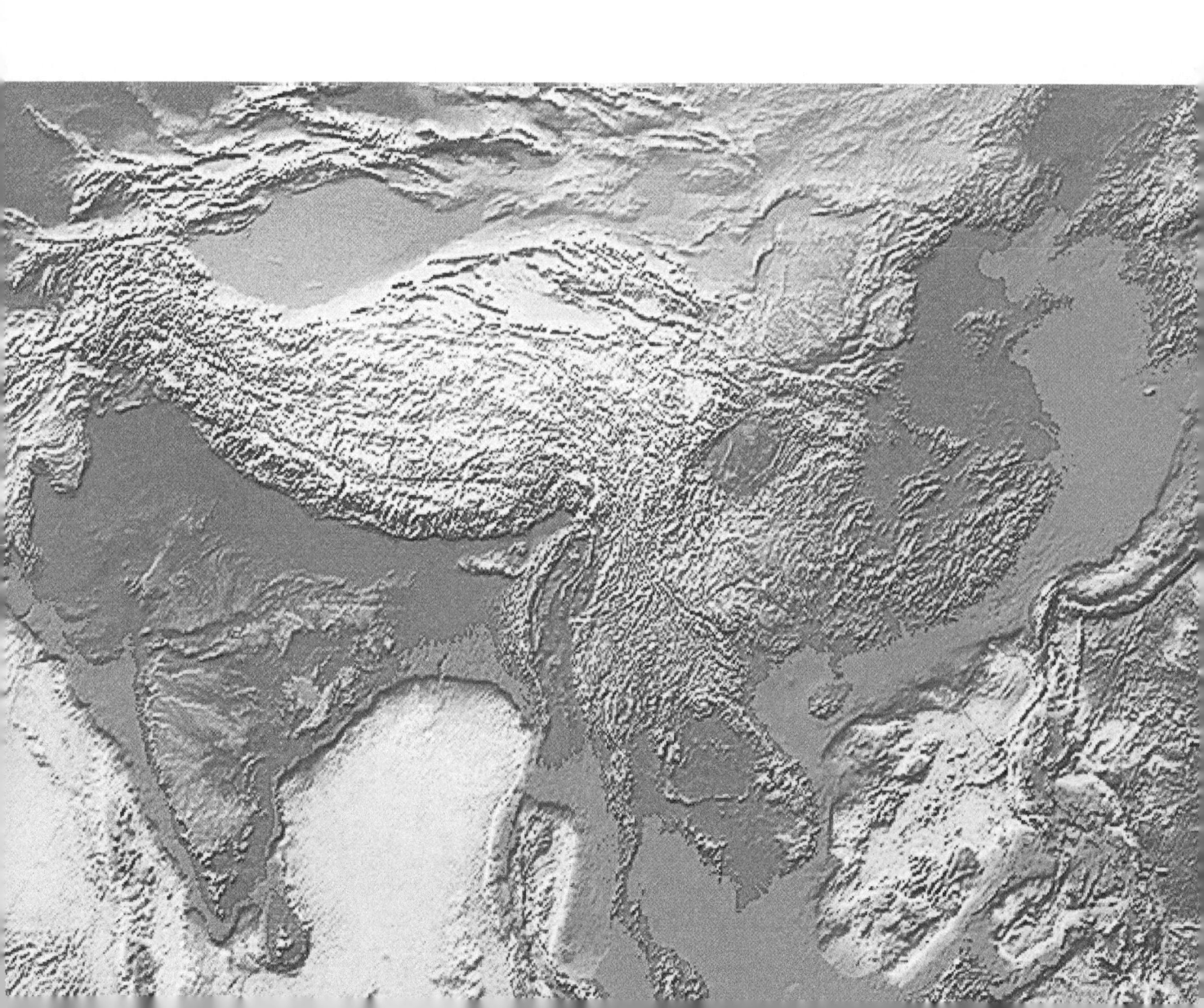

5.1 PLACAS E MARGENS DE PLACAS

A combinação do conceito de falhas transformantes com a hipótese de expansão do fundo oceânico levou à construção da teoria das placas tectônicas. Nessa teoria, a litosfera é dividida em uma rede de blocos interligados chamados de placas. Os limites das placas podem assumir três formas (Isacks et al., 1968).

1 *Dorsais oceânicas* (margens de placa construtivas ou acrescionárias) marcam os limites onde as placas são divergentes. Magma e manto empobrecido (depletado) ressurgem entre as placas em separação, dando origem à nova litosfera oceânica. O movimento divergente das placas é frequentemente perpendicular à direção da borda da placa, embora esse nem sempre seja o caso e não seja uma necessidade geométrica. No Pacífico, parece ser uma característica intrínseca ao espalhamento sempre que uma direção constante for estabelecida por algum tempo (Menard & Atwater, 1968).

2 *Fossas* (margens de placa destrutivas) marcam os limites onde duas placas estão convergindo pelo mecanismo da litosfera oceânica de uma das placas sendo subductada por sob a outra, eventualmente para ser reabsorvida no manto sublitosférico. Uma vez que a Terra não está expandindo significativamente (Seção 12.3), a taxa de destruição da litosfera nas fossas deve ser praticamente a mesma que a taxa de criação nas cordilheiras oceânicas. Também estão incluídos nessa categoria os orógenos do tipo Himalayano causados pela colisão de duas placas continentais (Seção 10.1), onde uma deformação compressional continuada pode estar ocorrendo. A direção de movimento da placa subductante não precisa ser em ângulo reto com a trincheira, isto é, pode ocorrer a subducção oblíqua.

3 *Falhas transformantes* (margens de placa conservativas) são marcadas por movimentos tangenciais, em que placas adjacentes em movimento relativo não sofrem destruição nem construção. O movimento relativo é geralmente paralelo à falha. Há, no entanto, falhas transformantes que têm um traço sinuoso, e, nas curvas dessas falhas, são criadas regiões relativamente pequenas de extensão e compressão (Seção 8.2). Por enquanto, tais elementos estruturais serão ignorados.

Dentro da teoria básica das placas tectônicas, as placas são consideradas como internamente rígidas e como guias de esforço extremamente eficientes. O esforço aplicado na margem de uma placa é transmitido para a margem oposta sem deformação do interior da placa. A deformação, então, só ocorre em margens de placas. Esse comportamento é bastante surpreendente quando se reconhece que as placas normalmente apresentam cerca de 100 km de espessura, mas podem ter muitos milhares de quilômetros de largura. No entanto, quando o comportamento da placa é examinado em mais detalhe reconhece-se que há muitos locais onde ocorre deformação intraplaca (Gordon & Stein, 1992; Gordon, 1998, 2000), especialmente no interior da crosta continental (Seção 2.10.5). Zonas de extensão dentro de riftes continentais podem ter muitas centenas de quilômetros de largura (Seção 7.3). Zonas transformantes continentais são mais complexas do que as variedades oceânicas (Seção 8.1). Cinturões orogênicos são caracterizados por extensas falhas de empurrão, movimentos ao longo de grandes zonas de falhas transcorrentes e deformação extensional que ocorrem na profundidade de interiores continentais (Seção 10.4.3). Dentro das áreas oceânicas há também regiões de extensão crustal e acreção nas bacias de retroarco que são localizadas no lado interior de muitas margens destrutivas de placas (Seção 9.10).

As placas são mecanicamente separadas uma das outras, embora as margens de placa estejam em contato íntimo. Um bloco-diagrama ilustrando esquematicamente os diferentes tipos de limites das placas é apresentado na Fig. 5.1.

5.2 DISTRIBUIÇÃO DOS TERREMOTOS

A teoria das placas tectônicas prevê que a maioria das atividades tectônicas terrestres ocorre nas margens das placas. Então, os locais dos epicentros de terremotos podem ser usados para definir limites de placas. A Fig. 5.2 mostra a distribuição global dos epicentros de terremotos de grande magnitude para o período de 1961-1967 (Barazangi & Dorman, 1969). Em relação a processos geológicos anteriores isso representa apenas um período muito curto de observação, a relativamente rápida movimentação das placas gera um grande número de terremotos ao longo de um curto intervalo de tempo. A significância de 1961, como o início dessa janela de tempo, é que antes da criação da Rede Mundial de Padronização Sismográfica em 1961 (Seção 2.1.4), a localização dos epicentros, especialmente em áreas oceânicas, era muito mal determinada. Para uma discussão mais detalhada da distribuição dos terremotos ver Engdahl et al. (1998).

Os terremotos são classificados de acordo com suas profundidades focais: foco raso (0-70 km), foco intermediário (70-300 km) e foco profundo (superior a 300 km de profundidade).

Um importante cinturão de terremotos de foco raso segue a crista do sistema de dorsais oceânicas (Fig. 5.2), onde as soluções de mecanismo focal indicam eventos tracionais associados com acreção da placa e eventos transcorrentes onde as cristas são desalinhadas por falhas transformantes (Seção 4.2.1). No continente, eventos tra-

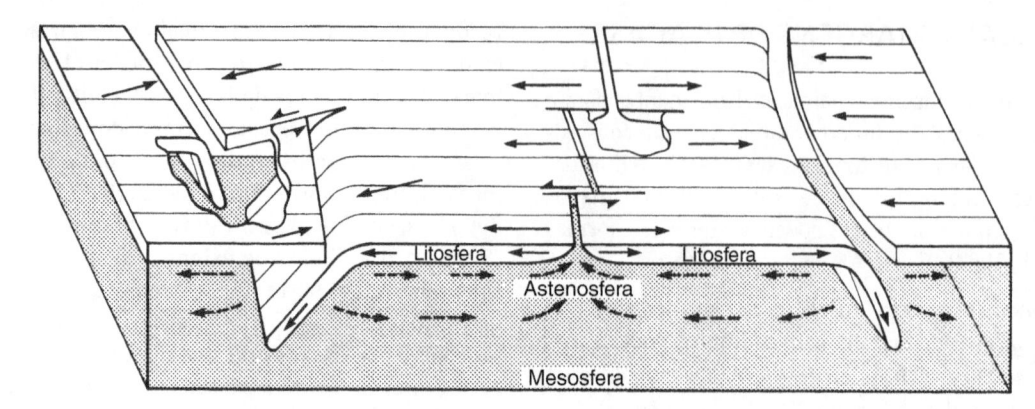

Figura 5.1 Bloco-diagrama resumindo as principais características das placas tectônicas. As setas representam movimentos relativos da litosfera. Flechas na astenosfera podem representar fluxos complementares no manto (adaptado de Isacks et al., 1968, com permissão da American Geophysical Union. Copyright © 1968 American Geophysical Union).

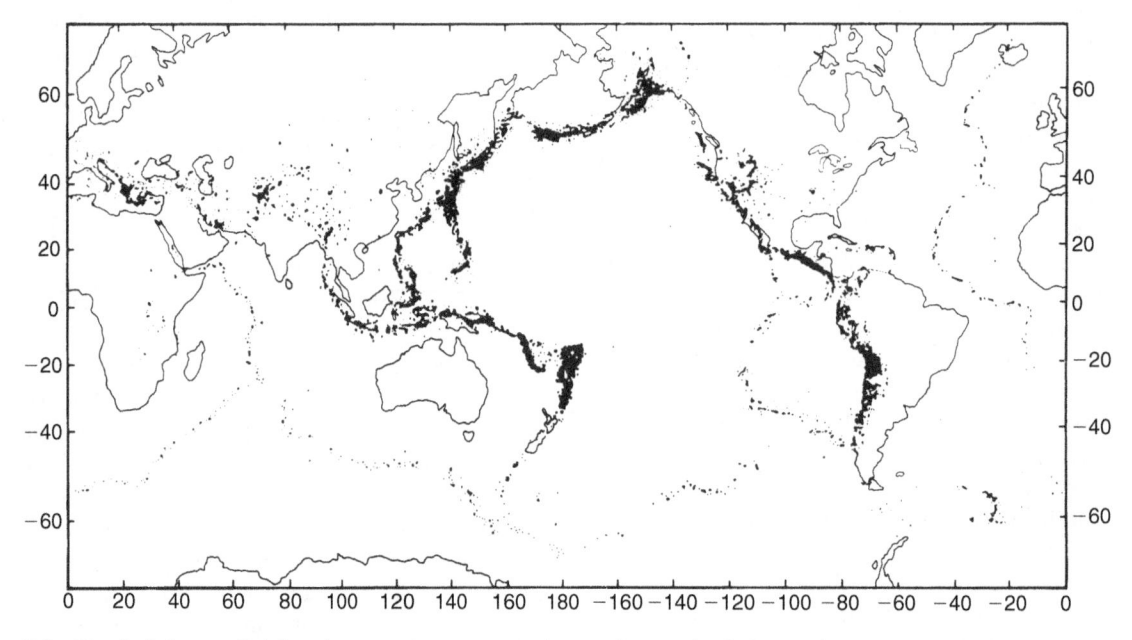

Figura 5.2 Distribuição mundial de epicentros de terremotos de grande magnitude ($m_b > 4$) para o período de 1961-1967 (modificado de Barazangi & Dorman, 1969, com permissão da Seismological Society of America).

cionais rasos também estão associados com riftes, incluindo a Província Basin and Range no ocidente dos Estados Unidos (Seção 7.3), o sistema de Rifte do Leste Africano (Seção 7.2) e o Sistema de Rifte Baikal.

Todos os eventos intermediários e profundos estão associados com margens de placa destrutivas. O Oceano Pacífico é rodeado ao norte, leste e oeste por um cinturão de terremotos que ocorrem em planos, em locais de compensação por falhas transformantes, mergulhando em um ângulo de cerca de 45° abaixo da placa vizinha. Esses planos de focos de terremoto, conhecidos como zonas de Benioff (ou Benioff Wadati), são normalmente associados com atividade vulcânica na superfície. Os eventos mais profundos são registrados como posicionados a uma profundidade de cerca de 670 km. Cinturões de montanhas colisionais como a cadeia Alpina-Himalaiana caracterizam-se de forma similar, por concentrar focos de terremotos intermediários e profundos, embora, desde que não haja mais uma zona de Benioff presente nessas regiões, a atividade sísmica ocorra dentro de uma faixa relativamente larga (Fig. 10.17). O exame cuidadoso da localização dos epicentros revelou, no entanto, que alguns dos eventos superficiais acontecem sobre zonas de falha transcorrentes arqueadas associadas ao evento colisional.

As áreas intraplaca são relativamente assísmicas nessa escala de tempo, embora ocasionalmente ocorram terremotos de larga magnitude. Embora insignificantes na liberação de energia sísmica, terremotos intraplaca são importantes pois podem indicar a natureza e a direção da tensão dentro de placas (Seção 12.7).

5.3 MOVIMENTO RELATIVO DAS PLACAS

O movimento atual das placas pode agora ser medido utilizando as técnicas de geodesia espacial (Seção 5.8). Entretanto, essas técnicas só foram desenvolvidas na década de 1980, e as medições são necessárias ao longo de um período de 10-20 anos (Gordon & Stein, 1992). Antes disso, esses movimentos relativos das placas, medidos nos últimos milhões de anos, foram determinados utilizando dados geológicos e geofísicos.

O movimento das placas sobre a superfície da Terra pode ser descrito pelo teorema de Euler (Seção 3.2.1), que diz que o movimento relativo entre duas placas é exclusivamente definido por uma separação angular em relação a um polo de movimento relativo conhecido como polo de Euler. O polo e seu antipolo são os dois únicos pontos na superfície da Terra que não se movem em relação a qualquer uma das duas placas. Um aspecto importante do movimento relativo das placas é que o polo de qualquer par de placas tende a permanecer fixo em relação a elas por longos períodos de tempo. As velocidades das placas são similarmente constantes por períodos de vários milhões de anos (Wilson, 1993).

Existem três métodos pelos quais o polo do movimento relativo entre duas placas pode ser determinado. O primeiro, e mais preciso, baseia-se no fato de que, para o movimento tangencial verdadeiro ocorrer durante o movimento relativo de duas placas, as falhas transformantes ao longo das bordas em comum devem seguir os traços de pequenos círculos centrados no polo de movimento relativo (McKenzie & Parker, 1967; Morgan, 1968). O polo de rotação de duas placas pode, assim, ser determinado pela construção de grandes círculos em ângulo reto com a direção geral das falhas transformantes afetando a margem em comum e pela observação do ponto de intersecção. O mais conveniente tipo de margem de placa para o qual se aplica essa técnica é o tipo acrescionário (Fig. 5.3), já que dorsais oceânicas são com frequência compensadas lateralmente por falhas transformantes (Seção 4.2.1). Devido a imprecisões envolvidas no mapeamento de zonas de fratura oceânicas, grandes círculos raramente se cruzam em um único ponto. Consequentemente, métodos estatísticos, capazes de prever um círculo onde provavelmente se situa o polo de rotação relativa, são aplicados.

Um segundo método é baseado na variação da taxa de expansão com a distância angular do polo de rotação. As taxas de expansão são determinadas a partir dos lineamentos magnéticos (Seção 4.1.6), identificando-se anomalias de mesma idade (geralmente número 3 ou menos, para que o movimento represente uma rotação geologicamente *instantânea*) em ambos os lados de uma dorsal oceânica e medindo-se a distância entre eles. A velocidade de propagação é máxima no equador correspondendo ao polo de Euler e então diminui de acordo com o cosseno da latitude do polo de Euler (Fig. 5.4). A determinação da taxa de espalhamento a um número de pontos ao longo da dorsal permite obter o polo de rotação relativa.

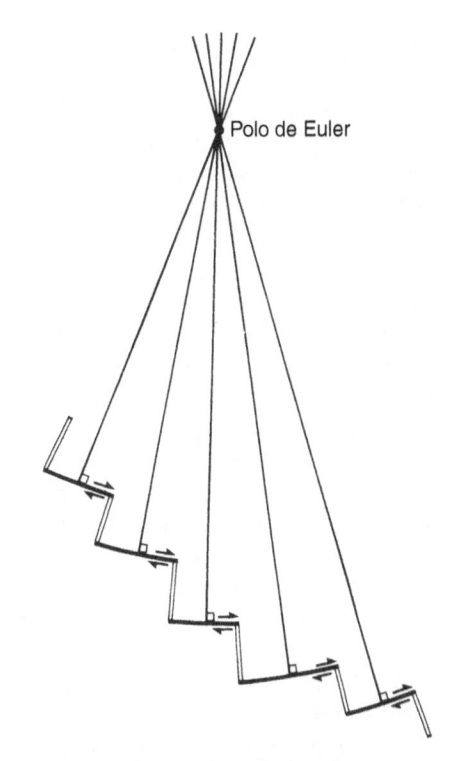

Figura 5.3 Determinação do polo de Euler para uma dorsal a partir de suas falhas transformantes de compensação que descrevem pequenos círculos com relação ao polo.

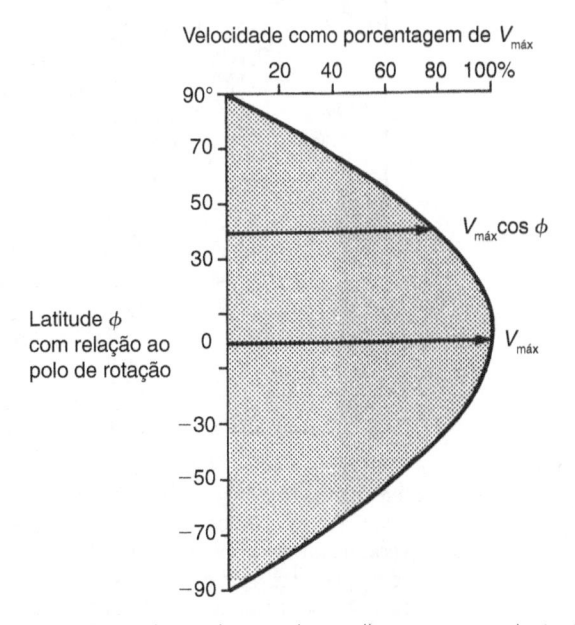

Figura 5.4 Variação da taxa de espalhamento em relação à distância latitudinal do polo de rotação de Euler.

O método final, e menos confiável, de determinação dos rumos do movimento relativo entre duas placas faz uso de soluções de mecanismo focal dos sismos (Seção 2.1.6) em suas margens comuns. Se a inclinação e a direção de deslocamento ao longo do plano de falha são conhecidas, então o componente horizontal do vetor de deslocamento é a direção do movimento relativo. Os dados são menos precisos do que os dos outros dois métodos descritos anteriormente, porque, exceto em casos muito bem determinados, os planos nodais poderiam ser desenhados em uma gama de possíveis orientações e a geometria detalhada dos sistemas de falhas nos limites das placas é muitas vezes mais complexa do que parece (Seção 8.2 e a seguir).

Limites de placas divergentes podem ser estudados usando taxas de espalhamento e falhas transformantes. Limites convergentes, no entanto, apresentam mais de um problema, e muitas vezes é necessário o uso de meios indiretos para determinar velocidades relativas. Isso é possível pela utilização de informações a partir de placas adjacentes e tratando as rotações entre pares de placas como vetores (Morgan, 1968). Assim, se os movimentos relativos entre as placas A e B e entre as placas B e C são conhecidos, o movimento relativo entre as placas A e C pode ser obtido por álgebra vetorial.

Essa abordagem pode ser estendida de forma que movimentos relativos possam ser determinados para qualquer número de placas interligadas. De fato, o método pode ser aplicado ao mosaico completo das placas que compõem a superfície da Terra, desde que haja margens divergentes de placa suficientes para poder calcular velocidades relativas em margens convergentes.

O primeiro estudo desse tipo foi realizado por Le Pichon (1968). Ele fez uso de estimativas de velocidades relativas de placas globalmente distribuídas derivadas de falhas transformantes e taxas de propagação, mas não de informações obtidas a partir de soluções de mecanismo focal. Le Pichon utilizou uma subdivisão da superfície da Terra baseada em apenas seis grandes placas: Eurasiana, Africana, Indo-Australiana, Americana, do Pacífico e da Antártida. Apesar desta simplificação, seu modelo proporcionou estimativas de taxas de espalhamento que concordaram bem com as derivadas a partir de anomalias magnéticas (Seção 4.1.6).

Análises subsequentes mais detalhadas de movimentos de placa foram realizadas por Chase (1978), Minster & Jordan (1978) e DeMets et al. (1990). Esses estudos reconheceram uma série de bordas de placas adicionais, e consequentemente outras placas foram reconhecidas. O último estudo propôs as placas do Caribe e do Mar das Filipinas, a Placa Arábica, as placas de Cocos e Nazca no leste do Pacífico Central e a pequena placa Juan de Fuca, ao leste da Dorsal Juan de Fuca, na costa ocidental da América do Norte (Fig. 5.5). A Placa Americana foi dividida em duas, placas Norte-Americana e Sul-Americana, e a placa Indo-Australiana, de forma semelhante, foi dividida nas placas da Índia e Austrália. Os novos limites identificados no interior das placas

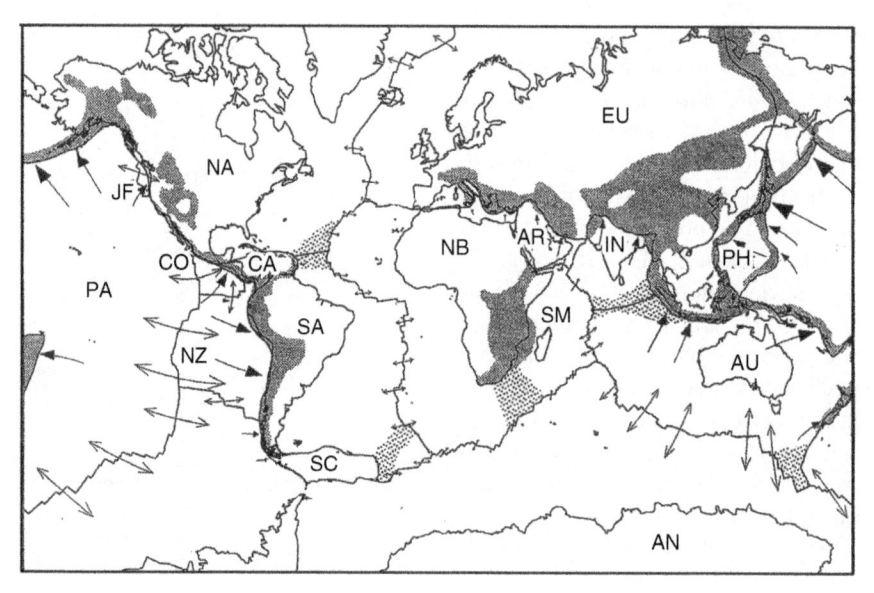

Figura 5.5 Mapa mostrando o movimento relativo entre as principais placas e regiões de deformação difusa dentro de placas (áreas sombreadas). Setas preenchidas indicam convergência de placas, com a seta na placa subductante; setas abertas indicam divergência entre placas em cordilheiras mesoceânicas. O comprimento das setas representa a quantidade de acreção ou subducção de placa que deve ocorrer se as placas mantiverem suas atuais velocidades relativas por 25 Ma. Note que, por causa da projeção de Mercator, setas em altas latitudes são desproporcionalmente longas em comparação com aquelas em baixas latitudes. AN, Antártida; AR, Arábia; AU, Austrália; CA, Caribe; CO, Cocos; EU, Eurásia; IN, Índia; JF, Juan de Fuca; NA, América do Norte; NB, Núbia; NZ, Nazca; PA, Pacífico; PH, Filipinas; SA, América do Sul; SC, Scotia Sea; SM, Somália (adaptado de Gordon, 1995, com permissão da American Geophysical Union. Copyright © 1995 American Geophysical Union).

Americana e Indo-Australiana são bastante indistintos e caracterizados por zonas difusas de deformação e sismicidade (Gordon, 2000) (Fig. 5.5). Assim, a análise de DeMets et al. (1990) envolveu 14 placas. Outras placas foram reconhecidas, mas o movimento relativo entre um ou mais de seus limites é difícil de ser quantificado. Exemplos incluem a placa do Scotia Sea e o limite difuso da Placa Africana associado com o Sistema de Rifte do Leste Africano, que divide as placas Nubiana e Somali (Fig. 5.5). Os únicos limites de placas invariavelmente omitidos dessas análises são as zonas de expansão em certas bacias retroarco (Seção 9.10), por exemplo, aquelas no leste do Scotia Sea, no leste do Mar das Filipinas e na Bacia Sul do Fiji.

Essas análises de movimentos relativos de placa usaram grandes conjuntos de dados de vetores de movimento relativo derivados de falhas transformantes, taxas de espalhamento e soluções de mecanismo focal; tanto que DeMets et al. (1990) empregaram um conjunto de dados três vezes maior do que os utilizados nos modelos anteriores. Em todos os casos, havia tantos dados disponíveis que o problema tornou-se superpreciso, e, na inversão do conjunto de dados para fornecer a distribuição global dos movimentos de placa, eles usaram uma técnica pela qual a soma dos quadrados dos movimentos residuais foi minimizada. Os erros das determinações das taxas de propagação eram geralmente menores que 3 mm a^{-1}, entre 3° e 10° na orientação de falhas transcorrentes, e não maior que 15° para a direção do vetor de deslocamento do terremoto.

A Fig. 5.5 ilustra as direções e taxas de expansão e subducção previstas pelo modelo de DeMets et al. (1990) em pontos específicos nos respectivos limites das placas. As taxas foram corrigidas por uma revisão subsequente da tabela temporal de inversão geomagnética (DeMets et al., 1994). Na Tabela 4.1, previsões das taxas de espalhamento, em vários pontos da dorsal mesoceânica, são comparadas com as taxas observadas, derivadas das anomalias magnéticas observadas ao longo das cristas. Ao longo da extensão da Elevação do Pacífico Leste, as taxas de acreção variam de 25 a 75 mm a^{-1}. Em contraste, as taxas de subducção ao redor das margens do Pacífico são geralmente entre 60 e 95 mm a^{-1}. Assim, as placas oceânicas do Pacífico estão reduzindo em tamanho de forma constante, ao passo que estão sendo consumidas em zonas de subducção em uma taxa mais elevada do que estão sendo criadas na Elevação do Pacífico Leste. Por outro lado, as placas contendo partes dos Oceanos Atlântico e Índico estão aumentando de tamanho. Um corolário disso é que a Dorsal Mesoatlântica e a Dorsal Carlsberg no noroeste do Oceano Índico devem estar se distanciando. Isso tem implicações importantes para a natureza do mecanismo de condução das placas tectônicas discutido no Capítulo 12. Nem todas as cristas oceânicas se espalham em uma direção perpendicular à direção de seus lineamentos magnéticos. Pode ser relevante que as principais obliquidades deste tipo são encontradas nas zonas mais lentas de espalhamento, em particular o Atlântico Norte, o Golfo do Aden, o Mar Vermelho e o sudoeste do Oceano Índico (Figura 4.1 do encarte colorido).

Em contraste com margens de placa acrescionárias, onde a borda de espalhamento é normalmente perpendicular à direção do movimento relativo, as margens convergentes não são caracterizadas dessa forma, e o vetor de movimento relativo normalmente faz um ângulo oblíquo com a borda da placa. Exemplos extremos, com obliquidade muito alta, ocorrem na extremidade ocidental do Arco de Aleutas e no extremo norte do Arco da Indonésia (Fig. 5.5). Em zonas de subducção, portanto, em adição à componente de movimento perpendicular à borda da placa, que produz a subducção (*underthrusting*), haverá uma componente de movimento relativo paralela ao limite da placa. Essa componente "paralela à fossa" muitas vezes dá origem a falhamentos transcorrentes na placa cavalgante na direção do continente, imediatamente à região antearco. Como consequência, soluções de mecanismo focal para terremotos que ocorrem na interface entre as duas placas, abaixo da região antearco, não representam o sentido verdadeiro do movimento entre as placas. Elas tendem a subestimar a componente de movimento paralela à fossa porque parte dela é subtraída pelo falhamento transcorrente (DeMets et al., 1990). Exemplos clássicos de zonas transcorrentes paralelas à fossa incluem a Falha das Filipinas, a Linha Tectônica Média no sudoeste do Japão (Seção 9.9), a Falha de Atacama e a Falha Liquiñe-Ofqui (Seção 10.2.3), no Chile.

Como indicado na Fig. 5.5, cerca de 15% da superfície da Terra é coberta por regiões de litosfera em deformação, por exemplo, no Cinturão Alpino-Himalaiano, no sudeste da Ásia e no oeste da América do Norte. Dentro dessas áreas, é agora possível identificar outras pequenas placas, embora muitas vezes com bordas difusas, usando dados de GPS (Sistema de Posicionamento Global) (Seção 5.8). Medições GPS também tornam possível determinar o movimento dessas placas em relação às placas adjacentes quando não é possível usar as técnicas baseadas em dados geológicos e geofísicos como descrito anteriormente. Muitas das zonas de deformação mal definidas em torno dessas placas ocorrem dentro de litosfera continental, refletindo a profunda diferença entre litosfera oceânica e continental e os meios pelos quais se deformam (Seções 2.10, 8.5.1).

5.4 MOVIMENTO ABSOLUTO DE PLACAS

O movimento relativo entre as maiores placas, na média dos últimos milhões de anos, pode ser determinado com notável precisão, como descrito na seção anterior. Seria de grande interesse, especialmente em relação ao mecanismo de condução dos movimentos de placa, se o movimento das placas, e naturalmente os limites de placas, em toda a face da Terra também pudesse ser determinado. Se o movimento de qualquer placa ou borda de placa em toda a superfície da Terra é conhecido, então o movimento de todas as outras placas e limites de placas podem ser determinados, porque os movimentos relativos são conhecidos. Em geral, no quadro da tectônica de placas, todas as placas e limites de placas devem se mover sobre a face da Terra. Se uma ou mais placas e/ou limites de placas são estacionários, então isso é fortuito. Um determinado ponto em uma placa, ou, menos provável, em um limite de placa, vai estar parado se o vetor de Euler do movimento daquela placa ou limite de placa passa por esse ponto (Fig. 5.6).

O movimento *absoluto* das placas é muito mais difícil de definir que o movimento relativo entre as placas nos limites das placas, até porque toda a Terra sólida está em um estado dinâmico. É geralmente aceito que movimentos absolutos de placa devem precisar o movimento da litosfera em relação ao manto inferior, já que esta responde por 70% da massa da Terra sólida e deforma mais lentamente do que a astenosfera acima e o núcleo exterior abaixo. Em teoria, se a litosfera e a astenosfera tivessem em toda parte a mesma espessura e viscosidade específica, não haveria qualquer rede de momento de torção nas placas e, portanto, qualquer rotação da litosfera líquida em relação ao interior profundo da Terra. Se velocidades de placas são especificadas no sistema de referência "no net rotation" (NNR), a integração do vetor resultante dos vetores de velocidade e posição para toda a superfície da Terra será igual a zero. Por convenção, pesquisadores de geodesia espacial especificam movimentos absolutos de placa pelo critério NNR (Prawirodirdjo & Bock, 2004).

Um modelo alternativo para a determinação de movimentos absolutos utiliza as informações fornecidas pelos pontos quentes vulcânicos na superfície da Terra. Wilson (1963) sugeriu que as cristas vulcânicas e as cadeias de vulcões associadas com certos grandes centros de atividades ígneas, como Havaí, Islândia, Tristão da Cunha, no Atlântico Sul, e Ilha da Reunião, no Oceano Índico, podem ser o resultado da passagem da crosta da Terra sobre um ponto quente no manto abaixo. Morgan (1971) reformulou essa ideia, sugerindo que esses pontos quentes estão localizados sobre plumas de material quente subindo do manto inferior e, portanto, fornecem um sistema de referências fixas com relação ao manto inferior. Essa hipótese é considerada com mais detalhes na seção seguinte e no Capítulo 12. O modelo de pontos quentes é atraente para muitos geólogos e geofísicos, pois as faixas de pontos quentes em toda a face da Terra oferecem a possibilidade de determinar o movimento absoluto das placas ao longo dos últimos 200 Ma (Morgan, 1981, 1983).

O modelo de Gripp & Gordon (2002) para o corrente movimento absoluto das placas, baseado nas tendências e taxas de propagação de trajetórias de pontos quentes ativos,

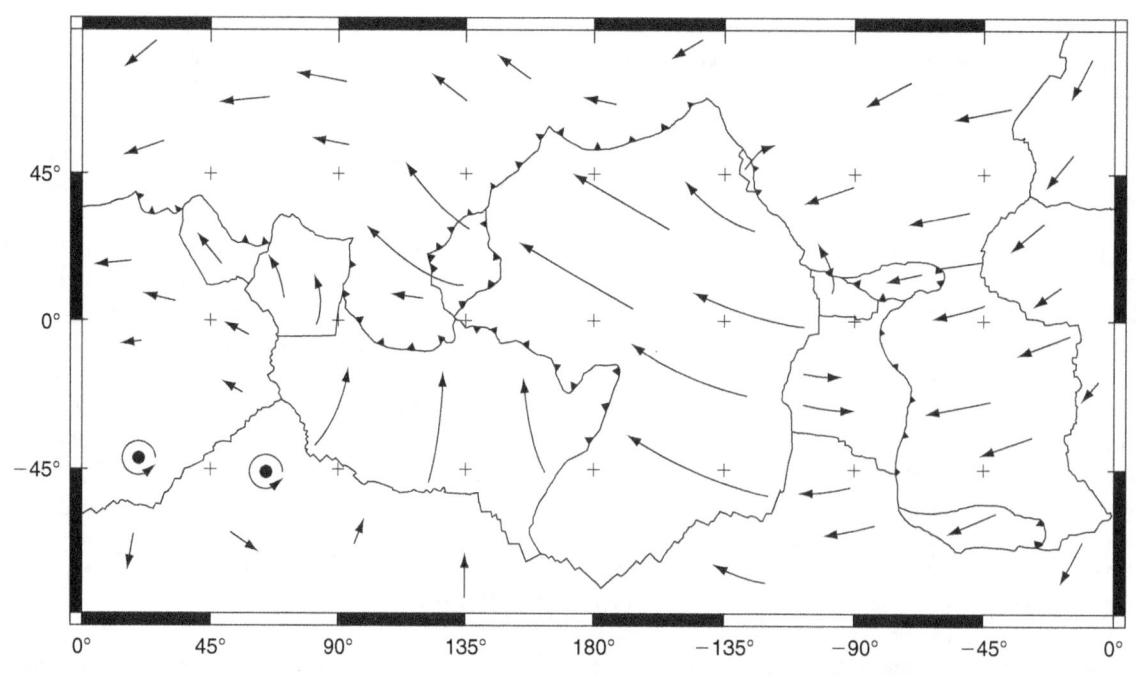

Figura 5.6 As velocidades absolutas de placas, assumindo o sistema de referência de pontos quentes. As setas indicam o deslocamento de pontos no interior das placas se as placas mantiverem sua atual velocidade angular, em relação aos pontos quentes, por 40 Ma. Círculos preenchidos indicam o polo (ou antipolo) de rotação para a placa se ele ocorre dentro da placa. As linhas sólidas médias são os limites aproximados das placas; indicam zonas de subducção com a ponta do triângulo sobre a placa superior. Note que, por causa da projeção de Mercator, setas em altas latitudes são desproporcionalmente longas em comparação com aquelas em latitudes baixas (modificado de Gripp & Gordon, 2002, com permissão da Blackwell Publishing).

é ilustrado na Fig. 5.6. A média é de movimentos de placa ao longo dos últimos 5,8 Ma, aproximadamente duas vezes o valor de tempo durante o qual velocidades médias relativas são obtidas. Duas taxas de propagação e 11 tendências de segmento de quatro placas foram utilizadas para derivar esse modelo.

Vários outros sistemas de referência para movimentos absolutos têm sido sugeridos, mas não seguidos. Um deles propôs que a Placa Africana tem se mantido estacionária durante os últimos 25 Ma. Após um longo período de quietude, em termos de tectônica e atividade vulcânica, grande parte da África foi submetida a soerguimentos e/ou atividades ígneas durante o final do Cenozoico. Esse foi considerado um resultado da placa permanecer estacionária sobre pontos quentes do manto superior. Outra proposta foi que, provavelmente, a placa do Caribe está parada, pois esta apresenta zonas de subducção de polaridade opostas ao longo de suas margens oriental e ocidental. Placas subductantes parecem se estender pela astenosfera, e seria esperado que inibissem movimentos laterais do limite da placa sobrejacente. Raciocínio semelhante levou Kaula (1975) a sugerir um modelo no qual o movimento lateral de limites de placas é em geral minimizado.

5.5 PONTOS QUENTES

A maior parte da atividade vulcânica da Terra acontece em margens de placas. No entanto, uma fração significativa ocorre no interior das placas. Nos oceanos, a atividade vulcânica intraplaca dá origem a cadeias lineares de ilha e de montanhas marinhas, como a cadeia Havaiana-Imperador e das Ilhas Line no Pacífico (Fig. 5.7). Além disso, várias dessas cadeias de ilhas do Pacífico parecem ser mutuamente paralelas. Onde os centros vulcânicos nas cadeias são pouco espaçados, cordilheiras assísmicas são construídas, como a Cordilheira Ninety-East no Oceano Índico, a Cordilheira da Groenlândia-Escócia no Atlântico Norte e a Cordilheira Rio Grande e Walvis no Atlântico Sul. Essas cadeias de ilhas e cordilheiras estão associadas com amplo domeamento crustal que atualmente ocupa cerca de 10% da superfície da Terra, tornando-o uma das principais causas de processos de soerguimento da superfície da Terra (Crough, 1979).

Os alinhamentos de ilhas são invariavelmente mais novos que a crosta oceânica onde se encontram. As partes inferiores desses edifícios vulcânicos são tidas como formadas predominantemente por basaltos toleíticos, enquanto as partes superiores são formadas por basaltos alcalinos (Karl et al., 1988) enriquecidos em Na e K e, comparados com os basaltos da dorsal mesoceânica, possuem maior concentração de Fe, Ti, Ba, Zr e elementos terras raras (ETR) (Bonatti et al., 1977). A composição é compatível com a mistura de material do manto juvenil e da astenosfera depletada (Schilling et al., 1976) (Seção 6.8). Eles estão sobre crosta espessada, mas de litosfera afinada, e representam uma característica anômala que eventualmente irá se tornar soldada à margem continental como um terreno exótico (Seção 10.6.1).

Um exemplo de cadeias de ilhas oceânicas é a Cadeia Havaiana-Imperador no Oceano Pacífico centro-norte (Fig. 5.7). Essa cadeia possui cerca de 6.000 km de comprimento e mostra uma variação de vulcões ativos no Havaí a sudeste, em extinção, e montes submarinos com topos achatados, a noroeste. Datações de várias partes dessa cadeia confirmaram essa tendência e revelaram que a mudança na direção dessa cadeia ocorreu há 43 Ma (Clague & Dalrymple, 1989). A Cadeia Havaiana-Imperador paraleliza-se às outras cadeias da Placa do Pacífico, ao longo das quais o vulcanismo progrediu a taxas similares (Fig. 5.7).

Como indicado anteriormente, uma explicação possível para as cadeias de ilhas foi proposta por Wilson (1963). Foi sugerido que as ilhas se formaram pela passagem da litosfera sobre um ponto quente. Esses pontos quentes são atualmente tidos como originados a partir de plumas mantélicas que ascendem do manto inferior e afinam a litosfera suprajacente (Seção 12.10). As rochas são então derivadas

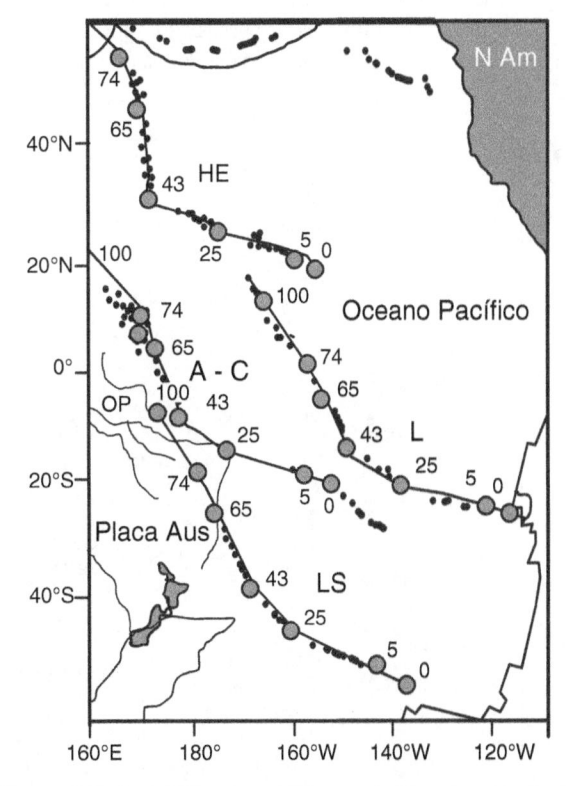

Figura 5.7 Trajetórias de pontos quentes na placa do Pacífico. HE, Cadeia Havaiano-Imperador; A-C, Ilhas Austral-Cook; L, Ilhas Line; LS, Cadeia Louisville; OP, Platô de Ontong-Java. Os números nas cadeias indicam a idade prevista de montes submarinos em Ma (adaptado de Gaina et al., 2000, com permissão da American Geophysical Union. Copyright © 2000 American Geophysical Union).

de uma fusão por alívio de pressão e diferenciação dentro da pluma. Essas plumas representam material de baixa velocidade sísmica e podem ser detectadas por tomografia sísmica (Seção 2.1.8; Montelli et al., 2004a). Apesar do mecanismo de pluma mantélica ser amplamente adotado, alguns pesquisadores (por exemplo, Turcotte & Oxburgh, 1978; Pilger, 1982) questionam a necessidade de pontos quentes do manto e sugerem que magmas simplesmente fluem para a superfície a partir da astenosfera através de fraturas da litosfera resultantes de tensões intraplaca. Esse mecanismo deixa óbvio o problema de manter uma fonte de calor por longos períodos. Isso porém não explica por que fraturas na mesma placa deveriam seguir a mesma tendência de direção e desenvolver taxas similares (Condie, 1982a).

Morgan (1971, 1972a) propôs que plumas mantélicas permanecem relativamente estacionárias entre si e em relação ao manto inferior e são de longa duração. Portanto, os pontos quentes representam um sistema de referência fixo pelo qual a trajetória absoluta das placas pode ser determinada (Seção 5.4).

Foram reconhecidos por volta de 40 a 50 pontos quentes atuais (Fig. 5.8) (Duncan & Richards, 1991; Courtillot et al., 2003). Parece, porém, improvável que todos esses centros de vulcanismo intraplaca, ou áreas de atividade ígnea intensificada nas cordilheiras ou perto delas, tenham a mesma origem. Muitas têm vida curta e, consequentemente, não possuem sinais refletindo o movimento da placa onde elas ocorrem. Em contraste, outras persistem por dezenas de milhões de anos, em alguns casos mais do que 100 milhões de anos, e podem ser traçadas de forma inversa até um episódio principal de atividade ígnea associada a derrames de basaltos continentais ou a um platô oceânico submarino. Esses notáveis e intensos episódios localizados da fusão parcial no manto marcam o registro geológico e são amplamente chamados de Grandes Províncias Ígneas (LIPs) (Seção 7.4.1). Parece provável então que haja pelo menos dois tipos de pontos quentes e que aqueles originados nos LIPs sejam mais prováveis de serem resultado de topos de pluma ascendentes do manto profundo, provavelmente a partir da camada de transição núcleo-manto (Seção 12.10).

Courtillot et al. (2003) propuseram cinco critérios para distinguir esses pontos quentes *primários* (Seção 12.10). Eles sugerem que, baseado no conhecimento existente, somente sete pontos quentes atuais satisfazem este critério, apesar de, em última análise, 10 a 12 poderem ser reconhecidos. Os sete são Islândia, Tristão da Cunha, Afar, Ilha da Reunião, Havaí, Louisville e Páscoa (Fig. 5.8). Os primeiros quatro desses pontos quentes estão dentro do "hemisfério continental", formado pelos Oceanos Índico e Atlântico e pelos continentes que os circundam. Todos os quatro foram iniciados em LIPs, caracterizados por derrames de basaltos continentais, e associados com o rifteamento de áreas continentais, seguido pela

Figura 5.8 Distribuição mundial de pontos quentes (modificado de Duncan & Richards, 1991, com permissão da American Geophysical Union. Copyright © 1991 American Geophysical Union).

iniciação de espalhamento de assoalho oceânico (Seções 7.7, 7.8). Os derrames basálticos Paraná do Brasil e do Uruguai e a província ígnea Etendeka na Namíbia, formada há 130 Ma, foram a primeira expressão do ponto quente Tristão da Cunha e os precursores da abertura do Oceano Atlântico. As Trapas Deccan do oeste da Índia foram extrudidas há 65 Ma, coincidindo com a criação de um novo centro de espalhamento no nordeste do Oceano Índico. Esse ponto quente parecia estar localizado na presente posição da Ilha da Reunião (Fig. 5.9). A primeira atividade ígnea associada com o ponto quente da Islândia parece ter ocorrido há 60 Ma, originando a província ígnea da Groenlândia e do noroeste da Escócia, no Atlântico Norte, anunciando o início do espalhamento do assoalho oceânico nessa área. O ponto quente de Afar apareceu há 40 Ma, com a efusão de derrames basálticos nas terras altas da Etiópia e a atividade ígnea no Iêmen, precursor do processo de rifteamento e abertura do Mar Vermelho e do Golfo de Aden. Os três pontos quentes primários restantes de Courtillot et al. (2003) ocorrem no "hemisfério oceânico", isto é, no Oceano Pacífico, e produziram traços distintos pela placa do Pacífico (Fig. 5.7). A Cordilheira Louisville foi formada no Platô Ontong-Java no oeste do Pacífico há 120Ma e é a maior LIP em termos de volume de material ígneo máfico. A cadeia submarina Havaiana-Imperador pode ter tido uma origem semelhante, mas a parte mais velha dessa faixa foi subductada, sendo que o monte submarino mais antigo preservado dessa cadeia data de 80 Ma. O Alinhamento das Ilhas da Páscoa iniciou-se há 100 Ma, não como uma LIP, mas em uma área com uma incomum elevada densidade de vulcões submarinos conhecidos como montanhas do médio-pacífico.

As posições relativas dos continentes ao redor dos Oceanos Atlântico e Índico, para os últimos 200 Ma, são bem definidas pela história detalhada do espalhamento desses oceanos (Seção 4.1.7). Se uma ou mais trajetórias de pontos quentes dentro desse hemisfério Indo-Atlântico são usadas para determinar os movimentos absolutos das placas relevantes do passado, trajetórias podem ser previstas para o restante dos pontos quentes nesse hemisfério. A comparação das trajetórias observadas e previstas fornece um teste da hipótese de pontos quentes fixos e uma medida do movimento relativo entre os pontos quentes. Tal análise, feita por Müller et al. (1993), sugere que o movimento relativo entre pontos quentes para o sistema de referências Indo-Atlânticas é inferior a 5 mm a^{-1}, ou seja, uma ordem de magnitude menor do que a média das velocidades das placas. Uma análise similar para os pontos quentes do Pacífico feita por Clouard & Bonneville (2001) produz um semelhante resultado para o sistema de referências do Pacífico. No entanto, há problemas para correlacionar as referências dos dois sistemas; em outras palavras, na previsão do traçado de pontos quentes do Pacífico usando as referências do Indo-Atlântico ou vice-versa. Isso porque, na maior parte do Mesozoico e Cenozoico, as placas oceânicas do hemisfério do Pacífico foram cercadas por zonas de subducção mergulhando para fora do círculo, exceto no sul. Isso

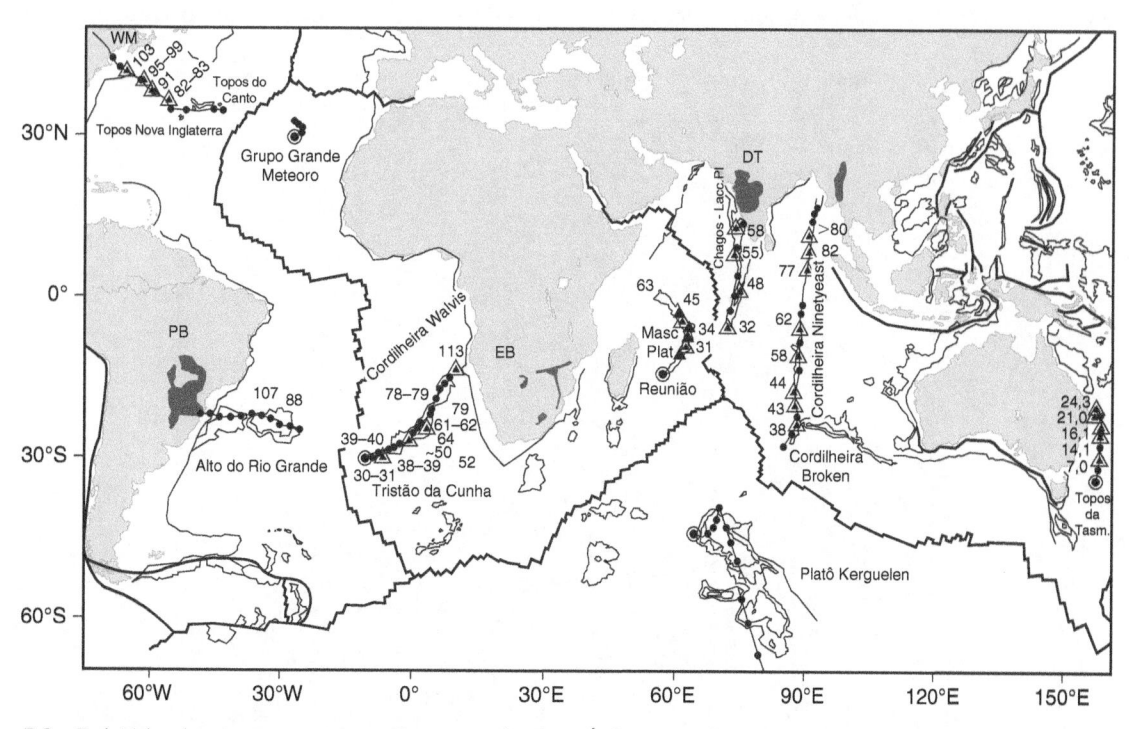

Figura 5.9 Trajetórias de pontos quentes nos Oceanos Atlântico e Índico. Grandes círculos preenchidos são pontos quentes atuais. Pequenos círculos preenchidos definem as trajetórias modeladas de pontos quentes em intervalos de 5 Ma. Triângulos nas trajetórias de pontos quentes indicam idades radiométricas. WM, White Mountains; PB, derrames basálticos Paraná; EB, derrames basálticos Etendeka; DT, Trapas Deccan (adaptado de Müller et al., 1993, cortesia da Geological Society of America).

significa que, a fim de determinar o movimento das placas do Oceano Pacífico em relação ao hemisfério Indo-Atlântico, deve-se ter a natureza e a evolução detalhada dos limites ao redor e dentro da placa da Antártida, na área do Pacífico Sul. Infelizmente ainda há incertezas sobre isso, mas uma análise baseada no modelo de Cande et al. (1999) para a evolução desses limites sugere que os dois sistemas de referência ou *domínios* não são compatíveis, apesar da compatibilidade dos traçados dos pontos quentes dentro de cada domínio (Fig. 5.10). A discrepância é maior antes de 40-50 Ma, quando o movimento relativo entre os dois sistemas de pontos quentes é de aproximadamente 50 mm a^{-1}. Curiosamente, este corresponde a um período de maior reorganização dos movimentos de placa global (Rona e Richardson, 1978), a idade da curva mais importante na cadeia de montanhas submarinas Havaiano-Imperador, e a um período no qual a taxa de deriva polar verdadeira (Seção 5.6) foi muito maior do que durante o período de 10-50 Ma atrás, quando esta estava praticamente parada (Besse & Courtillot, 2002).

Se pontos quentes permanecem fixos e fornecem um quadro absoluto para movimentos de placa, então estudos paleomagnéticos devem ser capazes de fornecer um teste de sua imutável latitude. Dados paleomagnéticos para as placas oceânicas do Pacífico são escassos e sujeitos a mais incertezas que aqueles dados obtidos para as áreas continentais. Porém, resultados preliminares (Tarduno & Cottrell, 1997) sugerem que o ponto quente havaiano pode ter migrado para sul cerca de 15-20° de latitude durante o período de 80-43 Ma. Resultados paleomagnéticos obtidos em testemunhos do Programa de Perfuração do Oceano (Ocean Drilling Program, ODP), a partir do qual qualquer mudança latitudinal do ponto quente Reunião pode ser deduzida (Vandamme & Courtillot, 1990), sugerem que esse ponto quente pode ter se movido para o norte cerca de 5° de latitude entre 65 e 43 Ma. Essas mudanças latitudinais são compatíveis com a discrepância entre os dois sistemas de referência dos pontos quentes anteriores a 43 Ma e sustentam os pressupostos sobre os limites de placas Mesozoico Superior-Cenozoico dentro e em torno da Placa da Antártida. Esses resultados também sugerem que a maior curvatura do alinhamento de montes submarinos Havaiano-imperador em cerca de 43 Ma não reflete uma grande mudança no movimento absoluto da placa do Pacífico, como se pensava inicialmente, mas pode ser responsável por quase toda a movimentação do ponto quente havaiano rumo ao sul (Norton, 1995).

Traçados de pontos quentes previstos nos Oceanos Atlântico e Índico (Muller et al., 1993) são mostrados na Fig. 5.9, sobrepostos em estruturas vulcânicas do fundo oceânico e no continente. A correlação entre os dois é excelente. Por exemplo, o ponto quente Reunião começou debaixo do oeste da Índia e foi o responsável pelos derrames basálticos trapas Deccan: o movimento da Índia para o norte foi registrado pelo Platô Maldive-Chagos e pelo Platô Mascarenhas. A diferença entre essas duas feições resulta da passagem da dorsal mesoceânica ao longo do ponto quente cerca de 33 Ma atrás. O ponto quente está atualmente debaixo de um monte submarino 150 km a oeste da ilha vulcanicamente ativa Reunião.

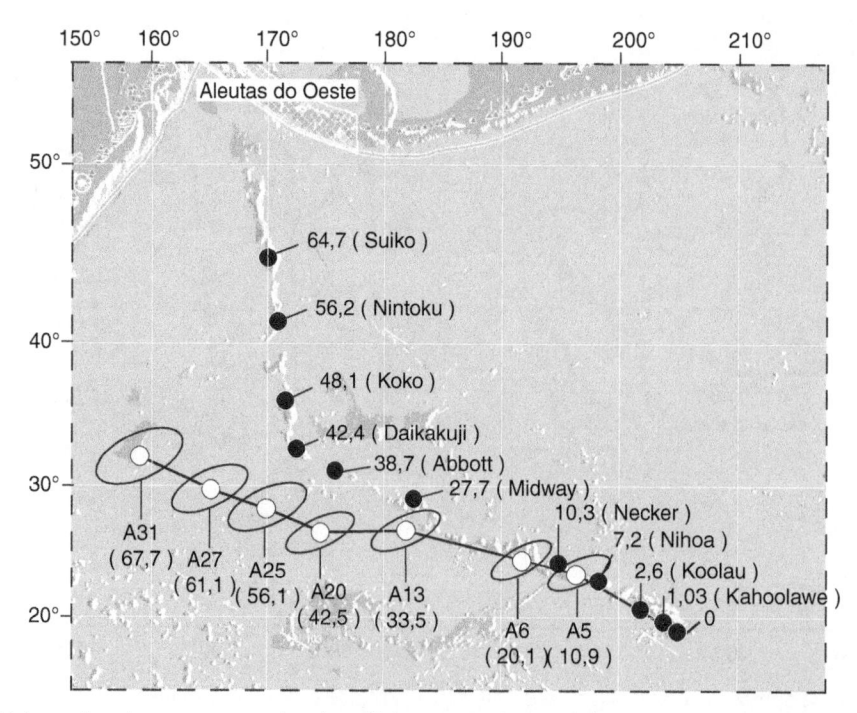

Figura 5.10 Trajetória prevista do ponto quente havaiano (linha contínua) a partir de reconstruções de placa supondo que os pontos quentes Indo-Atlânticos são fixos. Idades em Ma (adaptado de Steinberger & O'Connell, 2000, com permissão da American Geophysical Union. Copyright © 2000 American Geophysical Union).

Note-se que a Islândia não foi incluída na Fig. 5.9. Se supusermos que esse ponto quente foi iniciado há 60 Ma sob o leste da Groenlândia, então sua trajetória implica que sua posição não é fixa em relação aos outros pontos quentes principais no domínio Indo-Atlântico. No entanto, pode-se usar os movimentos absolutos derivados dos outros pontos quentes (Müller et al., 1993) para prever a trajetória do ponto quente da Islândia, supondo-se que este é fixo em relação ao sistema de referência. Tal análise foi conduzida por Lawver & Müller (1994) com resultados intrigantes (Fig. 5.11). A trajetória pode ser projetada para 130 Ma, momento em que o ponto quente estava abaixo da margem norte da Ilha Ellesmere, no Ártico canadense. Lawver & Müller (1994) sugerem que essa faixa poderia explicar a formação das Cadeias Mendeleyev e Alpha na Bacia do Mar Ártico canadense e as rochas vulcânicas do Cretáceo da Ilha Axel Heiberg e da Ilha Ellesmere ao norte. Em 60 Ma, a previsão é que o ponto quente tenha estado abaixo do oeste da Groenlândia, onde há rochas vulcânicas dessa idade, por exemplo, na Ilha Disko. Aos 40 Ma, ele estaria por baixo do leste da Groenlândia, o que pode explicar o soerguimento anômalo pós--drift dessa área. Sobre esse modelo, a província ígnea do Atlântico Norte, iniciada em cerca de 60 Ma, foi resultado do rifteamento da litosfera que já havia sido afinada pela sua proximidade a um ponto quente, mais do que a chegada de uma cabeça de pluma. Em contraste com essa interpretação, há dúvidas consideráveis, baseadas em dados geoquímicos e geofísicos, na qual o ponto quente da Islândia é alimentado por uma pluma do manto profundo (Seção 12.10). O ponto quente da Islândia é, portanto, um enigma.

5.6 DERIVA POLAR VERDADEIRA

Na Seção 3.6, foi demonstrado que técnicas paleomagnéticas podem ser usadas para construir trajetórias de deriva aparente do polo que trilham os movimentos de placas com relação ao polo norte magnético e, portanto, utilizando um modelo de dipolo geocêntrico axial, o eixo de rotação da Terra. Na Seção 5.5, foi sugerido que pontos quentes estão quase estacionários no manto, e assim suas trajetórias fornecem um registro dos movimentos das placas com relação ao manto. A combinação desses dois métodos pode ser usada para testar se houve qualquer movimento relativo entre o manto e o eixo de rotação da Terra. Esse fenômeno é conhecido como deriva polar verdadeira (TPW – *true polar uander*).

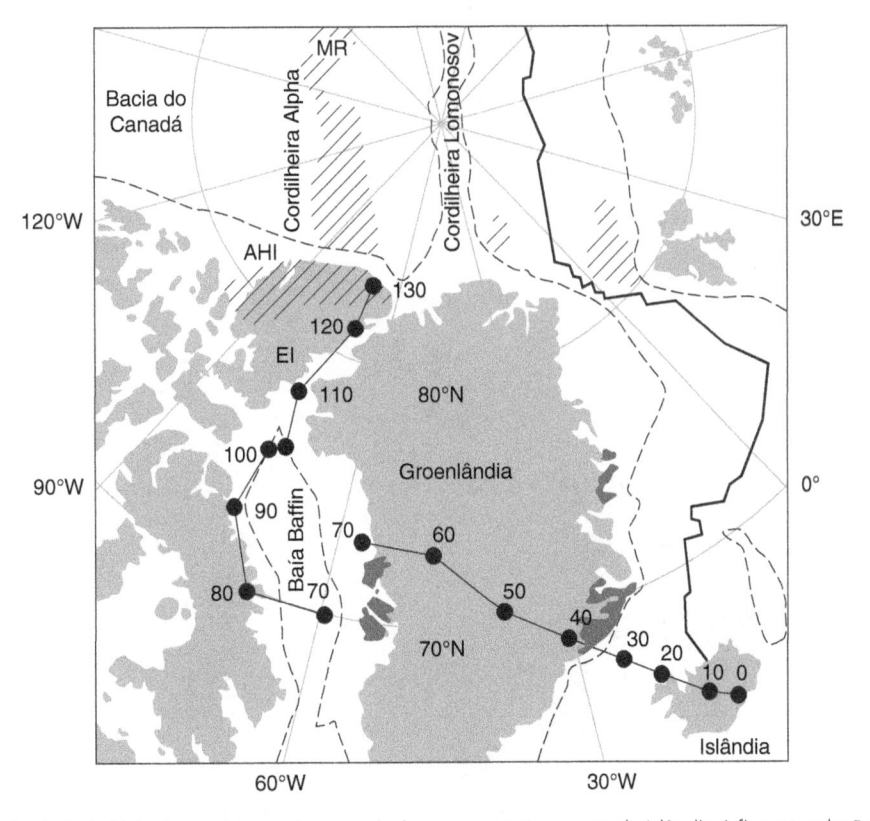

Figura 5.11 Previsão de trajetória de ponto quente assumindo que o ponto quente da Islândia é fixo em relação aos outros pontos quentes Indo-Atlânticos da Fig. 5.9. A posição de ponto quente em intervalos de 10 Ma é indicada por pontos preenchidos. AHI, Ilha Axel Heiberg; EI, Ilha Ellesmere; MR, Cordilheira Mendeleyev. A linha tracejada indica fronteira continente-oceano com base na batimetria. A diferença entre posições de 70 Ma resulta do assoalho oceânico criado após a passagem da Cordilheira do Mar de Labrador sobre o ponto quente há 70 Ma (adaptado de Lawver & Müller, 1994, cortesia da Geological Society of America).

O método utilizado para investigar TPW vem a seguir. Posições de polos paleomagnéticos para os últimos 200 Ma são compilados para um número de continentes que são separados por oceanos em espalhamento, de forma que seu movimento relativo possa ser reconstruído a partir de dados de lineamentos magnéticos (Seção 4.1.7). As posições dos polos são então corrigidas para as rotações em relação a um único continente (geralmente a África), resultado do espalhamento do fundo oceânico desde o seu início. Dessa forma, uma trajetória de deriva polar aparente, composta ou global, é obtida. Ela é então comparada com a trajetória do eixo do sistema de referência do ponto quente visto a partir do continente fixo. A trajetória da TPW é então determinada cauculando-se a rotação angular que desloca o polo paleomagnético médio mundial de uma certa idade para o polo norte e depois aplicando a mesma rotação para o polo do ponto quente de mesma idade (Courtillot & Besse, 1987).

A trajetória da TPW dos últimos 200 Ma, obtida por Besse & Courtillot (2002), é mostrada na Fig. 5.12. Suas análises utilizam dados paleomagnéticos de seis continentes, dados de espalhamento do fundo oceânico dos Oceanos Atlântico e Índico e os sistemas de referência de pontos quentes Indo-Atlântico de Müller et al. (1993) durante os últimos 130 Ma e de Morgan (1983) para o período de 130-200 Ma. Eles concluem que ocorreram, nos últimos 200 Ma, 30° de deriva polar verdadeira e que o movimento do polo tem sido episódico. Um período de TPW relativamente rápido, com média de 30 mm a^{-1}, separa períodos de quase paralisação entre 10 e 50 Ma e 130 e 160 Ma. Durante os últimos 5-10 Ma, a taxa foi elevada, da ordem de 100 mm a^{-1}. Essa análise não inclui as placas oceânicas do hemisfério do Pacífico. Isso ocorre porque há problemas com a qualidade e a quantidade de dados do Pacífico e dúvidas sobre a imobilidade dos pontos quentes do Pacífico em relação ao pontos quentes Indo-Atlânticos (Seção 5.5). Embora haja esses problemas, Besse & Courtillot (2002) realizaram uma análise para a placa do Pacífico usando nove polos paleomagnéticos, entre 26 e 126 Ma, provenientes das análises do padrão de anomalias lineares magnéticas e das anomalias magnéticas desenvolvidas sobre montes submarinos (Petronotis & Gordon, 1999). Eles assumiram o modelo de cinemática de pontos quentes para a placa do Pacífico de Engebretson et al. (1985) e derivaram uma trajetória para a TPW para esse período de tempo que é notavelmente similar em comprimento e direção à trajetória mostrada na Fig. 5.12, mas difere por ser compatível com o movimento do ponto quente havaiano em

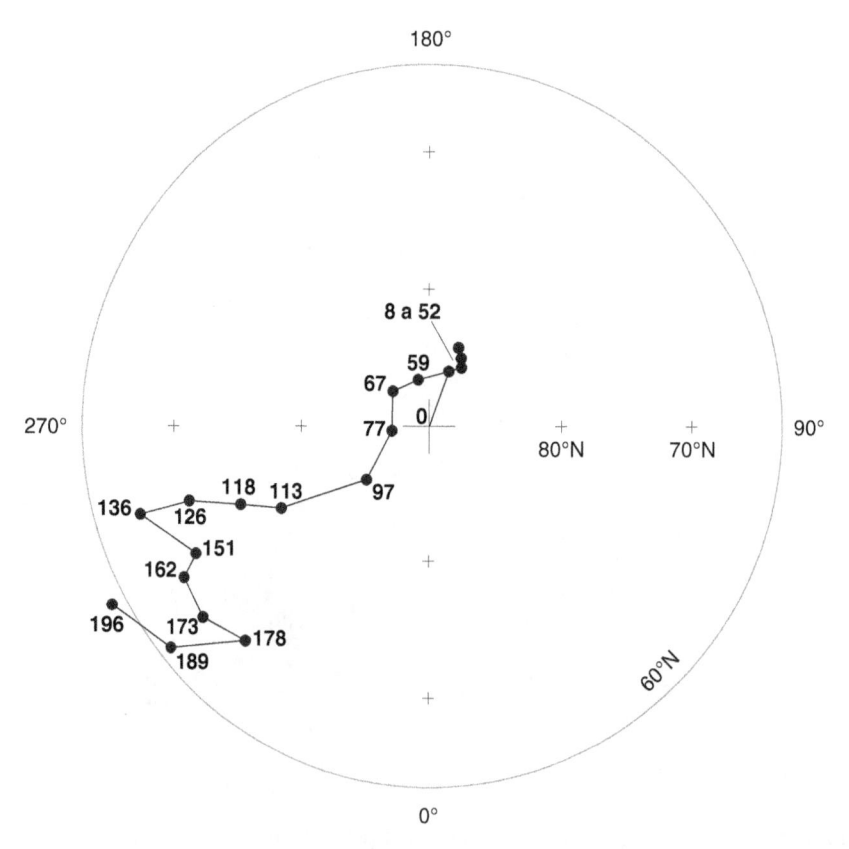

Figura 5.12 Trajetória da deriva polar verdadeira (TPW) para os 200 Ma passados. TPW é definida como a movimentação do polo "geográfico" do sistema de referência do ponto quente Indo-Atlântico com relação ao polo magnético definido por dados paleomagnéticos, sendo o último equiparado ao eixo de rotação da Terra (adaptado de Besse & Courtillot, 2002, com permissão da American Geophysical Union. Copyright © 2002 American Geophysical Union).

direção ao sul, discutido na Seção 5.5. Isso, juntamente com as similaridades entre o caminho mostrado na Fig. 5.12 e os valores derivados em análises anteriores, baseadas em conjuntos de dados menores (por exemplo, Livermore et al., 1984;. Besse & Courtillot, 1991;. Prevot et al., 2000), sugere um resultado robusto. Deve-se ter em mente, contudo, que essas conclusões são tão boas quanto os seguintes pressupostos subjacentes: a natureza do dipolo axial do campo magnético da Terra e as trajetórias de pontos quentes como indicadores do movimento de placas em relação ao interior profundo da Terra ao longo dos últimos 200 Ma.

O movimento relativo entre o manto e o eixo de rotação, como ilustrado pela trajetória da TPW, pode ser interpretado como uma mudança da totalidade ou de parte da Terra em resposta a algum tipo de formação ou redistribuição de massa interna que provoca uma mudança na direção sobre a qual o momento de inércia do manto é máximo (Andrews, 1985). Por exemplo, Anderson (1982) relaciona a TPW com o desenvolvimento de elevações da superfície da Terra resultante do efeito isolante de supercontinentes que impede a perda de calor do manto subjacente. É possível que apenas a litosfera ou o manto, ou ambos, mudem durante a deriva polar. É altamente improvável que a litosfera e o manto sejam suficientemente dissociados para se moverem de forma independente, e, por isso, parece provável que a mudança de litosfera e manto como uma única unidade ocorre durante a TPW. De fato, se há ligação entre o núcleo e o manto, toda a Terra pode ser afetada. A interpretação das TPW por Andrews é suportada por dados astronômicos que mostram que, durante o século XX, a localização do eixo de rotação da Terra mudou a um ritmo semelhante ao calculado a partir de dados paleomagnéticos e de pontos quentes, ou seja, cerca de $1°$ Ma^{-1}. Isso sugere que pelo menos parte da redistribuição de massa ocorre no manto, já que os continentes não se movem tão rápido. Sabadini & Yuen (1989) têm mostrado que tanto a viscosidade quanto a estratificação química no manto são importantes na determinação da taxa de deriva polar. Outro mecanismo proposto para a condução de TPW é a redistribuição superficial em massa decorrente das principais glaciações e deglaciações (Sabadini et al., 1982). No entanto, o fluxo mantélico é necessário para explicar a TPW durante os períodos sem evidência de glaciação continental significativa e, de fato, pode ser responsável pela maioria das TPW. Também tem sido sugerido que a TPW é intensificada pela redistribuição de massa associada com zonas de subducção (Seção 12.9) (Spada et al., 1992), formação de montanhas e erosão (Vermeersen & Vlaar, 1993).

5.7 SUPERPLUMA CRETÁCEA

Determinados pontos quentes, conforme descrito na Seção 5.5, são considerados a manifestação superficial de plumas de material quente ascendente a partir do manto profundo. Elas são de tamanho moderado e podem ser consideradas como parte do sistema de convecção normal do manto. Tem se proposto, que pelo menos uma vez durante a história da Terra houve um episódio de atividade vulcânica muito mais intensa. A causa tem sido atribuída a um fenômeno denominado superplumas, grandes fluxos de material superaquecido ascendente da camada D″ na base do manto (Seção 2.8.6), que derivam seu calor do núcleo. Espalham-se lateralmente na base da litosfera para afetar uma área 10 vezes maior do que a atividade das pluma normais atinge.

Larson (1991a, 1991b, 1995) propôs que uma superpluma foi responsável pela atividade vulcânica e intrusiva generalizada que afetou anormalmente grandes quantidades de assoalho oceânico durante o Cretáceo. Uma manifestação dessa atividade foi a criação de diversos montes submarinos e platôs oceânicos no oeste do Pacífico (Fig. 7.15) a uma taxa cinco vezes maior do que em outros momentos. Da mesma forma, houve extrusões de espessos e extensos derrames de basaltos sobre os continentes, como os Basaltos Paraná no Brasil.

Fenômenos atribuídos ao episódio da superpluma Cretácea são ilustrados na Fig. 5.13. Em 120-125 Ma a taxa de formação da crosta oceânica dobrou ao longo de um período de 5 Ma, diminuiu entre os 40-50 Ma seguintes e retornou aos níveis anteriores cerca de 80 Ma atrás (Fig. 5.13d). A produção adicional da crosta requereu o aumento das taxas de subducção, e é relevante que os principais batólitos dos Andes e de Sierra Nevada foram alojados nesse momento.

Juntamente com o aumento da produção de crosta e consequente aumento geral do fundo oceânico, ocorreu um aumento global do nível do mar a uma elevação cerca de 250 m maior do que nos dias de hoje (Fig. 5.13b). Em altas latitudes, a temperatura da superfície da Terra aumentou cerca de 10°C, como mostrado por medições de isótopos de oxigênio feitas em foraminíferos bentônicos do norte do Pacífico (Fig. 5.13a). Esse efeito foi provavelmente causado pela liberação de grandes quantidades de dióxido de carbono durante as erupções vulcânicas, que criou um maior efeito *"estufa"* (Seções 13.1.1, 13.1.2). Durante o episódio de superpluma, as taxas de fixação de carbono em organismos aumentou devido à maior área de mares rasos e ao aumento da temperatura, o que causou prosperação do plâncton. Isso se reflete na presença de extensos depósitos de folhelhos nessa época (Force, 1984) e nas reservas estimadas de petróleo desse período (Tissot, 1979; Fig. 5.13c), o que pode constituir cerca de 50% da oferta mundial. Também de significância econômica é a formação nesse momento de uma grande porcentagem da oferta de diamante do mundo, provavelmente como resultado do transporte dos diamantes para a superfície pelas plumas em ascensão. Durante o episódio de pluma, a taxa de reversões geomagnéticas (Seção 4.1.4) foi muito baixa (Fig. 5.13e), com o campo permanecendo na polaridade normal por cerca de

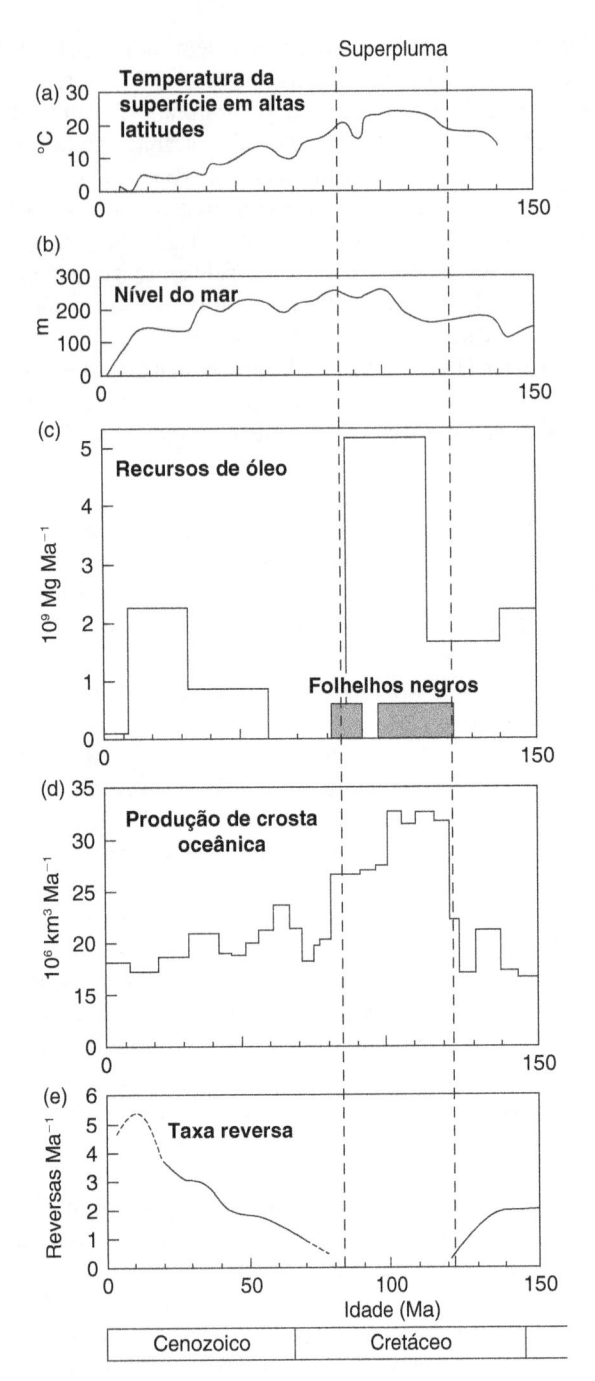

Figura 5.13 Fenômenos associados à superpluma do Meso-cretáceo (segundo Larson, 1991a, 1991b, com permissão da Geological Society of America).

35 Ma. Isso indica que a atividade no núcleo, onde o campo geomagnético se origina (Seção 3.6.4), foi baixa, talvez relacionada com a transferência de consideráveis quantidades de calor para o manto.

A aceitação de um episódio de superpluma mesocretácea não é universal. Anderson (1994) sugere que os fenômenos desse período foram causados por uma reorganização geral das placas em uma escala global associada com o desmembramento da Pangeia e a reorganização da placa do Pacífico. A ressurgência do manto pode ter tido uma reação passiva para placas puxadas pelos seus segmentos subductantes. O episódio seria visto, dessa forma, como um período em que o manto ascendeu passivamente como resultado de mudança de movimentos das placas.

5.8 MEDIDAS DIRETAS DO MOVIMENTO RELATIVO DAS PLACAS

Atualmente é possível medir o movimento relativo entre as placas usando métodos de geodésia espacial (Gordon & Stein, 1992). Antes de 1980, os únicos métodos disponíveis para esse tipo de investigação eram os métodos de geodésia terrestre de medição de referência que usavam técnicas ótica ou *laser* associados a instrumentos semelhantes a um teodolito (Thatcher, 1979). Esses métodos são certamente precisos o suficiente para medir movimentos relativos de placa de algumas dezenas de milímetros por ano. No entanto, como observado na Seção 5.3, em algumas regiões o esforço entre as placas não é todo dissipado em um limite estreito de placa, mas pode se estender para as placas adjacentes a grandes distâncias, especialmente em áreas continentais (Fig. 5.5). Para estudar esses problemas de larga escala, é necessário ser capaz de medir através de distâncias muito grandes com muita precisão. Métodos terrestres são extremamente demorados em terra e impossíveis de usar através dos principais oceanos. A partir de 1980, a medição de linhas de base muito longas usando métodos extraterrestres tornou-se possível pela aplicação de tecnologia espacial.

Três métodos independentes de levantamento extraterrestre estão disponíveis. São eles: interferometria de linha de base muito longa, satélite a *laser* e posicionamento de satélite por rádio. O mais comum e mais conhecido exemplo do último método é o Sistema de Posicionamento Global (GPS – *Global Positioning System*).

A técnica de interferometria de linha de base muito longa (VLBI – *very long baseline interferometry*) faz uso dos sinais de rádio de fontes extragalácticas ou quasares (Niell et al., 1979.; Carter & Robertson, 1986; Clark et al., 1987). O sinal de um quasar é gravado simultaneamente por dois ou mais radiotelescópios nas extremidades das linhas de base, que podem ser de até 10.000 km de comprimento. Devido a suas localizações diferentes na superfície da Terra, os sinais recebidos nos telescópios possuem diferentes tempos de atraso, sendo que a magnitude dos atrasos entre duas estações é proporcional à distância entre eles e à direção em que os sinais são obtidos. Normalmente, durante um experimento de 24 horas, 10-15 quasares são observados 5-15 vezes cada um. Esse esquema fornece estimativas de comprimento de linha de base com acurácia de cerca de 20 mm (Lyzenga et al., 1986). A utilidade desse sistema tem sido bastante reforçada pelo desenvolvimento de telescópios de rádio móvel, o que livra a técnica da necessidade de usar instalações de observatório fixos.

A técnica de variação por satélites ou a laser (SLR – *satellite laser ranging*) calcula a distância para um satélite artificial em órbita ou um refletor na Lua pela medição do tempo de viagem de ida e volta de um pulso de luz *laser* refletida do satélite (Cohen & Smith, 1985). O tempo de viagem é posteriormente convertido em distância usando a velocidade da luz. Se dois sistemas de *laser* em diferentes locais rastrearem ao mesmo tempo o mesmo satélite, a localização relativa dos pontos pode ser computada usando um modelo de dinâmica do movimento do satélite, e medidas repetidas fornecem uma precisão de cerca de 80 mm. A repetição periódica das observações pode então ser usada para observar movimentos relativos de placa (Christodoulidis et al., 1985).

A técnica de posicionamento de satélite via rádio faz uso de interferometria de satélites via rádio GPS (Dixon, 1991). Esse é um método tridimensional pelo qual as posições relativas de instrumentos nas extremidades das linhas de base são extraídas a partir de sinais recebidos nos instrumentos de diversos satélites. A observação simultânea de múltiplos satélites faz medições extremamente precisas possíveis com pequenos receptores portáteis. Esse é atualmente o método mais eficiente e acurado de estabelecimento de controle geodésico em pesquisas locais e regionais (por exemplo, Seções 8.5.2, 10.4.3).

Gordon & Stein (1992) resumiram as determinações iniciais de movimentos de placa relativos por esses métodos. Geralmente, as velocidades médias de placa de poucos anos de observação concordam muito bem com a média ao longo de milhões de anos. Os métodos foram aplicados primeiramente para a medição da taxa de circulação através da Falha de San Andreas, na Califórnia. Smith et al. (1985), usando a técnica SLR, reportaram que uma linha de base de 900 km que cruzava a falha em um ângulo de 25° foi encurtada a uma taxa média de 30 mm a^{-1}. Lyzenga et al. (1986) usaram a técnica VLBI para medir o comprimento de diversas linhas de base no sudoeste dos Estados Unidos e revelaram que, durante um período de 4 anos, o movimento na falha foi de 25 ± 4 mm a^{-1}. Essas medições diretas da taxa de deslocamento em toda a Falha de San Andreas são menores do que os 48-50 mm a^{-1} previstos a partir de modelos globais de movimentos de placas (DeMets et al., 1990). No entanto, durante o período de observação, não ocorreram grandes terremotos. Durante intervalos de tempo mais longos, os saltos discretos no movimento de falha associados com o mecanismo de recuperação elástica de grandes terremotos (Seção 2.1.5) deveriam contribuir para o deslocamento total e fornecer um número um pouco mais alto para a taxa média de movimento. Alternativamente, pode estar ocorrendo movimentação entre placas do Pacífico e da América do Norte ao longo de outras grandes falhas adjacentes à Falha de San Andreas (Fig. 8.1, Seção 8.5.2).

Tapley et al. (1985), usando a técnica SLR, mediram as mudanças na duração de quatro linhas de base entre as placas Austrália e Norte-Americana e as placas do Pacífico e descobriram que as taxas diferiram por não mais de 3 mm a^{-1} a partir de taxas médias ao longo dos últimos 2 Ma. Da mesma forma, Christodoulidis et al. (1985) e Carter & Robertson (1986) mediram o movimento relativo entre pares de placas e encontraram uma forte correlação com o modelo de cinemática de placas de Minster & Jordan (1978). Herring et al. (1986) fizeram medidas de VLBI entre vários telescópios nos Estados Unidos e na Europa e determinaram que a taxa atual de movimento através do Oceano Atlântico é de 19 ± 10 mm a^{-1}. Isso concorda com a taxa média de 23 mm a^{-1} do último 1 Ma.

Sella et al. (2002) forneceram uma análise abrangente das determinações de velocidades relativas de placa, usando as técnicas de geodésia espacial, até o ano 2000. A maioria dos dados resumidos foi obtida pelo método GPS depois de 1992, quando o sistema foi atualizado e a precisão melhorou muito. Eles apresentaram um modelo para as recentes velocidades relativas de placa (REVEL-2000), baseado nesses dados, que envolve 19 placas. As velocidades obtidas para inúmeros pares de placas dentro desse modelo foram então comparadas com aquelas previstas pelo modelo "geológico" para movimentos de placa atuais (NUVEL-1A), que mede velocidades de placa ao longo dos últimos 3 Ma (DeMets et al., 1990, 1994). As velocidades de dois terços dos pares de placas testadas eram muito concordantes. Um exemplo da comparação entre os dois modelos, para a borda Antártico-Australiana, é mostrado na Fig. 5.14. Algumas das exceções são tidas como imprecisões no modelo NUVEL-1A, por exemplo, o movimento da placa do Caribe em relação à América do Norte e do Sul; outras podem ser devido a mudanças reais nas velocidades relativas ao longo dos últimos milhões de anos. Exemplos dessa última incluem a Arábia-Eurásia e a Índia-Eurásia, que podem refletir bem a desaceleração em longo prazo associada com colisão continental.

A maioria dos dados do espaço geodésico localiza-se em interiores estáveis de placa, confirmando a resistência das placas e, portanto, o pressuposto de rigidez das placas tectônicas. Entre as principais placas, a única exceção a esta generalização é a Placa da Austrália.

Essas técnicas de medição direta são claramente de extrema importância na medida em que fornecem estimativas de movimentos relativos de placas que são independentes dos modelos de placas tectônicas. É provável que a sua precisão continuará a melhorar e que as observações se tornarão mais amplamente distribuídas ao longo do globo. A determinação da deformação intraplaca e sua relação com o campo de esforço intraplaca, terremotos e atividade magmática devem também tornar-se possíveis. Importantes e novas descobertas estão previstas para as próximas décadas.

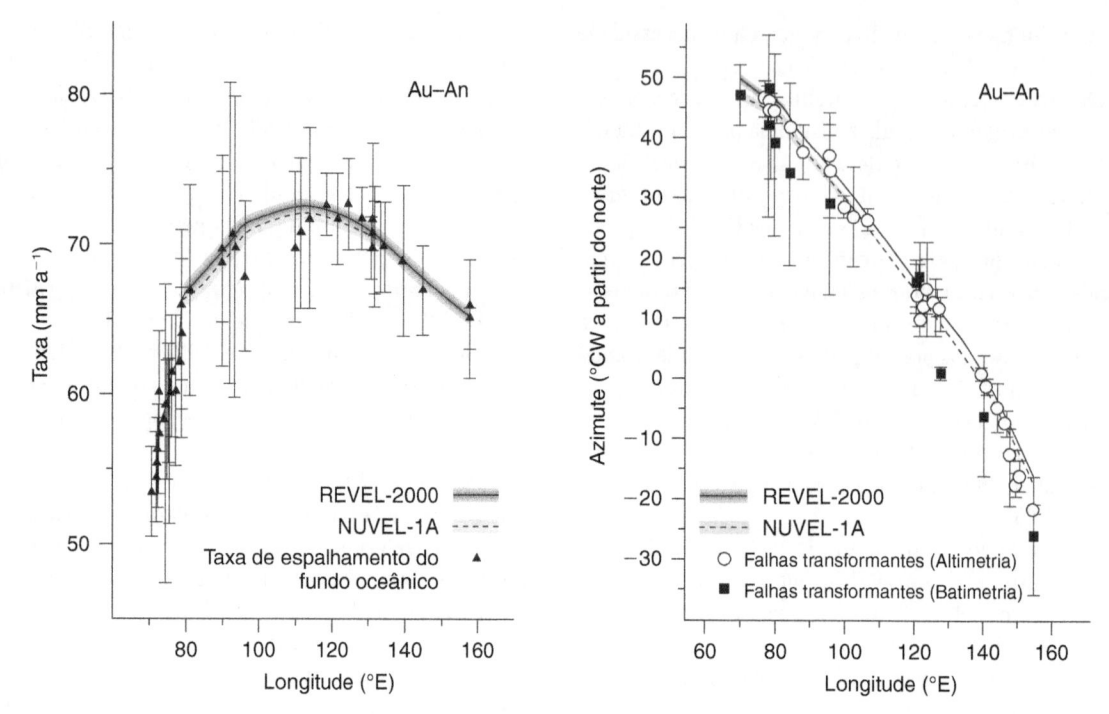

Figura 5.14 Medidas das taxas de espalhamento do assoalho oceânico e azimutes de falhas transformantes para a fronteira entre as placas da Austrália e da Antártida, comparadas com as taxas previstas e azimutes de REVEL-2000 e NUVEL-1A. Detalhes da NUVEL--1A, taxas de espalhamento medidas e azimutes das transformantes obtidos a partir de batimetria, de DeMets et al., 1990, 1994. Azimutes de transformantes por altimetria de Spitzak & DeMets, 1996 (adaptado de Sella et al., 2002, com permissão da American Geophysical Union. Copyright © 2002 American Geophysical Union).

5.9 MOVIMENTOS FINITOS DE PLACA

Os movimentos das placas descritos na Seção 5.3 são denominados geologicamente de *instantâneos*, pois se referem a movimentos quantificados para um período muito curto de tempo geológico. Tais avaliações não fornecem informações sobre os caminhos seguidos pelas placas, mas sim o ponto em que o movimento instantâneo é medido. Embora seja um princípio básico das placas tectônicas no qual polos de rotação permaneçam fixos por longos períodos de tempo, a consideração das relações entre as placas formando conchas esféricas interligadas revela que esse conceito pode não ser o caso para todas as placas (McKenzie & Morgan, 1969).

Considere as três placas sobre uma esfera, A, B e C, mostradas na Fig. 5.15a. P_{BA}, P_{BC} e P_{AC} representam polos de Euler para pares de placas que descrevem sua rotação angular instantânea. Deixe a placa A fixa. Claramente os polos P_{BA} e P_{AC} podem permanecer fixos com relação aos pares de placas relevantes. Assim, por exemplo, qualquer falha transformante desenvolvendo-se ao longo de margens de placa em comum seguiria pequenos círculos centrados nos polos. Considere agora os movimentos relativos entre as placas B e C. É evidente que, se A, P_{BA} e P_{AC} permaneceram fixas, o vetor de rotação de C em relação a B ($_B\omega_C$) atuará através de P_{BC} e será dado pela soma dos vetores $_B\omega_A$ e $_A\omega_C$, que atuam sobre P_{BA} e P_{AC}, respectivamente. Assim, P_{BC} está dentro do plano de P_{BA} e P_{AC} e é fixo em relação a A. Tal ponto, no entanto, não permanece estacionário em relação a B e C. Consequentemente, movimentos relativos entre B e C devem tomar lugar sobre um polo que muda constantemente de posição em relação a B e C (Fig. 5.15b). Falhas transformantes desenvolvidas na fronteira B-C não irão, portanto, seguir simples e pequenas rotas circulares.

Mesmo quando um polo em movimento não é uma necessidade geométrica, não é incomum para os polos de Euler saltarem para um nova localização (Cox & Hart, 1986). Na Fig. 5.16, o polo de rotação das placas A e B estava inicialmente em P_1 e deu origem a uma falha transformante com um pequeno círculo de raio de 30°. A nova localização do polo P_2 é 60° ao norte do P_1, de modo que a falha transformante é agora a 90° de P_2, isto é, no equador desse polo. A ocorrência desse salto do polo é facilmente reconhecível a partir da mudança abrupta de curvatura da falha transformante.

Menard & Atwater (1968) reconheceram cinco diferentes fases de espalhamento no nordeste do Pacífico. A Fig. 5.17 mostra que numerosas e largas zonas de fratura dessa região parecem estar concentradas em pequenos círculos centrados em um polo em 79°N, 111°E. Se padrões de zona de fraturas são analisados em mais detalhe, no entanto, observa-se que as zonas de fratura na verdade consistem em cinco segmentos diferentes, com orienta-

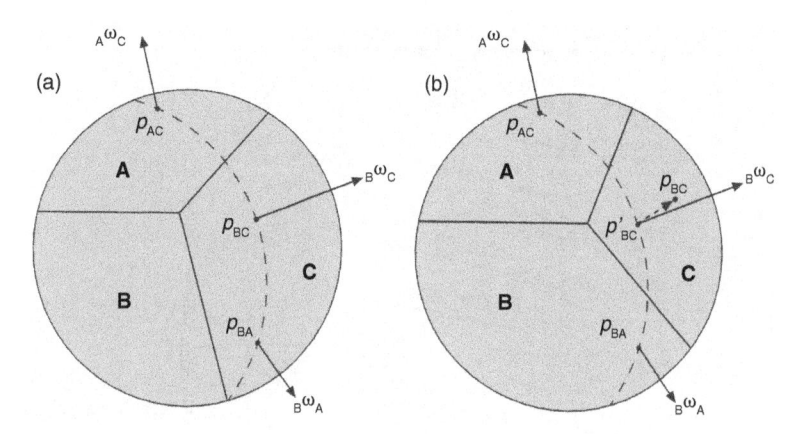

Figura 5.15 O problema da placa tripla. P_{AC}, P_{BC} e P_{BA} referem-se a polos instantâneos de Euler entre as placas A e C, B e C, B e A, respectivamente, e $_A\omega$, $_B\omega_C$ e $_B\omega_A$ para seus vetores de rotação relativa. Em (b), P'_{BC} é a localização atual de P_{BC}. Ver texto para explicação.

ções significantemente distintas que podem ser correlacionadas entre zonas de fraturas adjacentes. A aparente forma de pequenos círculos brutos de fraturas representa só a terceira fase do movimento. É, portanto, evidente que, no nordeste do Pacífico, o espalhamento do fundo do mar ocorreu sobre um polo de rotação que foi continuamente mudando de posição por pequenos saltos discretos. Essa progressão foi analisada e ilustrada em maior detalhe por Engebretson et al. (1985).

Mudanças na direção do movimento relativo de placas não causam deformação em grande escala dos limites de placa, mas resultam em ajustes geométricos de falhas transformantes e das cristas das dorsais oceânicas. Esta pode ser uma consequência da litosfera ser fina em margens de acreção e, consequentemente, com menores for-

ças mecânicas (Le Pichon et al., 1973). Esses ajustes de menor escala, no entanto, são consideráveis para reconstruções continentais, como mostrado na Fig. 5.18, onde os focos de terremotos associados com a atividade atual são sobrepostos sobre a reconstrução pré-deriva. A coincidência da forma do rifte inicial e das margens modernas de placa indica que houve pouca modificação pós-drifte.

As posições relativas de placas no passado podem ser determinadas pelo ajuste de lineamentos tidos como originalmente justapostos. Uma abordagem é ajustar margens de placa semelhantes. Margens fósseis acrescionárias são em geral facilmente identificadas pelos seus respectivos lineamentos magnéticos simétricos (Seção 4.1.7), e falhas transformantes fósseis pelos deslocamentos que causam nos lineamentos. Antigas falhas transformantes em conti-

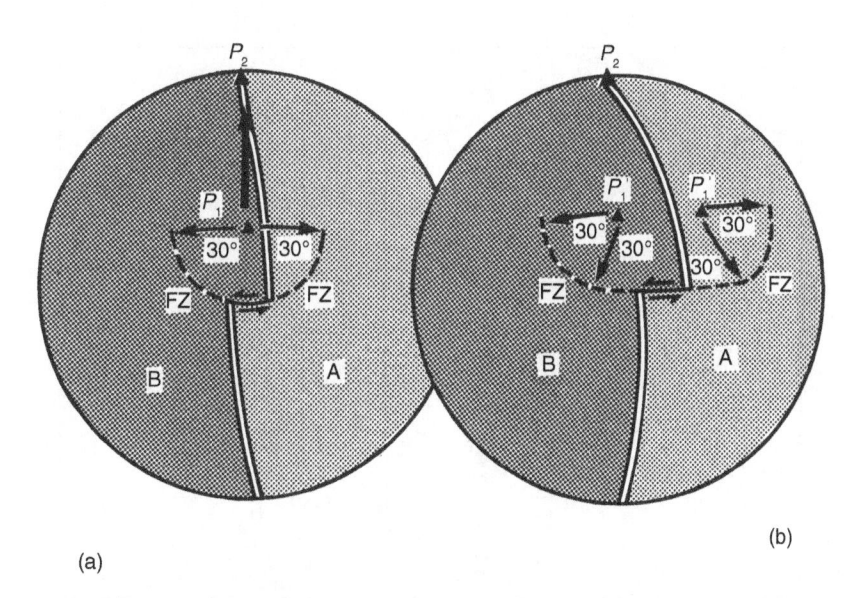

Figura 5.16 (a) Rotação das placas A e B sobre o polo P_1 produz zonas de fratura arqueadas com um raio de curvatura de 30°; (b) um salto do polo de rotação para P_2 faz com que zonas de fratura assumam um raio de curvatura de 90°. P'_1 representa as posições do polo P_1 após a rotação em torno do polo P_2 (segundo Cox & Hart, 1986, com permissão da Blackwell Publishing).

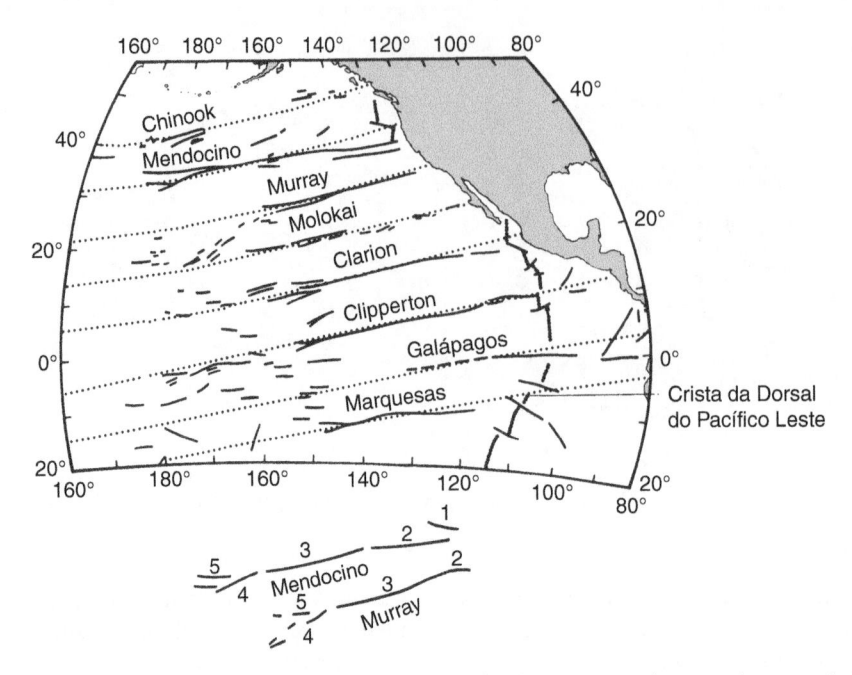

Figura 5.17 Zonas de fratura no nordeste do Pacífico mostrando tendências correspondentes a cinco possíveis episódios de espalhamento, cada um com um novo polo de rotação (adaptado de Menard & Atwater, 1968, com permissão da *Nature* **219**, 463-7. Copyright © 1968 Macmillan Publishers Ltd).

nentes são mais difíceis de identificar, porque sua direção pode ser amplamente controlada pela geologia crustal preexistente. Seu traçado, no entanto, normalmente segue aproximadamente uma pequena rota circular, com todos os desvios a partir dessa marcados por atividade tectônica característica (Seção 8.2). Antigas margens destrutivas podem ser reconhecidas a partir de seus cinturões lineares de magmatismo calcioalcalinos, batólitos graníticos, faixas metamórficas emparelhadas e, possivelmente, corpos de ofiólitos (Seções 9.8, 9.9).

As características mais comumente usadas para determinar as antigas configurações continentais são as margens continentais e as anomalias magnéticas oceânicas. As formas passadas são obviamente utilizadas para estudar a forma do supercontinente pré-drifte (Seção 3.2.2). O fato de anomalias magnéticas poderem ser confiavelmente da-

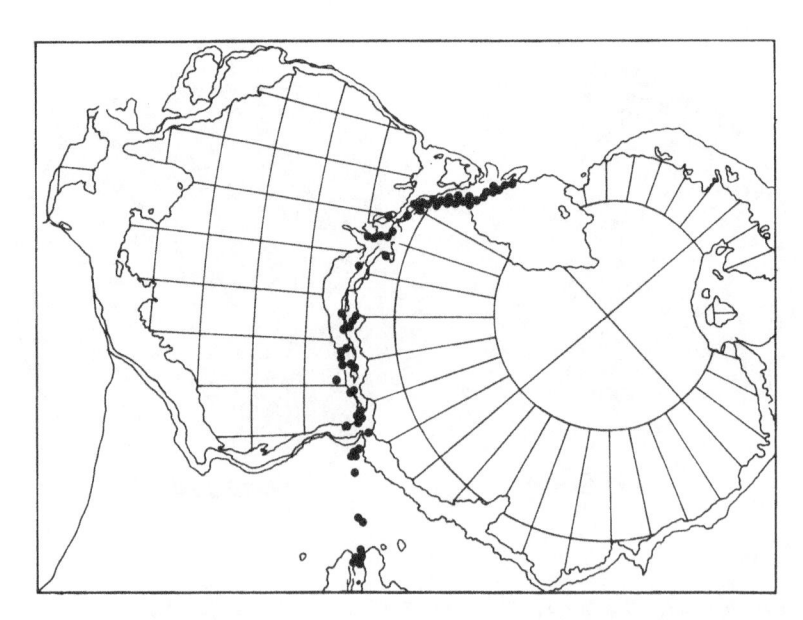

Figura 5.18 Epicentros de terremotos sobrepostos a uma reconstrução da Austrália e da Antártida (adaptado de McKenzie & Sclater, 1971, com permissão da Blackwell Publishing).

tadas (Seção 4.1.6) e anomalias individuais identificadas em cada um dos lados de sua dorsal parental, o *locus* de qualquer anomalia representa uma isócrona. O encaixe de pares de isócronas permite reconstruções de placas a qualquer momento durante a história do seu drifte (Seção 4.1.7). Com as informações adicionais fornecidas pela orientação de zonas de fratura, taxas instantâneas e polos de espalhamento podemos determinar qualquer momento durante os últimos 160 Ma, ou ainda durante o período para o qual as informações necessárias (a partir de anomalias magnéticas oceânicas e zonas de fratura) estão disponíveis.

5.10 ESTABILIDADE DAS JUNÇÕES TRÍPLICES

A estabilidade dos limites entre as placas é dependente dos seus vetores de velocidade relativa. Se um limite é instável, essa instabilidade vai existir apenas instantaneamente, e a configuração logo se tornará estável.

A Fig. 5.19a mostra uma fronteira instável entre duas placas onde a placa X é subductada sob a placa Y na direção nordeste e a placa Y é subductada por sob a placa X na direção sudoeste. O limite é instável porque uma fossa só pode consumir em uma direção, de modo que, para acomodar esses movimentos, uma falha transformante dextral desenvolve-se em b (Fig. 5.19b). Essa sequência de eventos deve ter ocorrido no desenvolvimento da Falha Alpina na Nova Zelândia (Fig. 5.19c), que é uma falha transformante dextral ligando a Fossa de Tonga-Kermadec, sob a qual a litosfera do Pacífico é subductada na direção sudoeste, até uma fossa ao sul da Nova Zelândia, onde o Mar da Tasmânia está sendo consumido na direção nordeste (McKenzie & Morgan, 1969).

A situação mais complexa e potencialmente instável surge quando três placas entram em contato em uma junção tríplice. Cruzamentos quádruplos são sempre instáveis e imediatamente transformam-se em um par de junções tríplices estáveis, como será mostrado mais adiante.

A superfície da Terra é coberta por mais de duas placas; portanto, deve haver pontos em que três placas se juntam para formar junções tríplices. Em uma forma similar a um limite entre duas placas, a estabilidade das junções tríplices depende da relação das direções dos vetores de velocidade das placas em contato. A Fig. 5.20 mostra uma junção tríplice entre bordas divergente (R), convergente (T) e transformante (F). Essa figura mostra que, para ser estável, a junção tríplice deve ser capaz de migrar as três fronteiras entre pares de placas para cima ou para baixo. É mais fácil visualizar as condições de estabilidade da junção tríplice se cada fronteira for, em um primeiro momento, considerada individualmente.

A Fig. 5.21a mostra a fossa em que a placa A é subductada sob a placa B na direção nordeste. A Fig. 5.21b mostra o movimento relativo entre A e B no espaço de velocidade (Cox & Hart, 1986), isto é, em um cenário em que a velocidade de qualquer ponto é representada pelos seus compo-

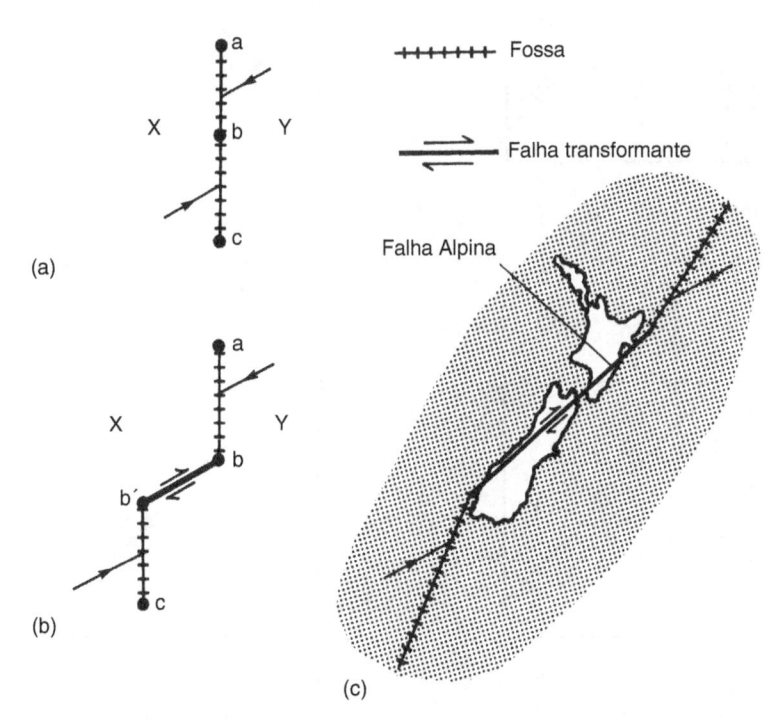

Figura 5.19 (a, b) Evolução de uma fossa. (c) Falha Alpina da Nova Zelândia (adaptado de McKenzie & Morgan, 1969, com permissão da *Nature* **224**, 125-33. Copyright © 1969 Macmillan Publishers Ltd).

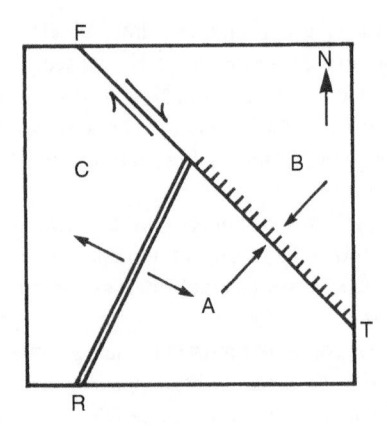

Figura 5.20 Junção tríplice do tipo dorsal oceânica (R) – trincheira (T) – falha transformante (F) entre as placas A, B e C.

nentes norte e leste e as linhas que unem dois pontos representam vetores de velocidade. Assim, a direção da linha AB representa a direção do movimento relativo entre A e B, e seu comprimento é proporcional à magnitude da sua velocidade relativa. A linha ab deve representar o *locus* de um ponto que viaja para cima e para baixo da fossa. Essa linha, então, é o *locus* de uma junção tríplice estável. B deve estar em ab porque não há movimento da placa sobrejacente a B com relação à fossa.

Agora considere o limite transformante (Fig. 5.22a) entre as placas B e C e sua representação no espaço velocidade (Fig. 5.22b). Novamente, a linha BC representa o vetor velocidade relativa entre as placas, mas o *locus* de um ponto viajando para cima e para baixo pela falha bc é agora no mesmo sentido do vetor BC, porque a direção de movimento relativo de B e C é ao longo de sua borda.

Finalmente, considere a junção divergente que separa duas placas A e C (Fig. 5.23a) e sua representação no espaço velocidade (Fig. 5.23b). O vetor velocidade relativa AC é agora ortogonal à margem da placa, e assim a linha de ac agora representa o *locus* de um ponto viajando ao longo da dorsal. A crista da dorsal deve passar pelo ponto médio do vetor velocidade CA se o processo de acreção é simétrico com placas A e C, cada uma movendo-se à metade da taxa de acreção.

Ao combinar as representações espaciais de velocidade (Fig. 5.24), a estabilidade da junção tríplice pode ser determinada a partir da posição relativa das linhas de velocidade que representam os limites. Se eles se cruzam em um ponto, isso implica que uma junção tríplice estável existe porque esse ponto tem a propriedade de ser capaz de subir

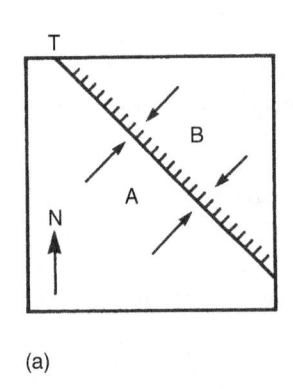

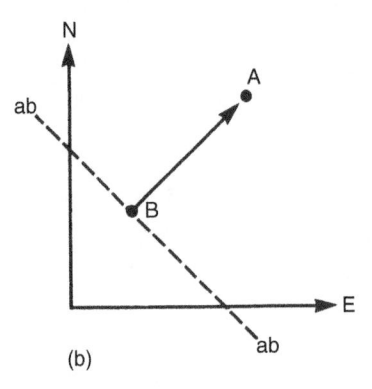

Figura 5.21 (a) Fossa (T) entre as placas A e B; (b) sua representação no espaço velocidade com a linha de velocidade ab correspondente a sua junção tríplice relacionada.

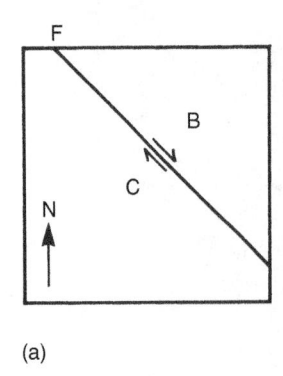

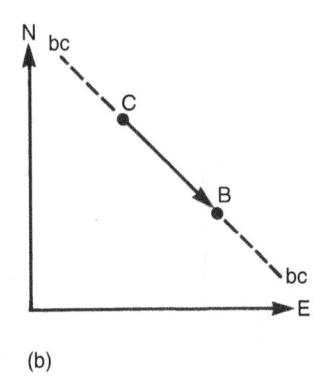

Figura 5.22 (a) Falha transformante (F) entre as placas B e C; (b) sua representação no espaço velocidade com a linha de velocidade bc correspondente a sua junção tríplice relacionada.

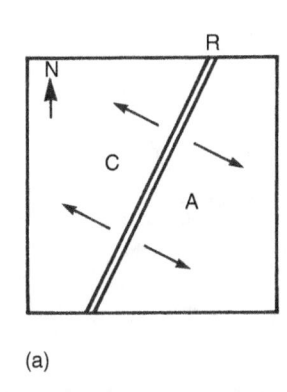

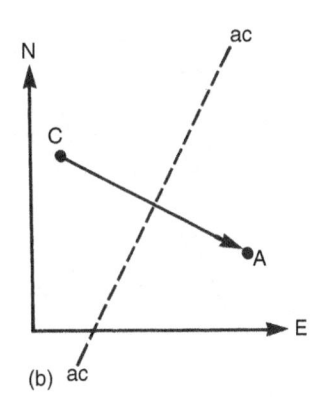

Figura 5.23 (a) Dorsal oceânica (R) entre as placas A e C; (b) sua representação no espaço velocidade com a linha de velocidade ac correspondente a sua junção tríplice relacionada.

e descer todas as três margens de placa. No caso da junção tríplice RTF, pode ser visto que uma junção tríplice estável só existe se a velocidade de linha ac passa através de B, ou se ab é a mesma que bc, isto é, a fossa e a falha transformante têm a mesma tendência, conforme mostrado. Se as linhas de velocidade não se cruzam em um único ponto, a junção tríplice é instável. O caso mais geral de uma junção tríplice RTF, que é instável, é mostrado na Fig. 5.25.

A Fig. 5.26 ilustra como uma junção tríplice instável pode evoluir para um sistema estável e como essa evolução pode produzir uma mudança na direção do movimento. A junção tríplice TTT mostrada na Fig. 5.26a é instável, pois as linhas de velocidade que representam as fossas não se cruzam em um único ponto (Fig. 5.26b). Com o tempo, o sistema evolui para uma configuração estável (Fig. 5.26c), em que a nova junção tríplice se move para o norte ao longo da fossa AB. As linhas tracejadas mostram onde as placas B e C teriam estado se não tivessem sido subductadas. O ponto X (Fig. 5.26a,c) sofre uma abrupta mudança no movimento relativo com a passagem da junção tríplice. Essa aparente mudança na direção de subducção pode ser distinguida de uma mudança global por ocorrer em diferentes momentos e locais ao longo do limite da placa. Para ser estável, a configuração da placa mostrada na Fig. 5.26a deve ser como na Fig. 5.26d. Quando representadas em espaço de velocidade (Fig. 5.26e), as linhas de velocidade se cruzam em um único ponto.

McKenzie & Morgan (1969) determinaram a geometria e a estabilidade das 16 combinações possíveis de fossa, cordilheira e falha transformante (Fig. 5.27), tendo em vista as duas polaridades possíveis de fossas, mas não de falhas transformantes. Dessas, apenas a junção RRR é estável para qualquer orientação de cordilheiras. Isso acontece porque linhas de velocidade associadas são as bissetrizes do triângulo de vetores de velocidade, e esses sempre se cruzam em um único ponto (o circuncentro do triângulo). A junção tríplice FFF nunca é estável, pois as linhas de velocidade coincidem com o triângulo do vetor, e, claro, os lados de um triângulo nunca se encontram em um único ponto. As outras junções tríplices possíveis são estáveis apenas para certas orientações específicas das margens de placa justapostas.

5.11 JUNÇÕES TRÍPLICES ATUAIS

Apenas seis tipos de junção tríplice estão presentes durante a fase atual das placas tectônicas. São elas: RRR (por exemplo, a junção da Elevação do Pacífico Leste com a Zona de Rifte de Galápagos), TTT (região central do Japão), TTF (junção da Fossa do Peru-Chile com a Elevação do Oeste Chileno), FFR (possivelmente na junção da Zona de Fratura Owen com a dorsal oceânica Carlsberg), FFT (junção da Falha de San Andreas com a Zona de Fratura de Mendocino) e RTF (foz do Golfo da Califórnia).

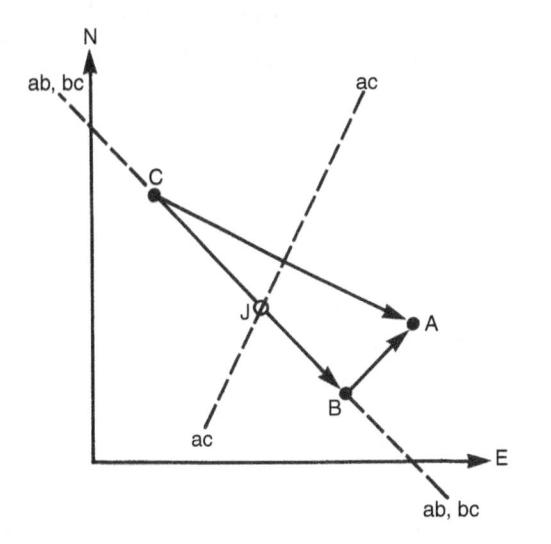

Figura 5.24 Representação do espaço velocidade da placa do sistema mostrado na Fig. 5.20. As linhas de velocidade ab, bc e ac cruzam-se em um único ponto J, que representa, portanto, uma junção tríplice estável.

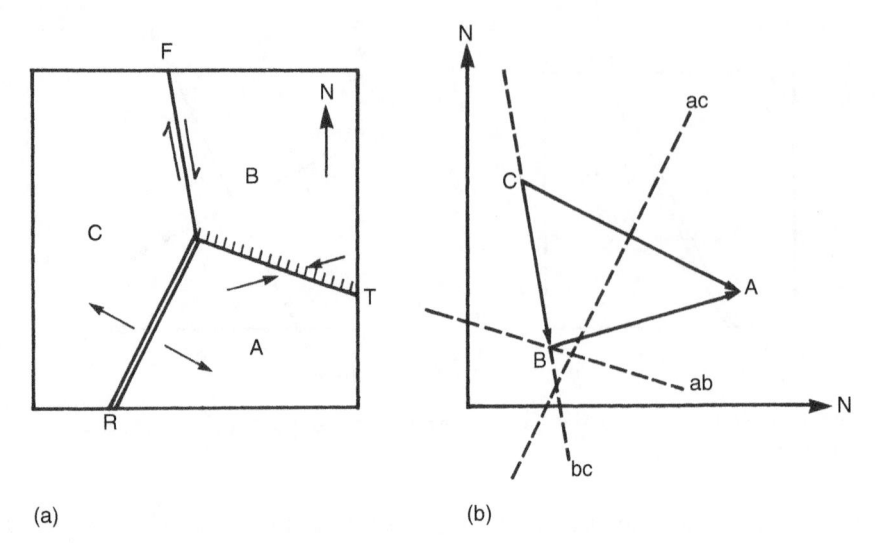

Figura 5.25 (a) Junção tríplice do tipo cordilheira oceânica (R) – fossa (T) – falha transformante (F) entre as placas A, B e C. (b) Sua representação no espaço velocidade. Como as linhas de velocidade ab, bc e ac não se cruzam em um único ponto, a junção tríplice deve ser instável.

A evolução da Falha de San Andreas ilustra a importância do papel das junções tríplices. No Oligoceno (Fig. 5.28a), a Elevação do Pacífico Leste separou as placas do Pacífico e Farallon. As falhas transformantes associadas com essa dorsal oceânica foram simplificadas, e somente as zonas de fratura do Mendocino e Murray são mostradas. A Placa Farallon estava sendo subductada sob a Placa Norte-Americana e, uma vez que a taxa de consumo excedeu a taxa de propagação na Elevação do Pacífico Leste, dorsal oceânica moveu-se em direção à fossa. O primeiro ponto da dorsal a atingir a fossa foi a extremidade oriental da Zona de Fratura Mendocino. Uma junção quádrupla existiu momentaneamente há cerca de 28 Ma, mas desenvolveu-se imediatamente em duas junções tríplices (Fig. 5.28b). Quanto mais ao norte estava do tipo FFT e mais a sul do tipo RTF, ambos mantiveram-se estáveis (inserções na Fig. 5.28b). Por causa da geometria do sistema de junção tríplice, a do norte moveu-se mais para o norte ao longo da fossa, e a junção tríplice do sul moveu-se mais para o sul. Assim, a Falha dextral de San Andreas formou-se em resposta à migração dessas junções tríplices. A migração para o sul da junção tríplice do sul cessou quando a extremidade leste da Zona de Fratura Murray atingiu a fossa (Fig. 5.28c). A junção tríplice alterou-se para o tipo FFT e começou a mover-se para o norte. A Placa Farallon continuou a ser subductada para o norte e o sul da Falha de Santo André, até que a geometria mudou de volta para aquela mostrada na Fig. 5.28b, quando a Elevação do Pacífico Leste, ao sul da Zona de Fratura Murray, chegou à fossa. A junção tríplice, em seguida, reverteu-se para o tipo RTF e passou a movimentar-se para o sul ao longo da fossa. Isso representa a situação nos dias de hoje na foz do Golfo da Califórnia.

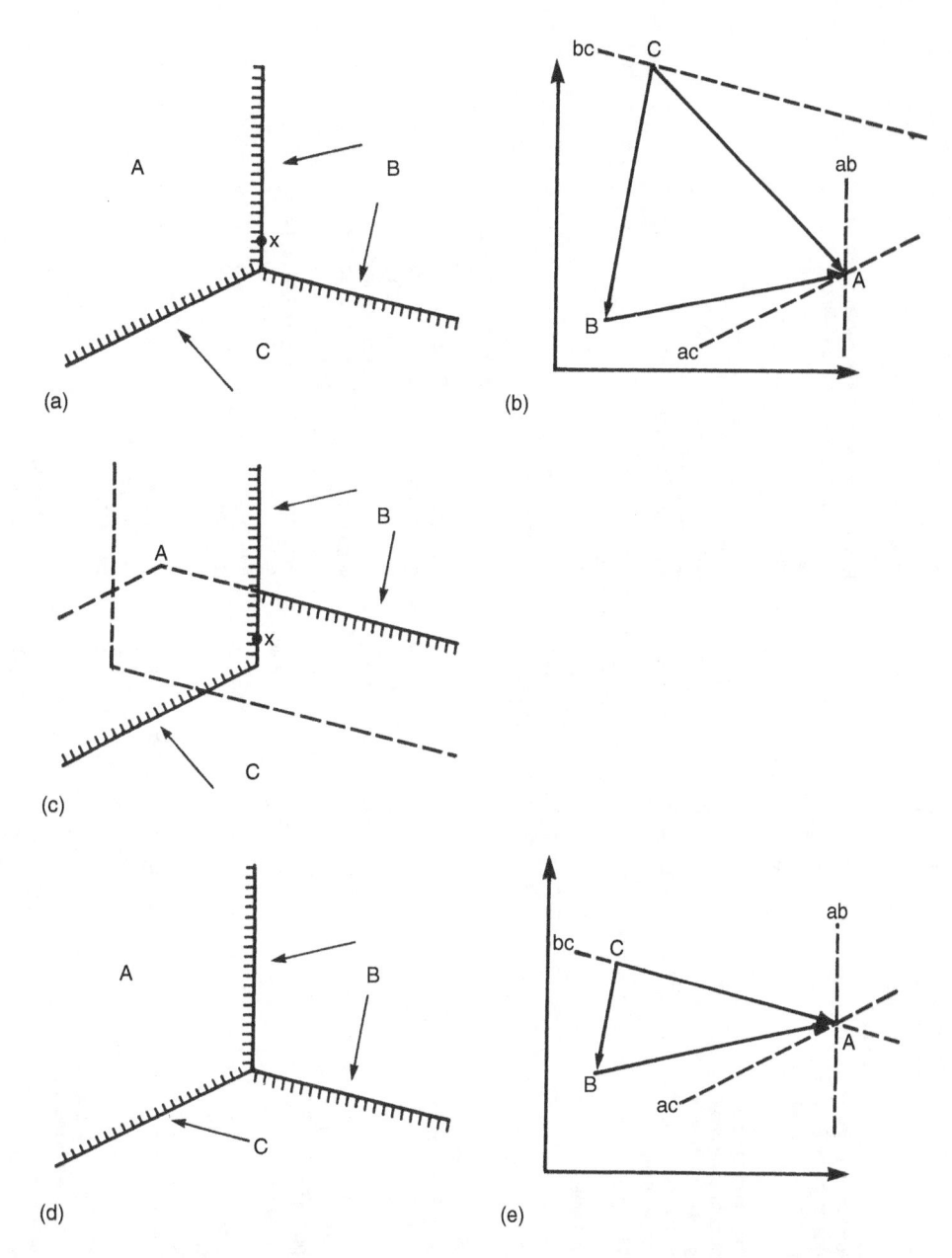

Figura 5.26 (a) Junção tríplice entre três fossas separando as placas A, B e C. (b) Sua representação no espaço velocidade, ilustrando sua instabilidade. (c) As posições que as placas B e C teriam alcançado se não tivessem sido consumidas, como mostrado pelas linhas tracejadas. (d) Configuração estável de uma junção tríplice tipo fossa-fossa-fossa. (e) Sua representação no espaço velocidade. ((a) e (c) adaptados de McKenzie & Morgan, 1969, com permissão da *Nature* **224**, 125-33. Copyright © 1969 Macmillan Publishers Ltd).

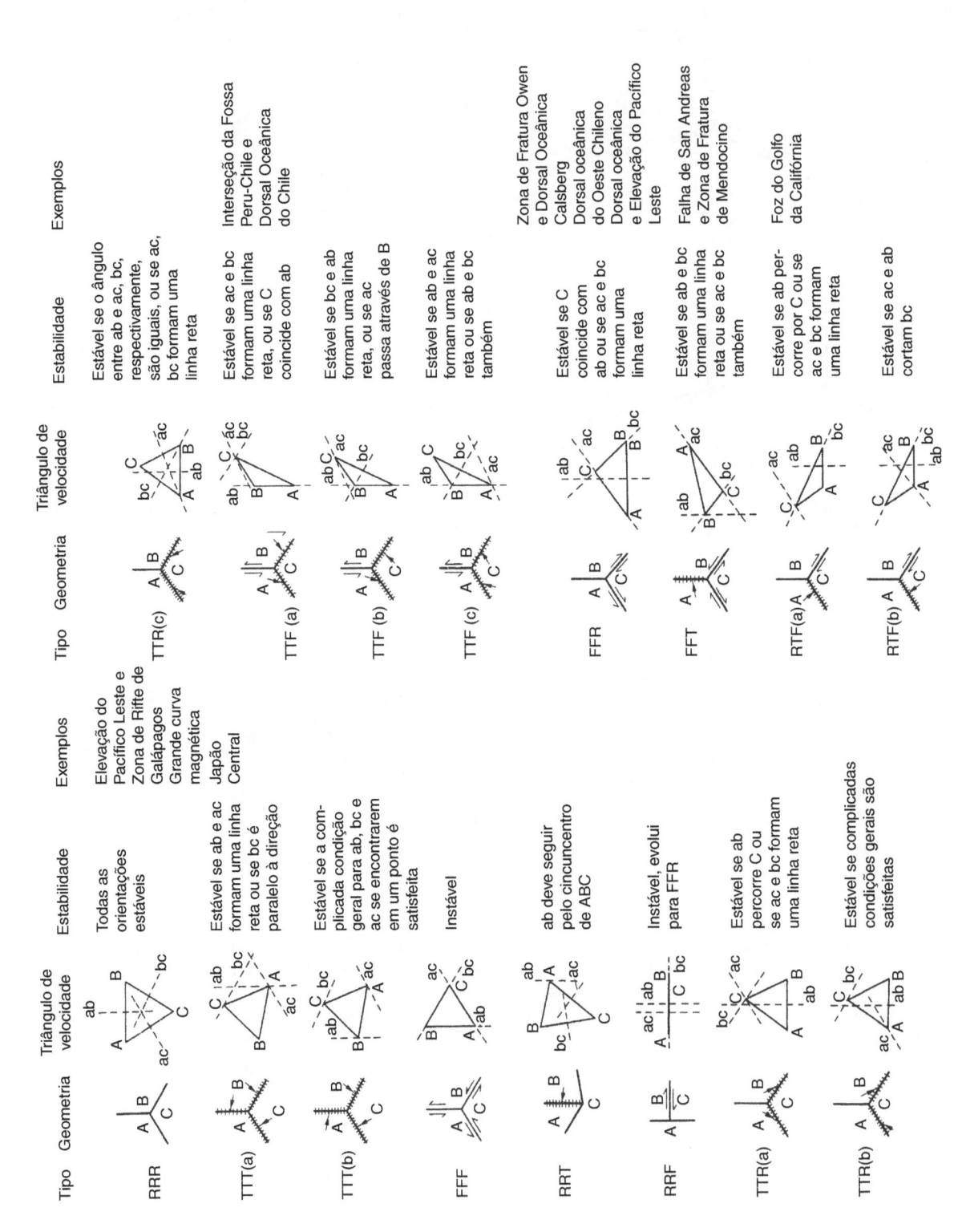

Figura 5.27 Geometria e estabilidade de todas as junções tríplices possíveis (adaptado de McKenzie & Morgan, 1969, com permissão da *Nature* **224**, 125-33. Copyright © 1969 Macmillan Publishers Ltd).

Capítulo 5 A base da tectônica de placas 105

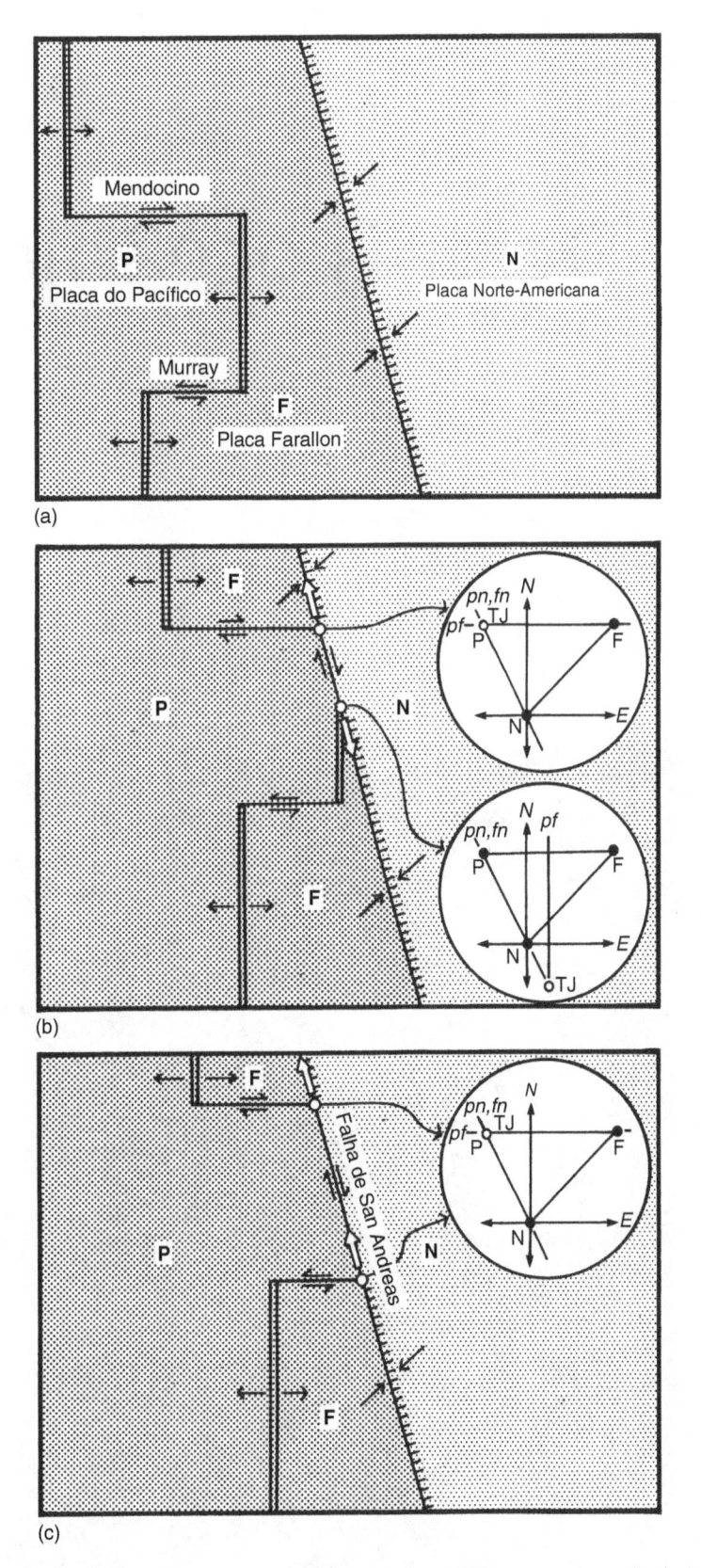

Figura 5.28 Evolução da Falha de San Andreas (adaptado de Cox & Hart, 1986, com permissão da Blackwell Publishing).

6 Dorsais oceânicas

6.1 TOPOGRAFIA DE DORSAIS OCEÂNICAS

Dorsais oceânicas marcam margens de placas acrescionárias ou construtivas onde a nova litosfera oceânica é criada. Elas representam a mais longa feição linear soerguida da superfície terrestre e podem ser traçadas por um cinturão de terremotos focais rasos que seguem as regiões de crista e falhas transformantes que conectam diferentes cordilheiras (Fig. 5.2). O comprimento total de abertura das margens em dorsais mesoceânicas é de aproximadamente 55.000 km. O comprimento total de falhas ativas transformantes dorsal-dorsal excede 30.000 km. A expressão topográfica de dorsais mesoceânicas gira por volta de 1.000 e 4.000 km de largura. Suas cristas ficam geralmente 2-3 km acima de bacias oceânicas vizinhas, sendo que localmente a topografia pode ser bastante resistente e paralela à crista.

A morfologia geral das dorsais parece ser controlada pela taxa de separação (Macdonald, 1982). Taxas de propagação em diferentes pontos no entorno do sistema de dorsal mesoceânica podem variar muito. Na bacia eurasiana do Oceano Ártico e ao longo da Dorsal Oceânica do Sudoeste do Oceano Índico, a taxa total de propagação (taxa de acreção) é inferior a 20 mm a^{-1}. Na Elevação do Pacífico Leste, entre as placas Nazca e do Pacífico, a taxa de acreção chega a 150 mm a^{-1}. Não é de estranhar, portanto, que muitas das características essenciais das dorsais, como topografia, estrutura e tipos de rochas, variem em função da taxa de propagação. Muito cedo foi reconhecido que a topografia geral da Elevação do Pacífico Leste, que é relativamente suave, mesmo na região de crista, contrasta com a topografia acidentada da Dorsal Mesoatlântica, que geralmente tem uma feição rifte médio na sua crista. Isso pode ser usado atualmente para correlacionar as taxas de propagação sistematicamente diferentes em ambas as dorsais (Fig. 5.5), isto é, podem ser rápida e lenta, respectivamente. Esses dois tipos de crista de dorsal são ilustrados na Fig. 6.1, baseada em dados batimétricos detalhados obtidos a partir de instrumental rebocado profundo (*towed instrument packages*). Em cada caso, o eixo de propagação é marcado por uma estreita zona de atividade vulcânica que é cercada por zonas de fissuras. Longe dessa zona vulcânica, a topografia é controlada pela tectônica vertical em falhas normais. A partir de distâncias acima de 10-25 km do eixo, a litosfera se torna estável e rígida. Essas regiões estáveis limitam a área onde a litosfera oceânica é gerada – uma área conhecida como "zona de crista acrescionária" ou "zona de limite de placa".

As escarpas de falha em dorsais de propagação rápida têm dezenas de metros de altura e, com frequência, um alto topográfico axial, de até 400 m de altura e 1-2 km de largura. Dentro desses altos, podem se formar pequenas depressões lineares, ou *graben*, com largura inferior a 100 m e até 10 m de profundidade (Carbotte & Macdonald, 1994). O alto axial pode ser contínuo ao longo da crista da dorsal por dezenas ou mesmo centenas de quilômetros. Em dorsais de propagação lenta, o vale do rifte mediano é de aproximadamente 30-50 km de largura e 500-2.500 m de profundidade, com um vale interior, de até 12 km de largura, limitado por escarpas de falha normal com cerca de 100 m de altura. Novamente, pode haver muitas vezes um alto topográfico axial, de 1-5 km de largura, com centenas de metros de relevo, estendendo-se por dezenas de quilômetros ao longo do eixo. Em taxas rápidas de propagação, os altos podem soerguer a partir da flutuação de rocha quente em profundidade rasa, mas dorsais com propagação lenta são claramente formadas pela coalescência de pequenos vulcões com 1-2 km de largura e, portanto, são conhecidas como uma dorsal vulcânica axial (Smith & Cann, 1993).

Um estudo detalhado de um vale rifte médio foi feito no Oceano Atlântico, entre as latitudes 36°30' e 37°N, em uma região conhecida como FAMOUS (*Franco-American Mid-Undersea Study* – pesquisa submarina Franco-Americana do Centro Oceânico), usando embarcações de superfície e submarinos (Ballard & van Andel, 1977). O rifte médio nessa área tem cerca de 30 km de largura, delimi-

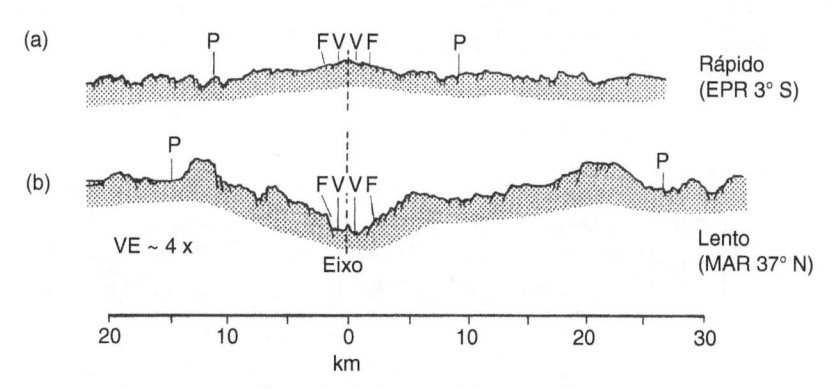

Figura 6.1 Perfis batimétricos de dorsais oceânicas com taxas de expansão rápida e lenta. EPR, Elevação do Pacífico Leste; MAR, Dorsal Mesoatlântica. Zona neovulcânica delimitada por Vs, zona de fissuras por Fs, extensão de falha ativa por Ps (adaptado com a permissão de MacDonald, 1982, *Annual Review of Earth and Planetary Sciences* **10**. Copyright © 1982 por Annual Reviews).

tado por flancos de cerca de 1.300 m de altura, atingindo profundidades entre 2.500 e 2.800 m. Em algumas áreas, rifte interior tem 1-4 km de largura e é ladeado por terraços controlados por uma série de falhas (Fig. 6.2). Em outros lugares, no entanto, o assoalho interno é mais amplo, com terraços muito estreitos ou não desenvolvidos. As falhas normais que controlam os terraços e as paredes do rifte interno são provavelmente os locais onde os blocos da crosta são progressivamente levantados, para se tornarem paredes do rifte e, consequentemente, do fundo oceânico, sendo transportados para longe do rifte pela propagação do assoalho marinho. Karson et al. (1987) descreveram as investigações da Dorsal Mesoatlântica a 24°N usando um submersível, câmeras de profundidade rebocadas e sonar de varredura lateral. Ao longo de uma faixa de aproximadamente 80 km da dorsal, foram encontradas alterações significativas na morfologia, na atividade tectônica e vulcanismo do vale mediano. Ao incorporar dados fornecidos pelas investigações da Dorsal Mesoatlântica em outros lugares, eles concluíram que o desenvolvimento do estilo do vale mediano pode ser um processo cíclico entre as fases de extensão tectônica e de construção vulcânica.

Bicknell et al. (1988) relataram um levantamento detalhado da Elevação do Pacífico Leste a 19° 30′S. Eles descobriram que as falhas são mais desenvolvidas do que em dorsais de baixa propagação, concluindo que as falhas são responsáveis pela grande maioria dos relevos. Eles observaram o lado interior e exterior de escarpas de falhas que originaram topografia de *horst* e *graben*. Essa característica difere de dorsais de lenta expansão, onde a topografia é formada por falhas normais (*inward-facing*) com caimento para o lado interno (*back-tilted*). Falhas ativas estão confinadas à região de 8 km no eixo da dorsal, sendo assimétricas e com maior intensidade no flanco oriental. A meia taxa de extensão devido ao falhamento é de 4,1 mm a^{-1}, comparada com 1,6 mm a^{-1} observada na Dorsal Mesoatlântica na área da FAMOUS.

Historicamente, por razões logísticas, as dorsais de propagação lenta, como a Dorsal Oceânica do sudoeste da Índia e a Dorsal Gakkel do Oceano Ártico, foram as últimas a serem estudadas em detalhe. No Ártico, a cobertura de gelo durante todo o ano exigiu o uso de dois navios quebra-gelos de pesquisa (Michael et al., 2003). Os resultados desses estudos levaram Dick et al. (2003) a sugerir a existência de três tipos de dorsais em função da taxa de expansão: rápida, lenta e ultralenta (Fig. 6.3). Embora a topografia ultralenta da Dorsal Gakkel seja análoga à de dorsais de expansão lenta, típicas de rifte medianos bem desenvolvidos, as primeiras são colocadas em uma classe separada devido à distinta espessura da crosta terrestre (Fig. 6.3), à falta de falhas transformantes e a sua petrologia. Existem mais duas categorias adicionais de dorsais entre as taxas de propagação rápida e lenta, e lenta e ultralenta, denominadas respectivamente de intermediária e muito lenta. Dorsais com taxa de expansão intermediária podem apresentar características de dorsais de expansão lenta ou rápida e tendem a alternar entre as duas com o tempo. Da mesma forma, uma dorsal de expansão muito lenta pode apresentar as características de uma dorsal lenta ou ultralenta. É interessante notar que, nos dias de hoje, a Elevação do Pacífico Leste é o único exemplo de uma dorsal de propagação rápida e que a Dorsal Gakkel do Ártico é a única de propagação ultralenta. Diferenças entre a estrutura crustal e a petrologia das dorsais rápida, lenta e ultralenta são discutidas nas Seções 6.6-6.9.

6.2 ESTRUTURA GERAL DO MANTO SUPERIOR ABAIXO DAS DORSAIS

Medições gravimétricas têm mostrado que valores de anomalias de ar livre (*free air*) são geralmente nulos sobre as dorsais (Figs. 6.4, 6.5), indicando que elas estão em um estado de equilíbrio isostático (Seção 2.11.6), embora feições em pequena escala topográfica sejam descompensadas, causando anomalias de ar livre positivas e negativas. O comprimento de onda curto e longo, anomalias de ar livre positivas e negativas sobre cristas e flancos, respectivamente de dorsais são consequência da compensação, sendo que os valores positivos são causados por uma maior elevação da dorsal e os negativos pela deficiência de massa. Os efeitos gravimétricos da crista da dorsal dominam os valores mais distantes, indicando que a compensação é profunda.

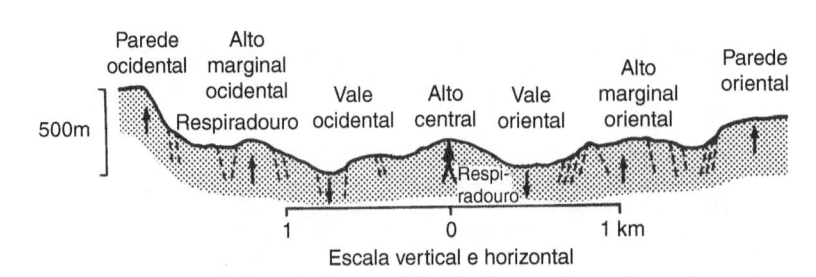

Figura 6.2 Secção transversal diagramática do vale do rifte interior da Dorsal Mesoatlântica em 36°50′N na área da FAMOUS (adaptado de Ballard & van Andel, 1977, com permissão da Geological Society of America).

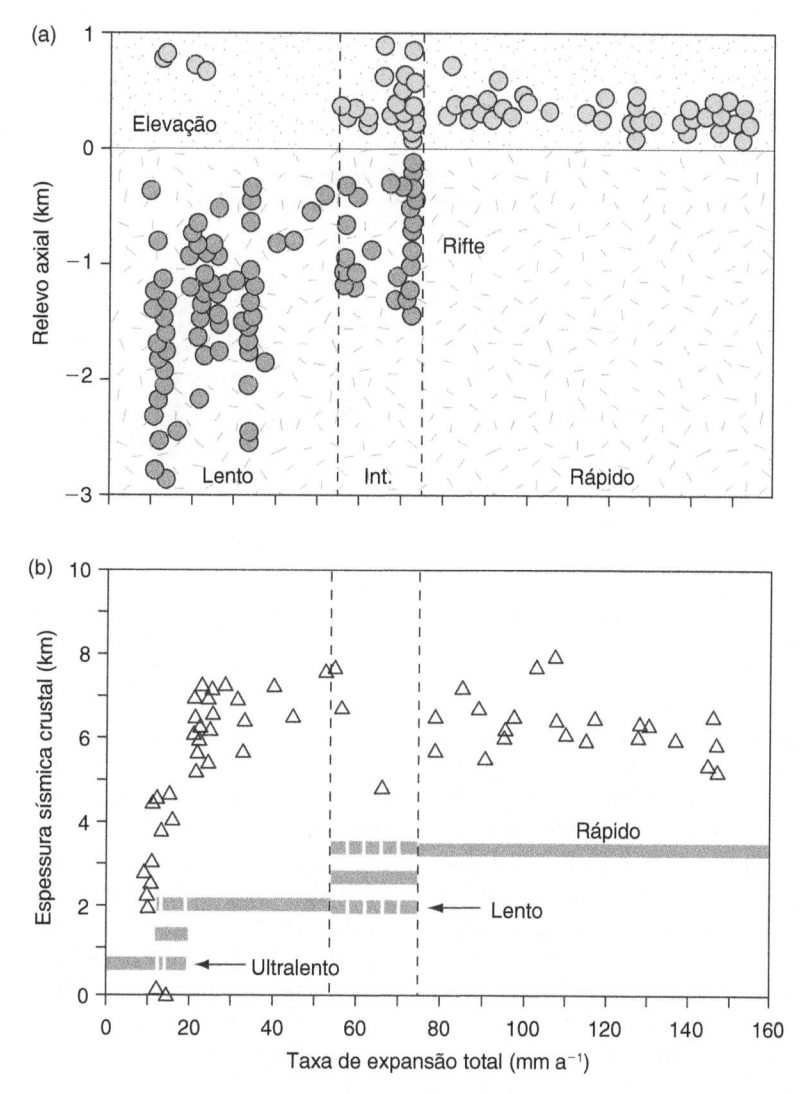

Figura 6.3 (a) Relevo axial e (b) espessura sísmica crustal em função da taxa de expansão total de cristas de dorsais mesoceânicas. Um esquema de classificação de dorsais é mostrado pelas linhas retas que indicam os intervalos de taxas de expansão ultralenta, lenta, rápida e duas classes intermediárias (adaptado de Dick et al; 2003, com permissão da *Nature* **426**, 405-12. Copyright © 2003 Macmillan Publishers Ltd).

Experimentos de sísmica de refração feitos por Talwani et al. (1965) sobre a Elevação do Pacífico Leste mostraram que a crosta é um pouco mais fina que a encontrada nas principais bacias oceânicas e que a velocidade do manto superior sob a crista é anormalmente baixa (Fig. 6.4). Rochas da camada oceânica 1 (Seção 2.4.5) só estão presentes dentro de depressões topográficas, mas as camadas 2 e 3 parecem ser contínuas ao longo da crista, com exceção de uma estreita região. Uma estrutura semelhante foi determinada para a Dorsal Mesoatlântica (Fig. 6.5). A sugestão desse último trabalho, de que a camada 3 não é contínua em toda a dorsal, foi posteriormente desmentida (Whitmarsh, 1975; Fowler, 1976).

O não espessamento da crosta sob dorsais torna necessária a compensação isostática dentro do manto superior por um mecanismo tipo Pratt (Seção 2.11.3). Talwani et al. (1965) propuseram que as velocidades anormalmente baixas do manto superior detectadas sob dorsais correspondem aos topos das regiões de baixa densidade. As densidades foram determinadas pela utilização da relação Nafe-Drake entre a velocidade da onda P e a densidade (Nafe & Drake, 1963) e por uma série de modelos produzidos que satisfazem tanto os dados sísmicos como gravimétricos. Um deles é mostrado na Fig. 6.6 e indica a presença de um corpo com um contraste de densidade de $-0,25$ Mg m^{-3} abaixo da dorsal, estendendo-se até uma profundidade de cerca de 30 km. Esse grande contraste de densidade é de difícil explicação geológica. Uma interpretação alternativa, construída por Keen & Tramontini (1970), é mostrada na Fig. 6.7. Um valor muito menor,

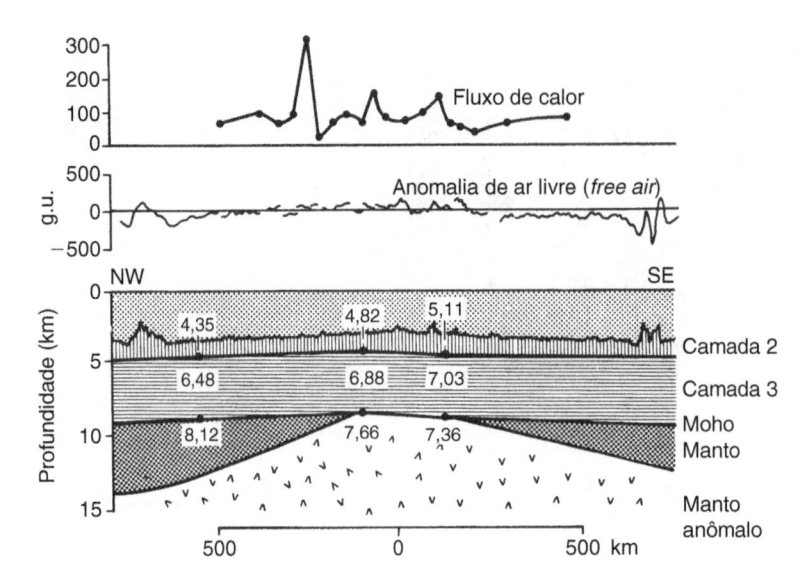

Figura 6.4 Fluxo de calor, anomalia gravimétrica de ar livre e estrutura crustal definidos por refração sísmica em toda a Elevação do Pacífico Leste entre 15-17°S. Velocidade das ondas P em km/s (adaptado de Talwani et al., 1965, com permissão da American Geophysical Union. Copyright © 1965 American Geophysical Union).

mais realista, de contraste de densidade de $-0{,}04$ Mg m^{-3} é empregado, levando a uma anomalia do corpo consideravelmente maior, estendendo-se até uma profundidade de 200 km. No entanto, esse modelo também pode ser criticado por ter empregado densidades demasiadamente altas, fornecendo um contraste de densidade muito baixo, sendo a profundidade para a base da massa anômala muito grande. Um modelo que emprega densidades de 3,35 e 3,28 Mg m^{-3} para manto normal e anômalo, respectivamente, com a massa anômala estendendo-se a uma profundidade de 100 km, estaria mais de acordo com dados geológicos e geofísicos. De fato, a tomografia sísmica (Seção 2.1.8) sugere que a região de baixa velocidade sob dorsais oceânicas estende-se a uma profundidade de 100 km (Anderson et al., 1992).

Dada a ambiguidade inerente à modelagem gravimétrica, as duas interpretações mostradas provavelmente representam membros finais de um conjunto de interpretações possíveis. Elas demonstram sem ambiguidade, no entanto, que dorsais são sustentadas por corpos grandes, de baixa densidade, no manto superior, cujas superfícies superiores fogem da crista da dorsal.

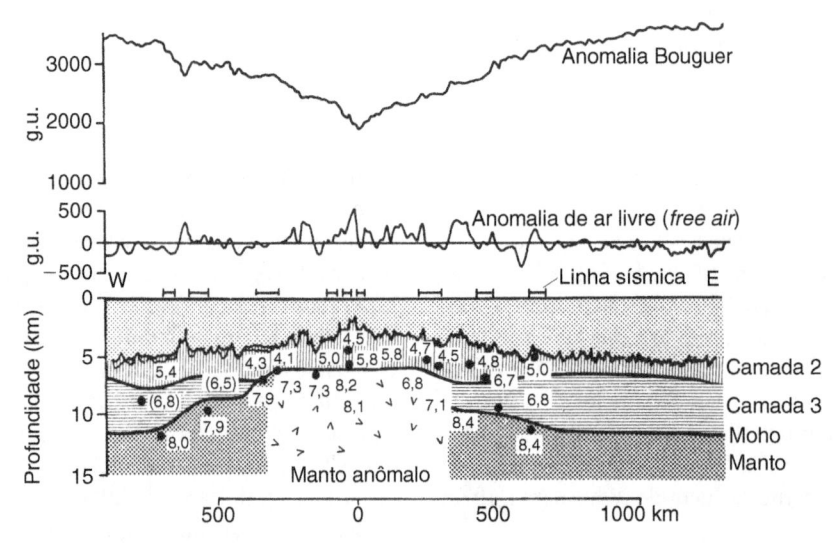

Figura 6.5 Anomalias gravimétricas e estrutura crustal definidas por refração sísmica em toda a Dorsal Mesoatlântica próximo de 31°N. Densidade reduzida da anomalia Bouguer 2,60 Mg m^{-3}, velocidade das ondas P em km/s (adaptado de Talwani et al., 1965, com permissão da American Geophysical Union. Copyright © 1965 American Geophysical Union).

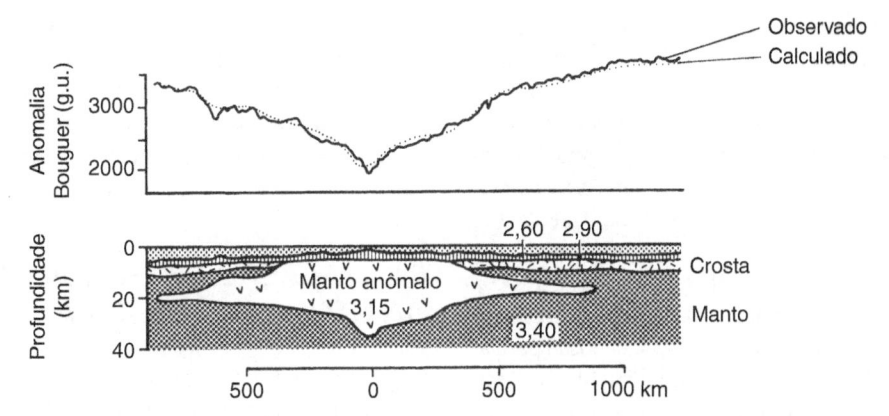

Figura 6.6 Possível modelo da estrutura abaixo da Dorsal Mesoatlântica a partir de modelagem gravimétrica com controle de refração sísmica. Densidades em Mg m^{-3} (adaptado de Talwani et al., 1965, com permissão da American Geophysical Union. Copyright © 1965 American Geophysical Union).

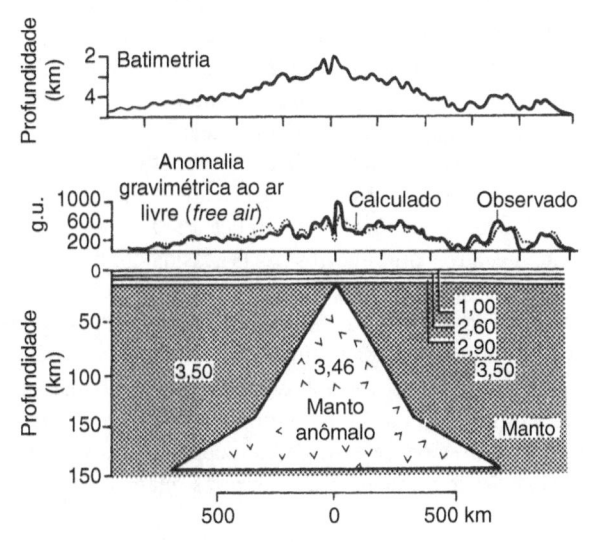

Figura 6.7 Modelagem gravimétrica alternativa da estrutura sob a Dorsal Mesoatlântica. Perfil em 46°N. Densidades em Mg m^{-3} (adaptado de Keen & Tramontini, 1970, com permissão da Blackwell Publishing).

6.3 ORIGEM DE ANOMALIAS DO MANTO SUPERIOR SOB DORSAIS

Existem três possíveis origens para as regiões de baixa densidade que estão sob dorsais oceânicas e as suportam isostaticamente (Bott, 1982): (i) expansão térmica do material do manto superior sob as cristas das dorsais, seguida de contração à medida que a expansão de fundos oceânicos o afasta lateralmente da fonte de calor; (ii) presença de material fundido dentro do manto anômalo; (iii) mudança de fase mineral dependente da temperatura, onde as altas temperaturas abaixo das cristas de dorsais podem causar uma transição para uma mineralogia de menor densidade.

Suponha que a temperatura média a uma profundidade de 100 km abaixo da Moho seja 500°C maior nas cristas das dorsais do que sob as regiões próximas, onde a densidade média para essa profundidade é de 3,3 Mg m^{-3} e o coeficiente de volume de expansão térmica é de 3×10^{-5} por grau. Nesse caso, a densidade média do manto a uma profundidade de 100 km seria 0,05 Mg m^{-3} menor do que a de bacias oceânicas próximas. Se o equilíbrio isostático fosse atingido, essa região de baixa densidade apoiaria uma dorsal elevada 2,2 km acima das áreas externas. Se o grau de fusão parcial for de 1%, a consequente redução de densidade seria de cerca de 0,006 Mg m^{-3}. Estendida ao longo de um intervalo de profundidade de 100 km, esse contraste de densidade apoiaria uma elevação relativa da dorsal de 0,25 km. Os minerais aluminosos dentro do manto superior que podem se transformar em uma fase de menor densidade são também os minerais que entram na fusão e que se formam abaixo da crista. Eles estão, portanto, ausentes na maior parte do volume de manto sob consideração, que consiste em um manto empobrecido; manto do qual a fração de menor ponto de fusão foi removida. É pouco provável, então, que uma mudança de fase contribua significativamente para o soerguimento.

A fusão parcial do manto superior é uma realidade em função da atividade magmática na crista da dorsal, mas a sua extensão era uma questão aberta. Em meados da década de 1990, um experimento de grande escala, o experimento Eletromagnético e de Tomografia do Manto (MELT), foi realizado na Dorsal da Elevação do Pacífico Leste para definir a extensão vertical e lateral da região de fusão parcial sob ela (equipe sísmica MELT, 1998). Cinquenta e um sismógrafos oceânicos de fundo e 47 instrumentos que medem as mudanças nos campos elétricos e magnéticos da Terra foram implantados em toda a dorsal, entre 15° e 18°S, em duas malhas lineares com aproximadamente 800 km de comprimento cada. Esse local foi escolhido porque está no meio de uma seção longa e reta da dorsal entre as placas de Nazca e do Pacífico e tem uma das mais rápidas taxas de expansão: 146 mm/a em 17° S. A extensão de qualquer fusão parcial do manto deve então ser bem desenvolvida em termos de baixa velocidade e alta condutividade elétrica. Ondas sísmicas de terremotos regionais e telessísmicos e variações em campos elétricos e magnéticos da Terra foram registradas por um período de aproximadamente 6 meses. Análises dos dados revelaram uma região assimétrica de baixa velocidade sísmica estendendo-se até uma profundidade de 100 km, com seu ponto mais raso sob a crista da dorsal, mas estendendo-se por 350 km para oeste e 150 km para leste da crista (Fig. 6.8). Ambas as anomalias de velocidade e condutividade elétrica são consistentes com 1-2% de fusão parcial (Evans et al., 1999). Há uma indicação incipiente de fusão até uma profundidade de 180 km. Atribui-se a assimetria da região de fusão parcial a uma combinação de dois efeitos. Pelo conceito de pontos quentes, o flanco ocidental da dorsal está se movendo duas vezes mais rápido do que a taxa do flanco oriental (Fig. 6.8), estando também próximo a *superswell* (superondulação) do Pacífico Sul (Seção 12.8.3). A acentuada ressurgência (*upwelling*) e os consequentes fluxos na astenosfera do *superswell* e o movimento viscoso sob a placa do Pacífico em movimento rápido são considerados responsáveis pela produção de maiores taxas de fluxo e, portanto, maiores temperaturas sob o flanco ocidental da cordilheira. Essas temperaturas elevadas são reconhecidas pela batimetria mais rasa (Seção 6.4) e por um maior vulcanismo de monte submarino no flanco ocidental em comparação com o flanco oriental.

O experimento MELT demonstrou a grande amplitude da região de fusão parcial. É preciso lembrar, porém, que a taxa de expansão nesse ponto é muito alta, cinco vezes maior do que na maior parte da Dorsal Mesoatlântica. Na verdade, o material fundido primitivo fica subjacente à crosta por apenas 2-3 milhões de anos, enquanto o soerguimento anômalo da dorsal se estende pela crosta por 70-80 milhões de anos. A fusão parcial no manto superior pode, portanto, ser responsável por algum soerguimento da crista da dorsal, mas não pode explicar a elevação dos flancos da dorsal.

6.4 RELAÇÃO PROFUNDIDADE-IDADE DA LITOSFERA OCEÂNICA

O principal fator que contribui para o soerguimento de cadeias mesoceânicas é a expansão e a contração do material do manto superior. Quando uma litosfera oceânica recém-formada se distancia de uma dorsal mesoceânica, ela é afastada de fontes de calor subjacentes e esfria. Esse resfriamento tem dois efeitos. Primeiro, a litosfera contrai-se e sua densidade aumenta. Segundo, porque o limite litosfera-astenosfera é controlado pela temperatura (Seção 2.12), o resfriamento faz com que a litosfera aumente a espessura conforme se afasta da dorsal mesoceânica. Esse último fenômeno foi confirmado pela estimativa da espessura da litosfera a partir de estudos de dispersão de onda de superfície no Oceano Pacífico, o que indica que a espessura aumenta de alguns quilômetros nas cristas da dorsal para 30 km em 5 Ma e 100 km em 50 Ma (Forsyth, 1977).

O resfriamento e a contração da litosfera levam a um aumento progressivo da profundidade no topo da litosfera, afastando-a da dorsal (Sclater & Francheteau, 1970), o que vem acompanhado por uma diminuição no fluxo de calor. Assim, a espessura de uma dorsal depende da taxa de expansão e desta forma explica as larguras relativas da rápida

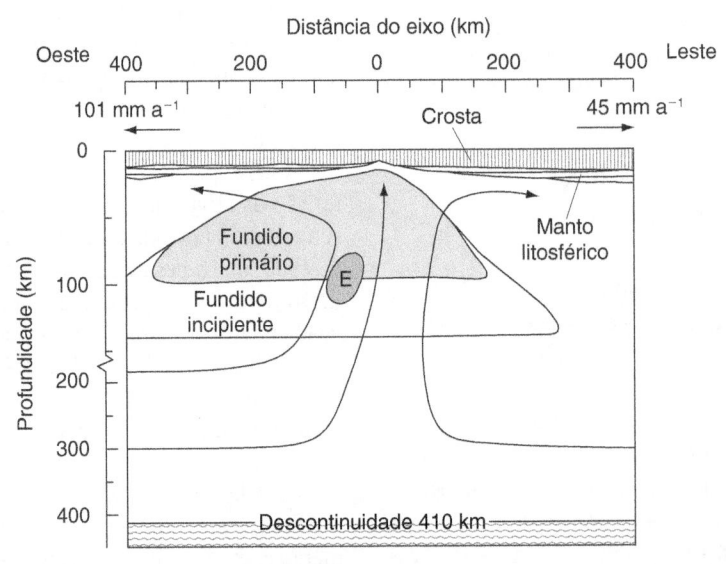

Figura 6.8 Corte esquemático abaixo da Elevação do Pacífico Leste a 17°S, ilustrando a extensão da fusão parcial no manto deduzida a partir dos resultados do experimento MELT. Velocidades da placa estão no contexto da estrutura de pontos quentes. O ponto de referência E (heterogeneidade incorporada) indica maior fusão devido ao manto anormalmente enriquecido ou de ressurgência localizada (adaptado da equipe sísmica MELT, 1998, *Science* **280**, 1215-18, com permissão do AAAS).

expansão na Elevação do Pacífico Leste e da mais lenta na Dorsal Mesoatlântica. Parsons & Sclater (1977) determinaram a natureza das relações idade-profundidade da litosfera oceânica e sugeriram que a profundidade d (metros) está relacionada à idade t (Ma) por:

$$d = 2500 + 350t^{1/2}$$

Verificou-se, no entanto, que essa relação só vale para litosferas oceânicas com menos de 70 Ma. Para litosferas mais antigas, a idade aumenta gradualmente com a profundidade. Parsons & McKenzie (1978) explicam esse fato sugerindo um modelo no qual a camada fria é composta por duas unidades em vez da única unidade sugerida por Parsons & Sclater (1977). Nesse modelo, a unidade superior, através da qual o calor se move por condução, é mecanicamente rígida, enquanto a unidade inferior tem um limite de camada viscosa térmica. Como a litosfera se desloca de um centro de expansão, ambas as unidades espessam pela relação – profundidade proporcional à raiz quadrada de idade – descrita anteriormente. No entanto, a unidade inferior pode espessar a ponto de ele tornar-se instável e começar a convecção. Isso traz calor extra para a base da camada superior e impede seu espessamento no mesmo ritmo. Eles sugeriram que a relação idade-profundidade para litosfera oceânica mais velha do que 70 Ma seja dada por:

$$d = 6400 - 3200\exp(-t/62{,}8)$$

Os dois modelos, para o resfriamento e a contração da litosfera oceânica com a idade, são referidos como modelo meio-espaço e de placa, respectivamente. No primeiro, a litosfera esfria indefinidamente, enquanto no último atinge uma situação de equilíbrio determinada pela temperatura no limite litosfera-astenosfera e pela profundidade em que isso ocorre como resultado da convecção na astenosfera. As principais considerações sobre esses modelos são a profundidade observada (corrigida para a subsidência de sedimentos) e o fluxo de calor no fundo do oceano em função da idade. Stein & Stein (1992) melhoraram essas observações utilizando um banco de dados globais de profundidade e medições de fluxo de calor para derivar um modelo (GDH1 – modelo de profundidade global e fluxo de calor 1). Qualquer modelo deve fazer suposições sobre a profundidade da dorsal e o coeficiente de expansão térmica, a condutividade térmica, o calor específico e a densidade da litosfera. No entanto, Stein & Stein (1992) mostraram que os parâmetros cruciais para determinar o melhor ajuste para os dados são o da espessura da placa limitante e o da temperatura na base da placa litosférica. No modelo GDH1, eles têm os valores de 95 km e 1.450°C, respectivamente.

Uma comparação da relação idade-profundidade prevista pelo modelo em meio-espaço, o modelo de Parsons, Sclater & McKenzie e o GDH1 é mostrada na Fig. 6.9a. As equações de profundidade-idade para o GDH1 são:

$$d = 2600 + 365t^{1/2} \text{ para } t < 20 \text{ Ma}$$
$$\text{e } d = 5650 - 2473\exp(-t/36) \text{ para } t > 20 \text{ Ma}.$$

6.5 FLUXO DE CALOR E CIRCULAÇÃO HIDROTERMAL

O modelo em meio-espaço de resfriamento da litosfera com a idade prediz que o fluxo de calor através do fundo do oceano nos flancos da dorsal variará em proporção inversa à raiz quadrada de sua idade, sendo que em assoalhos oceânicos antigos os valores de fluxo de calor medidos variam mais lentamente do que isso, mais uma vez favorecendo um modelo de placa. O modelo GDH1 de Stein & Stein (1992) prevê os seguintes valores para o fluxo de calor, q (mWm^{-2}), em função da idade, t (Ma):

$$q = 510t^{-1/2} \text{ para } t \leq 55 \text{ Ma}$$
$$\text{e } q = 48 + 96\exp(-t/36) \text{ para } t > 55 \text{ Ma}.$$

A variação do fluxo de calor com a idade prevista por todos os três modelos térmicos é ilustrada na Fig. 6.9b e comparada com os valores de fluxo de calor observados. Nota-se que os valores observados para litosferas jovens não foram traçados porque há grandes variações no fluxo de calor medido em crosta oceânica jovem (Fig. 6.4). Os valores obtidos são geralmente menores do que aqueles previstos pelos modelos, não havendo uma boa explicação para isso. Sobretudo, há uma grande dispersão na magnitude de fluxo de calor perto das cristas das cordilheiras oceânicas. Baixos térmicos tendem a ocorrer em assoalhos planos de vales e em elevações em áreas de topografia acidentada (Lister, 1980). A cobertura de sedimentos não parece ser a causa do baixo fluxo de calor porque as fontes estão dentro das áreas de menor sedimentação das dorsais, que são as mais jovens e, portanto, mais quentes. Para explicar esses fenômenos, foi proposto que o padrão de fluxo de calor é controlado pela circulação da água do mar através das rochas da crosta oceânica.

Embora a penetração da água através da rocha no fundo do mar pareça improvável, demonstrou-se que a contração térmica pode gerar permeabilidade suficiente para um fluxo convectivo eficiente. É previsto que o fraturamento avance rapidamente, resfriando um grande volume de rocha em um tempo relativamente curto, de modo que fontes localizadas de intenso calor são produzidas na superfície. São esperados sistemas geotérmicos ativos, de curta duração, movidos por água entrando em contato com materiais semifundidos. No entanto, a fraca circulação de água fria, impulsionada pelo calor das profundezas, faz com que a circulação persista por um bom tempo. Porém, conforme a crosta oceânica se afasta da crista da dorsal e afunda, ela é coberta por sedimentos impermeáveis, e seus poros e fissuras internas são obstruídos por minerais depositados pela água circulante. Em última análise, o fluxo de calor através

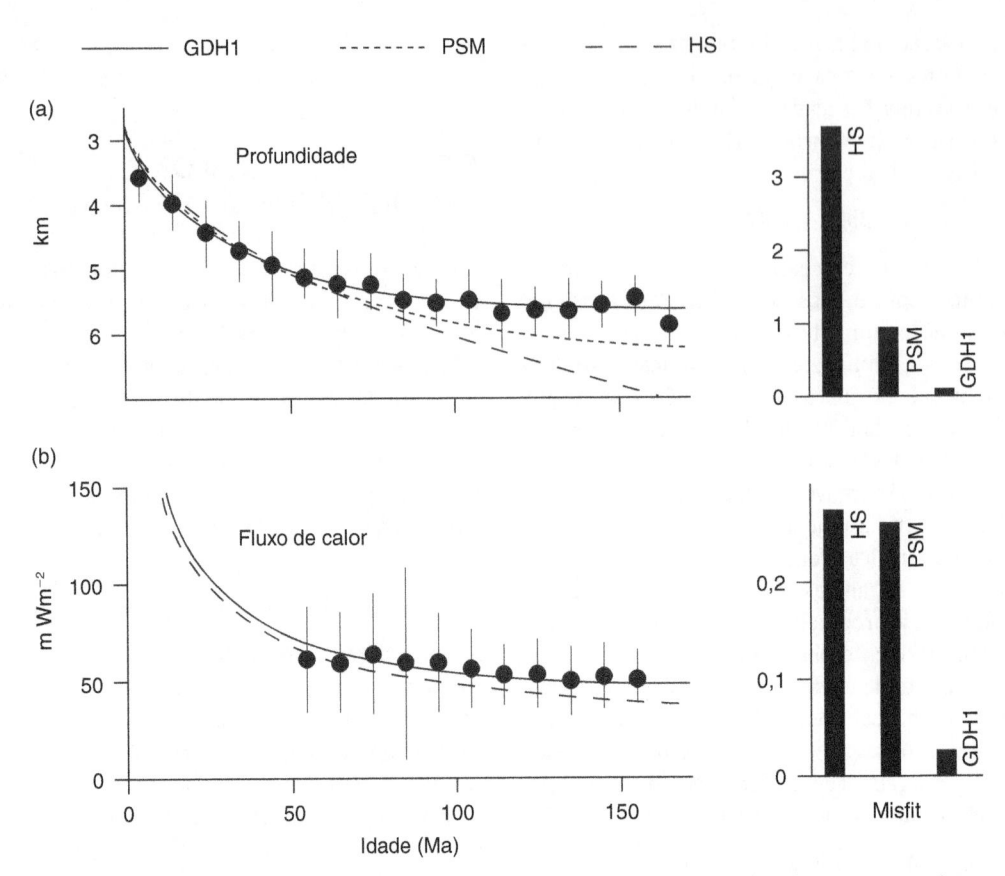

Figura 6.9 Profundidade e dados de fluxo de calor observados para dorsais oceânicas, plotados como uma função da idade da litosfera e comparados com as previsões dos três modelos térmicos: HS, o modelo em meio-espaço; PSM, modelo de Parsons, Sclater e McKenzie; GDH1, modelo de profundidade global e fluxo de calor de Stein e Stein (adaptado de Stein & Stein, 1996, com permissão da American Geophysical Union. Copyright © 1996 American Geophysical Union).

das dorsais é apenas por condução, obtendo-se, portanto, medições de fluxo de calor normais. A "idade de vedação" da crosta oceânica parece ser de aproximadamente 60 Ma.

Levantamentos detalhados de calor de fluxo no Rifte de Galápagos revelou que o padrão de zoneamento em grande escala e a ampla gama de valores individuais são consistentes com a circulação hidrotermal (Williams et al., 1974). Acredita-se que variações de pequena escala se devam a variações de permeabilidade próximas à superfície, enquanto variações em maior escala se devam a padrões de convecção principais que existem em uma camada permeável de vários quilômetros de espessura influenciada pela topografia, fontes locais e recarga em afloramentos basais. A penetração dessa convecção não é conhecida, mas é possível que seja da largura da crosta. Acredita-se que a circulação hidrotermal da água do mar na crosta, abaixo das dorsais oceânicas, transporte cerca de 25% da perda de calor global, sendo claramente um fator importante no balanço térmico da Terra (Seção 2.13).

A previsão da circulação hidrotermal em dorsais mesoceânicas, para explicar os valores de fluxo de calor observados, foi confirmada por investigações detalhadas mais especificamente por submarinos, no e perto do fundo do mar, em cristas dorsais. Inúmeros campos de fontes hidrotermais foram descobertos na Elevação do Pacífico Leste e na Dorsal Mesoatlântica, muitos deles revelados pelas formas exóticas e associadas a formas de vida, até então desconhecidas, que sobrevivem sem oxigênio ou luz. As propriedades físicas e químicas dos fluidos de fontes e as notáveis comunidades microbianas e de macrofaunas associadas a essas fontes foram revisadas por Kelly et al. (2002). A temperatura dos fluidos de fontes pode, excepcionalmente, chegar a 400°C. O quimismo das fontes hidrotermais na Elevação do Pacífico Leste e na Dorsal Mesoatlântica é muito semelhante, apesar da grande diferença nas taxas de expansão, sugerindo que se equilibraram com uma assembleia de minerais em fácies xisto-verde (Campbell et al., 1988). Surpreendentemente, existem altos níveis de atividade hidrotermal em determinados locais da dorsal Gakkel de expansão muito lenta ou lenta, talvez devido ao ambiente mais frio na crista da dorsal. Isso parece ser resultado do foco de atividade magmática nesses pontos, produzindo temperaturas mais elevadas em profundidades rasas (Michael et al., 2003).

Outra evidência da ocorrência da circulação hidrotermal é a presença de depósitos metálicos nas cristas das dorsais. Os metais são aqueles conhecidos por serem hidrotermalmente móveis, tendo sido lixiviados da crosta oceânica pela entrada de água do mar que permitiu sua extração em um local quente, ácido e em solução rica em sulfetos (Rona, 1984). Ao entrar em contato com água do mar fria sobre ou logo abaixo do fundo do mar, a solução precipita depósitos sulfetados de metais básicos. A presença de tais depósitos é corroborada por estudos de ofiólitos (Seção 13.2.2).

6.6 EVIDÊNCIA SÍSMICA PARA UMA CÂMARA MAGMÁTICA AXIAL

Modelos para a formação de litosfera oceânica normalmente requerem uma câmara magmática sob o eixo da dorsal a partir do qual o magma entra em erupção, intrudindo para formar os fluxos de lava e diques da camada 2. Acredita-se que a solidificação de magma dentro da câmara seja o principal processo de formação da maior parte da camada 3 dos oceanos (Seção 6.10). A evidência de tal câmara magmática foi obtida a partir de levantamentos sísmicos detalhados em cristas de dorsais empregando técnicas de refração, reflexão e tomografia.

A rápida propagação da Elevação do Pacífico Leste tem sido estudada por levantamentos ao norte da Zona de Fratura Siquieros entre 8° e 13°N. A área centrada na crista da dorsal em 9°30′N tem sido estudada de forma especialmente intensa (por exemplo, Herron et al., 1980; Detrick et al., 1987; Vera et al., 1990). Mais recentemente, experimentos adicionais foram realizados em 14°15′S, em uma das seções com mais rápida expansão da cadeia (Detrick et al., 1993a; Kent et al., 1994). Todos esses estudos têm revelado uma região de baixa velocidade sísmica na crosta inferior, com 4-8 km de largura, com evidências para o topo de uma câmara magmática em profundidades variadas, mas normalmente 1-2 km abaixo do assoalho marinho. Há algumas indicações de que a profundidade até a câmara magmática seja sistematicamente menor em 14°S em comparação com 9°N na Elevação do Pacífico Leste, sugerindo uma correlação inversa entre profundidade da câmara magmática e taxa de expansão (Detrick et al., 1993b). A interpretação dos resultados obtidos por Vera et al. (1990) a 9°30′N, utilizando perfilagem por reflexão de propagação expandida e multicanal é mostrada na Fig. 6.10. Eles consideraram que apenas o volume em que a velocidade da onda P é inferior a 3 km s^{-1} pode ser considerado como uma lente de fusão e que a região em que a velocidade da onda P é maior do que 5 km s^{-1}, que inclui grande parte da zona de baixa velocidade, se comporta como um sólido. Detrick et al. (1987) demonstraram que um forte refletor, possivelmente associado com a parte superior da câmara magmática, pode ser traçado como uma feição quase contínua por dezenas de quilômetros ao longo do eixo da dorsal. Grande parte do trabalho mais recente, em geral empregando técnicas de tomografia (Seção 2.1.8), sugere que a região onde há uma fração fundida alta, provavelmente com até 30% de cristais para que a velocidade da onda de cisalhamento seja zero, é extremamente pequena, talvez com não mais do que algumas dezenas de metros de espessura e menos de 1 km de largura (Kent et al., 1990, 1994; Caress et al., 1992; Detrick et al., 1993a;. Collier & Singh, 1997). Assim, a maior parte da zona de baixa velocidade abaixo da crista da dorsal se comporta como um sólido e é interpretada como uma região de rochas anormalmente quente.

Em contraste com a imagem fornecida para a Elevação do Pacífico Leste, a maioria dos estudos sísmicos na Dorsal Mesoatlântica (propagação lenta) reconhece uma zona de baixa velocidade na crosta inferior sob a crista da dorsal, mas sem qualquer evidência convincente de uma câmara magmática ou lente fundida (Whitmarsh, 1975; Fowler, 1976; Purdy & Detrick, 1986; Detrick et al., 1990). No entanto, Calvert (1995), reanalisando dados de Detrick et al. (1990) a 23°17′N, obteve reflexões isoladas de uma câmara magmática, presumidamente a uma profundidade de 1,2 Km e com uma largura de 4 km.

Parece improvável, portanto, que existam câmaras magmáticas em estado estacionário sob os eixos de propagação lenta das dorsais. Câmaras magmáticas transitórias podem, relacionadas com fluxos de magma do manto, no entanto, existir por curtos períodos. Para testar essa hipótese, foi realizada uma experiência muito detalhada combinando sísmica e eletromagnética em toda a Dorsal Reykjanes ao sul da Islândia (Sinha et al., 1998). Esse estudo foi deliberadamente centrado em uma dorsal vulcânica axial (AVR), com magmatismo ativo, na Dorsal Reykjanes a 57°45′N, revelando uma lente fundida e uma zona de mistura de cristal (*cristal mush*) análogas às registradas na Elevação do Pacífico Leste. Neste caso, a lente fundida está a uma profundidade de 2,5 km abaixo do assoalho marinho. Os resultados desse estudo oferecem forte apoio para a hipótese de que o processo de acreção crustal em dorsais de propagação lenta é análogo ao de dorsais de propagação rápida, mas que as câmaras magmáticas envolvidas são de curta duração em vez de estacionárias. Apesar da sua proximidade ao ponto quente da Islândia, a crista da dorsal ao sul de 58°N na Dorsal Reykjanes tem as características de uma crista típica de baixa propagação: um vale mediano, espessura crustal e profundidade normais.

Os experimentos sísmicos logisticamente complicados necessários para testar a presença ou ausência de uma lente fundida ainda têm de ser realizados na Dorsal Gakkel de expansão lenta a muito lenta. Parece extremamente improvável que as lentes de fusão existam debaixo dos segmentos amagmáticos dessa dorsal, já que consistem em peridotito mantélico com apenas uma fina carapaça de basaltos, mas é possível que essas lentes transicionais fundidas ocorram sob os segmentos magmáticos e centros vulcânicos (Seção 6.9). No entanto, em 1999, ob-

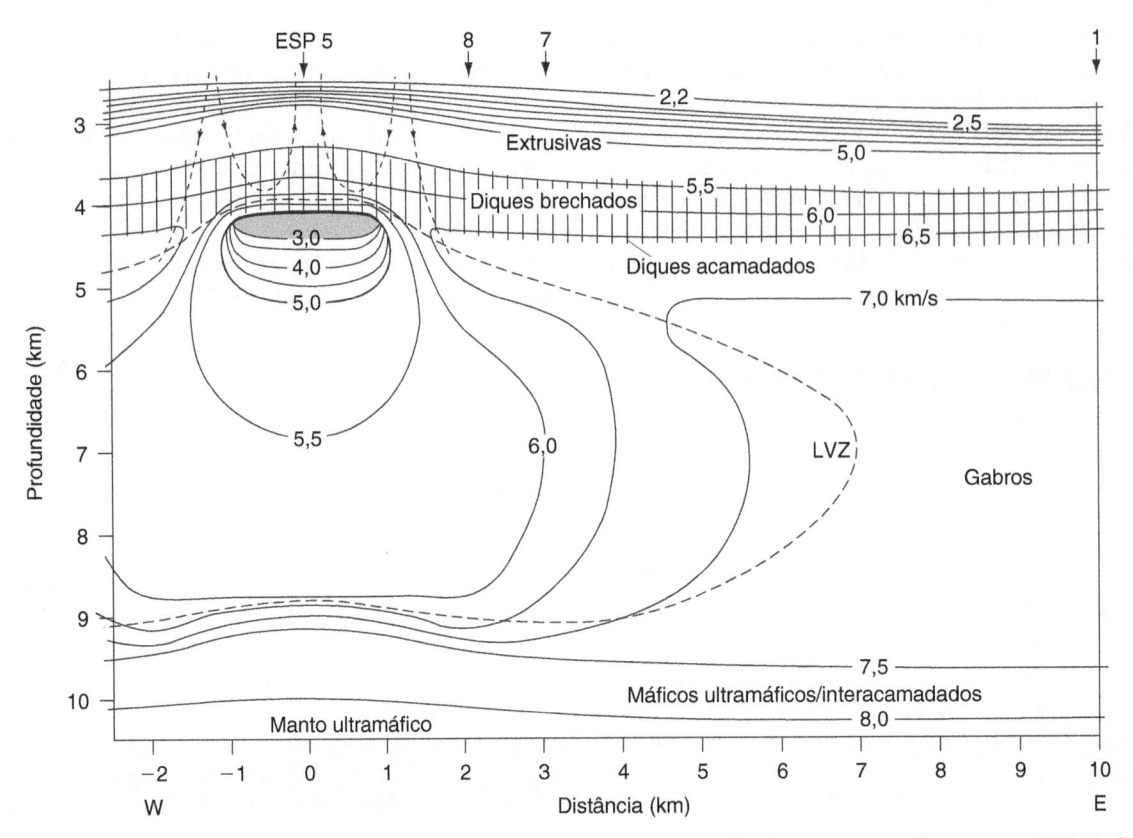

Figura 6.10 A variação da velocidade da onda P na crosta oceânica, na crista da Elevação do Pacífico Leste a 9°30'N, deduzida a partir da propagação expandida (ESP) e da perfilagem sísmica de comum ponto de profundidade. A área sombreada indica uma região com uma elevada porcentagem de fundido. São mostradas ainda uma interpretação das velocidades em termos de unidades rochosas e uma indicação da extensão da zona anormal de baixas velocidades sísmicas (LVZ) (adaptado de Vera et al., 1990, com permissão da American Geophysical Union. Copyright © 1990 American Geophysical Union).

servações sismológicas e de sonar em navio registraram evento magmático de expansão de longa duração na Dorsal Gakkel, cujas características eram mais consistentes com o magma sendo derivado diretamente das profundezas do manto do que a partir de uma câmara magmática crustal (Tolstoy et al., 2001).

Sinton & Detrick (1992), levando em conta os dados sísmicos disponíveis naquele momento e incorporando novas ideias sobre os processos de câmara magmática, propuseram um modelo em que as câmaras magmáticas compreendem zonas de mistura estreitas, quentes e de cristal fundido. Nesse modelo, câmaras magmáticas são vistas como estruturas formada compreendendo uma zona de transição externa formada por uma crosta quente, na maior parte solidificada, com pequenas quantidades de fundido intersticiais e uma zona interna de mistura de cristais com suficiente fundido para que se comporte como um fluido muito viscoso. Uma lente fundida só se desenvolve em dorsais de rápida propagação quando há uma alta taxa de oferta de magma para que persistam no topo da zona de mistura (Fig. 6.11a). Essa lente pode se estender por dezenas de quilômetros ao longo da crista da dorsal, mas tem apenas 1-2 km de largura e dezenas ou centenas de metros de espessura. Considera-se que dorsais de expansão lenta têm uma taxa insuficiente de fornecimento de magma para o desenvolvimento de uma lente fundida (Fig. 6.11b) e que as erupções ocorrem somente quando existem fluxos periódicos de magma do manto. Tal modelo é consistente com os dados sísmicos de cristas oceânicas e observações petrológicas que requerem que o magma tenha sido modificado por fracionamento magmático no interior da crosta, o que não poderia ocorrer em uma grande câmara, bem homogeneizada. Isso também explica por que o baixo fracionamento ocorre nas rochas vulcânicas de dorsais de baixa expansão. Um problema com esse modelo é a falta de explicação para o desenvolvimento dos gabros da camada 3.

Um trabalho posterior por Singh et al. (1998), envolvendo um processamento maior dos dados sobre reflexão sísmica obtidos por Detrick et al. (1993a) perto de 14°S sobre a Elevação do Pacífico Leste, foi orientado para a identificação de eventuais variações nas propriedades sísmicas e na espessura da lente fundida ao longo do eixo. Seus resultados sugerem que apenas extensões curtas de 2-4 km da lente fundida contêm fundido puro capaz de gerar erupção para formar a crosta superior. As secções intervenientes da lente fundida de 15-20 km de comprimento são ricas em

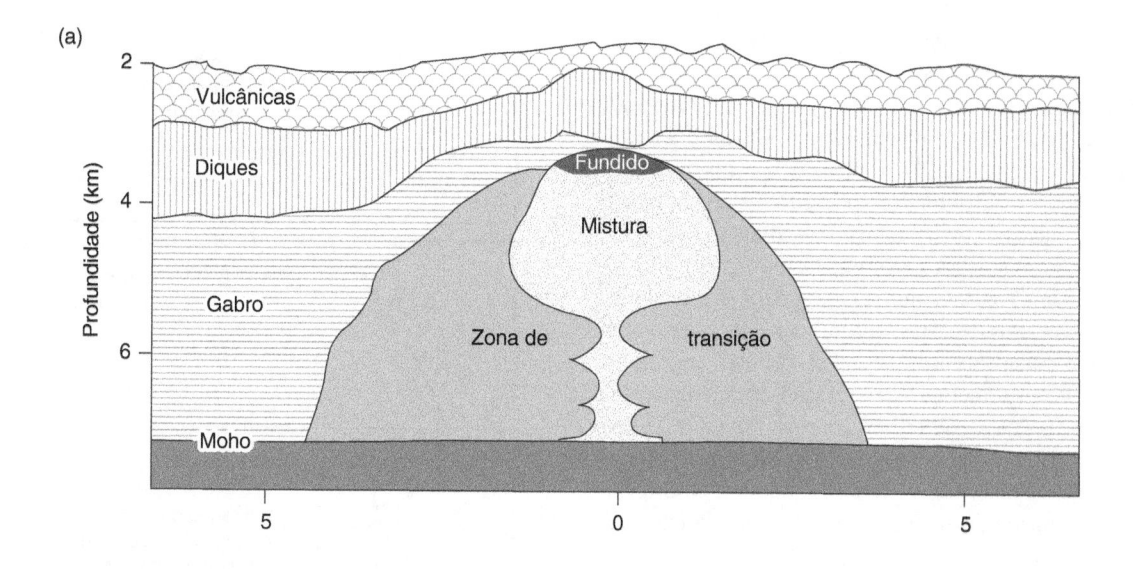

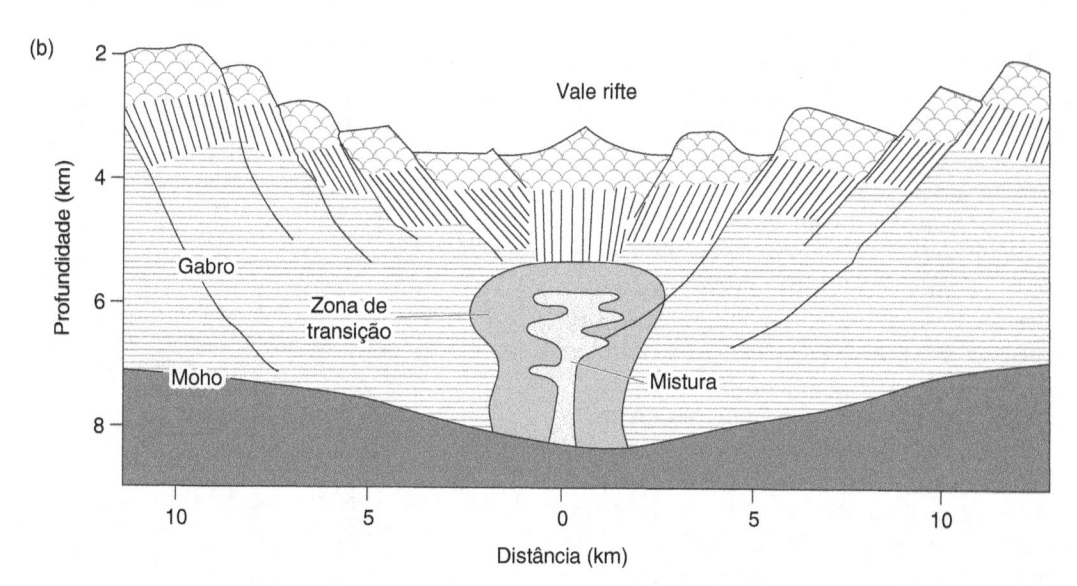

Figura 6.11 Modelos interpretativos de câmaras magmáticas sob uma dorsal de propagação rápida (a) e lenta (b) (adaptado de Sinton & Detrick, 1992, com permissão da American Geophysical Union. Copyright © 1992 American Geophysical Union).

mistura de cristais e são consideradas como contribuintes para a formação da crosta inferior. Parece provável que os bolsões de fundido puro estejam relacionados às mais recentes injeções magmáticas do manto.

6.7 SEGMENTAÇÃO AO LONGO DO EIXO DE DORSAIS OCEÂNICAS

Muitas investigações precursoras de dorsais oceânicas foram essencialmente bidimensionais, já que se basearam em perfis perpendiculares à direção e bem espaçados. Mais recentemente, o mapeamento pelo sistema de faixas tem sido empregado assegurando uma cobertura areal completa de feições oceânicas. Esse sistema tem sido usado para revelar variações na estrutura das cristas oceânicas ao longo da sua direção. Uma revisão dessas pesquisas foi fornecida por Macdonald et al. (1988).

Estudos da Elevação do Pacífico Leste mostram que ela é segmentada, ao longo de seu eixo, por descontinuidades não transformantes, como propagação de riftes (Seção 6.11) e sobreposição de centros de expansão (OSC), que ocorrem na profundidade máxima local, e por variações suaves na profundidade do eixo da dorsal. Essas feições podem migrar com o tempo para cima ou para baixo ao longo do eixo da dorsal.

OSCs (MacDonald & Fox, 1983) são descontinuidades não rígidas onde o centro de expansão de uma crista é deslocado por uma distância de 0,5-10 km, com as duas porções da dorsal sobrepondo uma à outra por cerca de três vezes o deslocamento. Foi proposto que OSCs são originadas em dorsais de propagação rápida onde as compensações laterais são menores do que 15 km e falhas transformantes verdadeiras não se desenvolvem porque a litosfera é muito fina e fraca. A geometria OSC é, obviamente, instável, e seu desenvolvimento tem sido deduzido a partir do comportamento de fendas em um filme de cera sólida flutuando na cera derretida, que parece representar um análogo razoável (Fig. 6.12a). Tração aplicada ortogonalmente às fendas (centros de expansão) causa sua propagação lateral (Fig. 6.12b), até que se sobreponham (Fig. 6.12c), sendo que a zona limitada é submetida à deformação de cisalhamento e de rotação. Os OSCs continuam a avançar até que as ligações o juntem com outro OSC (Fig. 6.12d). Um centro de propagação simples desenvolve-se quando um OSC torna-se inativo, afastando-se com a continuação da expansão (Fig. 6.12e).

Dorsais de propagação rápida são segmentadas em várias escalas diferentes (Fig. 6.13). A segmentação de primeira ordem é definida por zonas de fratura (Seção 4.2) e por propagação de riftes (Seção 6.11), que dividem as dorsais em intervalos de 300 a 500 km por grandes anomalias de profundidade axial. A segmentação de segunda ordem em intervalos de 5-30 km é causada por falhas transformantes não rígidas (que afetam a crosta que ainda é fina e quente) e grandes deslocamentos (3-10 km) de OSCs que causam anomalias axiais em profundidade de centenas de metros. A segmentação de terceira ordem, com intervalos de 3-10 km, é definida por OSCs de pequeno deslocamento (0,5-3 km), onde as anomalias de profundidade são apenas de algumas dezenas de metros. Finalmente, a segmentação de quarta ordem em intervalos de 10-50 km é causada por pequenos deslocamentos laterais (< 0,5 km) do rifte axial e pequenos desvios da linearidade axial do eixo da dorsal (DEVALS). Estes são raramente associados com anomalias de profundidade e podem ser representados por lacunas na atividade vulcânica no rifte central ou pela variação geoquímica. Claramente, a segmentação de quarta ordem se situa no mesmo eixo como nos intervalos entre bolsões de fusão pura em lente de fusão documentados por Singh et al. (1998) (Seção 6.6).

Segmentações de terceira e quarta ordem parecem ser de curta duração, pois seus efeitos só podem ser rastreados por alguns quilômetros na direção da propagação. Segmentações de segunda ordem, no entanto, criam cicatrizes dos eixos na crosta de propagação, consistindo em dorsais cúspedes e bacias alongadas que causam relevos diferenciados de várias centenas de metros. As cicatrizes não seguem rotas de pequenas circunferências sobre o polo de propagação, mas formam wakes em forma de V em 60-80° para com a dorsal. Isso indica que os OSCs responsáveis pela segmentação migraram ao longo da dorsal em velocidades de até várias centenas de milímetros por ano. A Fig. 6.14 resume os três casos gerais para a evolução de

(a) Duas fendas em filme de cera congelada, propagação inicializada

(b) Evolução de centros de propagação ao longo da direção

(c) Sobreposição de centros de propagação e curvamento em direção comum, envolvendo uma região de deformação cisalhante e rotacional. Estabelecimento de geometria OSC

(d) Deformação cisalhante progressiva e rotacional continua até que um OSC se ligue a outro

(e) Um centro de propagação contínuo é estabelecido, OSC é abandonado e zona de sobreposição é afastada

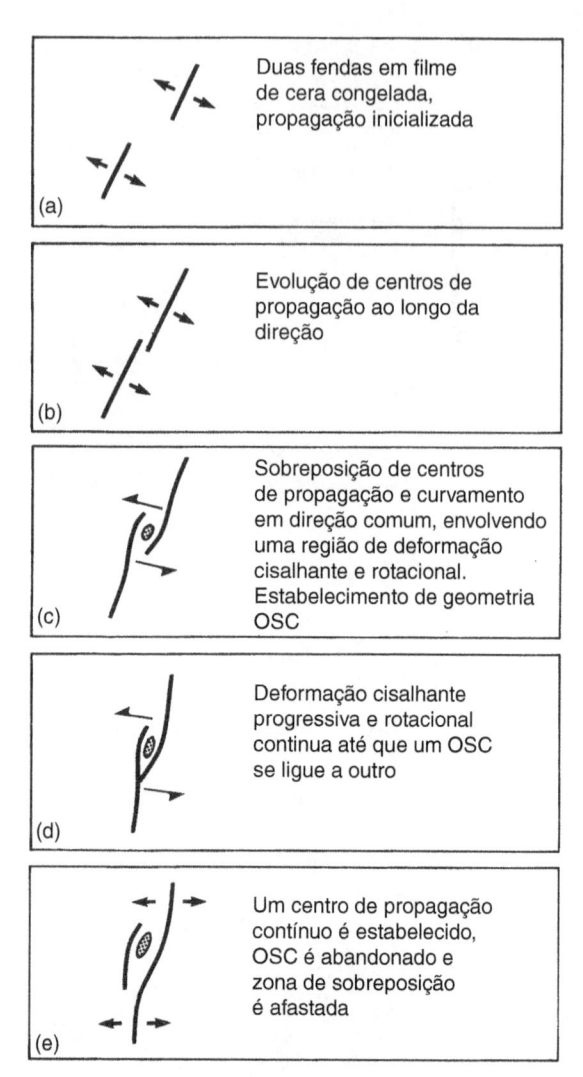

Figura 6.12 Possível sequência evolutiva no desenvolvimento de um centro de propagação sobreposto (adaptado de MacDonald & Fox, 1983, com permissão da *Nature* **302**, 55-8. Copyright © 1983 Macmillan Publishers Ltd).

tal descontinuidade de eixo de dorsal em termos do movimento de pulsos magmáticos.

As diferentes escalas e "ordens" da segmentação foram reconhecidas pela primeira vez na rápida propagação da Elevação do Pacífico Leste. Também existe segmentação na lenta propagação da Dorsal Mesoatlântica, mas assume formas um pouco diferentes, provavelmente porque a crista da dorsal é mais fria e, portanto, mais frágil (Sempéré et al., 1990; Gente et al., 1995) (Fig. 6.13). A segmentação de primeira ordem é definida por falhas transformantes, mas a sobreposição de centros de propagação está ausente. Segmentos de segunda ordem são limitados por deslocamentos oblíquos do eixo da dorsal associados com profundas depressões no assoalho marinho. Segmentações de terceira e quarta ordem são na forma de variações geoquímicas e quebras na atividade vulcânica no fundo do

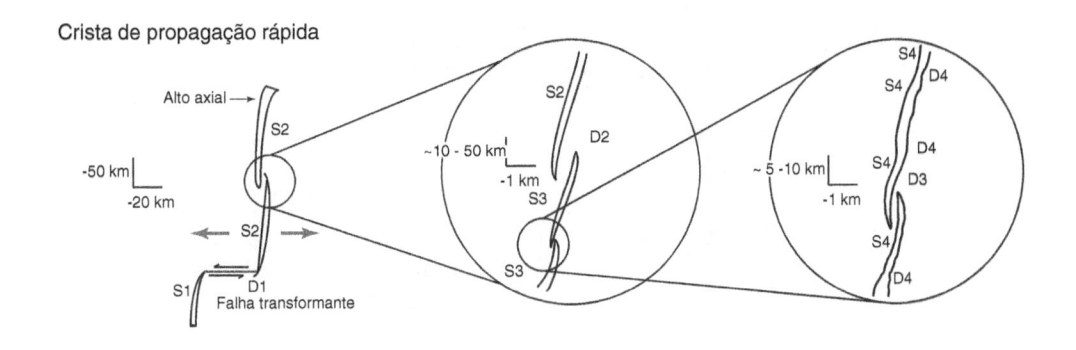

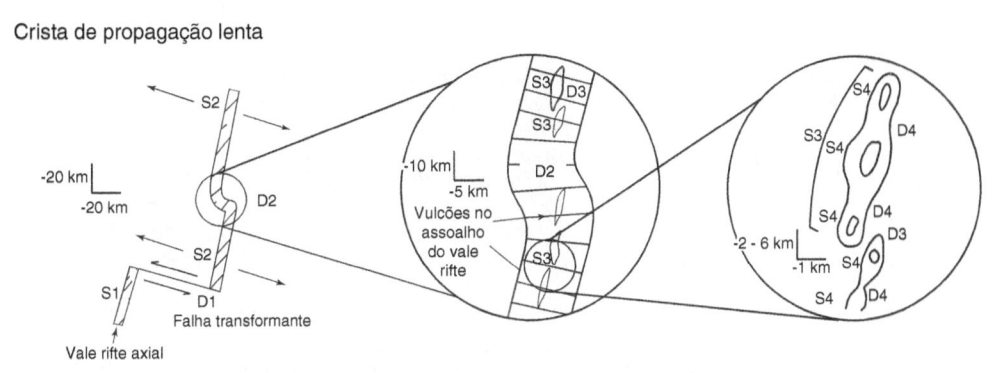

Figura 6.13 Resumo da hierarquia de segmentação em dorsais com propagação rápida e lenta. S_1, S_2, S_3 e S_4 – primeira à quarta ordem de segmentação. D_1, D_2, D_3 e D_4 – primeira à quarta ordem de descontinuidades (adaptado de Macdonald et al., 1991, *Science* **253**, 986-94, com permissão da AAAS).

vale interior. Estas geram discretas dorsais vulcânicas alinhadas com 2-20 km de comprimento e 1-4 km de largura (Smith & Cann, 1993). Novamente, a segmentação de primeira e de segunda ordem são de longa duração, e a de terceira e quarta ordem são de curta duração. A segmentação da Dorsal Gakkel de baixíssima propagação, que nem sequer apresenta falhamento transformante, apresenta-se na forma de segmentos vulcânicos e tectônicos, ou magmáticos e amagmáticos (Michael et al., 2003) (Seção 6.9).

Os limites do segmento de primeira ordem, com falhas transformantes, são marcados por acentuada depressão batimétrica (Seção 6.12). Eles são muitas vezes sustentados por crosta mais fina que o normal e velocidades sísmicas sub-Moho anormalmente baixas, que podem ser devido à serpentinização parcial do manto, como resultado da água do mar se infiltrar através da crosta fraturada. Esse afinamento da crosta nas proximidades de zonas de fratura é particularmente marcado na propagação lenta da Dorsal Mesoatlântica (White et al., 1984; Detrick et al., 1993b). Em contraste, as porções centrais dos segmentos são elevadas, têm crosta de espessura normal e litosfera mais fina. Isso implica que o fornecimento de magma do manto é localizado em pontos discretos ao longo do eixo da dorsal em centros do segmento. Essas regiões de crosta mais espessa e maior fornecimento de magma são caracterizadas por anomalias Bouguer do manto (MBAs) negativas, e as áreas da crosta mais fina entre elas por MBAs positivas (Lin et al., 1990). Essas últimas áreas incluem descontinuidades de segunda ordem, além de falhas transformantes. O suprimento de magma em centro segmentado é menos evidente na propagação rápida da Elevação do Pacífico Leste, mas descontinuidades e variações no tamanho e na largura da câmara de magma a correlacionam com segmentação (Toomey et al., 1990). Essas observações sugerem que o magma é intrudido em centros de segmento e migra lateralmente ao longo do eixo da dorsal em direção às extremidades do segmento. Cada vez mais se reconhece que, em crosta fria de baixa propagação, isso pode significar que a terminação de segmentos é carente de magma e que partes da secção crustal consistem em manto serpentinizado.

A extensão da crosta oceânica em cristas de dorsal pode ocorrer tanto pela intrusão de magma quanto por falhamento extensional. Se cristas de dorsal nos arredores de falhas transformantes são privadas de magma, a extensão amagmática se torna mais importante. Talvez a expressão mais espetacular desse fato seja a ocorrência de falha principal de descolamento de baixo ângulo (Ranero & Reston, 1999; MacLeod et al., 2002) (Seção 7.3) nos cantos internos da interseção de dorsal de baixa expansão transformante que dão origem a grandes domos ondulados e estriados de

Caso 1. Contato — Pulsos magmáticos se encontram no topo ou ficam alinhados, mas param perto do contato

t_1 t_2

Deslocamento pequeno ou inexistente, ou anomalia de profundidade, sem zona de discordância nos flancos

Caso 2. Ligando e decapitando — Pulsos magmáticos desalinham, mas, por fim, ligando

t_1 t_2 Ponta de dorsal decaptada t_3

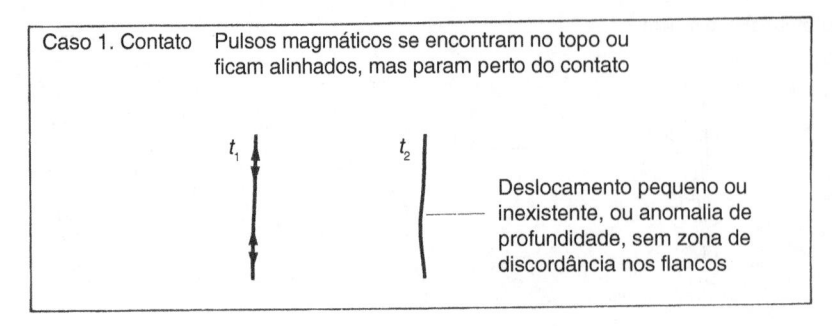

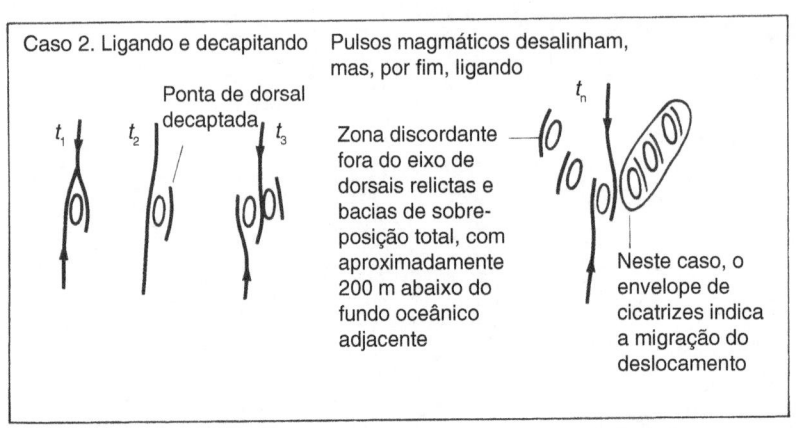

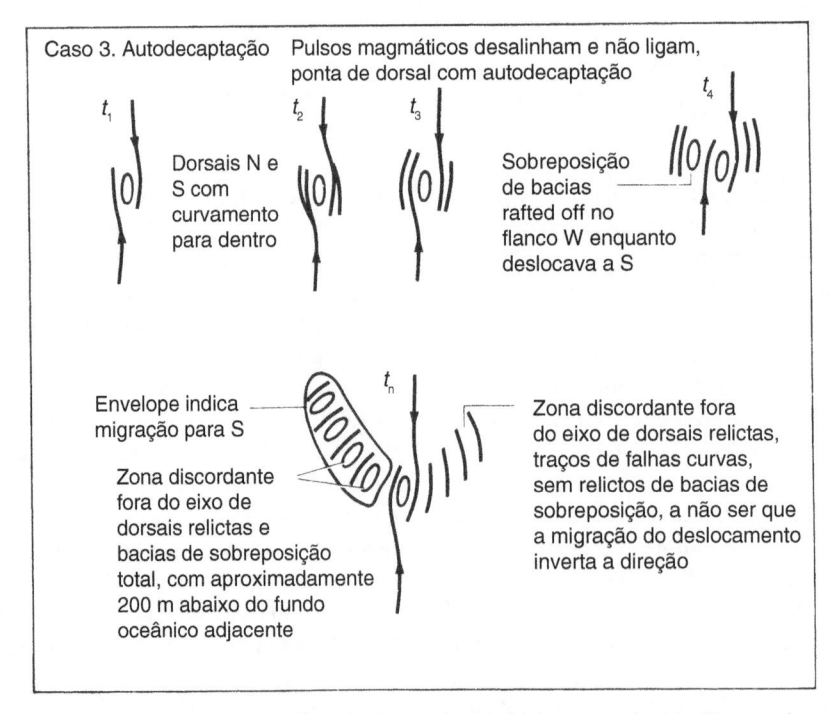

Zona discordante fora do eixo de dorsais relictas e bacias de sobreposição total, com aproximadamente 200 m abaixo do fundo oceânico adjacente

t_n

Neste caso, o envelope de cicatrizes indica a migração do deslocamento

Caso 3. Autodecaptação — Pulsos magmáticos desalinham e não ligam, ponta de dorsal com autodecaptação

t_1 t_2 t_3 t_4

Dorsais N e S com curvamento para dentro

Sobreposição de bacias rafted off no flanco W enquanto deslocava a S

Envelope indica migração para S

Zona discordante fora do eixo de dorsais relictas e bacias de sobreposição total, com aproximadamente 200 m abaixo do fundo oceânico adjacente

t_n

Zona discordante fora do eixo de dorsais relictas, traços de falhas curvas, sem relictos de bacias de sobreposição, a não ser que a migração do deslocamento inverta a direção

Figura 6.14 Três possíveis casos gerais para a evolução da descontinuidade dos eixos-dorsais. Setas ao longo do eixo referem-se à direção de propagação de pulsos magmáticos. t_1, t_2, ..., t_n se referem à sequência temporal. Casos 2 e 3 se aplicam às descontinuidades de segunda e terceira ordem (segundo Macdonald et al., 1988, com permissão da *Nature* **335**, 217-25. Copyright © 1988 Macmillan Publishers Ltd).

peridotito serpentinizado e gabro (Figura 6.1 do encarte colorido). Esses domos ondulados são planos de falhas expostos que deformam o manto superior e a crosta inferior da litosfera oceânica. As ondulações paralelizam a direção de propagação e indicam a direção do movimento na falha. O deslocamento dessas falhas é de pelo menos 10-15 km (Cann et al., 1997). Acredita-se que essas exposições sejam resultado de processos que envolvam extensão, falhas de descolamento e flexura crustal que são semelhantes às que formam complexos de núcleos metamórficos em zonas de extensão continental (Seções 7.3, 7.6.2, 7.7.3). Por essa razão, as zonas de peridotito exumado nas interseções de dorsais-transformantes são referidas como os complexos do núcleo oceânico. Exemplos incluem o Maciço Atlantis, na interseção dorsal-transformante Atlantis do Atlântico Central (Figura 6.1 do encarte colorido) (Blackman et al., 1998; Schroeder & John, 2004; Karson et al., 2006) e ao longo da Dorsal do Sudeste Indiano ao sul da Austrália (Baines et al., 2003; Okino et al., 2004).

A Fig. 6.15 ilustra a variação ao longo do eixo da crosta oceânica dorsal de propagação lenta e rápida como imaginado por Cannat et al. (1995) e Sinton & Detrick (1992), respectivamente. Na verdade, Cannat et al. (1995) sugeriram que as rochas serpentinizadas poderiam ser muito mais comuns na crosta oceânica do que inicialmente se supunha, mesmo em áreas distantes das zonas de fratura. Eles dragaram na região da Dorsal do Atlântico Norte em 22-24°N sobre áreas de anomalias gravimétricas positivas, um indicativo de crosta relativamente fina, e em áreas com um campo gravitacional normal. Nas primeiras, que com-

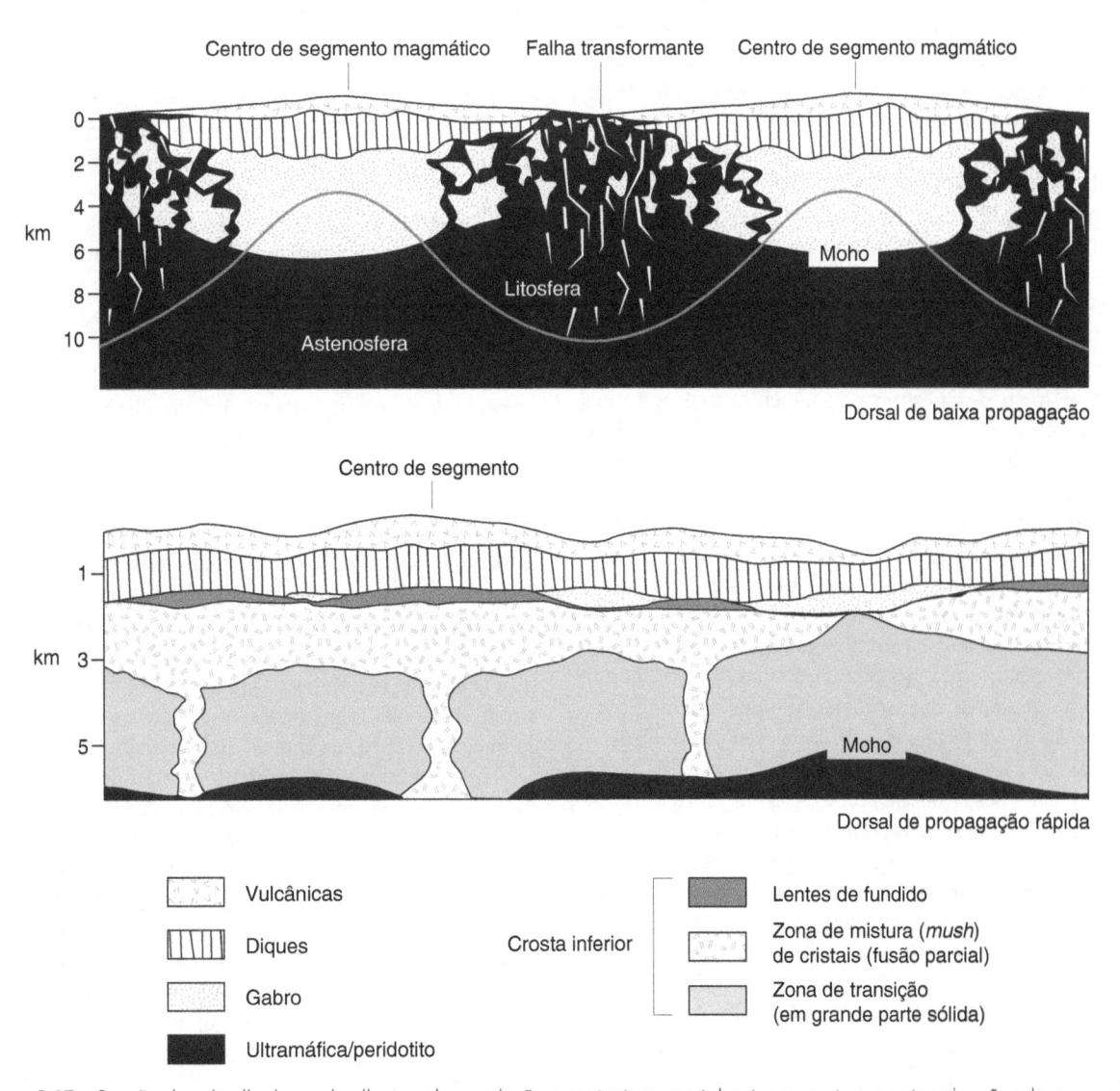

Figura 6.15 Secções longitudinais ao eixo ilustrando a variação na estrutura crustal entre os centros e as terminações de segmentos em dorsais com propagação lenta e rápida, como previsto por Cannat et al. (1995) e Sinton e Detrick (1992), respectivamente (adaptado de Cannat et al., 1995, com permissão da Geological Society of America, e modificado a partir de Sinton e Detrick, 1992, com permissão da American Geophysical Union. Copyright © 1992 American Geophysical Union).

preendiam cerca de 23% da região pesquisada, eles encontraram serpentinito com muito pouco das rochas basálticas que normalmente caracterizam a camada oceânica 2. Eles sugeriram que, conforme os centros magmáticos crescem, eles migram ao longo do eixo da dorsal e declinam, sendo que a crosta oceânica normal migraria de forma semelhante, incluindo as regiões da crosta serpentinizada originada onde magma estava ausente. Esse trabalho é importante, uma vez que deduz que peridotito serpentinizado é mais comum em oceanos com baixa propagação do que imaginado anteriormente. Existem amplas implicações. Peridotitos são muito mais reativos com água do mar do que basalto e, quando intemperizados, liberariam magnésio, níquel, cromo e metais nobres. Sepentinito também contém muito mais água do que basalto alterado, o que poderia ser responsável por grande parte da água fornecida ao manto em zonas de subducção (Seção 9.8), embora até os dias de hoje os únicos exemplos de crosta oceânica formada em taxas de baixa propagação entrando em zonas de subducção sejam os arcos do Caribe e de Scotia.

A segmentação de dorsais oceânicas parece ser controlada por distribuição de fundidos parciais sob as dorsais (Toomey et al., 1990; Gente et al., 1995; Singh et al., 1998), que abastecem as câmaras magmáticas em locais discretos ao longo delas e criam anomalias locais de profundidade. O modelo de dorsal segundo Sinton & Detrick (1992), descrito anteriormente, opõe-se a uma extensiva mistura dentro de uma pequena câmara magmática ao longo do eixo da dorsal, o que poderia explicar a segmentação geoquímica observada. Com o tempo, o magma pode migrar de suas fontes, criando um aumento gradual na profundidade do eixo à medida que a pressão dentro dele diminui. Esse fenômeno pode explicar a não coincidência entre a câmara magmática e a culminação da elevação observada por Mutter et al. (1988). A frágil couraça que cobre o magma se estende e rompe, havendo intrusão magmática através de erupções que seguem o caminho de migração do magma. Após a erupção, o magma que dava suporte cede, dando origem à um graben de crista axial. Estudos sismológicos e observação direta (a exemplo de, Dziak & Fox, 1999; Tolstoy et al., 2001) e pesquisa de ofiólitos (Harper, 1978) forneceram evidências sobre a propagação episódica pulsante de dorsais, na qual fundos oceânicos se formam por fraturamento, injeção de diques e vulcanismo abundante. Consequentemente, ocorrem descontinuidades do eixo da dorsal em locais onde os pulsos magmáticos chegam ao fim. A batimetria variável e as diferenças geofísicas e geoquímicas correlatas sugerem que os segmentos adjacentes da dorsal têm fontes mantélicas distintas e diferentes. A segmentação de primeira a terceira ordem é causada pela profundidade variável associada à migração do magma; efeitos de quarta ordem são causados por diferenças geoquímicas no suprimento magmático.

6.8 PETROLOGIA DE DORSAIS OCEÂNICAS

Em condições normais, o peridotito do manto superior não funde. No entanto, o alto fluxo de calor nas cristas oceânicas indica que o gradiente geotérmico atravessa o campo sólido do peridotito a uma profundidade de cerca de 50 km (Wyllie, 1981, 1988), dando origem ao magma parental da crosta oceânica (Fig. 2.36). Um gradiente geotérmico igualmente elevado parece existir sob ilhas oceânicas onde a litosfera oceânica é atravessada por plumas mantélicas ou pontos quentes (Seção 5.5), gerando, assim, rochas basálticas por um mecanismo similar.

Basaltos de cristas mesoceânicas (MORB) têm a composição de olivina toleíto (Kay et al., 1970), apresentando apenas pequenas variações na composição dos elementos principais, causada pelo conteúdo variável de alumínio e ferro. Eles podem conter fenocristais de olivina ou plagioclásio ou, raramente, clinopiroxênio (Nisbet & Fowler, 1978). Uma interpretação simplista da química dos basaltos oceânicos, sugerida a partir de petrologia experimental, indica que a separação do fundido parcial ocorre a uma profundidade de 15-25 km. No entanto, existe uma ampla gama de interpretações alternativas. A análise de elementos-traço revela que grande parte da variação de composição nos basaltos é explicável pelo alto nível de fracionamento. No entanto, para explicar as variações mais extremas, é necessário invocar a mistura de grupos de magma. A frequente presença de xenocristais de nível profundo indica que as rochas só passaram um tempo muito curto em uma câmara magmática profunda.

Em uma escala menor, uma amostragem detalhada da Elevação do Pacífico Leste por Langmuir et al. (1986) revelou uma série de basaltos que são diversos em sua química de elementos maiores e traços. Essa variação de composição tem sido interpretada por uma série de injeções de centros magmáticos ao longo da crista da dorsal que se correlacionam com altos batimétricos espaçados por cerca de 50-150 km de distância. O magma se move para fora dos pontos de injeção ao longo da cadeia, de forma que a temperatura de erupção diminui regularmente a partir de máximos nas elevações batimétricas, que correspondem aos centros de segmentos (Seção 6.7). Batiza et al. (1988) coletaram amostras ao longo do eixo da Dorsal Mesoatlântica do sul e mostrou que há padrões regulares de variação química ao longo dela causados por diferenças na profundidade e extensão da fusão parcial e grau de fracionamento. Eles concluíram que esses padrões indicam a presença de uma fonte magmática central profunda, com a migração limitada de fundido ao longo do eixo e uma estreita câmara magmática bem misturada na crosta.

Flower (1981) mostrou que as diferenças na litologia e na química de basaltos gerados no meio de cristas oceânicas indicam uma correlação simples com taxas de expansão. As diferenças não estão relacionadas a processos no manto superior, já que os fundidos primários parecem ser idênticos. Acredita-se que refletem o ambiente de fracionamento após a fusão parcial. Sistemas de expansão lenta são caracterizados por uma câmara magmática complexa em que há acúmulo generalizado de plagioclásio cálcico, presença de feições de reação de fenocristal líquido e extratos fracionados dominantemente de piroxênio. Esses fenômenos são consistentes com fracionamento em muitas pressões diferentes em uma câmara que parece ser transitória. Essa conclusão está de acordo com o padrão de elementos terras raras em basaltos amostrados da Dorsal Mesoatlântica (Langmuir et al., 1986). Embora seja sugerida uma fonte mantélica homogênea, as variações na química de terra rara em amostras de áreas adjacentes indicam uma complexa história subsequente de diferenciação. No entanto, dorsais de rápida propagação sugerem fracionamento de basaltos de baixa pressão com tendências de composições ricas em ferro, com pouco acúmulo de plagioclásio ou interação cristal-líquido. Isso é consistente com uma câmara magmática estável e constante.

Basaltos de dorsais de expansão muito lenta a baixíssima têm teores menores de sódio e maiores de ferro do que MORBs típicos, refletindo um menor grau de fusão do manto e fusão em profundidades maiores. A geoquímica dos peridotitos dragados dessas dorsais também indica que a extensão da fusão do manto abaixo da dorsal é baixa. A grande variação na taxa de fornecimento do magma ao longo da extensão da Dorsal Gakkel e a falta de correlação com a taxa de expansão sugerem que fatores adicionais devem estar envolvidos. Diferentes regimes térmicos ou a composição variada do manto ao longo da extensão da crista, ou migração lateral dos fundidos no manto superior, são algumas das possibilidades. Na verdade, por causa da menor extensão vertical de fusão abaixo dessas dorsais (Seção 6.9), pequenas variações na temperatura do manto e/ou na composição levariam a uma mudança proporcional maior no volume de magma produzido (Michael et al., 2003).

6.9 ESTRUTURA RASA DA REGIÃO AXIAL

Como observado anteriormente (Seção 6.1), a crosta oceânica normal, ou seja, não formada nas proximidades de pontos quentes ou de falhas transformantes, tem uma espessura sísmica notavelmente uniforme de 7 ± 1 km, se gerada a uma taxa de expansão total excedendo 20 mm/ano. Para um manto homogêneo, isso implica um gradiente térmico comparável sob todos as cristas das dorsais e um grau semelhante de fusão parcial do manto, que produz a espessura uniforme da crosta máfica. A uniformidade essencial do regime térmico abaixo das dorsais também é sugerida pela relação entre a idade da litosfera e sua profundidade (Seção 6.4). No entanto, a taxa com que o magma é fornecido para a crosta vai depender da taxa de expansão. Em dorsais de rápida expansão, a taxa de suprimento de magma é de tal ordem que toda a região da crista, em profundidade relativamente rasa, é mantida quente, com a existência de uma câmara magmática estacionária. Na verdade, a crosta acima da câmara magmática seria ainda mais quente e mais fraca se não houvesse o efeito de resfriamento dado pela circulação hidrotermal (Seção 6.5). Em dorsais de expansão lenta, a menor taxa de fornecimento de magma permite que a crosta resfrie por condução, bem como por circulação hidrotermal, entre as injeções de magma do manto. Como resultado, a crosta é mais fria, e uma câmara magmática estacionária não pode ser mantida. Em taxas de propagação menores que 20 mm a^{-1}, o resfriamento condutivo, entre as injeções de magma, se estende até o manto e inibe a geração de fundidos. Isso reduz o fornecimento de magma, bem como a taxa de abastecimento de magma, e, portanto, diminui a espessura da crosta máfica produzida, como observado no sudoeste do Oceano Índico e nas dorsais Gakkel (Seção 6.1). Isso também torna a existência de câmaras magmáticas transitórias pouco provável abaixo de dorsais, exceto sob centros vulcânicos (Seção 6.6).

A topografia axial relativamente suave de dorsais de rápida expansão é caracterizada por um alto axial, de até 400 m de altitude e 1-2 km de largura, e escarpas de falhas com um relevo de dezenas de metros, com os planos de falha mergulhando tanto para dentro como para fora do eixo da dorsal. O vulcanismo ativo é em grande parte confinado aos alto axiais, sendo a topografia suave resultado da alta taxa de erupção e baixa viscosidade do magma. Os altos axiais parecem corresponder e ser apoiados pela flutuação da câmara magmática abaixo. Estudos em escarpas de falhas mestras e em testemunhos do furo DSDP/ODP 504B, todos na crosta do Pacífico, revelam que, em profundidade, os fluxos de lava mergulham em direção ao eixo da dorsal e que os diques abaixo deles mergulham para fora do eixo da dorsal (Karson, 2002). Essa geometria indica uma zona muito estreita e persistente de intrusão de diques e subsidência isostática à medida que a espessura do pacote de fluxo de lava aumenta para fora do ponto de extrusão (Seção 6.10). Essa estrutura relativamente simples da crosta superior nas cristas de dorsais de rápida expansão é ilustrada na Fig. 6.16.

A estrutura superficial das cristas de dorsais de expansão lenta é fundamentalmente diferente da de expansão rápida (Smith & Cann, 1993). Como resultado de erupções magmáticas menos frequentes e de uma crosta superior mais fria e mais frágil, temos uma extensão mais pronunciada através de falhas normais. As escarpas de falha têm cerca de 100 m de relevo, e os planos de falha mergulham em direção ao eixo da dorsal. O vulcanismo é essencialmente confinado ao fundo do vale interior e, ao mesmo

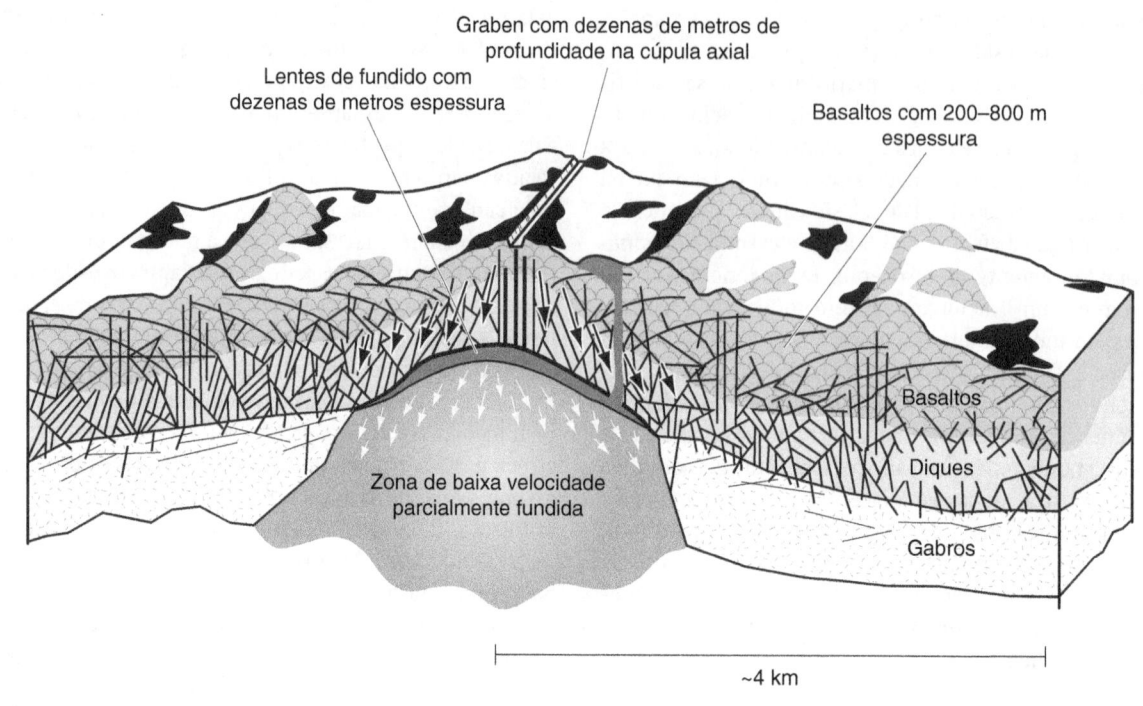

Figura 6.16 Diagrama esquemático da estrutura superior da crosta terrestre para uma dorsal de propagação rápida (adaptado com permissão de Karson et al., 2002, com permissão da American Geophysical Union. Copyright © 2002, American Geophysical Union).

tempo, parece estar vinculado a fissuras ao longo de eixos específicos paralelos, formando dorsais axiais vulcânicas com 1-5 km de largura e dezenas de quilômetros de comprimento. Como resultado da nova acreção, as dorsais se movem para fora do eixo, podendo ser cortadas por falhas posteriores que formam as escarpas delimitadoras do vale mediano. O espaçamento dessas falhas delimitadoras parece ser cerca de um terço a meia largura do vale do interior, isto é, vários quilômetros. Dentro do fundo do vale interior, a topografia é fissurada e cortada por pequenas falhas normais, sendo que a densidade dessas feições indica sua idade. Há uma clara evidência de fases alternadas de extensão da crosta vulcânica e tectônica (magmática e amagmática), como seria de se esperar de câmaras magmáticas transitórias abaixo, fornecendo pacotes discretos de magma para o fundo do vale interior.

Dorsais com expansão muito lenta são caracterizadas por crosta máfica fina e grandes regiões de exposições de peridotito, onde o manto parece ter sido intrudido diretamente no fundo do mar. No entanto, também existem segmentos magmáticos análogos aos segmentos de segunda ordem em dorsais de expansão lenta. Estes têm muitos vulcões, geralmente na forma de dorsais vulcânicas axiais. Elas têm 15-25 km de extensão, elevadas 400-1.500 m do fundo do vale axial. Nas seções amagmáticas do vale rifte, são muitas vezes mais profundas do que em dorsais de propagação lenta, localmente com até 5.000 m de profundidade, com as paredes do vale rifte tendo relevo de até 2.000 m. Na Dorsal Gakkel, a seção ocidental é magmática, a seção central essencialmente amagmática, com menos de 20% do vale rifte tendo uma cobertura de basalto, e o setor oriental, de baixíssima velocidade de expansão, é novamente muito diferente. Esse setor tem seis grandes centros vulcânicos que se estendem por 15-50 km ao longo do eixo e são afastados 50-160 km entre si. Esses edifícios vulcânicos são maiores e mais circulares do que aqueles em outras dorsais. As amplitudes das anomalias magnéticas registradas entre os centros vulcânicos sugerem que essas zonas tectonizadas têm uma fina cobertura basáltica. Esses nítidos registros, ao longo do eixo, contrastam com a profusão de fornecimento magmático, que não se correlaciona com a taxa de expansão, apresentando questões interessantes relativas à geração e/ou migração de fundidos sob a dorsal (Seção 6.8) (Michael et al., 2003).

6.10 ORIGEM DA CROSTA OCEÂNICA

Um modelo bem aceito dos processos petrológicos que ocorrem em cordilheiras oceânicas foi proposto por Cann (1970, 1974). Nesse modelo, o material astenosférico quente sobe a uma zona estreita, de forma flutuante (Nicolas et al., 1994) e suficientemente rápida, para passar através da curva de fusão do basalto, fornecendo um fundido intersticial de composição basáltica. A fração fundida aumenta em volume com a ascensão da astenosfera e, finalmente, separa-se do material parental para ascender de forma independente e produzir uma câmara magmática na parte inferior da crosta oceânica ao nível da camada 3. Parte desse magma sobe através de fissuras na crosta e entra em erupção no assoalho do oceano para produzir fluxos de lavas almofadadas. Abaixo dos fluxos, existe uma zona fissurada com diques formados pela solidificação de magma que alimenta os fluxos. As lavas e os diques, juntos, formam a camada 2 da crosta oceânica. Kidd (1977) modelou os processos de extrusão e intrusão e comparou-os com as observações de ofiólitos complexos. A camada 2C é composta inteiramente por diques *sheeted*, que intrudem zonas com menos de 50 m de largura. Os diques mostram cerca de 10% a mais de bordas de resfriamento de um lado do que do outro, mostrando que aproximadamente 10% dos diques são cortados por diques mais novos, de tal forma que as margens dos diques originais acabaram em lados opostos da crista. A simetria da expansão dos fundos oceânicos perto do eixo da dorsal é explicada pelo fato de a intrusão de diques continuar a se formar, preferencialmente, no eixo quente central, onde os diques preexistentes são mais fracos. Sugeriu-se que as lavas extrudidas acima dos diques resfriam rapidamente em contato com a água do mar com fluxo menor do que 2 km antes da solidificação. Considera-se que lavas e diques giram em direção à crista da dorsal, à medida que se afastam da zona de extrusão como um resultado do ajuste isostático (Fig. 6.17). Eles também sofrem metamorfismo próximo ao eixo da dorsal por se equilibrarem em altas temperaturas na presença de água do mar.

Esse modelo para a origem da camada 2 foi confirmado por estudos de secções da crosta superior marcadas por escarpas de falhas mestras e testemunhos do furo 504B do Programa DSDP/ODP, todos na crosta de rápida expansão do Pacífico (Kanson, 2002) (Seção 6.9). Além disso, o modelo prevê que, abaixo do alto axial, os leitos extrusivos devam ser muito finos e os diques associados localizados mais próximos do assoalho oceânico (Fig. 6.17). Isso é confirmado por estudos sísmicos que revelam uma estreita faixa central de alta velocidade sísmica abaixo do alto axial (Toomey et al., 1990; Caress et al., 1992) e uma fina camada extrusiva que engrossa rapidamente em 1-2 km com o afastamento do eixo (Detrick et al., 1993b; Kent et al., 1994).

No modelo de Cann (1974), a crosta em níveis inferiores se desenvolve a partir da cristalização da câmara magmática axial. Os primeiros minerais a se cristalizarem na câmara magmática, olivina e cromoespinélio, caem através do magma e formam uma camada basal de dunito com acumulações ocasionais de cromita. Com o progressivo resfriamento, o piroxênio se cristaliza, formando camadas peridotíticas (isto é, de olivina e piroxênio) e tornando-se piroxenitos à medida que a cristalização de piroxênio passa a dominar. Por último, temos a cristalização de plagioclásio formando camadas de olivinagabros. Grande parte do líquido residual, ainda volumetricamente muito grande, se

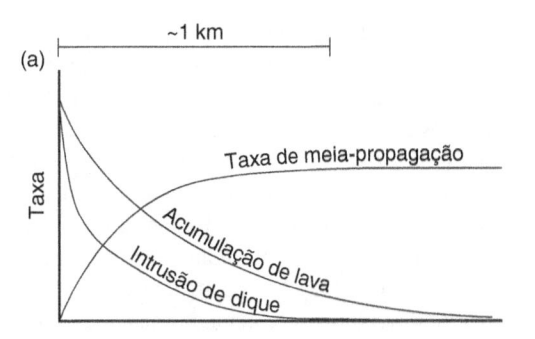

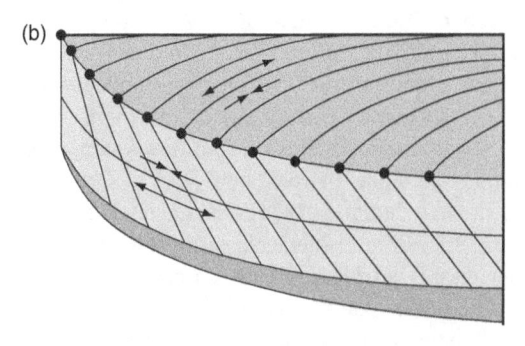

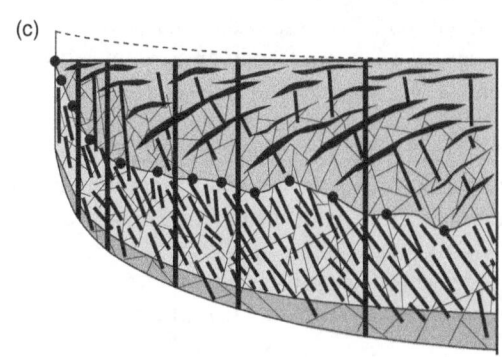

Figura 6.17 Interpretação geológica do modelo de Kidd (1977) para a construção da Camada 2 em uma dorsal de expansão rápida. Observe a previsão de um rápido aumento na espessura da camada de extrusivas longe do eixo da dorsal e da presença de diques em profundidades rasas perto do eixo da dorsal (adaptado com permissão de Karson et al., 2002, com permissão da American Geophysical Union. Copyright © 2002 American Geophysical Union).

solidifica em um intervalo de temperatura muito baixa para formar a parte superior, do gabro "isotrópico". Um pequeno resíduo deste processo de diferenciação, rico em volátil e formado essencialmente por plagioclásio e quartzo, é a última fração a se cristalizar, por vezes, intrudindo acima para formar veios e pequenos bolsões de "plagiogranito" dentro do complexo sobrejacente de dique *sheeted*. A abundância de voláteis, notadamente água, na parte superior da câmara magmática pode ser devida, pelo menos em parte, à interação com água do mar com percolação para baixo e/ou stoping sobrejacente, formando diques alterados hidrotermalmente na câmara magmática.

As duas unidades de gabro, isotrópico e em camadas, são muitas vezes correlacionadas com as camadas sísmicas 3A e 3B, respectivamente (Seção 2.4.7). O cumulatos ultramáficos, ricos em olivina e piroxênio, seriam então responsáveis pelas velocidades sísmicas sub-Moho. Assim, Moho se situa dentro da câmara magmática cristalizada na base da seção máfica. No entanto, fora do eixo, em um ambiente de temperatura mais baixa, as ultramáficas superiores podem ficar parcialmente hidratadas (ou seja, serpentinizadas) e, como resultado, adquirir velocidades sísmicas menores, mais características da camada 3B. A Moho sísmica ocorreria, então, em uma profundidade um pouco maior, dentro da seção ultramáfica. Como resultado dessa incerteza na definição da Moho sísmica, petrologistas tendem a definir a base da crosta como a base da câmara magmática presumida, ou seja, o horizonte dunito/cromitito. Assim, esse nível é denominado "Moho petrológico".

O modelo de Cann (1974) e Kidd (1977) foi reunido, com um sucesso considerável, para explicar a estrutura conhecida e a petrologia da crosta oceânica criadas em cristas de dorsais de rápida expansão, onde existe uma câmara magmática em estado estacionário. No entanto, em cristas de dorsais de expansão lenta, a zona de acreção crustal é mais larga, parecendo provável que as câmaras magmática sejam apenas transitórias. Nesse caso, o modelo alternativo derivado de reinterpretações iniciais de ofiólitos, em termos de expansão dos fundos oceânicos, podem ser mais aplicáveis. Nesse caso, foram propostas várias pequenas câmaras magmáticas dentro da camada crustal principal, à luz das múltiplas relações intrusivas observadas em todos os níveis do ofiólito de Troodos, ao sul de Chipre (Moores & Vine, 1971) (Seção 2.5). Smith &

Cann (1993) consideram tal modelo para a criação de crosta oceânica em cristas de dorsais de expansão lenta (Fig. 6.18). No entanto, longe dos centros dos segmentos, e especialmente nas proximidades de falhas transformantes, o fornecimento de magma pode ser bastante reduzido, e o peridotito mantélico serpentinizado parece ser um componente comum da crosta oceânica afinada. Esse tipo de crosta se torna ainda mais comum em dorsais de expansão muito lenta e, em última análise, a maior parte da crosta é efetivamente composta por manto exposto com ou sem uma fina carapaça de basaltos. Na Dorsal Gakkel ultra-lenta, a crosta é essencialmente serpentinizada e com peridotito mantélico altamente tectonizado com centros vulcânicos em intervalos de 100 × 50 km.

Uma abordagem alternativa para a compreensão dos processos acrescionários em cristas de dorsais mesoceânicas é pela modelagem térmica (Sleep, 1975; Kusznir & Bott, 1976; Chen & Morgan, 1990). Chen & Morgan (1990) fizeram melhorias significativas para tais modelos, incluindo os efeitos da circulação hidrotermal nas cristas das dorsais e as diferentes propriedades reológicas da crosta em comparação com o manto, onde a crosta oceânica é mais dúctil em altas temperaturas do que o manto. Como apresentado na Seção 6.9, o regime térmico abaixo de uma crista de dorsal é influenciado pela taxa de suprimento magmático para a crosta, que depende da taxa de propagação. Como consequência, a transição frágil-dúctil (aproximadamente a 750°C) ocorre em uma menor profundidade na crosta de uma dorsal com propagação rápida em comparação com uma cordilheira com baixa propagação onde a taxa de fornecimento de magma é menor. Isso, por sua vez, implica que, em dorsal de rápida propagação, a cros-

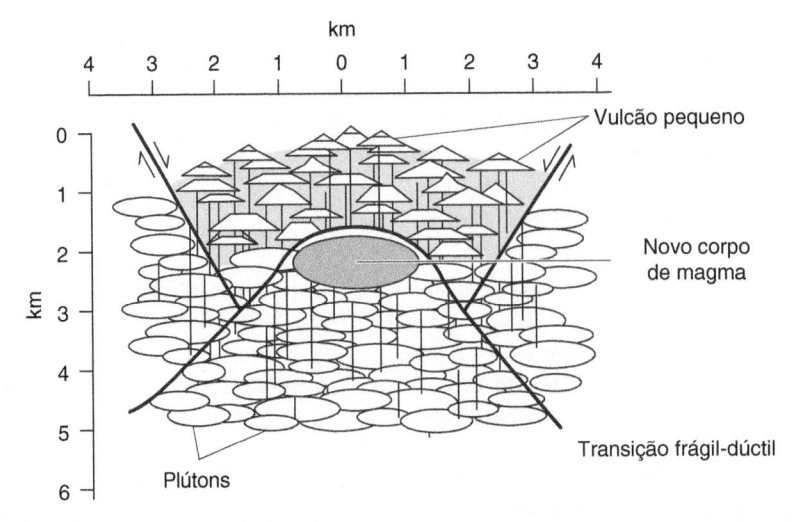

Figura 6.18 Modelo para a construção de crosta oceânica em dorsais de expansão lenta. Corpos de magma transitórios sobem à transição frágil-dúctil no interior da crosta e afastam e deprimem plútons mais velhos. Parte do corpo de magma entra em erupção através de uma fissura para produzir um vulcão ou fluxo de lava ondulado no assoalho marinho, e os remanescentes se solidificam para formar parte da principal camada crustal (adaptado de Smith & Cann, 1993, com permissão da *Nature* **365**, 707-15. Copyright © 1993 Macmillan Publishers Ltd).

ta inferior dúctil tem volume e espessura muito maiores. Essa crosta dúctil efetivamente separa a crosta frágil do arraste viscoso do manto convectivo abaixo, e os esforços tracionais que separam as placas ficam concentrados em uma camada relativamente fina e fraca, que se estende por fraturas tracionais em uma zona muito estreita no eixo da dorsal. Em uma dorsal de expansão lenta, a camada frágil é mais espessa e o volume da crosta dúctil muito menor. Como resultado, os esforços tracionais são distribuídas por uma área maior, havendo maior arraste viscoso na crosta frágil. Nessa situação, a camada frágil superior deforma pela atenuação do estado de equilíbrio ou "estrangulamento" na forma de um grande número de falhas normais criando um vale mediano.

Chen & Morgan (1990) demonstraram que, para uma crosta de espessura normal e parâmetros apropriados de modelagem onde a taxa total de propagação observada é de aproximadamente 70 mm a^{-1}, há uma transição bastante abrupta entre uma topografia suave com um empuxo axial alto e um vale rifte mediano. O modelo também prevê que, para uma crosta mais espessa formada em um ritmo lento de propagação, como, por exemplo, na Dorsal Reykjanes imediatamente a sul da Islândia, haverá um volume muito maior de crosta dúctil, com desenvolvimento de topografia suave em vez de vale tipo rifte. Reciprocamente, onde a crosta é fina em uma dorsal de propagação lenta, por exemplo, nas proximidades de zonas de fratura na Dorsal Mesoatlântica, o vale mediano será mais pronunciado do que em um centro de segmento. Crostas mais espessas ou mais finas do que o normal também são locais com temperaturas medianas do manto superior maiores ou menores, respectivamente, o que irá reforçar o efeito em cada caso. O modelo foi ampliado por Morgan & Chen (1993) para incorporar uma câmara magmática, como observado na Elevação do Pacífico Leste. Esse modelo aprimorado prevê que uma câmara magmática no estado de equilíbrio só pode existir em taxas de expansão superiores a 50 mm a^{-1} e que a profundidade do topo da câmara irá diminuir à medida que aumentar a taxa de expansão, mantendo as características essenciais do modelo de Chen & Morgan (1990).

Portanto, em geral há uma boa concordância entre os modelos teóricos para a criação de crosta oceânica e as observações feitas *in situ* no assoalho oceânico e em ofiólitos. Certos aspectos, porém, são ainda problemáticos. Citamos a má compreensão da evolução de um vale mediano em acreção, isto é, a maneira como seus flancos são soerguidos e as falhas normais são em última análise invertidas. Isso é particularmente verdadeiro para os segmentos amagmáticos de dorsais com expansão muito lenta e baixíssima onde o material do manto é colocado diretamente no fundo do oceano. A formação da camada gabroica 3, a partir de um estado estável ou transitório da câmara magmática, também é objeto de muito debate.

6.11 RIFTE DE EXPANSÃO E MICROPLACAS

A direção de expansão de uma crista oceânica nem sempre permanece constante durante longos períodos de tempo, podendo sofrer várias pequenas mudanças. Menard & Atwater (1968) propuseram que a expansão no nordeste do Pacífico tinha mudado de direção cinco vezes, baseados em mudanças na orientação das grandes falhas transformantes (Seção 5.9) e em padrões de anomalia magnética. Pequenas mudanças na direção da expansão também foram propostas para explicar a topografia anômala associada a zonas de fraturas oceânicas (Seção 6.12).

Menard & Atwater (1968) lançaram a hipótese de que a reorientação de uma crista se daria por suaves rotações contínuas de segmentos de dorsais individuais até se tornarem ortogonais à direção da nova expansão (Fig. 6.19a). A dorsal estaria então posicionada em um ângulo para o padrão de anomalia magnética original. Longos trechos de dorsais afetadas dessa maneira podem ter se desenvolvido em comprimentos mais curtos, facilitando a rotação da dorsal e criando novas falhas transformantes (Fig. 6.19b). A mudança na direção de expansão é, portanto, encarada como uma rotação gradual contínua que produz um padrão em leque de anomalias magnéticas que variam em largura de acordo com a posição.

Um modelo alternativo de mudanças na direção de expansão prevê a criação de um novo centro de expansão e seu subsequente crescimento à custa da velha dorsal. Esse mecanismo foi denominado modelo de *rifte de expansão* (Hey, 1977; Hey et al., 1980). Assim, o velho rifte é progressivamente substituído por um centro de expansão ortogonal à nova direção de propagação (Fig. 6.20a). Kleinrock & Hey (1989) descreveram os complexos processos que ocorrem na ponta do rifte de expansão. Os limites entre litosfera formada em dorsais antigas e novas são chamados de *pseudofalhas*. As pseudofalhas definem um característico sulco em forma de V apontando na direção da expansão. Entre a expansão e o rifte falhado, a litosfera é progressivamente transferida de uma placa para a outra, gerando uma zona cisalhada de trama bastante distinta. Portanto, mudanças bruscas em tramas topográficas e magnéticas do assoalho oceânico ocorrem em pseudofalhas e riftes falhados com nova dorsal se propagando através da ruptura da litosfera formada por acreção simétrica na antiga dorsal. A Fig. 6.20b mostra um possível caminho pelo qual o modelo de expansão pode dar origem a zonas de fratura espaçadas. Essas novas zonas de fratura são delimitadas por pseudofalhas e/ou riftes falhados, porque as zonas de fratura se formam após o fim da expansão. Eles, assim, contrastam com o modelo de rotação de dorsal (Fig. 6.19b) que não produz riftes falhados e em que as zonas de fratura são áreas de alta expansão assimétrica de assoalho oceânico. O modelo

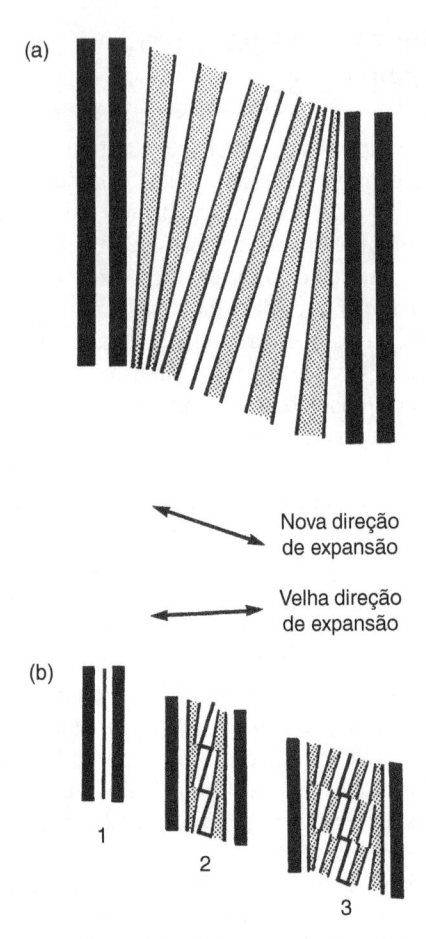

Figura 6.19 (a) Modelo de rotação de dorsal de centros de propagação ajustados; (b) evolução de uma dorsal com alta inclinação seguindo rotação (modificado de Hey et al., 1988, com permissão da American Geophysical Union. Copyright © 1988. American Geophysical Union).

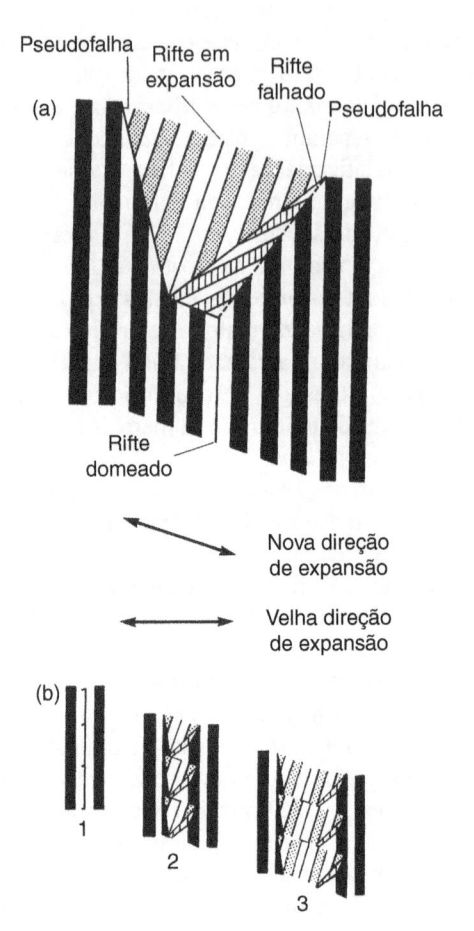

Figura 6.20 (a) Ajuste de dorsal através de rifte de expansão; (b) evolução de uma dorsal antiga sucedida por propagação (modificado de Hey et al., 1988, com permissão da American Geophysical Union Copyright. © 1988 American Geophysical Union).

de expansão prevê limites abruptos entre as áreas de anomalia magnética uniforme e tendências batimétricas de orientação diferente. O modelo de rotação prevê uma configuração contínua em leque de anomalias magnéticas cuja direção muda da velha para a nova direção de expansão. Consequentemente, levantamentos batimétricos e magnéticos detalhados devem ser capazes de distinguir entre os dois modelos.

Hey et al. (1988), usando sonar de varredura lateral, magnetometria e sísmica de reflexão, relataram os resultados de uma investigação detalhada da região onde a direção de expansão do limite Pacífico-Farallon mudou de direção em cerca de 54 Ma, ao norte da curva principal da Zona de Fratura Surveyor. Eles descobriram que a mudança na direção da trama do assoalho oceânico, revelada pelo sonar, é abrupta, estando de acordo com o modelo de rifte de expansão. Conclusões semelhantes foram alcançadas por Caress et al. (1988). Hey et al. (1980) descreveram os resultados de uma pesquisa de uma área a oeste das Ilhas Galápagos em 96°W. Eles concluíram que aqui uma nova dorsal se quebra progressivamente através da placa de Cocos, e os dados magnéticos em particular (Fig. 6.21) fornecem evidências convincentes de que o mecanismo de expansão da dorsal está em funcionamento. Essa interpretação foi confirmada por mapeamento detalhado da batimetria nessa área (Hey et al., 1986). Isso claramente revelou o modelo em forma de V das pseudofalhas, dos riftes ativo e falhado e a trama tectônica oblíqua na zona cisalhada da litosfera transferida. O modelo de rifte de expansão também elegantemente explica a maneira como a mudança de orientação da Dorsal Juan de Fuca (Fig. 4.1) foi alcançada nos últimos 10 Ma (Wilson et al., 1984).

Engeln et al. (1988) apontaram que o modelo de rifte de expansão descrito anteriormente assume que o rifte recém-formado imediatamente atinge a taxa de acreção total entre as duas placas, tornando assim o rifte preexistente supérfluo. No entanto, se a propagação sobre o novo rifte é iniciada em um ritmo lento e só gradualmente se acumula à taxa integral em um período de milhões de anos, o rifte falhado continua a propagar, embora a um ritmo mais lento e decrescente, a fim de manter a taxa de acreção da malha. Em contraste com o modelo original de rifte de expansão, nesse modelo os dois riftes se sobrepõem, e a área da litosfera oceânica entre eles aumenta com o tempo. Além disso, como resultado dos gradientes na taxa de expansão ao longo de cada rifte, o bloco da litosfera interveniente gira. Essa rotação, por sua vez, produz compressão na litosfera oceânica adjacente na ponta do rifte em expansão e transtração (Seção 8.2) na região entre os pontos onde o rifte de expansão foi iniciado e o rifte original começou a falhar. Depois de alguns milhões de anos, essa transpressão dá origem a um rifte em expansão adicional.

Esse segundo modelo de rifte de expansão foi apresentado para explicar o notável fenômeno de microplacas no sudeste do Pacífico (Fig. 6.22). Estudos detalhados sobre as microplacas Páscoa e Juan Fernandez mostraram que dados batimétricos e a evolução estrutural são muito semelhantes e se encaixam bem com as previsões do modelo de Engeln et al. (1988) (Searle et al., 1989; Rusby & Searle, 1995; Larson et al., 1992; Bird et al., 1998). Os elementos tectônicos da microplaca Juan Fernandez (Fig. 6.23) mostram claramente a pseudofalha característica da expansão original do rifte para o leste e do subsequente rifte de expansão para o sudoeste da microplaca. Acredita-se que microplacas possam existir por não mais de 5-10 milhões de anos, momento em que o rifte inicial conse-

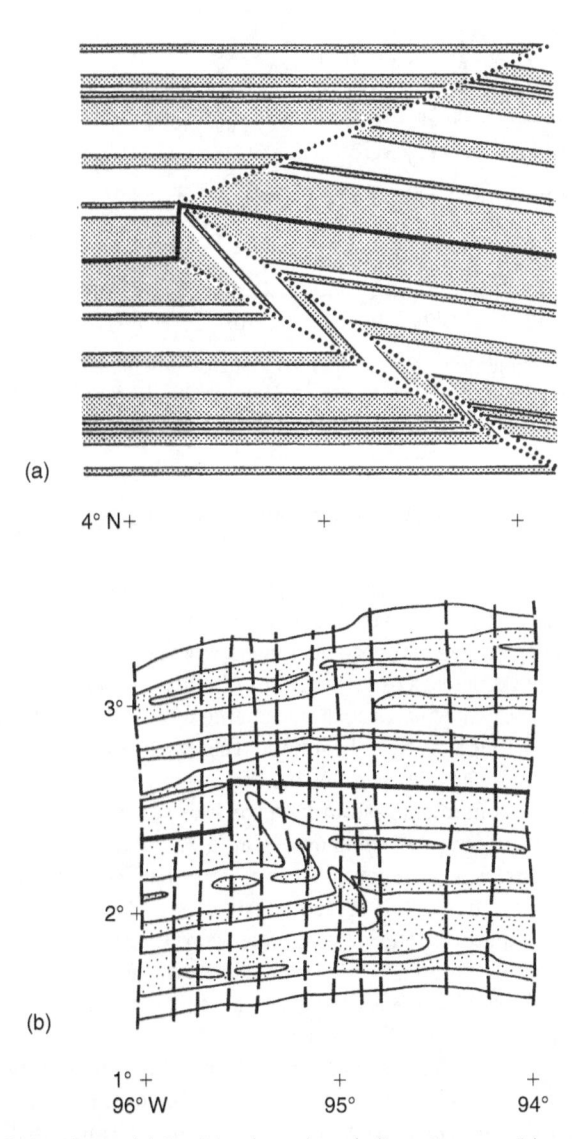

Figura 6.21 (a) Previsão de padrão de lineação magnética resultante de expansão de dorsal; (b) anomalias magnéticas observadas próximo a 96°W a oeste das Ilhas Galápagos (adaptado de Hey et al., 1980, com permissão da American Geophysical Union. Copyright © 1980 American Geophysical Union).

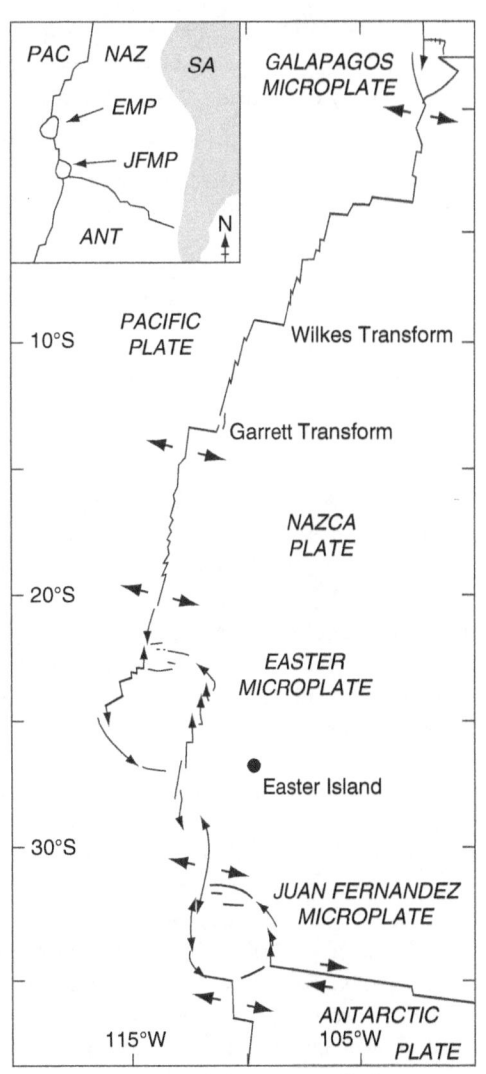

Figura 6.22 Mapa mostrando a localização e extensão das microplacas Galápagos, Páscoa e Juan Fernandez no sudeste do Oceano Pacífico. Setas nos segmentos da dorsal indicam rifte de expansão ativa ou anteriormente ativa (adaptado de Bird et al., 1998, com permissão da American Geophysical Union. Copyright © 1998 American Geophysical Union).

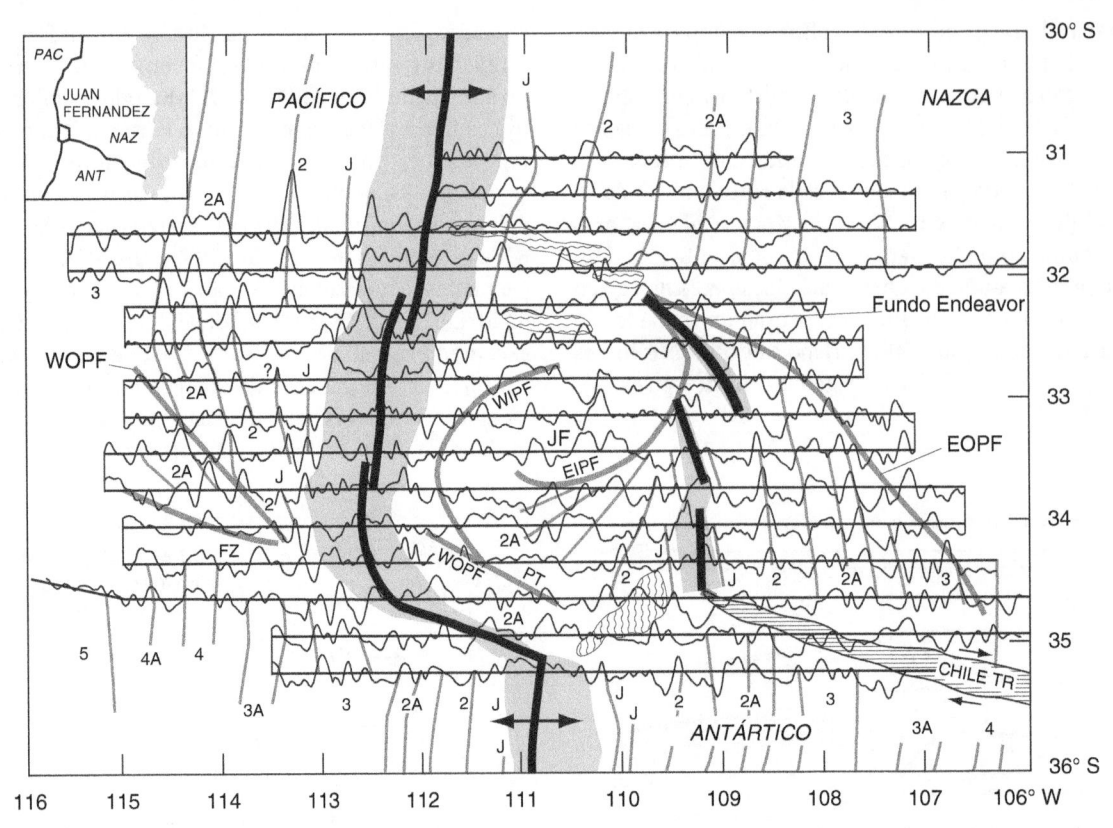

Figura 6.23 Os elementos tectônicos da microplaca Juan Fernandez, em conjunto com anomalias magnéticas numeradas de acordo com a escala de tempo da Fig. 4.8. TR, transformante; PT, paleotransformante; FZ, zona de fratura; WIPF, WOPF, EIPF, EOPF: pseudofalhas oeste/leste, internas/externas (adaptado de Larson et al., 1992, com permissão da *Nature* **356**, 571-6. Copyright © 1992 Macmillan Publishers Ltd).

gue transferir a litosfera oceânica da microplaca de uma placa para outra; no caso da microplaca Juan Fernandez, provavelmente a partir da placa de Nazca para a da Antártica (Bird et al., 1998). Tebbens et al. (1997) documentaram um exemplo análogo no Mioceno superior, quando um rifte recém-formado, expandindo em direção ao norte da Zona de Fratura Valdívia na Dorsal do Chile, transferiu litosfera da Placa de Nazca para a Antártica. Brozena & White (1990) relataram a expansão da Dorsal do Atlântico Sul, portanto esse fenômeno parece ser independente da taxa de expansão.

A causa do início da expansão da dorsal é desconhecida, mas vários pesquisadores têm observado que riftes de expansão tendem a se formar nas proximidades e ao lado de pontos quentes da crista da dorsal preexistente (por exemplo, Bird et al., 1998; Brozena & White, 1990). Um importante corolário sobre a mera existência de rifte de expansão é que a força de afastamento em centros de expansão (Seção 12.6) não é um mecanismo principal de condução, uma vez que parece ser facilmente substituída durante a expansão da dorsal.

6.12 ZONAS DE FRATURAS OCEÂNICAS

Falhas transformantes nos oceanos são bem definidas por zonas de fratura, na ausência de cobertura sedimentar. Estas são depressões batimétricas longas, lineares, que normalmente seguem arcos de pequenos círculos na superfície da Terra perpendiculares ao deslocamento da dorsal (Bonatti & Crane, 1984). A aparente simplicidade relativa de zonas de fratura oceânica é, sem dúvida, devida em parte ao fato de que são comumente estudadas a partir da superfície do mar, vários quilômetros acima do assoalho do oceano. Observações diretas de uma zona de fratura na Dorsal Mesoatlântica (Choukroune et al., 1978) têm mostrado que ela consiste em um complexo enxame de falhas que ocupa uma zona de 300-1.000 m de largura. Searle (1983) sugere que essas zonas de multifalhas são mais amplas e comuns em cristas com rápida propagação como a Elevação do Pacífico Leste.

Zonas de fratura marcam tanto o segmento da transformante ativa como seus traços fósseis. Sugeriu-se (Collette, 1979) que fraturas resultam de contração térmica na direção do eixo da dorsal. Os esforços internos causados pela contração são muito maiores do que a força de ruptura das rochas, sendo possível que as zonas de fratura se desenvolvam ao longo das linhas de fraqueza.

A dragagem de zonas de fratura recuperou rochas da crosta oceânica normais e rochas que mostram metamorfismo e cisalhamento muito maior. Com frequência, grandes blocos de serpentinito encontram-se nas bases das zonas de fratura. Bonatti & Honnorez (1976) e Fox et al. (1976) examinaram amostras recuperadas das espessas seções crustais expostas nas grandes zonas de fratura equatorial do Atlântico. Essas seções crustais consistiam em tipos de rochas ultramáficas, gabroicas e basálticas e seus equivalentes metamorfizados e tectonizados. A intrusão de serpentinito parece ser bastante comum dentro de zonas de fratura, acompanhada por vulcanismo basáltico alcalino, atividade hidrotermal e metalogênese. A investigações da Zona Vema Fraction (Auzende et al., 1989) indicaram uma sequência semelhante a camadas oceânicas normais. Rochas do arquipélago de São Pedro e São Paulo, no Atlântico equatorial, que se encontram em uma dorsal associada à Zona de Fratura São Paulo, são compostas de peridotito do manto.

No Atlântico Norte, a zona de fratura da crosta é muito heterogênea em espessura e estrutura interna (Detrick et al., 1993b). Muitas vezes, é fina (< 3 km), com baixas velocidades sísmicas e com ausência da camada 3. O afinamento crustal pode estender-se por várias dezenas de quilômetros da zona de fratura. Geologicamente, essa estrutura pode representar um nível basáltico fino, intensamente fraturado e alterado hidrotermalmente, sustentado por rochas ultramáficas serpentinizadas. As variações aparentes de espessura podem refletir diferentes graus de serpentinização. Acredita-se que a fina crosta máfica seja resultado da oferta reduzida de magma em deslocamentos da dorsal, como observado na Seção 6.7.

Zonas de fratura oceânicas devem justapor crosta oceânica de diferentes idades. A profundidade do fundo do mar é dependente da sua idade (Seção 6.4), e, assim, presumiria-se que uma escarpa se desenvolvesse através de uma zona de fratura da crosta mais jovem e superior à inferior e mais velha (Menard & Atwater, 1969; DeLong et al., 1977) (Figs. 6.24, 6.25b). A taxa de subsidência da litosfera oceânica é inversamente dependente da raiz quadrada da sua idade (DeLong et al., 1977), de modo que a crosta superior e mais jovem subsidia mais rapidamente do que o lado inferior, mais velho. A combinação de contração no plano vertical e horizontalmente perpendicular à direção do eixo da dorsal resultaria em um pequeno componente de movimento de escorregamento ao longo da zona de fratura para fora da falha transformante ativa. DeLong et al. (1977) sugeriram que essa pequena quantidade de movimento de escorregamento e pode dar origem a sismicidade na zona fratura e a deformação de rochas na base e nas paredes.

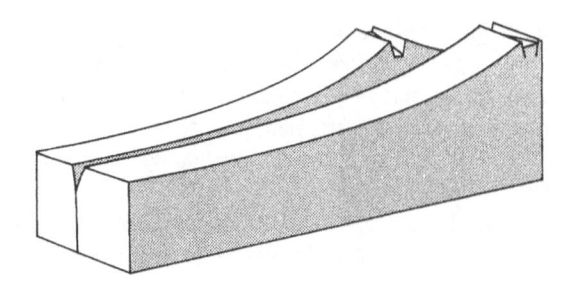

Figura 6.24 Topografia diferencial resultante de falha transformante de um eixo da dorsal.

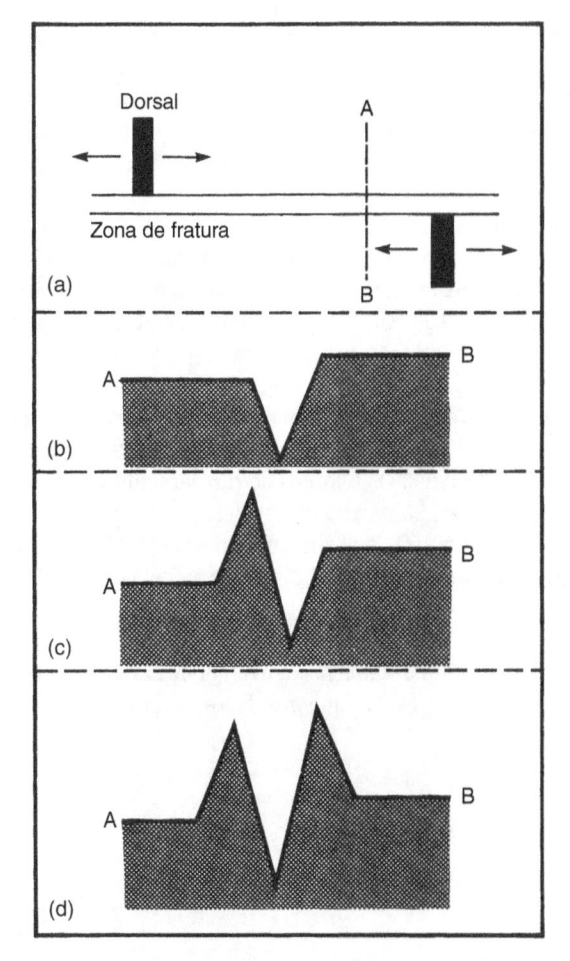

Figura 6.25 Diferentes tipos de morfologia do embasamento em zonas de fratura (adaptado de Bonatti, 1978, com permissão da Elsevier).

Dorsais transversais são frequentemente encontradas em associação com grandes zonas de fratura e podem fornecer relevo vertical de mais de 6 km. Essas dorsais correm paralelas às fraturas (Bonatti, 1978) em uma ou ambas as margens. Elas são frequentemente anômalas já que sua elevação pode ser maior do que a crista da dorsal propagada (Fig. 6.25c,d). Consequentemente, a relação idade-profundidade de litosfera oceânica normal (Seção 6.4) não se aplica, e profundidades diferem da crosta "normal" da mesma idade. As dorsais não se originam de atividade vulcânica no interior da zona de fratura, nem por atividade dos pontos quentes (Seção 5.5), mas parecem resultar do levantamento tectônico de blocos da crosta e do manto superior. Dorsais transversais, portanto, não podem ser explicadas por processos normais de acreção litosférica. Bonatti (1978) considera que o mecanismo mais razoável para essa elevação é de esforço horizontal compressional e tracional em toda a zona de fratura originada de pequenas mudanças na direção da propagação, de modo que o movimento transformante já não é exatamente ortogonal à dorsal. Várias pequenas mudanças na direção da propagação podem dar origem à compressão e à extensão episódica que afetam diferentes partes da zona de fratura. Isso tem causado, por exemplo, o surgimento de partes de dorsais transversais como ilhas (como as rochas São Pedro e São Paulo) e sua posterior subsidência (Bonatti & Crane, 1984).

Lowrie et al. (1986) observaram que, em algumas zonas de fratura, a altura da escarpa pode ser preservada mesmo após 100 Ma. Eles acreditam que algumas partes das zonas de fratura são fracas, caracterizadas por vulcanismo ativo, mantendo a profundidade teórica prevista para a litosfera em resfriamento. Outras partes, no entanto, parecem ser soldadas e travadas em sua batimetria diferencial inicial. Os esforços de resfriamento diferencial causariam, então, flexura da litosfera em ambos os lados da zona de fratura. Trabalhos futuros revelarão se há algum padrão sistemático na distribuição de partes fortes e fracas das zonas de fratura.

Há certas falhas oceânicas transformantes em que a direção do plano de falha não corresponde exatamente à direção de propagação de ambos os lados, de forma que existe uma componente extensional através da falha. Quando isso ocorre, a falha pode ajustar sua trajetória para se tornar aproximadamente paralela à direção de expansão, pelo desenvolvimento de uma série de segmentos unidos por pequenos comprimentos de centros de expansão (Fig. 6.26). Um sistema de falhas em que uma nova crosta se origina é chamado de falha transformante indiscreta (Thompson & Melson, 1972; Taylor et al., 1994). Um mecanismo alternativo para o desenvolvimento de falha transformante indiscreta ocorre quando há uma pequena mudança na posição do polo de rotação sobre o qual a falha descreve um pequeno círculo. A falha se ajustaria, então, progressivamente, à direção do novo pequeno círculo.

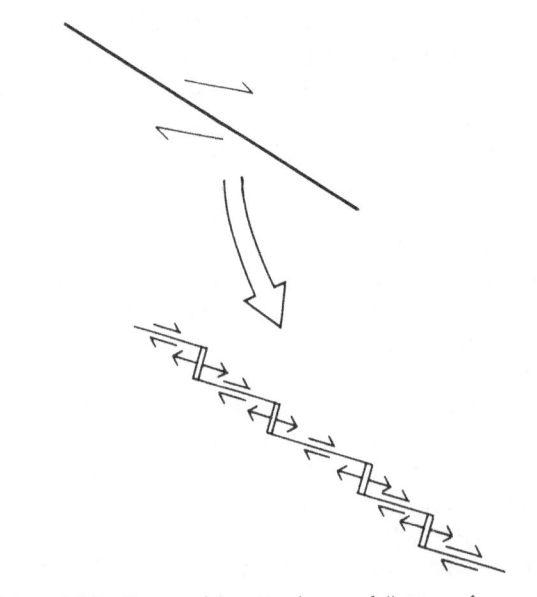

Figura 6.26 Desenvolvimento de uma falha transformante indiscreta devido a uma mudança no polo de rotação.

Riftes continentais e margens passivas

7

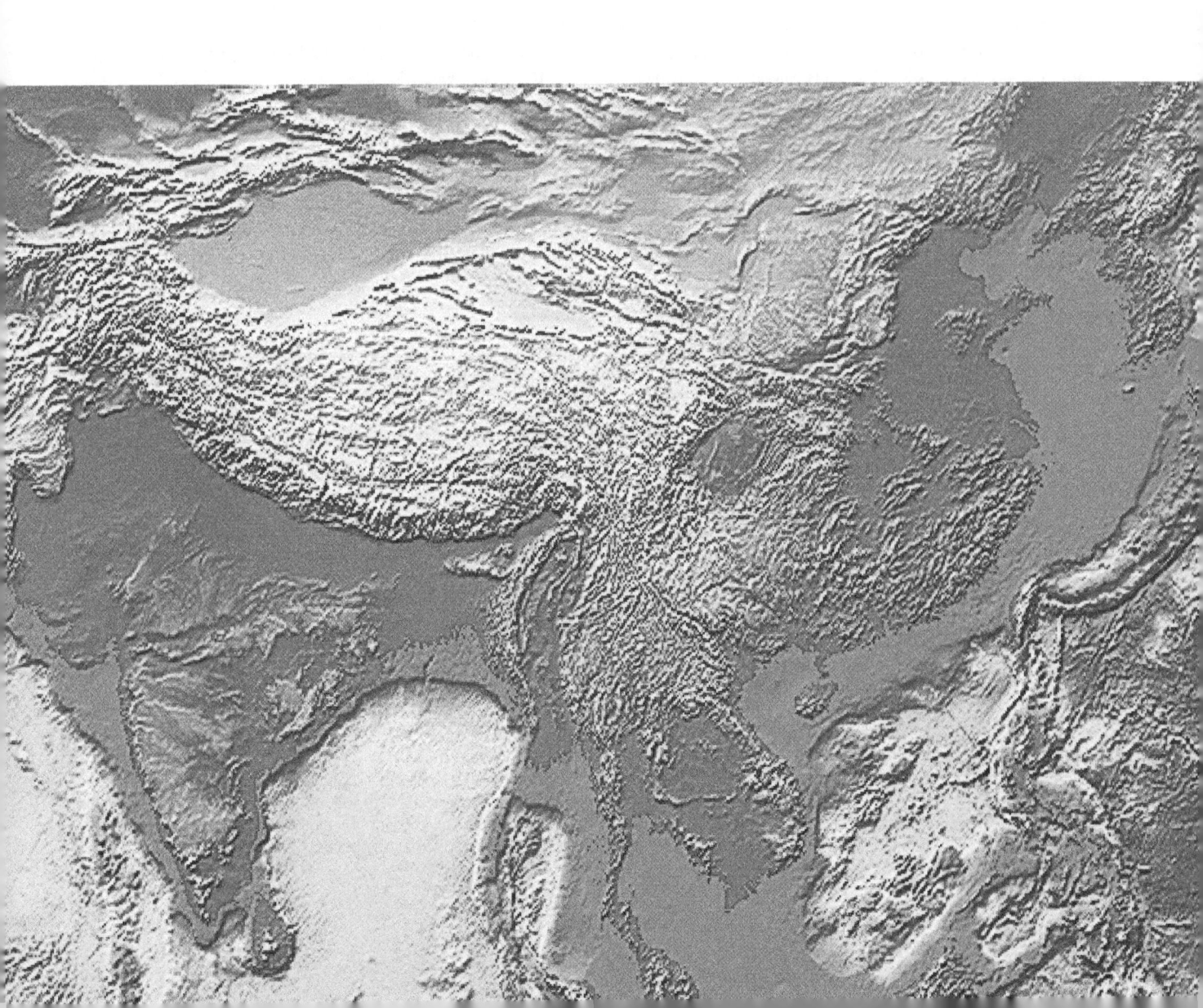

7.1 INTRODUÇÃO

Riftes continentais são regiões de deformação extensional onde toda a espessura da litosfera deformou sob a influência do esforço desviatório. O termo rifte, se aplica somente às características mais proeminentes da litosfera e não abrange estruturas extensionais de menor escala que podem se formar em associação com praticamente qualquer tipo de deformação.

Riftes representam o estágio inicial da ruptura continental (*break-up*), na qual a extensão pode levar ao rompimento da litosfera e à formação de uma nova bacia oceânica. Assim, se houver prosseguimento poderá levar a ruptura continental e eventualmente tornar-se inativa ou formar uma margem continental *passiva* ou rifteada. Essas margens afundam abaixo do nível do mar como resultado da compensação isostática da crosta continental afinada e à medida que se dissipou o calor transferido da astenosfera para a placa, durante o rifteamento. No entanto, nem todos os riftes evoluem ao ponto de nova crosta oceânica ser gerada. Riftes abortados, ou *aulacógenos*, tornam-se inativos durante algum estágio de sua evolução. Exemplos de riftes abortados incluem o Vale Mesozoico de Connecticut, no nordeste dos Estados Unidos, e a Bacia do Mar do Norte.

Estudos de riftes ativos mostram que sua estrutura interna, história e dimensões são muito variáveis (Ruppel, 1995). Grande parte dessa variabilidade pode ser explicada pelas diferenças na resistência e reologia da litosfera (Seção 2.10) no momento em que o rifte inicia e por processos que influenciam essas propriedades durante o progresso do rifteamento (Seção 7.6.1). Onde o litosfera é espessa, fria e resistente, riftes tendem a formar zonas estreitas de esforço localizado com menos de 100 km de largura (Seção 7.2). O Rifte Baikal, o sistema de Riftes do Leste Africano e o Graben do Reno são exemplos desse tipo de rifte (Fig. 7.1). Onde a litosfera é fina, quente e frágil, riftes tendem a formar zonas largas, onde o esforço é distribuído em zonas de centenas de quilômetros de largura (Seção 7.3). Exemplos desse tipo de fissura incluem a Província de Basin and Range e o Mar Egeu. Ambas as variedades de riftes podem estar associadas com atividade vulcânica (Seção 7.4). Alguns segmentos de riftes, como aqueles no Quênia, na Etiópia e em Afar, são caracterizados por volumoso magmatismo e erupção de derrames de basaltos continentais. Outros, como o ramo ocidental do sistema de Riftes do Leste Africano (Fig. 7.2) e o Rifte Baikal, são caracterizados por volumes muito pequenos de rocha vulcânica.

Neste capítulo, vários exemplos bem estudados de riftes e margens passivas são usados para ilustrar como o esforço e o magmatismo são distribuídos à medida que o rifteamento prossegue para a expansão do fundo oceânico. Os exemplos mostram também como geocientistas combinam diferentes tipos de dados e usam variações espaciais e temporais nos padrões de rifteamento para integrar a evolução tectônica desses ambientes.

7.2 CARACTERÍSTICAS GERAIS DOS RIFTES ESTREITOS

Alguns dos exemplos mais bem estudados de riftes intracontinentais estreitos e tectonicamente ativos ocorrem no leste

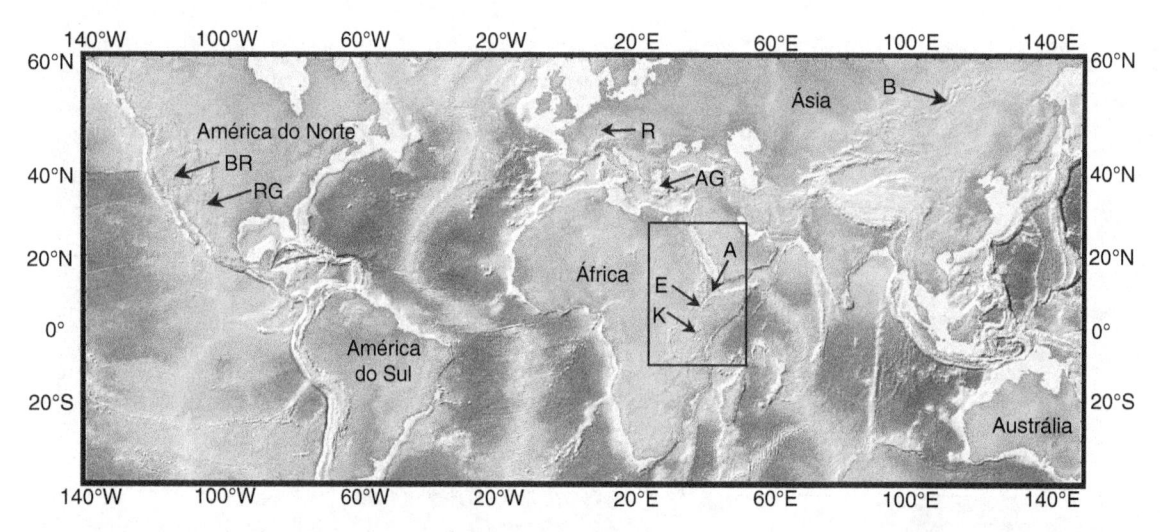

Figura 7.1 Mapa de relevo sombreado mostrando riftes tectonicamente ativos. Mapa construído usando topografia digital do fundo oceânico de Smith & Sandwell, 1997, dados de elevação de 30 segundos de arco da USGS Global (GTOPO30) para áreas continentais (dado disponível a partir de USGS/EROS, Sioux Falls, SD, http://eros.usgs.gov/) e *software* fornecido pelo Sistema de Dados de Geociências Marinhas (http://www.marine-geo.org), Lamont-Doherty Earth Observatory, Columbia University. BR, Basin and Range; RG, Rifte do Rio Grande; R, Graben do Reno; AG, Mar Egeu; B, Rifte Baikal; E, Rifte Principal da Etiópia; A, depressão de Afar; K, Rifte do Quênia. O quadro mostra a localização da Fig. 7.2.

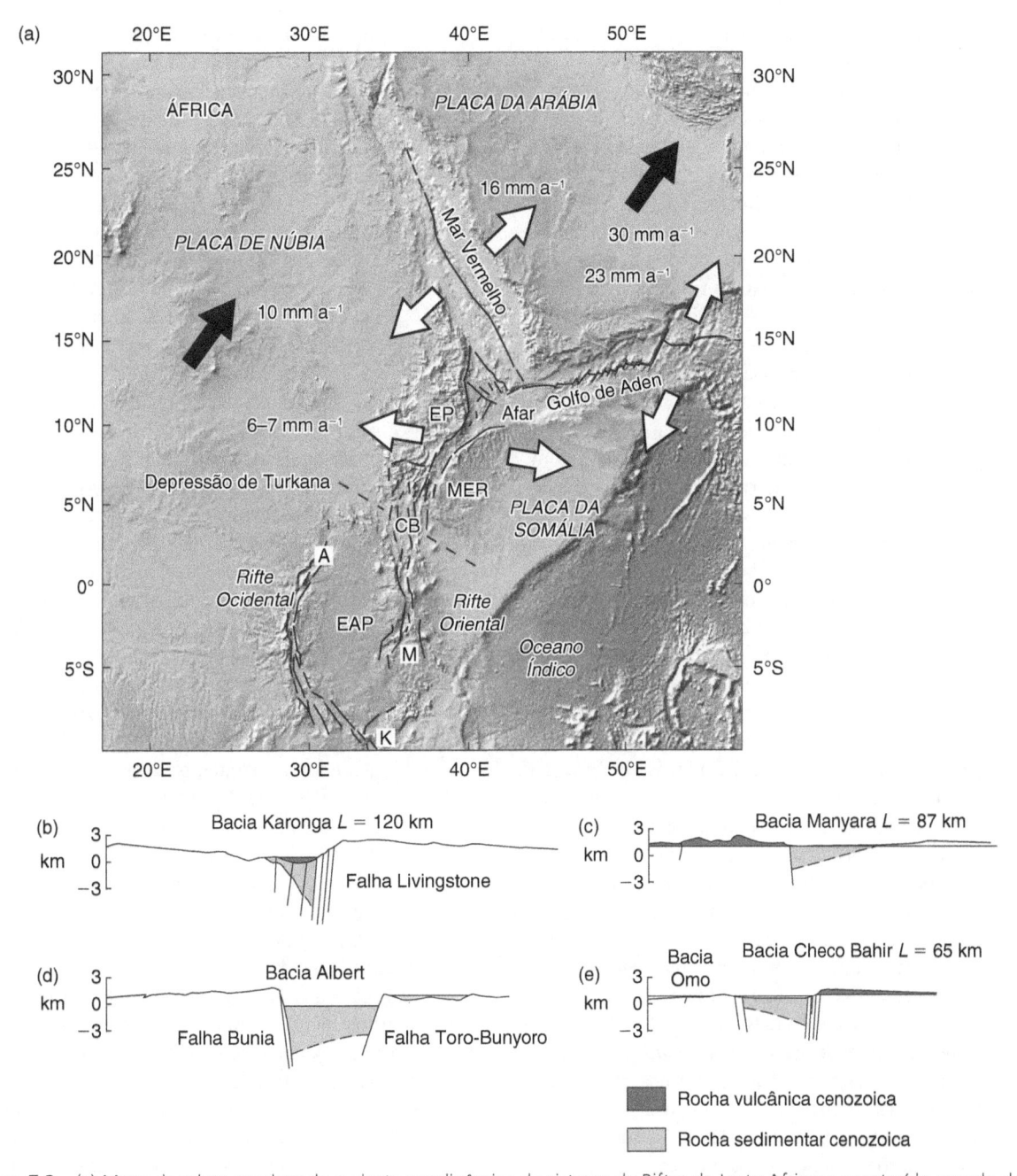

Figura 7.2 (a) Mapa de relevo sombreado e ajuste geodinâmico do sistema de Riftes do Leste Africano construído usando dados digitais de topografia e *software* citados na Fig. 7.1. Setas brancas indicam velocidades relativas de placa. Setas pretas indicam movimento absoluto das placas em um quadro geodésico, sem rede de rotação (NNR) (Seção 5.4). (b – e) Secções transversais mostrando a morfologia de falhas e meio graben (após a compilação de Ebinger et al., 1999, com permissão da Royal Society of London). M, Bacia Manyara (de Foster et al., 1997); K, Bacia Karonga (de van der Beek et al., 1998); A, Bacia Albert (de Upcott et al., 1996); CB, Bacia Checo Bahir (de Ebinger & Ibrahim, 1994); EAP, Platô do Leste Africano; EP, Planalto da Etiópia; MER, Rifte Principal da Etiópia; L, comprimento da falha de borda.

da África (Fig. 7.2). À sudoeste da junção tríplice Afar, as placas de Núbia e da Somália estão se afastando a uma taxa de aproximadamente 6-7 mm a^{-1} (Fernandes et al., 2004). Esse movimento divergente de placa resulta em deformação extensional que está localizada em uma série de segmentos discretos de riftes de idade variável, incluindo o Rifte Ocidental, o Rifte Oriental, o Rifte Principal da Etiópia e a Depressão de Afar. Esses segmentos apresentam características comuns a fendas que se formam em litosfera continental relativamente rígida e fria. Incluem-se as características-chave:

1 *Bacias de riftes assimétricos delimitadas por falhas normais.* Riftes continentais estão associados com a formação de bacias sedimentares limitadas por falhas normais. Muitas bacias rifte tectonicamente ativas mostram uma morfologia assimétrica de *meio graben* (*half graben*) onde a maior parte da tensão é acomodada ao longo de falhas de borda que limitam o lado profundo das bacias (Fig. 7.2b–e). A polaridade desses meio grabens pode mudar ao longo da direção do eixo do rifte, resultando em uma segmentação do vale do rifte (Fig. 7.3a). Em vista de planta, as falhas de borda geralmente são as mais longas dentro de cada bacia individual. O movimento dessas falhas combinado com a compensação flexural isostática da litosfera (Seção 7.6.4) leva à elevação das ombreiras do rifte, criando um perfil topográfico assimétrico característico. O lado da bacia de relevo mais baixo pode estar falhado e exibir um monoclíneo que mergulha em direção ao centro da bacia. A deposição durante o deslocamento das falhas normais produz unidades sedimentares e vulcânicas que se espessam em direção ao plano de falha (Fig. 7.3b). A idade dessas unidades *sin-rifte*, bem como de unidades que pré-datam o rifteamento, fornece o controle sobre o momento do falhamento normal e do vulcanismo. Em vista de planta, os deslocamentos diminuem em direção às pontas das falhas de borda onde interagem com outras falhas que delimitam bacias adjacentes. Dentro dessas *zonas de transferência*, as falhas podem acomodar deslocamentos diferenciais horizontais (incluindo falha de rejeito direcional) e verticais entre as bacias adjacentes.

2 *Sismicidade rasa e esforço tracional regional.* Sob o eixo da maioria dos riftes continentais, terremotos geralmente são confinados para os 12-15 km superiores da crosta, definindo uma *camada sismogênica,* fina em relação a outras regiões dos continentes (Seção 2.12). Longe do eixo do rifte, terremotos podem ocorrer a profundidades de 30 km ou mais. Esses padrões implicam que o rifteamento e o afinamento localmente enfraquecem a crosta e afetam seu comportamento mecânico (Seção 7.6).

Na Etiópia, o registro da sismicidade de 1960 a 2005 (Fig. 7.4a) mostra que a maioria dos grandes terremotos ocorre entre a Depressão Afar e o Mar Vermelho. As análises de liberação do momento sísmico para esse período mostra que mais de 50% da extensão através do Rifte Principal e da Etiópia são acomodados assismicamente (Hofstetter & Beth, 2003). Os terremotos mostram combinações de movimentos normal, oblíquo e falha de rejeito direcional. Ao norte da Depressão Afar, o componente horizontal da maioria dos eixos de esforço compressivo mínimo alinha-se para norte e nordeste em ângulos altos com a tendência dos segmentos de rifte.

Keir et al. (2006) usaram quase 2.000 terremotos para determinar os padrões de sismicidade dentro da parte norte do Rifte da Etiópia e de seus flancos (Fig. 7.4b). Dentro do rifte, terremotos aglomeram falhas paralelas e centros vulcânicos em uma série de 20 km de largura de zonas de magmatismo (Fig. 7.4c). Até 80% do esforço extensional total são localizados dentro desses segmentos magmáticos (Bilham et al., 1999; Ebinger & Casey, 2001). Os maiores terremotos geralmente ocorrem ao longo ou perto das principais falhas de borda, embora dados de sismicidade indiquem que as falhas de fronteira são, na sua maioria, assísmicas. Terremotos são concentrados ao redor de vulcões e fissuras em profundidades menores que 14 km (Fig. 7.4d), provavelmente refletindo movimentos de magma em diques. Nos flancos do rifte, a atividade sísmica pode refletir flexura da crosta (Seção 7.6.4), bem como movimentos ao longo de falhas. A orientação do esforço de compressão mínimo determinada pelos mecanismos focais de terremotos é aproximadamente horizontal, paralela a um azimute de 103°. Essa direção de esforço, como aquela em Afar, é consistente com as determinações de direções de extensão derivadas dos dados de esforço de fraturas em lavas jovens com idade < 7.000 anos, medições geodésicas e dados mundiais de cinemática de placa (Fig. 7.4c).

3 *Afinamento crustal local modificado por atividade magmática.* Dados geofísicos indicam que riftes continentais são caracterizados por afinamento da crosta abaixo do eixo do rifte. Espessuras crustais, como a geometria de falhas em bacias rifte, são variáveis e podem ser assimétricas. Pode ocorrer crosta espessa sob os flancos do rifte como resultado de intrusões magmáticas, indicando que o afinamento crustal é um fenômeno localizado (Mackenzie et al., 2005; Tiberi et al., 2005). Variações na espessura da crosta terrestre podem também refletir diferenças estruturais herdadas (pré-rifte).

Mackenzie et al. (2005) usaram os resultados de estudos de sísmica de refração com fonte controlada para determinar a estrutura de velocidade da crosta abaixo da Bacia do Rifte de Adama na parte norte do Rifte Principal da Etiópia (Fig. 7.5a). Seu modelo de velocidade mostra uma estrutura crustal assimétrica com afinamento máximo ocorrendo ligeiramente a oeste do vale do rifte. Uma camada fina de baixa veloci-

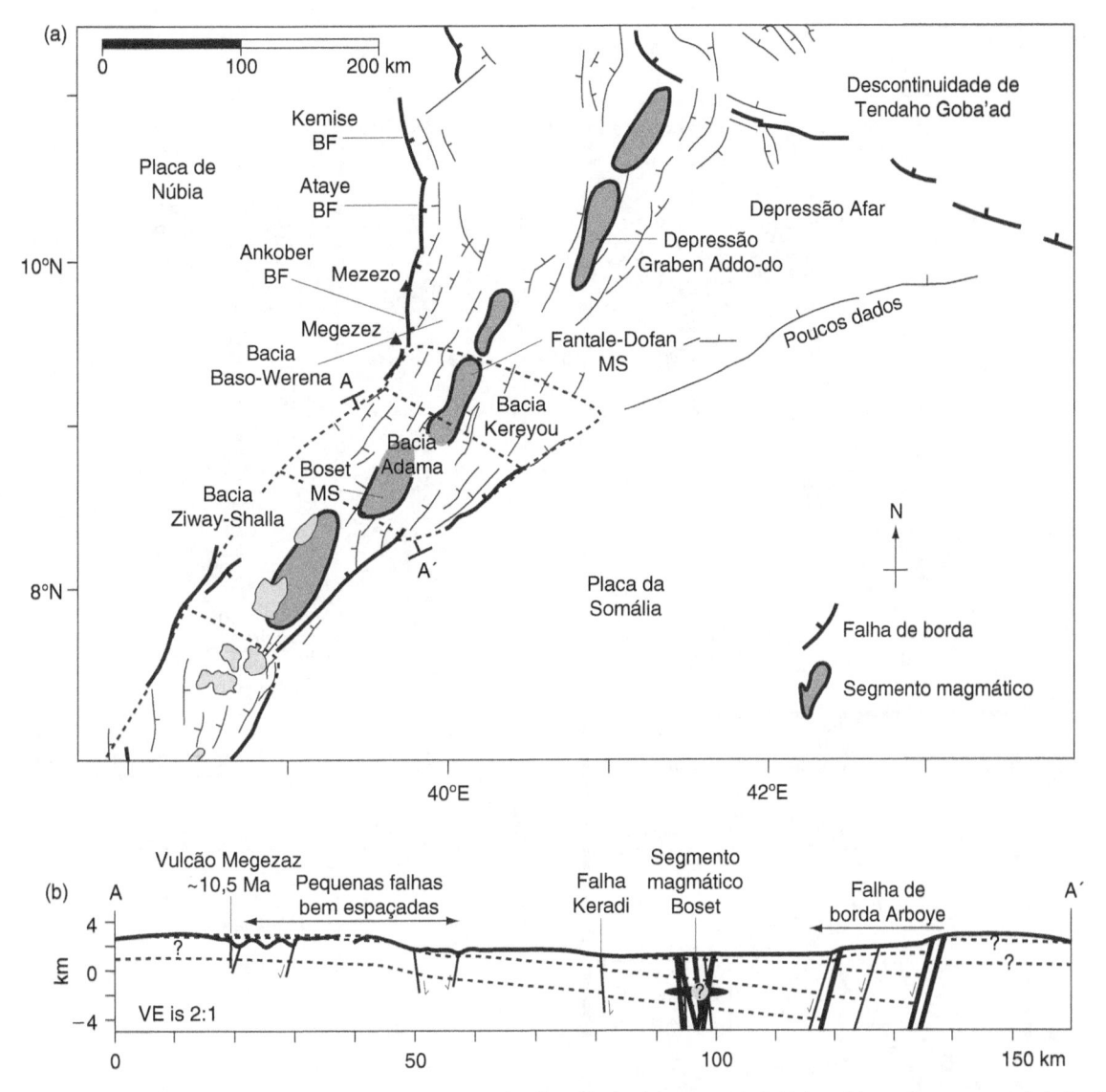

Figura 7.3 (a) Principais falhas e padrão de segmentação do rifte principal do norte da Etiópia e (b) secção transversal da Bacia do Rifte de Adama mostrando a morfologia de meio graben (imagens fornecidas por C. Ebinger e adaptadas de Wolfenden et al., 2004, com permissão da Elsevier). MS, segmento magmático; BF, falha de borda. Em (b), note a geometria em forma de cunha sin-riftes do Mioceno, as unidades vulcânicas e os ignimbritos mais jovens (padrão alinhado vertical e camada superior sombreada). Derrames basálticos pré-rifte do Oligoceno (camada inferior sombreada) mostram espessura uniforme.

dade (3,3 km s^{-1}) ocorre dentro do vale do rifte e espessa para leste em torno de 1 a 2,5 km. A sequência de 2-5 km de espessura de rochas sedimentares e vulcânicas com velocidade intermediária (4,5-5,5 km s^{-1}) encontra-se abaixo da camada de baixa velocidade e se estende ao longo do perfil. Velocidades normais crustais (P_n = 6,0-6,8 km s^{-1}) ocorrem a profundidades de 30-35 km, exceto em uma região estreita de 20-30 km na crosta superior sob o centro do vale do rifte, onde as velocidades P_n são 5-10% mais elevadas (> 6,5 km s^{-1}) do que aquelas que estão fora do rifte (Fig. 7.5a). Essas diferenças provavelmente refletem a presença de intrusões máficas associadas a centros magmáticos. Os quase contínuos refletores intracrustais a 20-25 km de profundidade e a profundidade de 30 km da Moho mostram afinamento crustal sob o eixo rifte. O flanco oeste do rifte é sobreposto a uma crosta de ~45 km de espessura e apresenta um intervalo de ~15 km de espessura com velocidade alta (7,4 km s^{-1}) na parte inferior da crosta terrestre. Essa camada está ausente no lado oriental, onde a crosta tem cerca de 35 km de espessura. Mackenzie et al. (2005) interpretaram a camada inferior da

138 Tectônica global

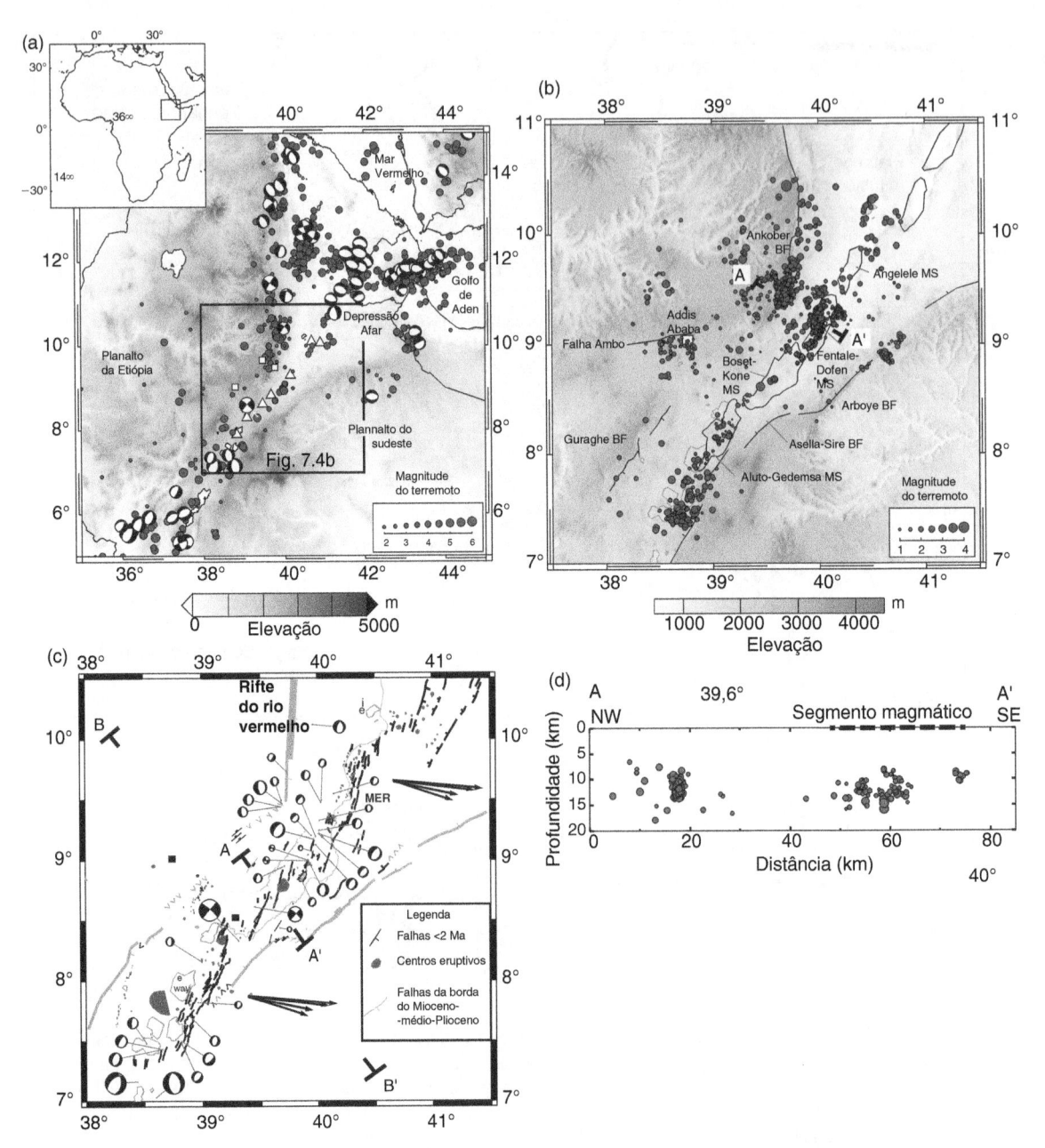

Figura 7.4 (a) Sismicidade e mecanismos focais da África Oriental entre 1960 e 2005. Vulcões do final do Cenozoico mostrados por triângulos. (b) Sismicidade dos segmentos de rifte do norte do Rifte Principal da Etiópia (MER) entre outubro de 2001 e janeiro de 2003. (c) Falhas que cortam lavas de < 1,9 Ma e centros eruptivos do Neocenozoico compreendendo segmentos magmáticos (MS). Também são mostradas falhas de borda do Mioceno nas bacias rifte. Tamanho de soluções de mecanismo focal indica magnitude relativa de terremotos. Setas pretas mostram intervalo aproximado de vetores de velocidade de placa derivada de dados geodésicos. (d) Distribuição de terremotos em profundidade ao longo do perfil A-A' mostrado em (c). Secção transversal B-B' mostrada na Fig. 7.5 (imagens fornecidas por D. Keir e adaptadas de Keir et al., 2006, com permissão da American Geophysical Union. Copyright © 2006 American Geophysical Union).

crosta de alta velocidade crustal sob o flanco oeste como material de *underplating* associado com o derrame basáltico pré-rifte do Oligoceno, possivelmente a mais recente atividade magmática. Variações na refletividade da sísmica intracrustal também sugerem a presença de intrusões ígneas diretamente abaixo do vale do rifte (Fig. 7.5b).

Dados de gravimetria fornecem evidências adicionais de que a estrutura crustal das zonas de rifte é permanentemente modificada por magmatismo que ocorre antes e durante o riftea-

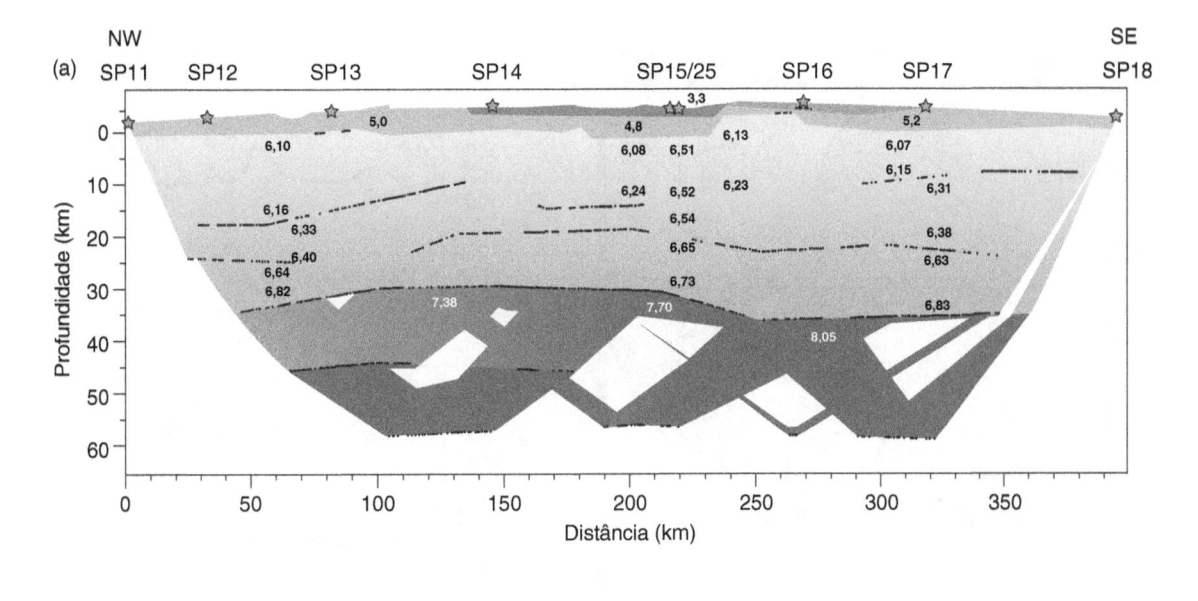

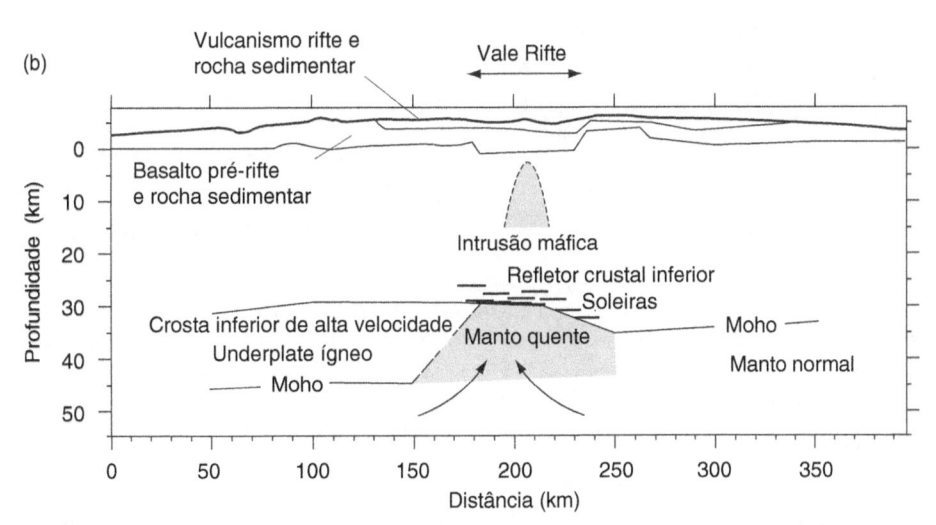

Figura 7.5 (a) Modelo de velocidade de onda P e (b) interpretação do Rifte Principal da Etiópia (adaptado de Mackenzie et al., 2005, com permissão da Blackwell Publishing). Localização do perfil (B-B') mostrado na Fig. 7.4c.

mento. Na Etiópia e no Quênia, duas anomalias gravimétricas Bouguer negativas de comprimento de onda longo (> 1000 km) coincidem com dois importantes soerguimentos (~2 km de altura) da topografia: o Planalto da Etiópia e o Domo do Quênia, que faz parte do Platô do Leste Africano (Figs 7.2, 7.6a). As partes mais altas do Planalto da Etiópia têm mais do que 3 km de altura. Essas elevadas resultam a partir da erupção de um grande volume de basaltos continentais (Seção 7.4) entre 45 e 22 Ma, com a maioria dos vulcanismso coincidindo com a abertura do Mar Vermelho e do Golfo de Aden em ~30 Ma (Wolfenden et al., 2005). As anomalias gravimétricas negativas refletem a presença anômala da baixa densidade do manto superior e geotermas elevadas (Tessema & Antoine, 2004). Em cada zona, os vales do rifte mostram anomalias Bouguer positivas de curto comprimento de onda (Fig. 7.6b), que refletem a presença de intrusões máficas densas e frias (Tiberi et al., 2005).

4 *Manto superior de baixa densidade e baixa velocidade com elevado fluxo de calor.* Medidas de fluxo de calor com média de 70-90 mW m^{-2} e de baixa velocidade sísmica em muitas bacias tipo rifte sugerem gradientes de temperatura (50-100°C km^{-1}) que são mais altos que nos flancos adjacentes e crátons das proximidades. O resultado onde a astenosfera é anormalmente quente, como na África Oriental, é o soerguimento dômico e o vulcanismo generalizado. No entanto, há um alto grau de va-

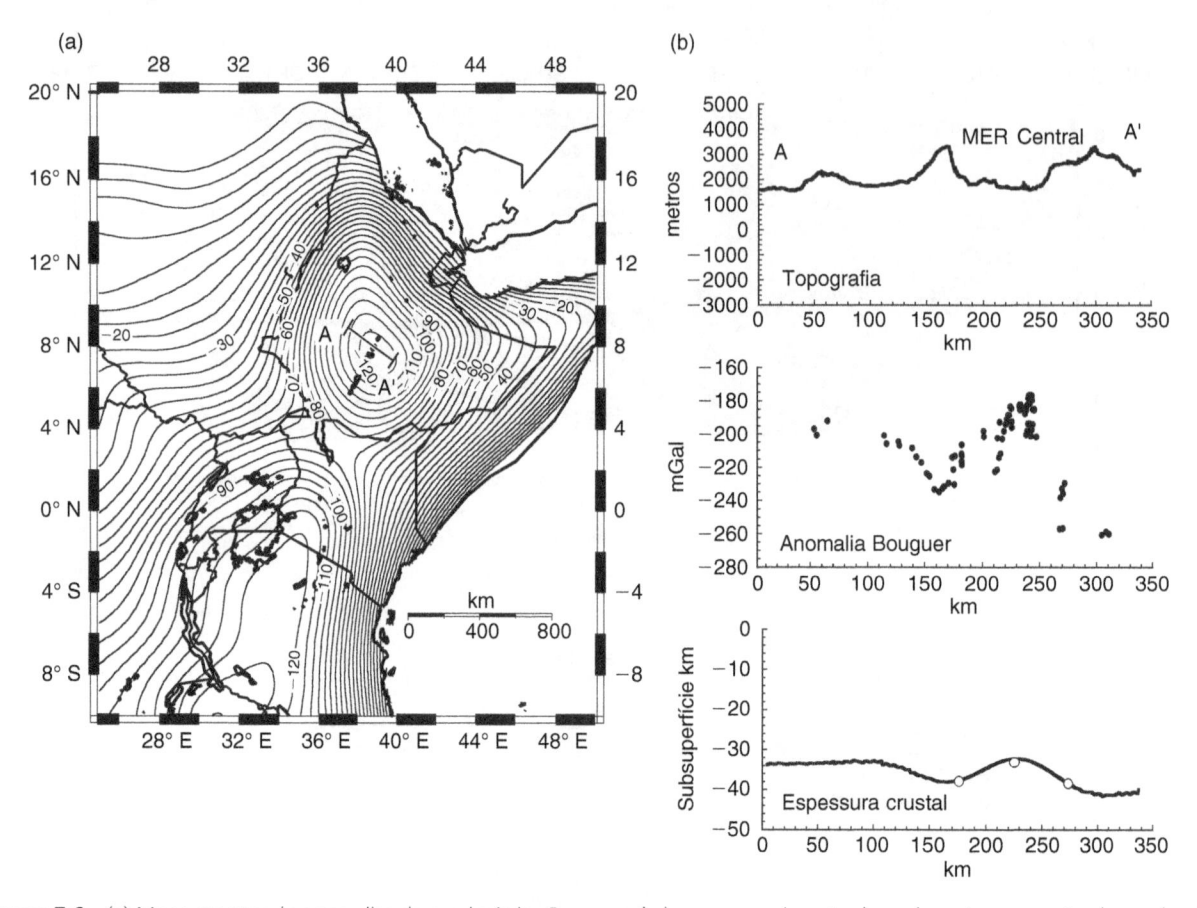

Figura 7.6 (a) Mapa mostrando anomalias da gravimétrica Bouguer de longo comprimento de onda após a remoção das ondas de comprimento curto (imagem fornecida por A. Tessema e adaptada de Tessema & Antoine, 2004, com permissão da Elsevier). (b) Perfis (A-A') de topografia, de anomalia gravimétrica Bouguer de comprimento de onda curto, e as estimativas de espessura crustal da parte central do Rifte Principal da Etiópia (MER) (imagens fornecidas por C. Tiberi e adaptadas de Tiberi et al., 2005, com permissão da Blackwell Publishing). Localização do perfil mostrado em (a). Círculos no perfil de espessura crustal indicam profundidades estimadas a partir de estudos de função do receptor.

riabilidade em temperatura e atividade vulcânica entre riftes. O Rifte Baikal, por exemplo, é muito mais frio. Esse rifte exibe fluxo regional de calor baixo de 40-60 mW m^{-2} (Lysack, 1992) e ausência de atividade vulcânica.

Na África Oriental, velocidades das ondas P_n relativamente baixas de 7,7 km s^{-1} no manto superior abaixo da Bacia do Rifte Adama, na Etiópia (Fig. 7.5a), sugerem elevadas temperaturas (Mackenzie et al., 2005). Em outro lugar qualquer do manto superior, as velocidades das ondas P_n estão na faixa de 8,0-8,1 km s^{-1}, o esperado para áreas estáveis com fluxos normais de calor. Dados tomográficos de inversão das ondas P e S (Fig. 7.7a-c) indicam que a baixa velocidade abaixo da zona de rifte é tabular, de cerca de 75 km de largura, e se estende até profundidades de 200-250 km (Bastow et al., 2005). A zona é segmentada e separada do eixo do rifte nos 100 km superiores, mas se torna mais central sobre o eixo do rifte abaixo dessa profundidade (Fig. 7.7c). Na seção amplamente estendida na parte norte do Rifte da Etiópia (Fig. 7.7d), a anomalia de baixa velocidade amplia lateralmente abaixo de 100 km e pode estar conectada a estruturas mais profundas de baixa velocidade abaixo da Depressão Afar (Seção 7.4.3). Esse alargamento da zona de baixa velocidade é consistente com a propagação do Rifte Principal da Etiópia, durante o Plioceno até os tempos de hoje, para os centros disseminados mais antigos do Mar Vermelho e do Golfo de Aden.

Além de altas temperaturas, as zonas de baixa velocidade abaixo de riftes também podem refletir a presença de fusão parcial. Observações da divisão e do tempo de atraso de ondas de cisalhamento viajando sob o Rifte do Quênia (Ayele et al., 2004) e o norte do Rifte da Etiópia (Kendall et al., 2005) sugerem o alinhamento de fusão parcial em diques íngremes no intervalo de 70-90 km superiores da litosfera ou a orientação preferencial de olivina na astenosfera como fluxos de material quente lateralmente na zona de rifte. Essas observações indicam que o manto superior subjacente aos riftes é caracterizado por baixa velocidade, baixa densidade e, de forma anormal, alta temperatura do material.

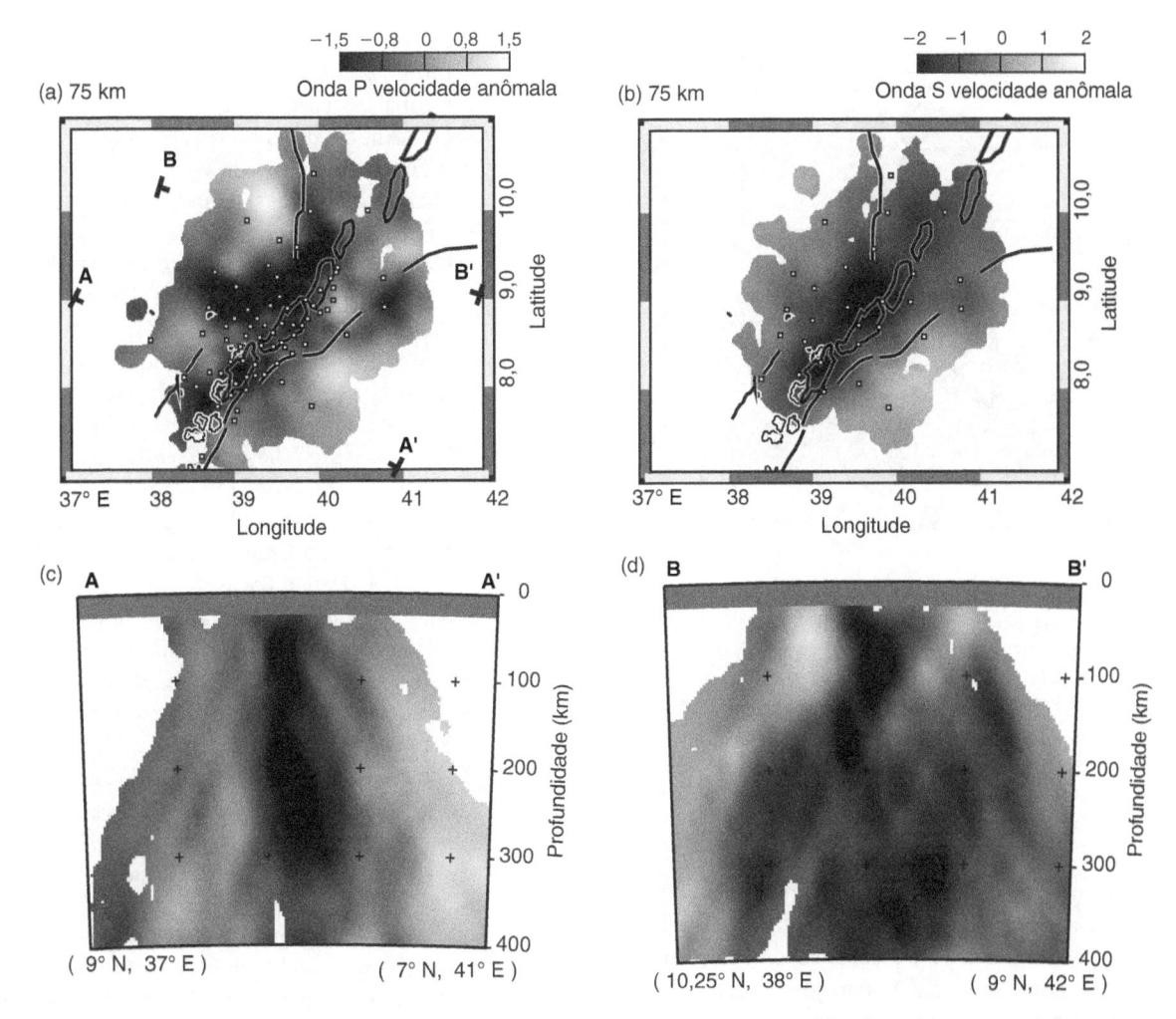

Figura 7.7 Fatias de profundidade de modelos de velocidade da onda P (a) e da onda S (b) em 75 km de profundidade no Rifte Principal da Etiópia. (c, d) Perfis dos modelos de velocidade da onda P (imagens fornecidas por I. Bastow e adaptadas de Bastow et al., 2005, com permissão da Blackwell Publishing). As linhas pretas espessas em (a) e (b) representam segmentos magmáticos do Pleistoceno e falhas de borda do meso-Mioceno (cf. Fig. 7.3). A localização das estações que contribuem para as inversões tomográficas são mostradas com quadrados brancos em (a) e (b). A localização dos perfis é mostrada em (a). Escalas de velocidade em (c) e (d) são as mesmas que em (a).

7.3 CARACTERÍSTICAS GERAIS DOS RIFTES AMPLOS

Um dos exemplos mais citados de rifte amplo intracontinental é a Província de Basin and Range no oeste da América do Norte (Fig. 7.1). Nessa região, esforços extensionais acumularam ao longo de uma zona que varia entre 500-800 km de largura (Fig. 7.8). Na parte central da província, houve cerca de 250-300 km de extensão horizontal, medidos na superfície desde ~16 Ma (Snow & Wernicke, 2000). Somente no leste de Nevada e oeste de Utah, a quantidade total de extensão da superfície horizontal é de aproximadamente 120-150 km (Wernicke, 1992). Esses valores, e a largura da zona sobre a qual a deformação ocorre, em grande parte excedem aos observados em riftes continentais estreitos (Seção 7.2).

O exemplo da Província de Basin and Range, portanto, mostra que a litosfera continental pode ser altamente distendida sem ruptura para formar uma nova bacia oceânica. Esse padrão é característico de riftes que se formam em litosfera continental relativamente fina, quente e fraca. As principais características que distinguem riftes de largura ampla dos seus homólogos estreitos são ilustradas utilizando as Províncias de Basin and Range e do Mar Egeu como exemplos:

1 *Deformação amplamente distribuída.* A Província de Basin and Range é delimitada a oeste pelo grande sistema de Falha de San Andreas e pela microplaca de Sierra Nevada-Great Valley e a leste pelo Planalto do Colorado (Figs 7.8, 7.9). Tanto a Sierra quanto o Planalto registram comparativamente baixos valores de fluxo de calor (40-60 mW m^{-2}) e praticamente nenhuma deformação extensional

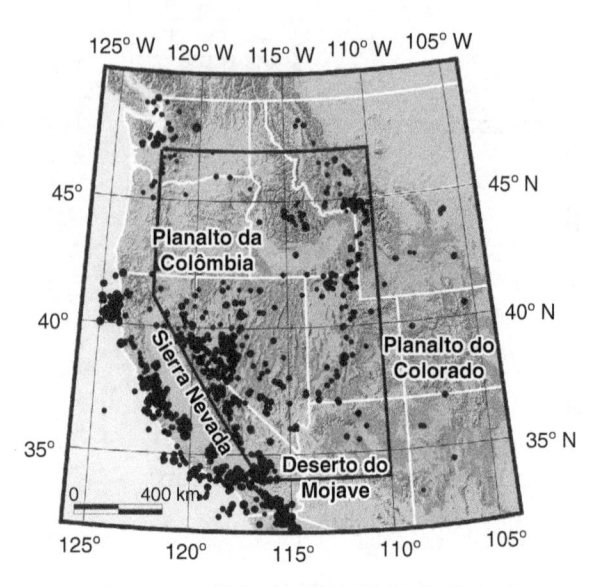

Figura 7.8 Mapa de relevo sombreado do oeste dos Estados Unidos mostrando a topografia e terremotos com M ≥ 4,8 nos setores norte e central da Província de Basin and Range (imagem fornecida por A. Pancha e A. Barron e adaptada de Pancha et al., 2006, com permissão da Seismological Society of America). O raio do círculo é proporcional à magnitude. A área delineada com um polígono em negrito engloba todos os grandes terremotos associados com a deformação da Província de Basin and Range.

Cenozoica (Sass et al., 1994; Bennett et al., 2003). Entre esses dois blocos rígidos, a deformação Cenozoica resultou em uma ampla zona linear, alinhada ao norte de serras de tamanho e espaçamento aproximadamente uniformes ao longo de milhares de quilômetros quadrados. As serras têm cerca de 15-20 km de largura, espaçadas aproximadamente 30 km de distância, e estão elevadas ~1,5 km acima das bacias sedimentares adjacentes. A maioria é delimitada de um lado por uma grande gama de falhas normais bordejantes. Algumas falhas transcorrentes também estão presentes. Na parte norte da província (latitude 40°N), cerca de 20-25 pares de bacia e serra ocorrem em 750 km.

O campo de deformação atual da Província de Basin and Range é revelado por padrões de sismicidade (Figs. 7.8, 7.10) e estimativas de velocidade horizontal (Fig. 7.11) derivados a partir de dados contínuos de GPS (Seção 5.8) (Bennett et al., 2003). Os dados mostram duas bandas de alta taxa de deformação ao longo do lado leste da Sierra Nevada e do lado ocidental do Planalto do Colorado: o cinturão sísmico do leste da Califórnia e o cinturão sísmico Intermontano do centro de Nevada, respectivamente (Fig. 7.9). Mecanismos focais (Fig. 7.10) indicam que o primeiro acomoda tanto deslocamentos laterais dextrais quanto normais e o último acomoda, em sua maioria, movimentos normais. Na área em questão, a deformação é difusamente distribuída e, em alguns lugares, ausente no campo de velocidade dado. Três subprovíncias, designadas de Grande Bacia Oriental, Central e Ocidental, mostram distintivos padrões de esforço (Fig. 7.9). Movimento relativo entre a Grande Bacia Central e o Planalto do Colorado ocorre a uma taxa de 2,8 mm a^{-1} e é parcialmente acomodado por extensão difusa leste-oeste em toda a Grande Bacia oriental. Movimento relativo entre o Sierra Nevada-Great Valley e a Grande Bacia central ocorre a uma taxa de 9,3 mm a^{-1} em direção a N37°W e é acomodado por deformação difusa através da Grande Bacia ocidental (Seção 8.5.2). A Grande Bacia central registra pouca deformação interna atual. Padrões semelhantes de deformação distribuída pontuados por zonas de alta taxa de deformação ocorrem nas províncias extensionais da Grécia central e do Mar Egeu (Goldsworthy et al., 2002).

Duas outras zonas de deformação na Província Basin and Range foram definidas com base em recentes padrões geológicos do Médio Mioceno. A unidade Walker Lane (Fig. 7.9) exibe faixas de montanha de orientação variável e deslocamentos complexos que envolvem falhamento normal e falhas transcorrentes tanto sinistral como dextral. Esse cinturão sobrepõe-se ao sul com a Zona de Cisalhamento Oriental da Califórnia (Fig. 8.1 e Seção 8.5.2). Hammond & Thatcher (2004) concluíram que a concentração de movimento dextral e a extensão dentro da Província de Basin and Range resultam da fraqueza da litosfera dentro da unidade Walker Lane. Gradientes lineares em energia potencial gravitacional e viscosidade também podem concentrar a deformação (Seção 7.6.3). Juntos, esses dados sugerem que a ampla região da Província de Basin and Range atualmente acomoda cerca de 25% do esforço total entre as placas do Pacífico e da América do Norte (Bennett et al., 1999). Os dados também indicam que, pelo menos atualmente, a deformação na Província de Basin and Range envolve uma combinação heterogênea de deslocamentos normal e falha de rejeito direcional.

A distribuição em profundidade de microterremotos também mostra que a Província de Basin and Range é caracterizada por uma camada sismogênica fina em relação a outras regiões do continente. Aproximadamente 98% dos eventos ocorrem em profundidades inferiores a

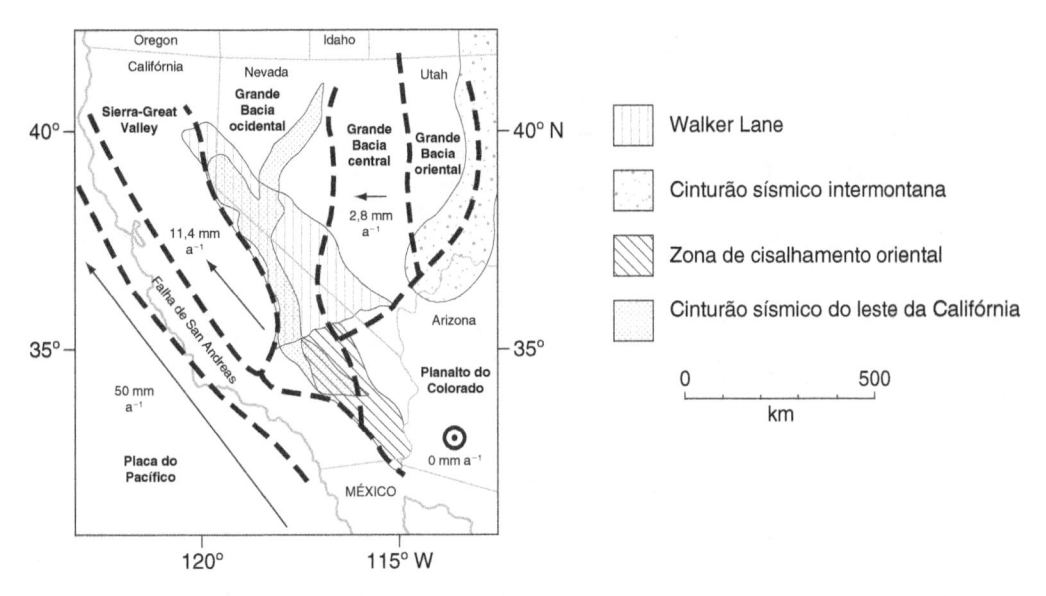

Capítulo 7 Riftes continentais e margens passivas 143

Figura 7.9 Mapa mostrando as várias subprovíncias tectônicas da Província de Basin and Range determinadas a partir de dados geodésicos e geológicos (adaptado de Bennett et al., 2003, com permissão da American Geophysical Union. Copyright © 2003 American Geophysical Union). As taxas apresentadas são em relação à placa da América do Norte.

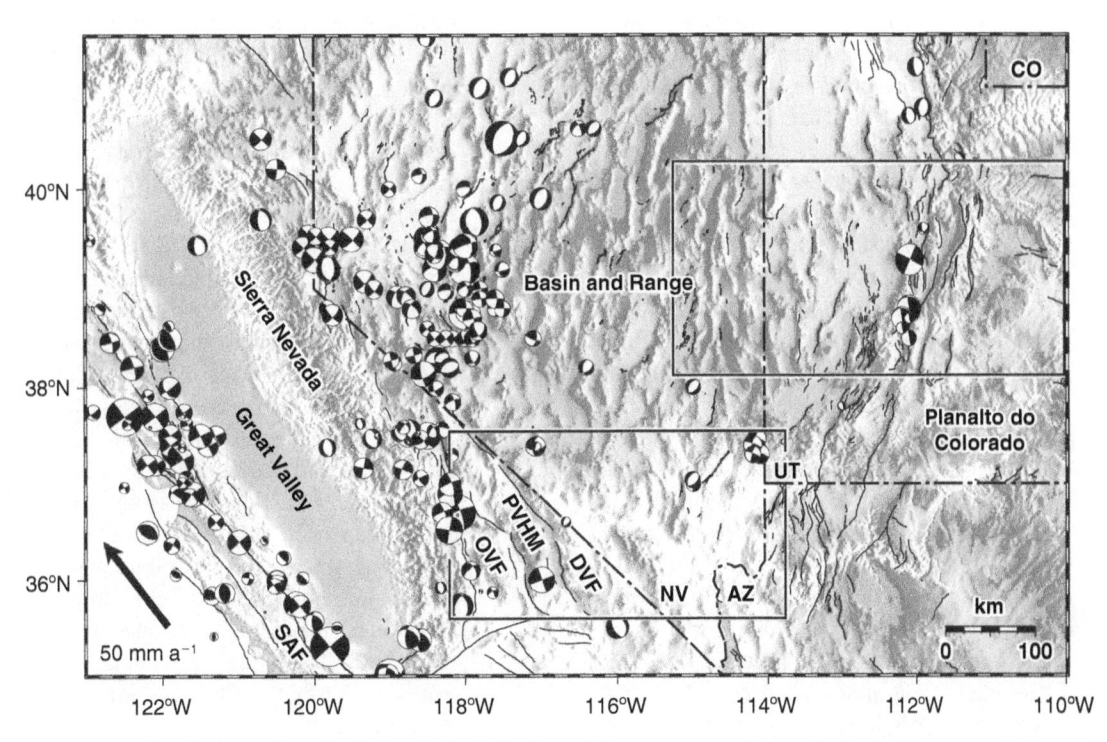

Figura 7.10 Mapa de relevo sombreado da Província de Basin and Range mostrando as principais falhas e mecanismos focais de terremotos (imagem fornecida por R. Bennett e adaptada de Bennett et al., 2003, e Shen-Tu et al., 1998, com permissão da American Geophysical Union. Copyright © 2003 e 1998 American Geophysical Union). SAF, Falha de San Andreas. Ao norte, a translação da microplaca Sierra Nevada-Great Valley é acomodada pelo movimento de falha de rejeito direcional no Owens Valley (OVF), Panamint Valley-Hunter Mountain (PVHM) e zonas de falha do Vale da Morte (DVF). Caixas pretas mostram área aproximada da Fig. 7.13 (caixa inferior) e Fig. 7.14 (caixa superior).

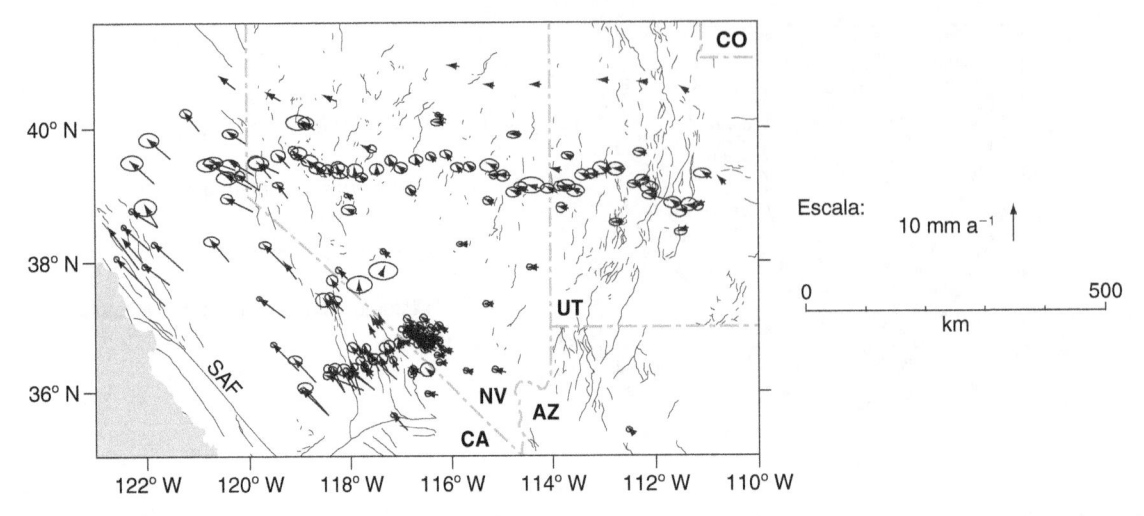

Figura 7.11 Velocidades de GPS de localidades na microplaca do Sierra Nevada-Great Valley, no norte da Província de Basin and Range e no Planalto do Colorado em relação à América do Norte (imagem fornecida por R. Bennett e adaptada de Bennett et al., 2003, com permissão da American Geophysical Union. Copyright © 2003 American Geophysical Union). Elipses de erro representam 95% de nível de confiança. Estimativas de velocidade foram obtidas a partir de dados de GPS da rede de GPS dentro e em torno da Província de Basin and Range. SAF, Falha de San Andreas.

15 km, para todos os registros em Utah (1962-1999), e a 17 km, em Nevada (1990-1999) (Pancha et al., 2006). Essa espessura da camada sismogênica é semelhante àquela mostrada pela maioria dos outros riftes, incluindo aqueles na África Oriental, exceto que, na Basin and Range, se caracteriza por milhares de quilômetros quadrados de crosta. O padrão implica que gradientes geotérmicos altos e afinamento crustal têm localmente enfraquecido uma área muito grande.

Devido ao fato de a deformação ser distribuída por uma região tão ampla, a maioria das grandes falhas na Província de Basin and Range tem momentos de recorrência de vários milhares de anos (Dixon et al., 2003). Na parte norte da província, várias centenas de falhas mostram evidência de deslocamento desde 130 ka, ainda que sismicidade contemporânea e grandes terremotos históricos estejam agrupados em apenas alguns deles. Essa observação levanta a possibilidade de que uma parte significativa de tração é acomodada por deslocamentos assísmicos. Niemi et al. (2004) investigaram essa possibilidade pela combinação de dados geológicos de grandes falhas com dados geodésicos na parte leste da Grande Bacia. Os resultados sugerem que ambos os dados definem um cinturão de ~350 km de largura de extensão leste-oeste ao longo dos últimos 130 ka. Conciliar padrões de deformação medidos em diferentes escalas de tempo é uma importante área de investigação nessa e em outras zonas de tectônica continental ativa.

2 *Afinamento crustal heterogêneo em crosta previamente espessada*. Riftes amplos formam-se em regiões onde ocorre extensão em crosta continental espessa e fraca. Na Província de Basin and Range e no Mar Egeu, a espessura da crosta resulta de uma história de convergência e encurtamento crustal que pré-data o rifteamento. Praticamente toda a margem oeste da América do Norte foi submetida a uma série de orogenias compressionais durante o Mesozoico (Allmendinger, 1992). Esses eventos espessaram as sequências sedimentares que uma vez formaram parte de um margem passiva paleozoica. A antiga margem é marcada agora por um cinturão alongado de sedimentos marinhos rasos de idade paleozoica e proterozoica que espessam para o oeste em todo o leste da Grande Bacia e são deformados por falhas de empurrão e dobras do cinturão de empurrão Sevier do Mesozoico (Fig. 7.12). Essa deformação criou uma pilha espessa de rochas sedimentares frágeis que contribuiu para uma deslocalização da tração (Seção 7.6.1) durante a extensão no Cenozoico (Sonder & Jones, 1999). Algumas estimativas são de que a província partiu de uma espessura crustal pré-rifte de 50 km, similar à parte indeformada do Planalto do Colorado (Parsons et al., 1996). Outros sugeriram mais de 50 km (Coney & Harms, 1984). Esta pré-história extensional é um dos fatores mais importantes que tem contribuído para um estilo heterogêneo da deformação extensional dentro da Província de Basin and Range.

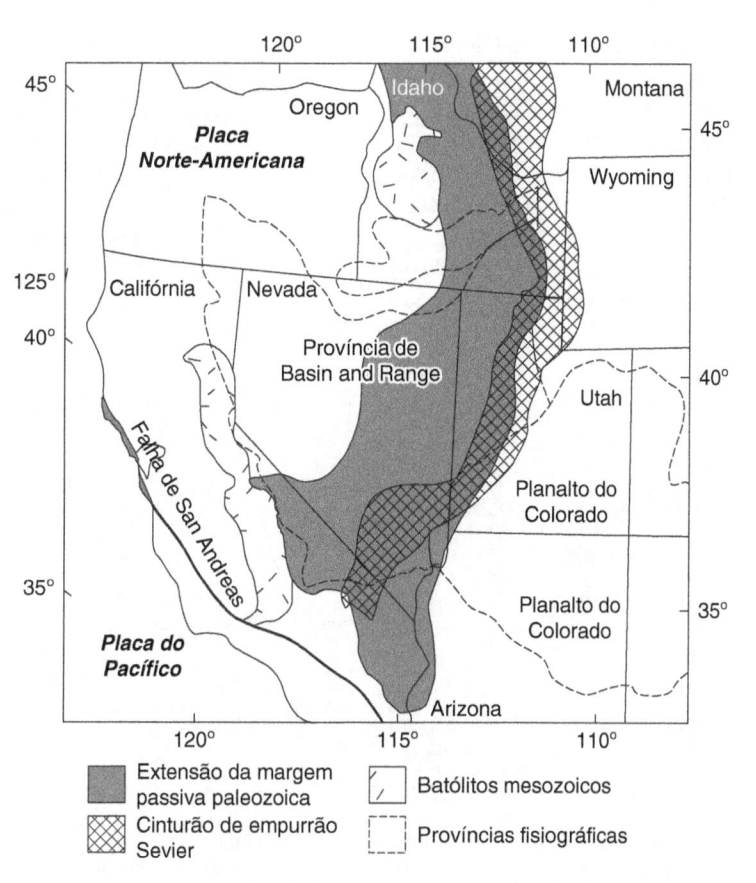

Figura 7.12 Mapa do oeste dos Estados Unidos mostrando a extensão das sequências de margem passiva paleozoica e cinturão de empurrão Sevier (segundo Niemi et al., 2004, com permissão da Blackwell Publishing).

A uniformidade no tamanho e no espaçamento das falhas normais na Província de Basin and Range e a espessura aparentemente uniforme da camada sísmica sugerem a princípio que a tração e o afinamento crustal, em média, também podem ser uniformemente distribuídos em toda a província. No entanto, essa afirmação está em conflito com os resultados de levantamentos geológicos e geofísicos. Gilbert & Sheehan (2004) encontraram profundidades para a Moho variando de 30 a 40 km abaixo da parte leste da Província de Basin and Range (Figura 7.1a), com a parte mais fina da crosta ocorrendo no norte de Nevada e Utah (Figura 7.1b), e espessuras de 40 km no sul de Nevada (Figura 7.1c) (Figuras 7.1a-c do encarte colorido). Louie et al. (2004) também encontraram variações significativas em profundidades da Moho, com as áreas mais finas mostrando profundidades de apenas 19-23 km abaixo de Walker Lane e a noroeste de Nevada. Esse espessamento ao sul da crosta coincide com variações na arquitetura pré-Cenozoica da litosfera, incluindo diferenças de idade e espessura pré-extensional. Variações não uniformes semelhantes na espessura da crosta ocorrem sob o Mar Egeu (Zhu et al., 2006). Esses resultados ilustram que o afinamento crustal em riftes amplos não é uniforme e, como os riftes estreitos, é fortemente influenciado pela estrutura preexistente da litosfera.

A não uniformidade de afinamento crustal na Basin and Range é expressa em padrões de falha na crosta superior. A região do Vale da Morte no leste da Califórnia contém alguns dos exemplos mais jovens de extensão de larga magnitude do mundo adjacentes às áreas que praticamente não registram tração na crosta superior. A extensão leste-oeste iniciada há cerca de 16 Ma resultou em ~250 km de extensão entre as Sierras e o Planalto do Colorado (Wernicke & Snow, 1998). A região de intervenção respondeu a essa divergência pelo desenvolvimento de uma "colcha de retalhos" de blocos crustais relativamente indeformados, separados por regiões fortemente deformadas, por extensão, falhamento transcorrente e contração (Fig. 7.13a). A distribuição heterogênea de extensão é ilustrada na Fig. 7.13b, que mostra as estimativas da espessura da crosta superior pré-Miocênica que permanece após extensão, assumindo uma espessura original de 15 km. Em algumas áreas, como as Montanhas Funeral e Negra, a crosta superior foi dissecada e separada a tal grau que pedaços da crosta média ficaram expostos (Snow & Wernicke, 2000).

Uma das características mais enigmáticas da Província de Basin and Range envolve relações locais entre extensão de grande escala na crosta superior e a distribuição de tração na parte inferior da crosta. Alguns estudos têm mostrado que, apesar de padrões altamente variáveis de tração na crosta superior, a espessura crustal local parece ser surpreendentemente uniforme (Gans, 1987; Hauser et al., 1987; Jones & Phinney, 1998). Esse resultado implica que grandes trações foram compensadas em profundidade

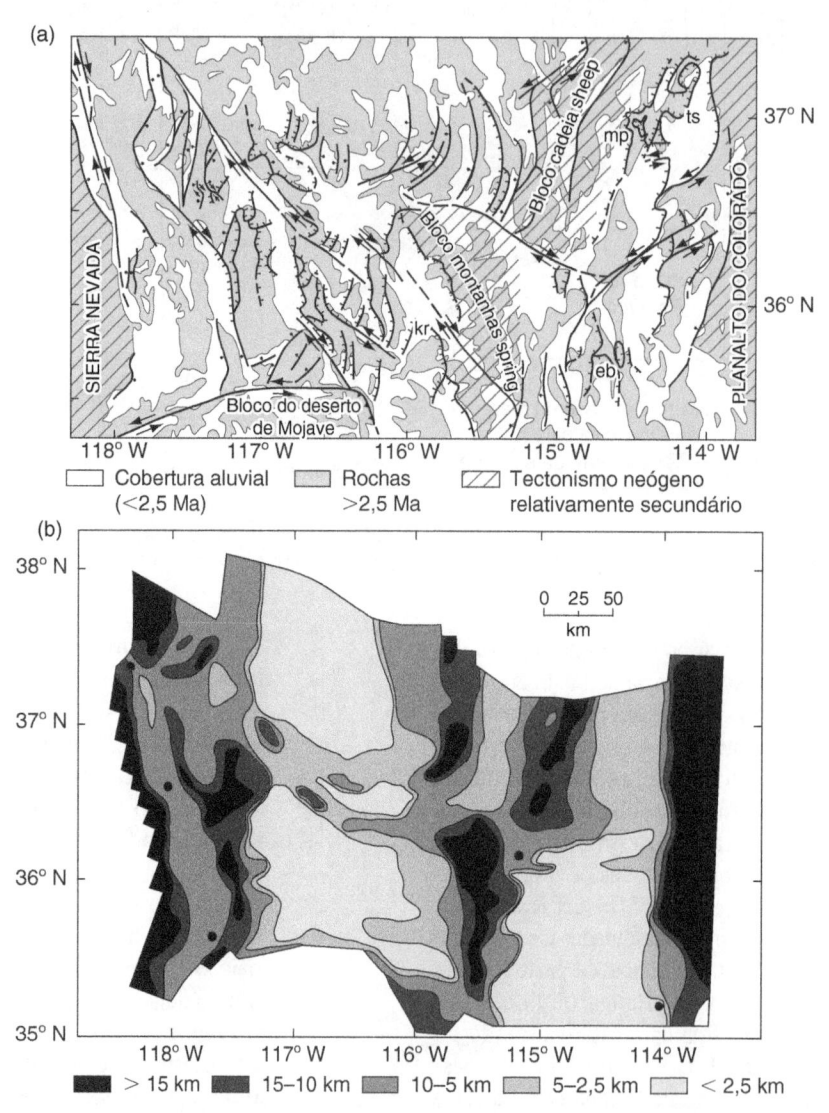

Figura 7.13 Mapas mostrando (a) as principais falhas cenozoicas (linhas pretas) na parte central da Província de Basin and Range e (b) a distribuição de afinamento da crosta superior estimada por meio da reconstrução da extensão cenozoica usando marcadores pré-extensionais (imagens fornecidas por B. Wernicke e adaptadas de Snow e Wernicke, 2000. Copyright 2000 pelo *American Journal of Science*. Reproduzido com permissão do *American Journal of Science* no formato livro-texto via Direitos Autorais do Clearence Center). Símbolos em (a) indicam falhas de rejeito direcional (setas), falhas normais de alto ângulo (círculos e barras), falhas normais de baixo ângulo (marcas de riscos) e falhas de empurrão (dentes). Falhas de descolamento de grande magnitude em complexos de núcleos metamórficos que incluem os descolamentos das Montanhas Eldorado-Black (eb), do Pico Mórmon (mp), de Tule Springs (ts) e da Kingston Range (kr). Contornos em (b) representam a espessura original da crosta superior pré-extensional cenozoica de 15 km de espessura, de modo que as áreas claras representam as áreas de maior afinamento. Os pontos pretos são os pontos utilizados na reconstrução.

por fluxo lateral em uma crosta inferior fraca, o que agiu para suavizar qualquer topografia da Moho (Seção 7.6.3). Park & Wernicke (2003) utilizaram dados magnetotelúricos para mostrar que esse achatamento e fluxo lateral da Moho na Província de Basin and Range provavelmente ocorreu durante o Mioceno. Por outro lado, outras regiões, como o Mar Egeu e as Ilhas D'Entrecasteaux (Seção 7.8.2), não mostram essa relação, o que implica uma crosta inferior mais viscosa que permanece fluindo abaixo de áreas altamente estendidas.

3 *Manto litosférico fino e fluxo de calor anormalmente alto*. Como muitos dos riftes amplos, a Basin and Range é caracterizada por alto fluxo de calor de superfície, por anomalias gravimétricas Bouguer negativas de ondas de longo-comprimento e por baixas velocidades crustais P_n e S_n (Catchings & Mooney, 1991; Jones et al., 1992; Zandt et al., 1995; Chulick & Mooney, 2002). A topografia regional da Província Basin and Range também é excepcionalmente alta, com uma média de 1,2 km acima do nível médio do mar. Baixas velocidades sísmicas são discerníveis até 300-400 km de profundidade. Modelos de tomografia sísmica indicam que as temperaturas do manto adiabático de 1.300°C ocorrem de forma rasa, como 50 km, sob a maior parte da província. Para efeito de comparação, as temperaturas nos 50-100 km no manto cratônico sob a parte leste estável da América do Norte são, em média, 500°C mais frias do que sob a Província Basin and Range. Todas essas características indicam uma astenosfera rasa e um manto superior quente e muito fino (Goes & van der Lee, 2002).

Temperaturas a 110 km de profundidade inferidas a partir de modelos de velocidade sísmica sugerem a presença de pequenas fusões e bolsões de fluidos no manto raso sob a Província Basin and Range (Goes & van der Lee, 2002). Manto *subsólido* quente e de baixa densidade também pode contribuir para a alta elevação média e variações em larga escala na topografia da região. Outros fatores que contribuem para altas elevações provavelmente incluem efeitos isostáticos causados por crosta continental previamente espessada e intrusões magmáticas. No entanto, uma falta de correlação entre variações da espessura da crosta terrestre e topografia da superfície indica que isostasia Airy simples não está em jogo e que altitudes elevadas em todo o sudoeste dos Estados Unidos devem envolver um componente mantélico (Gilbert & Sheehan, 2004).

A atividade vulcânica é abundante, incluindo erupções que ocorreram tanto antes como durante a extensão. Essa atividade é compatível com a evidência de alto fluxo de calor, geotermas elevadas e astenosfera rasa. O vulcanismo pré-rifte é, na sua maioria, calcioalcalino na composição. O magmatismo que acompanha a extensão é, na maior parte, basáltico. Basaltos de Nevada têm uma assinatura isotópica sugerindo que eram derivados do manto sublitosférico. Esse padrão marca evidências de ressurgência mantélica abaixo do rifte (Savage & Sheehan, 2000).

4 *Falhamento normal de pequena e grande magnitude*. Deformações extensionais elevadas e afinamento da crosta em riftes amplos são em parte acomodados por deslizamento em falhas normais. Dois padrões contrastantes são evidentes. Primeiro, a deformação pode envolver falhamento normal distribuído, onde um grande número de falhas normais mais ou menos regularmente espaçadas acomodam uma pequena quantidade (< 10 km) da extensão total cada uma. Segundo, a deformação pode ser altamente localizada em um número relativamente pequeno de falhas normais que acomodam grandes deslocamentos de várias dezenas de quilômetros. Ambos os padrões são comuns e podem ocorrer durante as diferentes fases da evolução do rifte.

Muitas das falhas normais de borda na Província Basin and Range registram um deslocamento relativamente pequeno. Essas estruturas parecem semelhantes àquelas que caracterizam os segmentos de riftes estreitos. Meio graben assimétrico e soerguimento da lapa são separados por uma falha normal dominante que acomoda a maior parte da deformação. A morfologia desses elementos é regida pelas propriedades elásticas da litosfera (Seção 7.6.4) e pelos efeitos da sedimentação e erosão sin-rifte. A assimetria do meio graben e os mergulhos das falhas de borda também comumente mudam para pares bacia-serra adjacentes. Muitas das falhas tectonicamente ativas mantêm mergulhos íngremes (> 45°) que podem penetrar através da crosta superior. No entanto, ao contrário das falhas de borda do leste da África, algumas das falhas de borda da Província Basin and Range exibem geometrias que envolvem exposição de falhas extensionais de baixo ângulo. Uma pequena parte dessas falhas normais de baixo ângulo acomoda deslocamentos muito grandes e penetra dezenas de quilômetros na crosta, possivelmente, atingindo a crosta inferior.

Falhas de descolamento extensional são de baixo ângulo (< 30°), geralmente com superfícies falhadas em forma de domo, com grande extensão em área, que podem acomodar deslocamentos de 10-50 km (Axen, 2004). A lapa dessas falhas pode expor uma zona de cisalhamento dúctil espessa (0,1-3 km), que foi inicialmente formada na crosta média ou inferior e mais tarde evoluiu para uma superfície de atrito (frágil) à medida que foi exumada durante a extensão (Wernicke, 1981). Na Província de Basin and Range, esses aspectos caracterizam regiões que foram afinadas a tal ponto (100-400% de extensão) que a crosta superior foi completamente separada, de modo que as rochas metamórficas que uma vez residiram na crosta média e inferior foram exumadas. Essas regiões de domeamento de crosta intensamente denudada e de falhamento de descolamento são características marcantes de *complexos de núcleos metamórficos* extensionais cordilheiranos (Crittenden et al., 1980; Coney & Harms, 1984). Núcleos complexos são relativamente comuns na Província de Basin and Range (Figs 7.13, 7.14), embora não sejam exclusivos dessa província. Suas idades são diversas, mas a maioria foi formada durante o Oligoceno Superior ao Mioceno Médio (Dickinson, 2002). Características semelhantes ocorrem em muitas outras configurações, incluindo o sul do Mar Egeu, em riftes que se formam sobre zonas de subducção, como as Ilhas D'Entrecasteaux (Seção 7.8.2), perto de zonas de espalhamento oceânico (Seção 6.7) e em zonas de extensão dentro de orógenos colisionais (Seção 10.4.4).

A maioria dos autores vê complexos metamórficos como característicos de regiões onde a fraqueza reológica da crosta facilita o fluxo lateral na crosta profunda e, em alguns casos, o manto, fazendo com que a extensão da crosta superior se localize em zonas estreitas (Seções 7.6.2, 7.6.5). No entanto, a mecânica de deslocamento em falhas normais de baixo ângulo não é bem compreendida. Grande parte da incerteza está centrada em exemplos específicos inicialmente formados com ângulos baixos ou que foram girados de uma orientação de maior ângulo durante a deformação (Axen, 2004). O consenso é que ambos os tipos provavelmente ocorrem (Seção 7.8.2). Algumas falhas normais de baixo ângulo e grande deslocamento podem evoluir a partir de falhas de alto ângulo por rotação flexural (Seção 7.6.4). Como a capa é removida por deslizamento sobre a falha, a lapa é mecanicamente descarregada e resulta em elevação isostática e domeamento (Buck, 1988; Wernicke & Axen, 1988). O domeamento pode girar a falha normal para mergulhos mais suaves e levar à formação de novas falhas de alto ângulo.

A variedade de padrões de falhas cenozoicas que tipificam a Província de Basin and Range é ilustrada na Fig. 7.14, que mostra um segmento do leste da Great Basin, em Utah, e do leste de Nevada (Niemi et al., 2004). Com 350 km de extensão, a Zona da Falha Wasatch é composta de múltiplos segmentos, com os maiores exibindo mergulho variando de 35° a 70° para o oeste. Sua geometria em subsuperfície não é bem compreendida, mas provavelmente penetra pelo menos até a crosta superior. A falha de descolamento do Deserto de Sevier mergulha 12° para oeste e pode ser traçada de forma contínua em perfis de sísmica de reflexão a uma profundidade de pelo menos 12-15 km (Fig. 7.14b). A faixa delimitadora Spring Valley e as falhas de Egan Range penetram pelo menos 20 km de profundidade e, possivelmente, através de toda a espessura de 30 km da crosta em ângulos de ~30°. O Descolamento de Snake Range também mergulha ~30° através de boa parte da crosta superior. A extensão de grande magnitude ao longo das falhas de descolamento de Snake Range (Miller et al., 1999) e do Deserto de Sevier (Stockli et al., 2001) começou no Mioceno inferior e Oligoceno superior ou no Mioceno inferior, respectivamente. Na maioria das áreas, falhas normais de alto ângulo estão superimpostas a essas estruturas mais antigas.

7.4 ATIVIDADE VULCÂNICA

7.4.1 Grandes províncias ígneas

Muitos riftes e margens passivas (Seção 7.7.1) estão associados com a erupção subaérea de derrames de basaltos continentais. Essas erupções representam uma subcategoria importante de um amplo grupo de rochas ígneas conhecido como Grandes Províncias Ígneas (*Large Igneous Provinces* – LIPs).

As Grandes Províncias Ígneas são enormes alojamentos crustais formados principalmente de rochas máficas extrusivas e intrusivas originadas de diferentes processos de espalhamento normal do assoalho oceânico. LIPs podem cobrir áreas de até vários milhões de quilômetros quadrados e ocorrem em uma ampla gama de configurações. Dentro de placas oceânicas, LIPs formam platôs oceânicos como o Kerguelen e o Ontong Java (Fig. 7.15). Este último exemplo ocupa uma área equivalente a dois terços da Austrália. Os basaltos da Sibéria e do Rio Columbia são exemplos daqueles que se formaram no interior das placas continentais. Na África Oriental, os derrames basálticos da Etiópia e do Quênia estão associados com o rifteamento continental ativo, e as trapas Deccan, na Índia, e os basaltos Karoo do sul da África

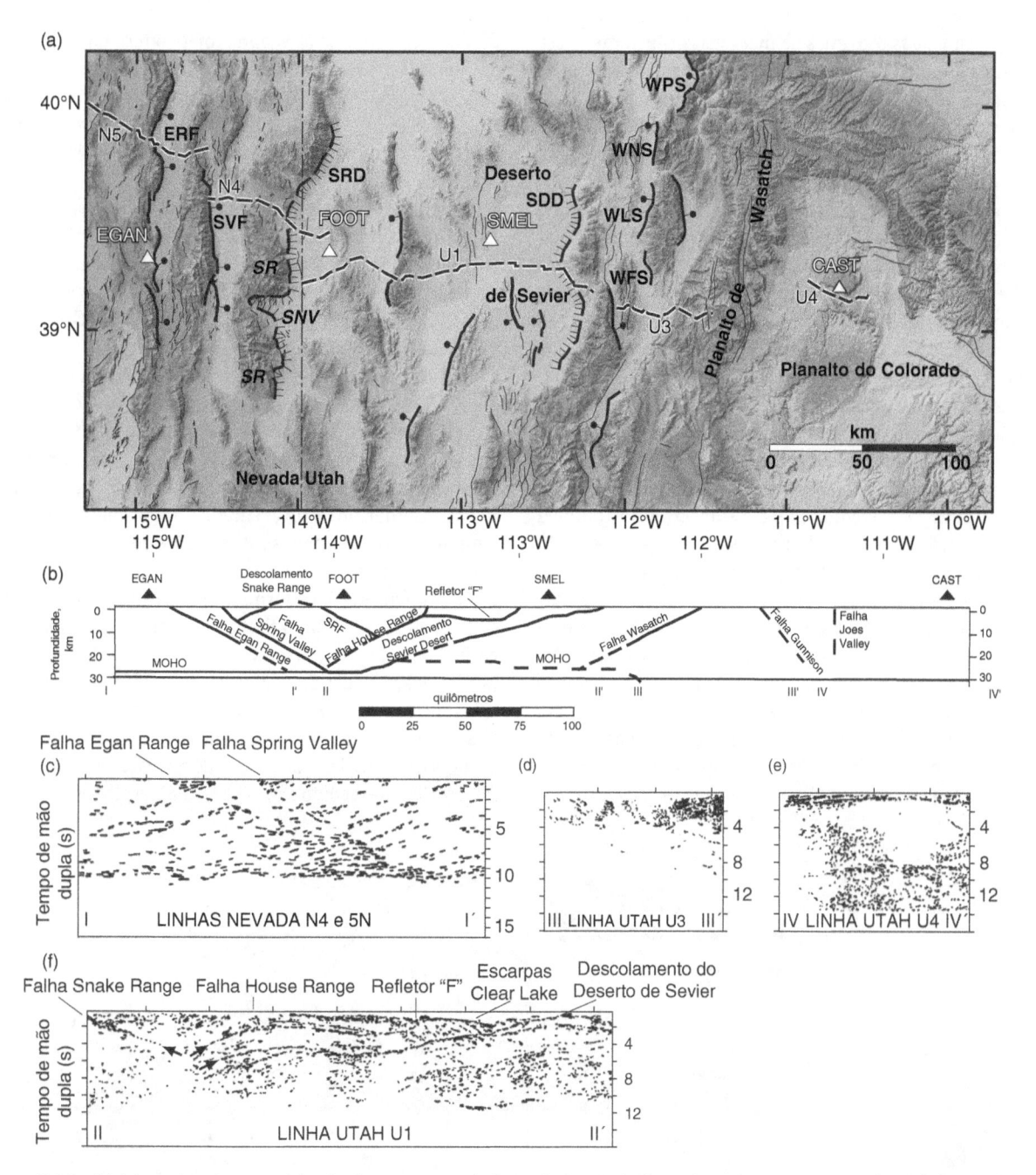

Figura 7.14 (a) Mapa de relevo sombreado de uma parte do leste da Província de Basin and Range mostrando as falhas de borda e os locais dos perfis de sísmica de reflexão (linhas pretas tracejadas) e as posições de GPS (triângulos brancos) (imagem fornecida por N. Niemi e adaptada de Niemi et al., 2004, com permissão da Blackwell Publishing). As falhas de alto ângulo são representadas por barras e círculos na capa, e as falhas de baixo ângulo são representadas pelo padrão hachurado. As falhas mencionadas no texto incluem a Falha Egan Range (ERF), a Falha Spring Valley (SVF), o Descolamento do Deserto de Sevier (SDD), a Zona de Falha de Wasatch (WFS, WLS, WNS, WPS) e o Descolamento do Snake Range (SRD). Secção transversal (b) construída com dados de sísmica de reflexão a partir de (c) Hauser et al., 1987, e (d) Allmendinger et al., 1983 (com permissão da Geological Society of America). (e, f) Allmendinger et al., 1986 (adaptado de Allmendinger et al., 1986, com permissão da American Geophysical Union. Copyright © 1986 American Geophysical Union). SR, Complexo Metamórfico Snake Range.

estão posicionados próximos de margens continentais. Essa diversidade indica que nem todos as LIPs estão associadas com zonas de extensão. Dentro de fendas, sua erupção pode ocorrer de forma síncrona com rifteamentos milhões de anos antes ou após o início da extensão (Menzies et al., 2002).

A estimativa dos volumes totais de lava nas LIPs é dificultada devido à erosão, ao desmembramento devido ao espalhamento do fundo oceânico e a outros processos tectônicos que são posteriores à erupção. As Ilhas Havaianas são bem estudadas quanto a esse assunto. Dados sísmicos têm mostrado que, sob a crosta, há uma zona de rochas com uma velocidade sísmica particularmente elevada, que é provavelmente derivada da mesma fonte mantélica que as rochas vulcânicas da superfície. Para o Havaí, existe uma relação básica entre a estrutura de velocidade e o volume total de rochas ígneas (Coffin & Eldholm, 1994). Essa relação tem sido aplicada a outras LIPs para determinar os seus volumes. Por exemplo, os basaltos do Rio Columbia são compostos por 1,3 milhões de km^3, enquanto o Platô de Ontong Java é composto por pelo menos 27 milhões de km^3 de rocha vulcânica e, possivelmente, duas vezes essa quantidade (Seção 5.5). Esses valores são muito mais elevados do que os basaltos continentais da África Oriental. No Quênia, o volume total de derrames basálticos foi estimado em aproximadamente 924.000 km^3 (Latin et al., 1993). Na Etiópia (Fig. 7.16), as camadas de basalto e rochas félsicas atingem a espessura de > 2 km, com um volume total estimado em 350.000 km^3 (Mohr & Zanettin, 1988). A erupção de grandes volumes de magma máfico tem consequências ambientais graves, como a formação de gases de efeito estufa, a geração de chuva ácida e mudanças no nível do mar (Coffin & Eldholm, 1994; Ernst et al., 2005). As erupções também fazem contribuições significativas para o crescimento crustal.

Algumas LIPs parecem se formar muito rapidamente. Para muitos derrames basálticos continentais, 70-80% da rocha basáltica entraram em erupção em menos de 3 milhões de anos (Menzies et al., 2002). Estudos geocronológicos têm mostrado que o principal evento na Groenlândia (Tegner et al., 1998), o Deccan Traps (Hofmann et al., 2000), e a maior parte dos basaltos da Etiópia Traps (Hofmann et al., 1997) irromperam em menos de 1 milhão de anos. No entanto, este último exemplo (Seção 7.2) também mostra que os pulsos de vulcanismo entre 45 e 22 Ma contribuíram para a formação dos derrames basálticos na região de Afar. Platôs submarinos provavelmente se formaram em taxas similares, embora menos informações estejam disponíveis sobre esses tipos de LIPs. A Província do Atlântico Norte e o Platô Ontong Java formaram-se em menos de 3 Ma, e o Platô Kerguelen em 4,5 Ma. Boa parte da atividade vulcânica ocorreu em episódios curtos e violentos separados por longos períodos de relativa quiescência. Estimativas das taxas médias de formação, que incluem os períodos de quietude, são 12-18 km^3 a^{-1} para o Platô Ontong Java e 2-8 km^3 a^{-1} para as trapas Deccan. A taxa de formação para o Ontong Java pode ter excedido a taxa de produção global contempo-

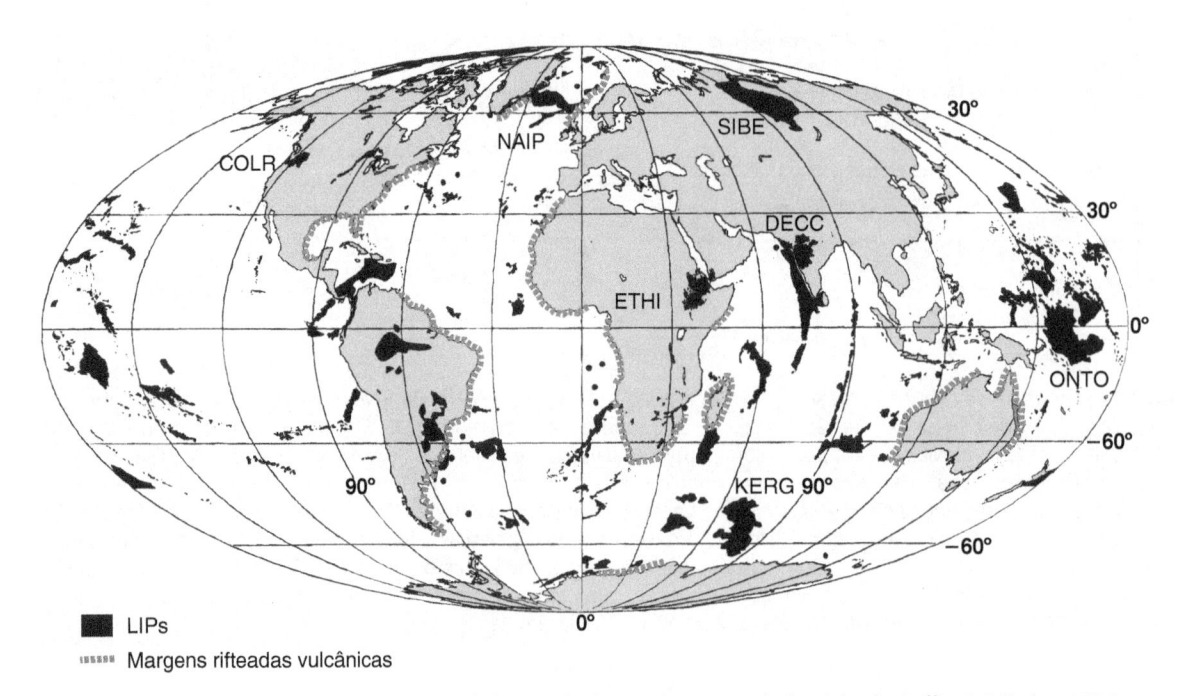

Figura 7.15 Mapa mostrando a distribuição global de grandes províncias ígneas (adaptado de Coffin & Edholm, 1994, com permissão da American Geophysical Union. Copyright © 1994 American Geophysical Union). As margens rifteadas vulcânicas são de Menzies et al. (2002). LIPs classificados: derrames basálticos da Etiópia (ETHI); trapas Deccan (DECC); basaltos siberianos (SIBE); Platô Kerguelen (KERG); basaltos do Rio Columbia (COLR); Ontong Java (ONTO); província ígnea do Atlântico Norte (NAIP).

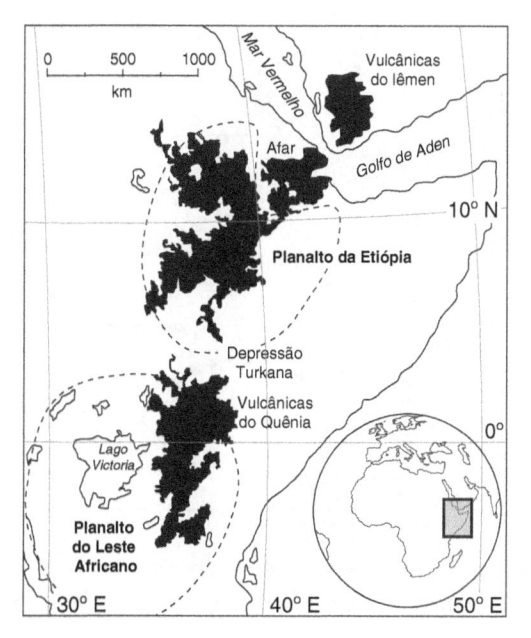

Figura 7.16 Mapa mostrando a localização dos derrames basálticos do Cenozoico no Planalto da Etiópia e no Planalto do Leste Africano (Domo do Quênia) (segundo Macdonald et al., 2001, com permissão da Oxford University Press).

rânea de todo o sistema de dorsais mesoceânicas (Coffin & Eldholm, 1994).

O derramamento de grandes volumes de magma máfico em curtos períodos de tempo requer uma fonte mantélica. Essa característica tem incentivado interpretações envolvendo as plumas do manto profundo (Seções 5.5, 12.10), embora a existência e a importância dessas características sejam debatidas amplamente (Anderson & Natland, 2005). As plumas do manto podem formar grandes platôs oceânicos, e alguns derrames basálticos continentais também podem ser atribuídos a elas. Abaixo do Planalto da Etiópia e do Domo do Quênia (no Planato do Leste Africano), extensivo vulcanismo e soerguimento topográfico parecem ser a consequência da astenosfera anormalmente quente (Venkataraman et al., 2004). As características isotópicas da rocha vulcânica e o grande volume de lava máfica formada durante um curto período de tempo (Hofmann et al., 1997; Ebinger & Sleep, 1998) sugerem que uma pluma ou plumas abaixo dos soerguimentos forneceram material do manto profundo (Marty et al., 1996; Furman et al., 2004). Conforme as plumas ascendem, elas sofrem fusão por descompressão com a quantidade de fundido, dependendo da pressão ambiente (Seção 7.4.2). Consequentemente, uma menor fusão é esperada sob litosfera continental espessa do que sob litosfera oceânica espessa. No entanto, as fontes de magma que geraram muitas das LIPs não são bem compreendidas, e é provável que não haja um único modelo que explique todas elas. Ernst et al. (2005) reveem os muitos aspectos da pesquisa de LIPs e modelos de formação, incluindo a ligação com depósitos de minério (Seção 13.2.2).

7.4.2 Petrogênese de rochas de rifte

A geoquímica de rochas vulcânicas máficas extrudadas em riftes continentais fornece informações sobre as fontes e os mecanismos de geração de magma durante o rifteamento. Basaltos de riftes são geralmente enriquecidos em álcalis (Na_2O, K_2O, CaO), elementos litófilos de íons grandes (LILE), como K, Ba, Rb, Sr, Pb^{2+} e terras raras leves, e voláteis, especialmente CO_2 e halogênios. Basaltos de derrames toleíticos também são comuns e podem estar associados com lavas silicáticas, incluindo riolito. Observações no leste da África indicam que um contínuo de rochas máficas geralmente ocorre, incluindo alcalinas, ultra-alcalinas, toleíticas, félsicas e composições de transição (Fig. 7.17a). Essa diversidade reflete tanto a heterogeneidade em composição das regiões-fontes do manto quanto os processos que afetam a gênese e a evolução de magma máfico.

Há três maneiras pelas quais o manto poderá fundir para produzir líquidos basálticos sob riftes. Primeiro, a fusão pode ser alcançada por aquecimento do manto acima da geoterma normal (Fig. 7.18a). Perturbações geotérmicas podem estar relacionadas com a transferência vertical de calor por plumas do manto profundo. É provável, por exemplo, que o vulcanismo e o soerguimento topográfico associados com os Platôs da Etiópia e do Leste Africano reflitam manto anormalmente quente. Investigações de atenuação de ondas P_n sob o ramo oriental do Rifte do Leste Africano sugerem temperaturas sublitosféricas que são significantemente maiores que as do manto ambiente (Venkataraman et al., 2004). Um segundo mecanismo para derreter o manto é abaixar a pressão ambiente (Fig. 7.18b). A ascensão do manto quente durante o estiramento litosférico (Seção 7.6.2) ou o surgimento de uma pluma mantélica causa uma redução na pressão que leva ao derretimento por descompressão em uma variedade de profundidades, com o grau de derretimento dependendo da taxa de subida, do gradiente geotérmico, da composição do manto e da disponibilidade de fluidos. Um terceiro mecanismo de fusão envolve a adição de compostos voláteis, que tem o efeito de diminuir a temperatura *sólida*. Todos os três mecanismos, provavelmente, contribuem para a geração de fundidos basálticos sob riftes continentais.

Uma vez formada, a composição dos magmas máficos pode ser afetada por *fusão parcial*. Esse processo resulta na separação de um líquido a partir de um resíduo sólido, que pode produzir uma variedade de composições de fusão a partir de uma única fonte mantélica. Magmas máficos primários também tendem a *fracionar*, de modo que os cristais são fisicamente removidos do líquido em uma ampla faixa de pressões crustais, resultando em suítes de rochas de composição distinta. Os modelos atuais geralmente favorecem a cristalização fracionada de fundidos basálticos em câmaras de magma rasas como processo dominante, gerando riolito.

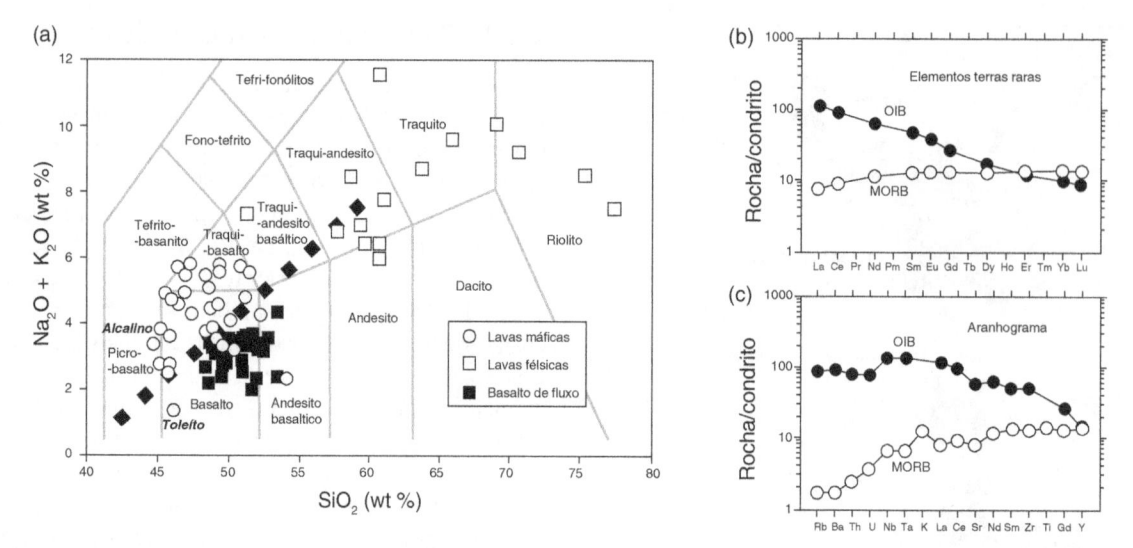

Figura 7.17 (a) Diagrama de álcali-sílica total mostrando as características geoquímicas de lavas da Etiópia (segundo Kieffer et al., 2004, com permissão da Oxford University Press). A linha tracejada separa basaltos alcalinos de toleíticos. Elemento terra rara (b) e aranhograma (c) mostrando um típico basalto alcalino de ilha oceânica (OIB) e um típico basalto toleítico de dorsal mesoceânica (MORB) (de Winter, John D., *An Introduction to Igneous and Methamorphic Petrology*, 1st edition © 2001, p. 195. Reproduzido com permissão da Pearson Education, Inc., Upper Saddle River, NJ).

Variabilidade de composição também reflete a *assimilação* de componentes crustais e a *mistura magmática*. As erupções bimodais basalto-riolito são tidas como reflexo de combinações do manto e fundidos crustais ricos em sílica.

A comparação das concentrações de elementos-traço e características isotópicas indica que basaltos gerados em riftes continentais são muito semelhantes aos de ilhas oceânicas (Seção 5.5). Ambos os tipos de rochas preservam evidências de uma fonte mantélica enriquecida em elementos-traço incompatíveis, incluindo o LILE, e mostram razões relativamente altas de estrôncio radiogênico ($^{87}Sr/^{86}Sr$) e baixo neodímio ($^{143}Nd/^{144}Nd$). Esses padrões são bastante diferentes daqueles apresentados por basaltos de dorsais mesoceânicas, os quais estão depletados em elementos-traço incompatíveis (Fig. 7.17b,c) e exibem razões baixas de estrôncio e altas de neodímio. Elementos-traço são considerados *incompatíveis* se estão concentrados na fase líquida em relação à fase sólida. Como não é possível explicar essas diferenças pelas condições de gênese e evolução do magma, o manto do qual esses magmas são derivados deve ser heterogêneo. Em geral, a astenosfera é reconhecida como empobrecida em elementos incompatíveis, mas as opiniões divergem sobre se as fontes enriquecidas originam-se acima ou abaixo da astenosfera. Plumas do manto não empobrecido oferecem uma fonte plausível do enriquecimento do material do manto. O enriquecimento também pode ser resultado da captura da astenosfera primitiva não empobrecida na base da litosfera ou da difusão de voláteis ricos em LILE a partir da astenosfera ou do manto profundo para a litosfera.

Com base na concentração de elementos-traço e características isotópicas, Macdonald et al. (2001) inferiram que magmas máficos no ramo oriental do sistema de Riftes do Leste Africano foram derivados de pelo menos duas fontes de manto, uma de origem sublitosférica, semelhante à que produz basaltos de ilhas oceânicas, e uma dentro da litosfera subcontinental. Contribuições do manto subcontinental são indicadas por xenólitos de manto litosférico preservados em lavas, padrões por distintivos de elementos terras raras e pela mineralogia da rocha basáltica. No sul do Quênia, a presença de anfibólio em algumas lavas máficas implica em uma fonte de magma na litosfera subcontinental em vez de na astenosfera (le Roex et al., 2001; Späth et al., 2001). Essa conclusão é ilustrada na Fig. 7.19, onde a estabilidade experimentalmente determinada do campo do anfibólio é mostrada juntamente com um provável grau geotérmico continental e adiabático correspondente ao manto astenosférico normal e a uma pluma mantélica 200°C mais quente. É somente no manto litosférico comparativamente frio que anfibólios hidratados típicos podem existir. O requisito adicional de granada na fonte, que é indicado por padrões distintivos de elemento terra rara, restringe a profundidade de fusão para 75-90 km. Esses e outros estudos mostram que a geração de fundido litosférico é comum em riftes, especialmente durante os primeiros estágios de desenvolvimento. Eles também indicam que a identificação do fundido derivado da litosfera subcontinental fornece uma ferramenta potencialmente útil para avaliar as alterações na espessura da litosfera durante o rifteamento.

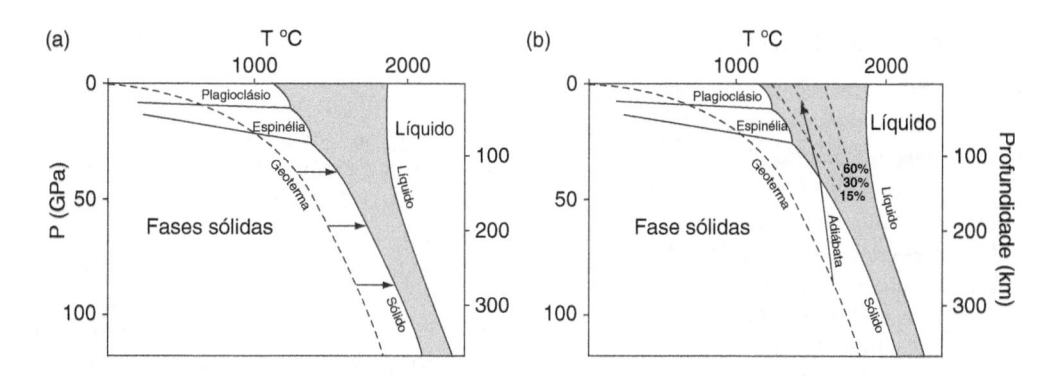

Figura 7.18 (a) Fusão por elevação da temperatura. (b) Fusão por decréscimo da pressão (de Winter, John D., *An Introduction to Igneous and Methamorphic Petrology*, 1st edition © 2001, p.195. Reimpresso com permissão da Pearson Education, Inc., Upper Saddle River, NJ). Em (b) ocorre fusão quando a adiábata entra na zona sombreada da fusão. Porcentagens de fusão são mostradas.

Somado a variações de composição relacionadas com regiões de origem, muitos autores têm inferido relações sistemáticas entre a composição de basalto e a profundidade e a intensidade de fusão no manto abaixo de riftes (Macdonald et al., 2001; Späth et al., 2001). Basaltos toleíticos originam-se de quantidades relativamente grandes de fusão em profundidades rasas do manto em cerca de 50 km ou menos. Basaltos transicionais são produzidos por menor fusão em profundidades intermediárias, e magmas altamente alcalinos originam-se em profundidades ainda maiores (100-200 km) por quantidades relativamente pequenas de fusão. Essas relações, e a evolução de magmas máficos relativa a composições da dorsal mesoceânica como progressão do rifteamento para o espalhamento do fundo do mar, implicam uma diminuição na profundidade de fusão e um coincidente aumento na intensidade de fusão com o tempo. Em apoio a essa generalização, imagens tomográficas do leste da África mostram a presença de pequenas frações de fundidos em manto litosférico relativamente espesso abaixo de segmentos de rifte juvenil, como aqueles no norte da Tanzânia e no Quênia (Green et al., 1991; Birt et al., 1997). Maiores frações de fundido ocorrem em profundidades menores sob segmentos mais maduros do rifte, como aqueles no norte da Etiópia e da Depressão Afar (Bastow et al., 2005). No entanto, como discutido a seguir, tendências de composição em lavas basálticas que extravasaram em riftes continentais podem não seguir uma progressão simples, especialmente antes da ruptura da litosfera.

Embora possam haver tendências amplas de diminuição da alcalinidade com o tempo, definir tendências sistemáticas de composição em basaltos é frequentemente difícil no nível local e em escalas regionais. Por exemplo, tentativas para documentar uma diminuição sistemática no grau de contaminação litosférica com o progresso do rifteamento provaram ser ilusórias. Tal diminuição poderia ser esperada, se, como a litosfera afina e eventualmente rompe, fundidos provindos do manto sublitosférico começassem a penetrar a superfície sem significativa interação com fundidos derivados da litosfera. No entanto, estudos no Quênia e na Etiópia não mostram qualquer padrão temporal ou espacial sistemático no grau de contaminação da litosfera nos basaltos de rifte (Macdonald et al., 2001). Isso indica que os modelos de rifte envolvendo a evolução progressiva de magmas alcalinos no sentido de magmas toleíticos durante a transição para o espalhamento de fundo de mar são simplistas demais. Em vez disso, os dados sugerem que a gama completa de composição de fundidos máficos pode coexistir em riftes continentais e que a gênese de magmas pode envolver múltiplas fontes em qualquer fase do processo de rifteamento. Toleítos, por exemplo, comumente estão presentes durante todas as fases de rifteamento e podem preceder a geração de basaltos alcalinos e de transição.

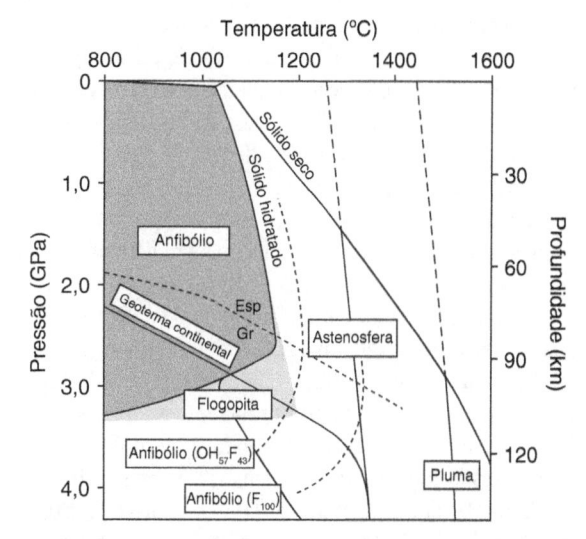

Figura 7.19 Diagrama de pressão e temperatura mostrando o campo de estabilidade do anfibólio (segundo le Roex et al., 2001, Fig. 10. Copyright © 2001, com permissão de Springer Science and Business Media). O anfibólio é estável no manto subcontinental, mas não sob condições características do manto astenosférico ou de uma pluma mantélica. Gt, granada; Sp, espinélio.

7.4.3 Ressurgência mantélica sob riftes

A estrutura tridimensional de velocidade do manto superior sob riftes pode ser verificada usando retardo do tempo de viagem telessísmica e tomografia sísmica. Davis & Slack (2002) modelaram esses tipos de dados sob o Domo do Quênia usando duas superfícies gaussianas que separam camadas ondulantes de diferentes velocidades (Figura 7.2 do encarte colorido). Uma camada superior (superfície de malha) possui picos na Moho sob o Vale do Rifte e tem um contraste de velocidade de –6,8% em relação aos 8 km s^{-1} do manto. A camada inferior (tons de cinza da superfície) possui pico em cerca de 70 km de profundidade e tem um contraste de –11,5% estendendo-se até uma profundidade de cerca de 170 km. Esse modelo, que está de acordo com os resultados dos estudos de refração sísmica, mostra uma estrutura dômica do manto superior com lados que mergulham de forma oposta a partir do centro do Rifte do Quênia. Os autores sugeriram que essa estrutura resulta da separação da astenosfera ressurgente em correntes que se impõem sobre a base da litosfera e formam uma zona de fusão de velocidade e densidade baixas entre 70 e 170 km profundidade.

Park & Nyblade (2006) utilizaram tempos de deslocamento de onda P telessísmica para a imagem do manto superior sob o ramo leste do sistema de Riftes do Leste Africano em profundidades de 500 km. Eles encontraram uma anomalia de baixa velocidade mergulhando a oeste semelhante à modelada por Davis & Slack (2002) acima de 160 km de profundidade. Abaixo dessa profundidade, a anomalia amplia para o oeste indicando um mergulho neste sentido. Estruturas similares foram visualizadas abaixo da Tanzânia (Ritsema et al., 1998; Weeraratne et al., 2003) e em partes da Etiópia (Benoit et al., 2006). Bastow et al. (2005) descobriram que uma zona tabular (75 km de largura) de baixa velocidade abaixo do sul da Etiópia fica mais larga em profundidades de > 100 km, abaixo da zona mais extensa da seção norte do rifte (Fig. 7.7c,d). As anomalias são mais pronunciadas em ~150 km de profundidade. Essas largas estruturas que mergulham são difíceis de conciliar com os modelos de uma pluma simples com cabeça e cauda bem definidas. Em vez disso, elas parecem ser mais consistentes com plumas múltiplas ou modelos tomográficos (Figura 7.3 do encarte colorido) onde a astenosfera quente se conecta a uma zona larga do manto anormalmente quente abaixo da África Austral.

No manto profundo abaixo da África do Sul, Ritsema et al. (1999) registraram uma larga zona de baixa velocidade estendendo-se para cima a partir do limite núcleo-manto e mostraram que isso pode ter ligações físicas com as zonas de baixa velocidade no manto superior abaixo do leste da África (Figura 7.3 do encarte colorido). A deflexão da anomalia de velocidade profunda mostra que a ressurgência não é vertical. Entre 670 e 1.000 km de profundidade, a anomalia enfraquece, sugerindo que ela pode estar obstruída. Essas observações dão suporte à ideia de que a astenosfera anormalmente quente abaixo da África está relacionada de algum modo a essa larga e profunda zona de ressurgência conhecida como superpluma africana (Seção 12.8.3). Porém, consenso sobre localização, extensão em profundidade e continuidade do material mantélico quente abaixo do sistema de Riftes do Leste Africano tem ainda que ser alcançado (cf. Montelli et al., 2004a).

Uma comparação da estrutura do manto abaixo de riftes em diferentes configurações indica que o tamanho e a força das ressurgências mantélicas são altamente variáveis. Achauer & Masson (2002) mostraram que, em riftes relativamente frios, como o Rifte de Baikal e a parte sul do Graben do Reno, zonas de baixa velocidade são apenas levemente negativas (–2,5% relativo a velocidades da onda P no manto), e a maioria ocorre abaixo de profundidades de 160 km. Nesses sistemas relativamente frios, as zonas de baixa velocidade na parte superior do manto não mostram continuidade em níveis mais profundos (> 160 km) nem alargamento da ressurgência astenosférica em profundidade abaixo do rifte. Em outros sistemas, como o Rifte do Rio Grande, zonas de baixa velocidade no manto superior podem formar partes de células de convecção de pequena escala onde a ressurgência ocorre abaixo do rifte e ressurgência descendente abaixo de suas margens (Gao et al., 2004).

7.5 INICIAÇÃO DO RIFTE

Riftes continentais requerem a existência de um campo de esforço deviatório tracional horizontal suficiente para quebrar a litosfera. A tração deviatória pode ser causada por esforços provindos de uma combinação de fontes, incluindo: (i) movimento de placas; (ii) forças de flutuabilidade térmica devido a ressurgências da astenosfera; (iii) tração na base da litosfera produzida pela astenosfera convectiva; e/ou (iv) forças de flutuabilidade (gravitacionais) criadas pela variação da espessura crustal (Huismans et al., 2001). Esses esforços podem ser herdados de um regime tectônico prévio ou podem desenvolver-se durante a extensão. A ruptura total da litosfera levando à formação de uma nova bacia oceânica somente ocorre se o esforço disponível exceder a resistência de toda a litosfera. Por essa razão, a resistência da litosfera é um dos parâmetros mais importantes que governa a formação e a evolução de riftes continentais e margens passivas.

A força horizontal requerida para romper toda a litosfera pode ser estimada integrando um dado valor de esforço pela respectiva profundidade. A integral de um dado esforço, ou da resistência da litosfera, é altamente sensitiva ao gradiente geotermal, assim como à composição da crosta e à espessura crustal (Seção 2.10.4). A consideração desses fatores sugere que uma força de 3×10^{13} Nm^{-1} pode ser necessária para a ruptura da litosfera com um valor típico de fluxo de calor de 50 mW m^{-2} (Buck et al., 1999). Em áreas onde a litosfera exibe o dobro do fluxo de calor, como na Província de Basin and Range, isso pode requerer menos que 3-5 × 10^{12} N m^{-1} (Forsyth & Uyeda, 1975; Solomon et al., 1975). Se correto, somente onde a litosfera é fina ou onde a litosfera tem um fluxo de calor maior que 65-70 mW m^{-2} é esperada a ocorrência de extensão significativa na falta de qualquer outro mecanismo de enfraquecimento (Kusznir & Park, 1987). Em outras áreas, intrusões magmáticas ou a adição de água podem ser requeridas para o suficiente enfraquecimento da litosfera que permita a ocorrência do rifte.

Outro fator importante que controla a ocorrência ou não do rifteamento é o mecanismo que está disponível para acomodar a extensão. Em qualquer profundidade, a tração desviatória pode ser causada por falhamento, fluxo dúctil ou intrusão de dique, dependendo de qual desses processos requer o menor montante de esforço. Por exemplo, se uma fonte magmática está disponível, a intrusão de basaltos na forma de diques verticais pode permitir que a litosfera se separe sob níveis de esforço muito menores do que na ausência dessa fonte. Esse efeito ocorre porque o esforço que é requerido para permitir a acomodação da extensão pelos diques basálticos depende principalmente da diferença de densidade entre a litosfera e o magma (Buck, 2004). Em contraste, o esforço requerido para causar falhamento ou fluxo dúctil depende de muitos outros fatores que resultam em resistências que podem ter magnitude maior que aquelas requeridas para a separação da litosfera por colocação de diques (Fig. 7.20). Elevadas temperaturas (> 700°C) na Moho, como aquelas que podem resultar a partir do relaxamento térmico da crosta previamente espessada, também podem contribuir para a geração de forças tectônicas necessárias para a iniciação do rifte.

Finalmente, a localização e distribuição da deformação no início do rifteamento podem ser influenciadas pela presença de fragilidades pré-existentes na litosfera. Contrastes na espessura da listosfera ou na resistência e temperatura da litosfera podem localizar a deformação ou controlar a orientação dos riftes. Esse efeito tardio é ilustrado pela mudança na orientação do flanco Leste do Rifte do Leste Africano onde o eixo do rifte encontra a litosfera fria e espessa da raiz do craton Arqueano da Tanzânia (Seção 7.8.1). O exemplo Tanzaniano sugere que as heterogeneidades laterais no limite litosfera-astenosfera são mais influentes que estruturas rasas para alterar a geometria do rifte (Foster et al., 1997).

7.6 PROCESSO DE LOCALIZAÇÃO E DESAPARECIMENTO DA DEFORMAÇÃO

7.6.1 Introdução

A localização da deformação em zonas estreitas durante a extensão é alcançada por processos que levam ao enfraquecimento mecânico da litosfera. O enfraquecimento da litosfera pode ser alcançado pela elevação de geotermas durante o estiramento litosférico, por aquecimento por intrusões, por interações entre a litosfera e a astenosfera e/ou por vários mecanismos que controlam o comportamento de falhas e zonas de cisalhamento durante a deformação. Indo contra esses *mecanismos de redução (softening) de deformação* estão processos que promovem o enrijecimento da litosfera. O enrijecimento da litosfera pode ser acompanhado pela substituição da crosta fraca por manto superior resistente durante o afinamento crustal e pela variação da espessura crustal que resulta da extensão. Esses e outros *mecanismos de endurecimento (hardening)* promovem o desaparecimento da deformação durante o rifteamento. A competição entre esses mecanismos, não importando se resultam em uma rede de enfraquecimento ou uma rede de enrijecimento da litosfera, controla a evolução dos padrões de deformação dentro dos riftes.

Para determinar quantas combinações diferentes dos mecanismos de enfraquecimento e enrijecimento da litosfera controlam a resposta da litosfera para a extensão, geocientistas têm desenvolvido modelos de rifteamento usando diferentes abordagens. Uma abordagem, chamada de *modelagem cinemática*, envolve o uso de informações sobre a geometria, o deslocamento e o tipo de deformação para fazer previsões sobre a evolução de riftes e margens passivas. As Figs. 7.4c, 7.10 e 7.11 ilustram os tipos de dados que frequentemente são usados para gerar esses tipos de modelos. Entre os exemplos cinemáticos mais comuns, estão os modelos de extensão por *cisalhamento puro* (McKenzie, 1978), por *cisalhamento simples* (Wernicke, 1985) e por *delaminação da crosta* (Lister et al., 1986) (Fig. 7.21). As predições desses modelos são testadas com as observações de histórias de subsidência e soerguimento dentro de riftes e margens passivas e com informações sobre os rejeitos de falhas e zonas de cisalhamento. Essa abordagem tem sido usada com sucesso para explicar as diferenças na geometria do falhamento e na história da extensão de alguns riftes e margens passivas. No entanto, uma das principais limitações da modelagem cinemática é que ela não resolve as causas subjacentes a essas diferenças. Em contraste, modelos mecânicos empregam informações sobre a resistência da litosfera e como ela muda durante o rifteamento para testar como diferentes processos físicos afetam a evolução do rifte. Esta última abordagem permite tensões não homogêneas e uma avaliação quantitativa de como as alterações da resistência da litosfera e da reologia afetam o comportamento do rifte. Os principais processos físicos envolvidos no rifteamento e seus efeitos sobre a evolução da litosfera são discutidos nesta seção.

7.6.2 Estiramento litosférico

Durante a extensão horizontal, o estiramento litosférico resulta em um afinamento vertical da crosta e um aumento do gradiente geotérmico dentro da zona de afinamento (McKenzie, 1978). Essas duas mudanças nas propriedades

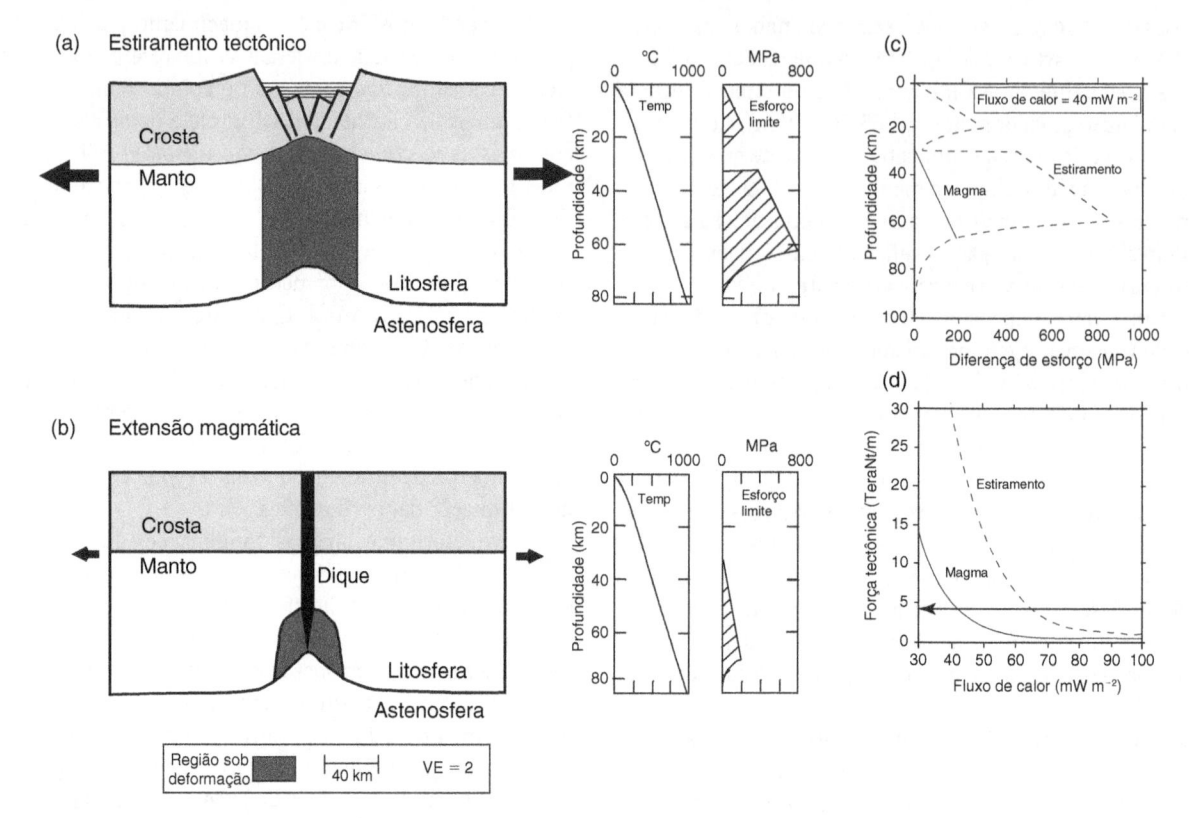

Figura 7.20 Esboços que mostram a diferença entre a extensão da espessura da litosfera sem (a) e com (b) intrusão magmática por meio de dique. Curvas de temperatura e consequente esforço para cada caso são mostrados à direita dos esboços. VE, exagero vertical. (c) Exemplo de esforço limite para a taxa de deformação 10^{-14} s^{-1} para a crosta de 30 km de espessura. Linha contínua, diferença de esforço para rifteamento magmático; linha tracejada, diferença de esforço para o estiramento da litosfera. (d) Força tectônica para rifteamento com e sem magma em função do fluxo de calor. A linha em negrito em (d) mostra o valor estimado de forças (de Buck, 2004. Copyright © 2004 pela Columbia University Press. Reproduzido com permissão do editor).

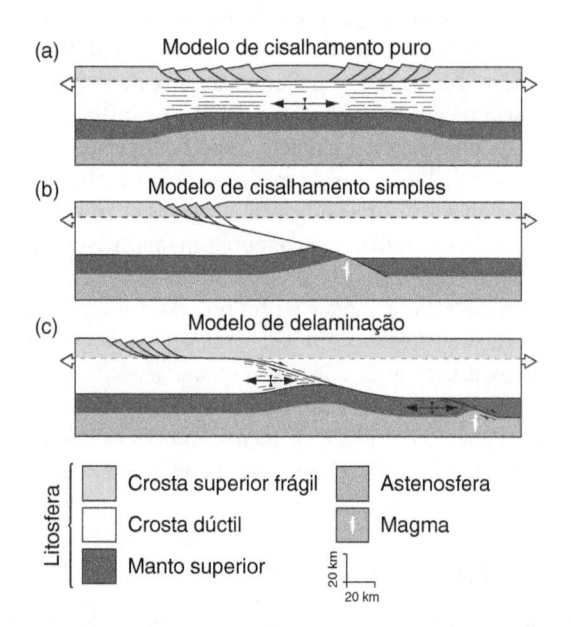

Figura 7.21 Modelos cinemáticos de extensão continental (segundo Lister et al., 1986, com permissão da Geological Society of America).

físicas da zona de extensão afetam a resistência da crosta de maneiras contrastantes. O afinamento crustal ou *estrangulamento* tende a fortalecer a litosfera devido à substituição de material frágil por manto litosférico resistente que mais tarde se move para cima para a conservação de massa. O movimento ascendente do manto também pode resultar em incremento do fluxo do calor dentro do rifte. Esse processo, chamado de *advecção termal*, resulta em fluxo de calor mais elevado dentro do rifte porque as geotermas se tornam mais comprimidas do que através de qualquer adição de calor. As geotermas comprimidas tendem a resultar em uma rede de enfraquecimento da litosfera, cuja resistência integrada é altamente sensível à temperatura (Seção 2.10). Porém, o efeito de enfraquecimento de advecção é contraposto pela perda de calor da zona de rifte por difusão quando material quente entra em contato com material mais frio. Se a taxa de advecção termal é mais rápida que a taxa de difusão termal e de resfriamento, as isotermas na base da crosta são comprimidas, o gradiente geotérmico abaixo do vale do rifte aumenta, e a resistência integrada da litosfera diminui. Se a difusão termal é rápida, as isotermas e a temperatura crustal se movem em direção à configuração pré-rifte, e o enfraquecimento da litosfera é inibido.

England (1983) e Kusznir & Park (1987) mostraram que a resistência integrada da litosfera em riftes, e a competição entre resfriamento e mecanismos de advecção termal, é fortemente influenciada pela velocidade de extensão. Taxas de deformação rápidas (10^{-13} s^{-1} ou 10^{-14} s^{-1}) resultam em maiores aumentos do gradiente geotérmico que as taxas lentas (10^{-16} s^{-1}) para a mesma quantidade de estiramento. Esse efeito sugere que altas taxas de deformação tendem a deixar a deformação localizada, porque o resfriamento ineficiente mantém a zona de estiramento fraca, permitindo que a deformação se concentre em uma zona estreita. Em contraste, taxas baixas de deformação tendem a deslocar a deformação, porque o resfriamento eficiente torna a litosfera mais resistente e faz com que a deformação migre para longe do centro do rifte, para áreas mais facilmente deformáveis. O montante de enfraquecimento ou enrijecimento litosférico que resulta a partir de qualquer dada quantidade de estiramento também depende da resistência inicial da litosfera e da quantidade total de extensão. A quantidade total de afinamento durante a extensão geralmente é descrita pelo fator de estiramento (β), que é a razão entre as espessuras inicial e final da crosta (McKenzie, 1978).

Os efeitos térmicos e mecânicos do estiramento litosférico em diferentes taxas de deformação são ilustrados na Fig. 7.22, que mostra os resultados de dois experimentos numéricos conduzidos por van Wijk e Cloetingh (2002). Nesses modelos, a litosfera é dividida em uma crosta superior, uma crosta inferior e um manto litosférico, aos quais foram atribuídas diferentes propriedades reológicas (Fig. 7.22a). As Figs. 7.22b–d mostram a evolução térmica da litosfera para extensão a uma taxa uniforme de 16 mm a^{-1}. A essa taxa relativamente rápida, o aquecimento por advecção térmica supera a difusão térmica, resultando em aumento da temperatura abaixo do rifte e deformação localizada na zona de afinamento. Como a crosta afina, bacias rifte estreitas se formam e aprofundam. Alterações nos fatores de estiramento para a crosta (β) e o manto (δ) são mostradas na Fig. 7.22e,f. A resistência total da litosfera (Fig. 7.22g), obtida pela integração do campo de esforço ao longo da espessura da litosfera, diminui gradualmente com o tempo devido ao estiramento e à forte dependência da temperatura das reologias escolhidas. Eventualmente, em deformações muito intensas, espera-se que a anomalia térmica associada com o rifteamento se dissipe. Esses e muitos outros modelos de evolução de rifte que se baseiam nos princípios de estiramento da litosfera se aproximam dos padrões de subsidência medidos em alguns riftes e margens passivas continentais (van Wijk & Cloetingh, 2002; Kusznir et al., 2004) (Seção 7.7.3).

O experimento mostrado na Fig. 7.22h–j mostra a evolução de parâmetros do rifte durante o estiramento litosférico à taxa relativamente lenta de 6 mm a^{-1}. Durante os primeiros 30 Ma, a deformação localiza-se no centro do rifte, onde a litosfera é inicialmente enfraquecida, enquanto as isotermas e o material mantélico movem-se para cima. No entanto, em contraste com o modelo mostrado na Fig. 7.22b–d, as temperaturas começam a diminuir com o tempo devido à eficiência do arrefecimento por condução em taxas de deformação lentas. A ressurgência do manto na zona de afinamento inicial cessa, e a litosfera esfria enquanto as temperaturas de ambos os lados do rifte central aumentam. Ao mesmo tempo, o *locus* de afinamento desloca-se para ambos os lados da primeira bacia rifte, a qual não afina mais com a continuação do alongamento. O fator de afinamento do manto (Fig. 7.22l) ilustra esse comportamento. Durante os primeiros 45 Ma, a ressurgência do manto causa um maior δ na parte central do rifte que no seu entorno. Após esse tempo, o fator δ diminui no rifte central, enquanto novas zonas de ressurgência desenvolvem-se nas suas laterais. A força total da litosfera (Fig. 7.22m) para esse modelo de baixa taxa de tensão mostra que o rifte central é mais fraco até cerca de 55 Ma. Após esse tempo, as áreas mais fracas são encontradas em ambos os lados da bacia rifte central. Esse modelo mostra como a forte dependência da resistência litosférica em relação à temperatura provoca a deslocalização e a formação de riftes mais largos, compostos de múltiplas bacias rifte em taxas de deformação lenta. O modelo prevê que a *ruptura* continental não ocorrerá para processos de rifte suficientemente lentos.

7.6.3 Forças de flutuabilidade e fluxo da crosta inferior

Em adição ao afinamento crustal e à compressão de geotermas (Seção 7.6.2), o estiramento litosférico resulta em dois tipos de forças de flutuabilidade que influenciam a localização da deformação durante o rifteamento. Primeiro, variações laterais de temperatura e, portanto, de densidade, entre as áreas dentro e fora do rifte, criam uma força de *flutuabilidade vertical pela ação térmica* que contribui para aquelas que promovem a extensão horizontal (Fig. 7.23). Esse reforço positivo tende a amplificar os aspectos do alongamento litosférico (Seção 7.6.2) que promovem a localização da deformação. Em segundo lugar, uma força de *flutuabilidade da crosta* é gerada por efeitos isostáticos locais (Airy), ao passo que a crosta afina e material de alta densidade é levado a níveis rasos abaixo do rifte (Fleitout & Froidevaux, 1982). Pelo fato da crosta ser menos densa do que o manto subjacente, o afinamento crustal diminui as elevações da superfície no centro do rifte (Fig. 7.23). Essa subsidência leva o rifte à compressão, que opõe as forças motrizes de extensão. A força oposta torna mais difícil continuar a deformação no mesmo local, resultando em uma migração do campo de deformação ao passo que a deformação migra para áreas mais facilmente deformáveis (Buck, 1991).

Vários processos podem reduzir ou aumentar os efeitos de forças de flutuabilidade da crosta litosférica durante o es-

158 Tectônica global

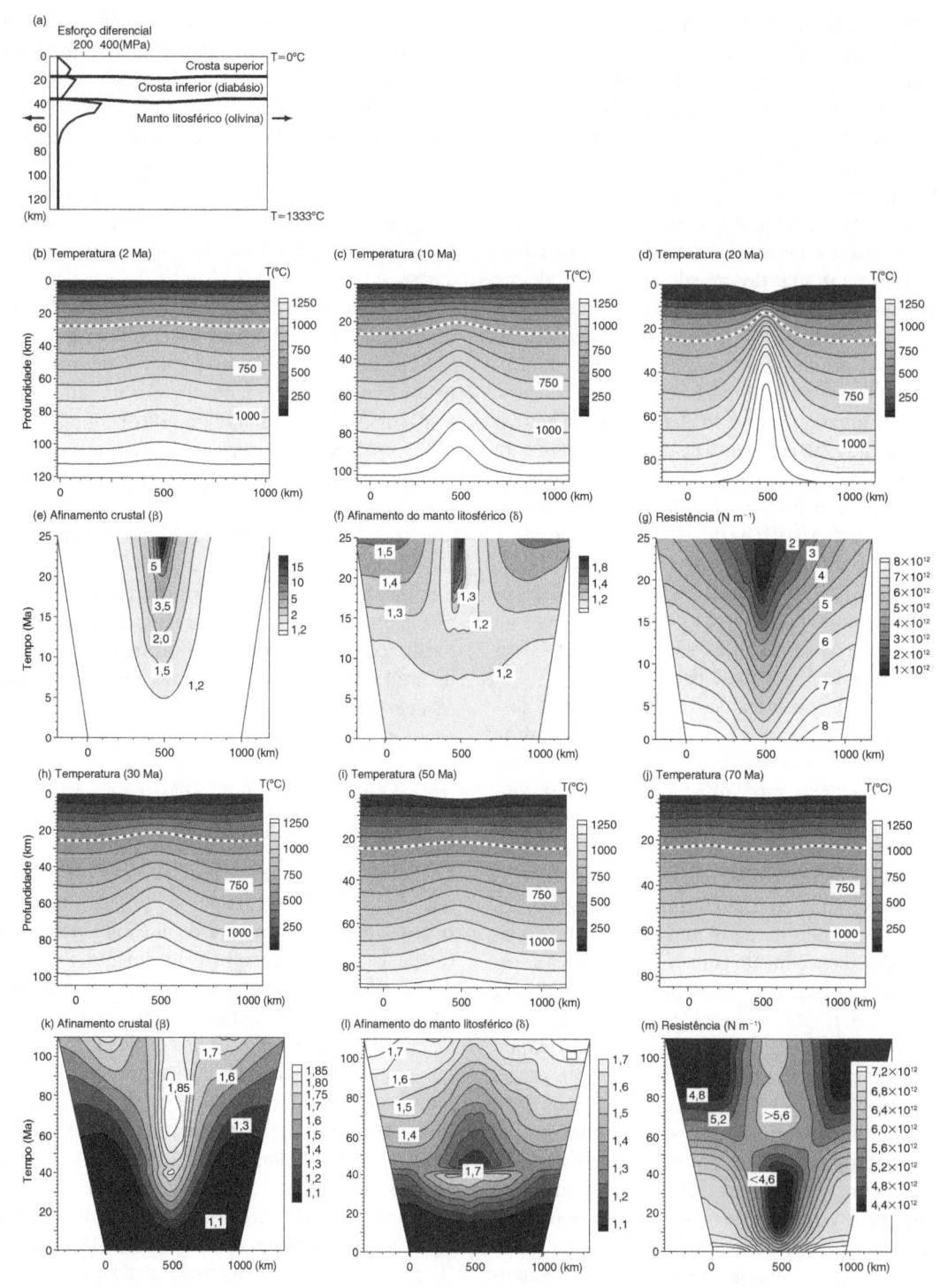

Figura 7.22 (a) Modelo litosférico de três camadas onde a base da litosfera é definida por isoterma de 1300°C a 120 km. Curvas de esforço diferencial mostram uma crosta superior resistente e um manto superior e uma crosta inferior que se enfraquecem com a profundidade. Evolução térmica da litosfera (b–d) durante o estiramento para uma velocidade extensional horizontal de 16 mm a^{-1}. Evolução da resistência litosférica (g) e fatores de afinamento para a crosta (e) e o manto (f) para uma velocidade de 16 mm a^{-1}. Evolução térmica da litosfera (h–j) durante o estiramento para uma velocidade de 6 mm a^{-1}. Evolução da resistência litosférica (m) e fatores de afinamento para a crosta (k) e o manto (l) para uma velocidade de 6 mm a^{-1} (imagem fornecida por J. van Wijk & adaptada de van Wijk e Cloetingh, 2002, com permissão da Elsevier).

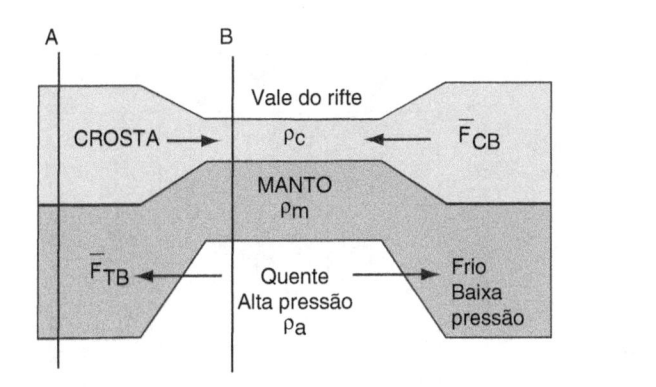

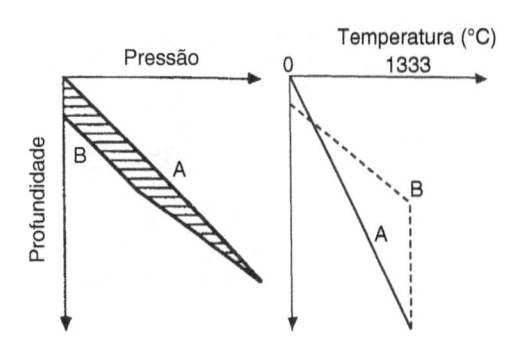

Figura 7.23 Diagrama esquemático ilustrando as forças de flutuabilidade da crosta e térmica geradas durante o rifteamento. A e B representam perfis verticais dentro e fora do vale do rifte, respectivamente. Pressão e temperatura em função da profundidade para cada perfil são mostradas à direita do desenho (adaptado de Buck, 1991, com permissão da American Geophysical Union. Copyright © 1991 American Geophysical Union). Diferenças nos perfis geram forças de flutuação laterais.

tiramento. Buck (1991) e Hopper & Buck (1996) mostraram que, quando a crosta é inicialmente fina e fria e o manto litosférico é relativamente espesso, a resistência total (a viscosidade efetiva) da litosfera permanece relativamente elevada sob condições de taxa de deformação constante (Fig. 7.24a). Nesse caso, os efeitos de forças de flutuabilidade da crosta são reduzidos e os efeitos térmicos do estrangulamento litosférico são melhorados. Riftes estreitos ocorrem porque as mudanças na resistência e forças de flutuabilidade vertical por ação térmica de flutuação e térmicas que acompanham o alongamento litosférico dominam o equilíbrio de força, levando o campo de deformações extensionais a permanecer localizado na região de estrangulamento. Por contraste, onde a crosta é inicialmente espessa e quente e o manto litosférico é relativamente fino, a força global da litosfera permanece relativamente baixa. Nesse caso, as forças de flutuabilidade da crosta dominam porque a quantidade de enfraquecimento possível devido ao estrangulamento litosférico é relativamente pequena, resultando em desaparecimento e formação de zonas largas de rifteamento (Fig. 7.24b) ao passo que a região de estrangulamento migra para áreas que requerem menos força para deformar. Esses modelos ilustram como a espessura da crosta e do estado térmico da litosfera no início do rifteamento influenciam fortemente o estilo de extensão.

Modelos de extensão continental que enfatizam as forças de flutuabilidade da crosta incorporam os efeitos do fluxo dúctil na crosta inferior. Buck (1991) e Hopper & Buck (1996) mostraram que a diferença de pressão entre áreas dentro e fora de um rifte poderia levar a crosta inferior a fluir para a zona de afinamento se a crosta for espessa e quente. Um fluxo lateral eficiente em uma crosta inferior espessa, quente e frágil trabalha contra as forças de flutuabilidade da crosta terrestre, aliviando os esforços que surgem a partir de variações na espessura crustal. Esse efeito pode explicar porque a profundidade atual da Moho em algumas partes da Província de Basin and Range e, portanto, a espessura crustal mantém-se bastante uniforme, apesar das quantidades variáveis de extensão observadas na crosta superior (Seção 7.3). Nos casos em que a baixa resistência e o fluxo na crosta inferior aliviam os efeitos da flutuabilidade da crosta terrestre, a zona de afinamento crustal pode permanecer fixa à medida que deformações elevadas surjam perto da superfície. Buck (1991) e Hopper & Buck (1996) definiram esse último estilo de deformação como modo de extensão de núcleo complexo (Fig. 7.24c). Estudos de padrões de fluxo na crosta inferior antiga exposta em complexos metamórficos principais (por exemplo, Klepeis et al., 2007) suportam essa tese.

As magnitudes relativas das forças de flutuabilidade térmica e crustal podem ser afetadas por dois outros parâmetros: taxa de deformação e magnitude de deformação. Davis & Kusznir (2002) mostraram que os efeitos de desaparecimento da deformação de flutuabilidade da crosta são importantes em baixas taxas de deformação, quando a difusão térmica é relativamente eficiente (por exemplo, Fig. 7.22h–j), e depois de longos (> 30 Ma) períodos de tempo. Além disso, as forças de flutuabilidade térmica podem predominar sobre as forças de flutuabilidade da crosta imediatamente após o rifteamento quando magnitudes de deformação são relativamente baixas. Este último efeito ocorre porque as variações da espessura crustal são relativamente pequenas quando fatores de estiramento (β) são baixos. Esse estudo e o trabalho de Buck (1991) e Hopper & Buck (1996) sugerem que as mudanças no modo de extensão são esperadas ao passo que riftes continentais evoluem ao longo do tempo e que o equilíbrio de forças térmicas e crustais dentro da litosfera muda.

7.6.4 Flexura litosférica

Falhas de borda que limitam bacias rifte assimétricas com flancos soerguidos estão entre as características mais comuns de riftes continentais (Fig. 7.25). Alguns aspectos dessa morfologia característica podem ser explicados pela resposta elástica da litosfera a cargas regionais causadas por falhamento normal.

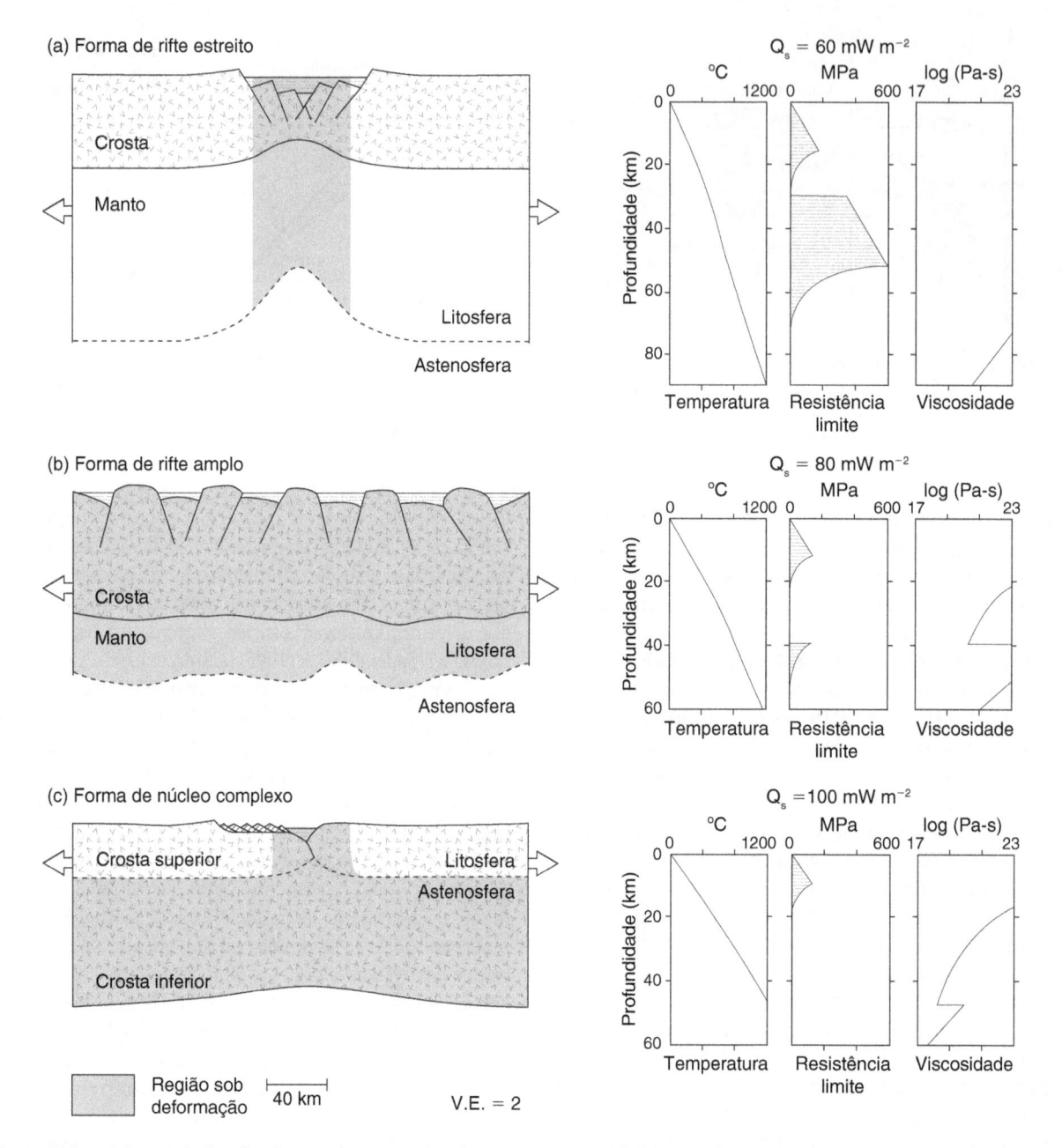

Figura 7.24 Esboços da litosfera ilustrando três modos de extensão com ênfase nas regiões submetidas a maior quantidade de deformação extensional (adaptado de Buck, 1991, com permissão da American Geophysical Union. Copyright © 1991 American Geophysical Union). (a) Modo estreito, (b) modo amplo, (c) modo de núcleo complexo. A litosfera é definida como áreas com viscosidades eficazes de $> 10^{21}$ Pa s^{-1}. Os gráficos à direita de cada esboço mostram modelos geotermais iniciais, as resistências limite (para uma taxa de deformação de 8×10^{-15} s^{-1}) e viscosidades efetivas para uma crosta seca de quartzo que recobre um manto de olivina seco. Do topo para a base, as espessuras crustais são 30 km, 40 km e 50 km. Q_s, fluxo de calor inicial da superfície. (c) mostra camadas marcadas em duas escalas: as camadas superior e inferior da crosta do lado esquerdo do diagrama mostram uma crosta inferior fraca em deformação (sombreado); os rótulos de litosfera e astenosfera no lado direito do diagrama mostram uma escala enfatizando que a zona de afinamento de crosta (coluna sombreada) está localizada em uma zona relativamente estreita de litosfera fraca.

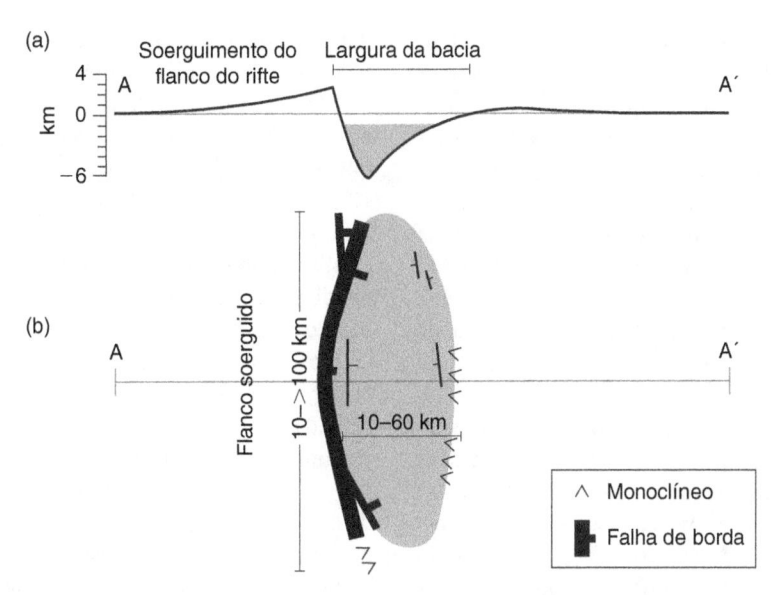

Figura 7.25 Forma generalizada de uma bacia rifte assimétrica mostrando a falha de borda em (a) perfil e (b) a vista em planta (segundo Ebinger et al., 1999, com permissão da Royal Society of London). Linha de perfil (A–A') mostrada em (b). Sombreamento em (b) mostra as áreas de depressão.

A flexura de placa (Seção 2.11.4) descreve como a litosfera responde a cargas geológicas de longo prazo ($> 10^5$ anos). Ao comparar a flexura na vizinhança de diferentes tipos de carga, é possível estimar a espessura elástica efetiva a longo prazo (T_e) da litosfera continental (Seção 2.12) utilizando modelos diretos da topografia e de perfis de anomalia gravimétrica (Weissel & Karner, 1989; Petit & Ebinger, 2000). O valor de T_e em muitos riftes, como a Basin and Range, é baixo (4 km) devido ao enfraquecimento pelo efeito do alto gradiente geotermal. No entanto, em outros riftes, incluindo aqueles na África Oriental e no Rifte Baikal, o valor de T_e supera os 30 km em uma litosfera que é relativamente forte (Ebinger et al., 1999). O significado físico de T_e e sua relação com a espessura (T_s) da camada sismogênica são objetos de muita discussão. Considerações reológicas baseadas em dados experimentais de mecânica de rochas sugerem que T_e reflete a resistência frágil, elástica e dúctil da litosfera. É, portanto, esperado que T_e difira da espessura da camada sismogênica, o que é indicativo de que a profundidade em que a deformação inelástica de curto prazo (períodos de anos) ocorre como deslizamento por atrito instável (Watts & Burov, 2003). Por essas razões, T_e é normalmente maior do que T_s em crátons continentais estáveis e em muitos riftes continentais.

A deflexão da crosta por deslizamento sobre falhas normais gera vários tipos de cargas verticais. Um descarregamento mecânico da lapa ocorre quando o material crustal da capa sobrejacente é deslocado para baixo e a crosta é afinada. Esse processo cria uma força de flutuabilidade que promove a elevação da superfície. Pode ocorrer carregamento da capa ao passo que sedimentos e rochas vulcânicas são depositados na bacia rifte. Essas cargas combinam com aquelas que são geradas durante o estiramento da litosfera (Seção 7.6.2). O carregamento promovendo o soerguimento da superfície é gerado por aumento no gradiente geotérmico debaixo de um rifte, o que leva a contrastes de densidade. O carregamento que promove subsidência pode ser gerado pela substituição da crosta afinada pelo manto superior denso e por esfriamento por condução da litosfera se a difusão térmica superar o aquecimento.

Weissel & Karner (1989) mostraram que a compensação flexural isostática (Seção 2.11.4) após a descarga mecânica da litosfera por falhas normais e afinamento da crosta leva ao soerguimento dos flancos do rifte. A área e a altura do soerguimento dependem da resistência da litosfera elástica e, em menor grau, do fator de alongamento (β) e da densidade do preenchimento da bacia. Outros fatores que podem moderar o grau e o padrão do soerguimento incluem os efeitos da erosão, variações na profundidade do estrangulamento da litosfera (van der Beek & Cloetingh, 1992; van der Beek, 1997) e, possivelmente, a convecção de pequena escala no manto subjacente (Steckler, 1985). Ebinger et al. (1999) mostraram que o aumento de T_e e T_s em várias bacias rifte na África Oriental e em outros lugares sistematicamente corresponde a aumentos no comprimento das falhas de borda e da largura da bacia rifte. À medida que as falhas de borda crescem em tamanho, pequenas falhas formam-se para acomodar a flexão monoclinal da placa na depressão criada pela movimentação da falha de borda (Fig. 7.25). O raio de curvatura dessa flexão é uma medida da rigidez flexural. Placas resistentes resultam em uma zona de deformação estreita com longas e largas bacias e longas falhas de borda que penetram mais fundo na crosta. Placas mais frágeis resultam em uma zona muito ampla de deformação, com muitas bacias curtas e estreitas, e falhas de borda que não penetram profundamente. Esses estudos sugerem que a reologia e a rigidez flexural da parte superior da litosfera controlam várias características primárias de estrutura e morfologia do rifte, especialmente durante os primeiros milhões de anos de rifteamento. Eles também sugerem que a crosta e o manto superior podem reter uma considerável resistência à extensão (Petit & Ebinger, 2000).

A flexura da litosfera também desempenha um papel importante durante a formação de falhas normais de grande magnitude (Seção 7.3). Grandes deslocamentos em ambas as superfícies de falhas de alto e baixo ângulo causam elevação isostática da lapa com o progresso da extensão, resultando em superfícies de falhas em forma de domo (Buck et al., 1988; Axen & Bartley, 1997; Lavier et al., 1999; Lavier & Manatschal, 2006). Lavier & Manatschal (2006) mostraram que as superfícies de falhas lístricas cujo ângulo de mergulho diminui com a profundidade (ou seja, falhas com concavidade para cima) são incapazes de acomodar deslocamentos grandes o bastante (> 10 km) para exumar a crosta profunda. Em contraste, falhas normais de baixo ângulo cujos mergulhos aumentam com a profundidade (isto é, falhas com concavidade para baixo) podem exumar a crosta profunda de forma eficiente e ao longo de períodos de tempo curtos se o falhamento for acompanhado por uma diminuição da espessura da crosta mediana e pela formação de serpentinito na crosta inferior e no manto superior. O afinamento e a serpentinização enfraquecem a crosta e minimizam a força necessária para dobrar a litosfera para cima durante o falhamento, permitindo grandes magnitudes de rejeito.

7.6.5 Enfraquecimento induzido pela deformação

Embora diferenças na espessura elástica efetiva e a resistência à flexura da litosfera (Seção 7.6.4) possam explicar variações no comprimento de falhas de borda e a largura de bacias rifte, esses fatores não são muito confiáveis para explicar outra importante fonte de variabilidade em riftes: a precisão na localização de deformação em falhas e zonas de cisalhamento. Em algumas configurações, o falhamento normal é amplamente distribuído ao longo de grandes áreas onde muitas falhas acomodam uma porcentagem relativamente pequena da extensão total (Seção 7.3). No entanto, em outras áreas, ou em diferentes momentos, a extensão pode ser altamente localizada em relativamente poucas falhas que acomodam uma porcentagem alta da extensão total. Duas abordagens têm sido usadas para explicar as causas dessa variabilidade. A primeira incorpora os efeitos de um enfraquecimento induzido por deformação de rochas que ocorre durante a formação de falhas e zonas de cisalhamento. Uma segunda abordagem, discutida na Seção 7.6.6, mostra como os contrastes verticais na reologia das camadas da crosta afetam a localização e a deslocalização da deformação durante a extensão.

Para que uma falha normal continue a deslizar conforme a crosta é estirada, esta deve permanecer mais fraca do que as rochas da vizinhança. Conforme discutido na Seção 7.6.4, a deflexão da crosta por falhamento muda o campo de esforços em torno da falha. Assumindo um comportamento elástico, Forsyth (1992) mostrou que essas alterações dependem do mergulho da falha, da quantidade de deslocamento na falha e da resistência ao cisalhamento ou *coesão* do material falhado. Ele argumentou que as mudanças nos esforços por falhamento normal aumentam a resistência da camada e inibem o deslizamento continuado da falha. Por exemplo, deslizamento de falhas de alto ângulo criam topografia da superfície mais eficientemente do que de falhas de baixo ângulo; portanto, mais trabalho é requerido para grandes quantidades de deslizamento no primeiro caso do que no último. Esses processos provocam a substituição de uma falha antiga por uma nova, levando a um desaparecimento da deformação. Buck (1993) mostrou que, se a crosta não é elástica, mas pode ser descrita com um esforço finito (elástico-plástico), então a quantidade de deslizamento de uma falha, para uma dada coesão depende da espessura da camada elástico-plástica. Nesse modelo, a viscosidade da camada elástico-plástica é ajustada de modo que obedeça ao critério de Mohr-Coulomb para deformação frágil (Seção 2.10.2). Para uma espessura da camada frágil > 10 km e um valor razoavelmente baixo de coesão, uma falha pode deslizar por uma curta distância (um máximo de alguns quilômetros), antes de uma falha nova substituí-la. Se a camada frágil é muito fina, a magnitude de deslocamento pode aumentar pelo aumento da resistência resultante de alterações no campo de esforço devido ao deslizamento pequeno.

Embora a espessura da camada e sua resistência ao cisalhamento desempenhem um papel importante no controle dos padrões de falha, um processo-chave no controle da localização da deformação, que pode levar à formação de grandes deslocamentos (dezenas de quilômetros) de falhas, é a redução da coesão do material de falha. Durante a extensão, a coesão pode ser reduzida por um certo número de fatores, incluindo a pressão de fluido aumentada (Sibson, 1990), a formação de "gouge" de falhas, o aquecimento por atrito (Montési & Zuber, 2002), as transformações minerais (Bos & Spiers, 2002) e a diminuição da taxa de deformação (Seção 2.10). Lavier et al. (2000) utilizaram modelos simples de duas camadas para mostrar que a formação de uma falha de grande deslocamento normal depende de dois parâmetros: a espessura das camadas frágeis e a taxa à qual a coesão da camada é reduzida durante o falhamento (Figura 7.4a,b do encarte colorido). Os modelos incluem uma camada superior de espessura uniforme sobrejacente a uma camada dúctil possuindo uma viscosidade muito pequena. Na camada dúctil, esforço de escoamento é dependente da taxa de deformação e da temperatura, seguindo as leis de fluxo de deslocamento por fluência (Seção 2.10.3). Na camada superior, a deformação frágil é modelada utilizando uma reologia elástico-plástica. Os resultados mostram que, quando a camada frágil é especialmente espessa (> 22 km), a extensão sempre conduz a várias falhas normais (Figura 7.4c do encarte colorido). Nesse caso, a largura da zona de falha é equivalente à espessura da camada frágil. No entanto, para a camada frágil de pequena espessura (< 22 km), o padrão de falha depende do quão rápido a coesão é reduzida durante a deformação (Figuras 7.4d,e do encarte colorido). Para obter uma falha única de grande deslocamento, a taxa de enfraquecimento deve ser elevada o suficiente para superar a resistência ao deslizamento contínuo sobre a falha que resulta em vergamento flexural.

Esses estudos proporcionam alguns entendimentos sobre como a espessura da camada e a perda de coesão durante o falhamento controlam a distribuição da deformação, sua simetria e a formação de falhas de grandes deslocamentos. No entanto, na escala do rifte, outros processos também afetam os padrões de falha. Em zonas de cisalhamento dúcteis, mudanças no tamanho do grão mineral podem promover uma mudança de *"fluência por deslocamento"* para *"fluência por difusão"* grão dependente (Seção 2.10.3), que pode reduzir a resistência de camadas na crosta e no manto. Em adição, a taxa na qual um material viscoso flui tem um efeito importante sobre a resistência global do material. Quanto mais rápido ele flui, maiores são os esforços que são gerados por fluxo e mais forte o material se torna. Este último processo pode contrariar os efeitos da perda de coesão durante o falhamento e pode resultar em um fortalecimento da litosfera, aumentando a profundidade da transição frágil-dúctil (Seção 2.10.4). Na escala da litosfera, torna-se portanto necessário examinar a interação entre os mecanismos de enfraquecimento tanto nas camadas frágeis como nas dúcteis, a fim de reproduzir padrões de deformação em riftes.

Huismans & Beaumont (2003, 2007) estenderam o trabalho de Lavier et al. (2000) investigando os efeitos do enfraquecimento induzido pela deformação em ambos os regimes frágil (friccional-plástico) e dúctil (viscoso) nos padrões de deformação em riftes na escala da litosfera e durante períodos de tempo de milhões de anos. Esse estudo mostrou que o enfraquecimento da crosta e do manto pode produzir zonas de cisalhamento com grandes deslocamentos e controlar a simetria geral da deformação. A Fig. 7.26a mostra uma litosfera de três camadas simples onde a deformação frágil é modelada utilizando uma reologia friccional-plástico que, como na maioria das experimentos físicos, é ajustada de modo que se adeque ao critério de falha de Mohr-Coulomb. A deformação dúctil é modelada com a lei da reologia termicamente ativada. Durante cada experimento, as condições ambientais controlam se a deformação é friccional-plástica (frágil) ou viscosa (dúctil). Fluxo viscoso ocorre quando o estado de esforço cai abaixo do ponto friccional-plástico. Variações na escolha da reologia crustal também permitem uma investigação dos casos em que a crosta está acoplada ou desacoplada do manto litosférico. Modelos acoplados envolvem deformação que está totalmente dentro do regime de friccional-plástico. Modelos desacoplados envolvem uma crosta inferior viscosa moderadamente fraca. O enfraquecimento induzido por deformação é caracterizado por alterações lineares no ângulo efetivo de atrito interno (Seção 2.10.2) para a deformação friccional-plástica, e na viscosidade efetiva para a deformação viscosa. A deformação é semeada com uma pequena região frágil e plástica.

Um modelo de referência (Fig. 7.26b,c) mostra como um estilo simétrico de deformação extensional resulta quando o enfraquecimento por deformação está ausente. Uma fase inicial da deformação é controlada por duas zonas de cisalhamento friccional-plástico conjugadas (S1A/B) que são análogas às falhas, e duas zonas de cisalhamento forçadas no manto (T1A/B). Durante uma fase subsequente de deformação, zonas de cisalhamento de segunda geração desenvolvem-se, e a deformação no manto ocorre como estrangulamento localizado por cisalhamento puro debaixo do eixo do rifte. As Figs. 7.26d, e mostram os resultados de outro modelo em que o enfraquecimento por deformação friccional-plástica (frágil) ocorre e a deformação resultante é assimétrica. Uma fase inicial é muito semelhante às primeiras fases do modelo de referência, mas em momentos posteriores o enfraquecimento por deformação foca a deformação em uma das falhas conjugadas (S1B). A assimetria é causada por uma resposta positiva entre a deformação crescente e a redução da resistência que resulta da diminuição do ângulo de atrito interno (Seção 2.10.2). Deslocamentos grandes nas zonas de cisalhamento S2A e T1B cortam uma porção da crosta inferior (LC) no ponto C (Fig. 7.26, inserção) e começam a exumar a placa inferior. Em 40 ma, um estrangulamento simétrico da litosfera inferior e o continuado movimento sobre as zonas de cisalhamento assimétricas resultam no transporte vertical do ponto P até o manto litosférico ser exposto. O modelo mostrado nas Figs. 7.26f, g combina tanto o mecanismo de enfraquecimento por fricção-plástico como o de enfraquecimento viscoso. A evolução precoce é semelhante à mostrada na Fig. 7.26d, exceto que S1B continua no manto dúctil. Os dois mecanismos de enfraquecimento se combinam para tornar a deformação assimétrica em todos os níveis da litosfera onde os deslocamentos são mais focados em uma zona de cisalhamento. Esses modelos mostram como um enfraquecimento da reologia dominante tanto em camadas de fricção-plástico como em camadas viscosas influenciam os padrões de deformação em riftes através de uma resposta positiva entre o enfraquecimento e a deformação aumentada.

O efeito do enfraquecimento dependente da deformação em falhas assimétricas também é altamente sensível à velocidade do rifte. Essa sensitividade é ilustrada no modelo mostrado na Fig. 7.27. O primeiro modelo (Fig. 7.27a) é idêntico

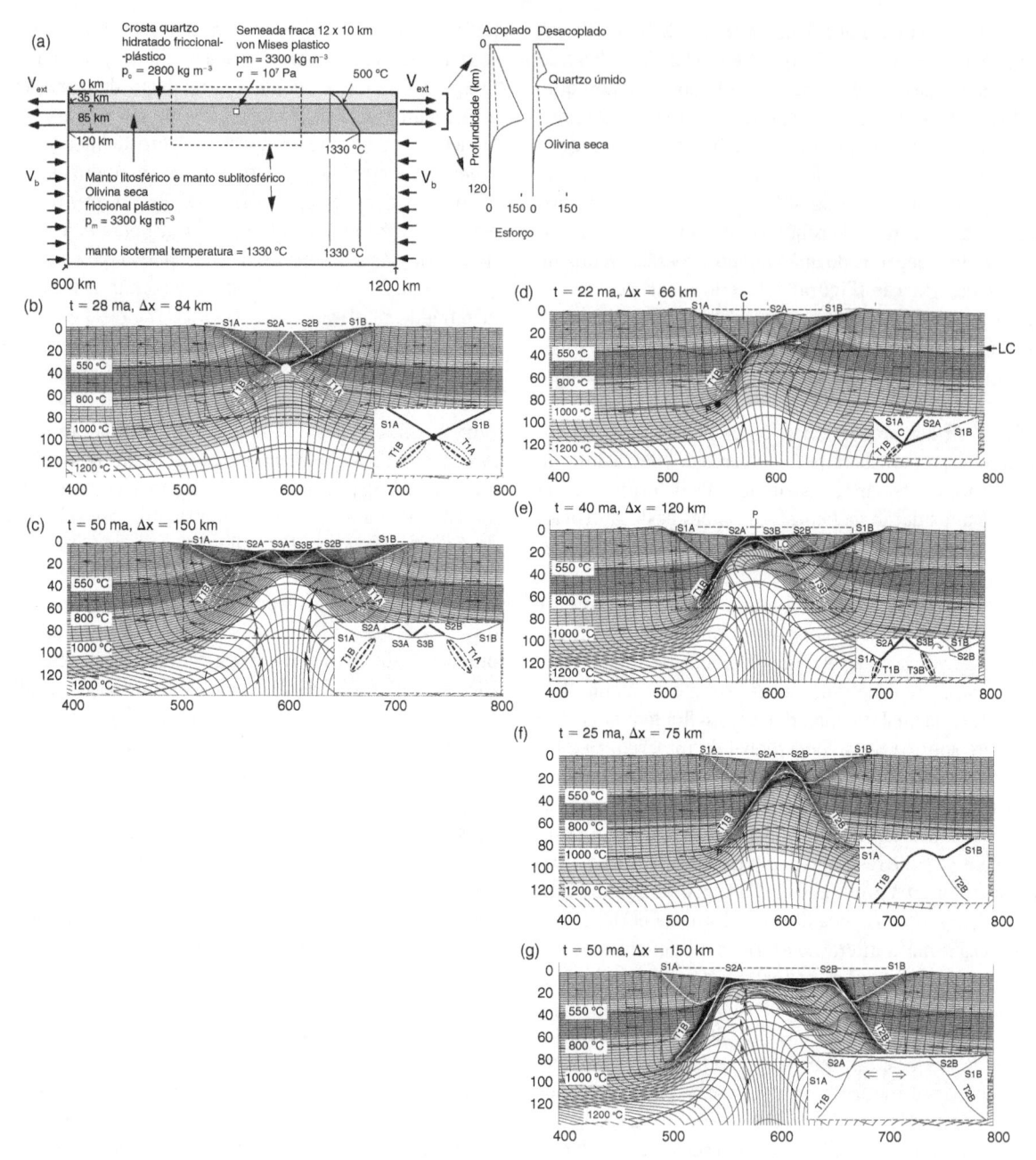

Figura 7.26 (a) Modelo geométrico mostrando a estrutura de temperatura da crosta, manto litosférico e manto sublitosférico (imagens fornecidas por R. Huismans e adaptadas de Huismans & Beaumont, 2003, com permissão da American Geophysical Union. Copyright © 2003 American Geophysical Union). Resistência inicial (linhas contínuas) e enfraquecimento por deformação (linhas tracejadas) são mostrados para uma velocidade horizontal extensional imposta de V_{ext} = 3 mm a^{-1}, com V_b escolhido para atingir o equilíbrio de massa. Desacoplamento entre crosta e manto é modelada com uma reologia de quartzo hidratado para a crosta inferior. (b, c) Modelo de referência de extensão quando amaciamento (enfraquecimento) por deformação está ausente. Modelos de extensão envolvendo enfraquecimento por deformação friccional-plástica (frágil) (d,e) e (f,g) amaciamento (enfraquecimento) por mecanismo friccional-plástico e viscoso. Modelos em (b-g) mostram uma subdivisão da crosta e do manto em uma camada superior e inferior, manto litosférico superior resistente friccional, litosfera inferior dúctil e manto sublitosférico dúctil. Escala de viscosidade do quartzo torna as três camadas superiores friccionais-plásticas em todos os modelos apresentados. t, tempo decorrido em milhões de anos; Δx, quantidade de extensão horizontal. As escalas verticais e horizontais são em quilômetros. V_{ext} = 3 mm a^{-1} para cada modelo.

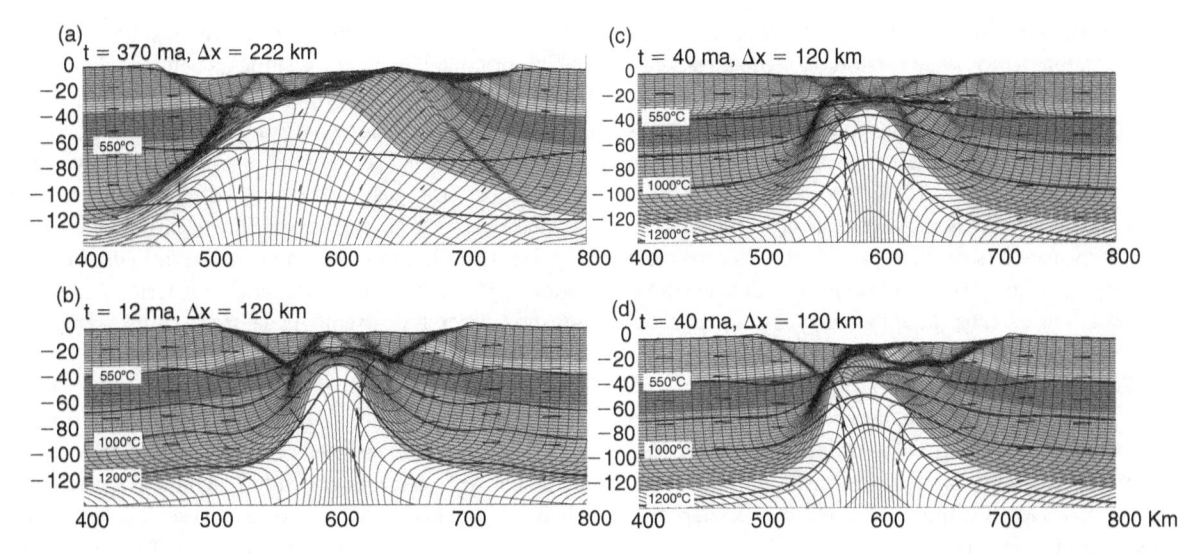

Figura 7.27 Modelos de extensão que envolvem enfraquecimento por deformação friccional-plástica (frágil) sob (a) baixas velocidades extensionais (V_{ext} = 0,6 mm a^{-1}) e (b) elevadas velocidades extensionais (V_{ext} = 100 mm a^{-1}). Os modelos também apresentam sensibilidade a uma crosta intermediária e inferior (c) frágil e (d) resistente em V_{ext} = 3 mm a^{-1} (imagens fornecidas por R. Huismans e adaptadas de Huismans & Beaumont, 2007, com permissão da Geological Society of London). t, tempo decorrido em milhões de anos; Δx, quantidade de extensão horizontal. Escalas verticais e horizontais estão em quilômetros.

àquele mostrado nas Figs. 7.26d, e, exceto aquele em que a velocidade é decrescida por um fator de cinco a 0,6 mm a^{-1}. Reduzir a velocidade tem o efeito de manter a espessura da camada friccional-plástica, o que resulta em uma deformação mais fortemente controlada pelo regime friccional que aquela mostrada na Fig. 7.26e. A geometria geral satisfaz um modelo de cisalhamento simples na escala litosférica (cf. Fig. 7.21b) no qual a placa inferior é progressivamente soerguida e exumada sob uma zona de cisalhamento dúctil ativa que permanece como a única feição principal de fraqueza durante o rifteamento. Em contraste, a velocidade que é aumentada para 100 mm a^{-1} (Fig. 7.27b) resulta em deformação mais fortemente controlada por fluxo viscoso na base da camada friccional que no modelo que envolve baixas velocidades. Porém, em altas velocidades, o enfraquecimento por deformação não se desenvolve, em parte devido ao alto esforço de viscosidade que resulta das altas taxas de deformação. O modelo não mostra uma preferência pela localização em uma das zonas de falhas friccionais. A deformação permanece simétrica conforme o manto dúctil é submetido a um estreito estrangulamento por cisalhamento puro. Esses resultados sugerem que aumentar quanto diminuir a velocidade do rifte pode tanto provocar quanto inibir a formação de largas estruturas assimétricas, porque a variação da taxa muda a reologia dominante nas camadas em deformação.

Esses experimentos ilustram a sensibilidade dos padrões de deformação ao enfraquecimento induzido por mecanismo de deformação durante o falhamento e o fluxo dúctil. Os resultados sugerem que é mais provável que a extensão seja assimétrica em modelos que incluem mecanismos de enfraquecimento por zonas de falhas friccional-plásticas, crosta inferior relativamente resistente e velocidades baixas de rifteamento. Porém, antes de se ater a aplicar esses resultados para cenários naturais específicos, é importante considerar que efeitos de enfraquecimento induzidos por deformação podem ser suprimidos por outros mecanismos que afetam a reologia da litosfera. Por exemplo, a comparação de dois modelos, um considerando uma crosta inferior frágil (Fig. 7.27c) e o outro considerando uma crosta inferior resistente (Fig. 7.27d), ilustra como uma crosta frágil pode diminuir a assimetria crustal. Essa supressão ocorre porque zonas de cisalhamento friccional conjugadas que se desenvolvem durante o rifteamento assentam-se na crosta inferior dúctil e frágil onde se propagam lateralmente debaixo dos flancos do rifte. Conforme o rifteamento prograde, o fluxo viscoso em uma crosta inferior fraca resulta em estrangulamento dúctil aproximadamente simétrico da litosfera inferior. Esses exemplos mostram que o grau de assimetria do rifte depende não somente de mecanismos de enfraquecimento por deformação e velocidades do rifteamento, mas também da resistência da crosta inferior.

7.6.6 Estratificação reológica da litosfera

Em muitos dos modelos quantitativos de rifteamento continental, a litosfera é assumida como composta por múltiplas camadas caracterizadas por diferentes reologias (Seção 2.10.4). Essa estratificação vertical concorda bem com os resultados provindos das investigações geofísicas da litosfera continental e com os resultados de experimentos de laboratório que revelam os diferentes comportamentos das rochas da crosta e do manto sob um conjunto de condições físicas. Na parte superior da litosfera, a deformação é acomodada por falhamentos onde o esforço excede a resistência friccional, resultando em movimentação nos planos de falha. Nas camadas dúcteis, a deformação é descrita usando leis de potência reológica termodependentes que relacionam o esforço e a taxa de deformação durante o fluxo (Seção 2.10.3). Usando essas relações, fricção experimentalmente derivada e leis de fluxo para as rochas crustais e mantélicas podem ser incorporadas em modelos de rifteamento. Essas considerações permitem que os pesquisadores estudem o efeito da estratificação reológica da litosfera na localização da deformação e processos de desaparecimento durante a extensão, incluindo o desenvolvimento de falhas normais com grandes rejeitos. A sensibilidade dos padrões de deformação à escolha da reologia crustal por diferentes condições iniciais está ilustrada a seguir por três diferentes modelos físicos de rifteamento continental.

Behn et al. (2002) exploraram como a escolha da reologia crustal afeta a distribuição da deformação dentro da litosfera durante a extensão usando um modelo simples de duas camadas compostas por uma camada crustal superior e uma camada mantélica inferior (Fig. 7.28a). Esses autores incorporaram uma reologia enfraquecida pela taxa de deformação para o modelo de comportamento frágil e o desenvolvimento de zonas de cisalhamento do tipo falhada. A deformação dúctil foi modelada usando leis de fluxo termodependentes que descrevem fluência por deslocamento na crosta e no manto. Variações na resistência (viscosidade efetiva) da crosta em qualquer temperatura dada e a taxa de deformação são definidas por parâmetros materiais derivados de experimentos físicos de rocha. O uso de várias leis de fluxo para rochas com diferentes mineralogias e conteúdo de água permitiram aos autores classificar as reologias como fracas, intermediárias ou resistentes. Variações na espessura crustal e na estrutura termal foram adicionadas a uma série de modelos para examinar a interação desses parâmetros com as diferentes reologias. O resultado mostra que, quando a espessura crustal é pequena, nenhuma camada dúctil se desenvolve no manto, e a largura dos riftes é controlada principalmente pelo gradiente geotermal vertical (Fig. 7.28b,f). Em contraste, quando a espessura crustal é alta, o acúmulo de esforço na crosta superior torna-se muito maior que o acúmulo de esforço no manto superior (Fig. 7.28c,d). Nesses casos, a deformação se concentra predominantemente na crosta, e a largura do rifte é uma função tanto da reologia crustal quanto do gradiente geotermal vertical (Fig. 7.28e,f).

A Fig. 7.28e ilustra os efeitos das reologias resistentes, intermediárias e frágeis da crosta sobre a morfologia do rifte (de largura mediana). Os modelos predizem o mesmo para riftes de largura mediana para deformação predominante no manto. No entanto, a transição entre a deformação predominante no manto ou predominante na crosta começa com uma espessura crustal ligeiramente maior para uma reologia resistente do que para as reologias intermediárias ou frágeis.

Além disso, a reologia crustal resistente resulta em um rifte de largura mediana para o regime de deformação predominante na crosta que é ~1,5 vez maior do que o valor previsto pela reologia intermediária e ~4 vezes maior que o previsto pela reologia frágil. A Fig. 7.28f resume os efeitos combinados da espessura crustal, da reologia da crosta terrestre e um gradiente vertical geotérmico no rifte de largura intermediária. Esses resultados ilustram que a evolução de padrões de deformação durante o estiramento litosférico é altamente sensível à escolha da reologia da crosta, especialmente em situações em que a crosta é relativamente espessa.

Uma sensibilidade semelhante à reologia da crosta foi observada por Wijns et al. (2005). Esses autores utilizaram um modelo crustal simples de duas camadas onde uma lei de escoamento plástico controlou o comportamento frágil abaixo de uma certa temperatura, e a escolha do gradiente de temperatura controlou a transição a partir de uma crosta superior frágil para uma crosta inferior dúctil. Essa formulação e uma crosta superior de 20 km de espessura sobre uma crosta inferior dúctil de 40 km de espessura permitiram que eles investigassem como uma crosta mecanicamente estratificada influenciou o espaçamento de falhas e a distribuição de esforços durante a extensão. Eles descobriram que a razão entre a resistência integrada da crosta superior e inferior governa o grau de localização da deformação em zonas de falha. Quando essa razão é pequena, de forma que a crosta inferior seja relativamente resistente, a extensão resulta em falhas amplamente distribuídas e densamente espaçadas, com uma quantidade limitada de rejeito em cada falha. Em contraste, um valor elevado para a razão de resistência entre a camada superior e inferior, de tal modo que a crosta inferior seja muito frágil, faz com que a extensão se concentre em relativamente poucas falhas que acomodam grandes deslocamentos. Neste último caso, as falhas de grande deslocamento dissecam a camada superior e exumam a crosta inferior, levando à formação de complexos de núcleos metamórficos (Seção 7.3). Wijns et al. (2005) também concluíram que os fatores secundários, como o enfraquecimento da zona de falha e as espessuras relativas da camada superior e inferior (Seção 7.6.5), determinam o valor exato da razão crítica que controla a transição entre a extensão localizada e deslocada.

Os resultados de Wijns et al. (2005), bem como os obtidos por Behn et al. (2002), sugerem que uma crosta inferior fraca promove a localização da deformação em zonas estreitas compostas por relativamente poucas falhas. Este comportamento de localização reflete a capacidade de uma crosta inferior frágil fluir e transferir o esforço para a crosta superior, o que pode controlar o número de zonas de falhas com possibilidade para se desenvolverem. Essa interpretação é consistente com estudos de campo de deformação e contrastes de reologia de crostas inferiores antigas expostas em complexos metamórficos (por exemplo, Klepeis et al., 2007). Também é consistente com os resultados de Monté-

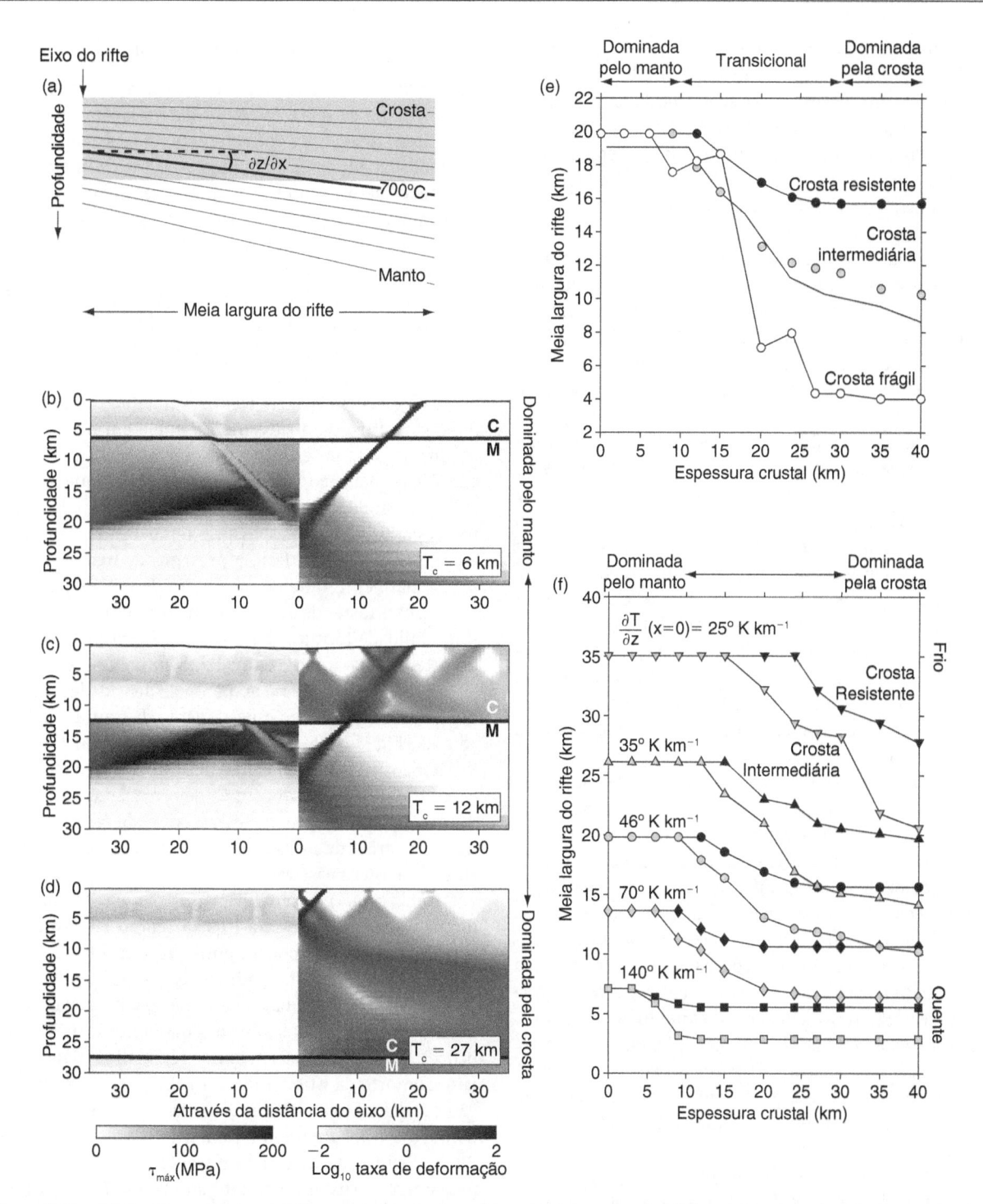

Capítulo 7 Riftes continentais e margens passivas 167

Figura 7.28 (a) Configuração do modelo para simulações numéricas do estiramento litosférico. A transição da deformação dominada pelo manto para a deformação dominada pela crosta é ilustrada por (b), (c) e (d), que mostram a grade de deformação total após 1% de deformação total para uma espessura crustal (T_c) de 6, 12 e 27 km, respectivamente. A escala de tons de cinza indica a magnitude do esforço de cisalhamento na esquerda e a taxa normalizada de deformação à direita. C e M marcam a base da crosta e o topo do manto, respectivamente. (e) Efeito da espessura crustal prevista em riftes de largura mediana. (f) Efeito do gradiente geotérmico vertical em riftes de largura mediana (imagens fornecidas por M. Behn e adaptados de Behn et al., 2002, com permissão da Elsevier). Cada ponto em (e) e (f) representa um experimento. Preto, reologia resistente; cinza, reologia intermediária; e branco, reologia frágil.

si & Zuber (2003), que mostraram que, para uma camada frágil com propriedades de deformação localizada sobrejacente a uma camada viscosa, a viscosidade da camada dúctil controla o espaçamento das falhas. Além disso, uma crosta inferior frágil permite que blocos de falhas na crosta superior rotacionem, o que pode facilitar a dissecção e o desmembramento da crosta superior por falha.

Por último, um terceiro modelo numérico de rifteamento ilustra como a interação entre enfraquecimento induzido por deformação, espessura da camada e contrastes reológicos pode influenciar padrões de deformação em um modelo de quatro camadas de litosfera. Nagel & Buck (2004) construíram um modelo que consistia em uma camada de crosta superior frágil com espessura de 12 km, uma camada relativamente resistente de crosta com 10 km de espessura, uma camada fina (3 km) de crosta intermediária frágil e uma camada de manto superior com 45 km de espessura (Fig. 7.29a). O modelo incorpora a power-law dependente da temperatura que determina o comportamento viscoso na crosta e no manto. O manto, a crosta superior e a crosta inferior também seguem o critério de Mohr-Coulomb para o falhamento e a perda de coesão. O modelo também incorpora uma perturbação térmica predefinida em forma de sino em seu centro, localizando a deformação no início da extensão. O gradiente térmico horizontal criado por essa perturbação e a estratificação vertical predeterminada controlam o comportamento mecânico da litosfera durante o rifteamento.

Com o início da extensão, os mantos superior e inferior da crosta sofrem estrangulamento localizado no centro quente e fraco do rifte. A deformação na crosta superior começa com formas de grabens individuais acima da área de estrangulamento da crosta inferior e do manto e, posteriormente, evolui para uma série de falhas normais paralelas mergulhando para o interior. As raízes das falhas aprofundam-se para a camada intermediária de crosta frágil, onde a deformação distribuída na crosta superior é transferida para a área de estrangulamento nas partes inferiores e resistentes do modelo (Fig. 7.29b,c). Após ~25 km de extensão, a crosta inferior se separa, e os deslocamentos nas falhas normais levam ao colapso e ao desmembramento da crosta superior às margens do rifte. Material do manto ascende para a zona de afinamento, onde a crosta superior colapsante é colocada em contato direto com as rochas do manto. Depois de 40 km de extensão, a matriz de falhas normais é abandonada, e a deformação da crosta superior é concentrada no centro do rifte. Finalmente, depois de ~75 km, nova litosfera oceânica é gerada, deixando para trás duas margens passivas tectonicamente calmas. Este e outros modelos físicos descritos nesta seção mostram como combinações de processos concorrentes que enfraquecem ou fortalecem a crosta podem ser usados para explicar grande parte da variabilidade de padrões de deformação observados em riftes.

7.6.7 Rifteamento magma-assistido

A maioria dos tratamentos quantitativos de rifteamento continental foca sobre os efeitos das variações das condições litosféricas. Essa ênfase reflete tanto o sucesso desses modelos em explicar muitos aspectos do rifteamento quanto a relativa facilidade com que geocientistas podem determinar as propriedades físicas da litosfera em comparação com aquelas da astenosfera. No entanto, é evidente que as interações entre a astenosfera e a litosfera formam componentes cruciais dos sistemas de rifte (Ebinger, 2005). Um dos aspectos mais importantes dessas interações envolve magmatismo (Seção 7.4), o que enfraquece a litosfera e causa a localização da deformação.

Entre seus possíveis efeitos, o magmatismo máfico pode permitir que o rifteamento inicie em regiões relativamente frias ou espessas da litosfera continental (Seção 7.5). Em adição aos seus efeitos de enfraquecimento, a disponibilidade de uma fonte significativa de magma basáltico influencia a espessura, temperatura, densidade e composição da litosfera. A presença de material quente, parcialmente fundido, por baixo de um vale de rifte, produz contrastes de densidade que resultam em forças de flutuabilidade térmica (Seção 7.6.3). Como os dois lados do rifte se separam, o magma também pode acrescer para a base da crosta, onde há aumento da densidade à medida que arrefece, e levar ao espessamento da crosta local (Seção 7.2, Fig. 7.5). Esses processos podem criar forças de flexão dentro da litosfera à medida que a placa responde à carga e afeta a maneira como a deformação é acomodada durante o rifteamento. As alterações podem ser registradas em padrões de soerguimento e subsidência ao longo de riftes e margens passivas.

Buck (2004) desenvolveu um modelo térmico bidimensional simples para ilustrar como rifteamento e intrusão de magma podem enfraquecer a litosfera e influenciar subsidência e padrões de soerguimento. A deposição de grandes quantidades de basalto em um rifte pode acomodar extensão sem afinamento crustal. Esse processo tem sido observado nos segmentos maduros de rifte ao norte da Etiópia (Seção 7.8.1), onde a acomodação por deformação através de falha foi bastante reduzida conforme o magmatismo aumentou (Wolfenden et al., 2005). Se intrudir material suficiente, é possível que o espessamento crustal resultante do magmatismo diminua a quantidade de subsidência no rifte e até mesmo leve à elevação regional. Esse efeito é ilustrado na Fig. 7.30, que mostra a altitude média isostática através do tempo para o rifteamento magma-assistido em comparação com uma curva de subsidência típica para estiramento litosférico devido ao relaxamento térmico (McKenzie, 1978). O soerguimento ou subsidência resulta de mudanças na densidade relacionadas com os efeitos combinados de afinamento crustal, intrusão de basalto e diferenças de

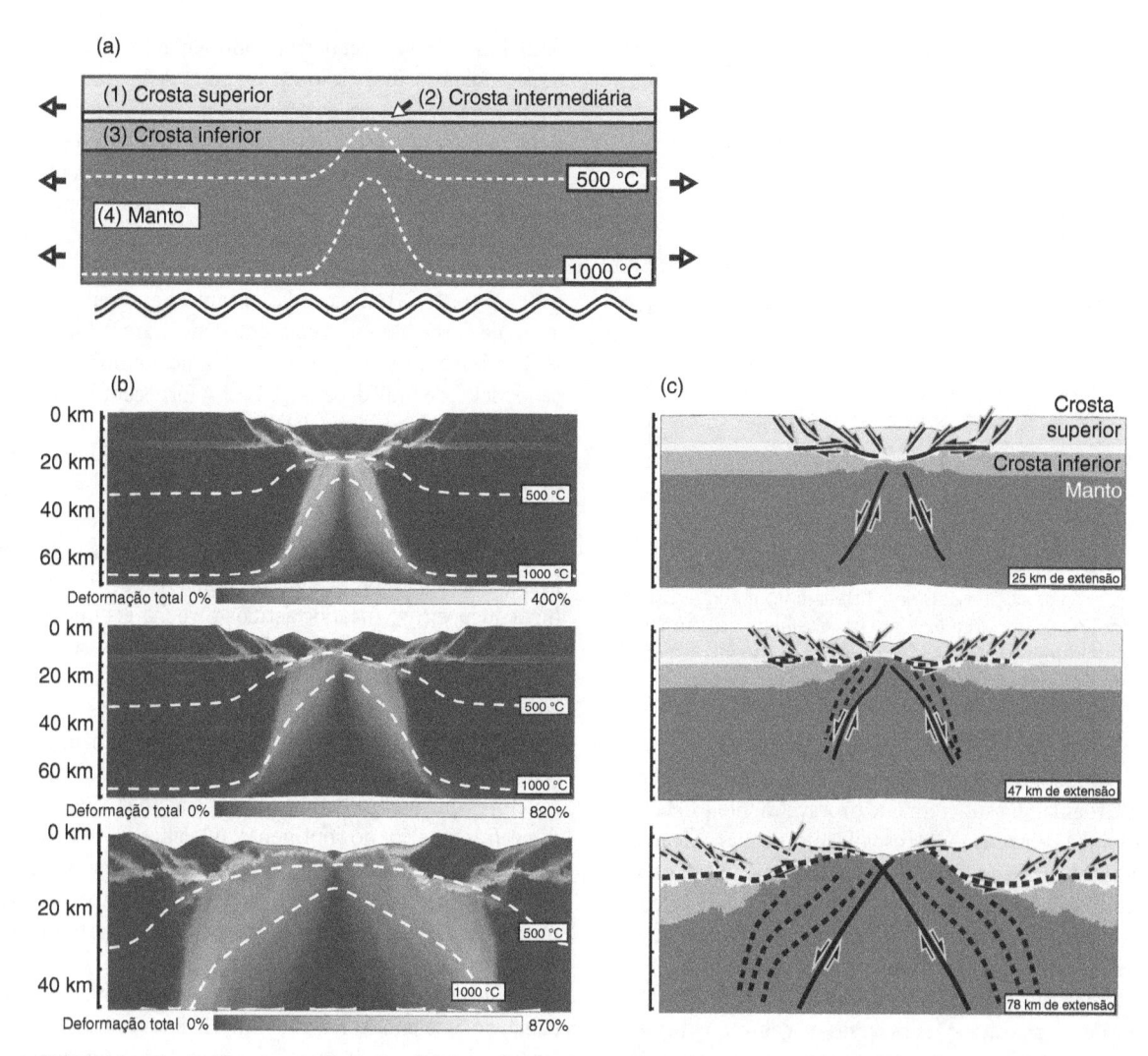

Figura 7.29 Modelo de rifteamento simétrico (imagens fornecidas por T. Nagel e adaptadas de Nagel & Buck, 2004, com permissão da Geological Society of America). (a) Configuração do modelo. (b) Deformação total e (c) distribuição da crosta superior, média e inferior e do manto após 25, 47 e 78 km de extensão. Linhas sólidas pretas, zonas de deformação ativas; linhas tracejadas, zonas inativas; linhas pretas finas, falhas frágeis; linhas pretas grossas, zonas de cisalhamento dúcteis.

temperatura integrados através de um rifte de 100 km de largura para uma profundidade de 150 Km. Buck (2004) sugeriu que esse processo pode explicar porque algumas margens continentais, como as da costa leste do Canadá (Royden & Keen, 1980), mostram menos subsidência tectônica inicial relacionada com afinamento crustal em comparação com a subsidência de longo prazo (dezenas de milhões de anos) induzida por esfriamento.

Dois outros problemas de evolução de rifte que também podem ser resolvidos incorporando os efeitos de magmatismo e/ou fluxo da astenosfera incluem a subsidência adicional observada em algumas margens passivas e a falta de magma que caracteriza as margens não vulcânicas (Buck, 2004). Esses efeitos são discutidos no contexto da evolução das margens passivas continentais na Seção 7.7.3.

7.7 MARGENS CONTINENTAIS PASSIVAS

7.7.1 Margens vulcânicas

Margens passivas vulcânicas são definidas pela ocorrência de três componentes: grandes províncias ígneas (Seção 7.4.1) compostas de basaltos espessos e de sequências vulcânicas silicáticas, crosta inferior de alta velocidade sísmica ($V_p > 7$ km s^{-1}) na zona de transição continente-oceano e sequências espessas de estratos vulcânicos e sedimentares que dão origem a *refletores que mergulham em direção ao oceano* em perfis de reflexão sísmica (Mutter et al., 1982). A maioria das margens passivas continentais parece ser vulcânica, com algumas exceções representadas pelas margens do Goban Spur, do oeste da Península Ibérica, do leste da China, do sul da Austrália e da Bacia do Mar de Newfoun-

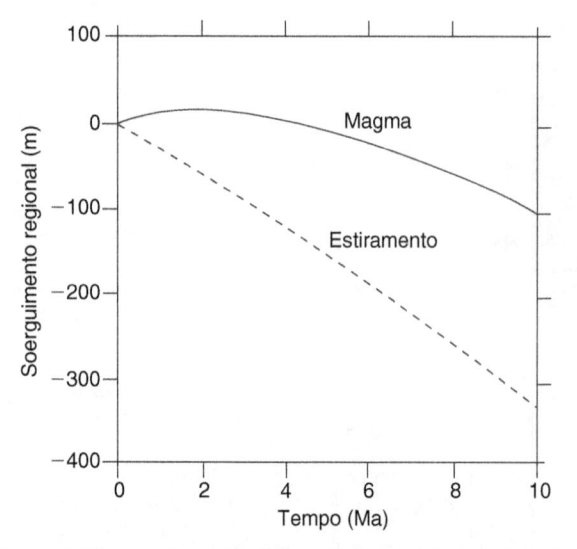

Figura 7.30 Comparação das mudanças de elevação isostática médias regionais previstas para rifteamento magma assistido (linha contínua) e estrangulamento por cisalhamento puro (linha pontilhada) (de Buck, 2004. Copyright © 2004 pela Columbia University Press. Reproduzido com permissão dos editores).

dland-Labrador. Relações evidentes no Mar Vermelho e no sul da Groenlândia sugerem que provavelmente existe uma continuidade entre as margens vulcânicas e não vulcânicas.

A crosta inferior de alta velocidade em margens vulcânicas localiza-se entre a crosta continental estendida e a crosta oceânica de espessura normal (Figs 7.31, 7.32). Embora essas camadas nunca tenham sido amostradas diretamente, as elevadas velocidades de ondas P_n sugerem que são compostas de acumulações espessas de gabro que penetraram a crosta inferior durante o rifteamento continental. A intrusão desse material ajuda a dissipar a anomalia térmica no manto que está associado com o rifteamento continental.

A margem continental Lofoten-Vesterålen da Noruega (Figs. 7.31, 7.32) ilustra a estrutura da crosta de uma margem vulcânica que sofreu extensão moderada (Tsikalas et al., 2005). A zona de transição oceano-continente entre a borda da plataforma e a bacia de Lofoten possui 50-150 km de largura, inclui um gradiente lateral abrupto no afinamento crustal e é coberto por camadas de material vulcânico que apresentam refletores rasos com mergulho para o mar (Fig. 7.32a). A largura de 50-150 km dessa zona é típica de muitas margens passivas, embora em alguns casos em que há extremo adelgaçamento a zona possa ter várias centenas de quilômetros de largura. O relevo crustal nesta região está relacionado com blocos falhados que delineiam altos soerguidos. No exemplo de Lofoten, a fronteira continente-oceano ocorre em direção ao continente a partir da anomalia magnética 24B (53-56 Ma), e a crosta oceânica normal ocorre em direção ao oceano a partir da anomalia magnética 23 (Fig. 7.31b). O afinamento crustal é indicado por variações da profundidade Moho. A Moho atinge uma profundidade máxima de 26 km abaixo da plataforma continental e 11-12 km abaixo da bacia de Lofoten. Ao longo do perfil A-A', uma região de 12-16 km de espessura de crosta no interior da zona de transição oceano-continente coincide com um corpo na crosta inferior caracterizado por uma velocidade elevada na crosta inferior (7,2 km s^{-1}) (Fig. 7.32a,c). Esse corpo se afina ao norte, ao longo da margem, onde eventualmente desaparece, e engrossa para o sul, até um ponto em que tem uma espessura de 9 km (Fig. 7.31c). Camadas oceânicas apresentam velocidades de 4,5-5,2 km s^{-1}, sedimentos mostram velocidades de $\leq 2{,}45$ km s^{-1}. Essas velocidades sísmicas combinadas com os modelos de gravidade (Fig. 7.32b) fornecem informações sobre a natureza do material dentro da margem (Fig. 7.32c).

Na maioria das margens vulcânicas, as cunhas de refletores que mergulham para o mar ocorrem acima ou ao largo da crosta superior de alta velocidade na zona de transição continente-oceano. A amostragem direta dessas sequências indica que são compostas de uma mistura de fluxos vulcânicos, depósitos vulcanoclásticos e rocha sedimentar não vulcânica que inclui os dois tipos de depósitos, subaéreos e submarinos. Planke et al. (2000) identificaram seis unidades comumente associadas com essas características (Fig. 7.33): (i) uma cunha externa de refletores que mergulham em direção ao mar; (ii) um alto externo; (iii) uma cunha interna de refletores que mergulham em direção ao mar; (iv) fluxos em direção ao interior do continente; (v) deltas de lava e (vi) fluxos internos. O formato de cunha dos pacotes de refletores é interpretado de modo a refletir o preenchimento do embasamento em rápida subsidência. Os refletores externos tendem a ser menores e mais fracos do que a variedade interior. O alto externo é um amontoado de feições, comumente de topo achatado, que pode ter até 1,5 km de elevação e 15-20 km de largura. Em alguns lugares, esta feição pode ser um vulcão ou uma pilha de basalto extravasado. Fluxos em direção ao continente são fluxos subaéreos de basaltos que apresentam pouca ou nenhuma camada de sedimentos entre os fluxos. Os fluxos internos representam corpos achatados situados no continente e normalmente abaixo do delta de lava. Deltas de lava formam-se à medida que derrames de basalto fluem para fora na frente do crescimento do derrame basáltico. A colocação dessas estruturas está associada com a criação de crosta oceânica mais espessa do que o normal dentro do continente em direção à zona de transição oceânica (Planke et al., 2000).

As condições e os processos vulcânicos que formam as margens passivas são objetos de muito debate. Em geral, a formação de crosta ígnea espessa parece requerer grandes quantidades de fusão do manto comparado com o que ocorre em segmentos normais de cordilheiras mesoceânicas. A origem desse aumento da atividade ígnea é incerta, mas pode estar relacionada com temperaturas astenosféricas mais elevadas do que aquelas encontradas em dorsais mesoceânicas ou a taxas anormalmente elevadas de ressurgência de material mantélico (Nielson & Hopper, 2002, 2004).

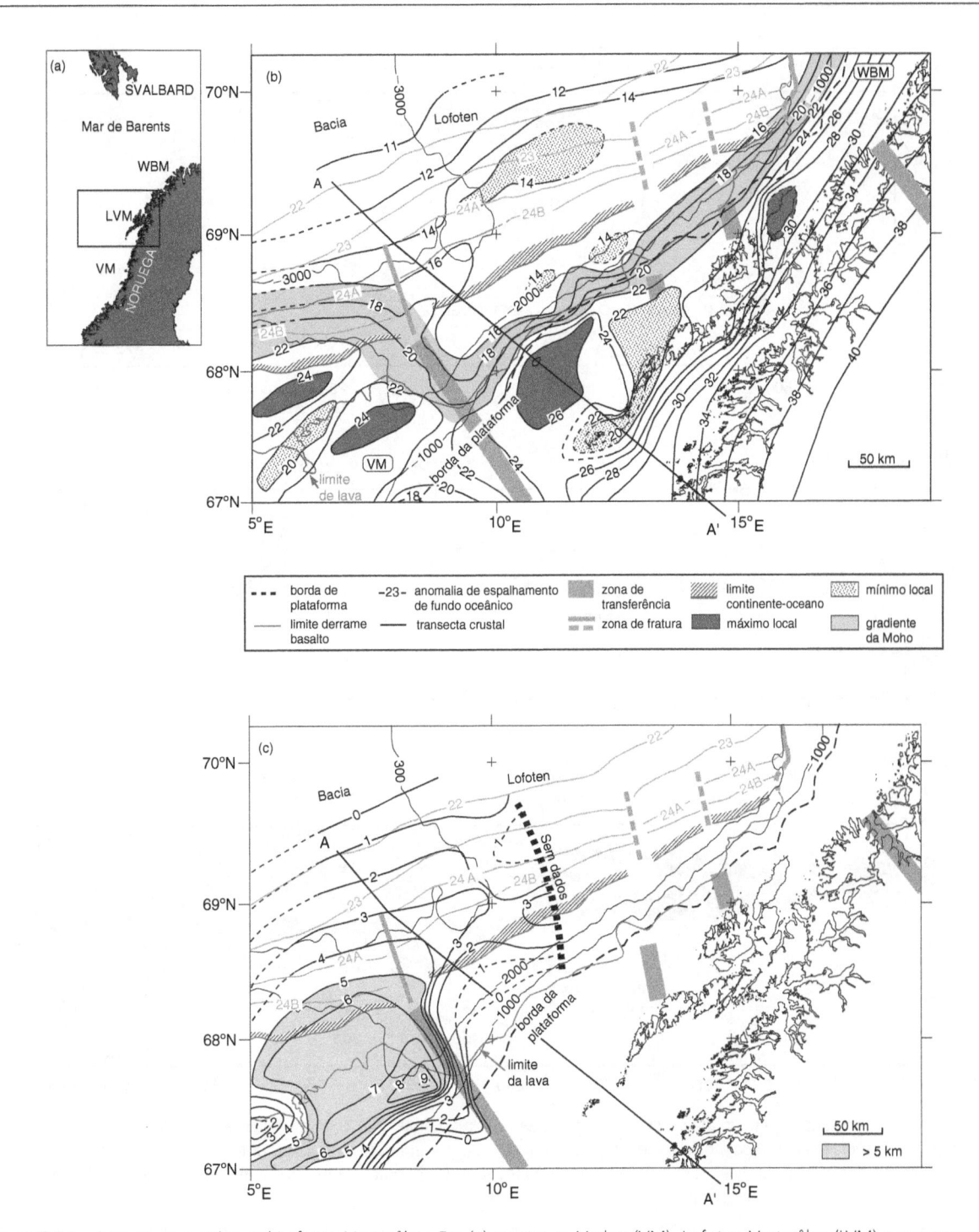

Capítulo 7 Riftes continentais e margens passivas 171

- - - borda de plataforma
—— limite derrame basalto
–23– anomalia de espalhamento de fundo oceânico
—— transecta crustal
▨ zona de transferência
▨ zona de fratura
▨ limite continente-oceano
▨ máximo local
▨ mínimo local
▨ gradiente da Moho

Figura 7.31 A margem continental Lofoten-Vesterålen. Em (a) mostra-se Vøring (VM), Lofoten-Vesterålen (LVM) e as margens do Mar Ocidental de Barents (WBM). (b) Mapa mostrando profundidades da Moho com 2 km de equidistância. (c) Espessura do corpo de alta velocidade na crosta inferior com intervalo de contorno de 1 km (imagens fornecidas por F. Tsikalas e adaptadas de Tsikalas et al., 2005, com permissão da Elsevier). A-A' indica a localização dos perfis mostrados na Fig. 7.32.

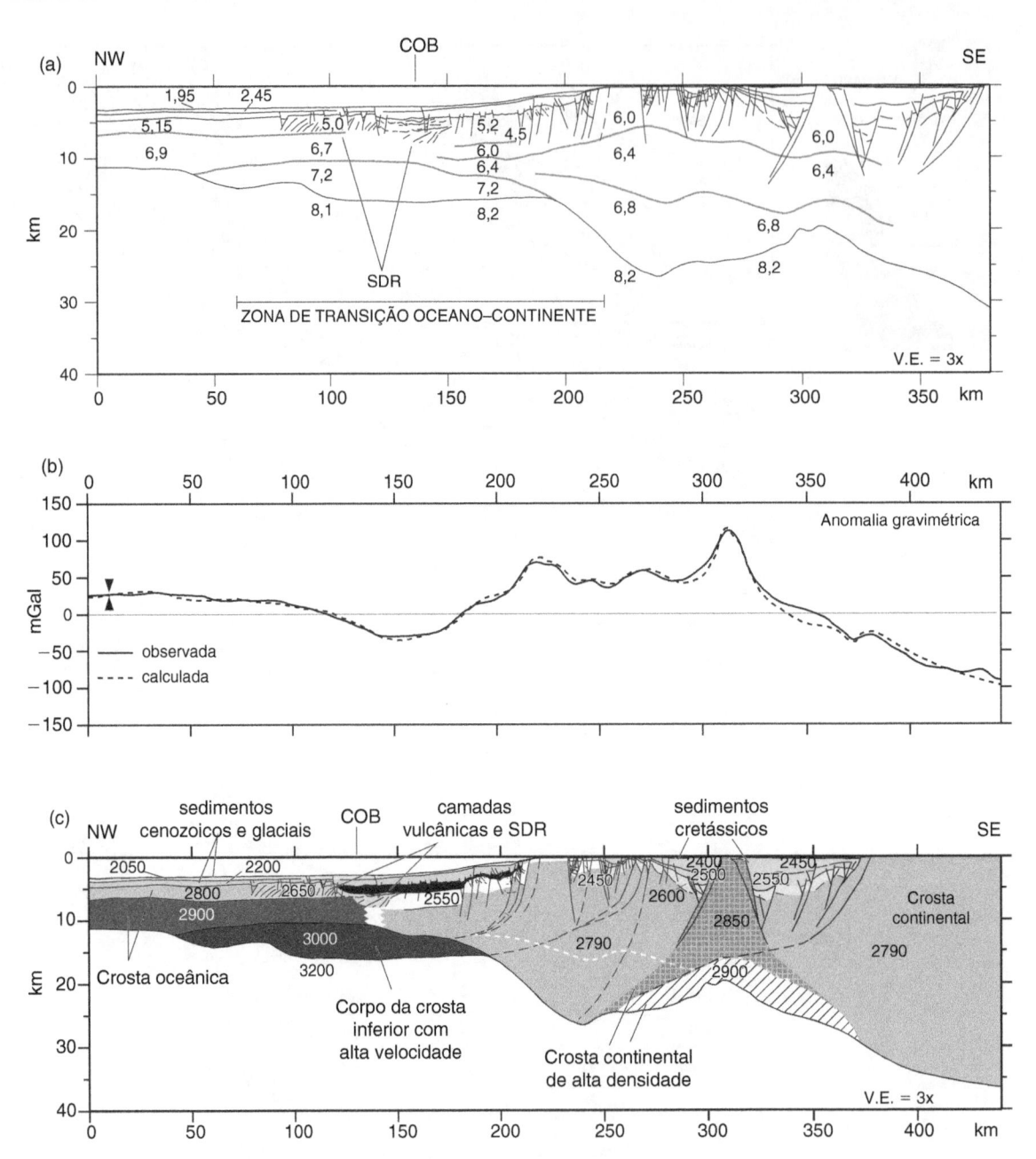

Figura 7.32 (a) Estrutura de velocidade sísmica ao longo da parte sul da margem Lofoten-Vesterålen. COB, fronteira continente--oceano. (b,c) Transecta gravimétrica modelada e interpretação da geologia (imagens fornecidas por F. Tsikalas e adaptadas de Tsikalas et al., 2005, com permissão da Elsevier). Densidades em (c) são mostradas em quilogramas por metro cúbico. SDR, refletores mergulhando em direção ao mar. Para a localização do perfil, ver Fig. 7.31.

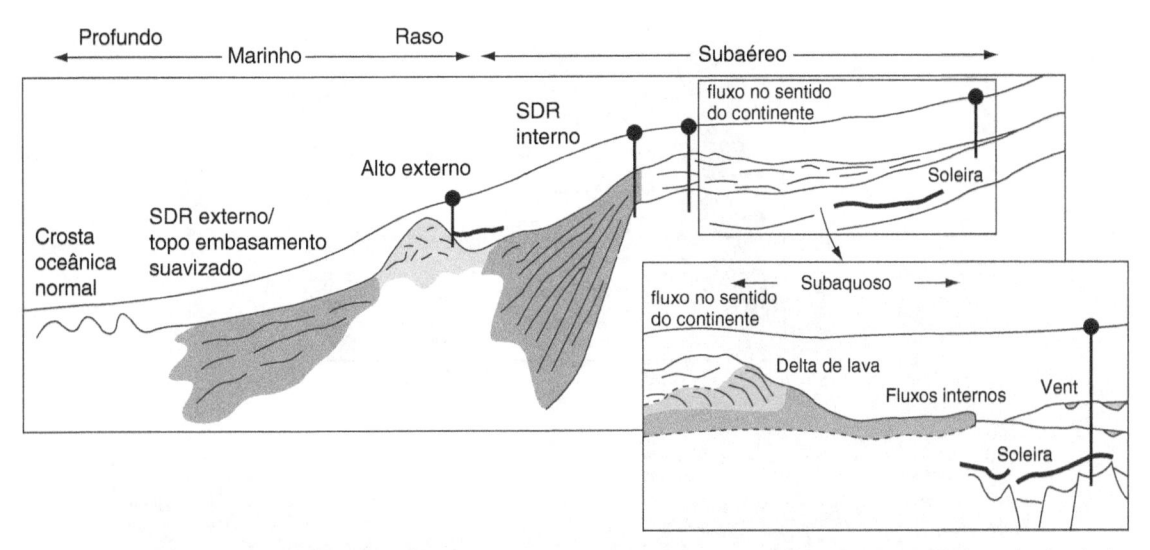

Figura 7.33 Interpretação das principais fácies sísmicas de unidades extrusivas em margens vulcânicas (adaptado de Planke et al., 2000, com permissão da American Geophysical Union. Copyright © 2000 American Geophysical Union). No detalhe, observa-se uma região de fluxos subaquosos no sentido do continente onde deltas de lava e unidades de fluxo interno comumente ocorrem. Círculos preenchidos e com linhas verticais mostram as localizações de poços onde furos penetraram as várias unidades. SDR, refletores que mergulham em direção ao mar (sombreado). Linhas pretas grossas, soleiras.

Ambos os mecanismos podem ocorrer em associação com plumas do manto (Seções 5.5, 12.10), embora essa hipótese requeira testes rigorosos.

7.7.2 Margens não vulcânicas

A ocorrência de margens não vulcânicas (Fig. 7.34a) mostra que o afinamento e o estiramento extremo da crosta não são necessariamente acompanhados de fusão e vulcanismo de grande escala. Margens não vulcânicas não possuem o grande volume de material extrusivo e intrusivo que caracteriza os seus homólogos vulcânicos. Em vez disso, a crosta que caracteriza este tipo de margem pode incluir litosfera continental altamente falhada e distendida, litosfera oceânica formada por espalhamento lento do piso oceânico ou crosta continental intrudida por corpos magmáticos (Sayers et al., 2001). Além disso, essas margens podem conter áreas de até 100 km de largura compostas de manto superior serpentinizado exumado (Fig. 7.34b,c) (Pickup et al., 1996; Whitmarsh et al., 2001). Refletores em perfis sísmicos também podem ocorrer dentro de margens não vulcânicas. No entanto, ao contrário de variedades vulcânicas, esses refletores podem ser preferencialmente inclinados em direção ao continente e não representam sequências de rochas vulcânicas (Pickup et al., 1996). Alguns desses refletores que mergulham em direção ao continente representam falhas de descolamento (Seção 7.3) que se formaram durante o rifteamento (Boillot & Froitzheum, 2001).

Dois membros extremos de margens não vulcânicas foram identificados com base em relações preservadas na região do Atlântico Norte (Louden & Chian, 1999). O primeiro caso é derivado do sul da Planície Abissal Ibérica, do Banco da Galícia e das margens oestes da Groenlândia. Nessas margens, o rifteamento do continente produziu uma zona de crosta continental extremamente fina. Essa crosta fina é caracterizada por blocos de falhados rotacionados que estão apoiados sobre um refletor sub-horizontal proeminente (S), que provavelmente representa uma zona de cisalhamento serpentinizada no limite crosta-manto (Fig. 7.34c) (Reston et al., 1996). O refletor ocorre em direção ao oceano no embasamento continental estirado e acima de uma camada inferior de alta velocidade sísmica do manto serpentinizado. Abaixo do refletor, as velocidades sísmicas aumentam gradualmente com a profundidade e aproximam-se das velocidades normais do manto em profundidades de 15-20 km. Em direção ao oceano, a partir da crosta continental afinada, e em direção ao continte, a partir da primeira porção da crosta oceânica, uma região de transição é caracterizada por velocidades baixas, baixa refletividade e uma camada inferior de manto serpentinizado mostrando velocidades (V_p > 7,0 km s^{-1}) que são semelhantes à da crosta inferior de alta velocidade. Mais para o mar, o embasamento é caracterizado por uma complexa série de cristas peridotíticas (PR), que contêm anomalias magnéticas de expansão dos fundos oceânicos aproximadamente paralelas à direção da zona de expansão oceânica. Embora essa zona seja composta principalmente de manto serpentinizado, também pode conter intrusões menores. Assim, o embasamento nessas margens consiste em blocos de falha continentais, uma região de transição suave e cumes elevados. Refletores da Moho (M) estão ausentes no interior da zona de transição oceano-continente. Em vez disso, essa região apresenta refletores mergulhando para o continente e para o oceano que se estendem a profundidades de 15-20 km.

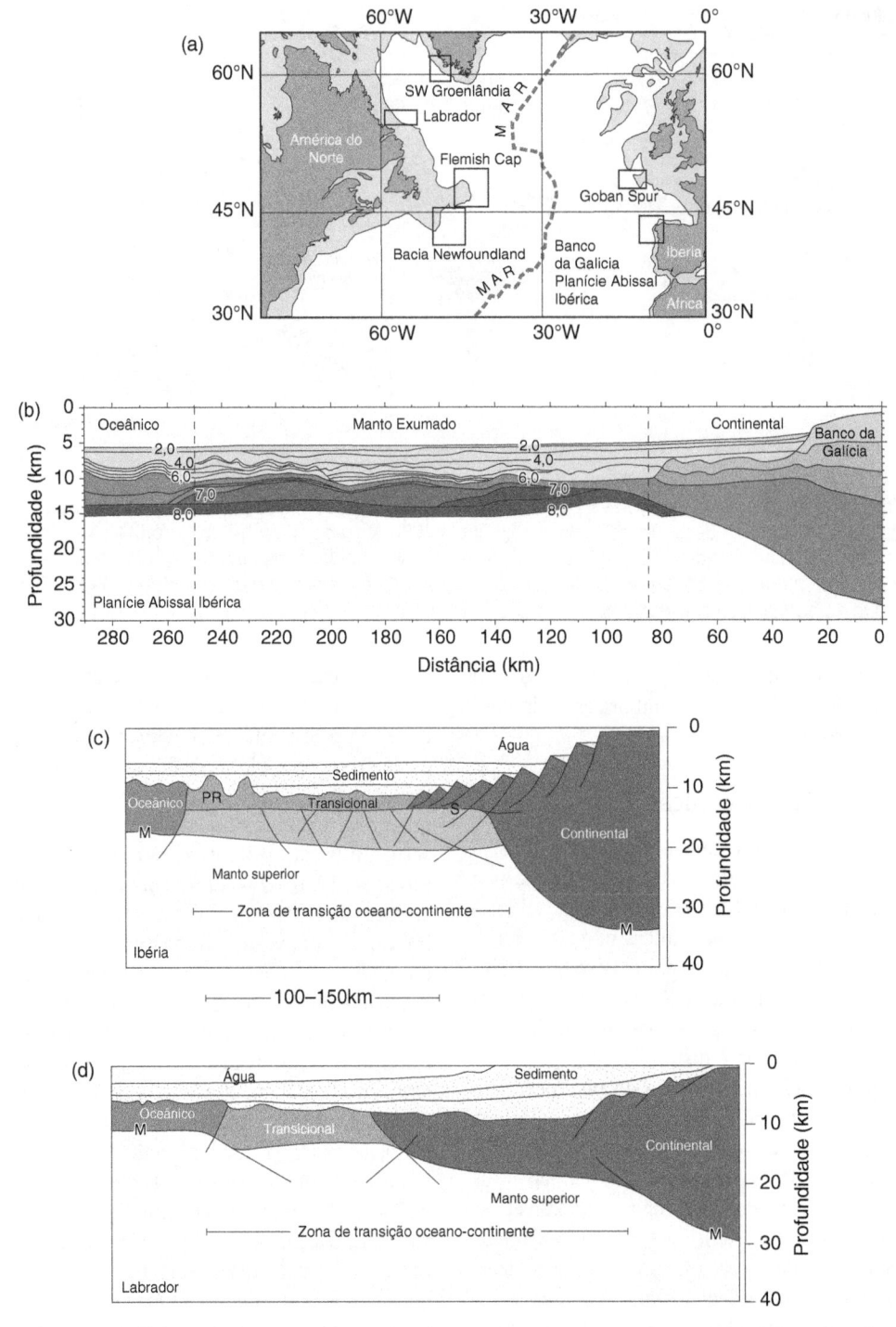

Figura 7.34 (a) Mapa do Atlântico Norte mostrando a localização das margens não vulcânicas selecionadas. MAR, Cordilheira Mesoatlântica. (b) Modelo de velocidade da Margem Ibérica Ocidental e da Planície Abissal Ibérica (imagem fornecida por T. Minshull e adaptado de Minshull, 2002, com permissão da Royal Society of London). Os dados são de Dean et al. (2000). As linhas tracejadas marcam as bordas aproximadas da zona de transição oceano-continente. Velocidades em km s^{-1}. (c,d) Dois membros extremos de margem não vulcânica (imagens fornecidas por K. Louden e adaptadas de Louden & Chian, 1999, com permissão da Royal Society of London). PR, crista peridotítica; S, refletores interpretadas como representantes de um descolamento ou zona de cisalhamento; M, refletores da Moho.

No segundo tipo de margem não vulcânica (Fig. 7.34d), baseado principalmente no exemplo de Labrador, apenas um ou dois blocos de falhas inclinadas da crosta continental superior são observados, e o refletor horizontal do tipo S está ausente. A zona de crosta continental intermediária afinada ocorre debaixo de uma espessa bacia sedimentar. Uma região de transição localiza-se mais afastada em direção ao oceano de uma maneira semelhante à secção mostrada na Fig. 7.34c. No entanto, refletores mergulhando dentro do manto superior são menos prevalentes. Para o Labrador, a região de crosta inferior continental estendida é muito ampla em área, com uma bacia sedimentar espessa, enquanto para Flemish Cap e a Bacia de Newfoundland, a largura da crosta continental inferior estendida é estreita ou ausente. Os refletores da Moho (M) indicam crosta oceânica muito fina ($\sim$ 5 km).

7.7.3 A evolução das margens passivas

A evolução da margens passivas continentais é governada por muitas das mesmas forças e processos que afetam a formação dos riftes intracontinentais (Seção 7.6). Forças de flutuabilidade de origem térmica e crustal, flexão da litosfera, contrastes reológicos e magmatismo podem afetar o comportamento da margem durante a ruptura continental, embora as magnitudes relativas e as interações entre esses fatores difiram daquelas do estágio pré-ruptura do rifteamento. Dois conjuntos de processos que são especialmente importantes durante a transição do rifteamento para a expansão dos fundos oceânicos incluem: (i) subsidência e pós-rifte e estiramento (ii) falhamento com descolamento, exumação do manto e formação de crosta oceânica na margem não vulcânica.

Subsidência pós-rifte e estiramento

Conforme o rifteamento continental progride para o estágio de espalhamento do fundo oceânico, as margens do rifte afundam isostaticamente para abaixo do nível do mar e, eventualmente, tornam-se inativas tectonicamente. Essa subsidência é regida, em parte, pelos efeitos mecânicos de estiramento da litosfera (Seção 7.6.2) e por um relaxamento gradual da anomalia térmica associada ao rifteamento. Considerações teóricas que incorporam esses dois efeitos para o caso de estiramento uniforme preveem que a subsidência inicialmente será rápida, conforme a crosta é tectonicamente finada, e eventualmente lenta, quando os efeitos do resfriamento dominarem (McKenzie, 1978). No entanto, a magnitude da subsidência também é influenciada pela resposta da flexão da litosfera a cargas geradas por sedimentação e vulcanismo e por alterações na densidade com a intrusão de magmas e a cristalização conforme o material fundido esfria (Seção 7.6.7). Modelos de subsidência que incluem os efeitos de magmatismo e carregamento predizem desvios significativos das curvas teóricas de subsidência térmica.

A quantidade de subsidência que ocorre em margens passivas está relacionada com a magnitude do fator de estiramento (β). Existem várias maneiras de estimar o valor desse parâmetro, dependendo da escala de observação (Davis & Kusznir, 2004). Para a crosta frágil superior, a quantidade de extensão normalmente é derivada das somatórias dos rejeitos das falhas interpretadas em perfis de sísmica de reflexão que são orientados paralelamente à direção de mergulho da falha. Estimativas da combinação da extensão da crosta superior e do estiramento da crosta inferior são obtidos a partir de variações na espessura crustal medidas utilizando levantamentos de sísmica de alto ângulo, estudos de gravimetria e dados sísmicos de reflexão. Esta última abordagem se sustenta no pressuposto de que as variações são uma consequência da extensão e do afinamento crustal. Na escala da litosfera como um todo, fatores de estiramento são obtidos através de considerações sobre a resposta isostática flexural ao carregamento (Seção 7.6.4) e à subsidência térmica. Uma das abordagens mais utilizadas para a obtenção de fatores de estiramento para a escala litosférica emprega uma técnica conhecida como *backstripping* flexural.

O *backstripping* flexural envolve a reconstrução das mudanças da profundidade ao embasamento em uma bacia sedimentar extensional, levando-se em conta os efeitos isostáticos do carregamento. O conceito por trás do método é o de explorar o perfil estratigráfico da bacia para determinar a profundidade a que a rocha do embasamento estaria na ausência das cargas produzidas pela água e todas as camadas sobrepostas. Isso é conseguido através da remoção progressiva, ou *backstripping*, das cargas produzidas por cada camada e pela restauração do embasamento para a profundidade dos momentos em que cada camada foi depositada (Fig. 7.35). Esses resultados, combinados com o conhecimento da profundidade teórica da água, permitem a determinação do fator de estiramento (β). No entanto, como discutido mais adiante, a relação entre o fator de estiramento e as curvas de subsidência pode ser complicada por interações entre a litosfera e o manto sublitosférico. Na prática, o *backstripping* flexural é determinado através da atribuição de uma densidade específica e uma espessura elástica (T_e) para cada camada (Seção 7.6.4) e, em seguida, somando-se os efeitos de cada camada para intervalos de tempo sucessivos. Correções devido à compactação dos sedimentos, às flutuações do nível do mar e às estimativas de profundidade usando fósseis sedimentares ou outros indicadores são então aplicadas. Essa abordagem geralmente envolve o uso de informações obtidas a partir de sedimentos pós-riftes em vez de unidades sin-riftes, porque estas violam os pressupostos de um sistema fechado durante a extensão (Kusznir et al., 2004). Os resultados mostram geralmente que a profundidade de margens passivas em intervalos de tempo sucessivos depende tanto da magnitude do fator de estiramento (β) quanto da resistência à flexão da litosfera. A maioria das aplicações indica que a espessura elástica da li-

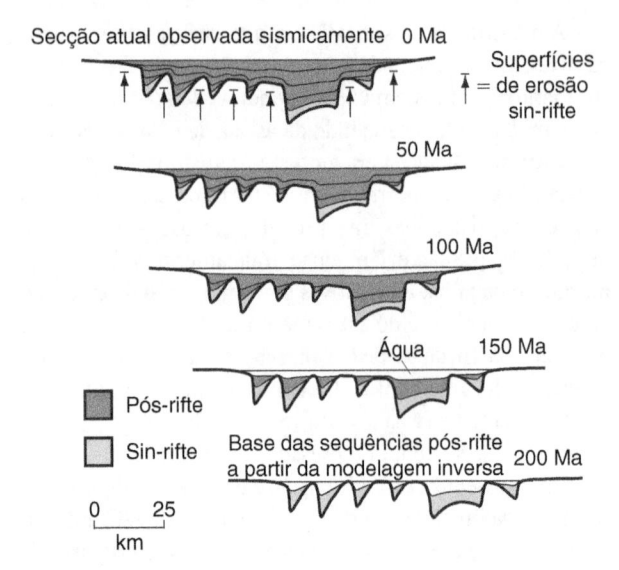

Figura 7.35 Diagrama esquemático mostrando a aplicação de *backstripping* flexural e a modelagem da subsidência pós-rifte para prever restaurações sequenciais de estratigrafia e paleobatimetria. Secções restauradas são dependentes do fator β de estiramento usado para definir a magnitude de extensão litosférica e a resistência à flexão da litosfera (segundo Kusznir et al., 2004, com permissão da Blackwell Publishing).

tosfera aumenta à medida que a anomalia térmica associada com o rifteamento decai.

Investigações dos fatores de estiramento da escala da litosfera em ambas as margens vulcânicas e não vulcânicas revelaram várias relações características. Muitas margens mostram maior subsidência decorrente de uma fase tectônica inicial associada ao estiramento do que o previsto pelas curvas de subsidência térmica provocadas pelo estiramento uniforme. Margens passivas da Noruega (Roberts et al., 1997), perto do noroeste da Austrália (Driscoll & Karner, 1998), no Goban Spur e no Banco da Galícia (Davis & Kusznir, 2004) mostram abatimento significativamente maior do que o previsto pela magnitude da extensão indicada por falhamento da crosta superior. Além disso, muitas margens mostram que a magnitude do estiramento litosférico aumenta com a profundidade no intervalo de ~150 km no limite oceano-continente (Kusznir et al., 2004). Mais adiante, em direção ao continente, as estimativas de estiramento e afinamento para a crosta superior, a crosta como um todo e a litosfera convergem conforme o fator de estiramento (β) diminui. Essas observações fornecem condições de contorno importantes sobre os processos que controlam a transição do processo rifte para expansão do fundo oceânico. No entanto, as causas da subsidência adicional e do alongamento dependente da profundidade são incertas. Uma possibilidade é que os resultados de subsidência extra resultem de um soerguimento extra durante a fase inicial de expansão dos fundos oceânicos, talvez como resultado de ressurgência da astenosfera anormalmente quente (Hopper et al., 2003; Buck, 2004). Alternativamente, um maior estiramento no manto litosférico do que na crosta, ou dentro de uma zona do manto litosférico que é mais estreita do que na crosta, também pode resultar em elevação extra. Quando esses efeitos iniciais diminuem, a subsequente subsidência térmica durante o resfriamento seria maior do que a prevista pelos modelos de estiramento uniforme. Essas hipóteses, embora aparentemente plausíveis, requerem testes adicionais.

Observações da parte sudeste da margem vulcânica da Groenlândia suportam a ideia de que o fluxo do manto de baixa densidade durante a transição para a fase de expansão do fundo oceânico influencia fortemente os padrões de subsidência e estiramento. Hopper et al. (2003) encontraram alterações distintas na morfologia das camadas de basalto na crosta que indicam importantes movimentos verticais do sistema de dorsais. No início da propagação, o sistema estava próximo ao nível do mar, pelo menos há 1 Ma, quando o espalhamento era subaéreo. Mais tarde, a subsidência abaixou o cume para águas rasas e, em seguida, para águas profundas que variam entre 900 e 1.500 m de profundidade. Essa história parece refletir o apoio dinâmico do sistema dorsal pela ressurgência de material quente do manto durante o início da expansão. O esgotamento dessa anomalia térmica levou à perda do suporte dinâmico e à rápida subsidência do sistema dorsal durante um período de 2 Ma. Além disso, quase o dobro do volume de diques e materiais vulcânicos ocorreu na margem no lado da Groenlândia em comparação com a margem correspondente no Banco Hatton, localizado no sul da Islândia, no outro lado do Atlântico Norte. Essas observações indicam que as interações entre a astenosfera quente e a litosfera continuam a influenciar o desenvolvimento tectônico de margens passivas durante os estágios finais da ruptura continental quando os centros de propagação do fundo do mar já estão estabelecidos.

O fluxo de fundido de baixa densidade depletado da astenosfera abaixo de um rifte também pode ajudar a explicar a falta de atividade magmática observada em margens passivas não vulcânicas. A ausência de grandes volumes de magma pode estar ligada aos efeitos de episódios de fusão anteriores, ao esfriamento por convecção da astenosfera quente e/ou à taxa de ressurgência do manto (Buck, 2004). Conforme o material do manto sublitosférico ascende abaixo de um rifte, este funde e resfria. Esse processo pode resultar em convecção do manto raso devido à presença de material frio e denso, depletado por fusão, sobrejacente a uma porção mais quente e menos densa do manto. O resfriamento também restringe a fusão posterior por trazer o manto abaixo da isoterma sólida (Seção 7.4.2). Se alguma parte desta astenosfera depletada previamente resfriada é puxada para cima sob a parte ativa do rifte durante a transição para a fase de expansão dos fundos oceânicos, sua presença poderia suprimir fusões posteriores, especialmente se a taxa de rifteamento ou expansão do assoalho oceânico é lenta. As taxas menores podem não permitir que a astenosfera profunda e não depletada atinja as profundidades mais rasas, fato que geraria grandes quantidades de fusão.

Acreção de magma, exumação do manto e falhas de descolamento

A transição de rifteamento para a expansão dos fundos oceânicos nas margens não vulcânicas é marcada pela exumação de grandes seções do manto superior. Dados de reflexão sísmica coletados no Flemish Cap fora da margem de Newfoundland fornecem sinais dos mecanismos que levam a essa exumação e como eles se relacionam com a formação de crosta oceânica.

O Flemish Cap é um bloco aproximadamente circular e tabular de 30 km de espessura da crosta continental que se formou durante rifteamento no Mesozoico entre Newfoundland e a margem do Banco da Galícia perto da Ibéria (Fig. 7.36a). As duas margens conjugadas mostram uma acentuada assimetria da ruptura. Imagens sísmicas do Banco da Galícia mostram uma zona de transição composta por manto continental mecanicamente exumado (Fig. 7.36b) e uma forte reflexão regional tipo S mergulhando para oeste (Fig. 7.36b, fases 1 e 2) (Seção 7.7.2). A zona de transição é de várias dezenas de quilômetros de largura fora do Banco da Galícia e alarga-se para 130 Km ao sul a partir do sul da Península Ibérica. A reflexão S é interpretada como representante de um descolamento entre a crosta inferior e o manto que está subjacente a uma série de blocos limitados por falhas. Em contraste, a margem de Newfoundland carece de uma zona de transição e não apresenta evidência de qualquer reflexão do tipo S ou falhas de descolamento (Hopper et al., 2004). Em vez disso, esta última mostra uma fronteira abrupta entre a crosta continental muito fina e uma zona de crosta oceânica anormalmente fina (3 a 4 km de espessura) e altamente tectonizada (Fig. 7.36b, estágios 3, 4 e 5). Em direção ao oceano a partir desse limite, a crosta oceânica afina ainda mais, para menos de 1,3 km, e exibe camadas com uma reflectividade alta incomum (I).

O modelo de cinco estágios de Hopper et al. (2004) explica essas diferenças estruturais e da evolução das margens conjugadas. Na Fig. 7.36b, o painel superior mostra uma reconstrução das duas margens, enfatizando sua assi-

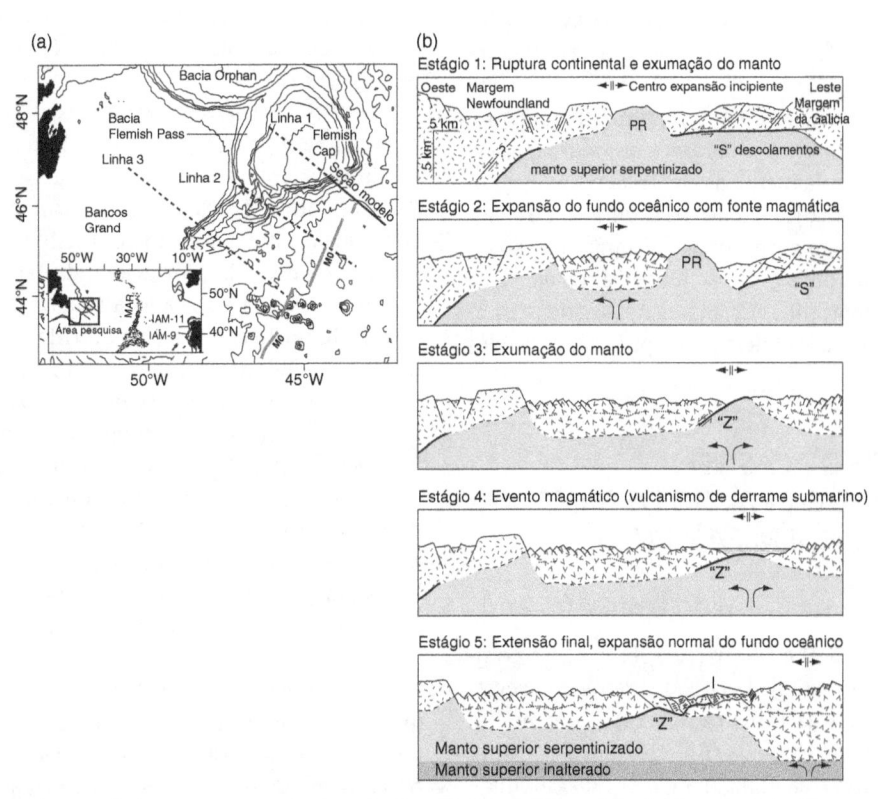

Figura 7.36 (a) Localização de levantamentos sísmicos do Flemish Cap e (b) modelo de cinco estágios de margens não vulcânicas (segundo Hopper et al., 2004, com permissão da Geological Society of America). MO em (a) é anomalia magnética. Rachura de traços aleatórios, crosta continental; rachura com V, crosta oceânica; sombreamento cinza claro manto superior serpentinizado; sombreamento cinza escuro, manto superior inalterado; linhas grossas, refletores fortes; linhas tracejadas, limite crosta-manto inferido; linhas pontilhadas, camadas oceânicas; PR, cordilheira peridotítica; S, refletores interpretados para representar uma falha de descolamento; I, crosta oceânica muito reflexiva; Z, refletores interpretados para representar uma falha de descolamento enterrada por derrames basálticos marinhos profundos.

metria no final da ruptura, quando a crosta continental foi afinada para uma espessura de apenas alguns quilômetros (estágio 1). Durante o final da ruptura, o deslocamento dentro de uma falha de descolamento extensional (rotulado de S na Fig. 7.36b) exumou uma cordilheira peridotítica (PR) acima de uma zona do manto superior fracamente serpentinizada. O rompimento da dorsal isolou-a na margem do Banco da Galícia, quando, durante o estágio 2, fundidos do manto atingiram a superfície e o processo de expansão oceânico foi estabelecido. O magmatismo limitado produziu uma crosta oceânica mais fina que o normal (3-4 km) e altamente tectonizada. Durante o estágio 3, uma redução no suprimento de magma levou a cerca de 20 km de extensão que foi acomodada em sua maioria por falhamento de descolamento. O falhamento de descolamento levou à exumação do manto e formou um complexo de núcleo oceânico semelhante aos encontrados em ambientes de expansão lenta em intersecções de zonas de transferências (Seção 6.7). O volumoso, mas localizado, magmatismo durante o estágio 4 resultou em uma camada de 1,5 km de espessura de derrames basálticos marinhos que enterrou a superfície de descolamento (reflexão Z). A intrusão de material gabroico pode ter acompanhado este vulcanismo. Essa atividade magmática marcou o início da expansão dos fundos oceânicos que formou crosta oceânica de espessura normal (6 km) (estágio 5).

Este exemplo mostra que, em um primeiro momento, a transição de rifte para crosta oceânica nas margens não vulcânicas é fundamentalmente assimétrica e envolve um período de fome magmática que leva à exumação do manto. Este tipo de margem pode tipificar sistemas de expansão lenta (Seção 6.6), onde grandes flutuações na oferta de material fundido ocorrem em câmaras magmáticas transientes durante os estágios iniciais da expansão dos fundos oceânicos.

7.8 ESTUDOS DE CASOS: A TRANSIÇÃO DO ESTÁGIO DE RIFTE PARA O DE MARGEM PASSIVA

7.8.1 O sistema de Riftes do Leste Africano

O sistema de Riftes do Leste Africano (Fig. 7.2) é composto por vários segmentos de rifte discretos que registram diferentes fases da transição de rifte continental para margem vulcânica passiva (Ebinger, 2005). O Rifte Oriental entre o norte da Tanzânia e o sul do Quênia é um exemplo de um rifte jovem que iniciou em litosfera continental espessa, fria e resistente. O vulcanismo e a sedimentação começaram por ~5 Ma, com as maiores escarpas de falhas formadas em ~3 Ma. Deformação e magmatismo estão localizados dentro de estreitas bacias do tipo rifte assimétricas sem deformação detectável no amplo planalto soerguido adjacente às falhas (Foster et al., 1997). Epicentros de terremotos ocorrem ao longo de toda a espessura de 35 km da crosta, indicando que o aquecimento da crosta é mínimo (Foster & Jackson, 1998). As bacias são rasas (~3 km de profundidade), com falhas de borda de 100 km de comprimento que acomodam pequenas quantidades de extensão. As falhas de borda cresceram a partir de segmentos curtos de falhas que se propagaram ao longo de seus comprimentos para se juntar com outras falhas vizinhas, criando ligações entre bacias adjacentes (Foster et al., 1997). As falhas que foram orientadas desfavoravelmente com relação ao sentido de abertura foram abandonadas conforme a deformação progressivamente se localizou sobre as falhas de borda (Ebinger, 2005). Dados geofísicos (Green et al., 1991; Birt et al., 1997) e geoquímicos (Chesley et al., 1999) mostram que o manto litosférico foi afinado para cerca de 140 km. Em outras áreas, a litosfera é de pelo menos 200 km e, possivelmente, 300-350 km de espessura (Ritsema et al., 1998). Esses padrões estão em conformidade com as previsões pelos modelos de estiramento litosférico (Seção 7.6.2, 7.6.3) em regiões de litosfera relativamente espessa. Eles também ilustram que a geometria da secção transversal e a segmentação ao longo do eixo dos riftes juvenis são controladas pela resistência à flexão da litosfera (Seção 7.6.4).

Os efeitos das fraquezas preexistentes na geometria de rifteamento também estão ilustradas no segmento sul do Rifte Oriental, na Tanzânia. Falhas de borda e meio grabens foram provavelmente formados em uma zona de fraqueza criada por um contraste entre a litosfera espessa e fria do Cráton Arqueano da Tanzânia e a litosfera proterozoica fina e fraca localizada a leste (Foster et al., 1997). De norte a sul, o eixo do rifte diverge de um rifte único de ~50 km de largura a uma zona de 200 Km de largura composta de três segmentos estreitos (Fig. 7.2b). Essa segmentação e uma mudança na orientação das falhas ocorre quando o rifte encontra o Cráton Arqueano da Tanzânia (Fig. 7.37), indicando que a litosfera espessa desviou a orientação do rifte. Essas observações ilustram que as heterogeneidades laterais no limite litosfera-astenosfera exercem um forte controle sobre a localização inicial e a distribuição da deformação no início do rifteamento (Seção 7.4).

Um exemplo de um rifte um pouco mais evoluído do que o exemplo da Tanzânia ocorre no centro e no norte do Quênia, onde o rifteamento começou há ~15 Ma. Neste segmento de rifte, a crosta foi afinada até 10 km, e a espessura da litosfera foi reduzida para cerca de 90 km (Mechie et al., 1997). Uma exumação progressiva da Moho ocorre entre o centro e o norte do Quênia, onde o rifte alarga-se a partir de ~100 km para ~175 km (Fig. 7.2b). No norte do Quênia, a espessura crustal é de cerca de 20 km, e a distensão total da superfície é de cerca de 35-40

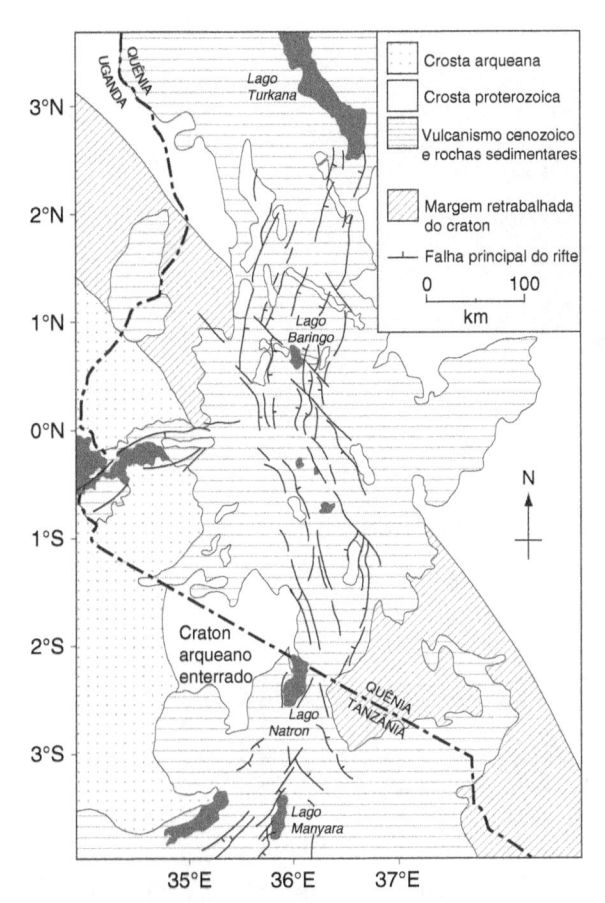

Figura 7.37 Mapa estrutural do ramo oriental do sistema de Rifte do Leste Africano no Quênia e no norte da Tanzânia mostrando a deflexão de falhas no contato do Cráton Arqueano da Tanzânia (segundo Macdonald et al., 2001, com permissão do *Journal of Petrology* **42**, 877-900. Copyright © 2001 com permissão da Oxford University Press, e Smith & Mosely, 1993, com permissão da American Geophysical Union. Copyright © 1993 American Geophysical Union).

km (β = 1,55-1,65) (Hendrie et al., 1994). No sul, a espessura crustal é de 35 km, com estimativas de distensão total variando de 5 a 10 km (Strecker et al., 1990; Green et al., 1991). Conforme a quantidade de estiramento da crosta aumenta e o limite litosfera-astenosfera se eleva debaixo de um rifte, a quantidade de fusão parcial resultante da descompressão também aumenta (Seção 7.4.2). Lavas jovens expostas no centro e no norte do Quênia indicam regiões de origem que são mais rasas do que as da Tanzânia (Furman et al., 2004). Material de velocidade elevada e alta densidade está presente na camada superior e na base da parte inferior da crosta, sugerindo a presença de intrusões basálticas resfriadas (Mechie et al., 1997; Ibs-von Seht et al., 2001). Essas relações indicam que, conforme um rifte continental entra na fase de maturidade, a atividade magmática aumenta e um componente significativo da extensão é acomodado pela intrusão magmática abaixo do eixo do rifte (Ebinger, 2005).

O aumento da atividade magmática que acompanha uma exumação da fronteira astenosfera-litosfera sob o Rifte do Quênia também resulta em aumento do aquecimento da crosta e contribui para uma diminuição da resistência da litosfera (Seção 7.6.7). Este efeito é indicado por uma diminuição progressiva na profundidade de hipocentros de sismos e no falhamento de 35 km para 27 km (Ibs-von Seht et al., 2001). Esses padrões sugerem uma diminuição na espessura efetiva elástica (T_e) da litosfera (Seção 7.6.4) comparada com o rifte no norte da Tanzânia. Embora tanto o manto quanto a crosta tenham afinado, o adelgaçamento do manto litosférico supera o afinamento crustal. Essa assimetria ocorre porque uma quantidade suficiente de magma foi acrescida à base da crosta, resultando em um grau de espessamento da crosta. Isso também ocorre porque o manto litosférico é localmente enfraquecido pelas interações com fluidos magmáticos quentes, que posteriormente localizarão o estiramento.

A extensão nas partes central e sul do Rifte Principal da Etiópia começou entre 18 e 15 Ma e, no norte, depois de 11 Ma (Wolfenden et al., 2004). A deformação resultou na formação de uma série de falhas de borda com alto ângulo que são marcadas por cadeias de caldeiras vulcânicas (Fig. 7.38a). Desde cerca de 1,8 Ma, os *loci* de magmatismo e falhamento tornaram-se progressivamente mais localizados, concentrando-se em segmentos magmáticos de ~20 km de largura e 60 km de extensão (Fig. 7.38b). Esta localização envolveu a formação de novos segmentos de rifte mais curtos e mais estreitos que são sobrepostos em longas e antigas falhas de borda em uma bacia rifte antiga e extensa em área. Esse estreitamento do eixo em segmentos curtos reflete uma placa cuja espessura efetiva elástica é mais estreita do que era quando as longas falhas de borda foram formadas (Ebinger et al., 1999). A extrusão de grandes quantidades de rocha vulcânica também modificou tanto a morfologia da superfície no rifte quanto sua estrutura interna. Relacionamentos neste segmento do rifte indicam que a intrusão de magma sob a forma de diques verticais em um primeiro momento tem a mesma importância que o falhamento, mas, à medida que o rifte se aproxima do momento de formação de fundo oceânico, ela se torna mais importante (Kendall et al., 2005). Erupções repetidas criam pilhas espessas que carregam a placa enfraquecida levando os fluxos de lava mais velhos a fletirem na direção do eixo do rifte. Este processo cria a cunha de lavas que mergulha em direção ao mar (Seção 7.7.1) típica de margens passivas vulcânicas (Seção 7.7.1).

Os segmentos do rifte na Depressão Afar ilustram que, à medida que a extensão da litosfera aumenta e a espessura diminui, a astenosfera ascende e descomprime, e mais fusão é gerada. Eventualmente, todas as falhas de borda do rifte são abandonadas conforme o magmatismo acomoda a extensão (Fig. 7.38c). Nesta fase, o rifte funciona como dorsal mesoceânica de lenta propagação que é limitada em ambos

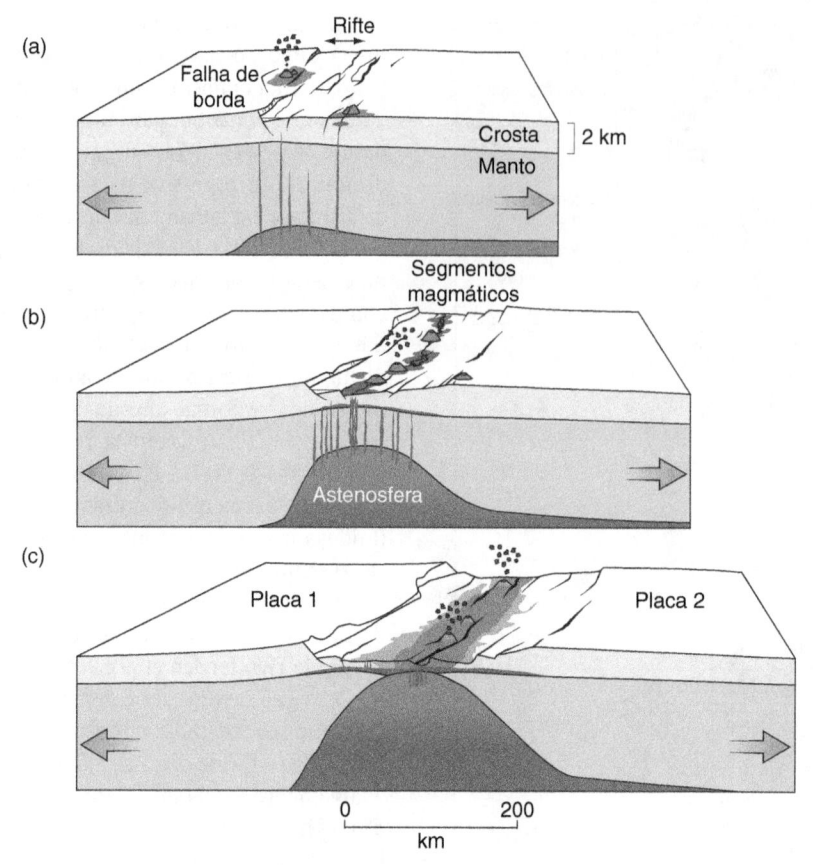

Figura 7.38 Modelo de três estágios para ruptura continental, levando à formação de uma margem passiva vulcânica (segundo Ebinger, 2005, com permissão da Blackwell Publishing).

os lados por litosfera continental afinada (Wolfenden et al., 2005). Com o aumento da oferta de material fundido e/ou aumento da taxa de deformação, litosfera oceânica nova se forma nos segmentos magmáticos, e a crosta e o manto litosférico subsidem para abaixo do nível do mar. Essa transição ocorreu no Golfo de Aden (Fig. 7.2b), onde margens passivas conjugadas se formaram recentemente. As margens do lado ocidental do Golfo são, na sua maioria, soterradas por lavas do Oligoceno-Mioceno da pluma mantélica de Afar. Aquelas que estão no lado oriental são famintas de material sedimentar e vulcânico e preservam estruturas de 19-35 Ma formadas durante o rifteamento oblíquo e a transição para a expansão do fundo oceânico (d'Acremont et al., 2005). Estudos sísmicos de reflexão dessas margens indicam que a margem passiva sul é cerca de duas vezes mais larga que a do norte e exibe depósitos pós-rifte mais espessos e subsidência de maior magnitude. Como o rifteamento deu lugar, à expansão dos fundos oceânicos nessa área, a deformação localizou-se em uma zona de transição de 40 km de largura onde o magma intrudiu em uma crosta continental muito fina e, possivelmente, no caso do lado norte, no manto exumado. As diferentes larguras, e estruturas das duas margens indicam que a transição para expansão do fundo oceânico no Golfo de Aden foi um processo assimétrico.

7.8.2 O Rifte de Woodlark

A Bacia Woodlark e a Península Papua adjacente (Fig. 7.39a) registram uma continuidade de processos extensionais ativos que variam lateralmente do rifteamento continental no oeste à expansão dos fundos oceânicos no leste. Esse exemplo fornece um registro importante de como segmentos de propagação do fundo oceânico desenvolvem-se espacialmente durante a ruptura continental e a formação de margens não vulcânicas. Ele ilustra também as condições litosféricas que promovem o desenvolvimento de complexos metamórficos durante o rifteamento. O rifteamento continental ocorre atualmente na Península Papua, onde complexos metamórficos e falhas normais tanto de alto ângulo ($\geq 45°$) quanto de baixo ângulo ($< 30°$) se formaram nas Ilhas D'Entrecasteaux desde o Plioceno. A crosta oceânica na parte mais a leste e na parte mais antiga da Bacia Woodlark está agora sendo consumida em direção ao norte sob as Ilhas Salomon (Fig. 7.39b).

A evolução pré-rifte da região de Woodlark envolveu subducção, vulcanismo de arco e colisão arco-continente (Seção 10.5) ao longo de um limite de placa convergente remanescente paleocênica que agora coincide com o Elevado de Pocklington e a margem sul da Península de Papua

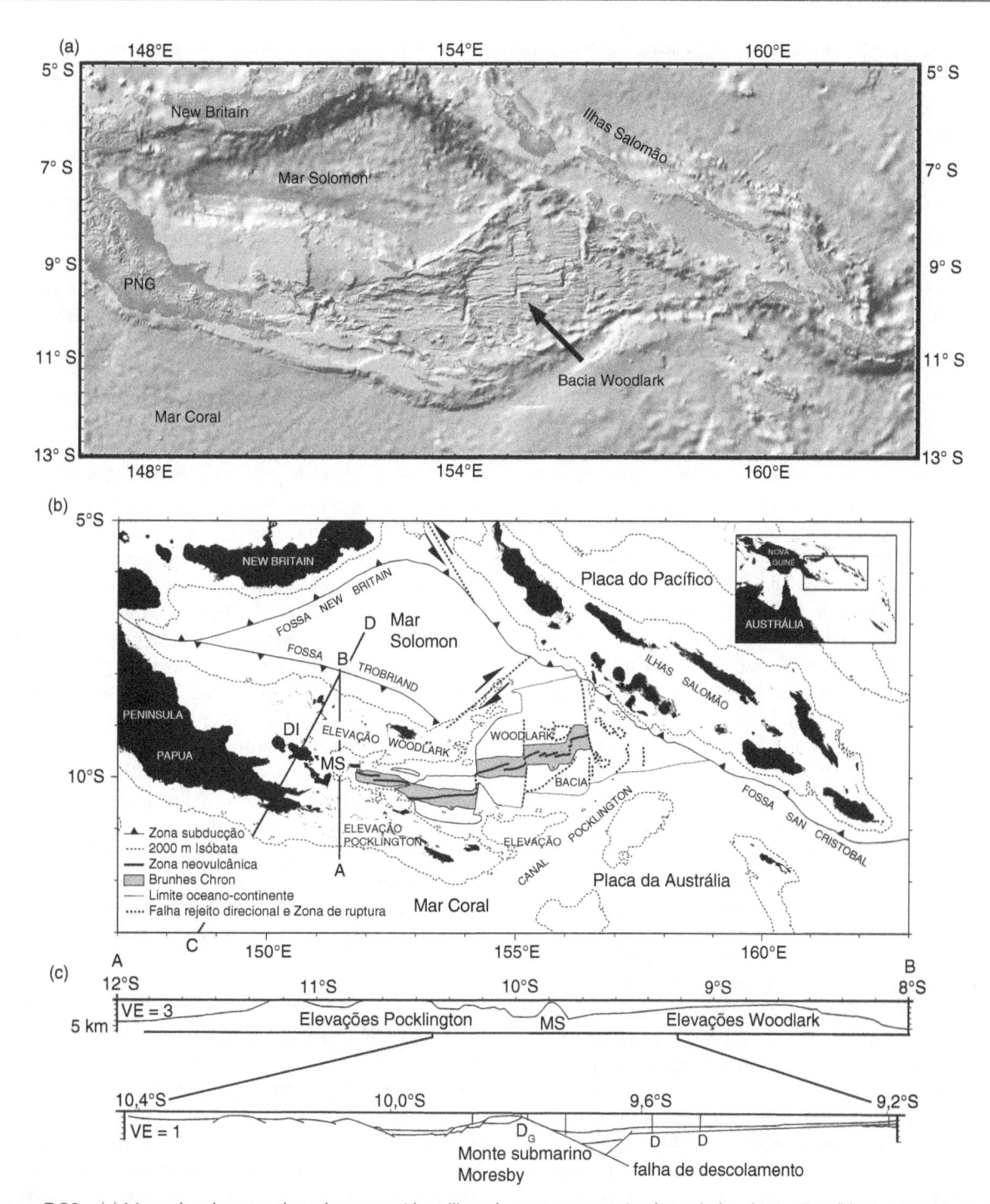

Capítulo 7 Riftes continentais e margens passivas 181

Figura 7.39 (a) Mapa de relevo sombreado construído utilizando os mesmos métodos e dados da Fig. 7.1. (b) Mapa tectônico do leste de Papua Nova Guiné (PNG) e das Ilhas Salomão, mostrando ambiente tectônico atual e (c) secção transversal (A–B) do Rifte Woodlark ocidental mostrando topografia e falha de descolamento (imagens em (b) e (c) fornecidas por B.Taylor e adaptadas de Taylor & Huchon, 2002, com permissão do Programa de Perfuração Oceânica (Ocean Drilling Program), Texas A & M University). DI, Ilhas D'Entrecasteaux; MS, Monte Submarino Moresby; D, dolerito; G, gabro. A linha C–D indica a linha da secção mostrada na Fig. 7.40a.

(Fig. 7.39b). Como o Mar de Coral abriu de 62 a 56Ma, fragmentos de crosta continental foram separados da Austrália e colidiram com um arco vulcânico paleogênico durante a subducção, ao longo deste limite de placa, em direção ao norte (Weissel & Watts, 1979). A Fossa Trobriand, localizada ao norte da Elevação de Woodlark (Fig. 7.39b), é uma zona de subducção neogênica que acomoda o movimento para o sul do fundo oceânico de Salomon. Essa região, portanto, registra um histórico de convergência e espessamento crustal que pré-data o início da extensão durante o Plioceno.

A iniciação do rifte no Plioceno dividiu os fragmentos continentais reologicamente fracos e o arco vulcânico dos elevados de Woodlark e Pocklington. Esta zona de fraqueza ficava entre duas regiões de litosfera oceânica resistente nos mares de Coral e Salomão e ajudou a localizar a deformação durante o rifteamento (Taylor et al., 1995). O rifteamento começou mais ou menos em sincronia ao longo de 1.000 Km da margem em ~6 Ma. No entanto, a localização da deformação e expansão dos fundos oceânicos se desenvolveu em um tempo transgressivo de leste para oeste dentro dessa larga zona. A expansão do fundo oceânico começou a leste, a cerca de longitude de 157° leste, e ficou concentrada lá até ~3,6 Ma. Em ~3,6 Ma, um espalhamento de uma cordilheira abruptamente propagou-se ~300 km para oeste, para ~154° de longitude leste. Estudos sísmicos (Abers et al., 2002; Ferris et al., 2006) indicam que a crosta espessou de < 20 km sob as Ilhas D'Entrecasteaux para 30-35 km abaixo da parte oeste da Península Papua.

O rifteamento eventualmente levou à formação de margens não vulcânicas ao longo das bordas norte e sul da Bacia Woodlark. Atualmente, a ruptura continental é focada em uma bacia rifte assimétrica delimitada por uma falha de descolamento extensional de baixo ângulo (27°) (Fig. 7.39c) que se estende por toda a espessura (3-9 km) da camada sismogênica norte do monte submarino Moresby (Abers et al., 1997). Abers & Roecker (1991) identificaram vários eventos de terremoto que podem indicar que essa falha está ativa. Em contraste, a ruptura em 2 Ma ocorreu ao longo de uma bacia rifte simétrica delimitada por falhas normais de alto ângulo. Extensão e movimento em zonas de cisalhamento de baixo ângulo resultaram na exumação muito rápida (> 10 mm a^{-1}) de rochas metamórficas e plutônicas pliocênicas profundas (até 75 km) que se formaram anteriormente à subducção (Baldwin et al., 2004). Esses complexos se formaram quando a crosta superior espessa foi puxada por extensão. Esse processo foi auxiliado pela colocação de material ofiolítico denso sobre a crosta menos densa durante a colisão no Paleogênico (Abers et al., 2002). A extensão localizada aumentou localmente a temperatura na litosfera e permitiu que a crosta inferior flutuante e o manto fluíssem sob os complexos metamórficos (Fig. 7.40a). Atualmente, a Moho é elevada sob os complexos metamórficos, indicando que a crosta inferior mantém alguma resistência e ainda não fluiu o suficiente para suavizar essas variações.

O Rifte Woodlark indica que a ruptura continental ocorre passo a passo por fases sucessivas de localização do rifte, nucleação de centros de espalhamento, propagação de centros de espalhamento e finalmente um salto para o próximo local de rifte localizado (Taylor et al., 1999). A extensão dentro de margens passivas não vulcânicas continuou por mais 1 Ma depois da expansão do fundo oceânico ter iniciado. A transição do rifteamento para a expansão oceânica ocorreu depois de uma extensão continental uniforme de 200 ± 40 km e em torno de 130-300% de deformação (Taylor et al., 1999). Segmentos de espalhamento nuclearam em bacias riftes que foram separadas umas das outras por zonas de acomodação (Fig. 7.40b). Os seguimentos de espalhamento iniciais alcançaram muito de seus comprimentos atuais durante a nucleação e subsequentemente alongaram-se conforme o espalhamento se propagou com o rifteamento da crosta continental. Os deslocamentos das margens foram controlados pela geometria e localização dos pontos de fraqueza reológica na Península Papua. Os centros de expansão nuclearam com orientações aproximadamente ortogonais à direção de abertura, mas, porque as margens em desenvolvimento eram oblíquas a esta direção, saltos de nucleação ocorreram a fim de manter os novos centros de propagação no interior de zonas reologicamente fracas. Falhas transformantes, que cortam estruturas mais antigas do rifte, ligam segmentos de espalhamento que nuclearam dentro e/ou propagaram para dentro do deslocamento de riftes continentais. Essa relação indica que falhas transformantes não se desenvolvem a partir de falhas de transferência entre bacias riftes. Em adição, o exemplo de Woodlark mostra como fraquezas reológicas na litosfera continuam a controlar como continentes se rompem durante os estágios finais da transição entre rifteamento e propagação de fundo oceânico.

7.9 O CICLO DE WILSON

A transição de rifte continental para bacia oceânica ocorreu repetidamente na Terra desde pelo menos o Neoarqueano (Seção 11.3.5). A idade relativamente jovem das bacias oceânicas atuais, entre o Mesozoico e o Cenozoico, implica que houve muitos ciclos de criação e destruição de oceanos durante a história da Terra. Resta muito pouco desses oceanos antigos, apesar de suas existências serem implícitas pela reconstrução continental (Figs. 3.4, 3.5) e por fragmentos de crosta de antigos oceanos que estão preservados como assembleias ofiolíticas (Seção 2.5) em cinturões orogênicos (Seção 10.6.1). Essa periodicidade da formação e fechamento dos oceanos é conhecida como *ciclo de Wilson*, nomeado em reconhecimento às contribuições de J. Tuzo Wilson para a teoria de placas tectônicas (Dewey & Burke, 1974).

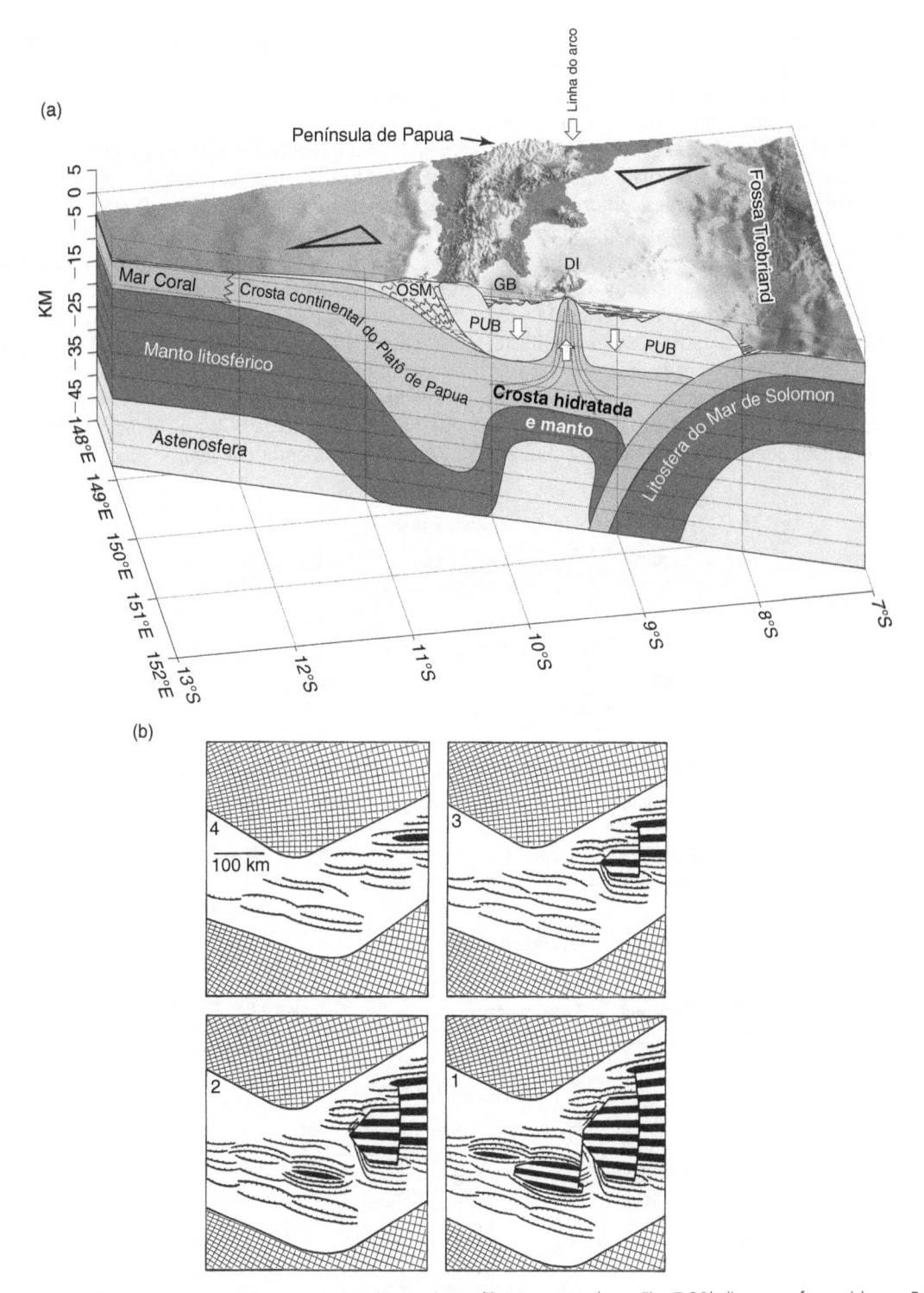

Figura 7.40 (a) Interpretação da estrutura crustal ao longo do perfil C-D mostrado na Fig. 7.39b (imagem fornecida por F. Martínez e adaptada de Martínez et al., 2001, com permissão da *Nature* **411**, 930-4. Copyright © 2001 Macmillan Publishers Ltd). DI, Ilhas D'Entrecasteaux; GB, Bacia de Goodenough; PUB, cinturão ultramáfico de Papua; OSM, cinturão metamórfico Owen Stanley. (b) Modelo de ruptura continental e formação oceânica derivado da Bacia Woodlark e de Papua Nova Guiné (adaptado de Taylor et al., 1999, com permissão da American Geophysical Union. Copyright © 1999 American Geophysical Union). As áreas brancas são litosfera continental. Regiões não estendidas são representadas por um padrão de círculos pequenos e grandes para o polo de abertura. Listras pretas e brancas são litosfera oceânica nova. Quatro etapas são mostradas a partir de 4 a 1 Ma.

A Fig. 7.41 mostra uma ilustração esquemática dos vários estágios no Ciclo de Wilson, começando com a ruptura inicial de um cráton continental estável (Fig. 7.41a) e o afinamento da litosfera continental. O rifteamento (Fig. 4.41b) é seguido pelo desenvolvimento de margens passivas continentais afinadas e eventualmente dá lugar para o espalhamento da crosta oceânica conforme os dois continentes se separam devido à expansão oceânica (Fig. 7.41c). O fim da abertura da bacia pode ocorrer em resposta a colisões de placas, que podem iniciar uma subducção em uma ou mais margens passivas (Fig. 7.41d). O fechamento da bacia também pode ser compensado por litosfera oceânica que é novamente formada em outro local. A contração oceânica é uma consequência da subducção em uma ou em ambas as margens continentais (Fig. 7.41e). Essa fase irá continuar até os dois continentes colidirem e a bacia oceânica se fechar completamente (Fig. 7.41f). Colisão continente-continente leva à formação de orógeno tipo himalaiano (Seção 10.1) e à exumação de rochas crustais profundas. Neste momento, zonas de subducção devem iniciar em outras margens continentais passivas para manter a área da superfície global constante. As forças associadas com essas novas zonas de subducção colocam o continente sob tração e, se outras condições são atendidas (Seção 7.5), o processo de rifteamento começa de novo. Análogos atuais dos oceanos mostrados na Fig. 7.41 são: Fig. 7.41c (oceanos em expansão) = Golfo de Aden, Rifte Woodlark e Oceano Atlântico; Fig. 7.41d,e (oceanos em contração)= Oceano Pacífico. Os Capítulos 9 e 10 apresentam discussões dos processos que ocorrem durante a parte destrutiva do ciclo de Wilson, conforme bacias oceânicas fecham e continentes colidem.

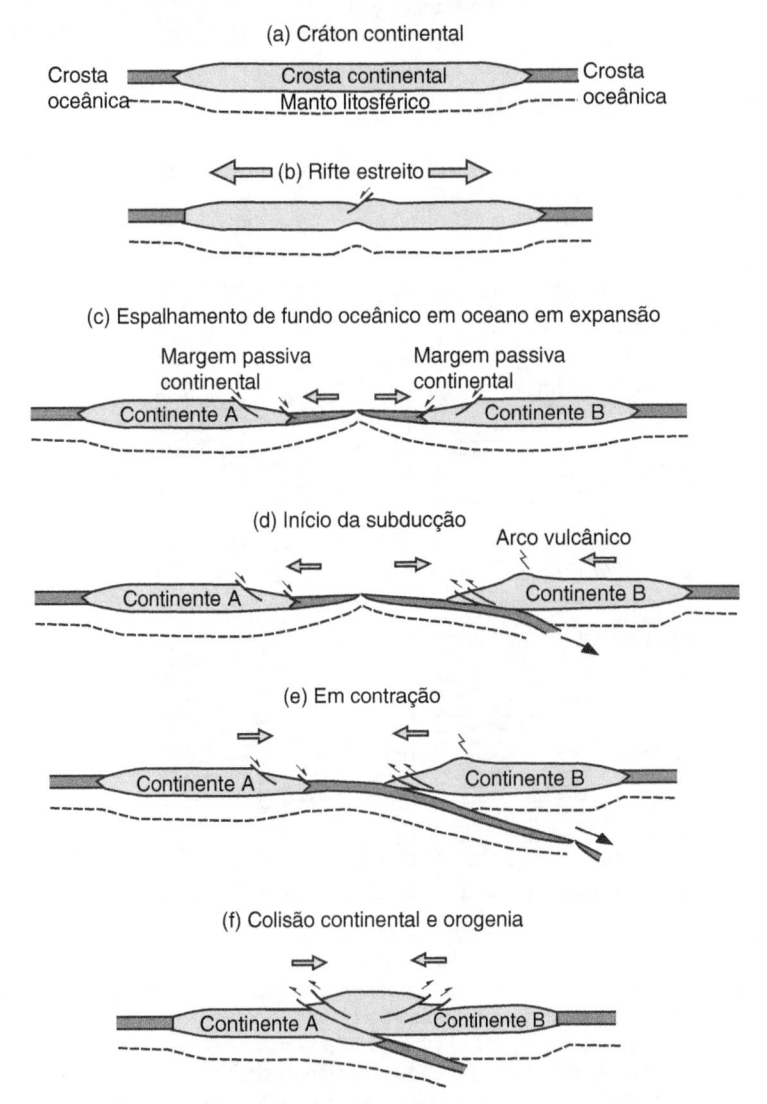

Figura 7.41 O ciclo de Wilson mostrando: (a) cráton continental, (b) formação de um rifte estreito, (c) início da expansão dos fundos oceânicos e formação de margens continentais passivas em uma bacia oceânica em expansão; (d) início da subducção; (e) fechamento da bacia oceânica; (f) colisão continental e orogenia.

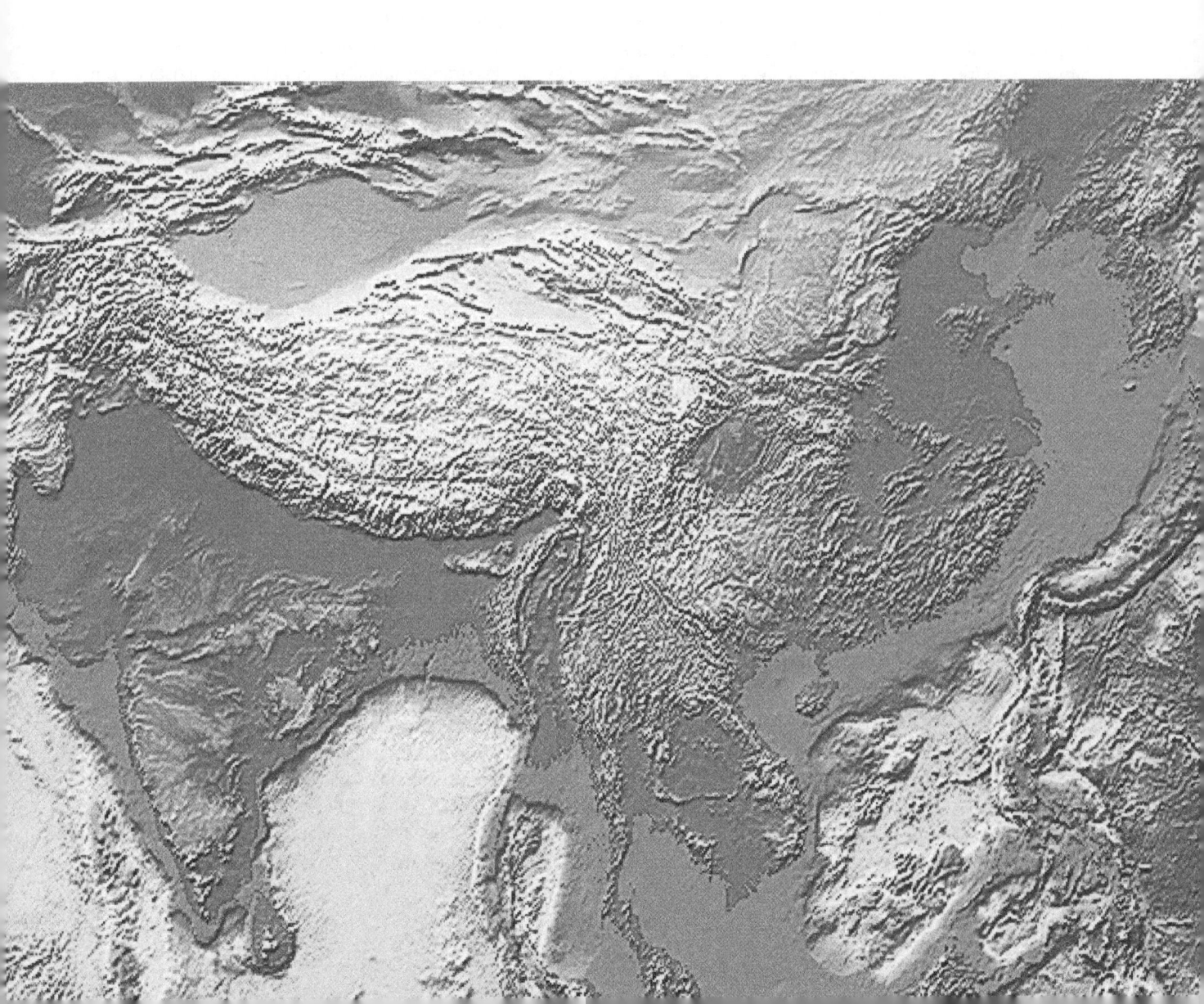

Transformantes continentais e falhas de rejeito direcional

8

8.1 INTRODUÇÃO

Transformantes continentais, assim como seus equivalentes oceânicos (Seção 4.2.1), são limites conservativos de placas onde a litosfera não é criada nem destruída e a deformação direcional gera rejeitos laterais através da zona de falha. Falhas direcionais geralmente podem ocorrer em diferentes escalas, em praticamente qualquer configuração tectônica. Apenas falhas transformantes representam limites de placas.

Em contraste com zonas de fratura oceânicas, que são caracterizadas por uma calha linear relativamente simples (Seção 6.12), transformantes continentais apresentam uma complexidade estrutural que reflete diferenças em espessura, composição e perfil pressão-temperatura da litosfera oceânica e continental (Seções 2.7, 2.10.4). No sudoeste dos Estados Unidos, por exemplo, o movimento relativo entre as placas do Pacífico e da América do Norte é distribuído através de uma zona que varia de centenas a milhares de quilômetros de largura (Fig. 8.1). Da mesma forma, na Nova Zelândia (Fig. 8.2), na Ilha Sul, uma convergência oblíqua produziu uma zona de deformação de > 100 km de largura na porção continental da placa do Pacífico. Esses padrões difusos, com frequência assimétricos, geralmente refletem contrastes de resistência litosférica lateral e regiões onde a litosfera continental é especialmente fraca (Seção 8.6.2). Em áreas onde a litosfera continental é relativamente fria e resistente, transformantes tendem a exibir zonas estreitas de deformação. A Transformante do Mar Morto é um exemplo deste último tipo de sistema em que a deformação é localizada em uma zona de apenas 20-40 km de largura (Fig. 8.3).

Neste capítulo, as estruturas rasas (Seção 8.2) e profundas (Seção 8.3) de transformantes continentais e grandes falhas direcionais são ilustradas através de exemplos do sudoeste dos Estados Unidos, da Nova Zelândia, do Oriente Médio e de outros lugares. Outros tópicos incluem a evolução das margens transformantes continentais (Seção 8.4), o uso de campos de velocidade para descrever o movimento da crosta terrestre (Seção 8.5) e os mecanismos que controlam a localização e o desaparecimento da deformação durante a falha direcional (Seção 8.6). Este último assunto e a resistência global das grandes falhas direcionais (Seção 8.7) são especialmente importantes para explicar como transformantes continentais geram grandes valores de deslizamentos.

8.2 ESTILO DE FALHAS E FISIOGRAFIA

Os seguintes estilos de falha e fisiografias caracterizam a superfície e a crosta superior de transformantes continentais e falhas direcionais continentais principais:

1 *Escarpas de falhas lineares e feições superficiais de rejeito lateral*. Grandes falhas de rejeito direcional continentais geralmente exibem escarpas lineares e vales que resultam da erosão diferencial de material justaposto e da erosão do material produzido durante a falha (Allen, 1981). Feições superficiais ao longo de traços de falhas ativas ou recentemente ativadas podem ter sido deslocadas lateralmente devido ao movimento direcional. A idade e a amplitude desses rejeitos fornecem um importante meio de determinação de taxas de deslizamento. Na Nova Zelândia, a Falha Alpina é marcada por um traço de falha linear quase contínuo que se estende ao longo da Ilha Sul por uma distância de aproximadamente 850 km (Fig. 8.2). Morenas glaciais, rios, vales, margens de lago e outras feições topográficas são deslocadas lateralmente através da falha (Fig. 8.4), sugerindo taxas de deslizamento de 21-24 milímetros/ano durante o Pleistoceno Superior (Sutherland et al., 2006). Movimento vertical entre segmentos paralelos à falha também é comum e pode criar área de soerguimento e subsidência localizada que se expressam respectivamente como cristas compressionais e lascas abatidas (*sag ponds*) (Sylvester, 1988).

2 *Bacias step-overs, push-ups e pull-apart*. A maioria das grandes falhas direcionais é composta de segmentos de falhas múltiplas. Onde um segmento ativo termina na proximidade de outro segmento subparalelo, o movimento é transferido através da abertura de interseção (*step-overs*), resultando em zona de extensão ou contração localizada (Fig. 8.5a). Nesses *step-overs*, a geometria da falha principal e o sentido de deslizamento nas falhas adjacentes controlam e definem se a área que os separa é estendida ou encurtada (Dooley & McClay, 1997; McClay & Bonora, 2001). Falhas normais e calhas extensionais chamadas de *bacias pull-apart* caracterizam *step-overs* onde a região de interseção é tracionada. Falhas de empurrão, dobras e soerguimentos topográficos conhecidos como *push-ups* se formam onde a região de interseção é comprimida. Nesses ambientes, a combinação de movimento direcional e de extensão é conhecida como *transtração*. A combinação de movimento direcional e contração é conhecida como *transpressão*.

A Zona de Falha de El Salvador, na América Central, ilustra muitas das feições fisiográficas e estruturais que são comuns a *step-overs* extensionais. Nesta região, a convergência oblíqua entre as placas de Cocos e do Caribe (Fig. 8.6a) resulta em um componente de movimento dextral dentro de um arco vulcânico acima da Fossa da América Central (Martínez-Díaz et al., 2004). A bacia *pull-apart* do Río Lempa é marcada por várias depressões irregulares e falhas normais oblíquas que se formaram em

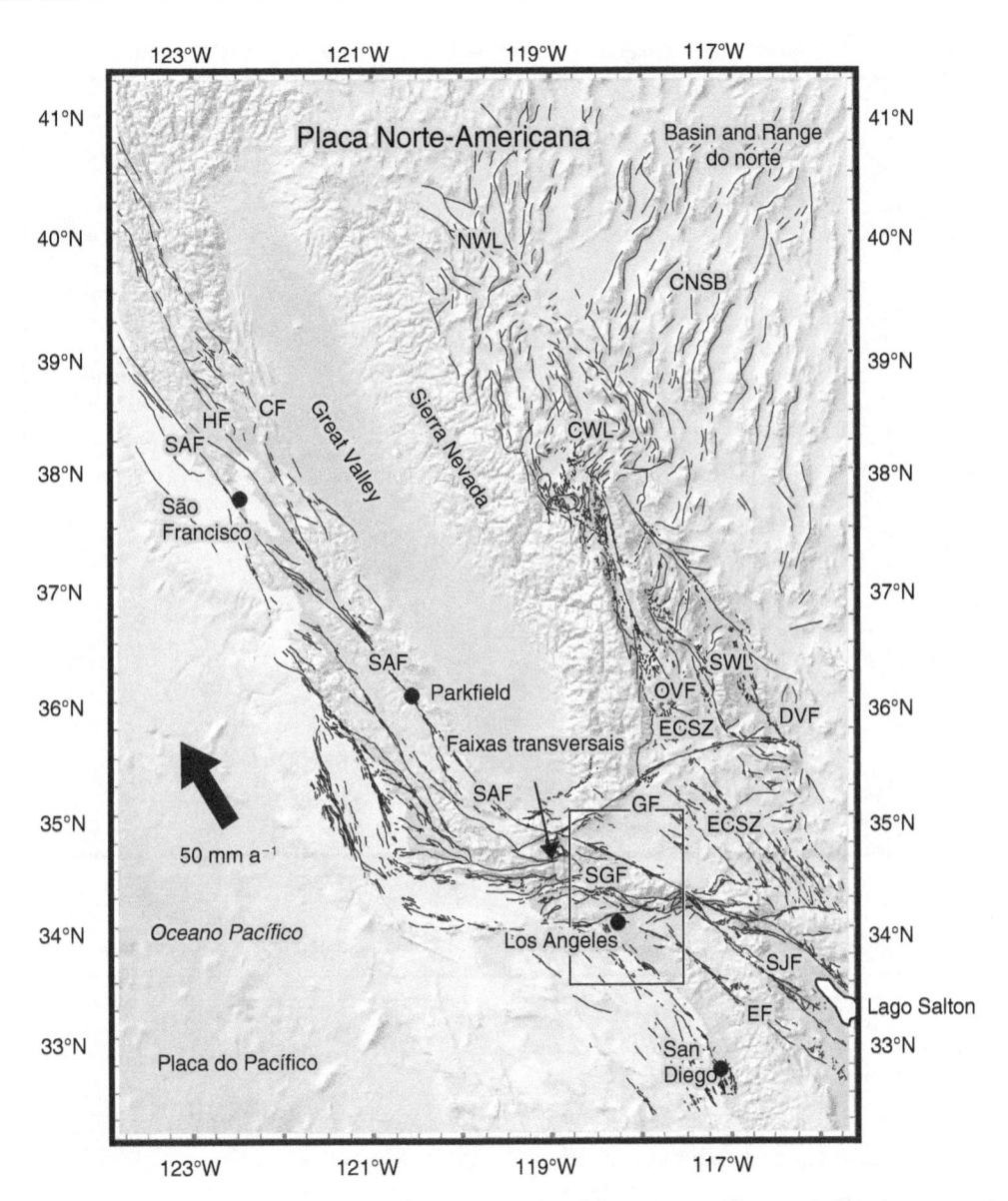

Figura 8.1 Mapa de relevo sombreado mostrando falhas principais e feições topográficas na Califórnia e no oeste de Nevada. Traços de falhas são as de Jennings (1994) e Oldow (2003). SAF, Falha de San Andreas; HF, Falha de Hayward; CF, Falha de Calaveras; GF, Falha de Garlock; SGF, Falha de San Gabriel; EF, Falha de Elsinore; SJF, Falha de San Jacinto; ECSZ, Zona de Cisalhamento Oriental da Califórnia; OVF, Falha de Owens Valley; DVF, Falha de Death Valley; CNSB, Faixa Sísmica de Nevada Central. SWL, CWL e NWL são respectivamente os alinhamentos do sul, centro e norte da Walker Lane. A caixa mostra a localização da Fig. 8.8a. O mapa foi construído usando os mesmos dados topográficos e métodos da unidade 7.1.

um *step-over* extensional entre os segmentos das falhas de San Vicente e Berlim (Fig. 8.6b) (Corti et al., 2005). Edifícios vulcânicos do Pleistoceno Superior, terraços fluviais e leques aluviais são deslocados através de proeminentes escarpas de falha.

No norte da Califórnia, falhas direcionais dextrais na Baía de São Francisco registram encurtamento crustal e soerguimento topográfico relacionado com vários *step-overs* contracionais. A leste da baía, o Monte Diablo (Fig. 8.7a) marca o núcleo de um anticlinal que se formou entre as falhas de Greenville e Concord (Unruh & Sawyer, 1997). A transferência de cerca de 18 km de movimento direcional dextral através desse *step-over* durante o Cenozoico Superior resultou em uma série de anticlinais oblíquos, falhas de empurrão e soerguimento de superfície, que formam um típico padrão em degraus de sobreposição *en echelon*. O Monte Diablo é o maior *push-up* na região. Estudos de terraços fluviais defor-

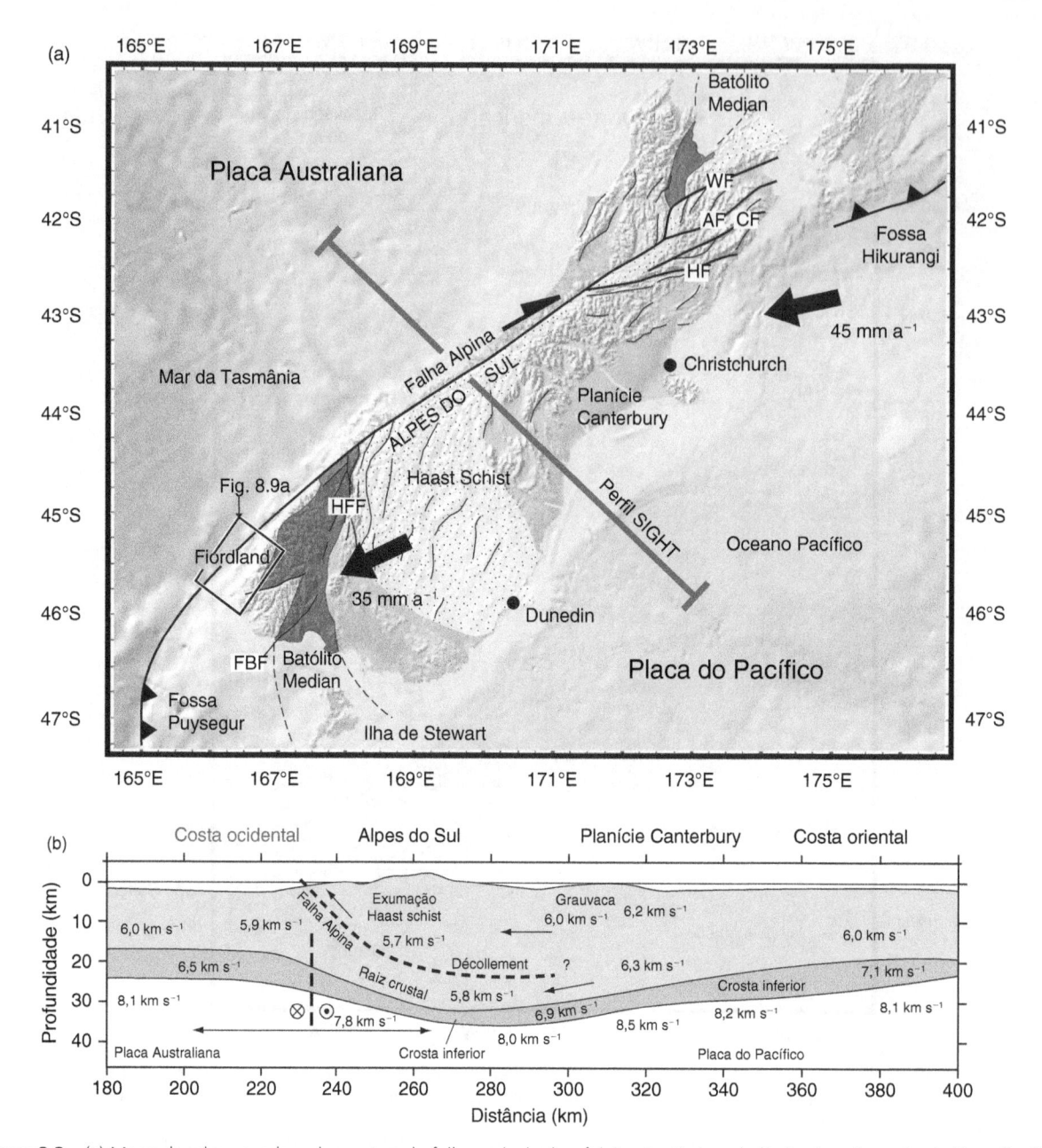

Figura 8.2 (a) Mapa de relevo sombreado mostrando falhas principais e feições tectônicas do limite das placas Australiana-Pacífica, na Ilha Sul da Nova Zelândia. O mapa foi construído usando os mesmos dados topográficos e métodos da Fig. 7.1. WF, Falha Wairau; AF, Falha Awatere; CF, Falha Clarence; HF, Falha Esperança; HFF, Falha Hollyford; FBF, Falha da Borda Fiordland. (b) Perfil de velocidade sísmica construído sem exagero vertical (adaptado de Van Avendonk et al., 2004, com permissão da American Geophysical Union. Copyright © 2002 American Geophysical Union).

mados sugerem uma taxa de soerguimento de 3 mm/ano ao longo dos últimos 10.000 anos, o que é comparável às taxas de deslocamento nas falhas adjacentes (Sawyer, 1999).

Bürgmann et al. (2006) analisaram as taxas de movimento crustal vertical associadas com vários *step-overs* contracionais próximos à Baía de São Francisco, combinando dados de velocidades de GPS com os de radar de abertura sintética interferométrica (InSAR) (Seção 2.10.5), coletados ao longo de um período de oito anos. Depois de filtrar os movimentos sazonais do solo, o dado residual do InSAR (Fig. 8.7b) mostrou que as maiores taxas de soerguimento ocorrem ao longo do sopé sul do Monte Diablo. Outras zonas de rápido soerguimento ocorrem no *step-over* das Montanhas Mission, entre Hayward e Calaveras,

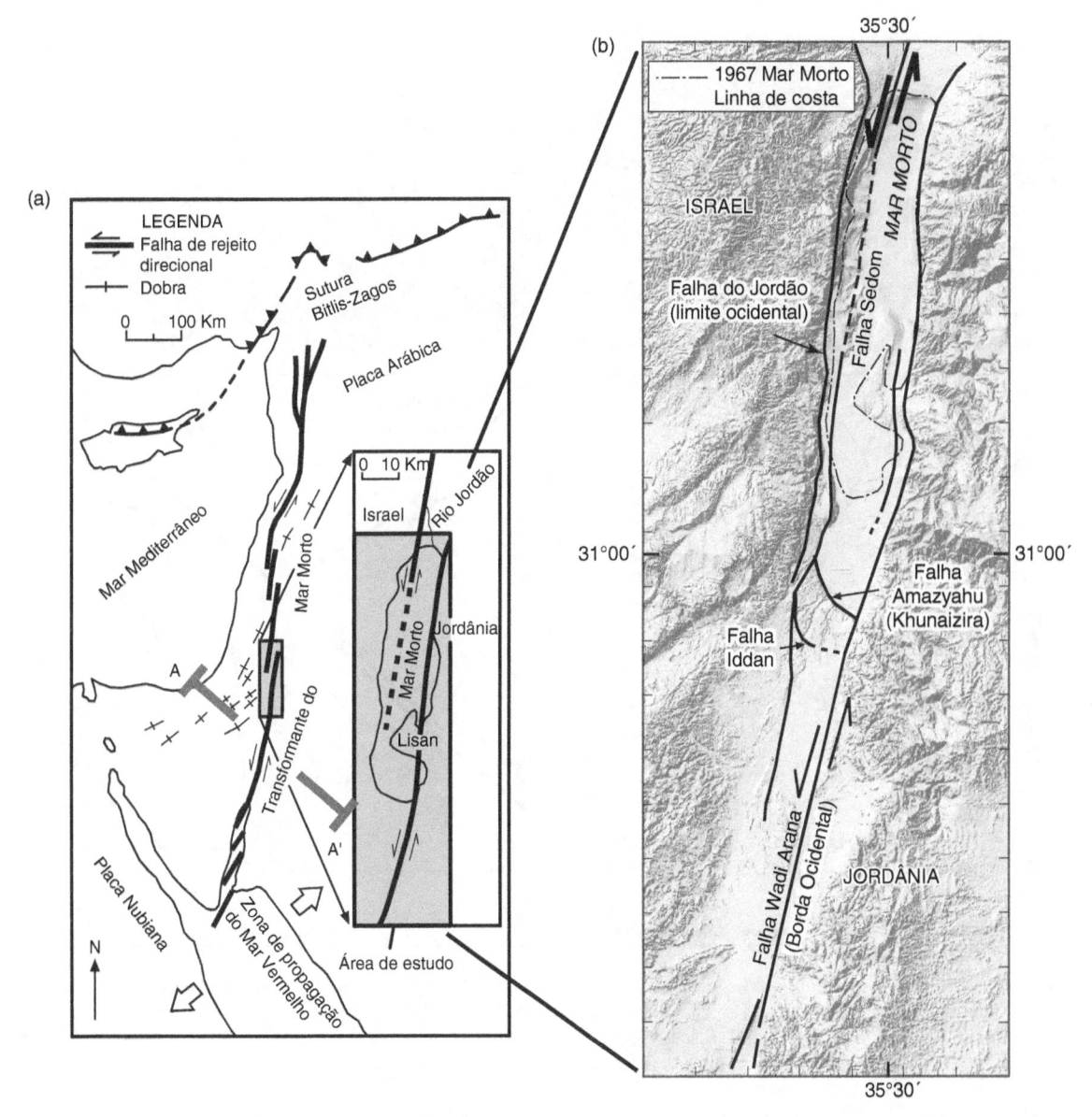

Figura 8.3 (a) Mapa tectônico e (b) mapa de relevo sombreado mostrando segmentos de falha principal da Transformante do Mar Morto e da bacia *pull-apart* (imagens fornecidas por U. ten Brink e adaptadas de Al-Zoubi & ten Brink, 2002, com permissão da Elsevier). A topografia digital em (b) é de Hall (1993), a costa do Mar Morto em 1967, mostrando subsidência da bacia, é de Neev & Hall (1979). Perfil A-A' é mostrado na Fig. 8.11. Dobras refletem o encurtamento Mesozoico-Cenozoico inferior.

e entre falhas nas Montanhas de Santa Cruz. Na área anterior, a sismicidade é consistente com a transferência de deslocamento da falha de Calaveras para a falha ao norte de Hayward e através das Montanhas Mission (Waldhauser & Ellsworth, 2002). A origem dos outros movimentos verticais é mais incerta e pode refletir alguns rejeitos não tectônicos, como deslizamentos ativos de solo, subsidência e recuo em aquíferos e fixação dos sedimentos não consolidados ao longo das margens da baía. No entanto, os dados revelam um padrão de movimento vertical altamente localizado, associado a regiões de falhas direcionais ativas.

3 *Releasing e restraining bends*. Em regiões onde falhas de rejeito direcionais são contínuas, a direção das falhas pode localmente desviar de uma simples orientação linear seguindo um pequeno círculo na superfície da Terra. Nessas áreas, a curvatura do plano de falha cria zonas localizadas de encurtamento e extensão, conforme a convergência ou divergência dos dois lados da curva (Harding, 1974; Christie-Blick & Biddle, 1985) (Fig. 8.5b). Essas zonas são semelhantes às que se formam nos *step-*

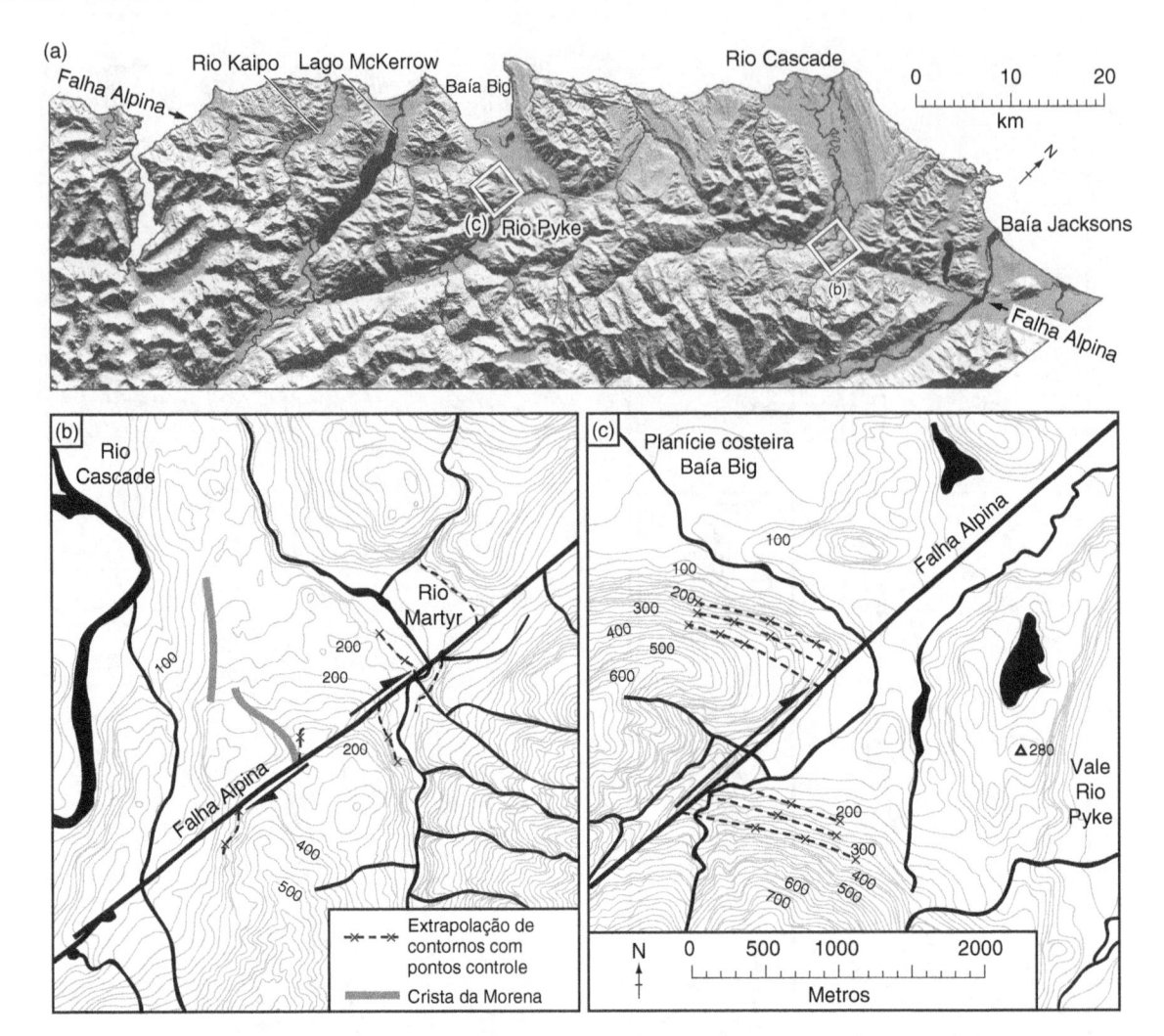

Figura 8.4 (a) Mapa de relevo sombreado e (b, c) mapas topográficos 1: 50.000 mostrando escarpas lineares e superfícies deslocadas ao longo de um segmento da Falha Alpina na Ilha Sul da Nova Zelândia (imagens fornecidas por R. Sutherland e adaptadas de Sutherland et al., 2006, com permissão da Geological Society of America). Os mapas são derivados de dados digitais 1: 50.000 NZMS 260. Linhas curvadas em negrito em (b) e (c) são rios ou riachos. O intervalo de contorno é de 20 m.

-overs. Bacias *pull-apart*, zonas de subsidência e deposição e as falhas normais caracterizam *releasing bends*. *Restraining bends* mostram falhas de empurrão, dobras e *push-ups*.

As Montanhas Transversais no sul da Califórnia (Figs. 8.1, 8.8a) ilustram as características de uma grande *restraining bend* na Falha de San Andreas. Essas montanhas foram erguidas em resposta a uma combinação de movimento dextral e de compressão através de uma parte da falha que se orienta mais a oeste do que a direção geral do sistema de falhas. Perfis de sísmica de reflexão e informações dos poços indicam que falhas de empurrão mergulham em direção ao norte em 25-35° abaixo da Montanha San Gabriel, interceptando a Falha de San Andreas, em posição próxima da vertical (83°), em profundidades crustais de ~21 km (Fuis et al., 2001, 2003). Mecanismos focais de terremoto mostram soluções de cavalgamento em *splays* de falhas que se ramificam para cima da superfície de descolamento (Fig. 8.8b). Esta combinação de movimento resultou em uma zona de transpressão e soerguimento topográfico comumente referida como *Big Bend*.

Exemplos de *releasing bends* ativos e bacias direcionais ocorrem ao longo da parte sul da Falha Alpina, no sudoeste da Nova Zelândia. Próximo a Fiordland, três segmentos de falha semicontínuas acomodam movimentos direcionais dextrais entre as placas da Austrália e do Pacífico. Levantamentos geofísicos ao longo do segmento Resolution do limite da placa (Fig. 8.9a) revelaram a presença de uma *pull-apart*

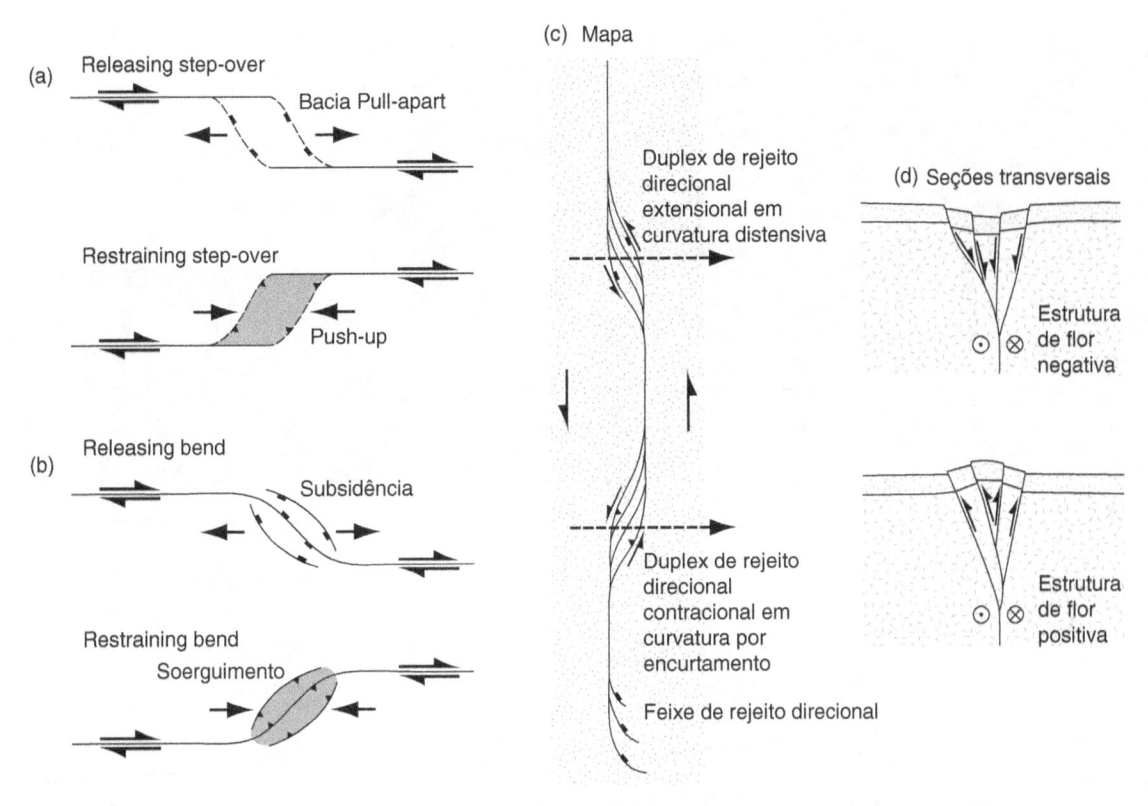

Figura 8.5 Visualizações em mapa de (a) *step-overs* e (b) curvaturas e estruturas associadas (segundo McClay & Bonora, 2001, *Bull. Am. Assoc. Petroleum Geols*. AAPG © 2001, reimpresso com permissão da AAPG, cuja permissão é necessária para uso posterior). (c) Mapa e (d) secções transversais de duplex direcional, leques e estruturas em flor desenvolvidos nas curvaturas (segundo Woodcock & Rickards, 2003, com permissão da Elsevier).

do Pleistoceno chamada de Bacia Dagg (Barnes et al., 2001, 2005). Um perfil de reflexão sísmica através da parte norte da bacia (Fig. 8.9b) mostra que esta é limitada a nordeste por uma crista acima de uma falha reversa ativa. Falhas inativas encontram-se recobertas sob a dorsal. No centro da bacia, falhas *splaying* ascendentes acomodam a extensão oblíqua, formando um graben. Alguns *splays* com mergulho para oeste (legenda IA na Fig. 8.9b) encontram-se inativos atualmente, embora a deposição de camadas em forma de cunha, entre o desenvolvimento de duas inconformidades (superfícies DB3 e DB4), indiquem que eles já estiveram ativos simultaneamente com *splays* mergulhando para leste. Essa geometria sugere que a bacia *pull-apart* se formou inicialmente em *step-over* extensional anterior a não conformidade DB3 (Barnes et al., 2001, 2005). Outra estrutura *pull-apart*, chamada de Bacia Five Fingers, formou-se em um *step-over* semelhante, 10 km mais ao sul (Fig. 8.9a). A forma suave atual das *releasing bends* foi formada mais tarde, após a não conformidade DB3,

como falhas formadas por movimento direcional subsequentes que se juntaram através da lacuna entre os *step-overs* (Fig. 8.10a,b).

Em contraste com a extensão que caracteriza a Bacia Dagg ao norte, o extremo sul da bacia mostra evidências de falha reversa e soerguimento. Uma combinação de encurtamento e falha direcional associada com *restraining bends* nesta região formou a Dorsal Dagg, que foi encurtada para cima entre o traço principal da Falha Alpina no oeste e uma falha direcional oblíqua curva abaixo de sua margem oriental (Fig. 8.9c). A sul da dorsal, a Bacia Breaksea preserva feições que indicam que ela já foi contínua com a Bacia Dagg, sugerindo que a falha reversa ocorreu após a *pull-apart* ter se formado (Barnes et al., 2005). Como o movimento total da placa e a quantidade de deslocamento aumentaram, algumas falhas foram abandonadas e outras formaram ligações que atravessam bacias extensionais, resultando em *push-ups* localizadas e cristas onde se formaram *restraining bends* (Fig. 8.10c). Essas relações ilustram como grande falhas direcionais normalmente

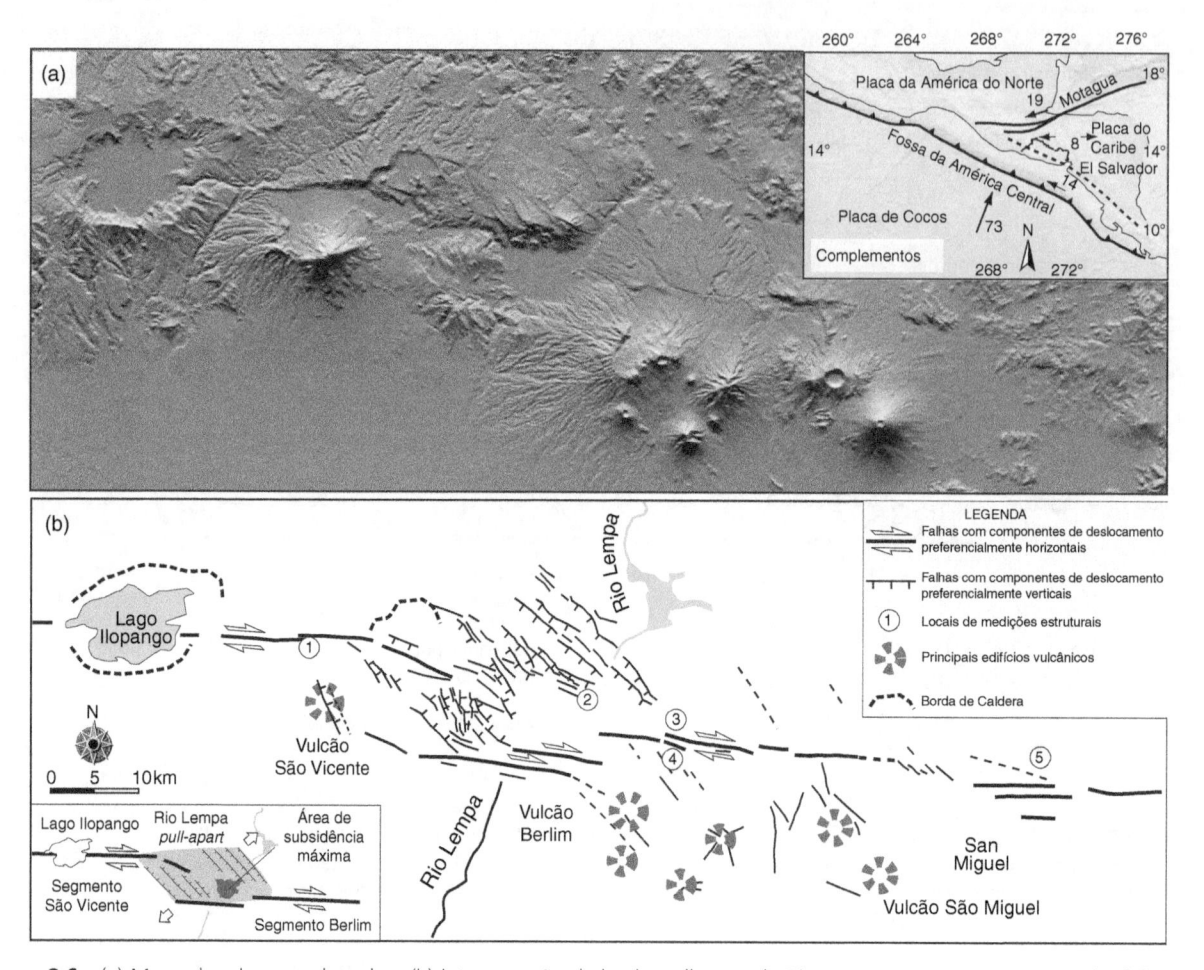

Figura 8.6 (a) Mapa de relevo sombreado e (b) interpretação da bacia *pull-apart* do Rio Lempa entre os segmentos das falhas de São Vicente e Berlim da Zona de Falha El Salvador (imagens fornecidas por G. Corti e adaptadas de Corti et al., 2005, com permissão da Geological Society of America). O modelo de elevação digital do terreno é derivado de dados SRTM (http://srtm.usgs.gov/) e imagens de satélite Landsat ETM7 processadas pela Universidade de Maryland na Global Land Cover Facility. No detalhe, pode ser observada a configuração da placa tectônica da América Central e a velocidade de placa (mm/ano) segundo DeMets, 2001.

evoluem muito rapidamente e que bacias direcionais localizadas e soerguimentos se desenvolvem ao longo de diferentes partes da zona de falha (Fig. 8.10c), em escalas de tempo de dezenas a centenas de milhares de anos.

4 *Duplex de deslocamento direcional, leques e estruturas tipo flor*. O duplex direcional é um conjunto imbricado de duas ou mais falhas limitado por blocos e bacias que ocorrem entre duas ou mais grandes falhas delimitadoras (Woodcock & Fischer, 1986). Essas estruturas são análogas às que formam duplex nas rampas de falhas normais, mas diferem na medida em que os movimentos verticais não são restritos à superfície (terra) superior. As bacias limitadas por falhas que caracterizam o duplex são em forma de lente. Os blocos individuais definidos pelas falhas direcionais são encurtados e elevados quando as falhas convergem e descem onde as falhas divergem (Fig. 8.5c). Essa tendência da falha direcional de divergir e convergir cria uma característica-padrão trançada em planta. As falhas com orientação próxima da direção de movimento das placas predominam, são mais extensas e assumem mergulhos próximos da vertical. Outras falhas em ângulo com a direção geral do movimento podem vergar para fora do alinhamento e desenvolver mergulhos significativamente menores, de modo que a falha envolve um componente do movimento no sentido do mergulho. Se a curvatura da falha levá-la para uma região de extensão, uma falha normal direcional-oblíqua se formará; se levá-la para uma região de compressão, teremos uma falha reversa direcional-oblíqua. Rotações significativas sobre eixos verticais ou perto dos eixos verticais também podem ocorrer (Seção 8.5). Nas extremidades das grandes falhas direcionais, rejeitos podem ser dissipados ao longo de arranjos de falhas curvas que se ligam com a falha principal formando afunilamen-

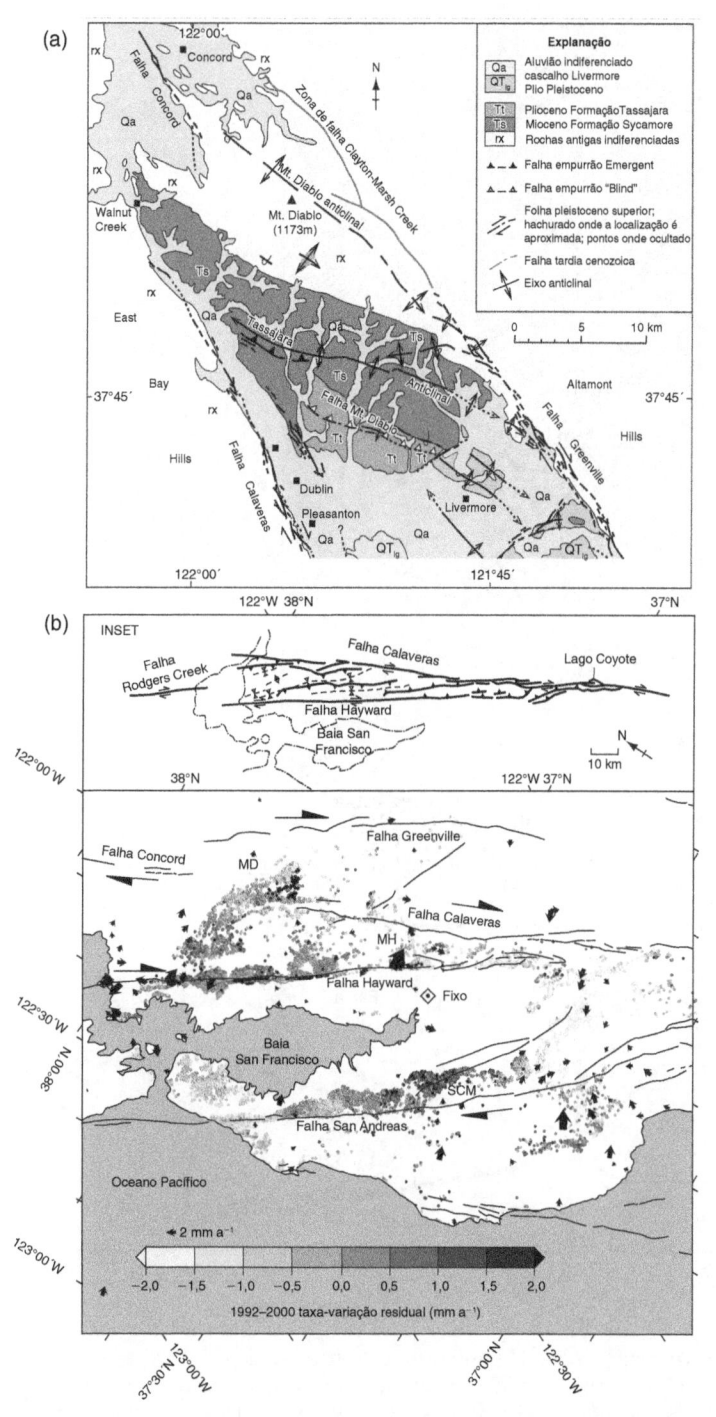

Capítulo 8 Transformantes continentais e falhas de rejeito direcional 193

Figura 8.7 (a) Mapa geológico do *step-over* do Monte Diablo (conforme Wakabayashi et al., 2004, com permissão da Elsevier). Os dados geológicos são de Wagner et al. (1990) e Unruh & Sawyer (1997). (b) Mapa de falha mostrando taxas de InSAR do espalhamento residual permanente (pontos) depois de retirar a contribuição dos movimentos tectônicos horizontais e todos os pontos localizados no substrato do Pleistoceno superior (imagem fornecida por R. Bürgmann e adaptada de Bürgmann et al., 2006, com permissão da Geological Society of America). Espalhamentos permanentes são pontos estáveis de radar brilhante como edificações, afloramentos, polos de utilidade, etc., que são usados para identificar movimentos de superfície dependentes do tempo. A modelagem da variação de taxa inclui 115.487 espalhamentos permanentes em relação ao ponto marcado FIXO para os anos 1992-2000. Resíduos positivos correspondem ao soerguimento. MD, Monte Diablo; MH, Montanhas Mission; SCM, Montanhas Santa Cruz. Setas pretas mostram velocidades residuais (observadas menos modeladas) de GPS horizontal, que fornecem uma medida de quão bem o modelo se encaixa nas observações (Seção 8.5.3). Inserção em (b) mostra a geometria de dobras e falhas de empurrão em um *step-over* contracional entre as falhas Hayward e Calaveras (segundo Aydin & Page, 1984, com permissão da Geological Society of America).

194 Tectônica global

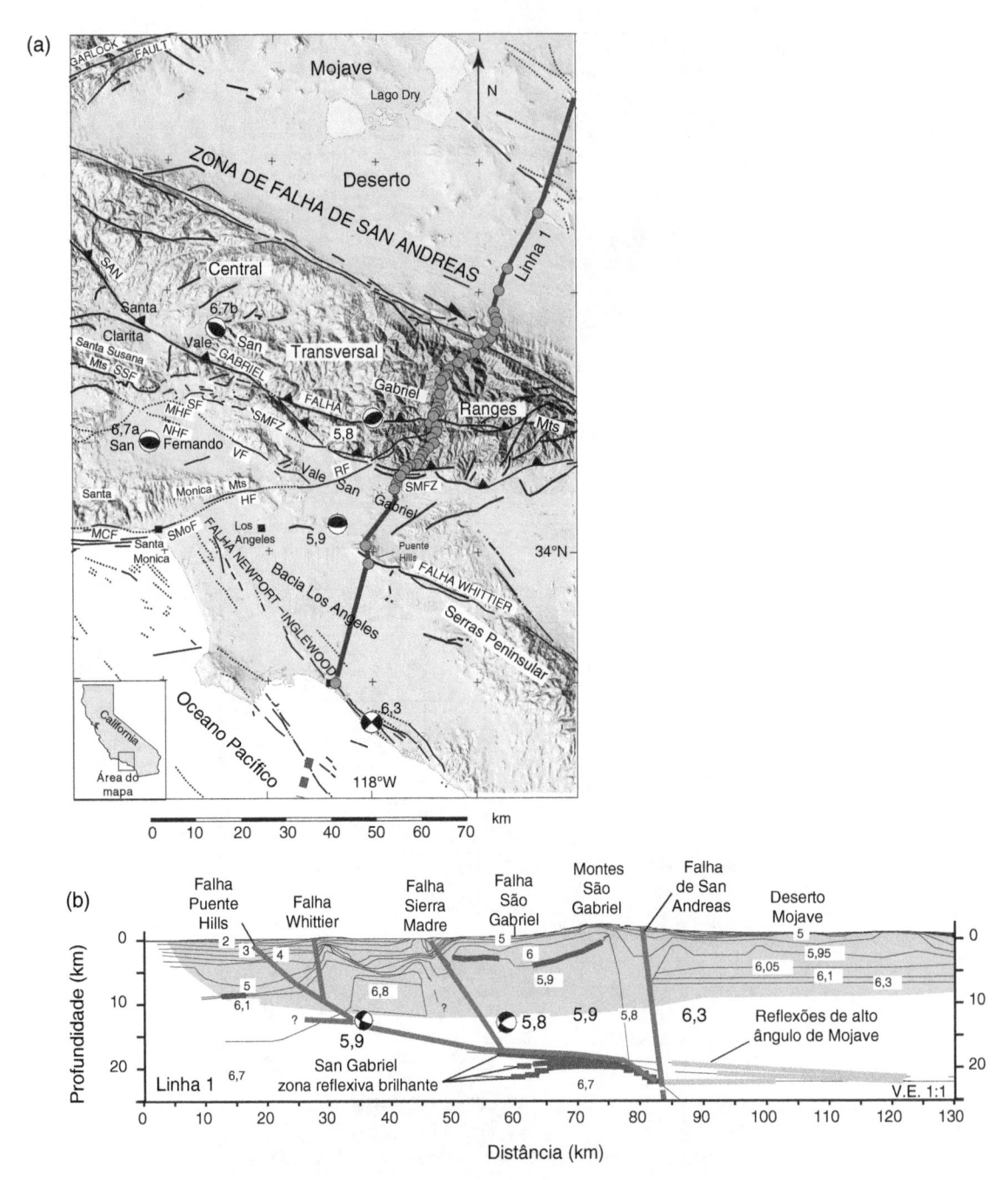

Figura 8.8 (a) Mapa de relevo sombreado e (b) perfil sísmico Transversal da Cordilheira Central do sul da Califórnia, mostrando falhas (finas linhas pretas, pontilhadas onde inferidas), pontos de tiro (círculos cinza), sismógrafos (linha preta espessa) e epicentros de terremotos maiores que M = 5,8 desde 1933 (imagens fornecidas por G. Fuis e adaptadas de Fuis et al., 2003, com permissão da Geological Society of America). Mecanismos focais com magnitudes em anexo: 6.7a, Northridge (Hauksson et al., 1995); 6.7b, San Fernando (Heaton, 1982); 5.9, Whittier Narrows (Hauksson et al., 1988); 5.8, Sierra Madre (Hauksson, 1994); 6.3, Long Beach (Hauksson, 1987). HF, Falha Hollywood; MCF, Falha Malibu Coast; MHF, Falha Montanhas Mission; NHF, Falha Northridge Hills; RF, Falha Raymond; SF, rompimento da superfície San Fernando; SSF, Falhas Santa Susana; SmoF, Falha Santa Mônica; SMFZ, Zona de Falha Serra Madre; VF, Falha Verdugo. Em (b), a área cinza representa cobertura de refração, linhas pretas finas representam contornos de velocidade ou limites; equidistância 0,5 km s^{-1} a 5,5 km s^{-1} e arbitrários acima 5,5 km s^{-1}. Números grandes de ambos os lados da Falha de San Andreas são velocidades médias do embasamento.

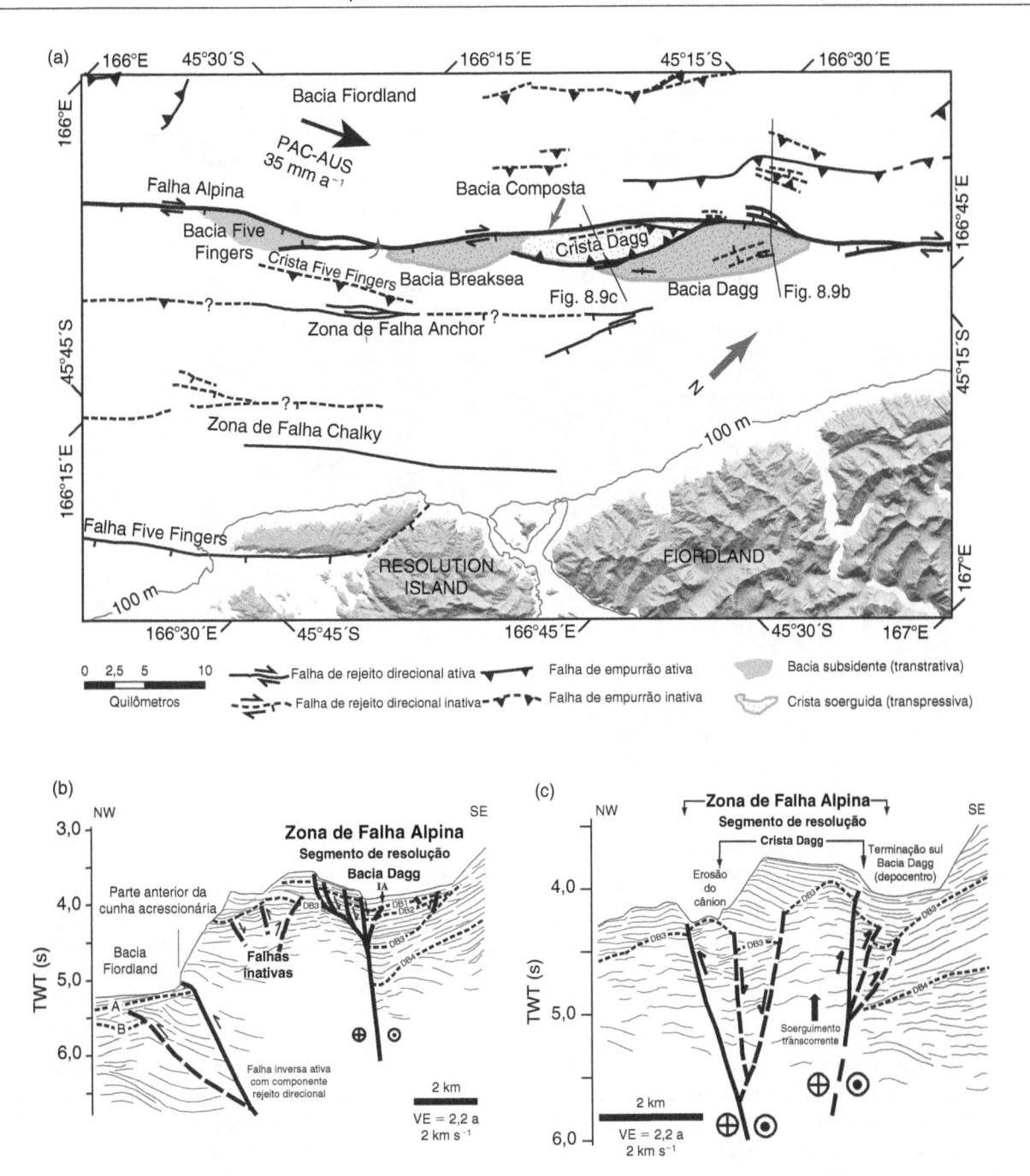

Capítulo 8 Transformantes continentais e falhas de rejeito direcional 195

Figura 8.9 (a) Mapa da costa centro-sul de Fiordland e (b,c) traçado de linhas de reflexão sísmica mostrando falhas ativas, bacias direcionais e outras características fisiográficas ao longo do segmento sul da Falha Alpina (imagens fornecidas por P. Barnes e adaptadas de Barnes et al., 2005, com permissão da Geological Society of America). O mapa de localização é mostrado na Fig. 8.2a. O perfil (b) mostra a parte com subsidência da Bacia Dagg; o perfil (c), a parte soerguida. A localização dos perfis é mostrada em (a). Falhas sólidas estão ativas, falhas tracejadas estão inativas. Reflexões marcadas são não conformidades.

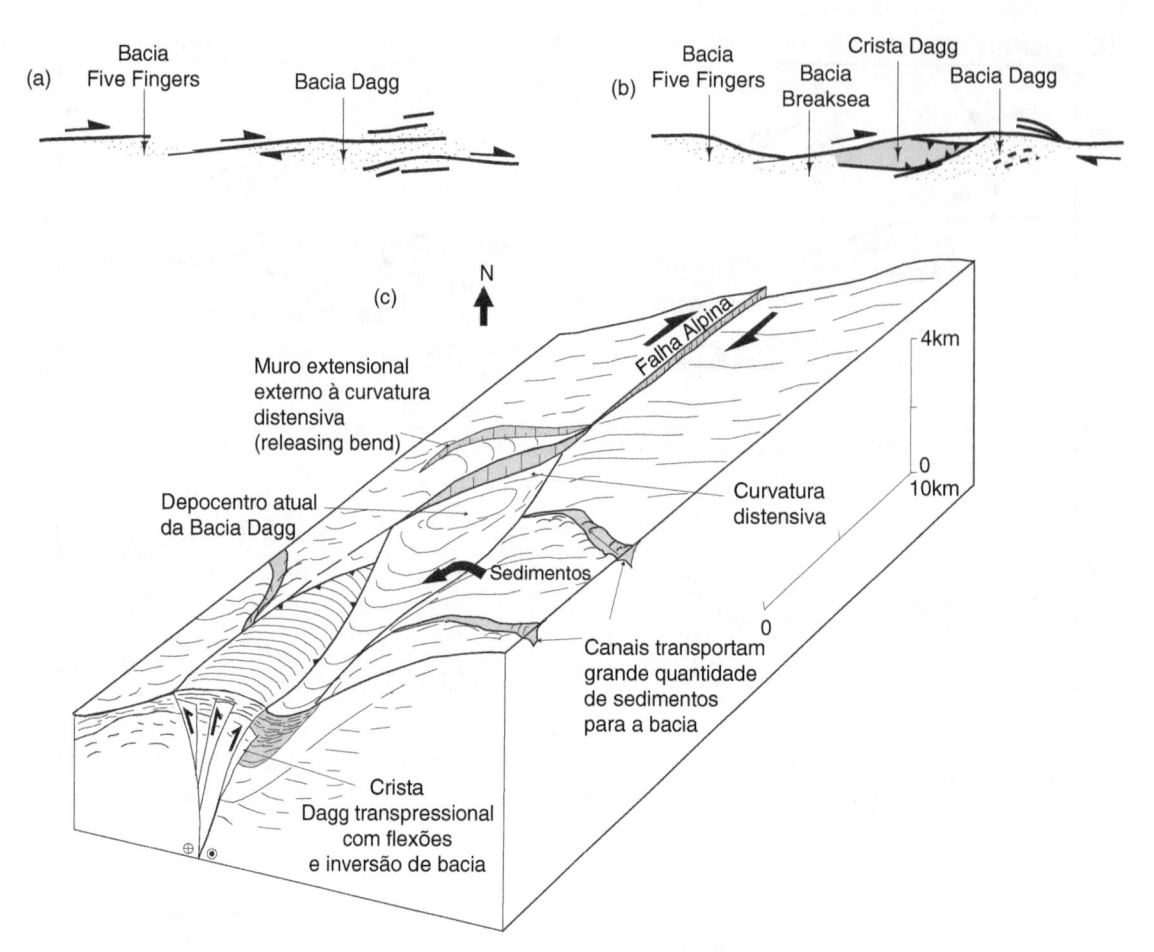

Figura 8.10 Esboços mostrando a evolução progressiva do segmento Resolution da Falha Alpina perto de Fiordland em (a) ~1 Ma, quando uma série de bacias *pull-apart* se formaram entre *step-overs* extensionais, e (b) atualmente, quando as ligações entre falhas cortaram através da Bacia Dagg, formando a Serra Dagg, (sombreado) (segundo Barnes et al., 2005, com permissão da Geological Society of America). (c) Diagrama de bloco esquemático mostrando a geometria tridimensional das curvas *releasing e restraining bends* adjacentes (imagem fornecida por P. Barnes e adaptada de Barnes et al., 2001, com permissão da Elsevier). Extremo sul da bacia apresenta uma estrutura de flor positiva, *push-up* e transpressão. O extremo norte da bacia mostra uma bacia *pull-apart*, subsidência e transtração.

tos *splays* tipo *leque* ou *rabo de cavalo* (Fig. 8.5c). Essas estruturas podem registrar tanto deformação extensional quanto contracional, de acordo com a geometria da curvatura e do sentido do movimento na falha principal.

De perfil, os vários afunilamentos de uma zona de falha direcional podem convergir em profundidade para produzir uma geometria característica conhecida como *estrutura em flor* (Fig. 8.5d) (Harding, 1985; Christie-Blick & Biddle, 1985). Estruturas em flor negativas são aquelas em que as falhas com ramificação superiores mostram principalmente rejeitos normais sob uma sinforme ou depressão de superfície (por exemplo, Fig. 8.9b). Estruturas em flor positivas são aquelas em que as falhas com ramificação superiores mostram principalmente rejeitos reversos sob um antiforme ou culminação da superfície. Uma estrutura em flor positiva é ilustrada pela geometria de falhas no sul da Bacia de Dagg (Fig. 8.10).

5 *Partição direcional em transpressão e transtração*. Existem várias maneiras como os rejeitos podem ser distribuídos entre os limites de blocos e placas convergentes ou divergentes oblíquas. Uma maneira comum é pelo movimento simultâneo em estrutura individual direcional, contracional ou extensional. Neste cenário, falhas direcionais acomodam o componente de convergência/divergência oblíqua que paraleliza os limites da placa, e as estruturas contracional ou extensional acomodam o componente orientado ortogonalmente ao limite de placa. Tais sistemas, onde movimentos direcionais e normais ocorrem em lugares diferentes e em

estruturas separadas, são *particionadas segundo estruturas direcionais*. Alternativamente, ambos os componentes direcional e perpendicular à margem da deformação podem ocorrer tanto na mesma estrutura, como ocorre atualmente na seção de deslocamento oblíquo central da Falha Alpina na Nova Zelândia (Seção 8.3.3), quanto podem ser distribuídos mais ou menos de maneira uniforme por uma zona. As contribuições relativas de deformação direcional e perpendicular à margem permitem uma classificação em sistemas dominantemente direcionais e dominantemente de cavalgamento (ou normal).

O segmento sul da Falha Alpina ilustra um estilo de partição direcional de transpressão. Perto da margem de Fiordland (Fig. 8.9a), a falha mergulha em um ângulo baixo (11-25°) para a direção do movimento da Placa Pacífico-Australiana (Barnes et al., 2005). Isso resulta em movimento direcional quase puro ao longo do traço ativo da Falha Alpina, que nesta área é quase vertical. O componente contracional de deformação que resulta da convergência de placas oblíquas é acomodado por estruturas localizadas tanto a oeste quanto a leste da Falha Alpina. No lado ocidental, uma cunha de cavalgamento de 25 km de largura é composta de uma série de cavalgamentos ativos, reversos e falhas de deslocamento oblíquo que se tornam íngremes para baixo em direção à Falha Alpina. Esse segmento de falha ilustra como o encurtamento ocorre simultaneamente com o movimento direcional dextral em diferentes lugares ao longo do limite de placa.

Um sistema semelhante de partição direcional ocorre na região "Big Bend" do sul da Califórnia, onde falhas de empurrão acomodam simultaneamente contração e movimento direcional dextral. Dentro das Montanhas São Gabriel (Fig. 8.8a), a Falha de San Andreas está a cerca de 35° da direção do movimento relativo entre as placas do Pacífico e da América do Norte. Este ângulo oblíquo resulta em um componente de contração que é acomodado por falha inversa e dobramento nas montanhas ao norte da Bacia de Los Angeles. O ângulo oblíquo também resulta em movimento direcional, que é acomodado por uma série de falhas íngremes com direção oeste-noroeste que inclui a própria Falha de San Andreas (Fuis et al., 2003).

Um exemplo de deformação transpressional de um estilo muito fraco ou não particionado ocorre ao longo do segmento central da Falha Alpina na Ilha Sul da Nova Zelândia. A Falha Alpina tem direção nordeste (55°) e mergulha moderadamente para o sudeste (Fig. 8.2b, Seção 8.3.3). Norris & Cooper (2001) mostraram que, ao contrário do segmento de Fiordland, os deslocamentos ao longo do segmento central da falha são oblíquos e aproximadamente paralelos ao vetor interplaca (Seção 8.3.3). Nos limites leste e oeste da deformação na Ilha Sul, falhas reversas são aproximadamente paralelas à Falha Alpina, mas infere-se que tenham taxas relativamente baixas e componentes secundários de movimento direcional (Norris & Cooper, 2001; Sutherland et al., 2006). Essas características indicam que o segmento central do sistema da Falha Alpina é, na melhor das hipóteses, fracamente particionado e parece ser não particionado em algumas áreas.

8.3 ESTRUTURA PROFUNDA DE TRANSFORMANTES CONTINENTAIS

8.3.1 Transformante do Mar Morto

A Transformante do Mar Morto forma parte do limite da placa Arabia-Nubia entre o Mar Vermelho e a zona de sutura Bitlis, no leste da Turquia (Fig. 8.3a). A parte sul deste limite de placa fornece um exemplo importante de uma transformante transtrativa que se formou em listosfera continental fria (45-53 mW m^{-2}) e resistente (Eckstein & Simmons, 1978; Galanis et al., 1986).

Desde sua formação, no Mioceno Médio, tivemos aproximadamente 105 km de movimento direcional lateral esquerdo e ~4 km de extensão perpendicular à falha na parte sul do limite da placa (Quennell, 1958; Garfunkel, 1981). A componente extensional iniciou-se durante o Plioceno (Shamir et al., 2005). Velocidades horizontais definidas a partir de dados de GPS (Seção 5.8) sugerem que o movimento relativo entre as placas Arabia e Nubia está ocorrendo a uma taxa relativamente lenta de 4,3 mm/ano (Mahmoud et al., 2005). A maior parte desse movimento é acomodada por falhas que formam uma série de estruturas *step-overs* em *echelon* dentro de um estreito vale transformante, com 20 a 40 km de largura (Fig. 8.3a). Meio grabens, bacias *pull-apart* alongadas e falhas normais íngremes se formaram onde os segmentos de falha mergulham para a esquerda. Um dos maiores exemplos de feições extensionais é a Bacia do Mar Morto, que tem aproximadamente 135 km de comprimento, 10-20 km de largura e é preenchida com pelo menos 8,5 km de sedimentos (Fig. 8.3b).

Superficialmente, as bacias *pull-apart* e as falhas normais ao longo da transformante transtrativa do Mar Morto assemelham-se a feições que caracterizam estreitas bacias rifte intracontinentais (Seção 7.2). Ambos os tipos de bacia são normalmente assimétricos, delimitados por falhas limites, e exibem segmentações direcionais ao longo da sua direção (Lazar et al., 2006). No entanto, existem diferenças importantes entre as duas configurações tectônicas. Entre as mais significativas delas, observa-se que, ao longo de transformantes transtrativas, a extensão é confinada em sua maior parte na crosta e exibe um mínimo envolvimento do manto superior (Al-Zoubi & ten Brink, 2002). Ambos os dados de gravimetria (ten Brink et al., 1993) e perfis de reflexão e refração sísmica de grande abertura angular (DESERT Group, 2004;. Mechie et al., 2005) apoiam essa conclusão, indicando que a Moho é apenas ligeiramente soerguida (< 2 km) sob a Bacia do Mar Morto. Essas características sugerem que, embora a extensão influencie a morfologia da superfície e formas de bacias extensionais que se formam ao longo de transformantes, elas não desempenham um papel dominante na formação da estrutura profunda do sistema de falhas (Seção 8.6.2), assim como acontece em bacias rifte.

Dados de reflexão e refração sísmica coletados em toda a Falha Arava (Fig. 8.3a) revelam a profunda estrutura da Transformante do Mar Morto. Sob o traço da superfície da falha, a base da crosta superior de 17 a 18 km de espessura (embasamento sísmico) sofre rejeito vertical de 3-5 km (DESERT Group, 2004; Mechie et al., 2005). A falha desce verticalmente na crosta inferior, onde amplia para baixo em uma zona de deformação dúctil (Fig. 8.11). A largura desta zona da crosta inferior é considerada ter ~15 km de largura através de uma série de fortes refletores sub-horizontais. Esses refletores podem representar os contrastes de composição relacionados com rejeitos laterais dentro de uma zona estreita ou os efeitos de fluxo horizontal localizado (Al-Zoubi & ten Brink, 2002). Abaixo da lacuna, a Moho exibe uma pequena quantidade de topografia, sugerindo que uma estreita zona de deformação abaixo da Falha Arava pode se estender para o manto.

Essas características físicas fornecem importantes relações sobre a dinâmica de falhas transformantes. Os resultados da pesquisa geofísica DESERT (DESERT Group, 2004; Mechie et al., 2005) sugeriram que os ~105 km de rejeito lateral esquerdo entre as placas Arabia e Nubia (Fig. 8.12a) resultaram em um perfil com uma estrutura crustal significativamente diferente a leste e a oeste da Falha Arava (Fig. 8.12b). A ocorrência de extensão e transtração entre os segmentos de falhas resulta de subsidência localizada e flexão crustal a oeste da falha e de uma deflexão menor, semelhante à da Moho (Fig. 8.12c). Erosão e sedimentação aparecem na estrutura atual no limite de placa (Fig. 8.12d).

8.3.2 Falha de San Andreas

A Falha de San Andreas se formou no Oligoceno (Atwater, 1970, 1989) quando a dorsal de expansão Pacífico-Farallon colidiu com a margem ocidental da América do Norte (Fig. 5.28a, Seção 5.11). A falha se une à Junção Tríplice Mendocino com o Golfo da Califórnia e é a única estrutura contínua dentro da zona limite da placa (Fig. 8.1). O rejeito na falha é predominantemente direcional (Fig. 7.10), embora em alguns lugares também esteja associado com transpressão e transtensão localizada (Seção 8.2). Medições de

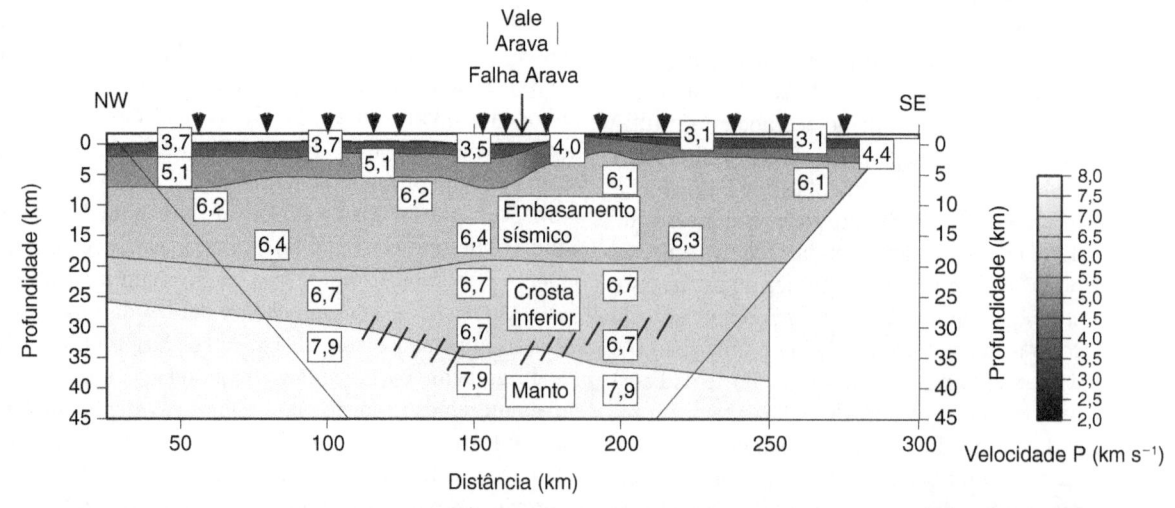

Figura 8.11 Modelo de velocidade da onda P da crosta e do manto abaixo da Falha Arava dentro do segmento do sul do Mar Morto (imagem fornecida por M. Weber e adaptada do DESERT Group, 2004, com permissão da Blackwell Publishing). A localização do perfil é mostrada na Fig. 8.3a. Exagero vertical é 2: 1.Triângulos indicam pontos de tiro ao longo de uma sísmica de reflexão de grande ângulo e pesquisa de refração utilizada para obter as velocidades (km s^{-1}). Área hachurada perto do limite crosta-manto representa zona de forte reflexão de crosta inferior. Os limites e velocidades da onda P localizados a noroeste da falha são de Ginzburg et al. (1979a,b) e de Makris et al. (1983). Aqueles a sudeste da falha baseiam-se em El-Isa et al. (1987a,b).

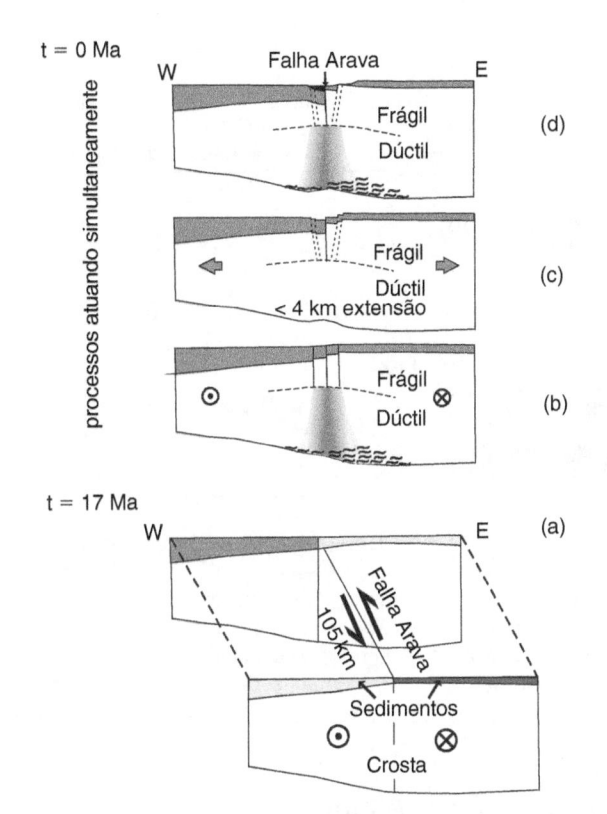

Figura 8.12 Esboços mostrando os processos envolvidos na produção da seção crustal mostrada na Fig. 8.11 (imagem fornecida por J. Mechie e adaptada do DESERT Group, 2004, com permissão da Blackwell Publishing). (a) Estrutura crustal em ~17 Ma, antes do início do movimento direcional. (b) Rejeito direcional de ~105 km de resultado significativamente diferente da estrutura leste e oeste da Falha Arava. (c) Menor km (~4) extensão resulta em subsidência e flexão do bloco ocidental e soerguimento do bloco oriental. A Moho mostra uma deflexão similar. (d) Erosão e sedimentação produz a estrutura atual. Note que os processos de (b-d) agem simultaneamente.

fluxo de calor (Sass et al., 1994), sismicidade (Fig. 7.8) e sísmica de reflexão e de refração (Henstock & Levander, 2000; Godfrey et al., 2002) indicam que a falha se formou em uma litosfera bastante heterogênea, caracterizada por grandes variações laterais de espessura, resistência e propriedades térmicas.

A maioria das evidências a partir do norte e do centro da Califórnia sugere que a Falha de San Andreas tenha penetrado na crosta inferior como uma estrutura quase vertical e possa ter deslocado a Moho (Holbrook et al., 1996; Hole et al., 2000). De oeste para leste, a parte superior e inferior da crosta inferior de espessura entre 5 e 6 km desloca verticalmente em até 4 km em toda a Falha de San Andreas. A Moho sofre rejeito igualmente, ainda que por apenas ~2 km. Velocidades sísmicas na parte superior do manto mostram uma pequena mudança em todo o perfil, de 8,1 km s^{-1} abaixo do Pacífico para cerca de 7,9 km s^{-1} sob o Coast Ranges, sugerindo que os últimos são caracterizados por densidades ligeiramente mais baixas e temperaturas acima de ~550 K entre 30 e 50 km de profundidade (Henstock & Levander, 2000).

Abaixo da Transverse Ranges, um modelo de velocidade (Fig. 8.13), construído utilizando dados sísmicos de fonte ativa, revela a presença de uma raiz crustal de 8 km de espessura centrada abaixo do traço de superfície da Falha de San Andreas (Godfrey et al., 2002). A presença dessa raiz crustal indica que a transpressão associada ao Big Bend na Falha de San Andreas (Seção 8.2) afeta a crosta inteira. Os dados também mostram um rejeito da Moho. As estimativas da magnitude do rejeito são variáveis, principalmente porque elas dependem da velocidade específica utilizada. Estimativas publicadas mostram que a Moho pode estar a pelo menos um e a possivelmente vários quilômetros abaixo do lado norte da falha. Um pequeno deslocamento semelhante da Moho também ocorre abaixo da Zona de Cisalhamento Oriental da Califórnia (Zhu, 2000) (Fig. 8.1). Esses rejeitos sugerem que uma estreita zona de deformação frágil e dúctil em torno do segmento sul da Falha de San Andreas também se estende verticalmente através da crosta inteira.

Além de um rejeito da Moho, o modelo de velocidade mostrado na Fig. 8.13 indica que a velocidade sísmica (6,3 km s^{-1}) relativamente lenta, que é consistente com litologias de baixa resistência, ricas em quartzo, caracteriza a crosta média e inferior abaixo do deserto de Mojave. Em contraste, a crosta inferior localizada ao sul da Falha de San Andreas é caracterizada por velocidades relativamente rápidas (6,6-6,8 km s^{-1}), sugerindo que a região sul da falha é composta de rochas resistentes ricas em feldspato e/ou olivina. Essa estrutura de velocidade é compatível com a ideia de que a crosta fraca ao norte da falha se deslocou em direção ao sul, criando a raiz espessa abaixo da Transverse Ranges (Fig. 8.14). Em apoio a esta hipótese, vários proeminentes pontos brilhantes sob as Montanhas de São Gabriel, onde as amplitudes dos refletores são especialmente elevadas (zonas A e B na Fig. 8.14), sugerem a presença de fraturas e fluidos que penetraram ao longo de uma superfície de cavalgamento (Seção 8.2) na base da zona sismogênica frágil (Fuis et al., 2001). O padrão implica que o descolamento está associado com uma crosta fraca, onde a crosta dúctil flui abaixo da crosta frágil superior.

A estrutura do manto subcontinental sob a Transverse Ranges foi estudada usando o princípio de anisotropia sísmica (Seção 2.1.8). Nesta região, um corpo quase vertical, com 60 a 80 km de largura, velocidade alta e alta densidade se estende cerca de 200 Km para baixo no manto superior abaixo do traço da superfície da Falha de San Andreas (Kohler, 1999). O significado da anomalia é incerto, mas pode representar uma zona de material afundando que ajuda a conduzir fluxo da crosta inferior e a aumentar a contração da crosta sob as Transverse Ranges (Godfrey et al., 2002).

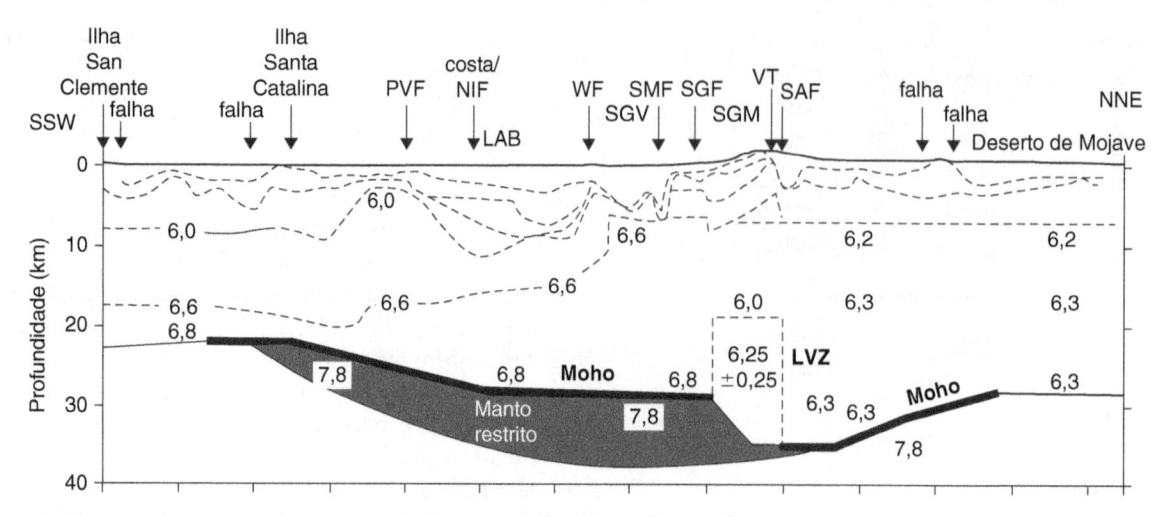

Figura 8.13 Modelo de velocidade da crosta e do manto abaixo da Bacia de Los Angeles (LAB) (adaptado de Godfrey et al., 2002, com permissão da American Geophysical Union. Copyright © 2002 American Geophysical Union). Secção paralelizada à linha de perfil preta grossa mostrada na Fig. 8.8a. Linhas tracejadas são contornos de velocidade. Os números são velocidades em km s^{-1}. Exagero vertical é de 2:1. Os 10 km superiores são limitados pela região de refração crustal. A região sombreada mostra a parte do manto limitada por dados de onda P$_n$, linhas grossas pretas indicam parte da Moho. LVZ, zona de baixa velocidade; NIF, Falha Newport-Inglewood; PVF, Falha Palos Verde; SAF, Falha de San Andreas; SGF, Falha San Gabriel; SGM, Montanhas São Gabriel; SGV, Vale São Gabriel; SMF, Falha Sierra Madre; VT, Empurrão Vincent; WF, Falha Whittier.

Medidas de onda cisalhante espalhante (*splitting*) (SKS) revelaram um manto superior anisotrópico cujas propriedades mudam com a profundidade sob os segmentos norte e central da Falha de San Andreas (Özalaybey & Savage, 1995; Hartog & Schwartz, 2001). Özalaybey & Savage (1995) interpretaram esses dados em termos de duas camadas superpostas. A camada inferior contém um sentido leste-oeste de polarização rápida que pode se originar a partir do fluxo astenosférico causado pela migração da junção tríplice Mendocino ~15 milhões de anos atrás. Alternativamente, o padrão pode refletir uma anisotropia fóssil. A camada superior contém uma direção de polarização rápida que paraleliza o traço da Falha de San Andreas e está bem expressa no lado nordeste da Falha de San Andreas, onde a litosfera é relativamente fina e quente. É pouco desenvolvida no lado sudoeste, onde a litosfera é relativamente espessa. A localização dessa camada superior, perto da Falha de San Andreas, sugere que a anisotropia se origina da deformação da zona cisalhamento do manto verticalizado em uma largura de 50 a 100 km (Teyssier & Tikoff, 1998). Sua espessura não é bem conhecida, mas pode chegar a 115-125 km envolvendo o manto astenosférico. A mudança na direção de polarização diretamente abaixo da falha pode resultar de uma alteração na quantidade de deformação devido ao cisalhamento lateral direito (Savage, 1999) ou a uma mudança na direção de deformação (Hartog & Schwartz, 2001). Trabalhos adicionais são necessários para estabelecer a relação entre a postulada zona de cisalhamento do manto e falhas na crosta superior.

8.3.3 A Falha Alpina

O sistema da Falha Alpina na Nova Zelândia (Fig. 8.2a) fornece um exemplo de uma transformante continental cuja estrutura reflete uma grande componente de encurtamento perpendicular a falhas. Observações geofísicas do leito oceânico ao sul da Nova Zelândia sugerem que a contração se originou com as mudanças no movimento relativo entre as placas da Austrália e do Pacífico, entre 11 e 6 Ma (Walcott, 1998; Cande & Stock, 2004). Antes de ~11 Ma, o movimento relativo das placas gerou um movimento direcional na Falha Alpina com um pequeno componente de encurtamento perpendicular à falha. Após ~11 Ma e novamente após ~6 Ma, as mudanças no movimento relativo entre as placas do Pacífico e da Austrália resultaram em um aumento da componente de compressão através da Falha Alpina preexistente, levando ao encurtamento maior e à elevação rápida dos Alpes do Sul (Norris et al., 1990; Cande & Stock, 2004). As alterações produziram uma colisão continente-continente oblíqua na Ilha Sul. Na parte central da ilha, as taxas de soerguimento variam de 5 a 10 mm/ano (Bull & Cooper, 1986) e são acompanhadas por altas taxas de erosão. Juntamente com o encurtamento crustal, esses processos levaram à exumação de xisto de alto grau formado a uma profundidade entre 15-25 km (Little et al., 2002; Koons et al., 2003).

A Falha Alpina atravessa a Ilha Sul, entre a zona de subducção Puysegur no sul e a zona de subducção Hikurangi no norte (Fig. 8.2a). Durante o Cenozoico Superior, a falha tornou-se cada vez mais o local de deslizamento entre as placas da Austrália e do Pacífico. Medições geodésicas

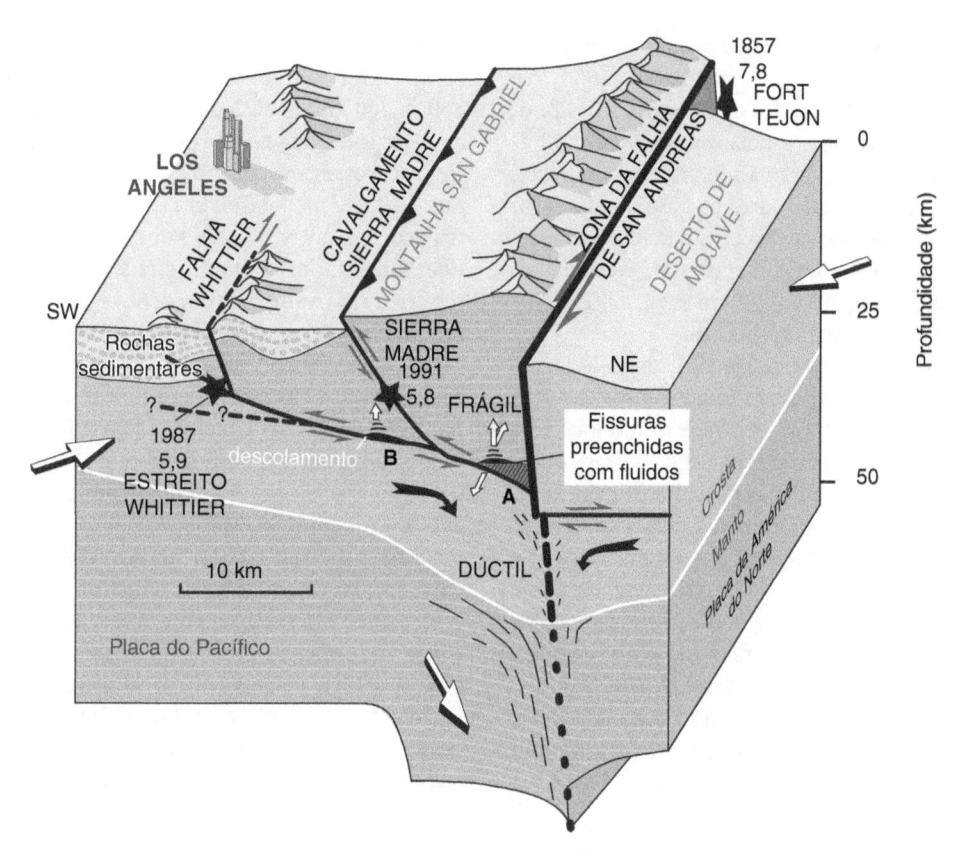

Figura 8.14 Diagrama de blocos esquemático mostrando a geometria tridimensional das falhas ativas da região de Los Angeles (imagem fornecida por G. Fuis e adaptado de Fuis et al., 2001, com permissão da Geological Society of America). Terremotos moderados e grandes são mostrados com estrelas negras, datas e magnitudes. Pequenas setas brancas mostram movimentos de bloco no entorno de regiões brilhantes reflexivas A e B. Grandes setas brancas mostram a relativa convergência das placas do Pacífico e da América do Norte. Regiões A e B são zonas de quebramento que transportam fluidos migrando a partir da profundidade. Uma superfície de descolamento sobe de região fraturada A na Falha de San Andreas, acima da qual a crosta superior frágil é imbricada ao longo das falhas de empurrão e inversas e abaixo da qual a crosta inferior está fluindo em direção à Falha de San Andreas (setas pretas), pressionando a Moho. Manto da placa do Pacífico afunda sob as Montanhas de San Gabriel.

(Beavan et al., 1999) e depósitos glaciais deslocados (Fig. 8.4) sugerem que a falha tenha acomodado entre 60-80% do movimento relativo das placas desde o final do Pleistoceno (Norris & Cooper, 2001; Sutherland et al., 2006). O movimento restante é acomodado por deslizamento em cavalgamento com alto mergulho e falhas de cisalhamento oblíquas em uma zona de 100 km de largura localizada principalmente no lado leste da falha (Fig. 8.2a). Reconstruções de unidades geológicas do embasamento sugerem que um total de 850 ± 100 km de movimento dextral tem se acumulado ao longo do limite da placa desde 45 Ma (Sutherland, 1999). Pelo menos 460 km desse movimento foi acomodado pela Falha Alpina (Wellman, 1953; Sutherland, 1999), como indicado pelo rejeito dextral do Batólito Median (Fig. 8.2a) e outras faixas mesozoicas e paleozoicas. Cerca de 100 km de encurtamento ocorreu em toda a Ilha Sul desde ~10 Ma (Walcott, 1998).

A estrutura da subsuperfície da Falha Alpina abaixo da Ilha Sul central difere daquela apresentada pela transformante direcional, como as falhas de San Andreas e do Mar Morto. Imageamento sísmico (Davey et al., 1995) indica que o segmento central da Falha Alpina mergulha para sudeste em ângulo de 40-50° até uma profundidade superior a 25 km (Fig. 8.2b). O movimento sobre a falha é em uma direção que mergulha cerca de 22°, indicando que a falha nesta região é de cavalgamento oblíquo (Norris et al., 1990). Por outro lado, o movimento no segmento de Fiordland da falha é quase puramente direcional (Barnes et al., 2005).

Um perfil de velocidade sísmica de 600 km de extensão, construído como parte da Transecta Geofísica da Ilha Sul (SIGHT – South Island Geophysical Transect), revelou a presença de uma grande raiz crustal sob os Alpes do Sul (Fig. 8.2b). No lado do Pacífico, a Moho o aprofunda ~20 km abaixo da Planície Canterbury a uma profundidade máxima de 37 km abaixo de um ponto localizado a 45 km a sudeste de traço de superfície da Falha Alpina. A raiz é assimétrica e se assemelha ao perfil cônico dos Alpes do Sul na superfície: a profundidade da Moho a sudeste da falha decresce mais gradualmente do que do seu lado noroeste (Scherwath et al., 2003; Henrys et al., 2004). A raiz é composta principalmente de crosta superior espessada com velocidades sísmicas que variam entre 5,7 e 6,2 km s^{-1} (Scherwath et al., 2003; Van Avendonk et al., 2004). A grandes distâncias do limite da placa, a crosta superior mostra uma espessura normal de ~15 km. Uma fina crosta inferior (3-5 km) com uma faixa de velocidade de 6,5-7,1 km/s ocorre na base da raiz. Uma zona de baixa velocidade ocorre na crosta média e inferior abaixo do traço de falha, provavelmente como resultado da alta pressão de fluido (Seção 8.6.3) (Stern et al., 2001, 2002), e se estende para baixo no manto superior.

Abaixo da raiz da crosta terrestre, os dados telessísmicos mostram que a deformação se torna progressivamente mais ampla com a profundidade. Medições de velocidades de onda P_n (Scherwath et al., 2002; Baldock & Stern, 2005) e de onda de cisalhamento (SKS) espalhante (Klosko et al., 1999; Duclos et al., 2005), sugerindo a presença de uma zona de deformação dúctil distribuída no manto superior sob a Falha Alpina. Direções de polarização rápida geralmente são orientadas subparalelamente à direção das falhas (Fig. 8.15), sugerindo fluxo paralelo ao limite de placa. Baldock & Stern (2005) encontraram evidências para dois domínios distintos abaixo da Ilha Sul: uma zona de 335 km de largura de deformação no manto na parte sul e uma zona mais estreita de ~200 km de largura no norte (Fig. 8.15).

Essas larguras e a orientação da anisotropia do manto são consistentes com um modelo de transpressão envolvendo 800 ± 200 km de deslocamento direcional lateral direito, que é próximo ao previsto por reconstruções geológicas.

A espessura vertical da raiz do manto abaixo da Ilha Sul é de pelo menos 100 km (Stern et al., 2002). Terremotos ocorrem entre 30 e 70 km de profundidade (Kohler & Eberhart-Phillips, 2003). A raiz tem um núcleo manto litosférico relativamente frio, denso e de alta velocidade que foi deslocado para a astenosfera mais lenta, mais quente e menos densa (Scherwath et al., 2006). Este excesso de massa no manto é necessário em função de anomalias gravimétricas observadas e oferece força suficiente para manter a raiz da crosta, que tem o dobro da espessura necessária para suportar a topografia dos Alpes do Sul (Stern et al., 2000). Uma interpretação possível da geometria da raiz é que ela é simétrica e se formou em resposta à distribuição da deformação e a um espessamento uniforme da litosfera (Fig. 8.16a). Alternativamente, a raiz do manto pode ser assimétrica, exigindo que a deformação seja concentrada em uma superfície de empurrão com mergulho que resulta de subducção intracontinental (Fig. 8.16b). Estes e outros processos que contribuem para a formação da raiz do manto e sua modificação tectônica são elementos-chave dos estudos

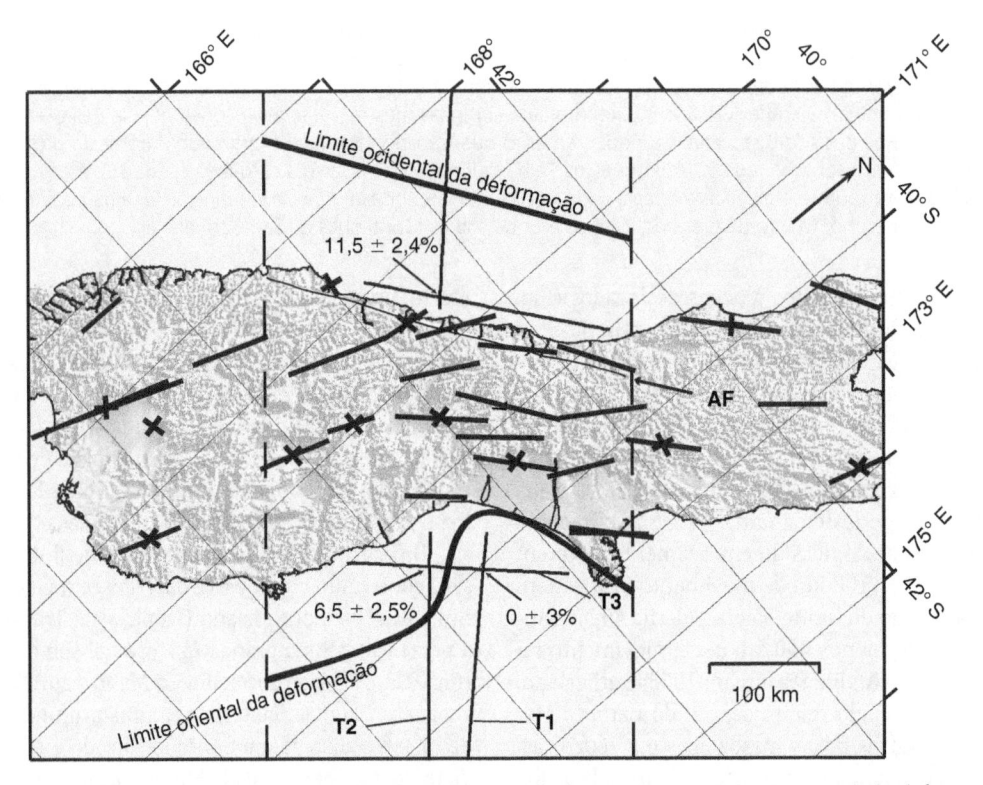

Figura 8.15 Mapa mostra a geometria do experimento SIGHT e medições SKS com uma interpretação de deformação do manto abaixo da Falha Alpina (AF) (imagem fornecida por T. Stern e adaptada de Baldock & Stern, 2005, com permissão da Geological Society of America). Três transectas sísmicas (T1, T2, T3) são mostradas. Barras pretas indicam a direção de velocidade sísmica máxima. O comprimento da barra é proporcional à amplitude da onda de cisalhamento espalhada determinada a partir dos resultados do SKS de Klosko et al. (1999). Medição da anisotropia P_n de 11,5 ± 2,4% é de Scherwath et al. (2002).

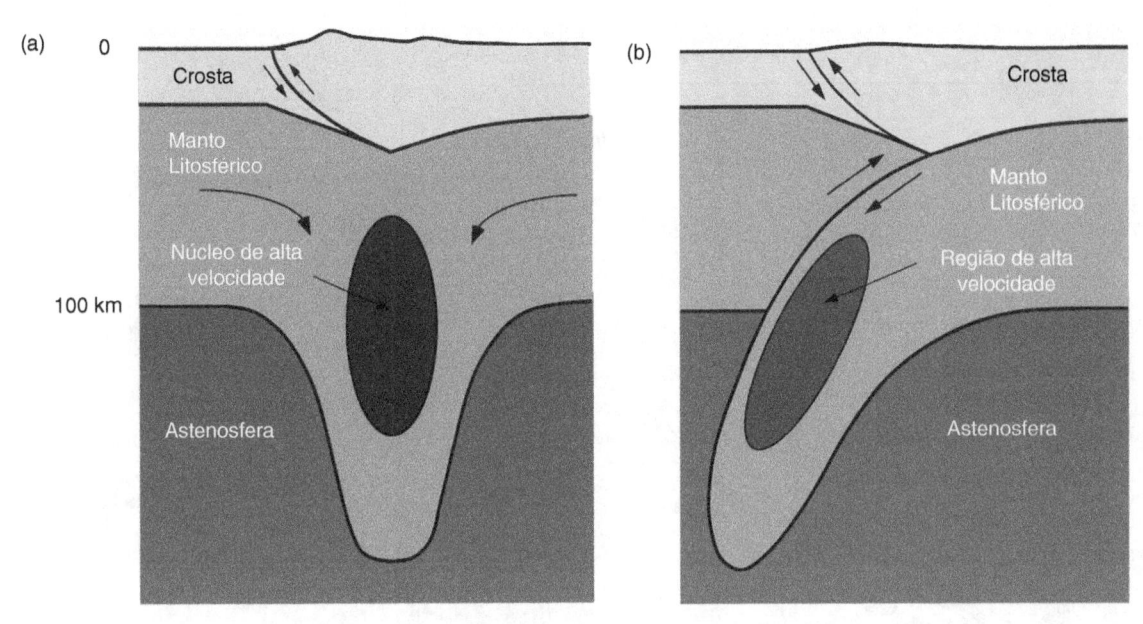

Figura 8.16 Esboços mostrando dois modos possíveis de convergência no manto abaixo da Falha Alpina (segundo Stern et al., 2002). (a) Raiz simétrica formada por encurtamento e espessamento homogêneo. (b) Empurrão para oeste da litosfera mantélica do Pacífico sob a placa Australiana, formando uma zona de subducção intracontinental.

em praticamente todas as zonas de deformação continental (por exemplo, Seções 7.5, 7.8.1, 10.2.5, 10.4.6) e são discutidos em mais detalhes na Seção 11.3.3. Qualquer que seja a hipótese correta, a anomalia sugere que as baixas temperaturas do manto superior sob os Alpes do Sul são causadas por ressurgência descendente frio abaixo da zona de colisão. Além disso, os dados telessísmicos indicam que os rejeitos associados à transformante continental podem ser acomodados por distribuição de deformações no manto sem exigir falhamentos discretos. A grande largura da zona de deformação encontrada na configuração da Nova Zelândia, em comparação com outras transformantes continentais, pode refletir a grande componente de convergência através do limite de placa (Stern et al., 2002).

8.4 MARGENS CONTINENTAIS TRANSFORMANTES

Se uma falha transformante se desenvolver durante o rifteamento continental, a margem continental será definida por meio da falha transformante, sendo denominada *margem continental transformante*. A história de tal margem, primeiramente considerada por Scrutton (1979), relaciona o seu contato inicial com o seu homólogo continental na placa adjacente e subsequente contato com a litosfera oceânica e uma crista oceânica com a evolução do processo de separação. Essas margens diferem de margens rifteadas ou passivas (Seção 7.7) em função de terem uma estreita plataforma continental (< 30 km) e uma zona de transição oceano-continente íngreme.

Um das mais bem estudadas margens transformantes é a margem da Costa do Marfim-Gana no norte do Golfo da Guiné. Essa margem foi formada durante a abertura do Atlântico Sul no Cretáceo Inferior, que foi acompanhada de movimento transformante dentro do que é hoje a Zona de Fratura Romanche (Fig. 8.17a) (Mascle & Blarez, 1987; Attoh et al., 2004). A margem passou por poucas modificações subsequentes e por isso pode ser considerada como representante de uma margem transformante fóssil.

A margem da Costa do Marfim-Gana exibe uma plataforma continental em forma triangular, um talude continental íngreme (15°) e uma estreita zona de transição oceano-continente (6-11 km) (Fig. 8.17b). Dados de reflexão sísmica fornece evidências das dobras e falhas associadas com movimento dextral dentro de uma zona de 10 a 20 km de largura ao longo da crista marginal da Costa do Marfim-Gana (Edwards et al., 1997; Attoh et al.. 2004). As dobras mostram eixos de tendência nordeste que são compatíveis com o movimento dextral. As falhas registram tanto rejeitos de deslocamento direcional como de escorregamento (do lado sul para baixo) que parecem refletir pelo menos dois episódios de deformação direcional (Attoh et al., 2004). O primeiro envolveu uma combinação de movimento de deslocamento direcional e de extensão das falhas de direção nordeste, levando à formação de bacias *pull-apart* (Seção 8.2). O segundo envolveu movimento direcional e dobramento, possivelmente como resultado de uma mudança na direção do movimento na transformante.

Com base nessas e em outras observações, foi possível reconstruir a evolução em grande escala da margem da Costa do Marfim-Gana. Quatro fases principais são ilustradas esquematicamente na Fig. 8.17c-f. Na fase 1 (Fig. 8.17c),

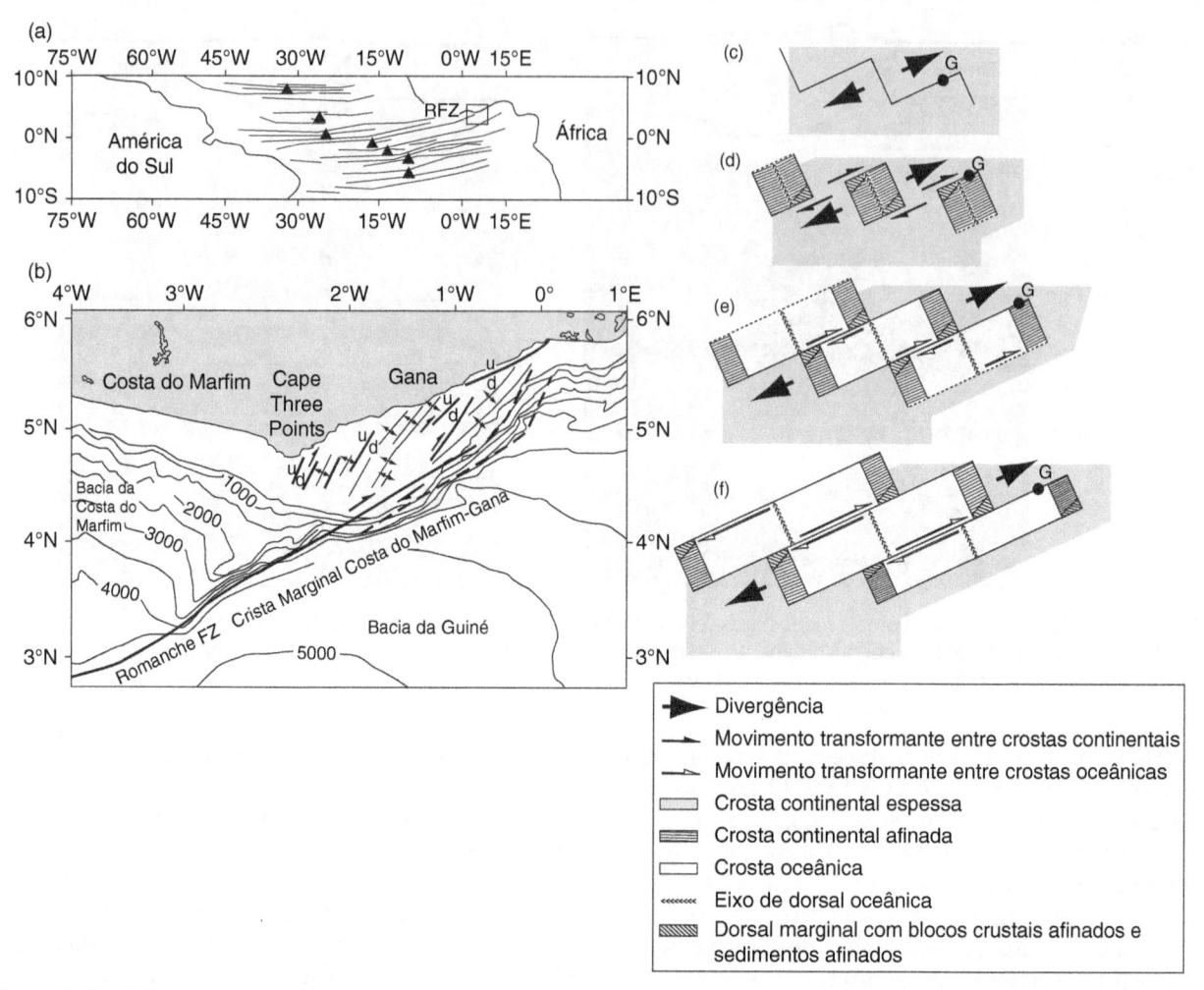

Figura 8.17 (a) Mapa tectônico do oceano Atlântico equatorial mostrando zonas de fratura principais que deslocaram a dorsal do Atlântico Central (triângulos) e a localização da (b) margem transformante da Costa do Marfim-Gana (adaptado de Edwards et al., 1997, com permissão da American Geophysical Union. Copyright © 1997 American Geophysical Union). RFZ, Zona de Fratura Romanche. Falhas e dobras (b) são adaptadas a partir de dados apresentados por Attoh et al. (2004). u, para cima; d, para baixo. (c-f) O modelo simplificado da formação de uma margem continental transformante (segundo Mascle & Blarez, 1987, com permissão da *Nature* **326**, 378-81. Copyright © 1987 Macmillan Publishers Ltd). G, posição da margem transformante de Gana.

há contato entre dois continentes. Movimentos direcionais resultam de deformação frágil da crosta superior e deformação dúctil em profundidade (Seção 2.10), dando origem a bacias *pull-apart* e blocos crustais rotacionados (Seção 8.5). Na fase 2 (Fig. 8.17d), temos rifteamento e afinamento crustal acompanhados da formação de uma margem divergente, onde o contato é entre litosfera continental de espessura normal e litosfera continental mais fina, estirada. A bacia rifte recém-criada experimenta sedimentação rápida do continente adjacente e subsidência associada ao afinamento da crosta (Seção 7.7.3). Os sedimentos são dobrados e falhados pelo movimento transformante, e blocos de material são elevados (Basile & Allemand, 2002), formando escarpas e cristas marginais (ver também Seção 6.2). Esse tectonismo é registrado em discordâncias na sequência sedimentar e em outras estruturas imageadas em perfis de sísmica de reflexão (Attoh et al., 2004). Na fase 3 (Fig. 8.17e), litosfera oceânica nova emerge ao longo de um centro de expansão para estabelecer uma transformante oceano-continente ativa. Nesta fase não há contato entre a margem continental falhada e a crosta oceânica. A margem falhada passa adjacente à crosta oceânica quente do centro de expansão, e a troca térmica existente resulta em aquecimento e elevação diferencial dentro da margem falhada, especialmente perto do limite continente-oceano. Dados sísmicos sugerem *underplating* magmático nas partes profundas da crosta continental, onde as características magmáticas alinham com as falhas transformantes (Mohriak & Rosendahl, 2003). Na fase 4 (Fig. 8.17f), a transformante é ativa somente entre blocos de crosta oceânica e, assim, aparece como uma zona de fratura (Seção 6.12). A margem falhada está, então, em contato com a litosfera oceânica em esfriamento, e sua subsidência evolui de uma maneira similar a outras margens passivas (Seção 7.7.3).

8.5 DEFORMAÇÃO CONTÍNUA *VERSUS* DESCONTÍNUA

8.5.1 Introdução

A natureza distribuída de deformação sobre os continentes, em comparação com a maioria das regiões oceânicas, levou ao desenvolvimento de um quadro único para descrever a deformação continental (Seções 2.10.5, 5.3). Um dos aspectos mais importantes para o desenvolvimento deste quadro envolve determinar se o deslocamento total é acomodado pelo movimento de muitos blocos separados por zonas discretas de deformação ou por um processo espacialmente mais contínuo. A presença de grandes regiões assísmicas, como o Great Valley e a Sierra Nevada no sudoeste dos Estados Unidos (Figs 7.8, 7.10), implica que parte da litosfera continental se comporta de forma rígida. No entanto, em outras áreas, como parte de Walker Lane e da Zona de Cisalhamento Oriental da Califórnia, a sismicidade revelou a presença de zonas difusas de deformação que são mais bem aproximadas por um campo de velocidade regional e não pelo movimento relativo de blocos rígidos.

Para distinguir entre as possibilidades, são usadas combinações de dados geológicos, geodésicos e sismológicos para determinar o grau em que a deformação é contínua ou descontínua em uma dada região (Thatcher, 2003; McCaffrey, 2005). A determinação das características desses campos de velocidade regionais é importante para o desenvolvimento de modelos cinemáticos e reológicos precisos de deformação da litosfera continental (Seção 8.6) e para estimar onde a deformação é acumulada mais rapidamente e, portanto, onde os terremotos são mais prováveis de ocorrer.

Em modelos que envolvem campos de velocidade contínua, mesmo que a crosta superior frágil seja partilhada em falhas, estas são previstas para serem espaçadas relativamente próximas, com taxas de deslocamento de pequeno porte, e estendidas somente até a parte elástica da crosta. Nesta visão, comumente assume-se que o campo de velocidade representa a deformação média de toda a litosfera, que consiste em uma fina camada (10-20 km) que deforma por falha acima de uma espessa camada (80-100 km) que deforma por fluxo dúctil (Jackson, 2004). Em modelos de blocos rígidos, as falhas são previstas para serem amplamente espaçadas, deslizando rapidamente e estendendo-se verticalmente através de toda a litosfera, terminando como grandes zonas de cisalhamento dúctil no manto superior (McCaffrey, 2005). Estas propriedades sugerem que a deformação da litosfera continental apresenta um tipo de comportamento que se assemelha à tectônica de placas. Em ambos os modelos, a deformação pode ser impulsionada por uma combinação de forças, incluindo aquelas que agem ao longo das bordas dos blocos da crosta, as de tração basal devido ao fluxo da parte inferior da crosta e do manto superior, e a gravidade.

A determinação da razão de deformação continental, contínua ou descontínua, é de difícil comprovação em muitas áreas. Uma das razões para a dificuldade é que o campo de velocidade de superfície medido com dados geodésicos, de curto prazo (escala de décadas), geralmente parece ser contínuo em grandes escalas (quilômetros a centenas de quilômetros) (Seção 2.10.5). Esta característica resulta do fato das técnicas de posicionamento geodésico fornecerem estimativas de velocidade em pontos específicos no espaço, com a densidade de pontos disponíveis dependendo da região e da escala da investigação (Bos & Spakman, 2005). A maioria dos métodos de interpretação começa com algumas interpolações dos dados geodésicos, com a resolução final dependendo do número e da distribuição das estações disponíveis (Jackson, 2004). Além disso, as informações disponíveis sobre as taxas de deslocamento de falha são incompletas, e aquelas que são calculadas com base em escala de tempo curta podem não ser representativas das taxas de deslocamento de longo prazo (Meade & Hager, 2005; McCaffrey, 2005). Se taxas de deslocamento precisas de longo prazo sobre todas as falhas da crosta terrestre estivessem disponíveis, o problema poderia ser resolvido diretamente. Além disso, embora a deformação continental esteja localizada ao longo de falhas por longos períodos, o movimento em estado estacionário de uma crosta superior elástica por um curto prazo contém pouca informação sobre a reologia do material deformante, sendo que por esta razão não está clara a importância das falhas na determinação do comportamento mecânico global da litosfera. Estas últimas incertezas deixam nebulosa a questão de se a deformação ao longo de transformantes continentais é impulsionada principalmente por forças de borda, tração basal ou forças gravitacionais (Savage, 2000; Zatman, 2000; Hetland & Hager, 2004) (Seção 8.5.3).

Apesar das dificuldades envolvidas na quantificação da deformação continental, pesquisadores têm conseguido demonstrar, em muitas áreas, que elementos das representações contínua e descontínua condizem com as observações feitas. Nesta seção, os resultados das medições geodésicas e da modelagem do campo de velocidade são discutidos no contexto do sistema da Falha de San Andreas. Este sistema de falhas apresenta uma diversidade estrutural ilustrando a variedade de maneiras em que a deformação pode ser acomodada ao longo e adjacente a transformantes continentais.

8.5.2 Movimentos relativos de placa e campos de velocidade de superfície

No sudoeste dos Estados Unidos, o movimento relativo entre as placas do Pacífico e da América do Norte ocorre a uma taxa de cerca de 48-50 milímetros/a (DeMets & Dixon, 1999; Sella et al., 2002). Dados geodésicos e sismológicos sugerem que até 70% deste movimento podem ser acomodados por deslocamento dextral na Falha de San Andreas (Argus

& Gordon, 2001). De um total de aproximadamente 1100-1500 km de movimento de deslocamento direcional, desde o Oligoceno (Stock & Molnar, 1988), apenas 300 e 450 km de deslocamento lateral direito têm se acumulado ao longo do sul e do norte da Falha de San Andres, respectivamente (Dillon & Ehlig, 1993; James et al., 1993). Os movimentos restantes devem, portanto, ser acomodados em outros locais dentro da difusa zona de deformação que se estende desde a costa da Califórnia até o Basin and Range (Fig. 8.1).

Ao longo de seus ~1200 km de comprimento, a Falha de San Andreas é dividida em segmentos que apresentam diferentes comportamentos mecânicos de curto prazo. Alguns segmentos, como os localizados ao norte de Los Angeles e ao norte de São Francisco, têm tido ruptura recentemente, gerando grandes sismos históricos, atualmente com pouca evidência de deslizamento. Esses segmentos aparecem bloqueados em profundidade, sendo que, no momento, acumulam significativas deformações não permanentes (elásticas) perto da superfície e tornando-se um risco potencial para desastres por terremoto (Seção 2.1.5). Entre os dois segmentos bloqueados, existe um segmento de falha com 175km de comprimento na região central da Califórnia, que é caracterizada por deslocamentos assísmicos (< 15 km de profundidade), microterremotos rasos e alguns grandes terremotos históricos. Ao longo deste segmento, o deslocamento assísmico reflete um tipo relativamente estável de fluxo tipo fluência que resulta de propriedades de fricção promovendo deslizamento estável no plano de falha (Scholz, 1998). Esses comportamentos diferentes e, especialmente, a ocorrência de fluxo assísmico longe ou perto de falhas na superfície complicam a estimativa de campos de velocidade horizontal (Seção 8.5.3).

No norte da Califórnia, terremotos revelam a presença de uma zona de ~120 km de largura com falhamentos dentro da Coast Range, entre a placa do Pacífico a oeste e a microplaca Great Valley-Sierra Nevada, a leste (Fig. 8.18a). Nesta região, as velocidades horizontais (Fig. 8.18b) mostram uma distribuição aproximadamente uniforme de movimento lateral direito na direção N29°W (Savage et al., 2004a). Essa direção está perto da direcional local (N34°W) da Falha de San Andreas e resulta em movimento predominantemente direcional ao longo das importantes falhas na área. Um perfil de velocidade ao longo de um grande círculo que passa através do polo de rotação Pacífico-América do Norte (Fig. 8.18c) ilustra este resultado, mostrando os componentes do movimento que ocorrem em paralelo e perpendicular ao traço da Falha de San Andreas. As taxas de deslocamento paralelas à falha são mais elevadas. Outras falhas mostram taxas mais baixas. Além disso, o movimento para o oeste do bloco Great Valley-Sierra Nevada em relação à placa do Pacífico (Dixon et al., 2000; Williams et al., 2006) e a baixa obliquidade entre este movimento e o traço da Falha de San Andreas (Prescott et al., 2001; Savage et al., 2004a) produzem um pequeno componente de contração em todo o Coast Ranges. Este último resultado é apoiado através de dados geológicos (Fig. 8.7b, inserção) e pelo mecanismo focal de terremoto que mostra soluções de definir a oeste do Great Valley (Fig. 7.10). Por outro lado, pouca deformação ocorre através de todo o Great Valley e dentro da Sierra Nevada, sugerindo que estas regiões formam um bloco coerente e rígido.

No sul da Califórnia, a distribuição de terremotos indica que o movimento relativo da placa é acomodado em uma zona que tem várias centenas de quilômetros de largura (Fig. 7.8). Ao sul do paralelo 34°N, um pouco do movimento é distribuído entre as falhas de San Jacinto e San Andreas (Fig. 8.1). Becker et al. (2005) estimam que o primeiro acomoda aproximadamente 15 mm a^{-1} de deslocamento e o último ~23 mm a^{-1}. Dentro das Transverse Ranges, onde o encurtamento crustal e o soerguimento da superfície acomodam um componente do movimento (Fig. 8.8), o deslocamento sobre a Falha de San Andreas parece ser significativamente mais lento (Meade & Hager, 2005). Outros rejeitos ocorrem ao longo das principais falhas sinistrais, como as de Garlock, Raymond Hill e Cucamonga (Fig. 8.8a), e pela rotação no sentido horário e anti-horário dos blocos da crosta sobre os eixos verticais (Savage et al., 2004b; Bos & Spakman, 2005).

A Fig. 8.19a mostra um exemplo de um campo de velocidade no sul da Califórnia, em um quadro de referência local (Meade & Hager, 2005). Estações na placa da América do Norte se movem para sudeste a cerca de metade da velocidade relativa da placa, e estações da placa do Pacífico se movem em direção noroeste. As velocidades observadas variam pouco através da Falha de San Andreas. Dois perfis (Fig. 8.19b) (áreas sombreadas de cinza) mostram alterações semelhantes da velocidade total de ~42 mm a^{-1}, mas com gradientes de velocidade distintos. Ao longo do perfil do norte, a velocidade de falhas paralelas cai até ~30 mm a^{-1} através da Falha de San Andreas e diminui ligeiramente através do Vale de San Joaquin antes de ter valores de aproximadamente 12 mm a^{-1} através de toda a Zona de Cisalhamento Oriental da Califórnia. Por outro lado, o perfil sul mostra uma queda de velocidade total em uma distância que é cerca de 50% do perfil do norte. Isso reflete a diferença na geometria do sistema de falhas do norte para o sul. A parte plana do perfil norte espelha a relativa estabilidade de ~200 km de largura da microplaca Great Valley-Sierra Nevada, em comparação com o estado de deformação do segmento central da Falha de San Andreas para o oeste e a Zona de Cisalhamento Oriental da Califórnia para o leste. Por outro lado, o perfil sul mostra que a zona de 40 km de largura entre as falhas de San Andreas e de San Jacinto acomodou aproximadamente 80% do movimento relativo da placa.

Ao norte da Falha de Garlock, o movimento relativo é desviado para leste da Sierra Nevada por deformação no sul da Walker Lane (Figs. 7.9, 8.1). Esta deflexão leste reflete um *step-over* extensional entre as falhas de orientação

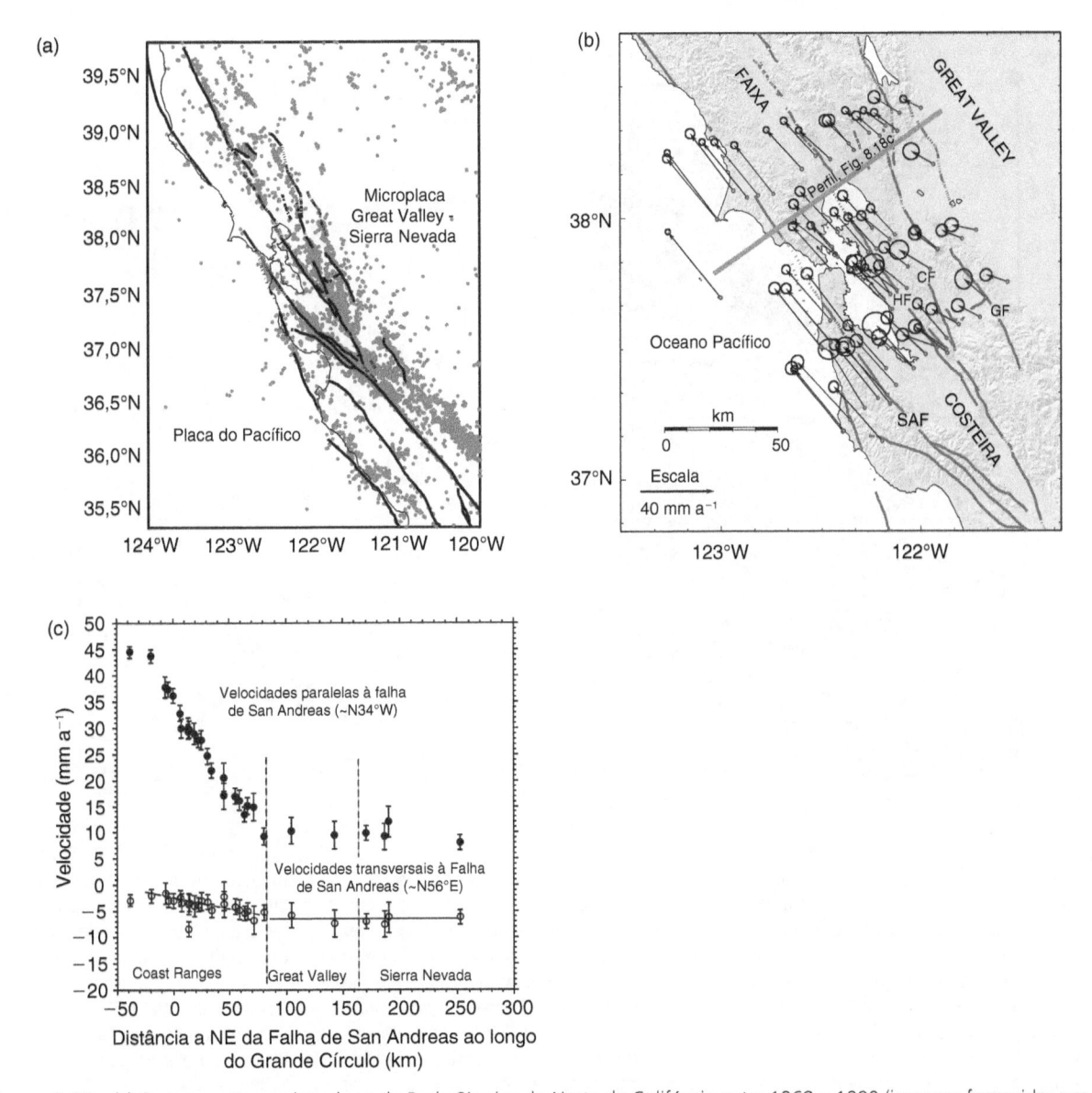

Figura 8.18 (a) Os terremotos registrados pela Rede Sísmica do Norte da Califórnia entre 1968 e 1999 (imagens fornecidas por G. Bokelmann e adaptadas de Bokelmann & Beroza, 2000, com permissão da American Geophysical Union. Copyright © 2000 American Geophysical Union). Mais de 58 mil eventos sísmicos mostram os segmentos sismogênicos do sistema principal da Falha de San Andreas. Perfil mapa (b) e (c) mostra as velocidades a partir de levantamentos GPS na área da Baía de São Francisco (imagens fornecidas por J. Savage e adaptadas de Savage et al., 2004a, com permissão da American Geophysical Union. Copyright © 2004 American Geophysical Union). Elipses de erro nas extremidades das setas de velocidade em (b) definem os limites de confiança de 95%. SAF, Falha de San Andreas; HF, Falha de Hayward; CF, Falha de Calaveras; GF, Falha de Greenville. Perfil de velocidade em (c) mostra os componentes do movimento paralelo e perpendicular à Falha de San Andreas. O perfil passa pelo polo de rotação Pacífico-América do Norte e pela trajetória mostrada em (b). Barras de erro representam dois desvios-padrão em ambos os lados dos pontos plotados.

noroeste da Zona de Cisalhamento Oriental da Califórnia e aquelas localizadas ao longo da margem leste da Sierra Nevada (Oldow, 2003). A norte do *step-over*, a zona de deformação amplia para o centro e para o norte da Walker Lane e da faixa sísmica da Nevada (Fig. 8.20a). Mecanismos focais de terremotos (Fig. 7.10) indicam que rejeitos nestas últimas faixas envolvem tanto falhas de movimento direcional quanto normal em falhas com orientação variável. Velocidades horizontais aumentam de 2-3 mm a^{-1} na Great Basin central (Seção 7.3) para ~14 mm a^{-1} em direção à Sierra Nevada (Oldow, 2003). Acompanhando este aumento das taxas, as direções de movimento giram no sentido horário a partir de oeste-noroeste para noroeste (Fig. 8.20b), indicando um aumento em um componente de deformação direcional dextral de leste a oeste. Oldow (2003) mostrou que duas zonas distintas de transtração caracterizam esta faixa: uma que é dominada por extensão a oeste (domínio III) e outra que é dominada pelo movimento direcional a leste

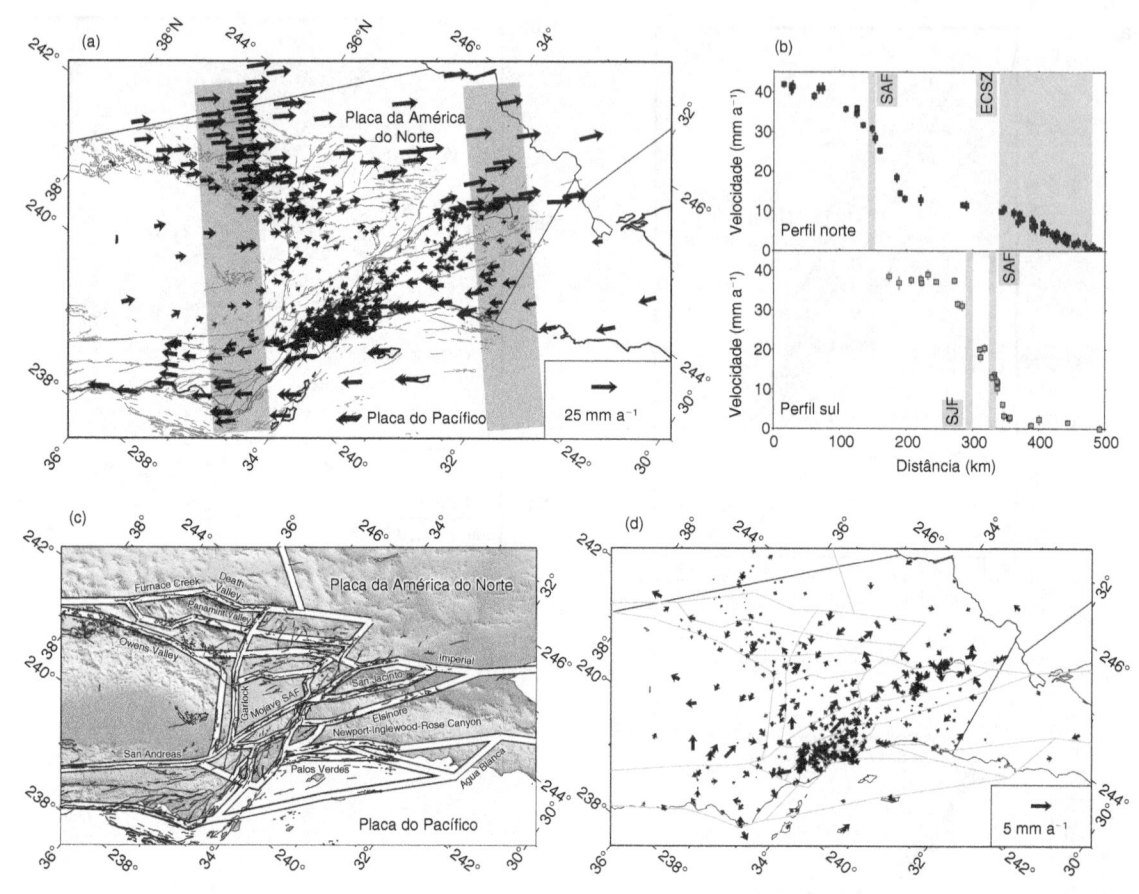

Figura 8.19 Resultados de medições de GPS e modelagem de blocos de movimento da crosta terrestre no sul da Califórnia (imagens fornecidas por B. Meade e adaptadas de Meade & Hager, 2005, com permissão da American Geophysical Union. Copyright © 2005 American Geophysical Union). (a) Velocidades observadas durante os períodos entre terremotos (ou seja, velocidades interssísmicas), quando a acumulação de deformação é elástica e deslocamento notável sobre as falhas está ausente. Elipses de confiança foram removidas para reduzir *clutter*. As duas faixas sombreadas mostram as regiões em que as velocidades em falhas paralelas são desenhadas em dois perfis (b). Linhas verticais nos perfis dão as incertezas de um desvio-padrão. Áreas sombreadas em cinza mostram locais da Falha de San Andreas (SAF), da Falha de San Jacinto (SJF) e a Zona de Cisalhamento Oriental da Califórnia (ECSZ). Diferenças nos gradientes de velocidade refletem espaçamento de falhas. (c) Limites de modelos de bloco (zonas brancas) sobrepostos a um mapa de relevo sombreado mostrando traços de falha principal. (d) As velocidades residuais. Linhas cinza mostram limites de bloco. Note que os vetores de velocidade são desenhados em uma escala que é cinco vezes maior do que na parte (a).

(domínio II na Fig. 8.20b). Juntamente com a deformação no centro e no leste da Província de Basin and Range (Seção 7.3), essas faixas acomodam até 25% do movimento relativo entre as placas do Pacífico e da América do Norte (Bennett et al., 1999). Essa transferência de movimento a leste da Sierra Nevada ajuda a explicar a quantidade limitada de deslocamento que é observada na Falha de San Andreas.

8.5.3 Sensibilidade dos modelos

Um importante meio de avaliação da modelagem de um campo de velocidade envolve a comparação de taxas de deslocamento de curtos intervalos em grandes falhas implícitas pelo modelo com a média de taxas de deslocamento de longo prazo derivada a partir de dados geológicos. Em alguns contextos, essas comparações mostram que a abordagem contínua para estimar campos de velocidade explica a maior parte dos rejeitos observados. Por exemplo, Savage et al. (2004a) mostrou que um campo de velocidade uniforme envolvendo distribuição de cisalhamento lateral direito dentro de uma zona de 120 km de largura na Coast Ranges (Fig. 8.18) corresponde à soma vetorial de todas as taxas de deslocamento médio determinado de forma independente para todas as falhas principais através da zona. Uma taxa de deformação uniforme aproximada para toda a Coast Ranges considerou uma taxa de deslizamento de ~39 mm a^{-1}, o que é consistente com as taxas de deslocamento médias atribuídas a falhas principais usando deslocamentos geológicos e informações culturais ao longo de períodos que variam de centenas a dezenas de milhares de anos. No entanto, em outras áreas, como a sul e a leste da Califórnia (Fig. 8.19a) onde a geometria de falha é muito complexa, existem in-

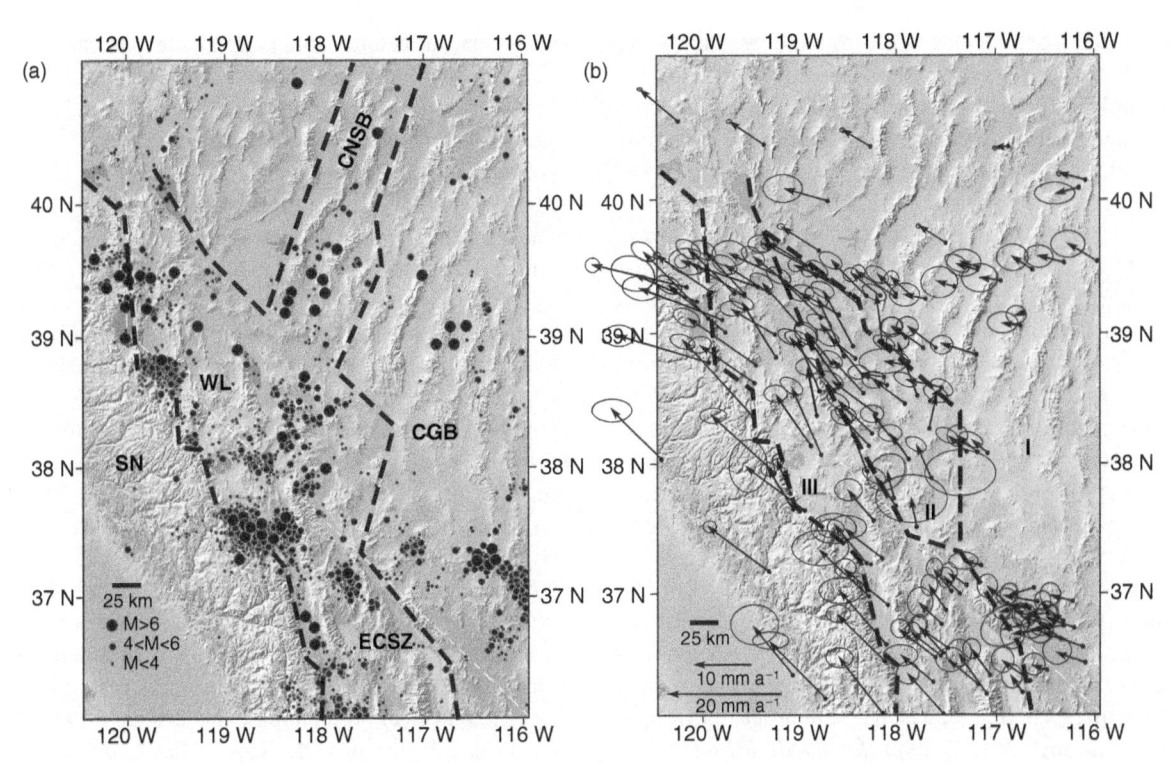

Figura 8.20 Mapa de relevo sombreado da Sierra Nevada (SN) e da Great Basin central (CGB) mostrando (a) sismicidade e (b) velocidades de GPS em um retículo de referência fixo para a América do Norte (imagens fornecidas por J. Oldow e adaptadas de Oldow, 2003, com permissão da Geological Society of America). Dados de sismicidade incluem eventos entre 1967 e 2000 para M < 6 e eventos entre 1850 e 2000 para M > 6 National Earthquake Information Center (NEIC) do United States Geologic Survey (USGS) e de Rogers et al. (1991). CNSB, Cinturão Sísmico Central de Nevada; WL, Walker Lane; ECSZ, Zona de Cisalhamento do Leste da Califórnia. Elipses em (b) representam limites de incerteza de 95%. Domínios tectônicos (linhas tracejadas) em (b) são: I, extensão; II, transtensão com predomínio direcional; III, transtensão com predomínio de falhas.

compatibilidades entre taxas de deslocamento geodésico e geológico. Esses desencontros levaram os investigadores a usar alternativas à abordagem do modelo contínuo para descrever a deformação da superfície (McCaffrey, 2005; Meade & Hager, 2005; Bos & Spakman, 2005). Um desses enfoques alternativos mais úteis emprega rotações em bloco.

Modelos de deformação continental em bloco fornecem uma base para incorporar aspectos de deformação descontínua de longo prazo causada por falhamentos às estimativas do campo de velocidade. Nesses modelos, as taxas de cisalhamento da falha calculadas levam em conta os efeitos de ambas: a rotação de falhas limitando blocos sobre o eixo vertical ou inclinado e a acumulação elástica de estado estacionário de esforço (ou seja, fluência) em ou próximo a falhas. Os blocos são definidos como qualquer número de polígonos fechados na superfície da Terra que cobrem a região modelada (Fig. 8.19c). Na maioria das aplicações, os limites de blocos coincidem com falhas principais; no entanto, em alguns casos, a escolha é menos clara. Cada ponto dentro dos blocos é considerado como girando com a mesma velocidade angular (McCaffrey, 2005). A descrição do movimento é matematicamente similar aos métodos de estimativa das rotações de grandes placas tectônicas (Seção 5.3). No entanto, um problema potencial é que o uso de dados geodésicos de curto prazo resulta em taxas de deformação elástica dentro dos blocos, bem como ao longo de seus contatos, fazendo com que as velocidades de superfície desviem da exigência de "placa rígida" das placas tectônicas.

No caso do sul da Califórnia, a incorporação de rotações de bloco e o rejeito de deslocamentos de pequena escala associado com fluência em e perto de grandes falhas forneceu um ajuste relativamente bom para o dados geodésicos disponíveis (Becker et al., 2005; McCaffrey, 2005; Meade & Hager, 2005). Uma maneira comum de avaliar o ajuste dos modelos envolve o cálculo das velocidades residuais, que representam a diferença entre os valores modelados e observados. Um exemplo de uma dessas comparações é mostrado na Fig. 8.19d. Nesta aplicação, blocos crustais foram escolhidos para minimizar os residuais, enquanto se adaptam a condições de contorno conhecidas, como a orientação de traços de falha e o sentido de deslocamento sobre eles. A comparação mostra que, apesar da melhora em relação a alguns modelos, ainda continuam a existir áreas de incompatibilidade. Na Zona de Cisalhamento Oriental da Califórnia, por exemplo, Meade & Hager (2005) descobriram que as taxas de deslocamento estimadas usando dados geodésicos e os resultados de modelos de blocos são quase duas vezes mais rápidos do que os 2 mm a^{-1} de estimativas geológicas (Beanland & Clark, 1994) para os últimos 10.000 anos. Discrepância semelhante ocorre na Falha de San Jacinto. Além disso, as taxas de deslocamento segundo o modelo do segmento de San Bernadino da Falha de San Andreas são muito mais lentas do que as taxas geologicamente determinadas durante os últimos 14.000 anos. Encontrar formas para explicar e minimizar esses problemas continua a ser uma importante área de pesquisa.

Uma possível explicação do porquê do comum descompasso entre taxas geodésicas e geológicas encontra-se no comportamento mecânico de grandes falhas e na extensão vertical da falha rúptil dentro da litosfera. Devido ao fato do deslizamento sobre um plano de falha perto da superfície ser controlado por suas propriedades de atrito (Seção 2.1.5), há uma tendência para falhas ficarem presas ou bloqueadas por determinados períodos de tempo (Seção 8.5.2). Esse bloqueio pode resultar em taxas de deformação elástica que são evidentes nos dados geodésicos de curto prazo, mas não no registro de longo períodos de deslocamentos permanentes (McCaffrey, 2005). Para resolver este problema, pesquisadores utilizam o conceito de *profundidade de travamento elástico* (Savage & Burford, 1973). Essa profundidade é definida como o nível abaixo do qual há uma transição de acumulações localizadas de deformação elástica em um plano de falha para uma distribuição de fluxo assísmico. O valor do parâmetro é diretamente relacionado com a resistência mecânica da falha e da geometria da deformação na superfície. Falhas fortes e largas zonas de deformação da superfície correspondem a maiores profundidades de travamento.

As estimativas publicadas sobre profundidades de travamento para a Falha de San Andreas normalmente variam de 0 a 25 km. No entanto, as profundidades de travamento não são conhecidas *a priori* e, portanto, devem ser inferidas com base em sismicidade, taxas de deslocamento geológico de longo prazo, padrões de deformação na superfície ou inferências sobre a reologia da litosfera. Profundidade de travamento que cai significativamente abaixo da profundidade prevista da transição frágil-dúctil (8-15 km) para um grau geotérmico típico, ou abaixo da camada sismogênica, geralmente requer algum tipo de explicação. Em alguns casos, as taxas de deslocamento lentas sobre as falhas têm sido utilizadas para inferir grandes profundidades relativas de travamento para alguns segmentos da Falha de San Andreas (Meade & Hager, 2005; Titus et al., 2005). Estes e outros estudos mostram como a escolha de profundidade de bloqueio está diretamente relacionada com inferências sobre as taxas de deslocamento em ou perto de grandes falhas.

Outras razões pelas quais dados geodésicos e as taxas de deslocamento geológico comumente diferem podem incluir tendências inerentes à amostragem ou mudanças no comportamento de falhas ao longo do tempo. Esta última possibilidade é especialmente importante quando, nos efeitos de longo prazo, as deformações permanentes são consideradas (Jackson, 2004). Meade & Hager (2005) concluíram que as diferenças entre as suas taxas de deslizamento calculadas e as taxas de deslocamento geológicas sobre falhas podem ser explicadas pelo comportamento dependente do tempo do sistema de falhas. Nesta interpretação, o segmento San Bernadino da Falha de San Andreas é menos ativo agora do que foi no passado. Em contraste, a Falha San Jacinto e falhas na Zona de Cisalhamento Oriental da Califórnia são relativamente mais ativas agora, em comparação com as estimativas geológicas, possivelmente devido aos efeitos de aglomerados de terremotos. Esta possibilidade valoriza a importância da combinação de dados geológicos, geodésicos e informações sismológicas para melhor entender a relação entre comportamentos de curto e longo prazo (permanente) de falhas.

Ao incorporar os elementos permanentes da deformação em modelos de rotação de bloco, McCaffrey (2005) mostrou que os maiores blocos no sudoeste dos Estados Unidos, incluindo a Sierra Nevada-Great Valley e o leste da Província de Basin and Range, apresentam comportamento aproximadamente rígidos depois de toda a deformação não permanente (elástica) ter sido removida dos dados. A maioria dos blocos gira em torno de eixos verticais com aproximadamente a mesma taxa que a placa do Pacífico (em relação à América do Norte), sugerindo que, localmente, as taxas de rotação são transferidas de bloco para bloco. Esta e várias outras propriedades do modelo apoiam uma descrição no estilo placa tectônica da deformação na parte ocidental dos Estados Unidos, onde os blocos se comportam como microplacas. No entanto, o problema de determinar os mecanismos de deformação está longe de ser resolvido. Muitos outros modelos foram propostos para esta mesma região (por exemplo, Flesch et al., 2000), usando também observações geodésicas. A maioria dos pesquisadores concorda que a deformação provavelmente resulta de uma combinação de mecanismos, em vez de uma única.

Parte do problema para a determinação dos mecanismos específicos de deformação continental é que o sucesso em encaixar observações geodésicas não prova qualquer modelo dado, nem impede outras possibilidades (McCaffrey, 2005). Além disso, os resultados de modelagem mecânica mostraram que o movimento de estado estacionário de uma crosta elástica superior é insensível às propriedades de qualquer campo de fluxo abaixo dela (Savage, 2000; Zatman, 2000; Hetland & Hager, 2004). Este último resultado significa que as observações geodésicas de curto prazo de deformação entre grandes terremotos (deformação interssísmica) não fornecem informações de diagnóstico sobre o comportamento a longo prazo de uma camada viscosa na crosta profunda ou no manto. Uma área especialmente promissora da pesquisa sugere que a deformação transitória após grandes terremotos oferece a perspectiva de inferir a reologia de camadas viscosas inferiores (Hetland & Hager, 2004). No entanto, atualmente, os mecanismos específicos e a contribuição relativa de forças de borda, tração basal e forças de flutuabilidade para a deformação na maioria das regiões ainda são altamente especulativos, com os resultados dos modelos dependendo fortemente das condições de contorno impostas.

8.6 MECANISMOS DE LOCALIZAÇÃO E NÃO LOCALIZAÇÃO DE DEFORMAÇÃO

8.6.1 Introdução

Uma das perguntas mais interessantes sobre transformantes continentais e grandes falhas direcionais diz respeito à forma como essas estruturas geraram grandes rejeitos. Para determinar os mecanismos responsáveis por esses rejeitos, pesquisadores têm desenvolvido modelos mecânicos para investigar os processos que levam a uma localização ou não localização da deformação durante o falhamento direcional. Semelhante a outros ambientes tectônicos (por exemplo, Seção 7.6.1), a competição entre esses processos e o fato de eles resultarem em uma rede de enfraquecimento ou de resistência da litosfera, em última análise, controla os padrões de grande escala da deformação.

8.6.2 Heterogeneidade litosférica

A distribuição de valores de deformação dentro da litosfera continental em processo de deformação é fortemente influenciada por variação horizontal de temperatura, resistência e espessura (por exemplo, Seções 2.10.4, 2.10.5). Na Nova Zelândia, por exemplo, a convergência oblíqua na parte central da Ilha Sul resultou na deformação que ocorre quase que inteiramente do lado da placa do Pacífico, deixando a placa da Austrália relativamente intacta (Fig. 8.2a). Esta assimetria reflete a maior espessura da crosta inicial e a reologia mais fraca da placa do Pacífico comparadas com a placa da Austrália, fazendo com que a primeira se deformasse mais facilmente (Gerbault et al., 2002; Van Avendonk et al., 2004).

Para investigar os efeitos das variações iniciais na espessura da crosta e na temperatura litosférica sobre os padrões de deformação direcional, Sobolev et al. (2005) conduziram experimentos numéricos de uma falha transformante simples (Fig. 8.21). Nesses modelos, a crosta é constituída por duas camadas sobrepostas à litosfera mantélica. Velocidades de 30 mm a^{-1} são aplicadas lateralmente na litosfera, formando uma zona de deformação direcional lateral esquerda. Embora o movimento ocorra dentro e fora do plano de observação, todos os parâmetros do modelo variam em apenas duas dimensões. A descrição reológica das camadas da crosta permite que ambos os estilos frágil e dúctil da deformação possam se desenvolver, o que for mais energeticamente eficiente. A deformação frágil obedece, geralmente, a uma reologia elastoplástica Mohr-Coulomb. O fluxo dúctil emprega uma reologia não linear, dependente da temperatura e viscoelástica (ver também Seção 7.6.6). Ambas as reologias permitem aquecimento durante a deformação, como resultado do atrito ou do fluxo dúctil.

No primeiro modelo (Fig. 8.21a), a crosta inferior é mais espessa à esquerda do que à direita, e a temperatura é mantida constante na base da litosfera. A segunda (Fig. 8.21b) mostra uma espessura crustal constante e uma perturbação térmica na parte central do modelo. No terceiro modelo (Fig. 8.21c), tanto heterogeneidades na espessura da crosta quanto na temperatura estão presentes. Este último modelo se assemelha à estrutura de uma margem continental passiva (Seção 7.7) onde a espessura da crosta diminui linearmente da direita para a esquerda e para o topo da litosfera, com temperaturas ocorrendo em profundidades rasas abaixo da crosta mais fina. Em todos os três modelos, múltiplas falhas se formam na crusta rúptil superior durante o primeiro 1-2 Ma. O número de falhas ativas diminui gradualmente ao longo do tempo até que uma única falha domine a crosta superior em cerca de 2 Ma. Ao longo do tempo, uma zona de alta taxa de deformação na crosta inferior dúctil do manto e da litosfera se estreitam e se estabilizam.

Esses resultados mostram que, para cada modelo, a deformação se localiza onde a resistência da litosfera é, no mínimo, independente da causa do enfraquecimento. Eles também mostram que a espessura da crosta e o estado inicial térmico da litosfera têm papéis-chave na localização da deformação direcional. Esses efeitos podem explicar a falha direcional localizada em algumas áreas do sudoeste dos Estados Unidos (Figs 7.9, 8.1), como a Zona de Cisalhamento Oriental da Califórnia e a Walker Lane, deixando outras, como o Great Valley-Sierra Nevada e a Great Basin central, praticamente não deformadas (Bennett et al., 2003). Neste caso, a localização do esforço pode estar relacionada a diferenças no fluxo de calor entre o lado oeste da Província de Basin and Range e a Sierra Nevada (Seção 7.3). No entanto, não foi demonstrado se o fluxo de calor elevado é uma causa ou um produto da localização de deformação. Alternativamente, variações de espessura crustal e gradientes horizontais em energia potencial gravitacional e em viscosidade podem concentrar a deformação (Seção 7.6.3).

Além das variações na resistência horizontal, a estratificação vertical da litosfera em camadas fortes e fracas influencia muito o modo como valores de deformação se acomodam durante a deformação direcional. Para ilustrar esse efeito, Sobolev et al. (2005) comparam os padrões de localização e não localização de deformação em dois modelos de deformação direcional pura que incorporam duas reologias crustais diferentes. No primeiro modelo (Figura 8.1a do encarte colorido), a crosta é forte, sendo modelada usando dados laboratoriais de quartzo hidratado e plagioclásio. Três camadas correspondem a uma crosta rúptil superior, uma crosta intermediária frágil-dúctil e uma crosta inferior basicamente dúctil. No segundo modelo (Figura 8.1b do encarte colorido), a viscosidade efetiva da crosta em uma taxa de

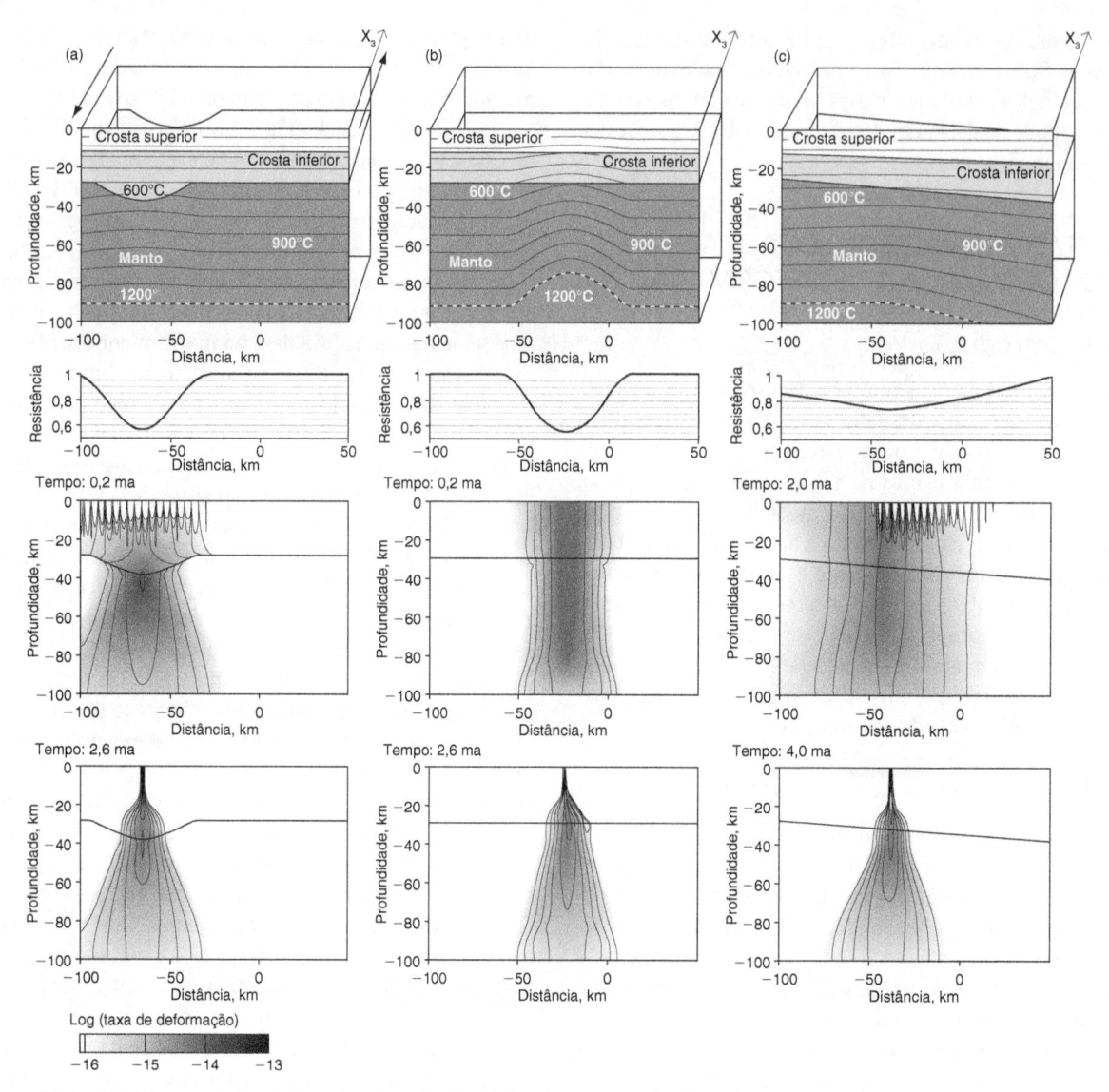

Figura 8.21 Modelos termomecânicos de falha direcional simples em uma litosfera de três camadas que incorporam variações iniciais de (a) espessura crustal, (b) temperatura da litosfera e (c) tanto a espessura da crosta como a temperatura da litosfera (segundo Sobolev et al., 2005, com permissão da Elsevier). Linha de topo dos diagramas mostra a geometria com configuração do modelo com curvas de resistência da litosfera correspondentes antes da deformação abaixo delas. Linhas finas pretas são isotermas antes da deformação. As duas fileiras inferiores dos diagramas mostram distribuição instantânea da taxa de deformação demonstrando o processo de localização da deformação.

deformação fixa é reduzida 10 vezes. Os modelos incorporam também uma redução na espessura da crosta da direita (leste) para a esquerda (oeste) de uma forma semelhante à observada na Transformante do Mar Morto (Fig. 8.11). A espessura da litosfera é definida pela isoterma de 1200°C e aumenta a leste, simulando a presença de um escudo continental espesso no lado direito do modelo.

Os resultados dessas duas experiências mostram que em ambos os modelos, de crosta forte e crosta fraca, a deformação se localiza em uma zona de escala litosférica subvertical, na margem da região de escudo espesso, onde a resistência litosférica controlada pela temperatura é mínima (Figura 8.1a,b do encarte colorido). No caso da crosta forte, a zona de maior deformação crustal está localizada acima de uma zona de deformação do manto e é mais simétrica (Figura 8.1c do encarte colorido). Essas características resultam do forte acoplamento mecânico entre as camadas da crosta e do manto superior. Nos 15 km de espessura da crosta frágil superior, a deformação cisalhante localiza-se em uma falha vertical simples. A deformação alarga com a profundidade em uma zona de deformação difusa na crosta média e, em seguida, concentra-se ligeiramente na parte superior da crosta inferior. No modelo com crosta fraca, a crosta inferior está parcialmente dissociada tanto do manto superior quanto da crosta superior e média (Figura 8.1d do encarte colorido). Consequentemente, a deformação é não localizada, assimétrica e envolve mais falhas da crosta superior. A distribuição de viscosidade (Figura 8.1e,f do encarte colorido) também ilustra a dissociação mecânica das camadas no modelo crustal fraco. Esses resultados da dissociação ocorrem porque a litosfera em deformação se torna muito fraca devido à dependência da viscosidade da taxa de deformação e da temperatura, o que aumenta devido ao aquecimento induzido pela deformação. Em diversas variações deste modelo, que envolvem a adição de um componente secundário de extensão perpendicular à transformante, efeitos de segunda ordem aparecem, como uma pequena deflexão da Moho, o desenvolvimento de profundas bacias sedimentares e elevação topográfica assimétrica (Sobolev et al., 2005). Essas observações finais aparecem na Transformante do Mar Morto (Seção 8.3.1).

Esses modelos numéricos mostram que a localização e a não localização da deformação durante a deformação direcional é influenciada por contrastes verticais na reologia, bem como contrastes horizontais iniciais de espessura crustal e de temperatura. A largura da zona de deformação é controlada principalmente por aquecimento induzido por deformação e pela dependência da temperatura e da taxa de deformação na viscosidade de camadas de rocha. A espessura da litosfera parece desempenhar um papel de menor importância no controle da largura da zona de falha. Os resultados também destacam como a interação entre as forças aplicadas às bordas de placas ou blocos e os efeitos do fluxo dúctil na parte inferior da crosta e do manto resulta em um particionamento vertical e horizontal da deformação dentro da litosfera.

8.6.3 *Feedback* (realimentação) do abrandamento da deformação

Uma vez que a deformação começa a se localizar (Seção 8.6.2), vários mecanismos podem aumentar o enfraquecimento crustal reduzindo a quantidade de trabalho necessária para continuar a deformação. Dois dos mais influentes mecanismos de abrandamento da deformação envolvem aumento da pressão do fluido dos poros, o que resulta do espessamento crustal, e a advecção vertical de calor, que resulta da erosão superficial concentrada e profunda exumação de rochas da crosta. Esses processos podem causar a continuação na localização de valores de deformação à medida que a deformação progride, resultando em um *feedback positivo*. O limite de placa transpressiva na Ilha Sul da Nova Zelândia ilustra como esse *feedback* do abrandamento da deformação permite que um plano de falha mergulhe para acomodar grandes quantidades de deformação.

Um dos principais resultados do programa SIGHT (Seção 8.3.3) é uma imagem de uma zona de baixa velocidade abaixo do traço da superfície da Falha Alpina (Fig. 8.2b). Além de baixas velocidades de ondas sísmicas, esta zona inclui uma região alongada de resistividade muito baixa (40 ohm-m) na crosta média a inferior que geralmente é paralela ao mergulho da Falha Alpina (Fig. 8.22). Sondagens magne-

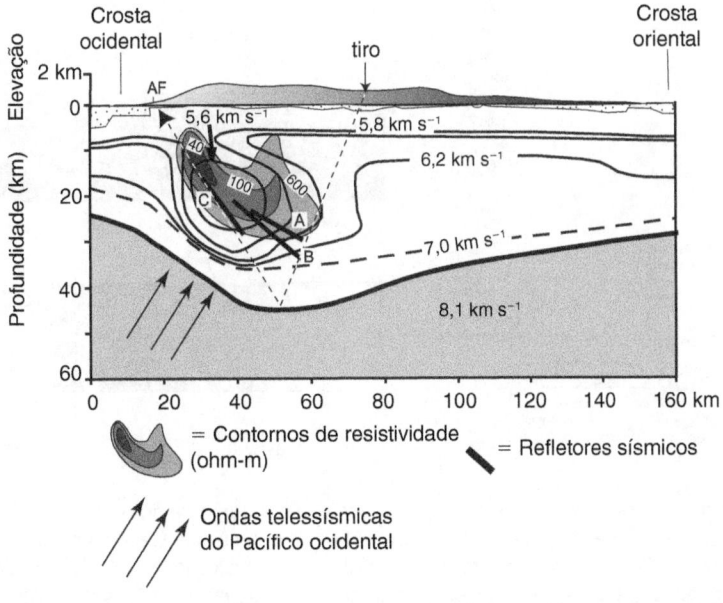

Figura 8.22 Estrutura crustal abaixo da Falha Alpina (AF), mostrando região de baixas velocidades de onda P e baixa resistividade que satisfaz grandes reflexões angulares e atrasos telessísmicos (imagem fornecida por T. Stern e adaptada de Stern et al., 2002). Contornos de velocidade de onda mostrados por linhas contínuas e tracejadas (km s^{-1}). Sombreamento é a resistividade variando de 40 ohm-m nas zonas mais escuras indo até 600 ohm-m nas mais claras. Zonas de refletividade da crosta forte (A, B, C) são de Stern et al. (2001). Linhas tracejadas representam caminho do raio para reflexões de ângulos amplos e atrasos da onda P.

totelúricas mostram que a região faz parte de um padrão em forma de U de condutividade elevada que sobe em direção noroeste ao traço da Falha Alpina, atingindo uma orientação quase vertical a ~10 km de profundidade, e se aproxima da superfície a cerca de 5-10 km a sudeste do traço da falha (Wannamaker et al., 2002). Stern et al. (2001) concluíram que as baixas velocidades e resistividades resultaram da liberação de fluidos durante a deformação e o metamorfismo progressivo com o espessamento da crosta continental (Koons et al., 1998). Em apoio a esta interpretação, as áreas de veios hidrotermais e de mineralização de ouro de origem crustal profunda coincidem com a continuação rasa da zona condutora (Wannamaker et al., 2002). Características condutoras similares mergulhando abruptamente coincidem com falhas direcionais ativas em outras configurações, incluindo a Falha de San Andreas (Unsworth & Bedrosian, 2004), a Zona de Cisalhamento Oriental da Califórnia e a Walker Lane a sul (Park & Wernicke, 2003). Essas observações sugerem fluido de poros com elevadas pressões caracterizando a Falha Alpina e outras grandes zonas de falhas direcionais.

Experimentos de laboratório sobre a mecânica de falhas mostram que altas pressões de fluido na crosta resultam em uma redução na magnitude do esforço diferencial necessária para o deslocamento em uma falha (Seção 2.10.2). Na Nova Zelândia, esta redução na resistência da crosta está implícita em uma camada sismogênica anormalmente fina (8 km), que coincide com o topo da zona de baixa velocidade abaixo da Falha Alpina (Leitner et al., 2001; Stern et al., 2001). Essas relações sugerem que alta pressão de fluido reduz a quantidade de trabalho necessária para deformações na Falha Alpina, permitindo grandes magnitudes de deslocamento. Como o componente de deformação convergente na Ilha Sul aumentou durante o Cenozoico Superior, a magnitude do espessamento crustal e a liberação de fluidos também aumentou, resultando em um *feedback* positivo que levou a um maior foco de esforço na zona de falha.

Além de altas pressões de fluido, o soerguimento da superfície e maior atividade de erosão podem resultar em um *feedback* do abrandamento de deformação. A remoção de material da superfície devido a altas taxas de erosão descarrega a litosfera e ocasiona advecção termal para cima a medida que rochas da crosta profunda são exumadas (Koons, 1987; Batt & Braun, 1999; Willett,, 1999). Se a exumação é mais rápida do que a taxa de advecção na qual o calor se difunde na região, então a temperatura da crosta rasa sobe (Beaumont et al., 1996). Essa perturbação térmica enfraquece a litosfera por causa da alta sensibilidade da resistência da rocha à temperatura (Seção 2.10).

No caso dos Alpes do Sul, ventos carregados de umidade vindos do oeste têm concentrado erosão no lado ocidental das montanhas, resultando em soerguimento rápido (5-10 mm a^{-1}) da superfície, perfil topográfico assimétrico e exumação de rochas da crosta profunda no lado sudeste da cordilheira (Fig. 8.23a). Dados termocronológicos e exposições de rochas metamórficas mostram um aumento na profundidade de exumação a partir do sudeste, em direção à

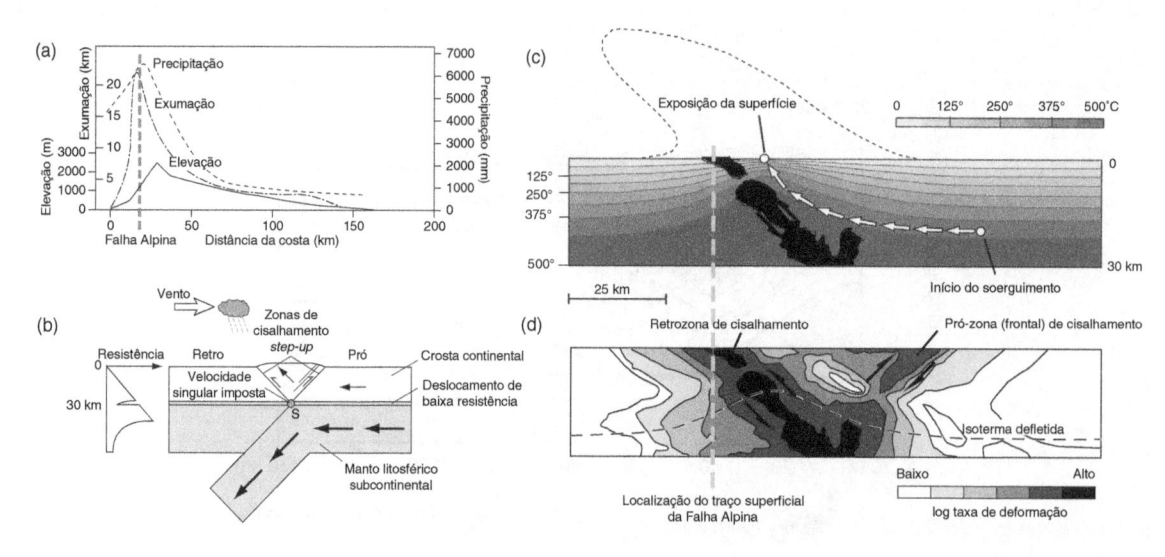

Figura 8.23 (a) Média de altitude, precipitação e exumação ao longo de uma transecta do centro dos Alpes do Sul (adaptado de Willett, 1999, com permissão da American Geophysical Union. Copyright © 1999 American Geophysical Union). Exumação é de Tippett & Kamp (1993). Configuração do modelo numérico (b) e resultados (c) ilustram a evolução térmica de uma crosta de 30 km de espessura superior e a história de exumação (setas brancas) de uma partícula que passa através de um sistema orogênico convergente modelado no Alpes do Sul (adaptado de Batt & Braun, 1999, e Batt et al., 2004, com permissão da Blackwell Publishing e da American Geophysical Union, respectivamente. Copyright © 2004 American Geophysical Union). A convergência envolveu uma taxa de 10 mm a^{-1} por mais de 10 Ma. Escalas horizontais e verticais são iguais. Região em preto marca o pico das taxas de deformação e é interpretada para igualar a Falha Alpina para os Alpes do Sul. Envelope tracejado acima do modelo representa o volume aproximado de material erodido perdido do sistema. (d) Taxas de deformação segundo Batt & Braun (1999) mostrando zonas de cisalhamento pró e retro.

Falha Alpina (Kamp et al., 1992; Tippet & Kamp, 1993). Elevação superficial e exumação progressiva têm se localizado perto da Falha Alpina desde o Mioceno Inferior, resultando na exposição de rochas que uma vez estiveram em crosta de profundidades medianas (Batt et al., 2004).

Para investigar como a erosão, exumação e advecção de calor causam essas assimetrias e resultam na localização de deformação em um plano de falha inclinado, pesquisadores têm desenvolvido experimentos numéricos de convergência e transpressão de placas (Koons, 1987; Beaumont et al., 1996; Batt & Braun, 1999; Willet, 1999). Na maioria desses experimentos, a deformação crustal é impulsionada por *underthrusting* na litosfera mantélica de uma placa sob outra adjacente e estacionária (Fig. 8.23b). Como a litosfera mantélica subducta, a crosta acomoda a convergência através de deformação. Uma cunha acrescionária de vergência dupla se desenvolve, cuja geometria é determinada pela resistência interna da crosta e do manto, pelo coeficiente de atrito sobre o descolamento basal (Dahlen & Barr, 1989) e pelos padrões de erosão na superfície (Willett, 1992; Naylor et al., 2005).

As Figs. 8.23c,d mostram os resultados de um experimento aplicado nos Alpes do Sul. Neste caso, os blocos em movimento e parados representam as placas do Pacífico e da Austrália, respectivamente. As condições iniciais incluem uma espessura de crosta de 30 km, com uma reologia dominante feldspática e uma temperatura fixa de 500°C em sua base (Batt & Braun, 1999; Batt et al., 2004). Durante um período de 10 Ma, duas zonas de cisalhamento dúcteis se formaram e definiram uma cunha duplamente convergente que se torna progressivamente mais assimétrica ao longo do tempo (Fig. 8.23c,d). Uma zona de retrocisalhamento se desenvolve em um grande cavalgamento em escala crustal. Uma zona de cisalhamento frontal também se forma, mas não acumula pressão significativa. Erosão superficial e exumação crustal estão concentradas entre as duas zonas de cisalhamento, atingindo valores máximos na zona de retrocisalhamento. Os efeitos desses processos são ilustrados na Fig. 8.23c pelas setas brancas, que mostram a trajetória de uma partícula de exumação selecionada. O envelope tracejado acima do modelo representa o volume aproximado de material erodido. Como o calor de advecção vai para cima em resposta à exumação, o comportamento mecânico da região deformada muda. O calor diminui a resistência da zona de retrocisalhamento, que traz material quente a partir da base da crosta para a superfície e enfraquece a falha. Esse enfraquecimento preferencial da zona de retrocisalhamento em relação à zona de pró-cisalhamento aumenta a localização de deformação sobre a primeira e aumenta a assimetria do modelo (Fig. 8.23d).

Os resultados deste experimento explicam como a erosão, a exumação e o enfraquecimento térmico resultam em concentração de deformação ao longo de uma superfície de cavalgamento mergulhante na crosta superior durante a colisão continental. Isso coincide com as previsões de muitos modelos dos padrões observados nos Alpes do Sul. No entanto, também existem discrepâncias. Por exemplo, apesar do enfraquecimento térmico e da localização da deformação causados pela exumação e advecção térmica, a retrozona de cisalhamento da Fig. 8.23b permanece com vários quilômetros de espessura e não estreita em direção à superfície. Batt & Braun (1999) especularam que esta falta de ajuste entre o modelo e observações na Nova Zelândia reflete a ausência de enfraquecimento induzido por deformação, altas pressões de fluido e outros processos que afetam a localização da deformação (por exemplo, Seção 7.6.1). No entanto, o modelo explica a proeminência da Falha Alpina como uma superfície discreta e mergulhante que acomoda uma grande quantidade de deslocamento nos Alpes do Sul.

Para determinar se o *feedback* do abrandamento positivo permitiu que a Falha Alpina acomodasse *deslocamento oblíquo* ao longo de uma simples falha inclinada, Koons et al. (2003) desenvolveram uma descrição tridimensional numérica de uma transpressão para dois membros finais. Em ambos os casos, uma de três camadas da placa do Pacífico são arrastadas ao longo de sua base na direção de um bloco elástico localizado no lado esquerdo do modelo (Fig. 8.24a). O bloco elástico simula o comportamento da placa da Austrália forte e relativamente rígida; as camadas da crosta da placa do Pacífico acomodam a maior parte da deformação. A reologia Mohr-Coulomb dependente de pressão simula o comportamento frágil em uma crosta superior. A deformação dúctil em crosta inferior fraca é descrita usando uma reologia plástica termicamente ativada. Como na maioria dos outros modelos deste tipo, uma zona de cisalhamento basal separa a crosta inferior da litosfera mantélica do Pacífico. A convergência de placa oblíqua resulta em velocidades de 40 mm a^{-1} paralelas e em 10 mm a^{-1} normais ao limite de placa vertical. A manutenção da encosta ocidental em uma elevação constante simula a erosão assimétrica na superfície.

No primeiro experimento (Figs. 8.24a-f), a placa do Pacífico apresenta uma crosta horizontal acamadada. Com o prosseguimento da deformação, duas zonas de falha bem definidas estendem-se para baixo a partir do limite da placa através da crosta superior, formando uma cunha duplamente convergente. Essa cunha inclui uma falha vertical que acomoda o movimento (direcional) lateral e uma falha com mergulho leste convergente ao longo da qual rochas da crosta profunda são exumadas (Fig. 8.24f). No segundo experimento (Figs. 8.24g-l), a placa do Pacífico apresenta uma crosta termicamente perturbada em que a advecção de rocha quente enfraqueceu a crosta superior e elevou a isoterma de 350°C aos 10 km superiores da crosta. Neste modelo, a deformação está concentrada na região termicamente perturbada. Através da crosta superior, os componentes laterais e convergentes da deformação ocorrem ao longo da mesma superfície de falha com mergulho para leste. Na crosta inferior, os dois componentes separados

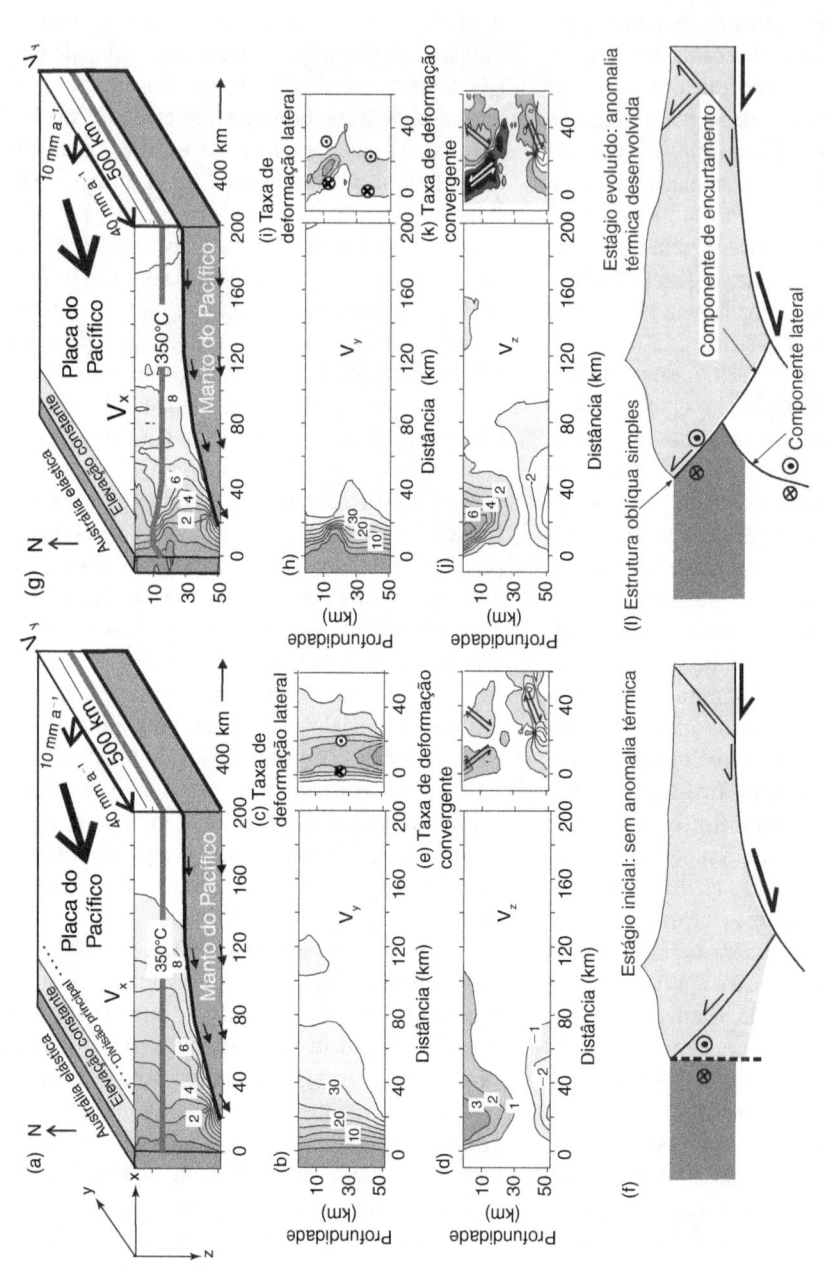

Figura 8.24 Modelo mecânico de compressão oblíqua entre duas placas envolvendo uma crosta de duas camadas acima do manto litosférico (imagens fornecidas por P. Koons e adaptadas de Koons et al., 2003, com permissão da Geological Society of America). (a) Modelo inicial de onde a crosta é arrastada ao longo de sua base com velocidades de 40 mm a^{-1} paralelo ao eixo y (V_y) e 10 mm a^{-1} paralelo ao eixo x (V_x). Reologia da crosta terrestre é horizontal e ainda não perturbada por advecção. (b) Perfil vertical construído paralelo ao eixo x, mostrando o componente de movimento paralelo ao eixo y (velocidades em mm a^{-1}) e (c) gráfico de taxas de deformação lateral. (d) Perfil vertical paralelo ao plano xz, mostrando a distribuição de movimento vertical e (e) gráfico de taxas de deformação convergente. (f) Neste modelo, os componentes lateral e convergente são acomodados em duas estruturas separadas. (g-k) Resultados com perfis de velocidade e análise de taxa de deformação de um modelo que inclui enfraquecimento térmico associado a exumação e erosão concentradas. Nesta fase, os dois componentes lateral e convergente de movimento são acomodados ao longo de uma estrutura de mergulho simples na crosta superior, (l) podendo se separar na crosta inferior.

produzem duas zonas de deformação (Fig. 8.24l). Esses resultados ilustram como uma estrutura de evolução térmica resultante da erosão assimétrica e da exumação estabiliza os componentes laterais e convergentes de colisão oblíqua ao longo de uma falha de mergulho simples. Eles também sugerem que uma partição da deformação separada em falhas direcional e de escorregamento normal é favorecida onde o enfraquecimento térmico está ausente.

8.7 MEDINDO A RESISTÊNCIA DE TRANSFORMANTES

Medidas da resistência de transformantes continentais e grandes falhas direcionais fornecem um meio potencialmente útil de testar modelos de reologia continental e avaliar as forças motrizes da deformação continental (Seção 8.5.1). Em muitas áreas intraplacas, a uniformidade de longo alcance (1.000-5.000 km) de orientações e magnitudes de esforços relativos, inferidos a partir de medidas de deformação ou rejeito da placa, sugerem que as forças de condução da placa fornecem a maior componente do campo de esforço total (Zoback, 1992). Modelos de velocidades horizontais derivados de GPS em algumas regiões, como o sul da Califórnia, tendem a apoiar este ponto de vista (McCaffrey, 2005). No entanto, em outras áreas, como na Província de Basin and Range (Seção 7.3), o esforço causado por variações laterais na flutuabilidade crustal (Seção 7.6.3) também parece contribuir significativamente para o campo de esforços horizontais (Sonder & Jones, 1999; Bennett et al., 2003).

Tem havido numerosas tentativas de avaliar a resistência da Falha de San Andreas usando vários indicadores geológicos e geofísicos (Zoback et al., 1987; Zoback, 2000). Para alguns segmentos de falhas (Fig. 8.25), os dados sugerem que a direção de compressão horizontal máxima (σ_1, Seção 2.10.1) fica em um ângulo elevado (β) com a zona de falha. No centro da Califórnia, esses ângulos chegam a $\beta = 85°$. No sul da Califórnia, são menores, com $\beta = 68°$ (Townend & Zoback, 2004). Essas observações são problemáticas, porque as teorias clássicas sobre falha (Seção 2.10.2) não explicam a compressão em ângulos elevados a uma falha direcional com um componente pequeno de convergência. Além disso, no caso da Falha de San Andreas, existe um paradoxo na medida em que observações de fluxo de calor (Lachenbruch & Sass, 1992) não mostram o calor gerado por fricção, de modo que a falha deve deslizar em resposta a forças de cisalhamento muito baixas.

Uma possível explicação para a direção de esforços em alto ângulo na Califórnia é que San Andreas é uma falha extremamente fraca, que localmente reorienta os esforços regionais (Mount & Suppe, 1987; Zoback et al., 1987; Zoback, 2000). Nesta interpretação, esforços de cisalhamento longe da falha são altos e contidos pela força de atrito da crosta, mas esforços de cisalhamento nos planos paralelos às falhas "fracas" do sistema de San Andreas devem ser bastante baixos. Consequentemente, os esforços principais reorientam-se de modo a minimizar esforços de cisalhamento em planos paralelos à Falha de San Andreas. Isso requer uma rotação de tal forma que a direção de esforço de compressão horizontal máximo (σ_1) se torna quase ortogonal à falha se a direção de compressão regional tiver um ângulo superior a 45° com a falha, o que ocorre no presente. No entanto, se este ângulo for menor que 45°, a compressão horizontal máxima é girada em paralelismo aproximado com a falha. Este último tipo de rotação pode ter caracterizado a Falha de San Andreas em algum momento no passado, quando os movimentos relativos da placa foram diferentes do que são agora.

Este modelo de falha direcional continental fraca oferece uma explicação para o conflito entre dados geológicos e geofísicos na Califórnia. No entanto, interpretações alternativas envolvendo resistência forte ou intermediária da Falha de San Andreas também têm sido propostas. Estes últimos modelos são baseados em teorias de atrito de falha, que sugerem que σ_1 gira para ~45° do traço de falhas dentro de uma zona com ~20-30 km de largura na região Big Bend (Scholz, 2000). Scholz (2000) interpretou relatórios de altos ângulos σ_1 nesta área como representantes de esforços locais relacionados com o dobramento em vez de com esforços regionais. Ele também concluiu que a presença e o sentido da rotação do esforço se encaixa nas previsões de uma falha forte em vez de uma fraca. A pressão do fluido elevada (Seção 8.6.3) é um possível mecanismo para diminuir a resistência da falha e poderia explicar alguma rotação dos esforços (Rice, 1992). Alternativamente, a resistência da falha e da crosta adjacente em geral poderia ser muito mais baixa do que o previsto por considerações de mecânica de falha (Hardebeck & Michael, 2004).

Essas observações e interpretações conflitantes sobre a resistência de grandes falhas direcionais ainda precisam ser resolvidas. No caso da Falha de San Andreas, uma parte da controvérsia pode estar relacionada a diferentes comportamentos mecânicos das fluências *versus* bloqueios de segmentos da falha ou a diferentes métodos de inferir esforços. Para resolver esses problemas, medições independentes de orientações e magnitudes de esforços principais de dentro de grandes falhas tectonicamente ativas são necessárias. O programa de perfuração do Observatório em Profundidade da Falha de San Andreas (SAFOD – San Andreas Fault Observatory at Depth) envolve tais medições. Este programa envolve a perfuração da zona hipocentral, repetindo terremotos M ≈ 2 em um segmento com fluência da Falha de San Andreas perto de Parkfield, na Califórnia (Fig. 8.1) a uma profundidade de cerca de 3 km. Os objetivos incluem o estabelecimento de um observatório em estreita proximidade a esses terremotos repetitivos para obter medições

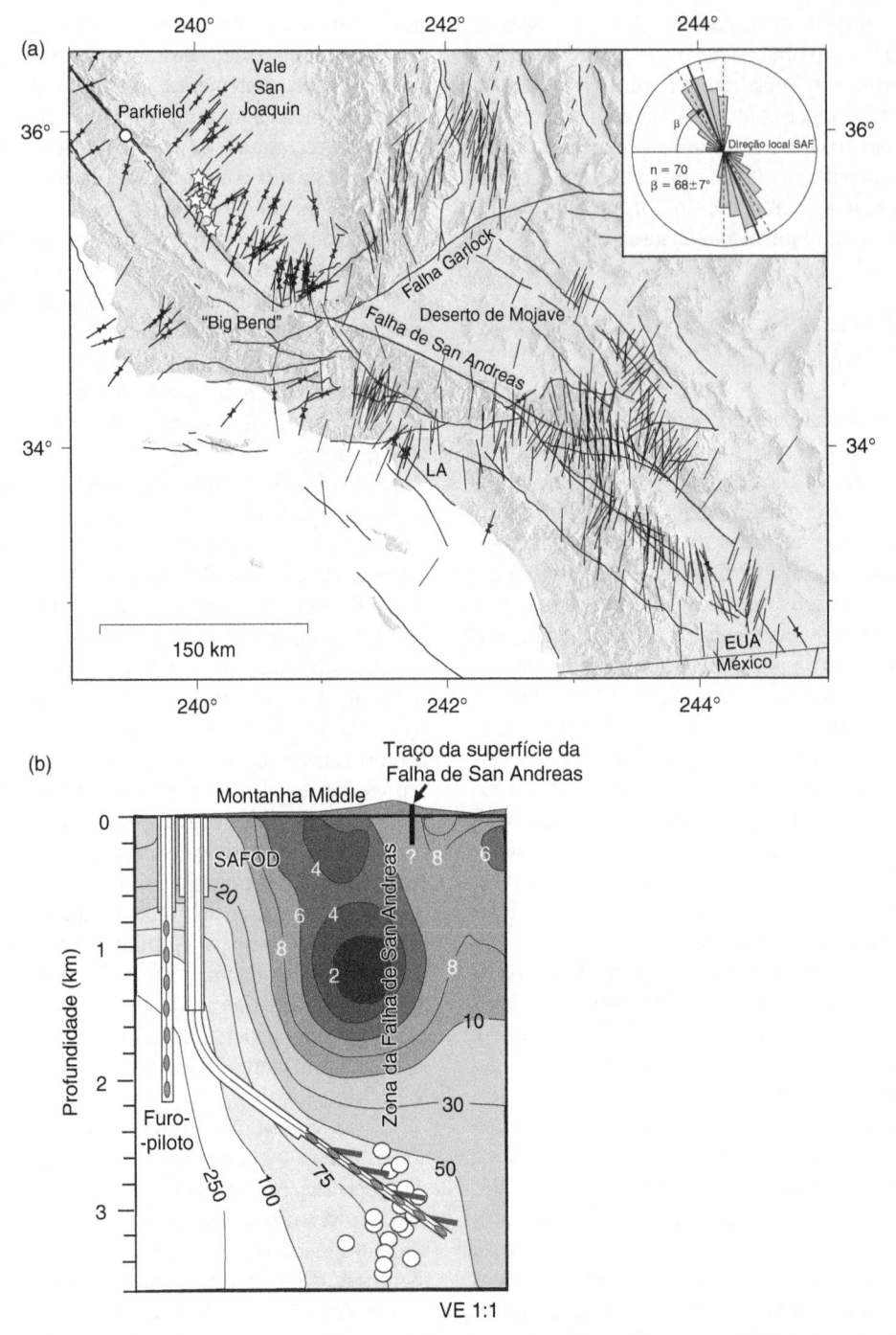

Figura 8.25 (a) Compressão horizontal máxima do sul da Califórnia (imagem fornecida por J. Townend e M. Zoback e adaptada de Townend & Zoback, 2004, com permissão da American Geophysical Union. Copyright © 2004 American Geophysical Union). As determinações de esforços são da seguinte forma: flechas com pontas para dentro, *breakouts* de poço; estrelas, experimentos de fraturamento hidráulico; linhas retas simples, mecanismo focal de terremoto. Detalhe sumariza o ângulo (β) entre o esforço principal de compressão máxima e a direção da falha local nos 10 Km da Falha de San Andreas (SAF). O ângulo de 68 ± 7° sugere uma força friccional relativamente baixa para um segmento de falha de 400 km de extensão. (b) Perfil vertical mostrando a localização da sondagem experimental SAFOD perto de Parkfield Califórnia (segundo Hickman et al., 2004, com permissão da American Geophysical Union). Registros de resistividade magnetotelúricos são de Unsworth & Bedrosian (2004). Círculos brancos são hipocentros de terremotos. Ovais em furos representam a localização dos sensores na perfuração. Contornos mostram a resistividade em ohm-metros.

através do furo de condições físicas e químicas em que os terremotos ocorrem e para retirar amostras de rochas e fluidos para análises de laboratório (Hickman et al., 2004). Embora haja ainda considerável incerteza nas estimativas preliminares de magnitudes de esforços horizontais, observações de esforços perto do fundo de um furo-piloto com 2,2 km de profundidade (Fig. 8.25b) (Hickman & Zoback, 2004) e medição do fluxo de calor (Williams et al., 2004) sugerem uma Falha de San Andreas localmente fraca em uma crosta forte.

9 | Zonas de subducção

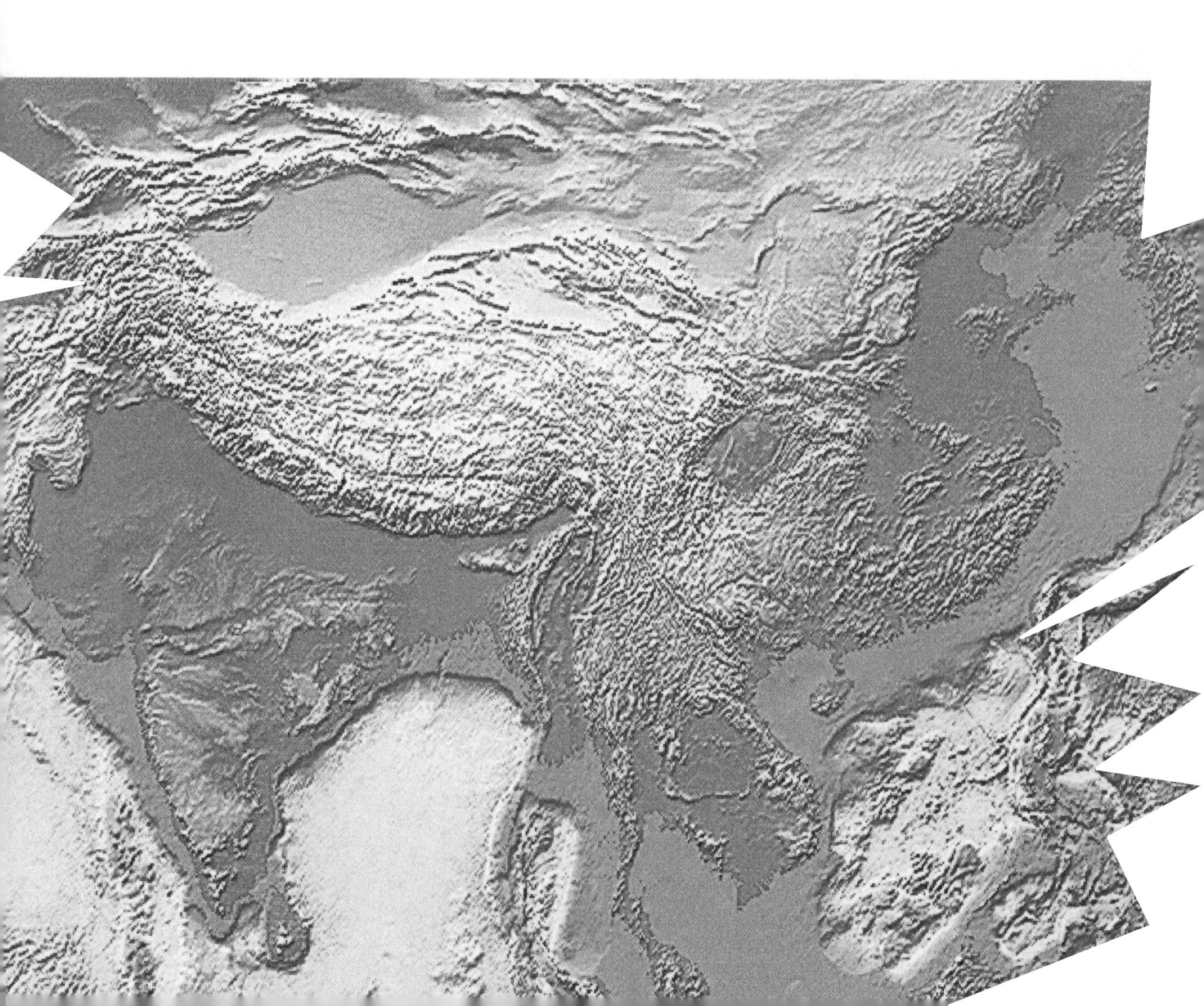

9.1 FOSSAS OCEÂNICAS

Fossas oceânicas são manifestações diretas da subducção da litosfera oceânica e são desenvolvidas voltadas para o oceano, tanto nos orógenos de arcos de ilhas como nos do tipo andino, formados acima das zonas de subducção (Fig. 9.1). Elas representam as maiores feições lineares deprimidas da superfície da Terra e são notáveis por sua profundidade e continuidade. A Fossa Peru-Chile possui 4.500 km de comprimento e atinge profundidades de 2-4 Km abaixo do assoalho oceânico adjacente de modo que a sua base é 7-8 km abaixo do nível do mar. As fossas do oeste do Pacífico são normalmente mais profundas do que aquelas da margem leste do Pacífico, sendo que as mais profundas, de 10-11 km, ocorrem nas fossas de Mariana e Tonga-Kermadec. O controle principal sobre a profundidade máxima de uma fossa em particular parece ser a idade da litosfera oceânica subductante, já que determina a profundidade da crosta oceânica que entra na fossa (Seção 6.4). O forte contraste entre as profundidades de fossas no leste e no oeste do Pacífico é explicado em grande parte, portanto, pela diferença sistemática na idade do fundo do oceano nessas áreas (Figura 4.1 do encarte colorido). As fossas têm geralmente 50-100 km em largura e em secção formam uma assimetria em V com a inclinação mais acentuada, de 8-20°, no lado oposto à placa oceânica subductante. O preenchimento sedimentar nas fossas pode variar muito, a partir de praticamente ausente, como na fossa de Tonga-Kermadec, a quase completo, como nas fossas das Antilhas Lesser e do Alasca por causa do fornecimento de sedimentos a partir de áreas continentais adjacentes. A profundidade da fossa também é reduzida pela subducção de cadeias assísmicas (Seção 10.2.2).

9.2 MORFOLOGIA GERAL DOS SISTEMAS DE ARCO DE ILHAS

Sistemas de arco de ilhas são formados quando a litosfera oceânica é subductada sob litosfera oceânica. Eles são consequentemente típicos de margens de fechamento de oceanos, como o Pacífico, onde a maioria dos arcos de ilhas estão localizados. Arcos de ilhas também ocorrem no Atlântico ocidental, onde os arcos das Antilhas Lesser (Caribe) e Sandwich do Sul (Escócia) são formados nas margens orientais de pequenas placas oceânicas isoladas por falhas transformantes contrárias à tendência geral do movimento para o oeste.

Todos os componentes de sistemas de arco de ilhas geralmente são convexos para o oceano subductante. Essa convexidade pode ser uma consequência da geometria esférica, como sugerido por Frank (1968). Se uma concha es-

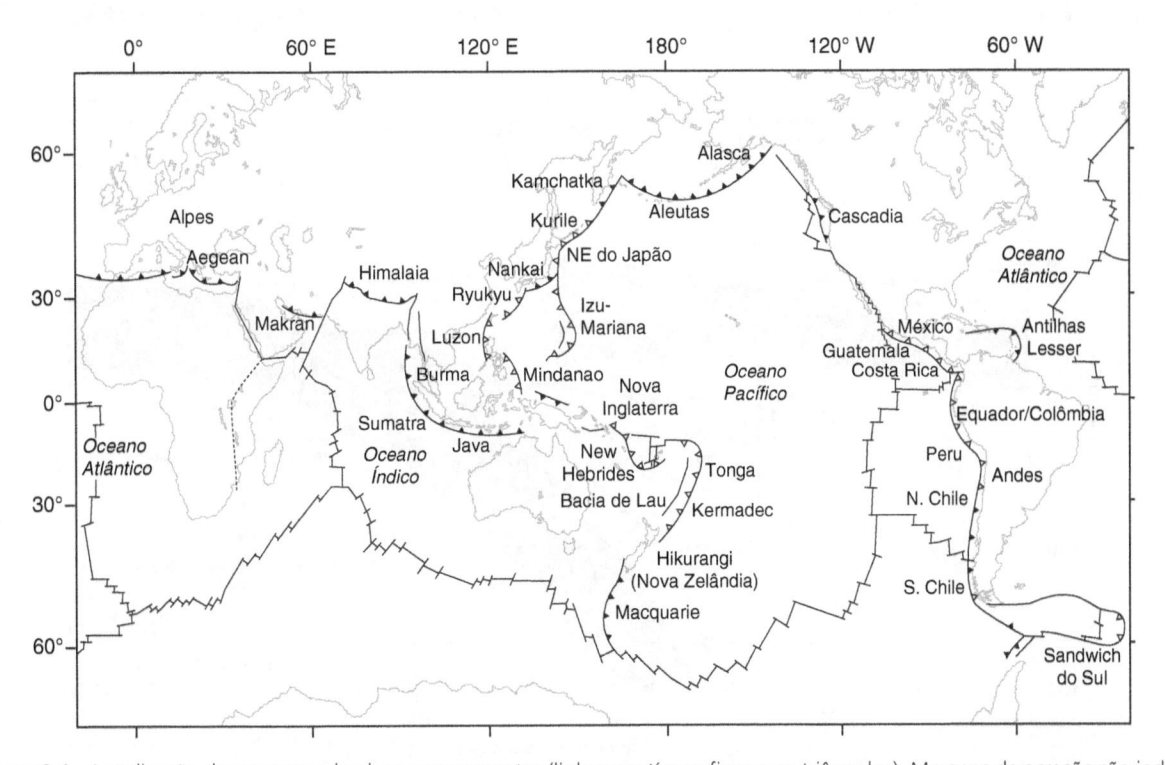

Figura 9.1 Localização das margens de placas convergentes (linhas contínuas finas com triângulos). Margens de acreção são indicadas por triângulos preenchidos, e margens erosivas por triângulos abertos (Seções 9.6, 9.7). As linhas contínuas grossas são zonas de divergência ativas e incluem aquelas em bacias retroarco (Seção 9.10) (modificado de Stern, 2002, e de Clift & Vanucchi, 2004, com permissão da American Geophysical Union. Copyright © 2002 e 2004 American Geophysical Union).

férica flexível, como uma bola de tênis de mesa, é denteada em um ângulo θ (Fig. 9.2), a reentrância é uma superfície esférica com o mesmo raio que o da concha (R). A aresta da reentrância é um círculo cujo raio r é dado por r = ½Rθ, onde θ é dado em radianos. Se esse teorema é aplicado a uma placa sobre a superfície da terra, θ representa o ângulo de choque da litosfera oceânica, que é em média 45°. O raio de curvatura da fossa e do arco de ilhas na superfíce da Terra é então de cerca de 2.500 km. Esse valor está de acordo com alguns, mas não todos os sistemas de arco de ilhas. A convexidade geral dos sistemas de arco de ilhas é provavelmente uma consequência da geometria esférica, e desvios resultam da simplificação dessa abordagem, em particular do fato de que a conservação da área de superfície não é exigida pelas placas tectônicas. Assim, por exemplo, o ângulo de choque no arco Mariana é de quase 90°, mas tem um dos menores raios de curvatura (Uyeda & Kanamori, 1979).

A morfologia generalizada de um sistema de arco de ilhas é mostrada na Fig. 9.3, embora nem todos os componentes estejam presentes em todos os sistemas. Partindo do lado do oceano, neste sistema, uma protuberância (*bulge*) flexural de cerca de 500 m de altitude ocorre entre 100 e 200 km da fossa. A região antearco compreende a própria fossa, o prisma de acreção e a bacia antearco. O prisma de acreção é construído de cortes axiais dos sedimentos que preenchem a fossa (*flysch*) e possivelmente de sedimentos de crosta oceânica que foram raspados do segmento da placa descendente (*slab*) pela borda da placa superior. A bacia antearco é uma região de sedimentação tranquila, em camadas planas entre o prisma de acreção e o arco de ilhas. O arco de ilhas é constituído por um arco exterior sedimentar e um arco interior magmático. O arco sedimentar compreende sedimentos de corais e vulcanoclásticos com rochas vulcânicas subjacentes, mais antigas do que as encontradas no arco magmático. Esse substrato vulcânico pode re-

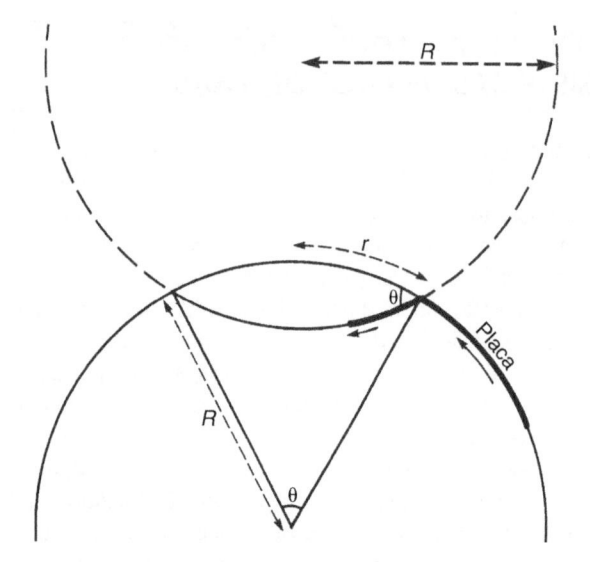

Figura 9.2 Geometria de uma reentrância em uma esfera de material inextensível (adaptado de Bott, 1982, com permissão de Edward Arnold, Publishers Ltd).

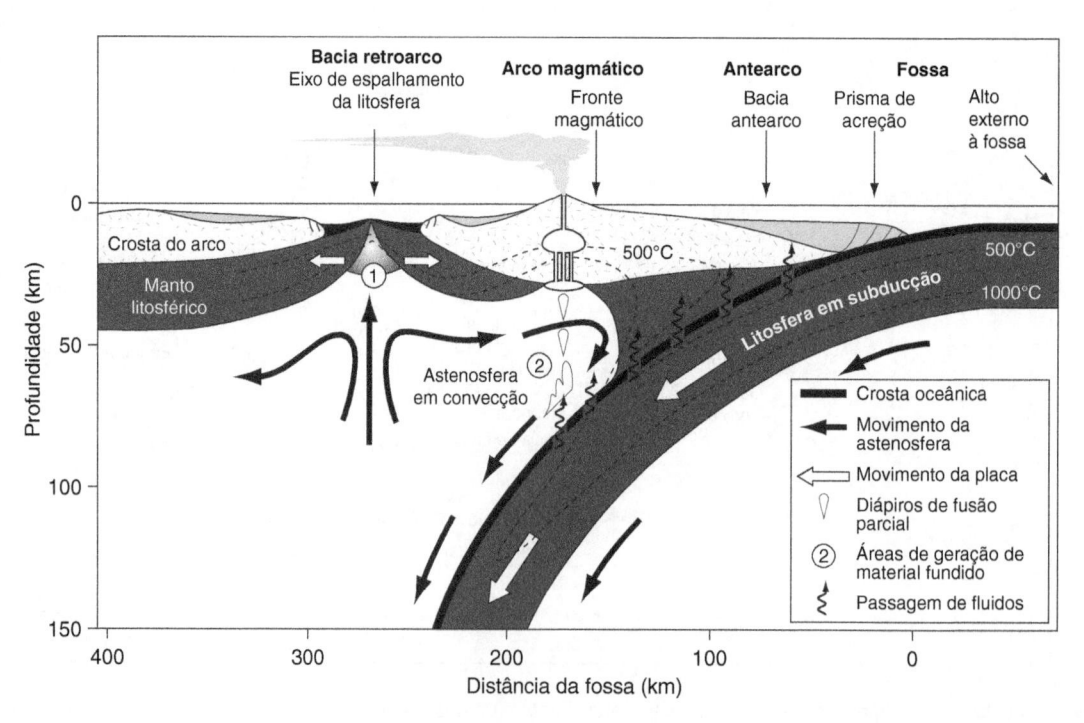

Figura 9.3 Secção esquemática de um sistema de arco de ilhas (modificado de Stern, 2002, com permissão da American Geophysical Union. Copyright © 2002, American Geophysical Union)

presentar o local inicial de vulcanismo conforme a placa oceânica relativamente fria começou a sua descida. Como a placa "fria" se estendeu mais para dentro da astenosfera, a posição da atividade ígnea moveu-se para trás, para a sua posição de estado estacionário, agora representada pelo arco magmático. Processos que contribuem para a formação dos arcos de ilhas são discutidos nas Seções 9.8 e 9.9. O arco de ilhas e o arco remanescente (cordilheira retroarco), reconhecidos pela primeira vez por Vening Meinesz (1951), englobam uma bacia retroarco (ou bacia marginal) por trás do arco de ilhas. No entanto, nem todas as bacias retroarco são formadas por espalhamento sobre uma zona de subducção ativa, como indicado na Fig. 9.3 (Seção 9.10).

9.3 ANOMALIAS GRAVIMÉTRICAS DAS ZONAS DE SUBDUCÇÃO

A Fig. 9.4 mostra um perfil de anomalia gravimétrica de ar livre em todo o Arco das Aleutas que é típico da maioria das zonas de subducção. O *bulge* flexural da litosfera descendente em direção ao oceano, a partir da fossa, é marcado por uma anomalia gravimétrica positiva de cerca de 500 g.u. (Talwani & Watts, 1974). A fossa e o prisma de acreção são caracterizados por uma grande anomalia negativa de cerca de 2000 g.u. de amplitude que resulta do deslocamento de materiais da crosta provocado pela água do mar e de sedimentos de baixa densidade. Por outro lado, o arco de ilhas é marcado por uma grande anomalia positiva. Anomalias isostáticas sobre a fossa e o arco são elevadas e exibem a mesma polaridade que anomalias de ar livre. Essas anomalias elevadas resultam do equilíbrio dinâmico de compressão imposta sobre o sistema, de modo que a fossa é forçada para baixo e o arco é forçado para o desequilíbrio isostático devido às forças de movimentação das placas.

9.4 ESTRUTURA DAS ZONAS DE SUBDUCÇÃO A PARTIR DE TERREMOTOS

Zonas de subducção apresentam intensa atividade sísmica. Um grande número de eventos ocorre em um plano que mergulha, em média, com um ângulo de cerca de 45° a partir da placa oceânica subductada (Fig. 9.5). O plano é conhecido como zona de Benioff (ou Benioff-Wadati), em homenagem ao(s) seu(s) descobridor(es), e os terremotos sobre ele se estendem desde próximo da superfície, por baixo da região antearco, até uma profundidade máxima de cerca de 670 km. A Fig. 9.5 mostra uma secção através do sistema de arco de ilhas Tonga-Kermadec com focos de sismos projetados sobre um plano vertical paralelo à direção de subducção. Os focos podem ocorrer em profundidades progressivamente maiores com o aumento da distância a partir do local de subducção na Fossa de Tonga. Informações adicionais sobre a natureza da zona de Benioff foram obtidas a partir de um estudo das amplitudes do corpo de onda de sismos profundos (Fig. 9.6). Com as chegadas sísmicas nas ilhas vulcânicas do arco, como o de Tonga, descobriu-se que, nesse local, as amplitudes são muito maiores do que as registradas em estações à frente ou atrás do arco, como em Raratonga e Fiji. As diferenças na amplitude são geralmente descritas quantitativamente em termos do fator Q, o inverso do fator de atenuação específico, e, em geral, quanto maior for o fator Q, mais resistente é a rocha. Elevados valores de Q dão origem a pouca atenuação e vice-versa. As ondas sísmicas que viajam ao longo da zona sísmica parecem passar através de uma região de alto Q (cerca de 1.000), enquanto aquelas que viajam por registros laterais passam através de uma região mais normal de baixo Q (cerca de 150). A zona de Benioff parece, portanto, definir o topo de uma zona de espessura de 100 km com elevado valor de Q. A zona de Benioff tinha sido originalmente interpretada como uma grande falha de empurrão entre dife-

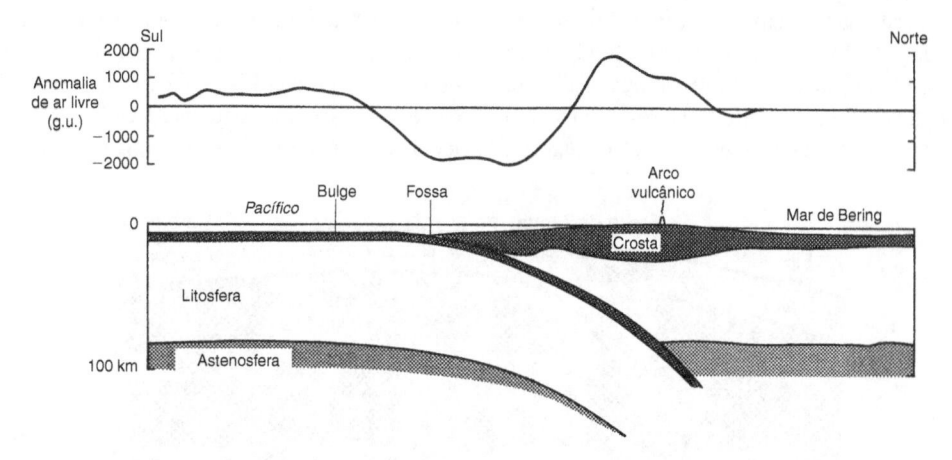

Figura 9.4 Anomalias da gravidade de uma zona de subducção oceânica (segundo Grow, 1973, com permissão da Geological Society of America).

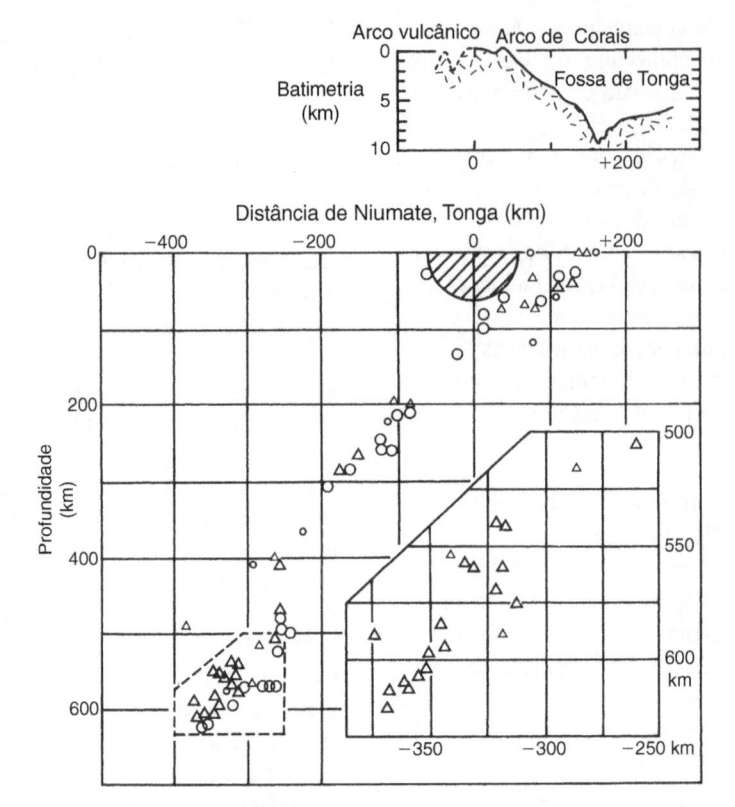

Figura 9.5 Secção vertical perpendicular ao Arco de Tonga mostrando focos de terremotos em 1965. Círculos, focos projetados no intervalo de 0-150 km a norte da secção; triângulos, 0-150 km ao sul. Topografia exagerada (13:1) acima. Inserção, detalhe da região de terremotos profundos (adaptado de Isacks et al., 1969, com permissão da Geological Society of America).

rentes províncias da crosta. Os dados sísmicos permitiram uma nova interpretação em termos de um cinturão de alto Q da litosfera do Pacífico subductada para o manto. Essa interpretação foi refinada por Barazangi & Isacks (1971), pelo uso de uma rede local de sismômetros na região do Arco de Tonga (Fig. 9.7). Além dos resultados anteriores, uma zona de atenuação muito elevada (Q extremamente baixo, cerca de 50) foi definida no manto superior acima do *slab* (segmento da litosfera que mergulha no manto) descendente em uma região de cerca de 300 km de largura que se estende entre o arco de ilha ativo (Tonga) e a crista retroarco (Cordilheira de Lau). Isso implica que ou o manto sob a bacia retroarco (Bacia de Lau) é muito mais fraco do que em outros lugares, ou a litosfera é consideravelmente mais fina. Os dados têm implicações importantes para a origem das bacias retroarco e serão considerado em mais detalhes na Seção 9.10.

Investigações detalhadas da região acima da litosfera subductante também foram realizadas por meio de tomografia sísmica (Seção 2.1.8). A Figura 9.1 do encarte colorido mostra uma secção através do Arco de Tonga em que o *slab* subductante é claramente definido por uma região de velocidade de onda P relativamente elevada. Acima desta, existe uma região de baixas velocidades, por baixo da Bacia de Lau (ver também Seção 9.10), correspondente à região de valor Q extremamente baixo da Fig. 9.7. As menores velocidades ocorrem sob o Arco Vulcânico de Tonga.

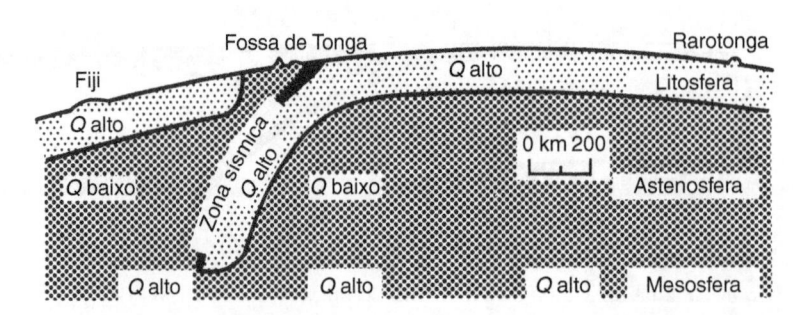

Figura 9.6 Secção hipotética em todo o Arco de Tonga baseada na atenuação das ondas sísmicas (adaptado de Oliver & Isacks, 1967, com permissão da American Geophysical Union. Copyright © 1967 American Geophysical Union).

A atividade sísmica associada com o *slab* em subducção ocorre como resultado de quatro processos distintos (Fig. 9.8). Na região "a", sismos são gerados em resposta à flexão da litosfera, conforme começa a sua descida. A flexão ou flexura para baixo da litosfera coloca a superfície superior da placa em tensão, e o falhamento normal associado com este regime de esforço dá origem aos sismos observados, que ocorrem a profundidades de até 25 km (Christensen & Ruff, 1988).

O dobramento flexural da litosfera também dá origem ao bulge topográfico presente na placa subductante no lado do arco de ilha voltado para o oceano. Este alto regional da topografia do fundo do mar está localizado entre 100-200 km a partir do eixo da fossa e tem uma amplitude de várias centenas de metros. A teoria simples de barra prevê que a presença deste alto topográfico é uma consequência da deflexão para baixo da placa subductante (Fig. 9.9). No entanto, uma investigação mais detalhada do comportamento litosférico neste ambiente indica que a flexão não é completamente elástica e deve envolver considerável deformação plástica (permanente) (Fig. 9.10) (Turcotte et al., 1978). Chapple & Forsyth (1979) deduziram que a dobra de uma placa de duas camadas, elástica-perfeitamente plástica, com 50 km de espessura, em que os 20 km superiores estão sob tensão e os 30 km inferiores estão sob compressão, se encaixa na maioria dos perfis topográficos e que as variações desses perfis são provavelmente acarretadas pelas variações no campo de esforços regional.

A região "b" (Fig. 9.8) é caracterizada por terremotos gerados a partir do falhamento de empurrão ao longo do contato entre as placas subductante e superior. Soluções de mecanismos focais para terremotos associados com as regiões "a" e "b" na Fig. 9.8 são mostradas na Fig. 9.11, a qual representa a distribuição dos tipos de terremotos ao redor do Arco de Ilhas Aleutas (Stauder, 1968). O cinturão de terremotos ao sul das ilhas é causado por falhamento normal associado com a flexura no topo da Placa do Pacífico, a qual está sobre

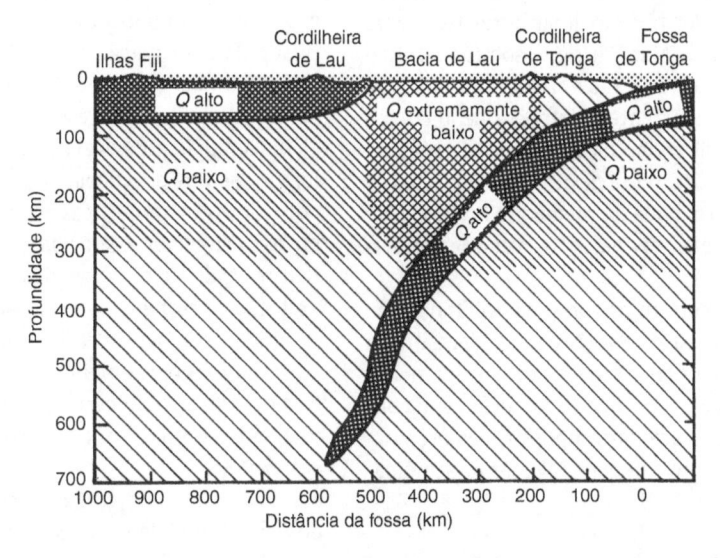

Figura 9.7 Secção esquemática de todo o Arco de Tonga mostrando a zona de alta atenuação sísmica sob a bacia retroarco de Lau (adaptado de Barazangi & Isacks, 1971, com permissão da American Geophysical Union. Copyright © 1971 American Geophysical Union).

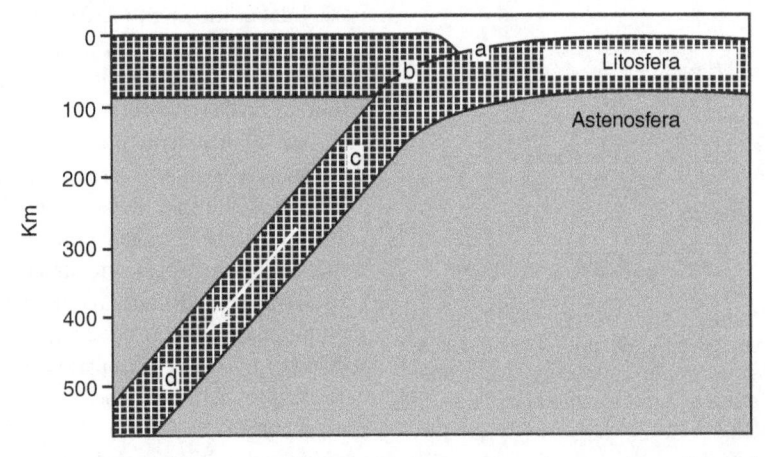

Figura 9.8 Modelo de placa de zonas de subducção; a, b, c e d indicam regiões de mecanismos focais distintivos.

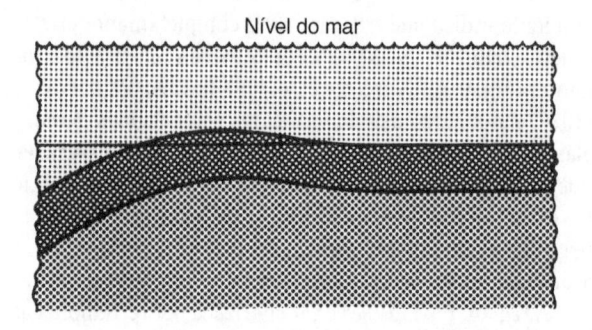

Figura 9.9 Arqueamento de uma placa elástica ou elástica-perfeitamente plástica em uma zona de subducção (adaptado de Turcotte et al., 1978, com permissão da Elsevier).

o Mar Bering subductante, em uma direção mais a noroeste. Os grupos de terremotos sob ou logo ao sul da cadeia de ilhas são indicativo do falhamento de empurrão. O plano nodal mergulha abruptamente para o sul e suavemente para o norte. É provável que esses planos representem planos de falhas, e os terremotos são gerados por movimento relativo entre a litosfera do Pacífico e a do Mar Bering. A solução pontual do mecanismo focal indicativo de movimento transcorrente ou está em uma falha transcorrente sinistral perpendicular à cadeia de ilhas, como indicado no diagrama, ou alternativamente em uma falha transcorrente dextral paralela à cadeia de ilhas. Devido à direção oblíqua da subducção nesta região, a segunda interpretação é talvez mais provável de estar correta (Seção 5.3).

Os terremotos que ocorrem na zona de Benioff na zona "c" (Fig. 9.8), em profundidades maiores que a espessura da litosfera na superfície, não são gerados por cavalgamento no topo da placa descendente, porque a astenosfera em contato com a placa é muito fraca para suportar o esforço necessário para um falhamento extensivo. Nessas profundidades, os terremotos ocorrem como resultado de deformação interna de um *slab* descendente da litosfera relativamente frio e resistente. Hasegawa et al. (1978), fazendo uso de uma rede local de sismógrafos, identificaram duas zonas de Benioff abaixo do arco do Japão que aparentam mergulhar profundamente (Fig. 9.12). Os tempos de chegada de diferentes fases sísmicas indicam que a porção superior dessas zonas corresponde à parte crustal do *slab* descendente, e a porção inferior corresponde ao manto litosférico (Hasegawa et al., 1994).

Posteriormente, zonas sísmicas duplas, em profundidades entre 70 e 200 km, foram documentadas em numerosas e bem estudadas zonas de subducção (Peacock, 2001), e parece provável que esta seja uma característica comum da sismicidade de zonas de subducção. Em alguns casos, soluções de mecanismos focais para a zona superior de terremotos implicam compressão para baixo, e, para a zona inferior de terremotos, implicam tensão mergulhando para baixo. Isso sugere que a inflexibilidade da placa em subducção pode ser importante, havendo sofrido uma certa quantidade de deformação plástica permanente durante a sua descida inicial (Isacks & Barazangi, 1977). No entanto, as zonas sísmicas duplas estendem-se a profundidades muito além da região inflexível das placas subductadas. Atualmente, tem-se que a maioria desses sismos são desencadeados por reações metamórficas envolvendo desidratação; aquelas na zona superior associadas com a formação de eclogitos (Kirby et al, 1996), e aquelas na zona inferior com a desidratação de serpentinito (Meade & Jeanloz, 1991). Sugere-se que as reações de desidratação geram altas pressões de poros ao longo dos planos de falhas preexistentes na litosfera oceânica subductante, produzindo terremotos por falhamento rúptil. O processo é denominado *fragilização por desidratação*.

Peacock (2001), utilizando um modelo térmico detalhado para a zona de subducção sob o nordeste do Japão, demonstrou que a zona inferior sísmica (Fig. 9.12) migra através das isotermas, a partir de cerca de 800 a 400°C, conforme as profundidades focais aumentam de 70 para 180 km. Se essas temperaturas e pressões implícitas são colocadas em um diagrama P-T, os valores de pressão/temperatura e a inclinação negativa são muito análogos àqueles da reação de desidratação de serpentina para forsterita + enstatita + água. Isso sugere fortemente que esses sismos são o resultado da desidratação do manto serpentinizado dentro da placa oceânica em subducção. Esta explicação assume que o manto oceânico é serpentinizado a uma profundidade de várias dezenas de quilômetros, enquanto acredita-se que a circulação e as alterações hidrotermais nas cordilheiras mesoceânicas são limitadas à crosta. No entanto, o falhamento normal associado com a elevação da parte externa e a flexão da litosfera oceânica, em direção ao oceano a partir da fossa, pode permitir a entrada de água do mar e a hidratação da litosfera a profundidades de dezenas de quilômetros (Peacock, 2001).

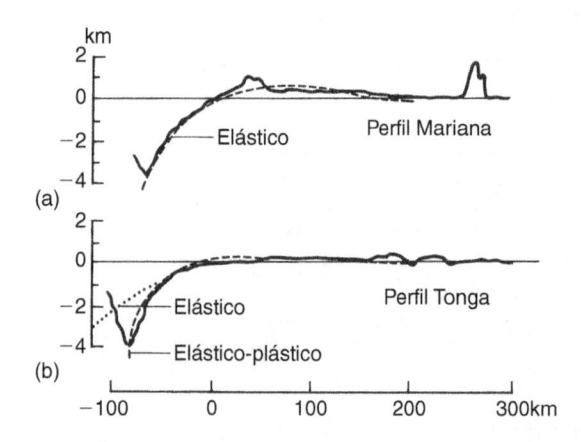

Figura 9.10 Perfis observados e teóricos da litosfera que se dobram na posição da fossa: (a) Fossa Mariana, com uma litosfera elástica de 29 km de espessura; (b) Fossa de Tonga, melhor modelada por uma placa elástica-perfeitamente plástica de 32 km de espessura (adaptado de Turcotte et al., 1978, com permissão da Elsevier).

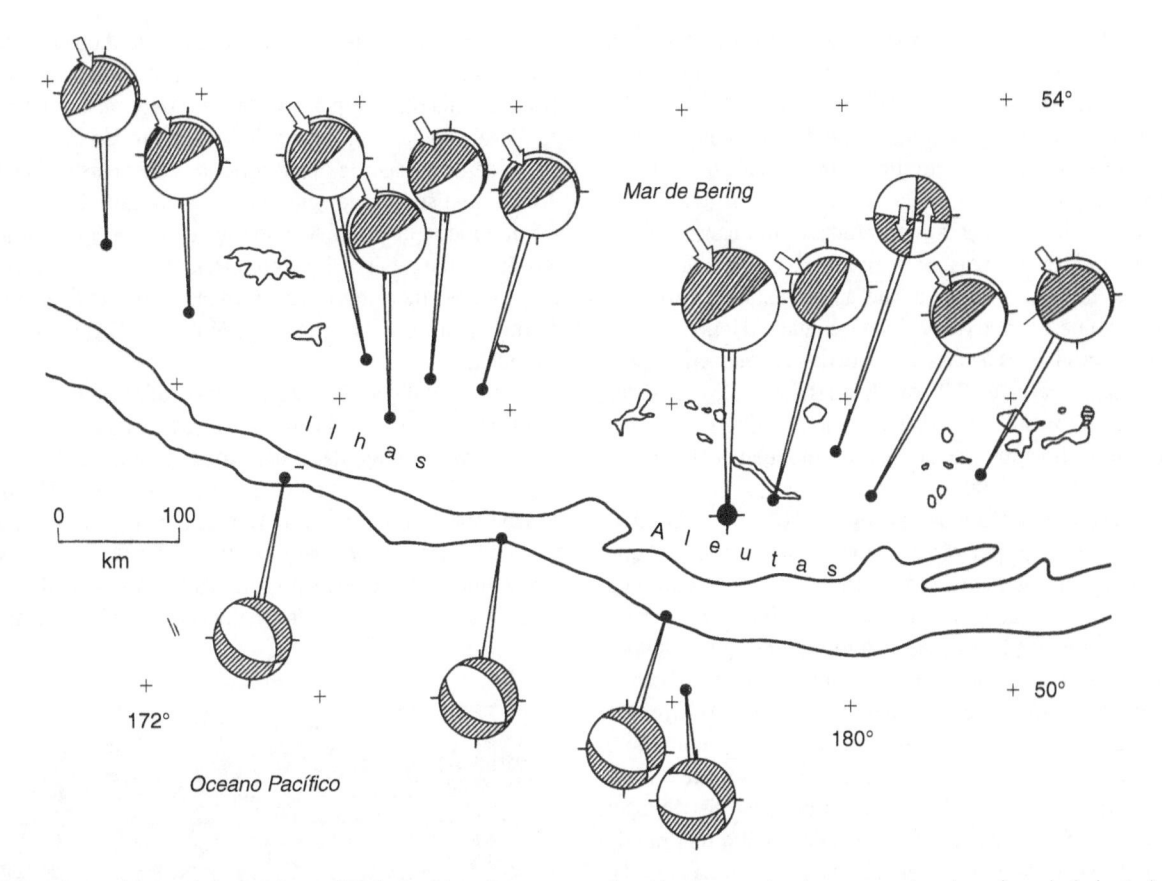

Figura 9.11 Soluções de mecanismos focais de terremotos no arco das Aleutas, quadrante compressional sombreado (adaptado de Stauder, 1968, com permissão da American Geophysical Union. Copyright © 1968 American Geophysical Union).

Abaixo de 300 km (zona "d" na Fig. 9.8), acredita-se que o mecanismo de terremoto seja resultado da mudança súbita de fase, da estrutura da olivina para a do espinélio, produzindo uma *falha de transformação ou antifratura*. Isso acontece por cisalhamento rápido da rede cristalina ao longo de planos onde cresceram diminutos cristais de espinélio (Green, 1994). Em temperaturas normais do manto, essa mudança de fase ocorre a uma profundidade de cerca de 400 km (Seções 2.8.5, 9.5). No entanto, as temperaturas anormalmente baixas no núcleo da parte subductada da pla-

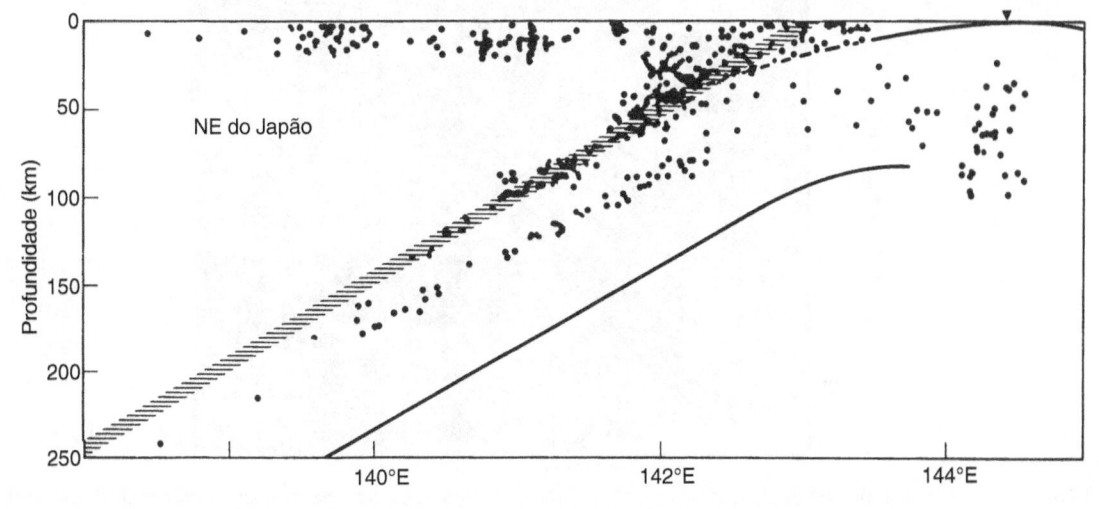

Figura 9.12 Distribuição de terremotos sob o nordeste do arco do Japão. A linha sombreada é provavelmente a parte superior da litosfera descendente (adaptado de Hasegawa et al., 1978, com permissão da Blackwell Publishing).

ca permitem que a olivina exista de uma forma metaestável a maiores profundidades, potencialmente até atingir uma temperatura de cerca de 700°C (Wiens et al., 1993). Em *slabs* antigos que submergem rapidamente, essa porção pode, excepcionalmente, estar em uma profundidade de cerca de 670 km, explicando a ausência da zona de sismicidade da zona de subducção a essa profundidade. Também é provável que uma transformação semelhante a partir de enstatita para ilmenita contribua para a sismicidade da zona de subducção neste intervalo de profundidade (Hogrefe et al., 1994). As mudanças de fase que ocorrem no *slab* a uma profundidade de cerca de 700 km (Seções 2.8.5, 9.5) são tidas como produtoras de materiais de grão fino que se comportam de maneira superplástica e, portanto, não podem gerar sismos (Ito & Sato, 1991).

Os eventos profundos das regiões "c" e "d" (Fig. 9.8) são caracterizados por direções principais de esforços que estão tanto em paralelo como ortogonais ao mergulho da placa em subducção (Isacks et al., 1969) (Fig. 9.13). Consequentemente, os planos nodais determinados por soluções de mecanismo focal não correspondem à inclinação da zona de Benioff ou a um plano perpendicular a ele. As direções principais de esforço mostram que a placa descendente é lançada tanto sob compressão ou extensão durante o mergulho. Isacks & Molnar (1969) sugeriram que a distribuição do tipo de esforço na zona sísmica pode resultar do grau de resistência experimentado pela placa durante a sua descida, e Spence (1987) descreveu essa resistência em termos do efeito líquido das forças de empurrão da cordilheira e das forças de tração do *slab* (Seção 12.6). Na Fig. 9.14a, a placa está afundando através da astenosfera devido à sua flutuabilidade negativa, sendo submetida à tensão conforme a sua descida é facilitada. Na Fig. 9.14b, a base da placa se aproxima da mesosfera, que resiste à descida e submete a extremidade frontal à compressão. À medida que a placa afunda ainda mais (Fig. 9.14c), a mesosfera resiste à descida da placa e apoia sua margem inferior de modo que a maior parte da zona sísmica experimenta compressão. Na Fig. 9.14d, uma secção do segmento subductante desacoplou-se de modo que a porção superior da placa é submetida à tensão e a porção inferior à compressão. Um resumo global das direções de esforço determinadas a partir de soluções de mecanismos focais (Isacks & Molnar, 1971) é mostrado na Fig. 9.15.

As distribuições de esforços mostradas na Fig. 9.14b,d fornecem uma possível explicação para as lacunas sísmicas observadas ao longo das partes médias da zona de Benioff em certas fossas, como a Fossa Peru-Chile (Fig. 9.15), onde se sabe que o *slab* é contínuo (James & Snoke, 1990). Outro tipo de lacuna sísmica parece estar presente em alguns arcos de ilhas em pequenas profundidades. A Fig. 9.16 mostra secções através da zona de Benioff no arco Aleutas-Alasca

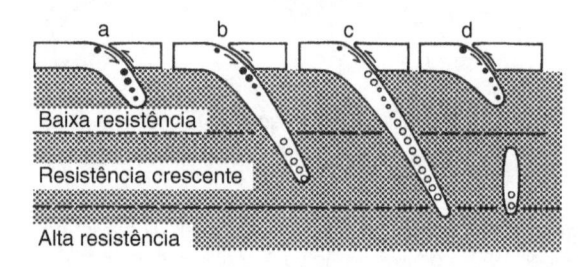

Figura 9.14 Um modelo de distribuição de tensões na litosfera descendente. Círculos preenchidos, esforço extensional durante o mergulho da placa; círculos vazados, esforço compressional (adaptado de Isacks & Molnar, 1969, com permissão da *Nature* **223**, 1121-4. Copyright © 1969 Macmillan Publishers Ltd).

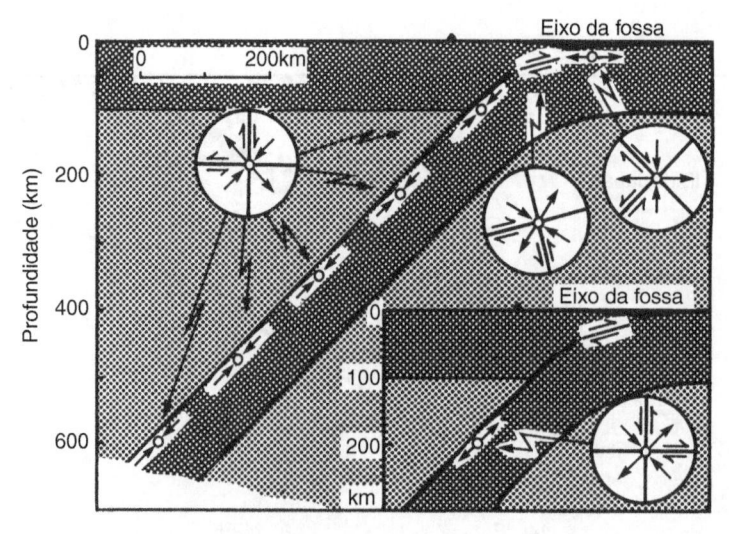

Figura 9.13 Esquema de distribuição de solução de mecanismo focal em uma secção perpendicular a um arco de ilhas. No destaque está o mecanismo alternativo em profundidade intermediária (adaptado de Isacks et al., 1969, com permissão da Geological Society of America).

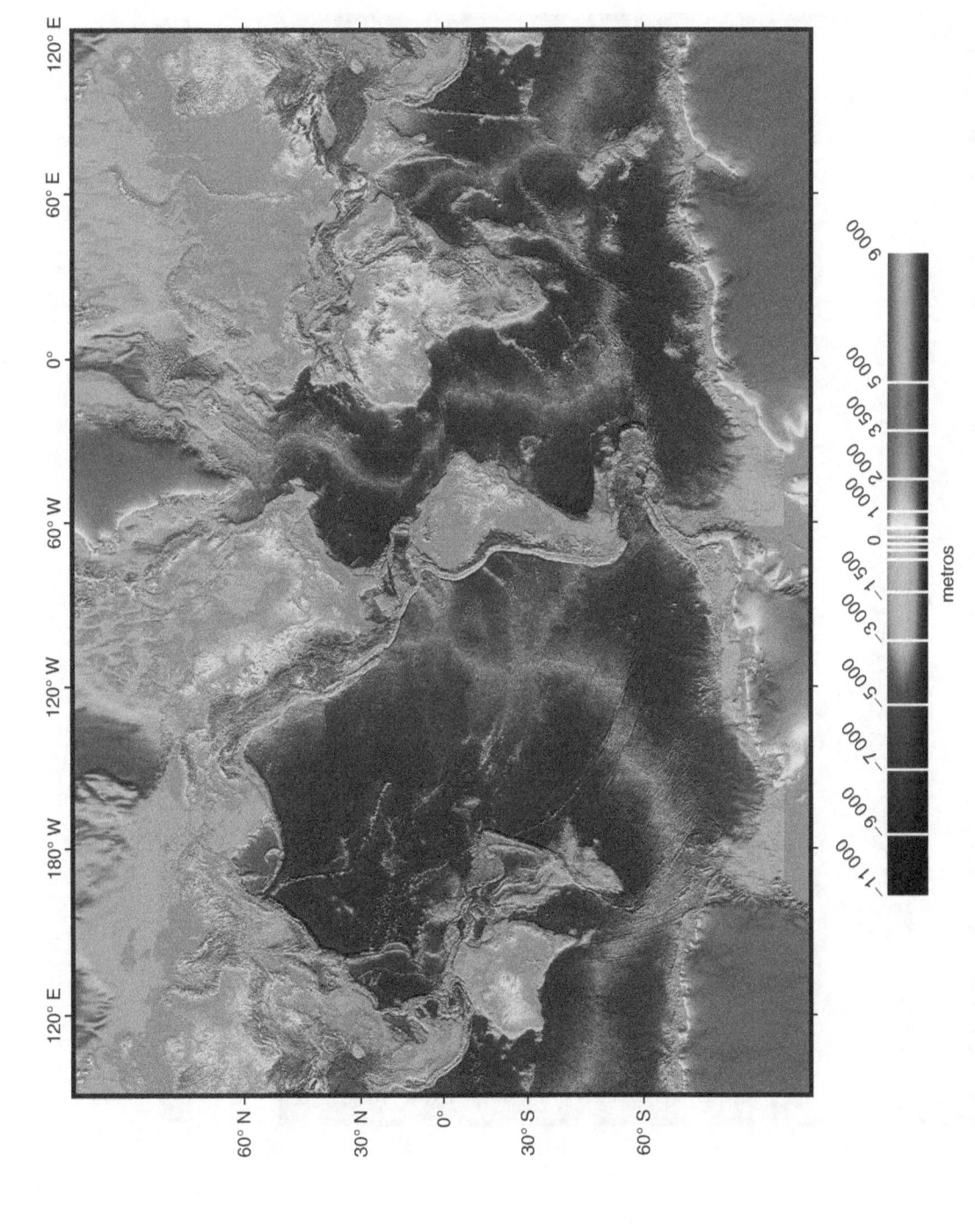

Fig. 1.1 Mapa de relevo global (reproduzido por cortesia da National Geophysical Data Center da US National Oceanic and Atmospheric Administration).

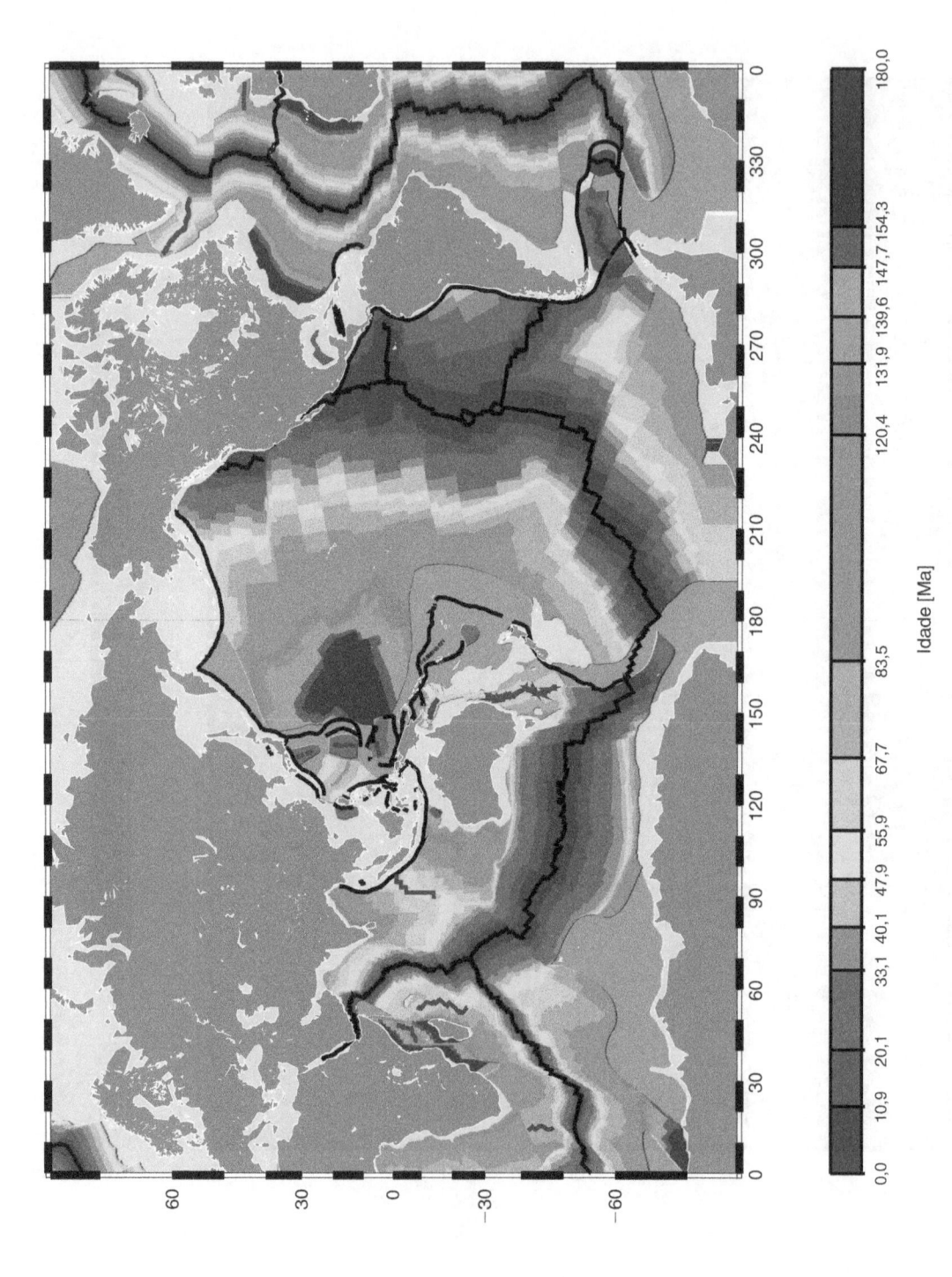

Fig. 4.1 Idade do fundo oceânico determinado a partir de anomalias magnéticas lineares, escala de tempo geomagnética inversa e polos de rotação de Euler (reproduzido por cortesia de R.D. Müller).

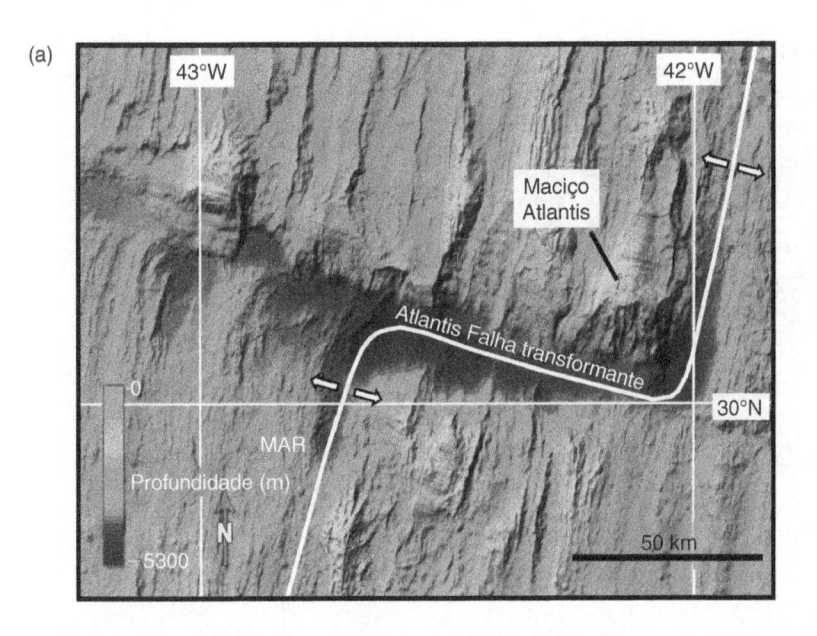

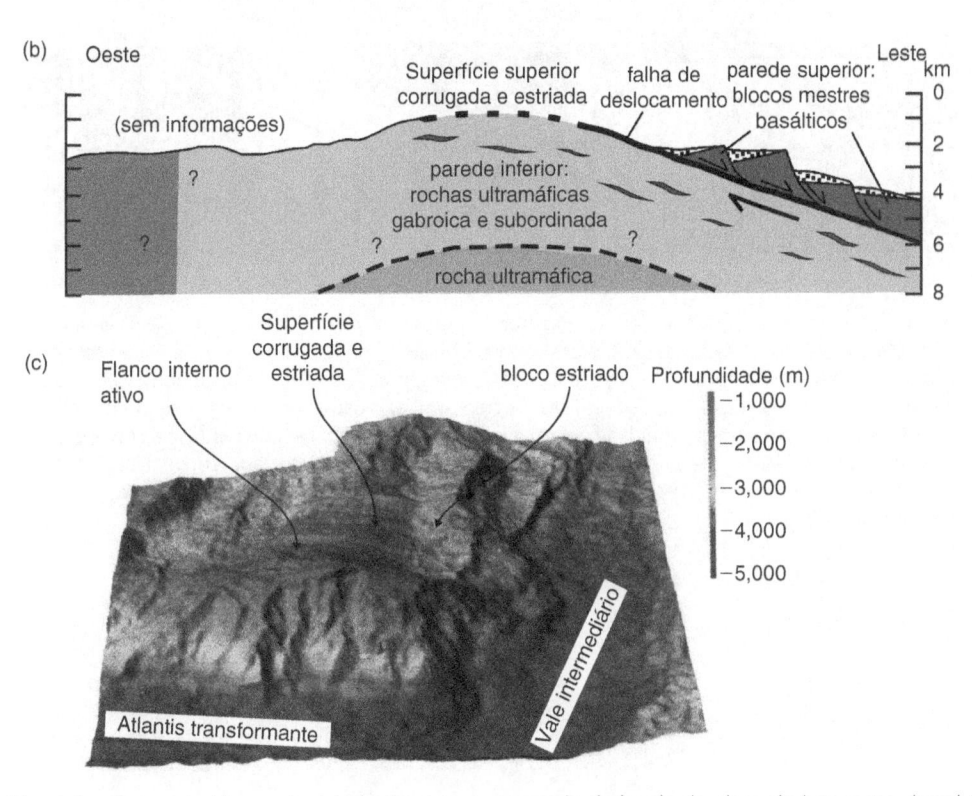

Fig. 6.1 (a) Mapa de relevo colorido mostrando batimetria e geometria de borda de placa da interseção dorsal-transformante atlantis. b) Seção esquemática através da parte central do complexo oceânico central do Maciço Atlantis (modificado de Karson et al., 2006, com permissão da American Geophysical Union. Copyright @ 2006 American Geophysical Union). Mapa tridimensional de relevo colorido mostrando a morfologia do Maciço Atlantis observado a partir do sul (segundo Cann et al., com permissão da Nature 385, 329-32. Copyright @ 1997 Macmillan Publishers Ltd). A superfície corrugada em c) é vergada entre plano sub-horizontal e 10°, associado ao eixo de expansão abaixo, e com blocos de rochas basálticas estriadas.

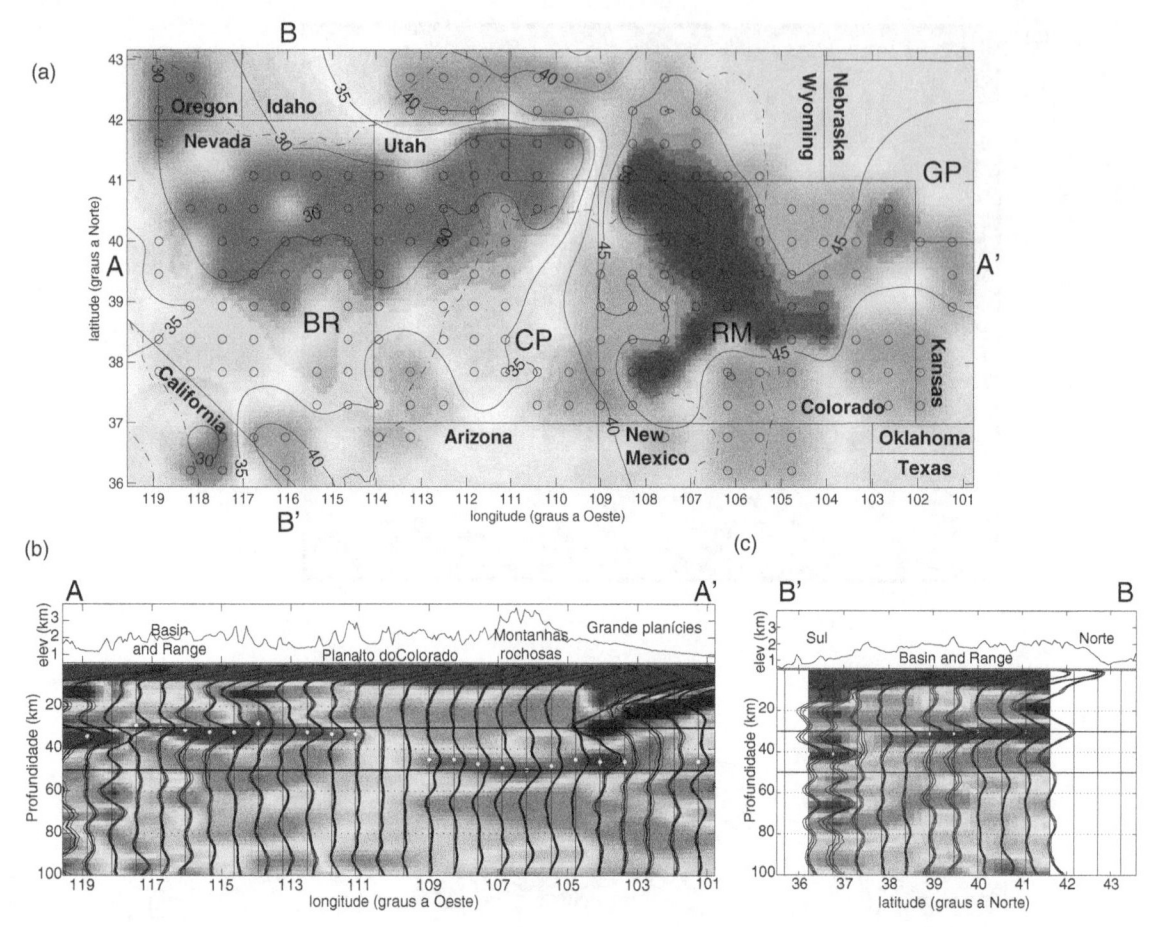

Fig. 7.1 (a) Mapa de contorno e perfis verticais (b), (c) mostrando profundidades à Moho abaixo da Basin and Range Norte (BR), Planalto do Colorado (CP), Montanhas Rochosas (RM) e as Grandes Planícies (imagem cedida por H. Gilbert e modificado de Gilbert & Sheehan 2004 com permissão da American Geophysical Union. Copyright @ 2004 American Geophysical Union). Linhas finas tracejadas marcam o contorno de quatro províncias fisiográficas. Círculos em (a) mostram localizações de pontos onde o espessamento crustal foi determinado pelo exame de descontinuidade em velocidade de ondas sísmicas cisalhantes na crosta e manto. Pontos claros em (b) indicam a profundidade da Moho interpretada abaixo de cada ponto (círculo) mostrado em (a). Linhas onduladas verticais em (b) mostram o intervalo de funções de receptores telessísmicos obtidas no estudo. Linhas horizontais em profundidade de 30 e 50 km são mostradas como referência.

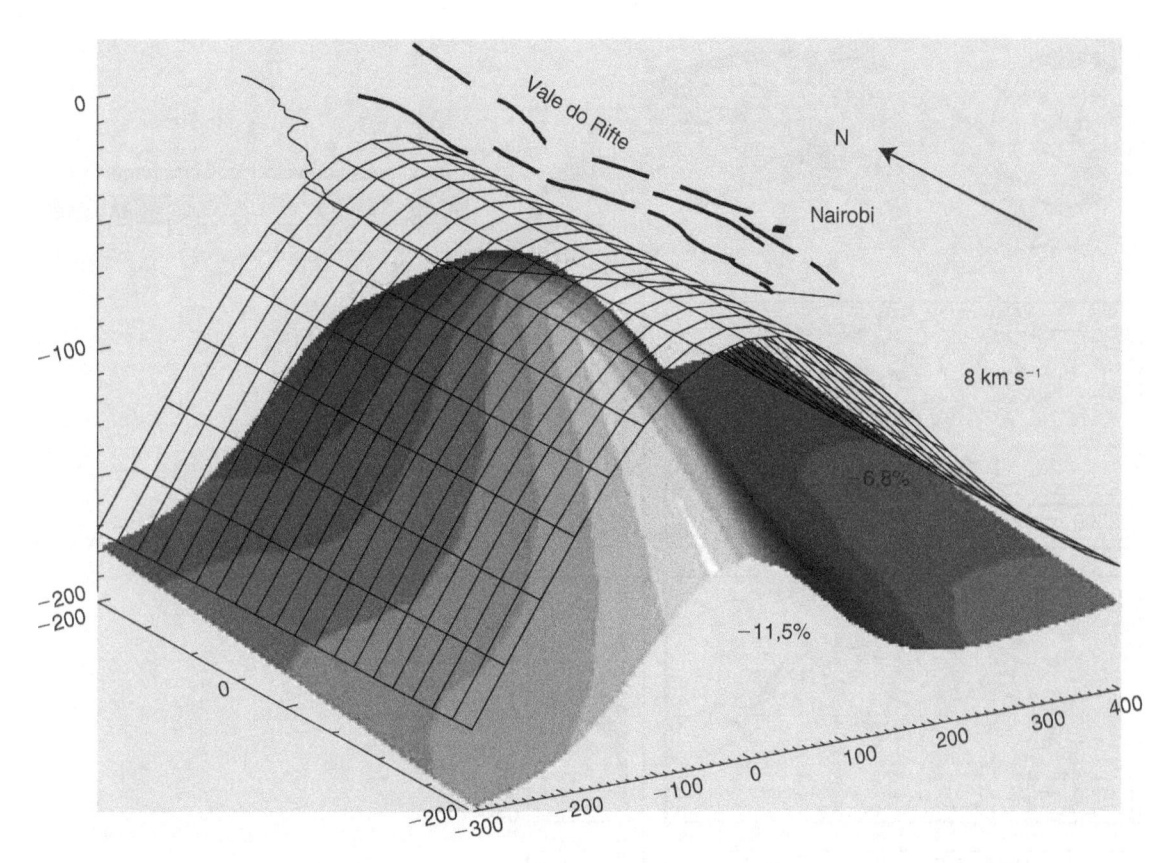

Fig. 7.2 Modelo de velocidade tridimensional do manto superior abaixo do Domo do Quênia derivado de inversão tomográfica de resíduos telessísmicos de onda P (segundo David & Slack, 2002 com permissão da American Geophysical Union. Copyright @ 2002 American Geophysical Union). Escalas horizontal e vertical em quilômetros. O estrato superior (quadriculado) atinge a Moho (35 km) e tem um contraste de velocidade de -6,8% relativo ao manto de 8 km s^{-1}. O estrato inferior (colorido) forma lóbulo e pico em ~70 km e tem -11,5% de contraste estendendo-se à profundidade de ~170km.

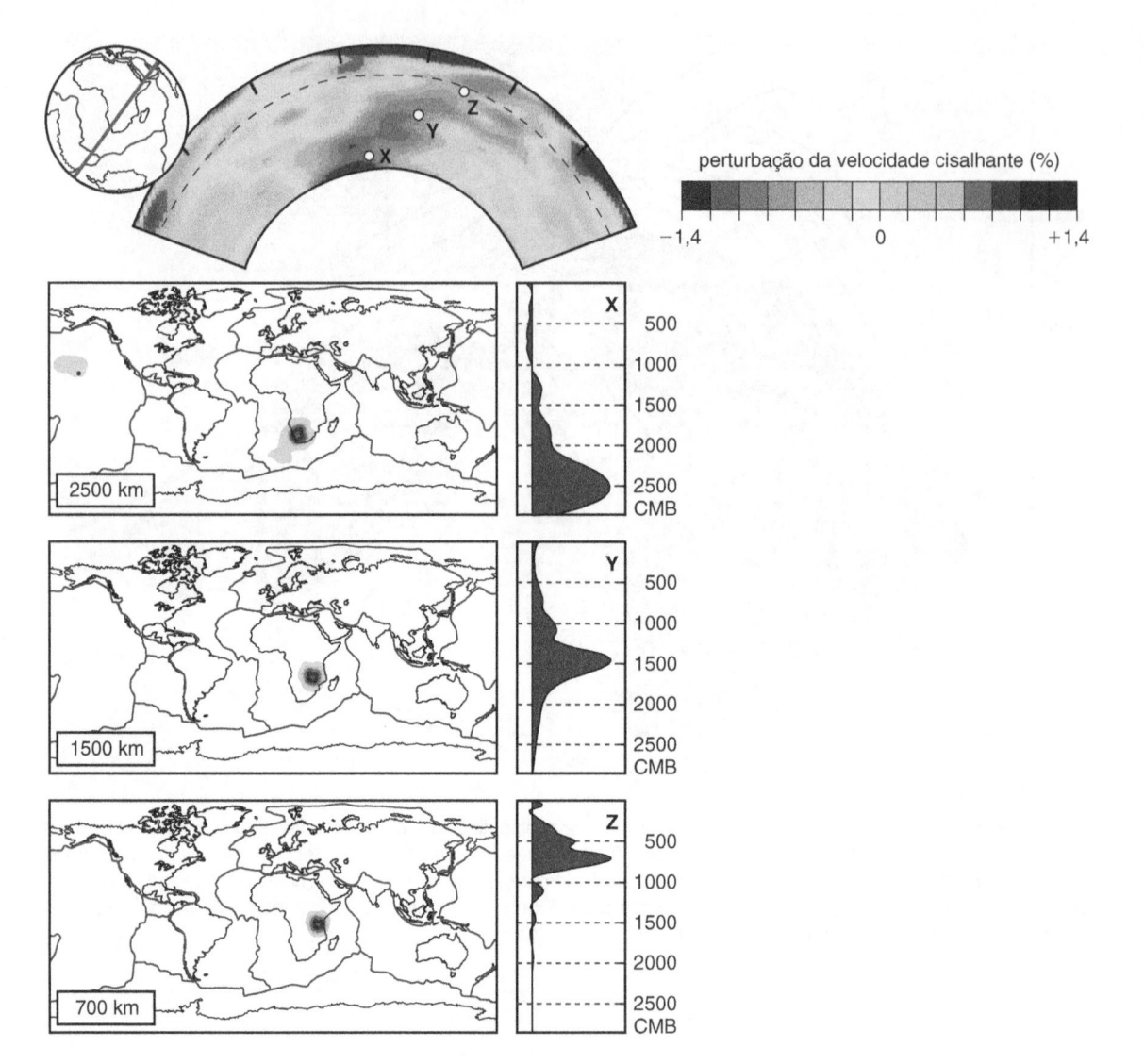

Fig. 7.3 Modelo tomográfico de velocidade de onda cisalhante tridimensional para as localidades X, Y e Z, respectivamente em profundidade de 2500, 1500 e 700 km, no manto abaixo da África (segundo Ritsema et al., 1999, Science 286, 1925-8 com permissão da AAAS). Perfil vertical acima e com mapa de localização. Regiões de baixa e alta velocidade são indicadas respectivamente pelas cores azul e vermelha, com uma intensidade proporcional à porcentagem de amplitude da perturbação de velocidade comparado com velocidades de onda cisalhante de um modelo de referência. Plantas das três profundidades são mostradas na esquerda. Variabilidade lateral (radial) nas formas das anomalias das três localidades são mostradas à direita. CBM, limite núcleo-manto.

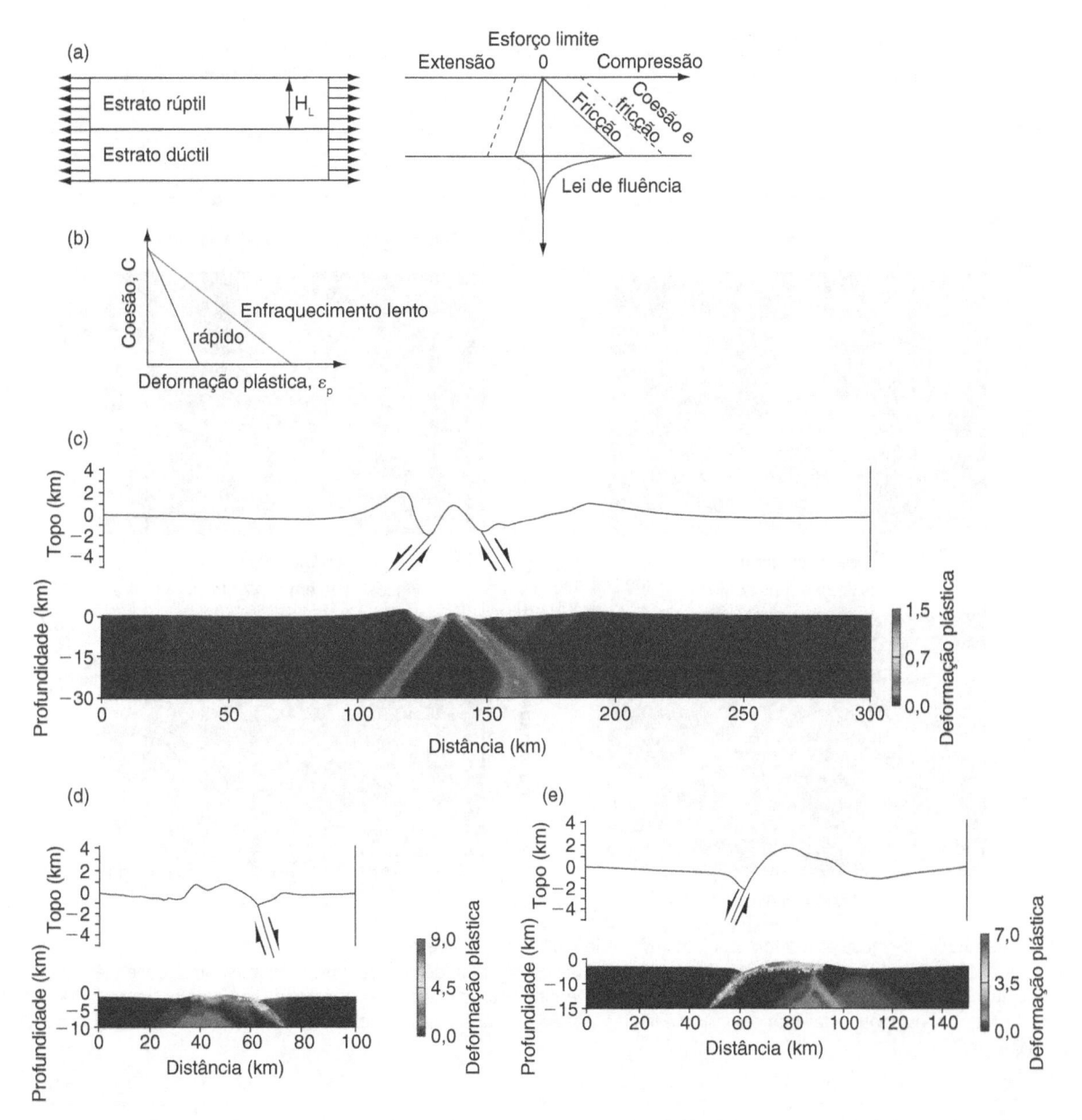

Fig. 7.4 Extensão de um estrato elástico-visco-plástico sobrejacente a um estrato dúctil de baixa velocidade (segundo Lavier & Buck, 2002, com permissão da American Geophysical Union. Copyright @ 2002 American Geophysical Union). (a) Configuração do modelo. H_L, espessura do estrato. (b) Redução linear da coesão C com deformação plástica. (c-e) Extensão do estrato rúptil uniforme com coesão de 44 Mpa e espessura 30, 10 e 15 km, respectivamente, após 25 km de extensão. Em cada modelo, a quantidade crítica de deslocamento que uma falha deve acumular para perder sua resistência à coesão é de 1,5 km.

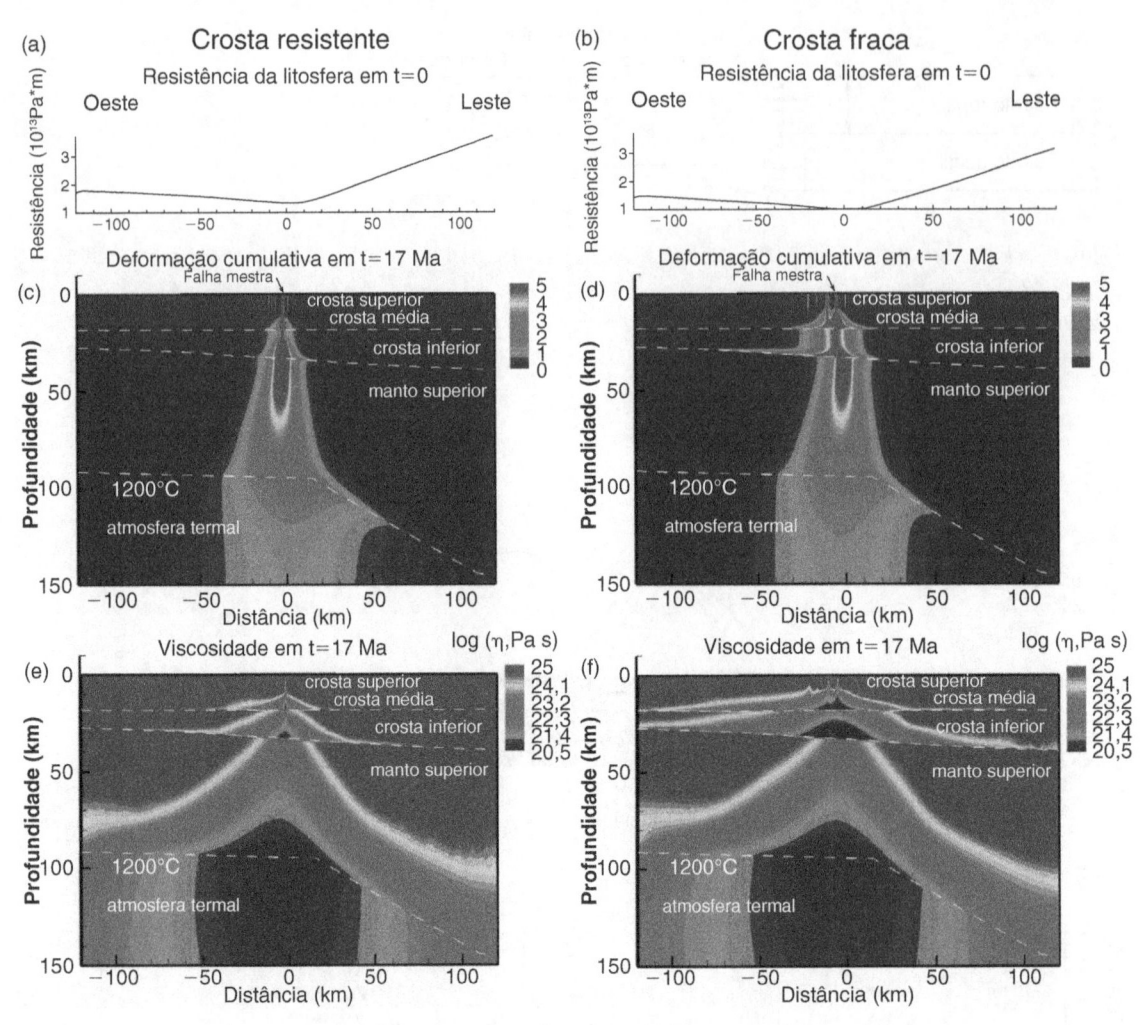

Fig. 8.1 Resultados de modelos termomecânicos envolvendo falhas direcionais puras e litosfera espessa e fria, com crosta resistente e crosta fraca (seg. Sobolev et al., 2005, com permissão da Elsevier). As plotagens superiores (a,b) mostram a dependência da resistência da litosfera anterior à deformação ($t = 0$). As seções intermediárias (c,d) mostram a distribuição da deformação finita cumulativa em 17 Ma. Linhas pontilhadas brancas indicam limites litosféricos principais. As seções inferiores (e,f) mostram a distribuição da viscosidade em 17 Ma.

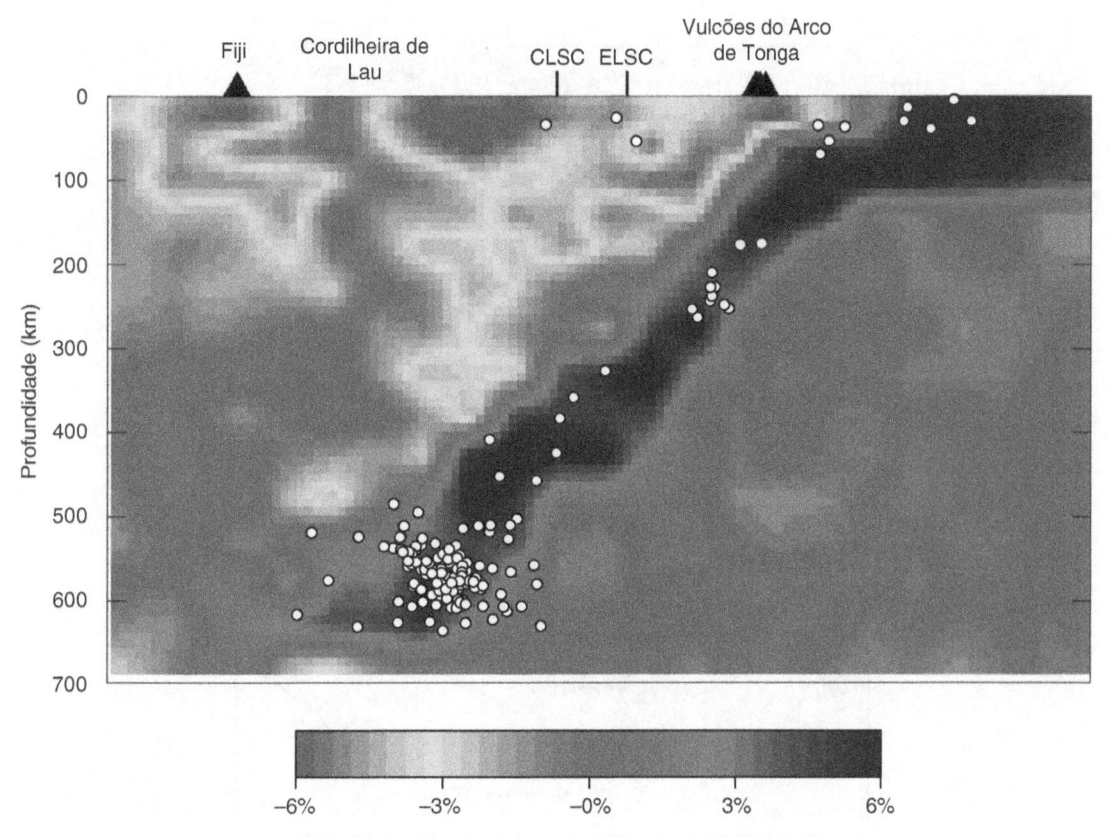

Fig. 9.1 Seção vertical leste-oeste de uma imagem de velocidade de onda P entre 0 e 700 km de profundidade através da Bacia Lau (segundo Zhao et al., 1997, Science 278, 254-7 com permissão da AAAS). Cores indicam extensão para o qual a velocidade é menor (p.ex. vermelho) ou maior que (p.ex., azul) a média da velocidade de onda P, na profundidade. Triângulos escuros mostram vulcões ativos. CLSC, Centro de expansão Lau Central. Círculos brancos, terremotos.

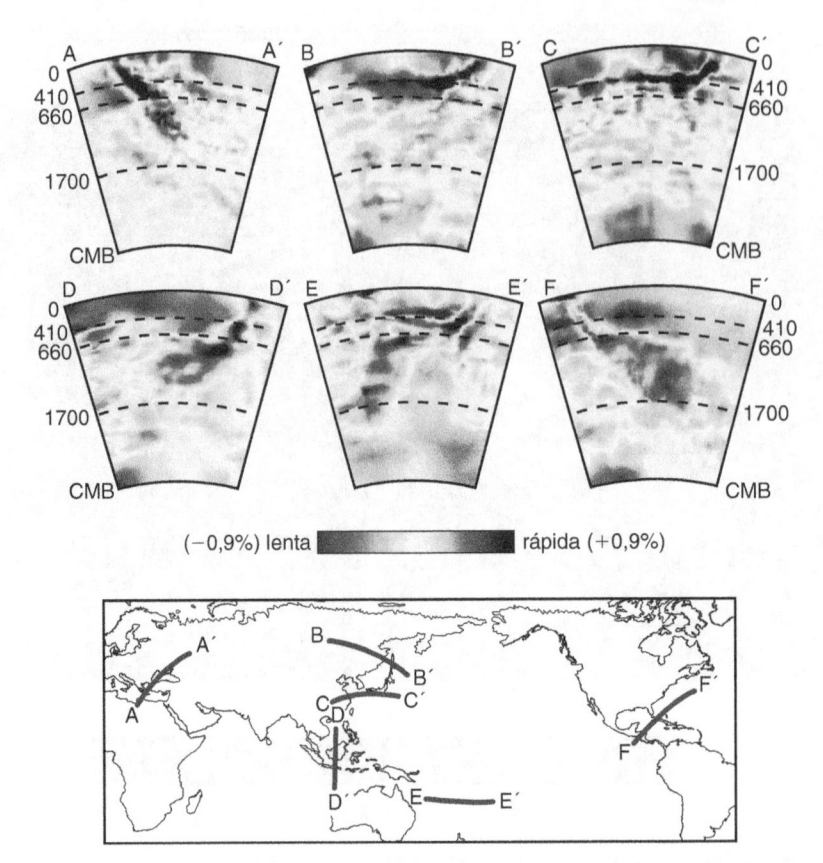

Fig. 9.2 Seção tomográfica vertical através das (a) Helênicas (Egeu), (b) sul Kirile, (c) Izu-Bonin, (d) arcos de ilha da Indonésia e (e) do norte de Tonga e (f) América Central. Veja o mapa para localização das seções. CMB, limite núcleo-manto. Cores vermelha e azul mostram regiões onde as ondas P são relativamente lentas ou rápidas comparadas à velocidade média nesta profundidade (reproduzido de Kárason & van der Hilst, 2000, com permissão da American Geophysical Union. Copyright @ 2000 American Geophysical Union).

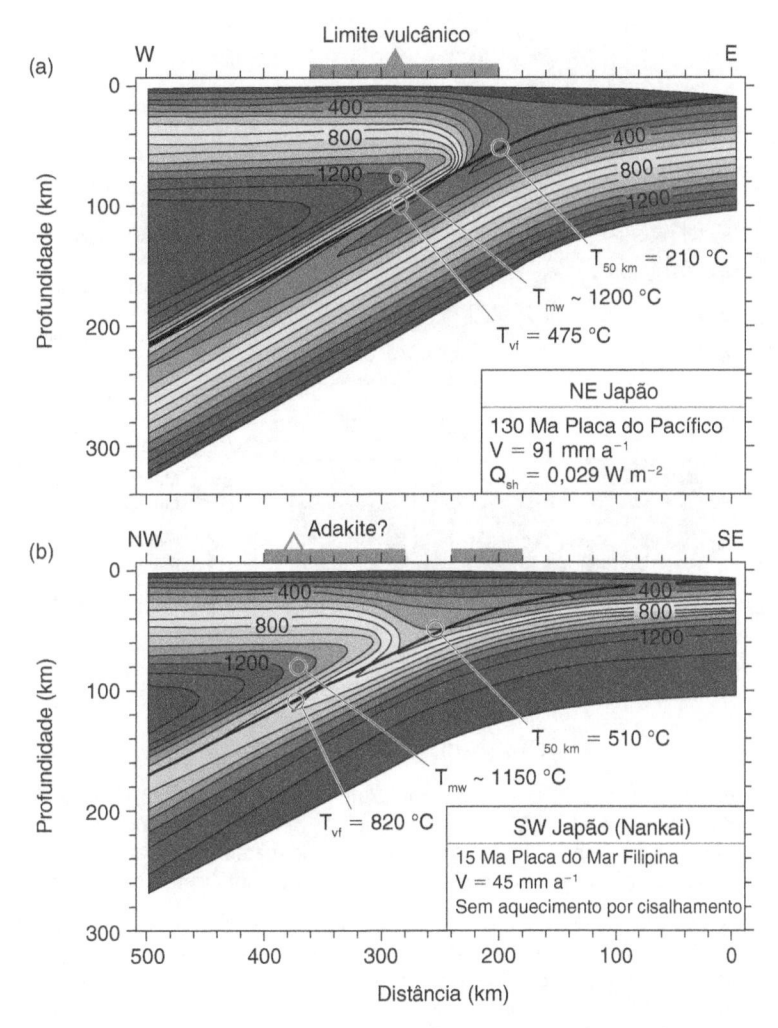

Fig. 9.3 Estrutura termal calculada para duas zonas de subducção diferentes (segundo Peacok & Wang, 1999, Science 286, 937-9 com permissão da AAAS). (a) Subducção fria do NE Japão. (b) Subducção quente no SW do Japão. Profundidade de importantes reações é mostrada. T_{vf} = temperatura de interface da placa abaixo do limite vulcânico; T_{mw} = temperatura máxima na cunha do manto abaixo do limite vulcânico.

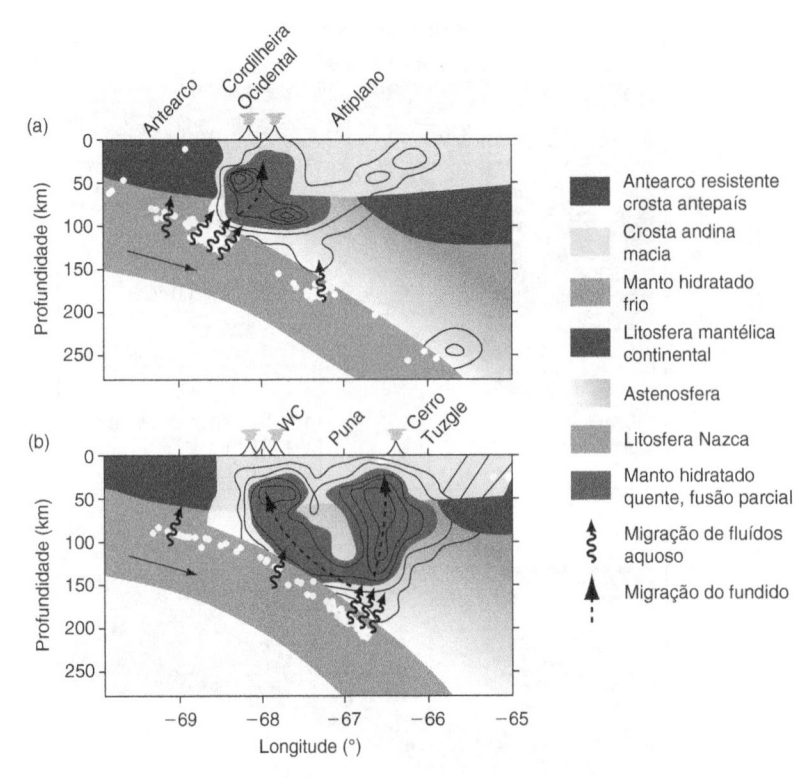

Fig. 9.4 (acima) Seção interpretativa através do Arco Continental Andino na latitude (a) 22,1°S e (b) 24,2°S mostrando regiões de baixo Q (Q ≤ 200) (redesenhado de Schurr et al., 2003, com permissão da Elsevier). Água é liberada da litosfera oceânica em centros de terremotos discretos (pontos brancos) causando fusão parcial na cunha do manto quente acima. Regiões de baixo Q são interpretadas como representante de rochas do manto e crosta que contêm quantidade significativa de fusão parcial.

Fig. 9.4 (abaixo) Perfil interpretativo ilustrando a possível subsidência da litosfera fria Indiana abaixo do Tibete Central (redesenhado de Tilmann et al., 2003, Science 300, 1424-7, com permissão da AAAS). A imagem mostra um contraste moderado (2%) de velocidade de onda P, próximo de 32°N com alta (azul) velocidade ao norte e lenta (vermelho) velocidade ao sul, obtidas através da inversão tomográfica da onda P em tempo de chegada. IZS, sutura Indus-Zangbo; BNS, sutura Bangong-Nujiang.

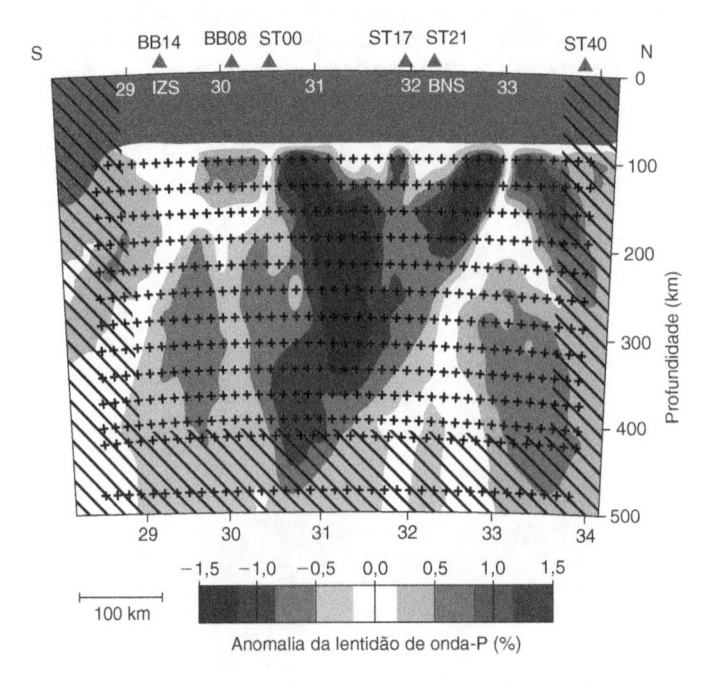

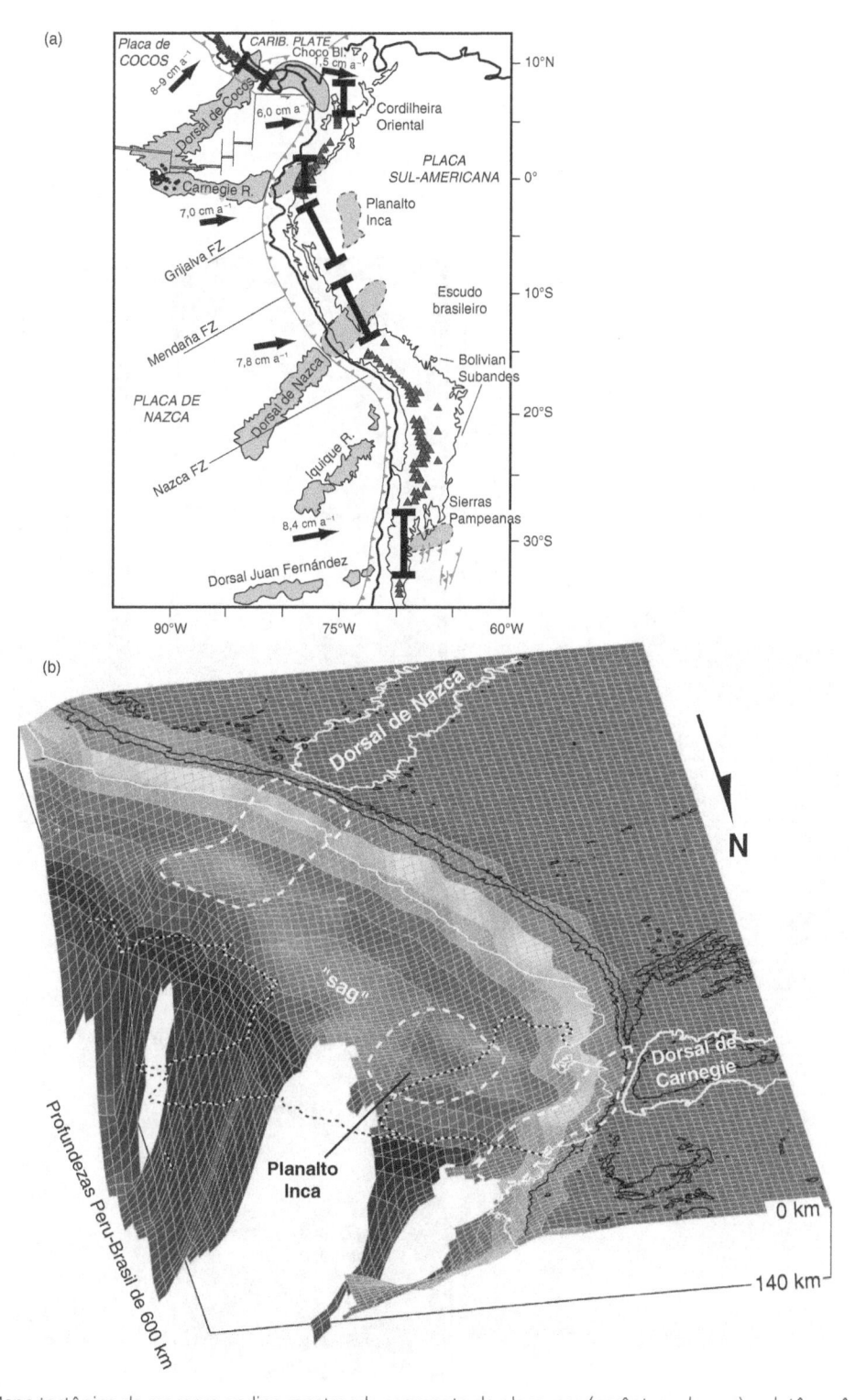

Fig. 10.1 (a) Mapa tectônico da margem andina mostrando segmento de placa rasa (parênteses largos) e platô oceânico subductante (cinza). Triângulos vermelhos, vulcões ativos. Linhas pontilhadas indicam posições inferidas do platô subductante e dorsais. Vetores de placas convergentes são baseadas no modelo de DeMets et al. (1990). (b) Visão tridimensional da superfície da placa subductante de Nazca determinada a partir de gradeamento de hipocentros de terremotos. Visão para sul. Linhas pontilhadas mostram altos morfológicos com interdigitação de sequência tipo Sag, correspondendo à posição estimada da dorsal subductante de Nazca e Platô Inca (imagens fornecidas por M.-A. Gutscher e modificada de Gutscher et al., 2000, com permissão da American Geophysical Union. Copyright @ 2000 American Geophysical Union).

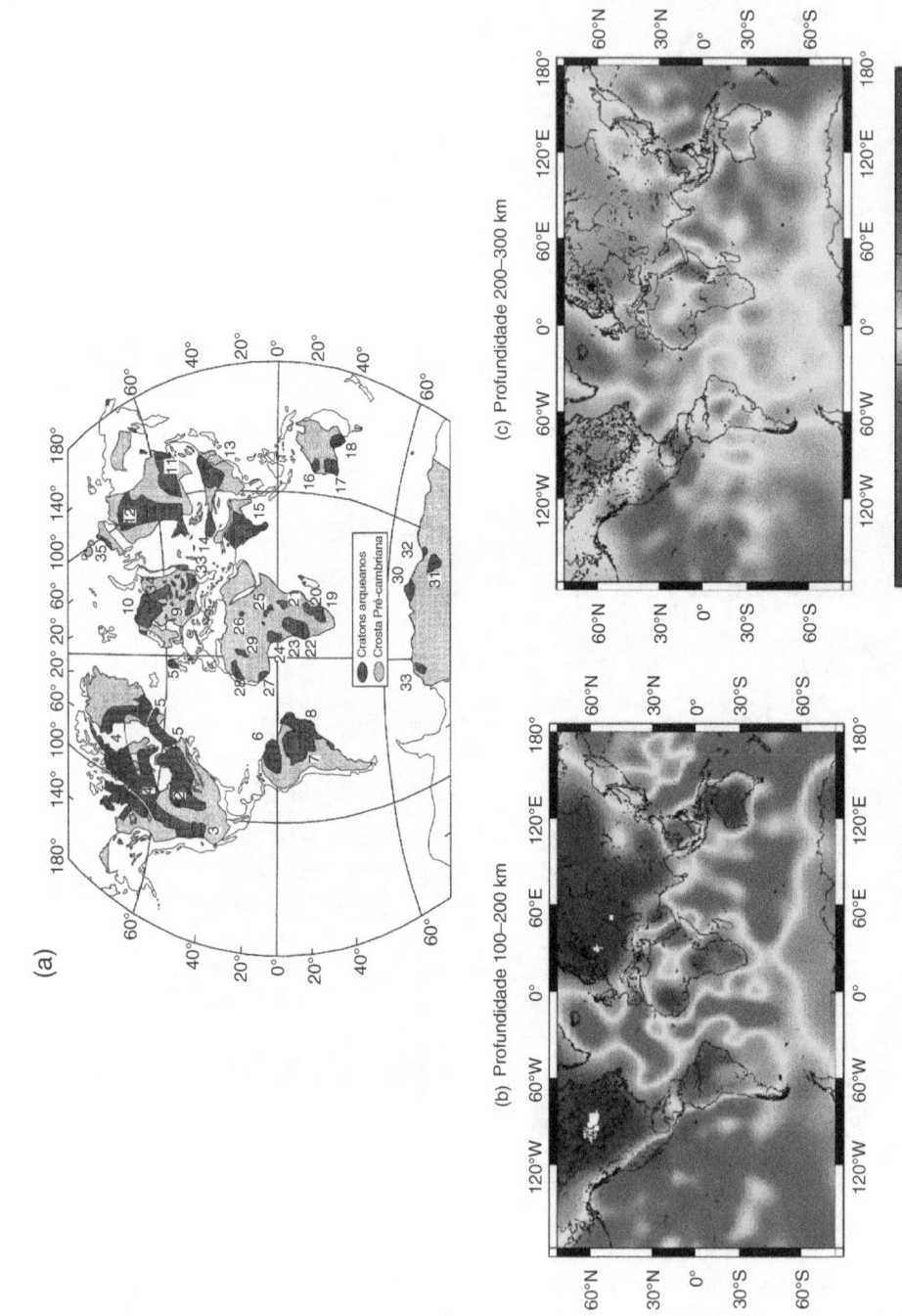

Fig. 11.1 Mapas globais (a) mostrando áreas da crosta arqueana e proterozoica (segundo Kusky & Polat, 1999, com permissão da Elsevier) e anomalias de velocidade sísmica em profundidade de (b) 100-200km e (c) 200-300 km (imagem fornecida por S. King e modificada de King, 2005, com permissão da Elsevier). Os crátons em (a) estão indicados conforme segue: 1, Slave; 2, Superior (incluindo Abitibi); 3, Wyoming; 4, Kaminak (Hearne); 5, America do Norte (Nain, Godthaab, Lewisiano); 6, Guiana; 7, Brasil Central (Guaporé); 8, Atlantico (São Francisco); 9, Ucraniano; 10, Báltico (Kola); 11, Aldan; 12, Anabar; 13, Sino-Coreano (Norte e Sul da China); 14, Tarim; 15, Indico; 16, Pilbara; 17, Yilgarn; 18, Gawler; 19, Kaapvaal; 20, Tanzaniano; 21, Zambiano; 22, Angolano; 23, Kasai; 24, Gabão; 25, Kabaliano; 26, Uweinat; 27, Liberiano; 28, Mauritaneo; 29, Ouzzaliano; 30, Napier; 31, Montanhas Prince Charles; 32, Vestfold Hills; 33, Heimefront Ranges; 34, rochas arqueanas profundamente soterradas do Escudo Leste Europeu; 35, Tajmyr. Anomalias de velocidade de onda S em (b) e (c) são da modelagem tomográfica de Ritsema & van Heijst (2000).

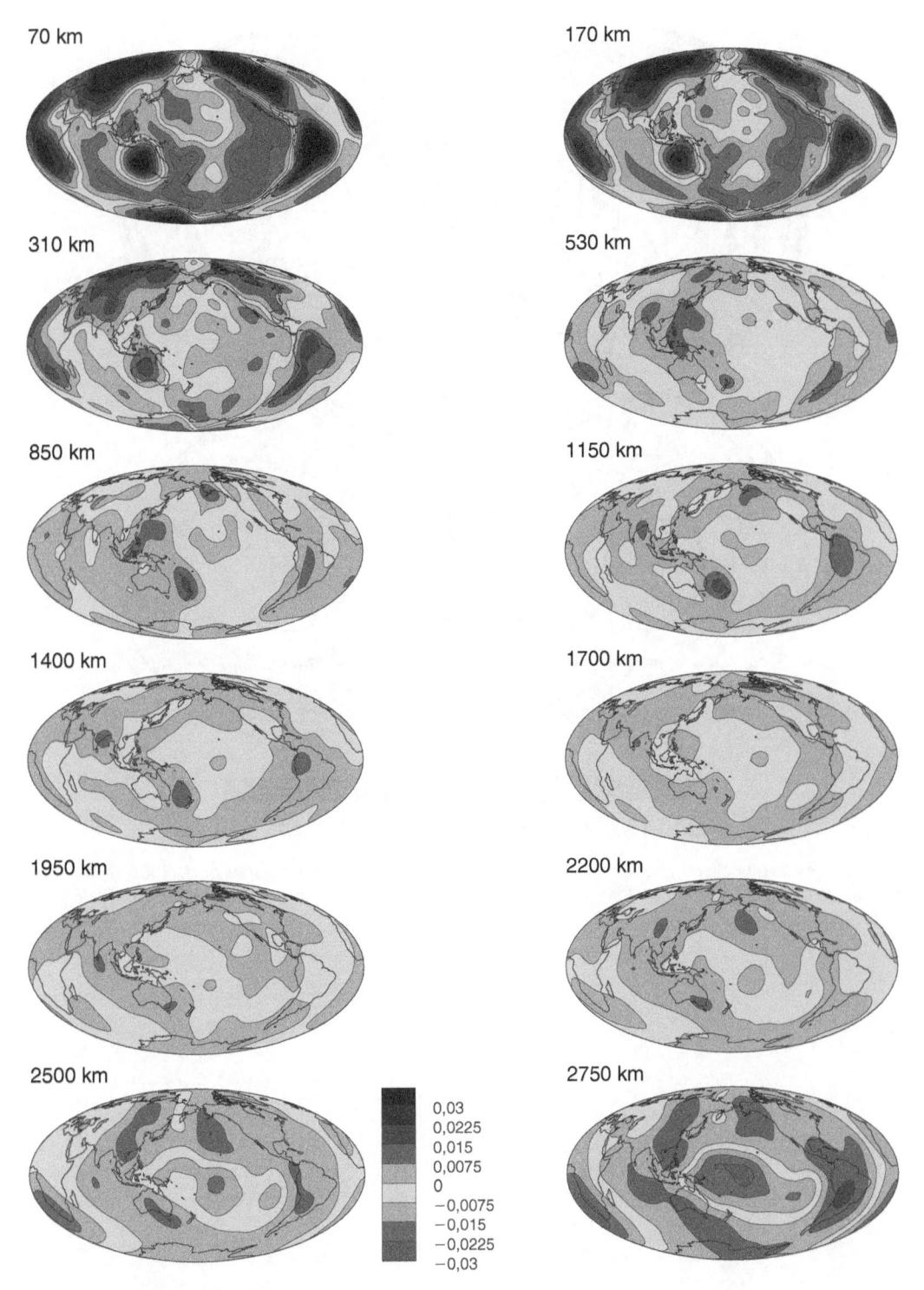

Fig. 12.1 Valores de contorno da variação da velocidade de onda cisalhante em 12 km de profundidade no manto conforme modelo S16B30 de Masters et al. (1996). A variação é expressa em frações dos valores modelo da média global nesta profundidade (reproduzido com permissão da Royal Society of London).

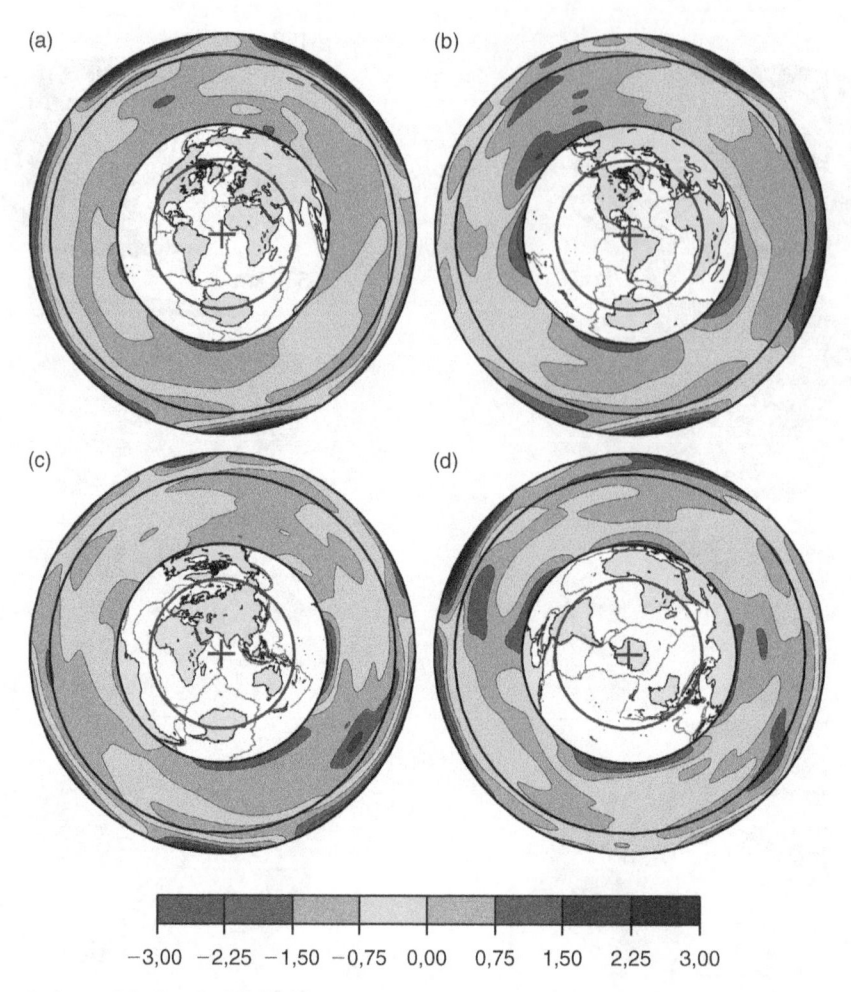

Fig. 12.2 Seção através do modelo de velocidade de onda de cisalhamento S16B30 de Masters et al. (1996). A variação está expressa como porcentagem da média global de valores modelo nesta profundidade. No manto a descontinuidade de 660 km é indicada como um círculo sólido em uma projeção azimutal equidistante do globo (reproduzido com permissão da Royal Society of London).

(Jacob et al., 1977). Existe uma proeminente lacuna na sismicidade entre a fossa e um ponto na metade da distância em direção ao arco vulcânico que se torna progressivamente maior de oeste para leste. O ângulo de subducção é muito raso nesta região. A causa provável dessa lacuna sísmica e subducção rasa é a presença de grandes quantidades de sedimentos terrígenos dentro da fossa, que se tornam cada vez mais abundantes em direção àquela secção da vala adjacente ao Alasca. A natureza não consolidada desses sedimentos provavelmente impede qualquer acumulação da energia de deformação necessária para iniciar tremores de terra, e sua flutuabilidade positiva alta pode forçar a placa subductante a descer a um ângulo anormalmente raso.

Revisando os dados de várias zonas de subducção, Fukao et al. (2001) notaram que as porções do *slab* subductado ou são defletidas horizontalmente dentro ou logo abaixo da zona de transição, ou penetram 660 km descontinuadamente no manto inferior. Abaixo do Chile, das Aleutas, do sul de Kurile e de Izu-Bonin, os *slabs* subductados parecem fletir para fora na zona de transição, enquanto abaixo do Aegean, do Japão central, da Indonésia e da América Central, elas penetram profundamente no manto inferior. A placa abaixo de Tonga tanto flete para fora na zona de transição como extende-se ao longo do manto inferior (van der Hilst, 1995) (Figra 9.2e do encarte colorido). Não há relação entre a idade da porção da placa subductante e a penetração no manto inferior. Alguns pesquisadores defendem que em alguns lugares há evidência de placas que descendem além do limite entre o manto e o núcleo. A possível implicação desses resultados tomográficos para a convecção no manto é discutida na Seção 12.9.

9.5 ESTRUTURA TERMAL DO SLAB DESCENDENTE

A resistência mecânica e a alta flutuabilidade negativa da litosfera oceânica e sua capacidade em falhar de forma súbita durante a geração de terremotos são consequência de sua temperatura relativamente baixa em relação ao material nor-

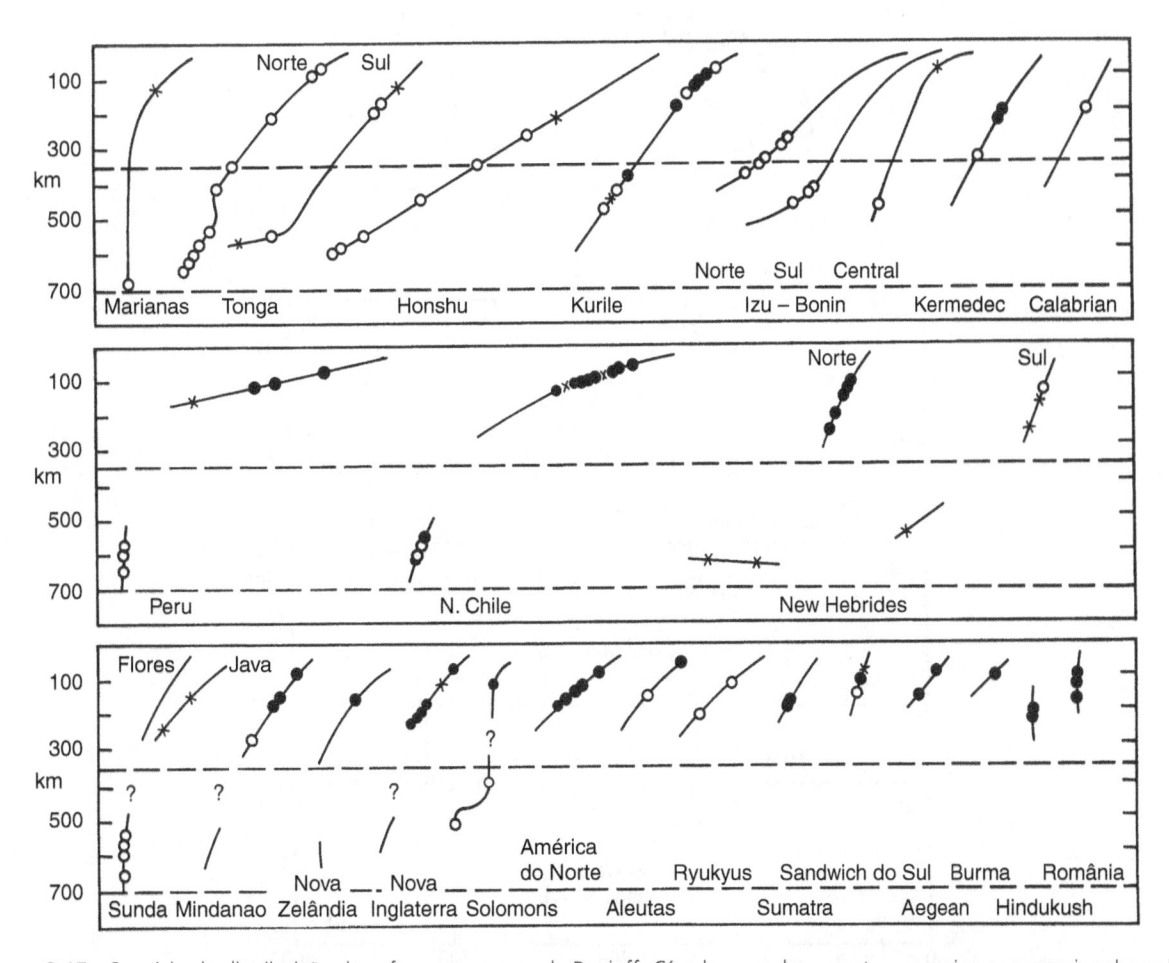

Figura 9.15 Sumário da distribuição do esforço nas zonas de Benioff. Círculos vazados, eventos com eixo compressional paralelo a zona de mergulho; círculos preenchidos, eventos com eixo tensional paralelo à zona de mergulho; cruzes, os eixos P e T não são paralelos; linhas contínuas, forma aproximada da zona sísmica (adaptado de Isacks & Molnar, 1971, com permissão da American Geophysical Union. Copyright © 1971 American Geophysical Union).

mal do manto nessas profundidades. A litosfera subductante pode manter sua identidade térmica e mecânica a profundidades consideráveis, até que uma quantidade de calor recebida do manto seja suficiente para elevar sua temperatura e das áreas adjacentes para patamares vigentes nessa profundidade.

A variação da temperatura dentro do *slab* em submersão pode ser calculada a partir de equações de condução de calor e pela especificação das propriedades termais e dos estados de limites. Os fatores que controlam a distribuição de temperatura são:

1 taxa de subducção: quanto mais rápida a descendência, menor é o tempo para a absorção do calor do manto adjacente por condução;

2 idade e espessura do segmento descendente: quanto mais espessa a placa, maior o tempo requerido para o equilíbrio termal com a astenosfera adjacente;

3 calor por fricção entre as superfícies superior e inferior do segmento, ao passo que a descendência é dificultada pela astenosfera;

4 condução de calor no segmento proveniente da astenosfera;

5 aquecimento adiabático associado com compressão do segmento conforme a pressão aumenta com a profundidade;

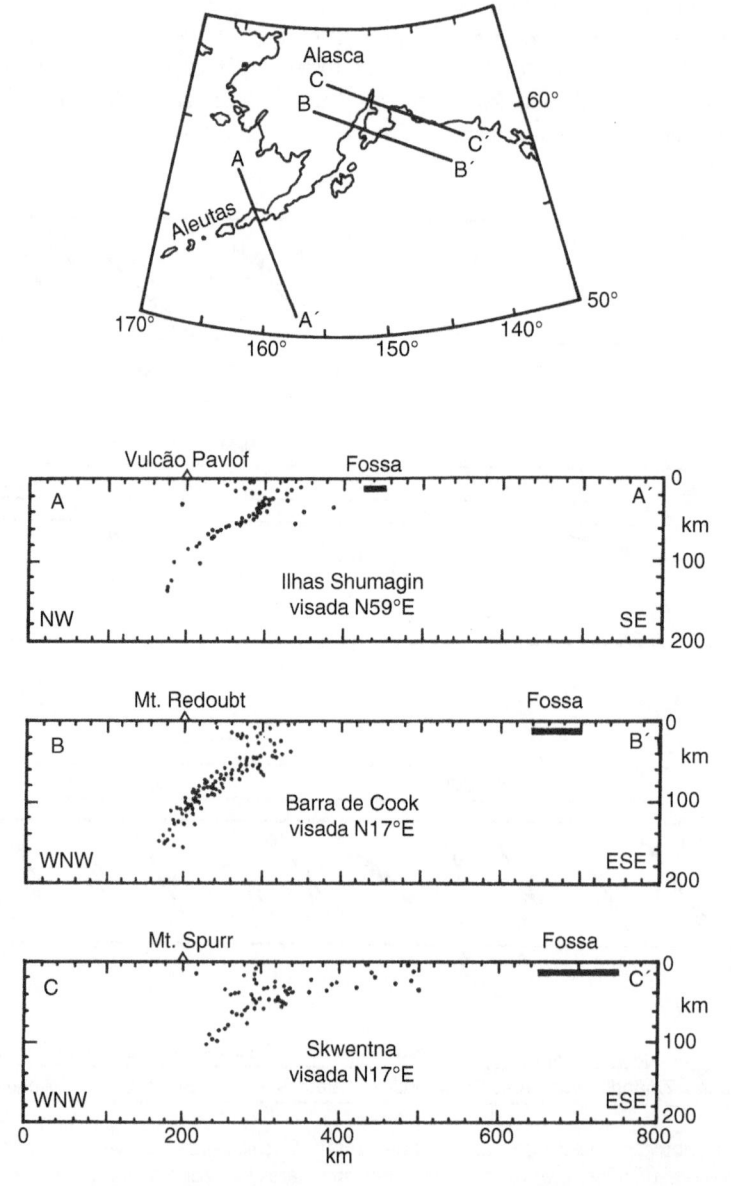

Figura 9.16 Mapa de localização e perfis ao longo do Arco das Aleutas, mostrando focos de terremotos (adaptado de Jacob et al., 1977, com permissão da American Geophysical Union. Copyright © 1977, American Geophysical Union.

6 calor derivado do decaimento radioativo de minerais na litosfera oceânica, sendo provavelmente menor, pois placas oceânicas são barreiras à minerais radioativos;

7 calor latente associado com fases transicionais de minerais para estruturas cristalinas mais densas em profundidade: as principais mudanças de fase experienciadas pelo segmento subductante são a transição olivina-espinélio em torno de 400 km de profundidade, a qual é exotérmica, e a transição entre espinélio-óxidos em torno de 670 km, a qual é endotérmica (Seção 2.8.5).

Diferentes soluções para a distribuição de temperatura têm sido derivadas por vários autores, dependendo das considerações feitas em relação à contribuição relativa dos fenômenos mencionados. Dois modelos derivados por Peacock & Wang (1999) e que representam litosfera subductante relativamente quente e fria são mostrados na Figura 9.3 do encarte colorido. Apesar de diferirem em detalhes, todos esses modelos indicam que o slab subductado mantém sua identidade termal até grandes profundidades, e, excepcionalmente, contrastes de temperaturas até 1.000°C podem existir entre a parte interior do *slab* e o manto normal em uma profundidade de 700 km.

Como discutido na Seção 9.4, o comprimento da zona de Benioff depende da profundidade até onde a litosfera oceânica subductante mantém um núcleo central relativamente frio. Molnar et al. (1979) deduziram que a deflexão das isotermas para baixo e o comprimento da zona sísmica são proporcionais à taxa de subducção e ao quadrado da espessura da litosfera. A espessura da litosfera é proporcional à raiz quadrada de sua idade (Turcotte & Schubert, 2002) de forma que o comprimento das zonas sísmicas deve ser proporcional ao produto da taxa de convergência e da idade. Isso é mostrado genericamente na Fig. 9.17, e, apesar de existir considerável espalhamento, os dados parecem se ajustarem à relação comprimento (km) = taxa (mm a^{-1}) × idade (Ma)/ 10.

9.6 VARIAÇÕES NAS CARACTERÍSTICAS DAS ZONAS DE SUBDUCÇÃO

A idade e a taxa de convergência da litosfera oceânica subductante afetam não só a estrutura térmica do slab que mergulha e o comprimento da zona sísmica, mas várias outras características das zonas de subducção. Pode se ver a partir da Fig. 9.15 que, embora o mergulho da zona de Benioff seja muitas vezes de 45°, como tipicamente ilustrado, existe uma grande variação no mergulho, a partir de 90° abaixo das Marianas a 10° sob o Peru. Parece que o mergulho é largamente determinado por uma combinação da flutuabilidade negativa do segmento subductado, que faz com que este afunde, e das forças exercidas sobre ele por fluxo na astenosfera, induzida pela litosfera subductada, tendendo a

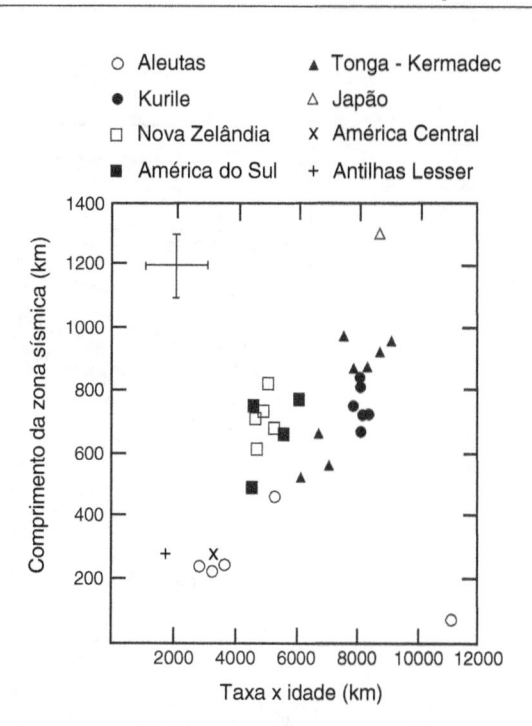

Figura 9.17 Relação entre o comprimento da zona de Benioff e o produto da taxa de convergência e da idade. Incertezas aproximadas dadas pelas barras de erros no canto superior esquerdo (adaptado de Molnar et al., 1979, com permissão da Blackwell Publishing).

elevar o *slab*. Uma taxa mais elevada de subducção produz um maior grau de soerguimento. A litosfera oceânica jovem é relativamente fina e quente; consequentemente, tende a flutuar mais do que uma litosfera oceânica mais velha. Prever-se-ia, por conseguinte, que uma litosfera jovem subductando a uma taxa elevada dará origem aos menores ângulos de mergulho, como no caso do Peru e do Chile. Parece provável que o movimento absoluto da placa superior também seja um fator que contribui para determinar o mergulho da zona de Benioff (Cross & Pilger, 1982).

Zonas de subducção com mergulhos baixos têm uma forte ligação com a placa principal (Uyeda & Kanamori, 1979), dando origem aos terremotos de maior magnitude na região "b" da Fig. 9.8. Mergulhos baixos também restringem o fluxo de astenosfera na cunha do manto acima da zona de subducção, suprimindo, em casos extremos, todo o magmatismo sobre a zona de subducção (Seção 10.2.2) e em todos os casos dando origem a compressão retroarco em vez de extensão. Assim, Uyeda & Kanamori (1979) reconheceram dois membros extremos de tipos de zona de subducção, aos quais se referiram como tipo Chileno e Mariana (Fig. 9.18).

Outra variação de primeira ordem da natureza das zonas de subducção é se elas são de acreção ou erosivas. Historicamente, fossas oceânicas e arcos magmáticos foram considerados o local onde o material derivado da crosta continental e oceânica é acrescionado à margem da placa

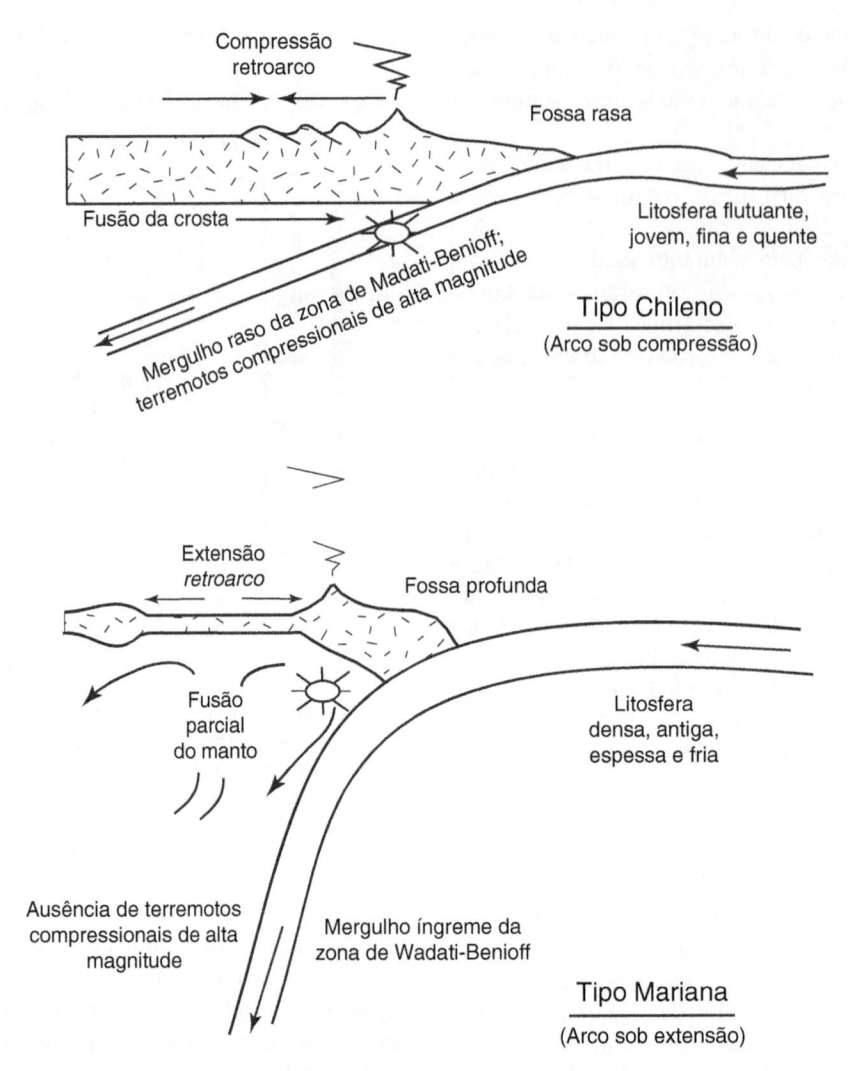

Figura 9.18 Membros extremos de tipos de zona de subducção com base na idade da litosfera subductante e no movimento absoluto da placa superior (adaptado de Uyeda & Kanamori, 1979, e Stern, 2002, com permissão da American Geophysical Union. Copyright © 1979 e 2002 da American Geophysical Union).

superior na forma de uma cunha de sedimentos na região antearco e de um edifício de material ígneo no arco magmático. Cada vez mais, no entanto, tem sido observado que a maior parte da crosta oceânica e do sedimentos pelágicos é empurrada para o manto e que, em cerca de metade das margens convergentes, parte da placa superior é erodida e subductada. O processo pelo qual os sedimentos pelágicos sobre a placa inferior são subductados é conhecido como *subducção de sedimentos*, e o processo pelo qual a rocha ou o sedimento da placa superior é subductado é denominado *erosão por subducção*. Este último pode ser derivado da base do declive em direção à placa superior da trincheira ou da superfície inferior da placa superior. Além disso, a maior parte do material acrescido no arco magmático é tido como derivado do manto, em vez de da crosta subductada (Seção 9.8). Assim, as zonas de subducção também têm sido caracterizadas como acrescionárias ou erosivas (Figs. 9.1, 9.19).

Exemplos de margens de acreção incluem a Calha Nankai e os prismas de Barbados (Seção 9.7) (Saffer & Bekins, 2006); prismas erosivos ocorrem no mar da Costa Rica (Morris & Villinger, 2006) e do Chile (Seção 10.2.3).

Com base em dados de perfis de reflexão sísmica, parece que a espessura do sedimento na placa oceânica que atinge uma fossa deve exceder 400-1.000 m para que o sedimento seja raspado e adicionado ao prisma de acreção. Isso implica que talvez 80% dos sedimentos pelágicos que atingem a fossa são subductados e que a maior parte do sedimento acrescido na região antearco é turbidito de fossa derivado de material continental (von Huene & Scholl, 1991). A natureza acrescionária ou não acrescionária de uma zona de subducção dependerá, em parte, do fornecimento de sedimentos da placa oceânica e de material clástico derivado do continente para a fossa. No entanto, as causas da erosão de subducção são muito mal compreendidas (von Huene et al., 2004). Normalmente, a espessura de sedimentos de fossa em margens de acreção excedem 1 km (Saffer & Bekins, 2006). Outros parâmetros inerentes às margens de acreção são: taxas de convergência ortogonais de menos de 76 mm a^{-1} e vertentes batimétricas antearco de menos de 3°. Além do declive da região antearco em margens erosivas, o antearco é caracterizado por subsidência, o que reflete o afinamento da placa superior ao longo de sua base. A quantidade de subsidência pode ser medida se testemunhos de poços de sequências sedimentares da região estiverem disponíveis. Assim, é possível estimar a taxa de erosão na base da crosta antearco (Clift & Vannucchi, 2004).

9.7 PRISMAS ACRESCIONÁRIOS

Quando presente, um prisma de acreção se forma sobre a parede interna de uma fossa oceânica. A estrutura interna e a construção dessas características foram deduzidas a partir de perfis de sísmica de reflexão e de perfuração em zonas de subducção ativas e pelo estudo dos complexos de subducção antigos agora expostos no continente.

Prismas acrescionários se desenvolvem quando os turbiditos que preenchem a fossa (*flysch*) e alguns sedimentos pelágicos são raspados da placa oceânica descendente pela borda frontal da placa superior, à qual eles se tornam acrescidos. A Calha Nankai, localizada ao sul do Japão (Fig.

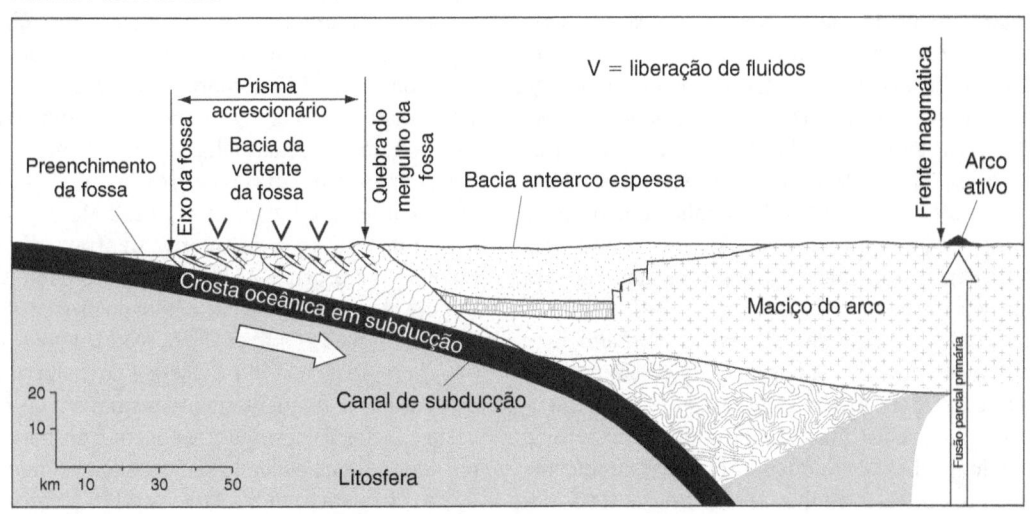

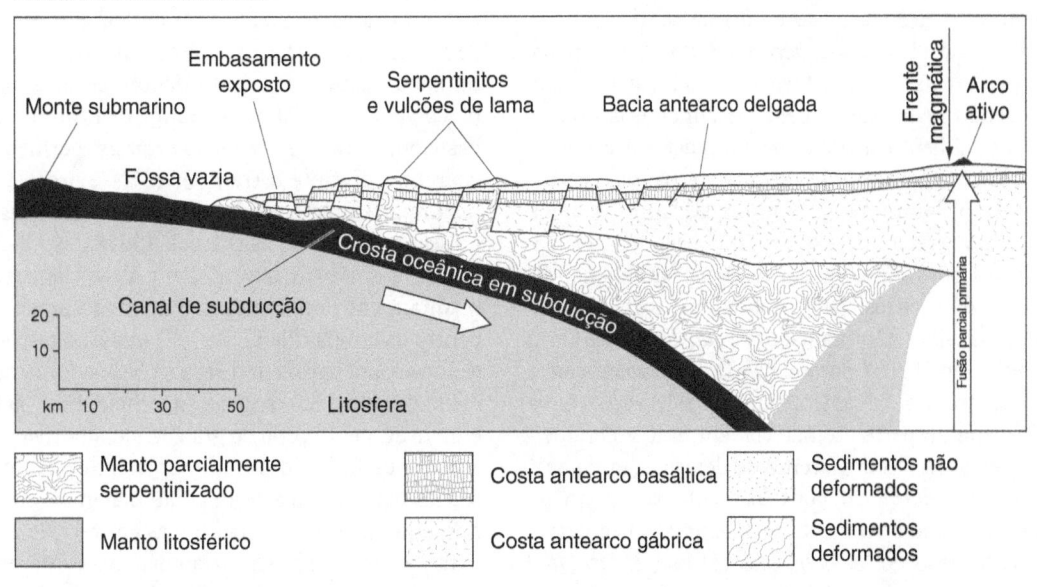

Figura 9.19 Diagramas contrastando as características de margens convergentes (a) acrescionárias e (b) não acrescionárias (adaptado de Stern, 2002, com permissão da American Geophysical Union. Copyright © 2002 American Geophysical Union). V, liberação de fluidos.

9.20a), ilustra muitos dos atributos estruturais, litológicos e hidrológicos de um prisma de acreção grande e ativo com uma espessa seção sedimentar (Moore et al., 2001, 2005). Sob o prisma, o limite de placa é definido por uma falha ou zona de cisalhamento com leve mergulho e com 20 a 30 m de espessura que separa uma cunha sedimentar deformada, acima, de uma secção pouco deformada de sedimento de fossa subductado, rocha vulcanoclástica e crosta basáltica, abaixo (Fig. 9.20b). Esse limite, ou *décollement*, desenvolve-se em uma camada sedimentar frágil, normalmente uma lama hemipelágica de baixa permeabilidade, subjacente a turbiditos de fossa mais fortes e mais permeáveis. Acima do *décollement*, está um *cinturão de dobramentos e empurrão* composto de rampas lístricas de empurrão que sobem através da seção estratigráfica, formando um arranjo imbricado. Essas falhas definem lentes em forma de cunha que são internamente dobradas e clivadas. Na base da série imbricada, o *décollement* mergulha para o arco vulcânico, onde se torna progressivamente mais desenvolvido. Longe do arco, estende-se a uma curta distância da *frente de deformação* em direção ao mar, a qual é marcada pelos primeiros protoempurrões e dobras localizadas dentro da fossa. Mais adiante no oceano, o horizonte estratigráfico que hospeda o *décollement* é conhecido como zona incipiente ou *proto-décollement*, onde a seção de entrada sedimentar é apenas fracamente deformada.

Dados de sísmica de reflexão e idades de sedimentos deformados sugerem que as falhas mais jovens em prismas de acreção ocorrem no fronte da deformação e geralmente tornam-se mais velhas quanto mais longe estiverem da trincheira (Moore et al., 2001, 2005) (Fig. 9.20b). Conforme o encurtamento ocorre, as cunhas de empurrão antigas movem-se gradualmente para cima e são rotacionadas em direção ao arco pela adição de novas cunhas ao vértice do prisma. Este processo, chamado de *acreção frontal*, faz com que cavalgamentos mais velhos se tornem mais inclinados com o tempo, sendo responsáveis pelo crescimento lateral do prisma. O crescimento lateral exige que a deformação mais intensa ocorra na base da pilha sedimentar voltada para o oceano, embora alguns cavalgamentos mais antigos possam permanecer ativos durante a sua rotação e alguns cavalgamentos novos possam se formar e cortar cavalgamentos mais velhos e imbricados. Estes últimos, que cortam transversalmente as falhas, são chamados de *cavalgamentos fora de sequência* (Fig. 9.20b), porque não se conformam com a progressão comum do falhamento em direção ao arco. Além da acreção frontal, parte do material entrante é conduzido para baixo após passar a frente de deformação, onde é transferido, ou *underplated*, por falhamento para a base do prisma de empurrão e acima do *décollement*. Ao contrário dos sedimentos raspados na base, este material *underplated* pode tornar-se profundamente soterrado e sofrer metamorfismo de alta pressão (Seção 9.9). O processo de *underplate* tectônico, juntamente com encurtamento interno, espessa a cunha e faz com que a inclinação da sua superfície superior aumente (Konstantinovskaia & Malavieille, 2005).

O topo de um prisma de acreção é definido por uma diminuição relativamente abrupta na inclinação chamada de *quebra de inclinação da fossa*. Entre esta ruptura e o arco de ilha, uma bacia antearco pode desenvolver-se, a qual é então preenchida com sedimentos derivados da erosão do arco vulcânico e de seu substrato. Essa bacia é uma região de sedimentação tranquila, onde unidades planas cobrem as fatias mais antigas da cunha. Em direção ao oceano, a partir da bacia antearco, na encosta da fossa, pequenos bolsões de sedimentos também se acumulam em cima de antigas lascas de empurrão (Fig. 9.20b). As idades dessas antigas fatias e sua distância do vértice do prisma fornecem um meio de estimar as taxas de crescimento lateral. Por exemplo, a perfuração nos locais 1175 e 1176 no prisma Nankai mostrou que arenitos de fossa inclinados sobrepõem discordantemente fatias de empurrão que podem ser tão jovens como 1 ou 2 Ma (Moore et al., 2001; Underwood et al., 2003). Assumindo um crescimento contínuo em direção ao mar, a distância dessas fatias de cavalgamento da frente de deformação implica taxas de crescimento lateral na faixa de 40 km ao longo dos últimos 1 ou 2 Ma. Em comparação, o prisma de acreção da América Central ao longo da costa do México cresceu ~23 km de largura nos últimos 10 Ma (Moore et al., 1982), e a parte leste do prisma de acreção das Aleutas cresceu 20 km em 3 Ma (von Huene et al., 1998).

A erosão da encosta da fossa e de material proveniente do continente frequentemente resulta em depósitos de encosta e fluxos de detritos que podem transportar o material por toda a fossa, podendo ser raspado novamente e reciclado de volta para a cunha. No local 1178 no prisma Nankai, a presença de fatias de empurrão compostas por turbiditos do Mioceno indica que a fossa acumulou grandes quantidades de sedimentos derivados da erosão da rocha exposta na Ilha Shikoku naquele momento (Moore et al., 2005). Grandes blocos (100 a 1.000 m de comprimento) de material que deslizou, chamados de *olistostromas*, permanecem semi-coerentes durante o transporte. Esse processo fornece a maior parte do material que permite a prismas de acreção crescerem de forma mais ampla (Silver, 2000). Ao longo do tempo, a erosão, a deformação e a reciclagem sedimentar resultam em uma circulação de longo prazo do material dentro da cunha (Platt, 1986). O material raspado primeiro se move para baixo em direção à base do prisma e então se move de volta em direção à superfície. Esse padrão resulta em um aumento geral do grau de metamorfismo das rochas a partir da fossa em direção ao arco, de tal forma que as rochas mais velhas e de alta grau metamórfico são estruturalmente mais altas e soerguidas em relação aos depósitos mais jovens. Esse processo também pode criar uma mistura caótica de rochas ígneas, sedimentares e metamórficas chamada de *mélange* (ver também Seção 10.6.1). Alguns dos fragmentos de rocha mais antigos na *mélange* podem pre-

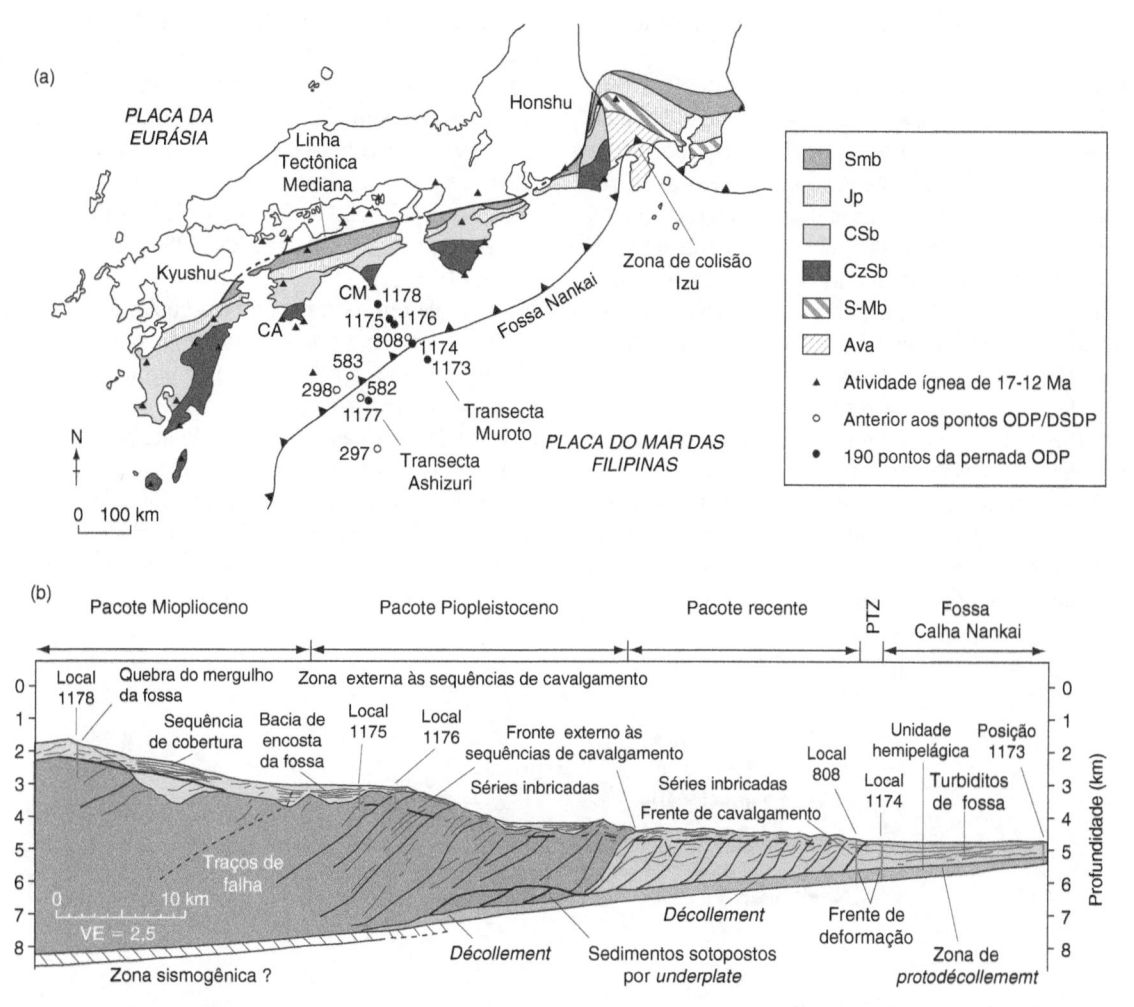

Figura 9.20 (a) Mapa geológico do prisma de acreção Nankai mostrando a Pernada 190/196 do Programa de Perfuração do Oceano (ODP – Ocean Drilling Program, círculos pretos) e os locais de perfuração do programa anterior ODP/Programa de Perfuração de Mar Profundo (DSDP – Deep Sea Drilling Program, círculos abertos) (adaptado de Moore et al., 2001, com permissão da American Geophysical Union. Copyright © 2001 American Geophysical Union). CA, Cabo Ashizuri; CM, Cabo Muroto; Smb, cinturão metamórfico Sanbagawa; Jp, prisma de acreção Jurássico; CSb, cinturão cretácico shimanto; CzSb, cinturão cenozoico Shimanto; S-Mb, cinturões Shimanto e Mineoka; Ava, arco vulcânico acrescido; PTZ, zona de protocavalgamento. (b) Secção transversal generalizada da transecta Muroto mostrando as principais províncias estruturais (adaptado de Moore et al., 2005, com permissão da American Geophysical Union. Copyright © 2005 American Geophysical Union).

servar fácies xisto azul ou fácies de metamorfismo eclogito, indicando profundidades de soterramento de pelo menos 30 km (Seção 9.9).

A forma geral de prismas de acreção em perfil se aproxima à de uma cunha cônica, em que a superfície superior se inclina em um sentido oposto ao *décollement* subjacente (Fig. 9.21a). Davis et al. (1983) e Dahlen (1990) mostraram que esta forma cônica é necessária quando toda a cunha se move em conjunto e se o comportamento do sistema segue o critério de fraturamento de Mohr-Coulomb (Seção 2.10.2). A inclinação da superfície (α) é determinada pela interação entre a resistência ao deslizamento no *décollement* e a resistência da rocha na cunha de empurrão. Estes últimos dois fatores são fortemente influenciados pela pressão de fluido de poros (λ), pelo mergulho do *décollement* basal (β) e pelo peso da rocha sobrejacente (Fig. 9.21b). O encurtamento tectônico e o *underplating* engrossam a cunha, assim aumentando a inclinação da superfície. Se a superfície se torna muito inclinada, vários ajustamentos mecânicos ocorrerão até que a inclinação diminua e um estado de equilíbrio seja alcançado. Esses ajustes podem envolver falhas normais e/ou alongamento do *décollement* e resultam das mesmas forças que guiam o colapso gravitacional dos grandes soerguimentos topográficos (Seção 10.4.6). O comportamento mecânico da cunha também é especialmente sensível à redistribuição de massa por erosão superficial e deposição (Konstantinovskaia & Malavieille, 2005; Stolar et al., 2006), que mudam gradientes topográficos e, em grandes escalas, afetam a evolução térmica da crosta (Seção 8.6.3).

Os resultados da perfuração em prismas ativos têm fornecido evidência inequívoca da importância do fluxo de fluido e das alterações na pressão de fluido nos poros em prismas de acreção. Medidas de porosidade, densidade, resistividade e outras características físicas sugerem que os sedimentos acrescidos descendem tão rapidamente que não têm oportunidade de desidratar antes do soterramento (Silver, 2000; Saffer, 2003; Moore et al., 2005). Esse processo e as baixas permeabilidades típicas de sedimentos marinhos resultam em elevadas pressões de poros que reduzem a tensão efetiva, diminuem a resistência ao cisalhamento da rocha (Seção 2.10.2) e permitem o deslizamento sobre o *décollement*. Fluxos de fluidos episódicos e o colapso de vias de fluxo anteriores também podem permitir que o *décollement* propague lateralmente abaixo da cunha (Ujiie et al., 2003). Esses processos explicam os baixos ângulos de conicidade da maioria das cunhas de acreção, possíveis apenas se o material interno for muito fraco e os tensores de cisalhamento no *décollement* forem muito baixos (Davis et al., 1983; Saffer e Bekins, 2002). A alta pressão de fluido nos poros também explica muitos outros fenômenos que estão associados com os prismas, incluindo vulcões de lama e diápiros (Westbrook et al., 1984) e o desenvolvimento de ambientes químicos e biológicos únicos na extremidade frontal do prisma (Schoonmaker, 1986; Ritger et al., 1987) (Fig. 9.19).

Além de um mecanismo pelo qual a pressão de fluido dos poros aumenta por soterramento rápido, há também mecanismos que competem para diminuir a pressão de fluido dos poros dentro de uma cunha. Os fluidos tendem a fluir ao longo de canais estreitos e altamente permeáveis e saem para o *décollement* e para o assoalho oceânico através de condutos verticais e laterais (Silver, 2000; Morris & Villinger, 2006). Alguns desses condutos coincidem com falhas de empurrão que cobrem a zona de *décollement*, cuja alta permeabilidade por fraturas permite que o fluido escape (Gulick

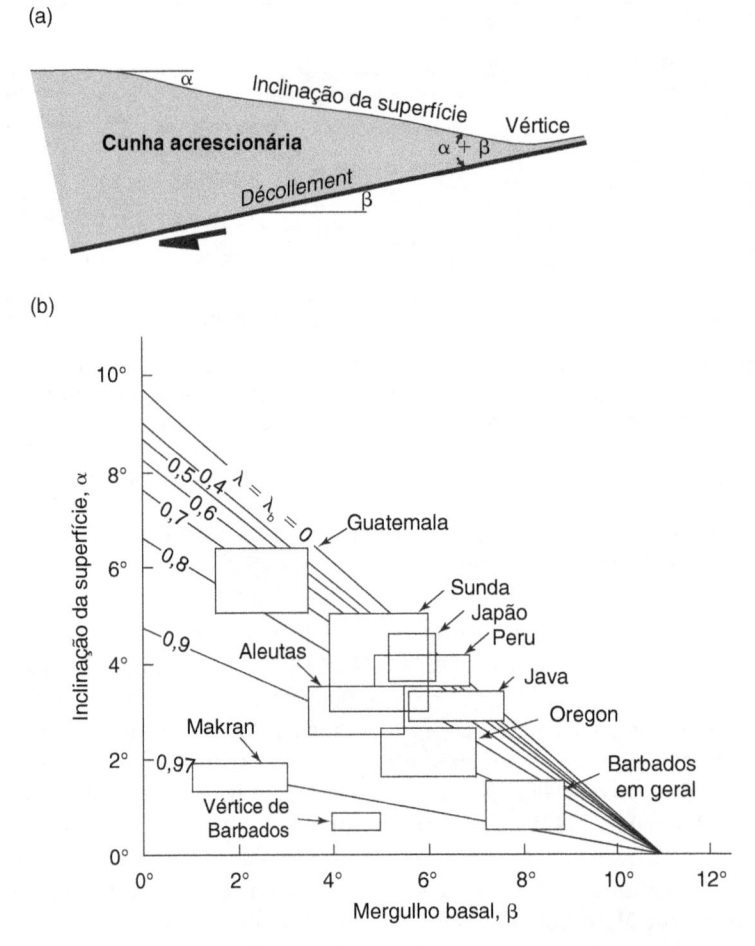

Figura 9.21 (a) Perfil esquemático de uma cunha de Coulomb e (b) conicidade teórica de cunha para várias proporções de pressão de fluido dos poros (λ) para prismas de acreção submarinos, assumindo que a pressão na base é idêntica à pressão na cunha (adaptado de Davis et al., 1993, com permissão da American Geophysical Union. Copyright © 1993 American Geophysical Union). Caixas em (b) indicam afunilamento de cunhas ativas. Cálculos envolveram uma densidade de sedimentos de cunha de 2.400 kg m^{-3}.

et al., 2004; Tsuji et al., 2006). Esta forma de fuga de fluido implica que a zona de *décollement* possui uma menor pressão de fluido do que os seus arredores, uma condição que está em conflito aparente com a evidência de pressões elevadas de fluido nos poros nesta zona. No entanto, o conflito aparente pode ser conciliado por modelos em que a pressão do fluido na zona de *décollement* varia tanto espacial como temporalmente dentro da cunha. A natureza dessas variações e suas consequências para a evolução da deformação da cunha são muito influenciadas por fatores como a taxa de convergência, estratigrafia, litologia, mineralogia e propriedades hidrológicas dos sedimentos recebidos (Saffer, 2003).

A sensibilidade dos prismas de acreção às flutuações no fluxo de fluido e na pressão de fluidos dos poros tem sido explorada em detalhe através de modelos mecânicos e numéricos. Ao combinar um modelo de fluxo de água subterrânea com a teoria da conicidade crítica (Fig. 9.22a), Saffer & Bekins (2002) concluíram que baixa permeabilidade, alta pressão de poros e altas taxas de convergência sustentam sistemas mal drenados e resultam em cones rasos, enquanto alta permeabilidade, baixa pressão de poros e baixa taxa de convergência resultam em sistemas bem drenados e geometrias de cones íngrimes (Fig. 9.22b). Esses autores também mostraram que a espessura estratigráfica e a composição do sedimento que é incorporado à cunha estão entre os fatores mais importantes que regulam a pressão de fluido dos poros nas cunhas (Saffer & Bekins, 2006). Espessas secções sedimentares dão origem a grandes prismas capazes de sustentar elevadas pressões de fluido de poros e ângulos de conicidade baixos e estáveis (Fig. 9.23a). Os resultados também sugerem que os prismas compostos basicamente por sedimentos finos de baixa permeabilidade, como o norte das Antilhas (Barbados) e o leste de Nankai (Ashizuri), irão exibir baixos ângulos de conicidade, enquanto aqueles caracterizados por uma elevada proporção de turbiditos de alta permeabilidade, como Cascadia, Chile e México, terão maiores ângulos de conicidade (Fig. 9.23b). Essa sensibilidade às propriedades físicas dos sedimentos acrescidos e subductados implica que qualquer variação da litologia ou espessura do sedimento ao longo da direção do plano de mergulho, influencia fortemente a geometria e o comportamento mecânico de prismas de acreção. De forma similar, qualquer variação na espessura ou composição de sedimentos ao longo do tempo forçará o complexo acrescionário a se reajustar até que um novo equilíbrio dinâmico seja alcançado.

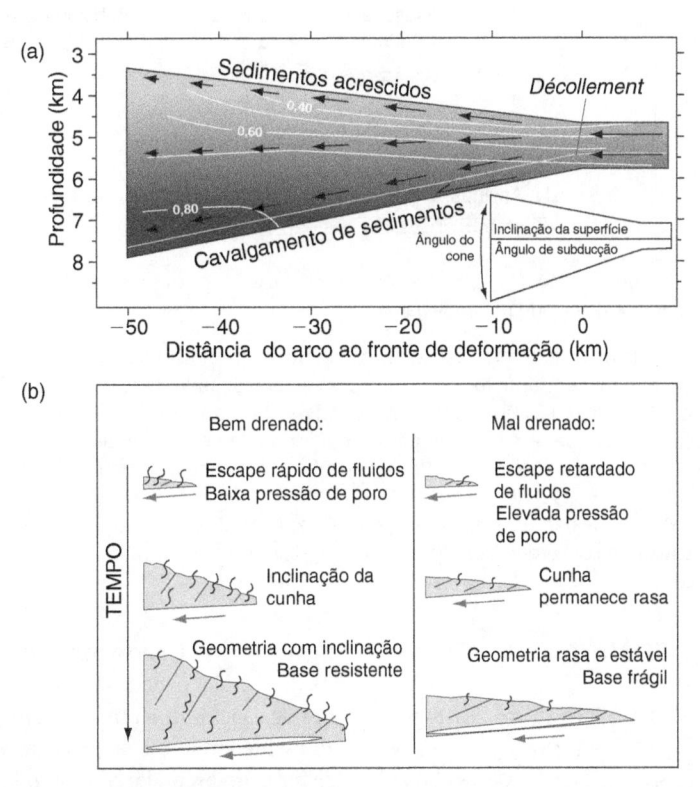

Figura 9.22 (a) Representação esquemática de um modelo numérico de fluxo de fluido dentro de um prisma de acreção e (b) secções transversais mostrando relações entre os fatores que influenciam o ângulo de conicidade da cunha de acreção (adaptado de Saffer & Bekins, 2002, com permissão da Geological Society of America). Setas em (a) representam velocidades aproximadas de sedimentos na frente de deformação. O gradiente sombreado mostra a distribuição generalizada da porosidade, os contornos são modelados em estado estacionário das pressões dos poros (λ).

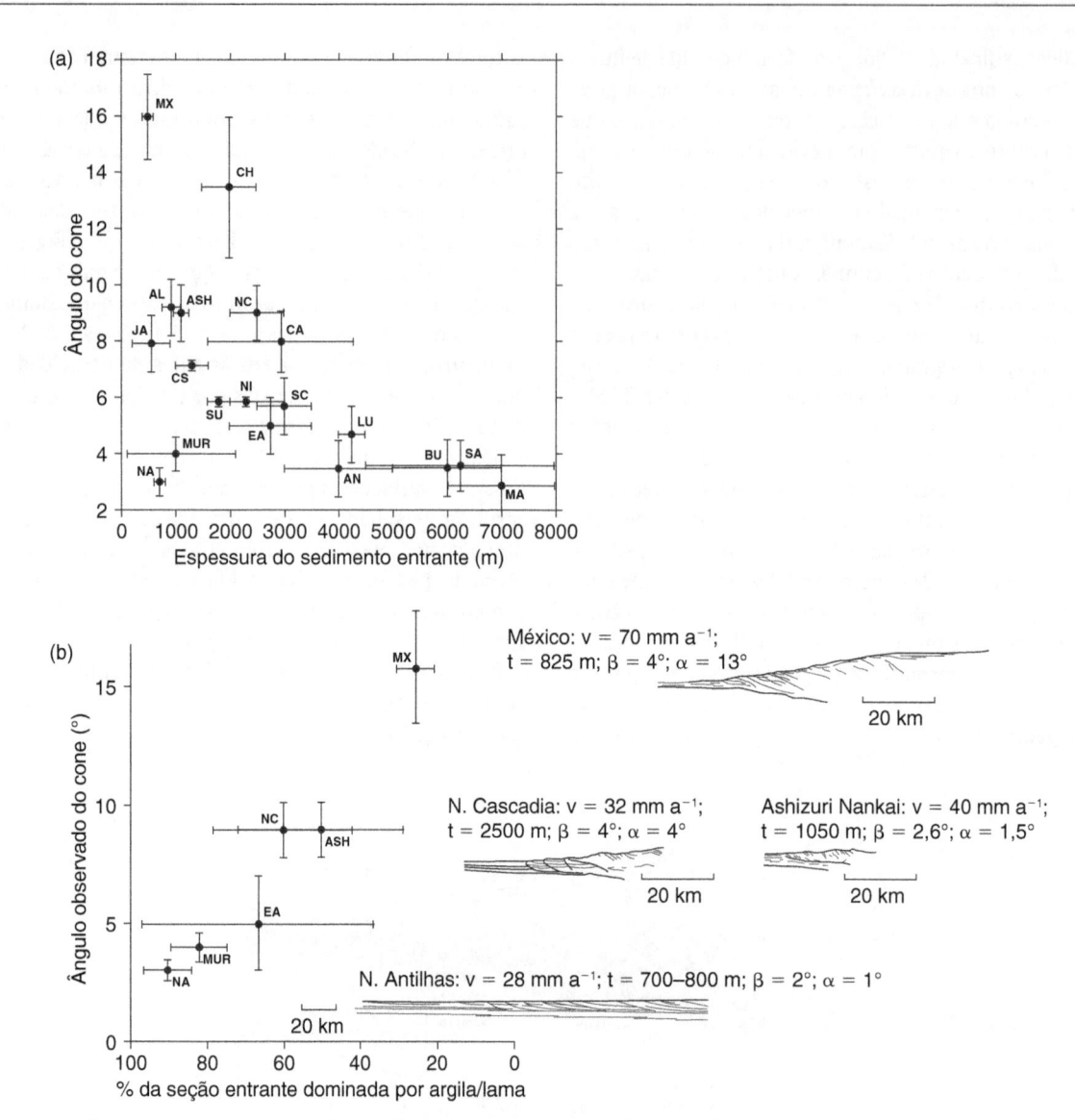

Figura 9.23 Ângulos de conicidade de prismas de acreção ativos plotados em função da (a) espessura de sedimentos de entrada e da (b) litologia onde a seção de sedimento entrante foi amostrada por perfuração (adaptado de Saffer & Bekins, 2006, com permissão da American Geophysical Union. Copyright © 2006 American Geophysical Union). Barras de erro horizontais indicam incerteza na litologia e barras de erro verticais indicam variações no ângulo de conicidade ao longo da direção do plano. NA, Antilhas do norte; SA, Antilhas do sul; MUR, Nankai Muroto; AL, leste das Aleutas (160°W); EA, leste das Aleutas (148-150°W); CA, Aleutas centrais (172-176°W); NC, norte de Cascadia; SC, sul de Cascadia; ASH, Nankai Ashizuri; MX, México; JA, Java; CS, Sumatra central; SU, Sunda; CH, Chile; NI, Nicobar; AN, Andaman; LU, Luzon; BU, Birmânia; MA, Makran. Secções transversais em (b) são de Saffer & Bekins (2002). Estão indicados taxa de convergência de placa (v), espessura estratigráfica de entrada (t), mergulho do *décollement* (β) e inclinação da superfície (α).

9.8 ATIVIDADE PLUTÔNICA E VULCÂNICA

Onde a litosfera oceânica em subducção atinge uma profundidade de 65 a 130 km, há a ocorrência de atividade vulcânica e plutônica, dando origem a um arco de ilhas ou a um arco continental do tipo Andino cerca de 150-200 km distante do eixo da fossa (England et al., 2004). A espessura da crosta do arco reflete tanto a idade do sistema como o tipo de crosta em que o arco se forma. Arcos de ilhas relativamente jovens, como a parte ativa do Arco Vulcânico Mariana de 3-4 Ma, podem ser sustentados por uma crosta de 20 km de espessura ou menos. Crosta fina também ocorre geralmente em locais onde a extensão é dominante, como no sistema do arco Mariana (Fig. 9.18b) (Kitada et al., 2006). Arcos de ilhas maduros, como os do sistema de arco japonês do Neogeno, geralmente mostram espessuras crustais que variam entre 30 e 50 km, porque foram construídos sobre rochas ígneas e metamórficas mais antigas (Taira, 2001). Arcos continentais, incluindo os Andes e as Cascadias, são estruturalmente os mais complexos de todos os sistemas de arco por causa das inúmeras heterogeneidades estruturais e de composição intrínsecas à litosfera continental. Nas configurações continentais compressionais (por exemplo, Fig. 9.18a e a Figura 10.1 (do encarte colorido, onde ocorre espessamento crustal substancial, a crosta do arco pode atingir espessuras de 70-80 km (Seção 10.2.4).

Os tipos de rochas vulcânicas que ocorrem no ambiente acima da zona de subducção geralmente formam três séries vulcânicas (Gill, 1981; Baker, 1982):

1 A série *toleítica* de baixo potássio que é dominada por lavas basálticas associadas com volumes menores de andesitos e andesitos basálticos ricos em ferro.
2 A série *calcoalcalina*, dominada por andesitos (Thorpe, 1982) que são moderadamente enriquecidos em potássio, outros elementos incompatíveis e elementos terras raras leves. Em arcos continentais, dacitos e riolitos são abundantes, apesar de serem subordinados a andesitos.
3 A série *alcalina* que inclui os subgrupos de basaltos alcalinos e as raras lavas com alto potássio (ou seja, lavas shoshoníticas).

Em geral, as séries de magmas toleíticos são bem representadas acima de zonas de subducção jovens. Essas rochas têm sido interpretadas como derivadas pela cristalização fracionada de olivina a partir de um magma primário originado em profundidades relativamente rasas de cerca de 65-100 km no manto. As séries calcoalcalina e alcalina são encontradas em zonas de subducção mais maduras e parecem refletir magmas gerados em profundidades maiores do que aqueles que resultam em rochas toleíticas. Magmas calcoalcalinos, representados por andesitos e andesitos basálticos, são os mais abundantes da série vulcânica. Magmas alcalinos apresentam a menor abundância em arcos de ilhas e são mais comuns em riftes continentais e ambientes intraplacas (Seção 7.4.2).

Alguns arcos de ilhas apresentam padrões espaciais na distribuição das séries vulcânicas. No sistema de arco de ilhas japonês, por exemplo, uma tendência composicional toleítica/calcioalcalina/alcalina para as rochas vulcânicas torna-se evidente com o aumento da distância da fossa. Essa tendência pode refletir magmas derivados de profundidades cada vez maiores e/ou diferenças no grau de fusão parcial (Gill, 1981). Um baixo grau de fusão parcial tende a concentrar álcalis e outros elementos incompatíveis na pequena fração fundida (Winter, 2001) e poderia conduzir a um aumento na alcalinidade para longe da trincheira, devido a uma maior profundidade do processo de fusão ou uma diminuição na disponibilidade de água. No entanto, existem muitas exceções a esse padrão em outros arcos, indicando que as diferenças nas condições locais influenciam fortemente as composições de magma. O sistema de Arco Izu-Bonin-Mariana (Fig. 9.1), por exemplo, mostra as tendências de composição ao longo do eixo do arco. De 35°N a 25°N de latitude, os vulcões que formam parte dos segmentos Izu e Bonin são dominados por suites de rocha de baixo e médio potássio (Fig. 9.24). O segmento Mariana é dominado por suites de médio potássio de 14°N a 23°N, e uma província shoshonítica é encontrada entre os segmentos Mariana e Bonin (Stern et al., 2003). Esse grande espectro de composições de rocha reflete a diversidade de processos envolvidos no magmatismo de arco, incluindo variações na profundidade e no grau de fusão parcial, mistura de magmas, fracionamento e assimilação (ver também Seção 7.4.2). Em geral, essas observações indicam que as três séries vulcânicas formam uma continuidade de composições de rocha e não correspondem aos tipos de magma absolutos ou a regiões de fonte.

Sistemas de arco maduros, e em especial arcos continentais, tipicamente incluem cinturões grandes e lineares de rochas plutônicas chamados de *batólitos*. Esses cinturões são tão comuns em crosta continental que são amplamente utilizados como indicadores de margens convergentes antigas e extintas (Seção 5.9). Ocasionalmente, o termo batólito do *tipo cordilheirano* é usado para descrever grandes corpos complexos de rocha plutônica que foram criados acima de zonas de subducção oceano-continente. A maioria desses batólitos é composta de centenas a milhares de intrusões individuais que variam em composição desde gabro, tonalito e diorito até granodiorito e granito. Semelhanças de composição entre muitas rochas plutônicas e algumas rochas vulcânicas próximas sugerem que as primeiras representam o resíduo cristalizado de câmaras magmáticas profundas que uma vez alimentou partes rasas do sistema. Sua exposição em arcos maduros é resultado de períodos prolongados de soerguimento e erosão.

Uma área de pesquisa importante e altamente controversa está centrada na origem dos magmas que formam complexos vulcânicos e plutônicos. Certamente, a geração dos magmas deve estar ligada de alguma forma à zona de Benioff, já que há uma correlação muito forte entre sua profundidade e a variação sistemática na composição de rocha vulcânica e em abundâncias elementais. Os primeiros modelos (por exemplo, Ringwood, 1975) sugeriram que os magmas foram derivados de fusão do topo da placa oceânica descendente. No entanto, essa ideia foi subsequentemente rejeitada como modelo geral, em parte porque os modelos térmicos indicam que a litosfera subductada raramente fica quente o suficiente para se fundir (Peacock, 1991). Além disso, evidências petrológicas e mineralógicas (Arculus & Curran, 1972) e as razões isotópicas de hélio (Hilton & Craig, 1989) indicam que o magma parental se origina por fusão parcial do manto astenosférico que recobre a placa descendente. Karig & Kay (1981), Davidson (1983) e Hilton & Craig (1989), entre outros, demonstraram que certas razões isotópicas requerem uma grande contribuição de se-

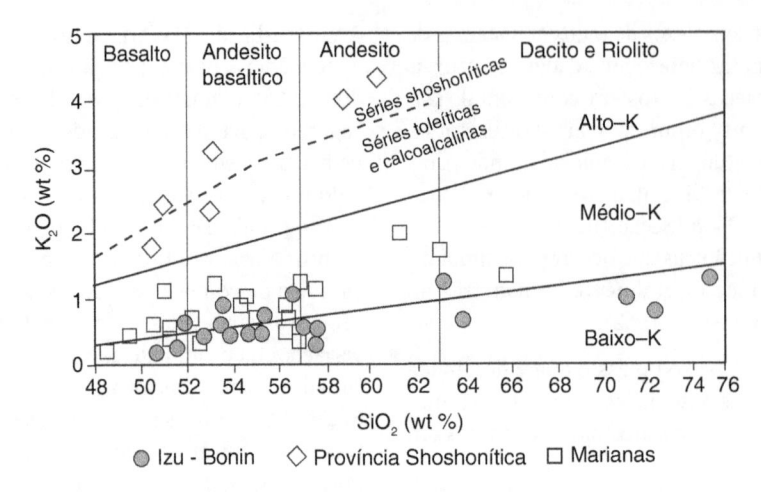

Figura 9.24 Diagrama de potássio-sílica para a composição média de 62 rochas de vulcões amostrados ao longo do sistema de arco Izu-Bonin-Mariana (modificado de Stern et al., 2003, by permission of the American Geophysical Union. Copyright © 2003 American Geophysical Union).

dimentos derivados do continente. Consequentemente, os sedimentos da fossa devem ser transportados para a zona de subducção e incorporados no fundido astenosférico (Plank & Langmuir, 1993). A maioria dos autores concluiu que a crosta ígnea da litosfera em subducção contribui apenas com quantidades muito pequenas de fundido, exceto, possivelmente, em circunstâncias especiais em que uma litosfera quente e jovem é subductada ou aquecida pelo fluxo mantélico (Figura 9.3 do encarte colorido). Neste último caso, composições distintivas de fundidos, como *adakitos*, podem ser produzidos (Johnson & Plank, 1999; Yogodzinski, 2001; Kelemen et al., 2003).

Um grande problema do magmatismo de arco é a fonte de calor necessária para fundir a astenosfera acima da placa descendente. Acreditava-se originalmente que ela foi derivada exclusivamente por aquecimento de cisalhamento na parte superior da placa. No entanto, isso é improvável, porque a viscosidade da astenosfera diminui com o aumento da temperatura, e, às temperaturas necessárias para a fusão parcial, a astenosfera teria viscosidade tão baixa que não poderia ocorrer fusão por cisalhamento. Ringwood (1974, 1977) sugeriu que a fusão parcial ocorre a uma temperatura relativamente baixa por causa da alta pressão de vapor de água resultante da desidratação de diferentes fases minerais da placa subductante. De fato, quanto maior for a quantidade de água presente, mais reduzida é a temperatura de fusão do manto (Stolper & Newman, 1994). Assim, a água atua como um agente primário que impulsiona a fusão parcial sob os arcos.

Acredita-se que metade da água transportada para baixo em uma zona de subducção é liberada abaixo da região antearco, em parte na crosta e em parte no manto, o que produz serpentinito (Fig. 9.19) (Bostock et al., 2002). A maior parte da água transportada a grandes profundidades é sequestrada em minerais hidratados em crosta alterada e metamorfizada, incluindo serpentinito. Com o acréscimo da pressão, basalto e gabro hidratados são metamorfoseados progressivamente para xisto azul, então anfibolito e depois eclogito (Seção 9.9). A cada transformação, água é liberada. O serpentinito é particularmente eficaz no transporte de água para grandes profundidades, mas a magnitude em que a litosfera subductada é serpentinizada não é clara. Considera-se que a crosta oceânica com alta taxa de espalhamento contém pouco ou nenhum serpentinito, mas a crosta com propagação lenta é conhecida por conter cerca de 10-20% de serpentinito (Carlson, 2001). No entanto, como já descrito (Seção 9.4), o manto litosférico na placa que subducta pode estar hidratado a uma profundidade de dezenas de quilômetros, como resultado do falhamento normal associado com a curvatura da placa à medida que se aproxima da zona de subducção.

Um modelo generalizado de magmatismo de arco começa com a subducção de basaltos hidratados abaixo da litosfera continental ou oceânica (Fig. 9.3). À medida que o *slab* mergulha através do manto, recebe o calor a partir da astenosfera circundante, e o basalto na parte superior do *slab* começa a desidratar através de uma série de reações de minerais metamórficos (Seções 9.4, 9.9). Sedimentos que foram subductados juntamente com o basalto também desidratam e podem fundir devido às suas baixas temperaturas de fusão. A liberação de fluidos metamórficos do *slab* parece ser bastante rápida, podendo ocorrer em pouco tempo, como várias dezenas de milhares de anos (Turner & Hawkesworth, 1997). Em contraste, a reciclagem do sedimento subductado para o interior do manto superior pode ser lenta (2-4 Ma). Como o calor é transferido para o *slab*, gradientes de temperatura são estabelecidos de tal modo que a astenosfera na vizinhança da placa se torna mais fria e mais viscosa do que nas áreas circundantes, especialmente perto da parte superior do *slab*. Essa astenosfera mais viscosa é então arrastada para baixo juntamente com o *slab*, causando fluxo do manto menos viscoso, conforme indicado na Fig. 9.3. É a interação deste manto em subsidência com fluidos aquosos provindos do *slab* que afunda que é tida como causadora da fusão parcial do manto. Além disso, alguns fundidos podem resultar do material do manto quente ascendente dentro da cunha mantélica (Sisson & Bronto, 1998). Se o material quente sobe rápido o suficiente para que pouco calor seja perdido, a redução da pressão pode causar fusão parcial por descompressão (ver também Seção 7.4.2).

Um estudo detalhado da profundidade para a zona de sismicidade e, como consequência, para o *slab* litosférico diretamente abaixo do arco vulcânico tem mostrado que, embora essas profundidades sejam consistentes dentro de um arco particular, elas variam de forma significativa de arco para arco dentro de um intervalo de 65-130 km (England et al., 2004). Surpreendentemente, essas profundidades não se correlacionam com a idade ou a taxa de subducção da litosfera, mas inversamente com a taxa de descida vertical do *slab*. England & Wilkins (2004) sugerem que uma taxa elevada de descida aumenta a taxa de fluxo na cunha do manto e, consequentemente, a taxa à qual o manto quente é puxado na direção da borda da cunha. Isso produziria temperaturas mais elevadas e, portanto, fusão a uma profundidade menor do que nos casos com baixas taxas de descida.

Onde ocorre fusão parcial suficiente, ou seja, em torno de $10 \pm 5\%$ (Pearce & Peate, 1995), os agregados de fundido começam a subir para a base da crosta. À medida que o magma se move pela crosta, ele se diferencia e pode se misturar com magma novo ou antigo derivado da crosta, por fim formando os magmas que resultam nas séries calcoalcalina e alcalina (Fig. 9.25). No contexto de arcos continentais, a geração de fundidos derivados da crosta parece ser comum, devido ao ponto de fusão da crosta continental ser suficientemente baixo para resultar em fusão parcial. Muitos dos batólitos mesozoicos do tipo cordilheirano do oeste da América do Norte (Tepper et al., 1993), dos Andes (Petford & Atherton, 1996), do oeste da Antártica (Wareham et al., 1997) e da Nova Zelândia (Tulloch & Kimbrough, 2003) contêm plútons quimicamente distintos considerados como originados da fusão parcial da crosta continental inferior. Tonalitos, que são variedades de quartzo dioritos (ver também Seção 11.3.2), podem ser produzidos se a fusão ocorrer a temperaturas relativamente elevadas ($\sim 1100°C$). Granodioritos podem ser produzidos se a fusão ocorrer a temperaturas mais baixas ($\sim 1000°C$) e na presença de quantidades suficientes de água. O material fundido que se move através de uma espessa camada de crosta continental pode tornar-se enriquecido em elementos incompatíveis antes de chegar à superfície. Esses magmas também podem perder parte do seu teor de água e começar a cristalizar, com ou sem arrefecimento. Este último processo resulta em rochas vulcânicas que são caracteristicamente fracionadas, porfiríticas e hidratadas. Com o tempo, a crosta é espessada por *overplating* e *underplating* (Fig. 9.25). A compressão do arco, como a que ocorre nos Andes Chilenos (Fig. 9.18a), resulta em deformação que auxilia o espessamento da crosta do arco (Seção 10.2.4).

Os mecanismos pelos quais os fundidos são transportados através do manto e da crosta são a fonte de uma grande quantidade de controvérsias. Em geral, os processos de transporte operam em pelo menos duas diferentes escalas de comprimento (Petford et al., 2000): segregação na escala centimétrica para decimétrica do fundido perto de sua região de origem e ascensão na escala quilométrica de magmas através da litosfera para seu local de colocação final. A segregação do fundido ao longo das bordas de grãos provavelmente envolve mecanismos de fluxo em poros, assistidos por deformação dúctil e frágil. A ascensão do fundido parece envolver vias complexas e não verticais a partir de fontes localizadas em diferentes profundidades. Schurr et al. (2003) identificaram regiões de baixo Q (Seção 9.4) através da chegada de ondas P abaixo da região central dos Andes, revelando uma variedade de possíveis fontes e vias de subida para fluidos metamórficos e para fusão parcial (Figura 9.4 do encarte colorido). Um perfil de reflexão sísmica através dos Andes centrais (Fig. 10.7) sugere a presença de fluidos, inclusive de fusão parcial, a 20-30 km de profundidade sob o arco vulcânico (ANCORP Working Group, 2003).

Medidas de desequilíbrios entre isótopos de meia-vida curta da série do urânio em lavas de arcos de ilha sugerem que as velocidades de subida de líquidos da fonte para a superfície podem ser extremamente rápidas (10^3 m a^{-1}) (Turner et al., 2001). Essas taxas são rápidas demais e podem ocorrer por mecanismos de percolação na escala de grãos. Porém, em vez disso, fundidos provavelmente separam-se em diápiros ou formam redes de condutos de baixa densidade através das quais o fluxo ocorre, quer como diques ou como zonas de cisalhamento dúctil. Há um consenso geral de que a deformação aumenta muito a taxa de subida do magma. Experimentos de laboratório realizados por Hall & Kincaid (2001) sugerem que diápiros em ascensão combinados com deformação induzida por subducção no manto podem criar um tipo de fluxo canalizado. A previsão de tempos de transporte a partir das regiões de origem para a superfície por *canal de fluxo* varia entre dezenas de milhares a milhões de anos. Parece provável que uma série de mecanismos estejam envolvidos no transporte de magma das suas diferentes fontes para a superfície.

A colocação de plútons e rocha vulcânica dentro ou na superfície da crosta representa a fase final de transporte do magma. A maioria dos modelos de alojamento de magma tem enfatizado vários tipos de deformação, seja em zonas de cisalhamento (Collins & Sawyer, 1996; Saint Blanquat et al., 1998; Brown & Solar, 1999; Marcotte et al., 2005) ou em falhas (Seção 10.4.2, por exemplo), fraturas e diques de propagação (Clemens & Mawer, 1992; Daczko et al., 2001).

Algum tipo de fluxo flutuante em diápiros também pode ser aplicado em determinados contextos (por exemplo, Seção 11.3.5). Vários mecanismos de formação de plútons e batólitos são discutidos por Crawford et al. (1999), Petford et al. (2000), Brown & McClelland (2000), Miller & Paterson (2001b) e Gerbi et al. (2002), entre muitos outros.

9.9 METAMORFISMO EM MARGENS CONVERGENTES

Conforme basaltos oceânicos são subductados em margens convergentes, eles sofrem uma série de reações químicas que envolvem a liberação de água para a cunha do manto superior (Seção 9.8) e aumentam a densidade do *slab* em subducção. Essas reações envolvem transformações metamórficas específicas que refletem os gradientes geotérmicos anormalmente baixos ($10°C\ km^{-1}$) e as altas pressões associadas ao ambiente da zona de subducção (Seção 9.5).

Antes de sua subducção, os basaltos oceânicos podem apresentar assembleias mineralógicas metamórficas de baixa pressão (<0,6 GPa)/baixa temperatura (<350°C) de fácies zeolítica e prenhita-pumpeleita (Fig. 9.26). Em alguns locais, minerais de fácies xisto verde também podem estar presentes. No basalto, esta fácies geralmente inclui clorita epidoto, e actinolita, que dão uma cor esverdeada à rocha (ver também Seção 11.3.2). Esse tipo de alteração de basalto resulta da circulação de água quente do mar em sistemas hidrotermais que se desenvolvem próximo às dorsais oceânicas (Seção 6.5).

À medida que o basalto alterado desce em uma zona de subducção, passa através do campo de pressão e temperatura de fácies *xisto azul* (Fig. 9.26), que é caracterizada pela presença de *glaucofana* (um anfibólio sódico azul) e de

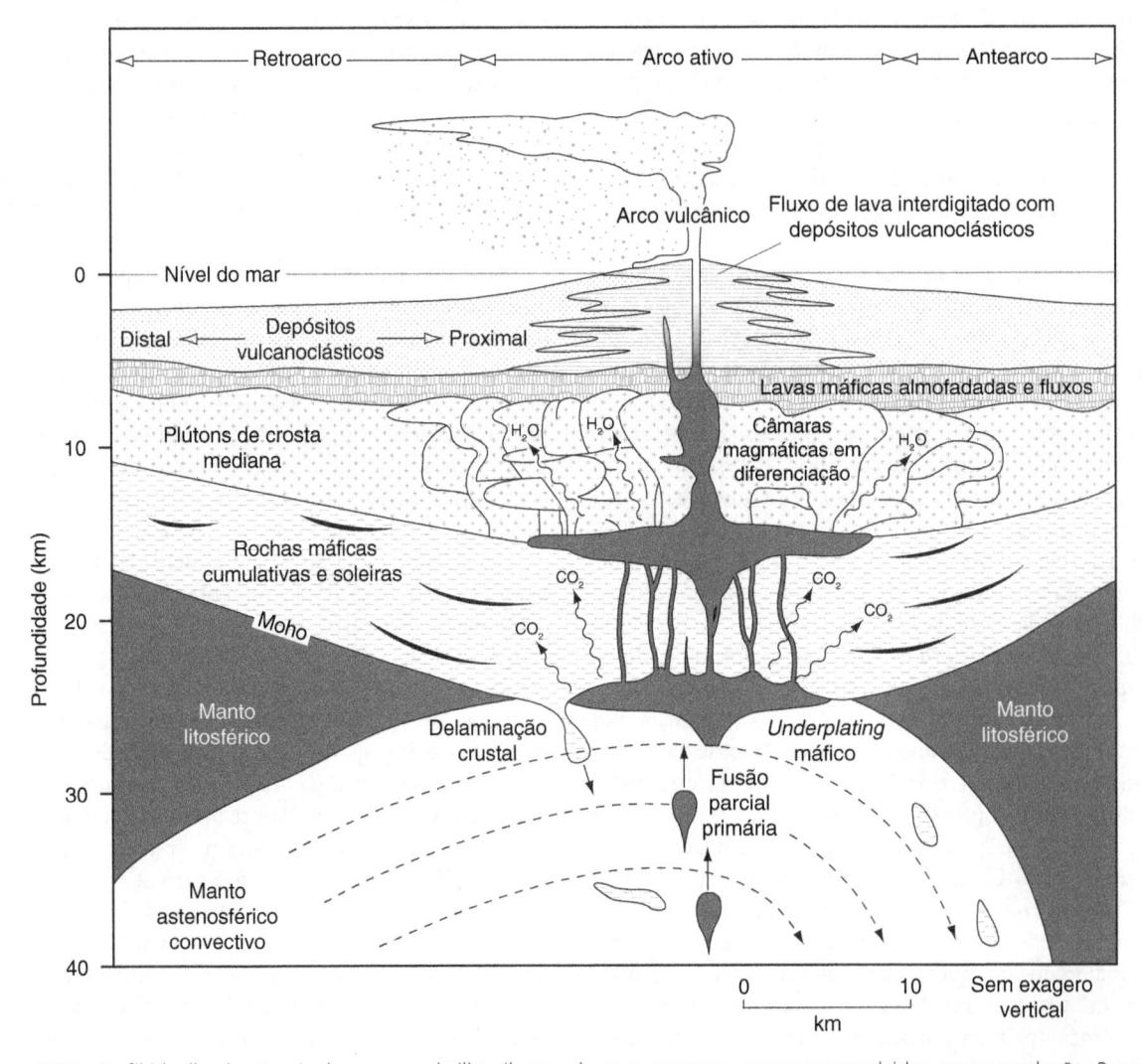

Figura 9.25 Perfil idealizado através de um arco de ilhas ilustrando os numerosos processos envolvidos na sua evolução. Processos semelhantes podem operar sob arcos do tipo andino (modificado de Stern, 2002, com permissão da American Geophysical Union. Copyright © 2002 American Geophysical Union).

jadeíta (um piroxênio), minerais sensíveis à pressão. Uma zona de transição, caracterizada pela presença de *lawsonita*, também pode ocorrer antes da formação de fácies xisto azul. A lawsonita é produzida sob temperaturas inferiores a 400°C e sob pressões de 0,3-0,6 GPa (Winter, 2001), condições ainda não suficientemente elevadas para produzir glaucofano e jadeíta. A lawsonita, juntamente com glaucofana e outros minerais do grupo dos anfibólios, é uma importante portadora de água da crosta oceânica em subducção.

Uma das reações metamórficas mais importantes que resulta na desidratação e densificação de crosta oceânica subductante é a transformação da fácies xisto azul para as fácies eclogito (Fig. 9.26). *Eclogitos* são rochas densas e anidras que consistem principalmente em granada e onfacita (ou seja, uma variedade de clinopiroxênio rico em sódio e cálcio). A profundidade exata em que as reações de fácies eclogito ocorrem depende das pressões e temperaturas na crosta oceânica que submerge (Peacock, 2003). Nas zonas de subducção relativamente frias, como no nordeste do Japão (Figura 9.3a do encarte colorido), a transformação pode ocorrer em profundidades maiores que 100 km (Fig. 9.31). Nas zonas de subducção relativamente quentes, como no sudoeste do Japão (Figura 9.3b do encarte colorido), a transformação pode ocorrer em profundidades mais rasas, da ordem de 50 km (Fig. 9.27). Esta transformação para eclogito aumenta a flutuabilidade negativa da litosfera descendente e contribui para a força de tração do *slab* atuante na placa em subducção (Seção 12.6).

As amostras de xisto azul e eclogito obtidas a partir de margens convergentes (Seção 9.7) fornecem informações importantes sobre as condições físicas e químicas que ocorrem dentro e acima da litosfera subductante. Uma das primeiras evidências diretas das condições nas imediações do *décollement* na zona de subducção sob a porção antearco é fornecida por observações no antearco Mariana. Neste cenário, os grandes vulcões de lama serpentinítica com até 30 km de diâmetro e 2 km de altura ocorrem na encosta antearco acima de uma margem erosiva (Fig. 9.19). Além de serpentina, os vulcões irrompem líquidos derivados do *slab* e clastos de fácies xisto azul que registram temperaturas relativamente frias de 150-250°C e pressões de 0,5-0,6 GPa (Maekawa et al., 1993). Essas determinações são consistentes com modelos térmicos da interface manto-*slab*, onde os gradientes geotérmicos anormalmente baixos são resultantes tanto da descida rápida da litosfera oceânica fria na fossa (Seção 9.5) como dos níveis baixos a moderados de fricção (Peacock, 1992). Amostras de material obtido por perfuração dos vulcões de lama Mariana também fornecem evidências das interações entre os fluidos de poros, sedimentos e rochas metamórficas que ocorrem em um prisma de acreção (Fryer et al., 1999). Material similar, conhecido como *serpentinito sedimentar*, ocorre em cinturões meta-

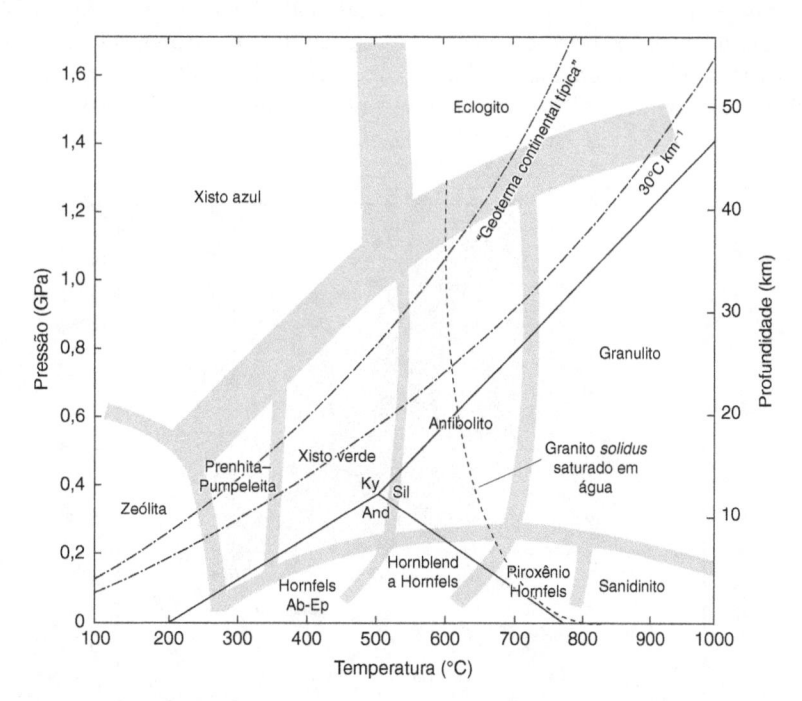

Figura 9.26 Diagrama de pressão-temperatura mostrando os limites aproximados entre as fácies metamórficas (Winter, John D., *Introduction to Igneous and Metamorphic Petrology*, 1ª edição © 2001, p. 195. Reproduzido com permissão da Pearson Education Inc., Upper Saddle River, NJ). Exemplos de um elevado gradiente geotermal continental (30°C km^{-1}) e de faixas de estabilidade de três polimorfos de Al_2SiO_5 normalmente encontrados em rochas sedimentares metamorfoseadas (Ky, cianite; And, andaluzita; Sil, silimanita) são mostrados para referência. Ab e Ep são albita e epídoto, respectivamente.

mórficos de fácies xisto azul preservados dentro da crosta continental. Esses cinturões são comumente interpretados como representantes da sutura de antigas margens continentais após o consumo de um oceano entreposto (Seções 10.4.2, 11.4.3). Xistos azuis também estão associados com suites ofiolíticas (Ernst, 1973), dando apoio à interpretação de que alguns ofiólitos se formaram na região antearco de zonas de subducção incipientes (Seção 2.5).

Além do metamorfismo do tipo baixa temperatura/alta pressão associado com zonas de subducção, algumas margens convergentes também exibem um tipo de metamorfismo regional caracterizado por temperaturas altas ($> 500°C$) e pressões baixas a moderadas. Este tipo de metamorfismo está associado com os elevados gradientes geotérmicos que caracterizam arcos magmáticos. Minerais índices em rochas sedimentares metamorfoseadas, como andaluzita e silimanita (Fig. 9.26), fornecem evidências de altas temperaturas nessas regiões. Gradientes de temperatura de mais de $25°C\ km^{-1}$ até cerca de $50°C\ km^{-1}$ resultam da subida de magmas gerados onde fluidos aquosos do *slab* subductado infiltra através da cunha do manto (Seção 9.8). Este tipo de metamorfismo também está associado com altas tensões diferenciais, deformação e espessamento da crosta que acompanham a formação dos orógenos do tipo andino (Seção 10.2.5). Ambas as associações afetam grandes áreas da crosta em margens convergentes e, portanto, refletem a perturbação da grande escala termal e tectônica associada com a subducção e a orogenia.

Os grupos mais comuns de rochas associadas com metamorfismo regional pertencem ao xisto verde, anfibolito e fácies granulito (Fig. 9.26). A transição de xisto verde para fácies anfibolito, como todas as reações metamórficas, é dependente da composição inicial da crosta, bem como de condições de temperatura, pressão e fluido do ambiente em questão. Nos basaltos metamorfizados, essa transição pode ser marcada pela mudança de actinolita para hornblenda na medida em que anfibólios são capazes de aceitar quantidades crescentes de alumínio e álcalis em altas temperaturas ($> 500°C$) (Winter, 2001). Em temperaturas superiores a $650°C$ anfibolitos transformam-se em granulitos. Os granulitos são muito diversificados e podem ser de variedade de pressão baixa, média ou alta (Harley, 1989). Em geral, as rochas de fácies granulito são caracterizadas pela presença de associações minerais anidras, como ortopiroxênio, clinopiroxênio e plagioclásio.

Se as condições em altas temperaturas são hidratadas, o *migmatito* pode se formar. Migmatito é um termo textural que descreve uma rocha mista composta tanto por material metamórfico como aparentemente ígneo. Os mecanismos propostos para a formação de migmatito incluem a fusão parcial de uma rocha, a injeção de material ígneo (granítico ou tonalítico) em uma rocha e a segregação de material silicático de um hospedeiro durante atividade metamórfica em vez de atividade ígnea. Migmatitos são melhor desenvolvidos em rochas metassedimentares pelíticas, mas também podem ocorrer em rochas máficas e granitoides. Brown et al. (1999) descrevem as características estruturais e petrológicas de migmatitos derivados de rochas pelíticas e basálticas. Suda (2004) resume a formação e a significância dos migmatitos em um ambiente de arco de ilhas intraoceânico. Klepeis et al. (2003) e Clarke et al. (2005) fornecem uma síntese do ambiente tectônico e de interpretações possíveis

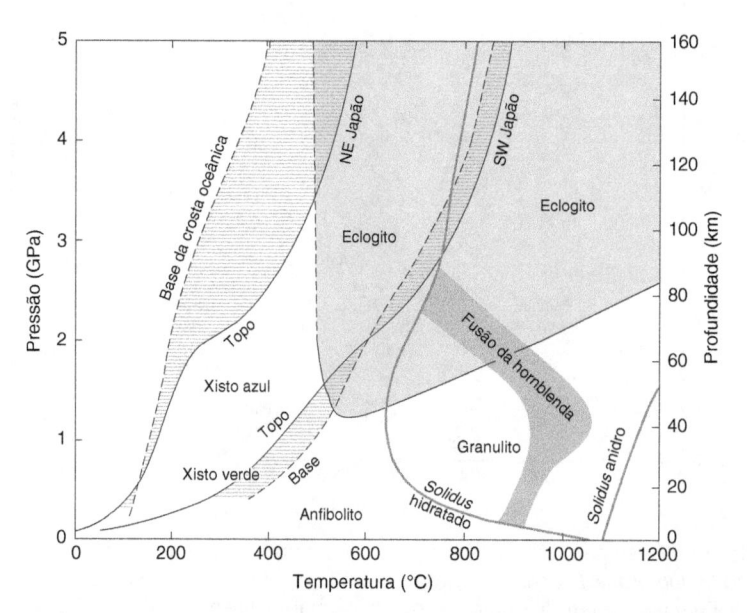

Figura 9.27 Caminhos de pressão e temperatura calculados para o topo e a base da crosta oceânica subductada abaixo do nordeste e do sudoeste do Japão (Peacock & Wang, 1999, com permissão da *Science* **286**, 937-9. Copyright AAAS, © 1999). Estão destacadas as fácies metamórficas e as curvas de fusão parcial (linhas cinza-escuro) para basalto em condições hidratadas e anidras.

de um granulito máfico de alta pressão (1,2-1,4 GPa) e um cinturão migmatítico associado localizados em Fiordland, na Nova Zelândia. Estas rochas representam a raiz crustal inferior e quente da crosta espessa de uma arco continental cretácico que tem sido exumada durante a atividade tectônica posterior.

São comuns na literatura científica tentativas de colocar a evolução das variedades de rochas metamórficas de alta pressão/baixa temperatura e de alta temperatura/baixa pressão no contexto dos processos da zona de subducção. Um esforço inicial importante de Miyashiro (1961, 1972, 1973) levou ao conceito de *cinturões metamórficos pareados*. Nas ilhas japonesas de Hokkaido, Honshu e Shikoku (Fig. 9.28), Miyashiro identificou três pares de cinturões metamórficos de diferentes idades aproximadamente paralelos à direção da zona de subducção japonesa moderna. Cada um desses cinturões consiste em uma zona externa de alta pressão/baixa temperatura de xisto azul e em um cinturão interior de rocha de baixa pressão/alta temperatura. Essa relação espacial e idade similar dos cinturões, externo e interno, levou-o a concluir que esses cinturões se formaram juntos como um par. Após a introdução da teoria das placas tectônicas, esses cinturões pareados foram interpretados como resultado de subducção da crosta oceânica sob um arco de ilhas ou uma crosta continental (Uyeda & Miyashiro, 1974). O desenvolvimento do cinturão metamórfico exterior foi interpretado como ocorrido perto da trincheira devido ao baixo gradiente geotérmico causado pela subducção. O cinturão interior foi interpretado como sendo o arco, afastado cerca de 100-250 km, onde os gradientes térmicos são elevados.

A aplicação do modelo de cinturões metamórficos pareados para o Japão permitiu que alguns pesquisadores inferissem a direção de movimento de subducção e de movimentos de placa em várias ocasiões no passado. Atualmente, a litosfera do Pacífico é subductada para noroeste por baixo do arco Japão. A polaridade metamórfica dos pares de cinturões Sangun/Hida e Ryoke/Sanbagawa (Fig. 9.28) sugere que eles foram formados de maneira semelhante, por subdução direção noroeste. O par de cinturões Hidaka/Kamuikotu mostra a polaridade metamórfica de forma oposta e, portanto, pode ter se formado durante uma fase diferente de movimentos da placa, quando a direção de subducção era a partir do oeste do Japão. No entanto, há algumas discrepâncias nesta interpretação. Por exemplo, os cinturões Ryoke/Sanbagawa são muito mais próximos entre

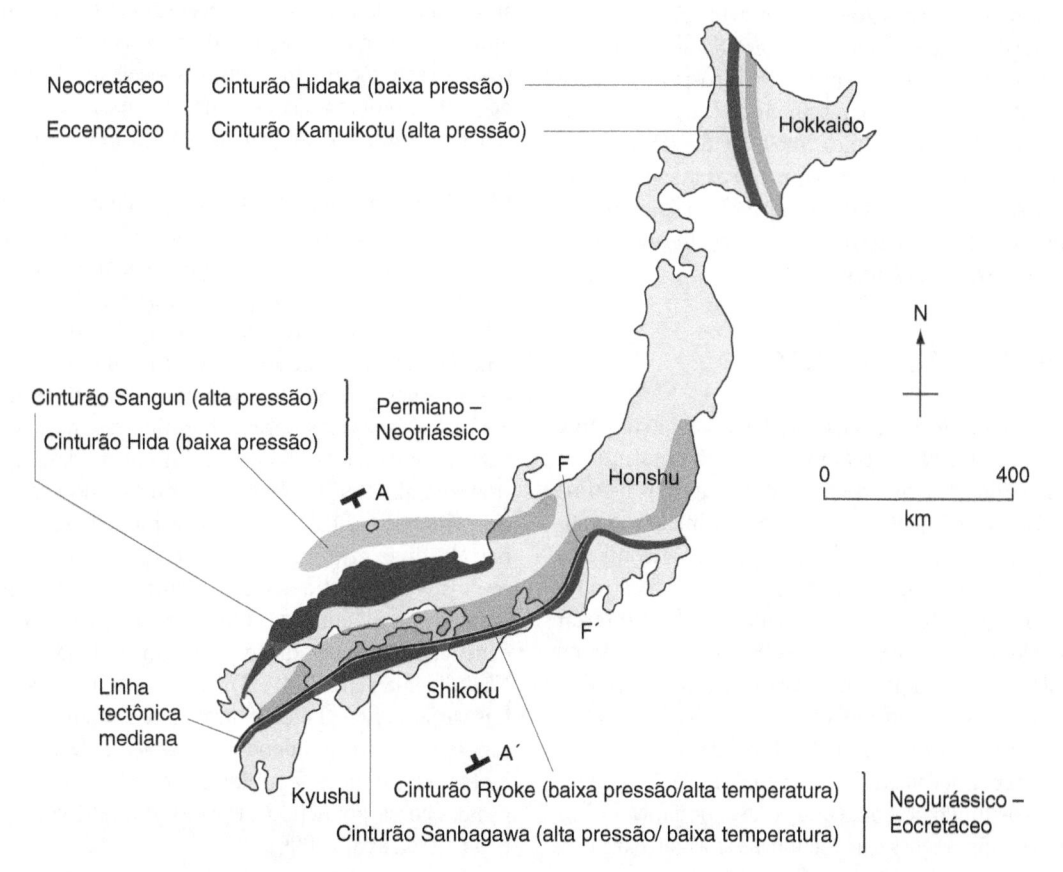

Figura 9.28 Três pares de cinturões metamórficos no Japão; F-F' é o Alinhamento Itoigawa-Shizuoka (de Miyashiro, 1972. Copyright 1972 pelo *American Journal of Science*. Reproduzido com permissão do *American Journal of Science* no formato livro-texto via Copyright Clearance Center). Perfil A-A' é mostrado na Fig. 9.29.

si do que o previsto pelo modelo, e assim foi sugerido que a fronteira entre eles, chamada de Linha Tectônica Mediana, experimentou cerca de 400 km de movimento transcorrente (Seção 5.3). Este movimento transcorrente foi confirmado por mapeamento detalhado (Takagi, 1986) e indica que falhamento transcorrente foi responsável por justapor os cinturões Sanbagawa e Ryoke (Fig. 9.29).

Desde o trabalho de Miyashiro (1961, 1972, 1973), as interpretações de cinturões metamórficos pareados foram aplicadas tanto nos arcos de ilhas como nos arcos de tipo andino em torno da margem do Pacífico (Fig. 9.30). A simplicidade dessas interpretações é atraente; no entanto, em alguns exemplos, existem inúmeras incoerências. Na região Atlântica e nos Alpes, muitos cinturões metamórficos fanerozoicos não apresentam um dos pares ou o contraste entre eles não é claro. Esses padrões, bem como a constatação de que muitos pares de cinturões metamórficos não se formam em suas posições atuais, têm levado ao ceticismo sobre a sua importância global. Brown (1998) sumariza a evolução do pensamento que levou à queda geral do conceito de cinturões metamórficos pareados em muitas margens convergentes e orógenos. Uma razão para isto é que muitos dos cinturões metamórficos já não são considerados como caracterizados por um único gradiente geotermal, principalmente porque as rochas gravam uma evolução através de uma gama de diferentes gradientes gotermais com o tempo. Além disso, o reconhecimento de terrenos suspeitos e a importância dos processos de acrescionários (Seção 10.6) sugerem que as unidades tectônicas ao longo dessas margens refletem uma complexa matriz de processos que podem ou não estar associados à subducção. Taira (2001) sumariza a importância da colisão de terrenos para a evolução dos cinturões metamórficos do Japão.

9.10 BACIAS RETROARCO

Bacias retroarco, ou marginais, são bacias relativamente pequenas com afinidade oceânica ou continental que se formam atrás do arco vulcânico na placa superior de uma zona de subducção (Fig. 9.3). Variedades oceânicas são mais comuns no oeste do Pacífico, mas também são encontradas no Atlântico, atrás dos arcos do Caribe e da Escócia. Em todas essas configurações, as bacias residem no lado interior e côncavo do arco de ilha, e muitas estão delimitadas no lado oposto ao do arco por uma cordilheira retroarco (remanescente do arco). A maior parte dessas bacias está associada com tectônica extensional e fluxo de calor elevado, e a maioria das variedades oceânicas contém centros de espalhamento de fundo oceânico onde crosta oceânica nova é gerada. Em configurações continentais, bacias retroarco extensionais têm sido descritas no contexto de margens convergentes do tipo andino (Seção 10.2). Alguns dos melhores exemplos preservados deste tipo formaram-se ao longo da margem ocidental da América do Sul durante o Mezosoico (Seção 10.2.1). Um exemplo de uma bacia retroarco continental ativa é a zona extensional vulcânica Taupo na Ilha Norte da Nova Zelândia (Stern, 1987; Audoine et al., 2004).

Karig (1970) foi um dos primeiros a sugerir que bacias retroarco se formam pelo rifteamento de um arco de ilha existente ao longo do seu comprimento, com as duas metades correspondentes ao arco vulcânico e ao arco remanescente. Esta interpretação é baseada em observações na Bacia de Lau (Fig. 9.31), que fica a oeste do Arco de Tonga-Kermadec e é margeada no lado oeste pela Cordilheira de Lau. Karig (1970) concluiu que a extensão foi importante durante a formação da bacia, com base nas seguintes observações: (i) a secção transversal assimétrica tanto do arco como da cordilheira, que são espelhados ao longo do centro da bacia; (ii) características topográficas da bacia, que são alinhadas paralelamente tanto ao arco como à cordilheira; (iii) a considerável espessura de sedimentos presentes no lado do arco voltado para o mar e do lado da cordilheira voltado para o continente e a ausência de sedimentos no interior da bacia; e (iv) a continuação do sistema arco-bacia-cordilheira para o sul, onde este se correlaciona com uma zona de extensão retroarco ativa na zona vulcânica de Taupo na Nova Zelândia (Fig. 9.31). Suporte adicional para a extensão vem da subsidência de arcos remanescentes conforme seu suporte dinâmico é removido após o desenvolvimento de bacias retroarco, soluções de mecanismos focais de terremotos e da geometria segmentada de falhas normais e cordilheiras de espalhamento, que também caracterizam riftes continentais (Seção 7.2) e cordilheiras mesoceânicas. O Rifte Woodlark (Fig. 7.39b), que registra a transição de rifteamento para o espalhamento de crosta oceânica acima de uma zona de subducção neógena (Seção 7.8.2), ilustra bem esta segmentação.

Em geral, a composição da crosta em bacias oceânicas retroarco é globalmente semelhante à de outras bacias oceânicas, embora em alguns casos a camada 1 seja exepcionalmente espessa. Taxas líquidas de acreção são semelhantes a aquelas deduzidas para as cordilheiras mesooceânicas e variam de cerca de 160 mm a^{-1} no norte da Bacia de Lau (Bevis et al., 1995) a 70 mm a^{-1} no Mar do Leste da Escócia (Thomas et al., 2003) e 20-35 mm a^{-1} na Calha Mariana (Martinez et al., 2000). A crosta nessas configurações muitas vezes mostra adelgaçamento substancial por falhamento normal, embora a espessura total da crosta também dependa da taxa de adição de magma e da idade da crosta. Na Calha Mariana (Fig. 9.1), por exemplo, espessuras crustais variam entre 3,4 e 6,9 km, com os menores valores de espessura correspondendo aos centros de espalhamento lentos ou a regiões famintas em magma e as crostas mais grossas correspondendo a regiões de alta atividade magmática (Kitada et al., 2006).

Essas observações e as provas para extensão e expansão dos fundos oceânicos implica que a crosta oceânica retroarco com características oceânicas é gerada de forma similar

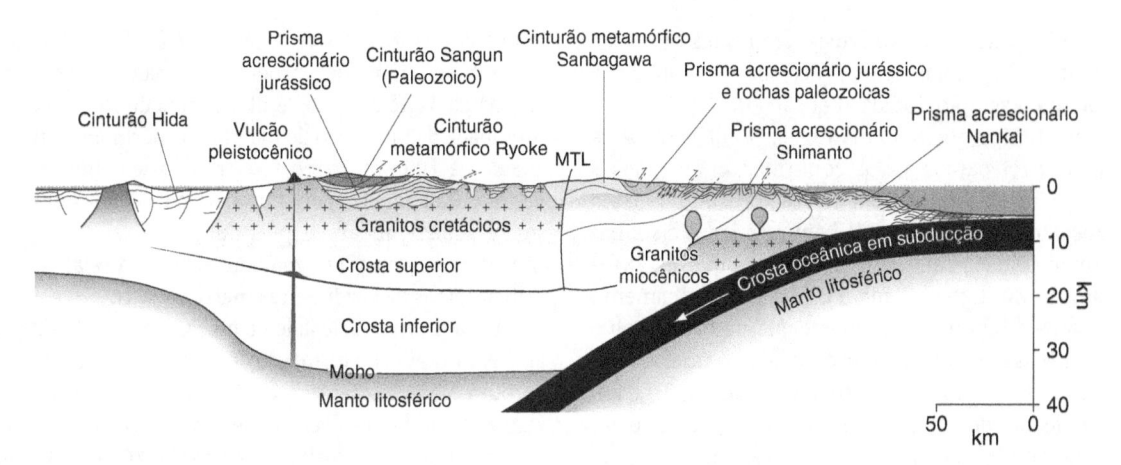

Figura 9.29 Secção geológica transversal do sudoeste do Japão (adaptado de Taira, 2001, *Annual Review of Earth and Planetary Sciences* **29**, Copyright © 2001 Annual Reviews). Localização do perfil é mostrada na Fig. 9.28. MTL, Linha Tectônica Mediana.

ao que ocorre em dorsais mesoceânicas (Seção 6.10). No entanto, existem muitas diferenças importantes nos processos que formam crosta basáltica nestes dois ambientes. Estruturas correspondentes a uma cordilheira mesooceânica não estão sempre presentes em bacias retroarco, e lineamentos magnéticos podem ser pouco desenvolvidos (Weissel, 1981). Esses lineamentos presentes podem ser correlacionados com a escala de tempo de polaridade magnética (Seção 4.1.6), embora tendam a serem mais curtos, de menor amplitude e menos definidos do que as anomalias oceânicas. No sul da Bacia de Lau, por exemplo, lineamentos individuais de anomalia magnética não podem ser traçados por mais de 30 km ao longo da direção da bacia (Fujiwara et al., 2001). Este comprimento curto, provavelmente, reflete o pequeno tamanho de falhas do embasamento, que geralmente exibe padrões segmentados e *en echelon*. Estudos geoquímicos também indicam que lavas retroarco comumente exibem maiores variações de composição, incluindo maiores conteúdos de água, que basaltos de dorsais mesoceânicas (Taylor & Martinez, 2003). Muitas lavas retroarco são quimicamente relacionadas com lavas que se formam nos arcos de ilhas adjacentes. Essas obser-

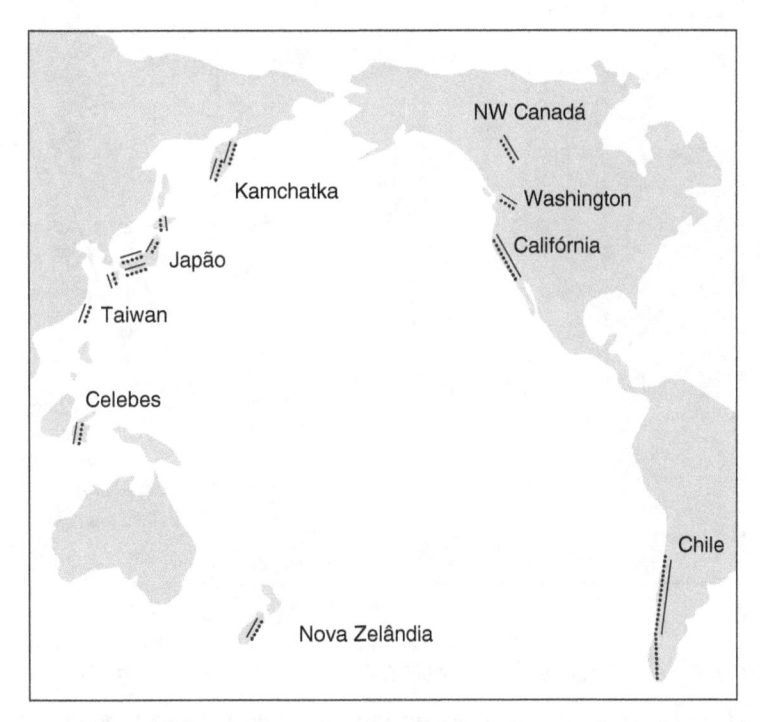

Figura 9.30 Cinturões metamórficos pareados na região circundante ao Pacífico. Linhas pontilhadas, cinturões de alta pressão; linhas contínuas, cinturões de baixa pressão (adaptado de Miyashiro, 1973, com permissão da Elsevier).

vações sugerem que a acreção crustal em bacias retroarco é fortemente influenciada pelos processos relacionados à subducção (por exemplo, Kitada et al., 2006).

Imagens tomográficas do manto abaixo de centros de espalhamento retroarcos ativos confirmaram as ligações importantes que existem entre a acreção crustal retroarco e a subducção. Em um dos mais bem estudados sistemas arco-retroarco, Zhao et al. (1997) mostraram que as velocidades sísmicas muito baixas sob o centro de espalhamento ativo de Lau e as anomalias moderadamente baixas sob o Arco de Tonga são separadas em profundidades rasas (<100 km) na cunha do manto, mas submergem abaixo de 100 km até profundidades de 400 km (Figura 9.1 do encarte colorido). A magnitude das anomalias de velocidade é consistente com a presença de aproximadamente 1% de fundido em profundidades de 30-90 km (Wiens & Smith, 2003). Em profundidades maiores, as anomalias podem resultar da liberação de voláteis originados da desidratação de minerais hidratados. Esses resultados indicam que espalhamento retroarco está relacionado com circulação convectiva na cunha do manto e desidratação no *slab* em subducção. Eles também sugerem que a produção de magma retroarco é separada da fonte do arco de ilha dentro do intervalo de profundidade da produção de magma primário. Por outro lado, abaixo de 100 km, magmas retroarco se originam através da mistura com componentes derivados da desidratação do *slab* e podem ajudar a explicar algumas das características únicas na petrologia de magmas retroarco relativas aos basaltos típicos de cordilheiras mesoceânicas.

Uma grande variedade de mecanismos tem sido postulada para explicar a formação de bacias retroarco. Uma visão comum é que a extensão e a acreção crustal que caracterizam esses ambientes ocorrem em resposta ao campo de tensões regionais na litosfera superior da zona de subducção (Packham & Falvey, 1971). Essas tensões podem resultar da força de tração na fossa conforme o *slab* se inclina para trás ou "retrocede" por baixo da fossa (Chase, 1978; Fein & Jurdy, 1986) (Seção 12.6). Tal mecanismo de *reversão* foi postulado como ocorrente em sistemas de subducção em que a direção "absoluta" do movimento da placa superior

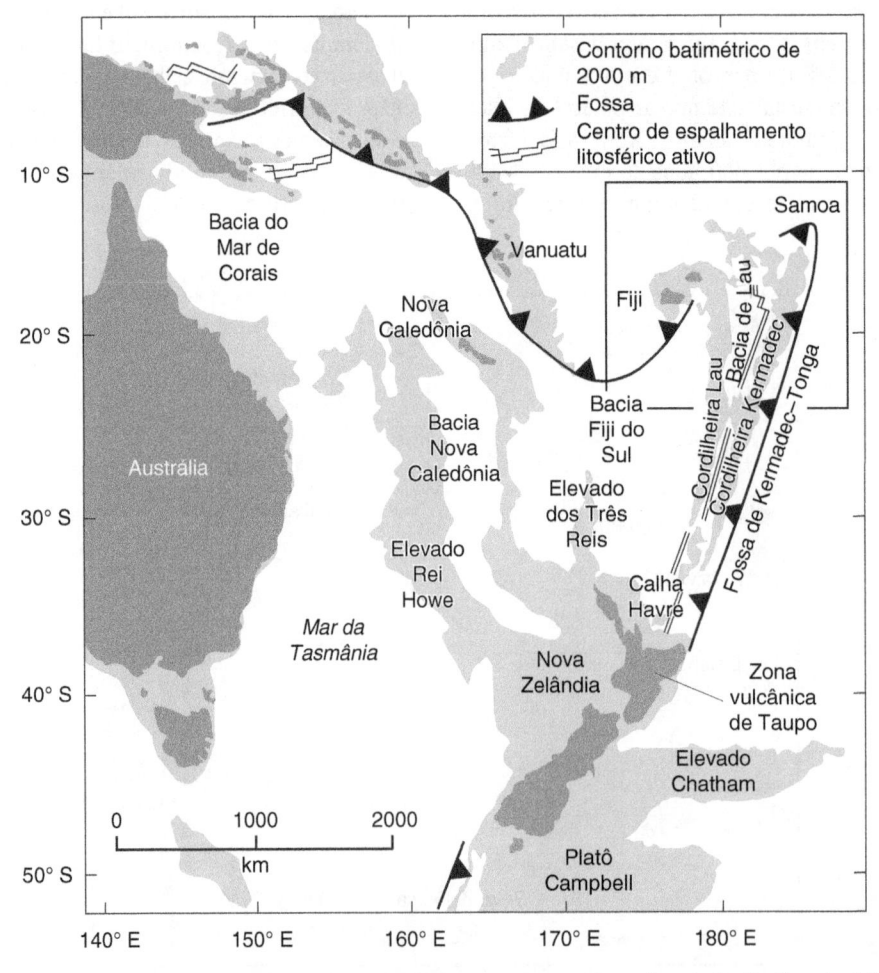

Figura 9.31 Mapa mostrando a localização das bacias retroarco em uma parte do sudoeste do Pacífico, incluindo a Bacia de Lau, a Bacia Fiji do Sul, a Bacia Nova Caledônia e a zona vulcânica em Taupo (adaptado de Collins, 2002b, com permissão da American Geophysical Union. Copyright © 2002 American Geophysical Union). O quadro mostra a localização da Fig. 9.32.

é longe da trincheira (por exemplo, Figs. 10.9b,c, 10.37). Podem-se incluir como outras fontes de tensão a convecção na cunha do manto superior induzida pela descida do *slab* (Hsui & Toksöz, 1981; Jurdy & Stefanick, 1983) ou um aumento no ângulo de subducção com a profundidade (Seção 12.6). Embora estes e outros mecanismos que controlam a evolução das bacias retroarco sejam frequentemente debatidos, a maioria dos autores concorda que a evolução da bacia é fortemente influenciada por padrão de fluxo, fusão parcial e transporte de material fundido na cunha do manto superior acima de uma zona de subducção. Modelos geodinâmicos cada vez mais têm apelado para padrões de circulação tridimensionais associados à migração da fossa e para a inclinação maior do que 90°C do *slab* para explicar a evolução térmica da cunha e da produção de fundido dentro dela (Kincaid & Griffiths, 2003; Wiens & Smith, 2003).

Martínez & Taylor (2002) desenvolveram um modelo de acreção crustal para a Bacia de Lau que explica o mecanismo de magmatismo retroarco e sua relação com o magmatismo no Arco de Tonga. Esses autores observaram que os vários centros de propagação da bacia (Fig. 9.32) exibem padrões estruturais e de composição que se correlacionam com a distância do arco. Como na maioria dos outros sistemas de arcos intraoceânicos, a crosta apresenta uma diminuição geral de alguns elementos em relação aos basaltos de dorsais mesoceânicas, os quais aumentam a partir do retroarco em direção ao arco. Além disso, o centro de espalhamento mais próximo do arco (a cordilheira Valu Fa) exibe estrutura, profundidade e morfologia que indicam que esta se caracteriza por um suprimento mais reforçado de magma em relação a outros centros. Mais afastados do arco, os centros de espalhamento Lau Leste e Lau Central exibem suprimento de magma diminuído e normal, respectivamente. Martínez & Taylor (2002) propuseram que essas variações resultam da migração das regiões-fonte de magma que abastecem os centros de espalhamento retroarco através da cunha do manto superior.

O modelo de Martínez & Taylor (2002) começa com o movimento para trás do *slab* do Pacífico por baixo da fossa de Tonga (seta branca grande na Fig. 9.33a). Esse movimen-

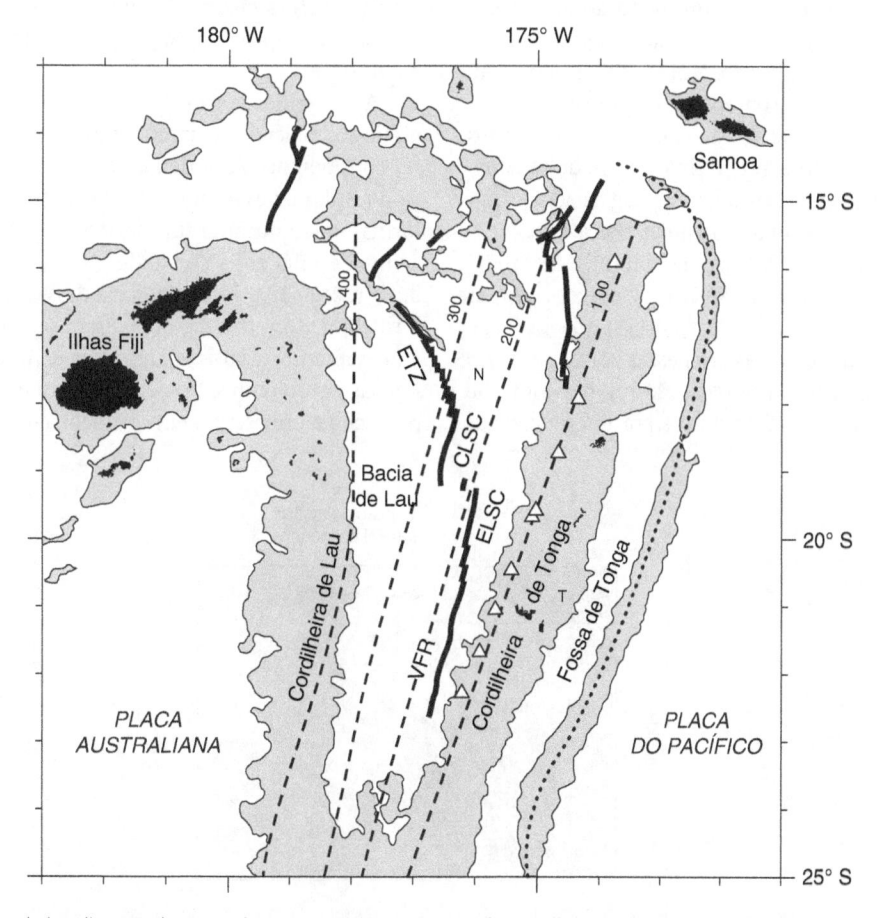

Figura 9.32 Mapa de localização da Bacia de Lau mostrando centros de espalhamento retroarco (linhas grossas), eixo da fossa (linha pontilhada), vulcões de arco (triângulos brancos) e contornos da placa subductada (linhas tracejadas) em quilômetros (adaptado de Martínez & Taylor, 2002, com permissão da *Nature* **416**, 417-20. Copyright © 2002 Macmillan Publishers Ltd). N, placa Niuafo'ou; T, placa Tonga; VFR, Cordilheira Valu Fa; ELSC, centro de espalhamento Lau Leste; CLSC, centro de espalhamento Lau Central; ETZ, zona transformante extensional.

to induz um fluxo de compensação de material do manto abaixo da Bacia de Lau (pequenas setas pretas). À medida que o manto encontra a água libertada do *slab* subductante (Seção 9.8), ele sofre fusão parcial, deixando um manto residual empobrecido em uma determinada fração. O pontilhado na Fig. 9.33a indica a região de manto hidratado. A região de fusão parcial é mostrada como fundo branco sob o pontilhado. O fluxo induzido pela subducção conduz a camada empobrecida em direção ao canto superior da cunha, onde a concentração elevada de água provinda do *slab* promove uma fusão adicional. Esta região de fusão melhorada (área destacada na Fig. 9.33a) supre a cordilheira Valu Fa perto da frente vulcânica, recebendo material fundido que deveria ter suprido o arco vulcânico. A fusão melhorada nesta região também permite que o manto empobrecido (cinza claro na Fig. 9.33a) permaneça enfraquecido o suficiente para fluir até que se curve em retrocesso e seja levado de volta para baixo da bacia retroarco conforme a subducção avança. Este fluxo de retorno do manto empobrecido resulta na diminuição do fornecimento de material fundido para o centro de espalhamento Lau Leste mais distante do arco vulcânico, pois o regime de fusão está muito longe para fornecer diretamente material fundido de arco. Condições normais de fusão ocorrem na cordilheira Lau Central porque esta região sobrepõe uma porção do manto que está muito afastada da frente vulcânica e dos efeitos do *slab*. Consequentemente, este último centro de espalhamento apresenta espessura crustal, morfologia e geoquímica semelhantes a uma dorsal mesoceânica típica.

Taylor & Martínez (2003) generalizaram este modelo para incluir outras bacias oceânicas retroarco, como as bacias de Mariana, Manus e do Mar do Leste da Escócia. Variações na geoquímica do basalto nessas bacias também podem ser explicadas pela migração de regiões-fonte de material fundido na cunha do manto e por diferenças nas extensões e profundidades da fusão parcial. Os dados geoquímicos sugerem também que as regiões-fonte do manto para as bacias retroarco de Lau e Manus são mais quentes que as das bacias de Mariana e da Escócia, devido a maiores taxas de subducção. Essas taxas aumentadas parecem induzir maior transporte de calor dentro da cunha do manto (England & Wilkins, 2004). Assim, muitas das diferenças fundamentais entre a acreção crustal em configurações e retroarco de dorsais mesoceânicas podem ser explicadas pela estrutura e dinâmica de fluxo na cunha do manto superior. No entanto, é importante compreender que, além dos processos relacionados com a subducção, é provável que algumas bacias retroarco sejam influenciadas pelas configurações específicas dos limites de placas na sua vizinhança. Um exemplo disto pode ser a Bacia Fiji do Norte, onde a direção de espalhamento retroarco é orientada em ângulo anormalmente baixo (10-30°) à direção do arco. Schellart et al. (2002) sugeriram que essa direção incomum de espalhamento poderia estar relacionada com uma abertura assimétrica da bacia e com os processos colisionais que ocorrem ao longo do limite da placa. A evolução do Rifte Woodlark (Seção 7.8.2) também é fortemente influenciada pelas condições de contorno locais, incluindo as fraquezas reológicas na litosfera.

A variabilidade na estrutura e nas características magmáticas de bacias retroarco também é comum em ambientes continentais. Ao longo da margem ocidental da América do Sul, por exemplo, uma série de bacias extensionais formaram-se durante um período de extensão mesozoica acima de uma zona de subducção de longa duração (Fig. 9.34) (Seção 10.2.1). Na maioria dessas bacias, a extensão e o rifteamento retroarco ocorreram sem a formação de um embasamento basáltico (Mpodozis & Allmendinger, 1993). Apenas na Colômbia e no extremo sul do Chile, a extensão procedeu a um estágio em que ocorreu a ruptura completa

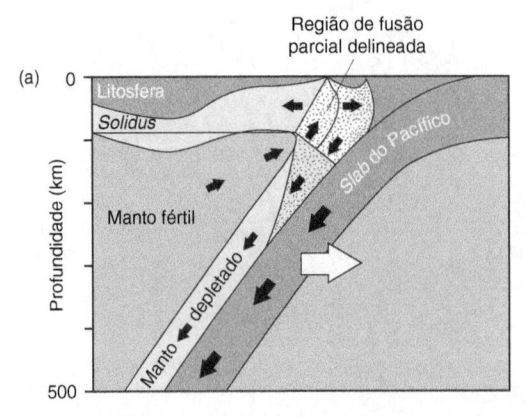

Figura 9.33 Modelo para a formação da Bacia retroarco de Lau (adaptado de Martínez & Taylor, 2002, com permissão da *Nature* **416**, 417-20. Copyright © 2002 Macmillan Publishers Ltd). Seta branca grande indica o retrocesso da fossa de Tonga e do *slab* do Pacífico. Grandes setas pretas mostram o componente de subducção do *slab* do Pacífico, e pequenas setas pretas mostram o fluxo na cunha do manto induzido pela subducção do *slab* e por espalhamento retroarco. A rachura pontilhada indica a região do manto hidratado, com a concentração de água crescendo para o leste em direção ao *slab*. Está indicada a região de fusão parcial.

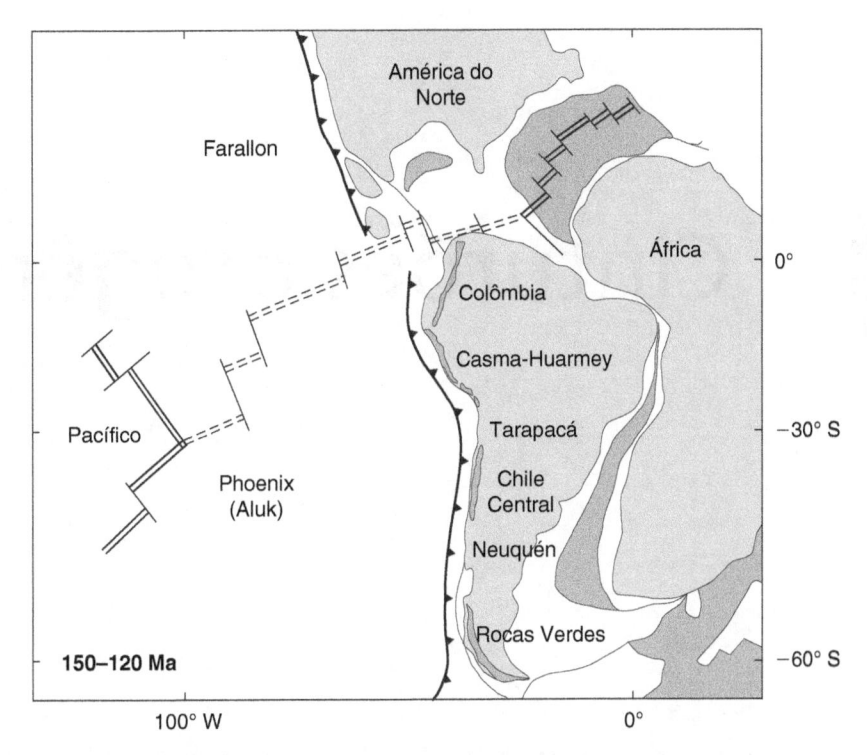

Figura 9.34 Reconstrução esquemática da placa mostrando a localização do retroarco extensional do início do Mesozoico e das bacias marginais na América do Sul (adaptado de Mpodozis & Allmendinger, 1993, com permissão da Geological Society of America). As bacias marginais na Colômbia e no sul do Chile (Rocas Verdes) são pavimentadas pela crosta oceânica. A Bacia Casma-Huarmey no Peru e a Bacia do Chile Central são bacias marginais abortadas desenvolvidas em crosta continental afinada. Tarapacá e Neuquén são bacias retroarco com preenchimento predominantemente sedimentar.

da crosta continental (Seção 7.5) e instalaram-se centros de espalhamento oceânico. Um possível análogo moderno dessas bacias oceânicas é a Bacia Bransfield, localizada atrás da Fossa Shetland do Sul, perto da península Antártica (Fig. 9.1). Esta bacia é assimétrica e apresenta evidências de ter sido aberta por propagação de rifte através da crosta de arco preexistente iniciado 4-5 milhões de anos atrás (Barker et al., 2003). Mora-Klepeis & McDowell (2004) discutem as assinaturas geoquímicas de rochas que registram uma transição similar de vulcanismo de arco para o rifteamento na região da Baja Califórnia no noroeste do México.

Apesar de comum, nem todos os retroarcos continentais estão associados com extensão ou rifteamento. Muitas zonas de convergência oceano-continente, incluindo a margem andina moderna (Seção 10.2), registram encurtamento e orogênese no ambiente retroarco. Independentemente do estilo de deformação que registram, muitos dos retroarcos continentais são caracterizados por litosfera relativamente fina e quente (Hyndman et al., 2005) (por exemplo, Fig. 10.7) cujas propriedades afetam bastante a evolução mecânica da margem convergente (por exemplo, Seções 10.2.5, 10.4.6).

10 | Cinturões orogênicos

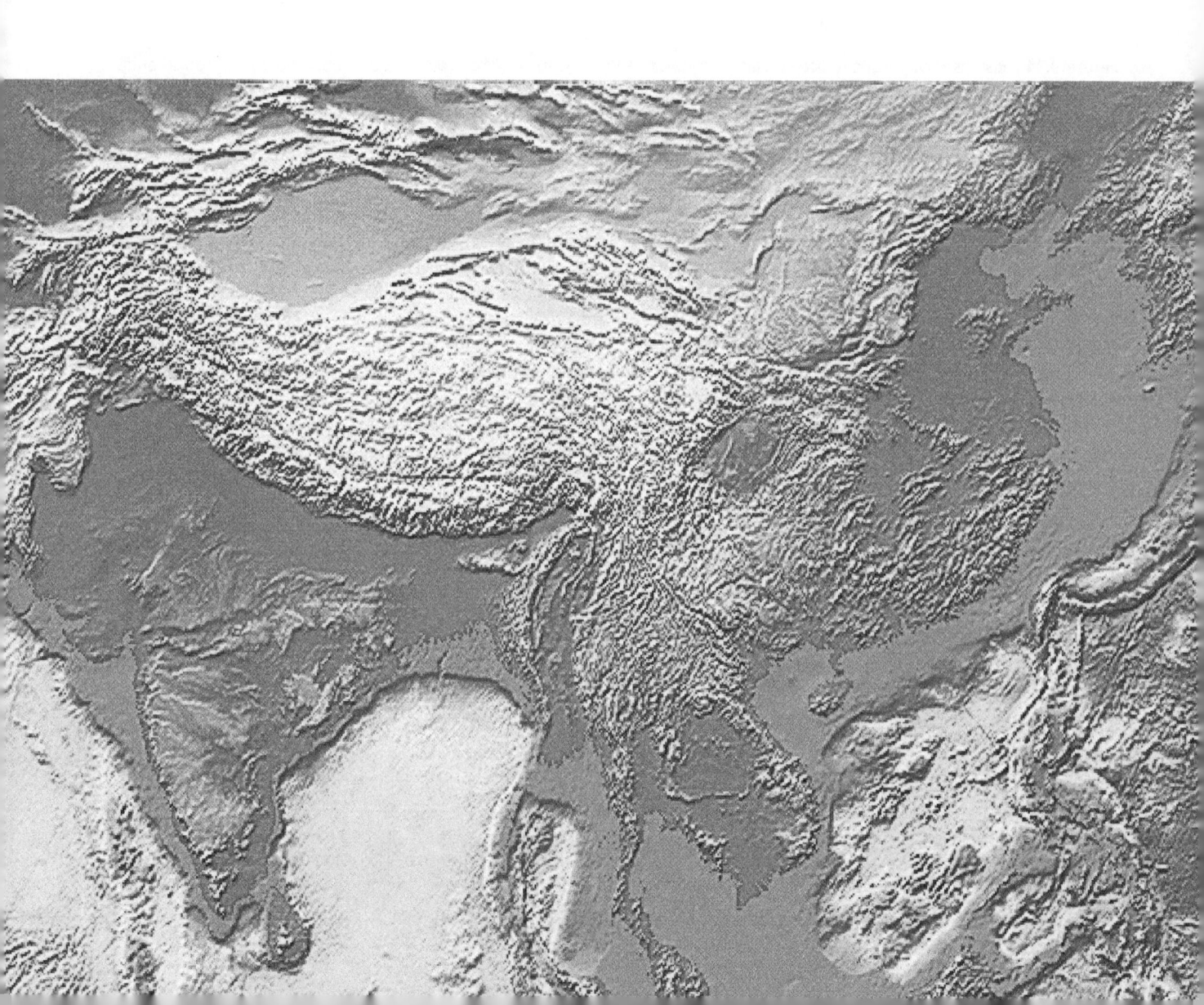

10.1 INTRODUÇÃO

Cinturões orogênicos são extensões longas e muitas vezes arqueadas de rochas altamente deformadas que se desenvolvem durante a formação de cadeias de montanhas nos continentes. O processo de construção de um orógeno, ou *orogênese*, ocorre em margens de placas convergentes e envolve encurtamento intraplaca, espessamento crustal e soerguimento topográfico. Orógenos antigos, cuja topografia foi reduzida ou eliminada pela erosão, marcam o local de antigas margens inativas de placas e, assim, fornecem informações importantes sobre os movimentos de placas do passado (por exemplo, Seção 11.4.3).

Os processos que controlam a orogênese variam consideravelmente dependendo da configuração tectônica e do tipo de litosfera envolvido na deformação. Orógenos *não colisionais* ou tipo *Andino* resultam de convergência (Seção 10.2) oceano-continente, onde os movimentos de placas e outros fatores que controlam a subducção (Seção 9.6) levam à compressão dentro da placa superior. Orógenos *colisionais* (Seções 10.4, 10.5) se desenvolvem quando um continente ou arco insular colide com uma margem continental como resultado da subducção. Nestes últimos cinturões, a espessura e a flutuabilidade positiva do material colidido inibe sua descida para o manto, levando a compressão e orogenia. A Cadeia Himalaiana-Tibetana e os Alpes Europeus representam orógenos que se formam por colisão continente-continente após o fechamento de uma grande bacia oceânica (isto é, *tipo himalaiano*). Outra variedade em que a colisão continental é altamente oblíqua e não envolveu o fechamento do oceano ocorre nos Alpes do Sul na Nova Zelândia (Seções 8.3.3, 8.6.3). Orógenos que se formam por colisão arco-continente incluem cinturões em Taiwan e na região do arco de Timor-Banda no sudoeste do Pacífico.

Grande parte da variabilidade interna exibida por ambos os orógenos colisionais e não colisionais pode ser explicada por diferenças na resistência e na reologia da litosfera continental e por processos que influenciam estas propriedades durante a orogênese (Seções 10.2.5, 10.4.6). Por exemplo, onde a litosfera continental é relativamente fria e resistente, os orógenos tendem a ser relativamente estreitos, variando entre 100 e 400 km de largura. Os Alpes do Sul na Nova Zelândia (Fig. 8.2a) e o sul dos Andes perto da latitude 40°S (Fig. 10.1a) exibem essas características. Por outro lado, onde a litosfera continental é relativamente quente e não resistente, a deformação tende a se dispersar e ser distribuída através de zonas que podem ter mais de mil quilômetros de largura. Os Andes centrais, perto da latitude 20°S (Fig. 10.1a), e o orógeno Himalaiano-Tibetano (Seção 10.4) exibem estas últimas características. Processos que mudam a resistência e a reologia da litosfera continental durante a orogênese geralmente incluem magmatismo, metamorfismo, fusão da crosta, espessamento crustal, sedimentação e erosão.

O acréscimo gradual de fragmentos continentais, arcos de ilhas e material oceânico em margens continentais ao longo de milhões de anos é um dos principais mecanismos pelos quais os continentes têm crescido desde o Pré-Cambriano (Seções 10.6, 11.4.2, 11.4.3). Vários orógenos antigos e ativos registram muitos ciclos de acreção e orogenia onde distintas assembleias de material crustal chamadas de *terrenos* (Seção 10.6.1) colidiram, tornando-se anexas à margem continental. Este processo é ampliado por outros mecanismos de crescimento continental, incluindo adição de magma, sedimentação e criação e destruição de bacias extensionais (Seção 10.6.3). Orógenos que têm crescido significativamente através desses processos por longos períodos de tempo, muitas vezes sem fechamento do oceano, geralmente são denominados *orógenos acrescionários*. Exemplos incluem o Altaids de idade Paleozoica, que forma grande parte do norte da China e da Mongólia (Şengör & Natal'in, 1996); o oeste da Cordilheira da América do Norte (Seções 10.6.2, 11.4.3); e o Orógeno Lachlan do sudeste da Austrália (Seção 10.6.3). Orógenos acrescionários puros podem não mostrar evidências de uma colisão principal continente-continente e consistem em muitos terrenos menores e colisões arco-continente que ocorreram ao longo da margem de um oceano de vida longa.

Neste capítulo, exemplos da América do Sul, Ásia, América do Norte, Austrália e sudoeste do Pacífico ilustram as diversas características de orógenos e os principais mecanismos de orogenia, incluindo a evolução das bacias sedimentares de compressão.

10.2 CONVERGÊNCIA OCEANO-CONTINENTE

10.2.1 Introdução

Um dos exemplos mais bem estudados de um orógeno que se formou pela convergência oceano-continente fica nos Andes centrais do Peru, Bolívia, norte do Chile e Argentina (Fig. 10.1). Aqui, os Andes apresentam as maiores altitudes médias, a maior largura, a crosta mais espessa e a maior quantidade de encurtamento no orógeno (Isacks, 1988; Allmendinger et al., 1997; ANCORP Working Group, 2003). Esse segmento central ilustra a forma como muitas das feições características das grandes orogenias podem se formar na ausência de colisão continente-continente.

A cadeia montanhosa dos Andes, ou *cordilheira*, estende-se por volta de 7.500 km da Venezuela e Colômbia, ao norte, até a Terra do Fogo, ao sul. Ao longo de sua extensão, o orógeno exibe um notável grau de diversidade em sua estrutura, história geológica e evolução tectônica. Essa diversidade complica determinações dos fatores que controlam a orogênese dentro de seus diferentes segmentos. Não obstante, é evidente que alguns elementos comuns fornecem

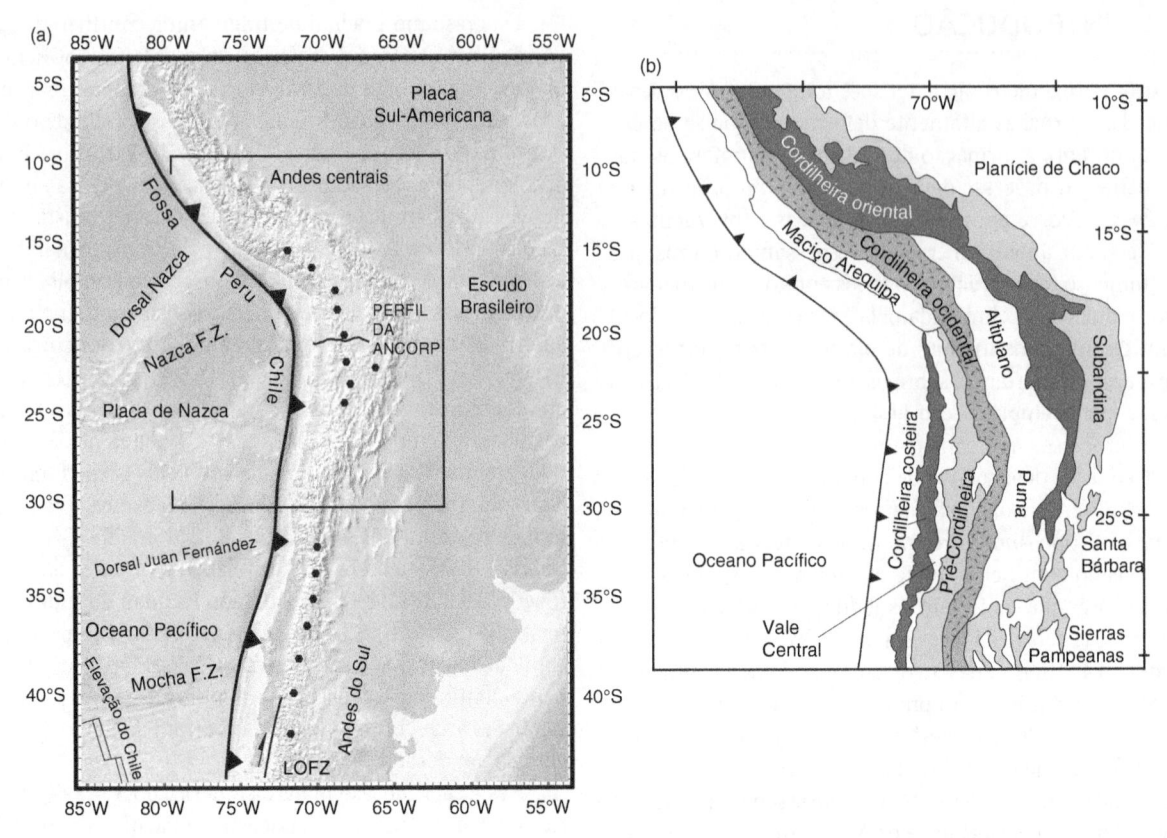

Figura 10.1 (a) Mapa de relevo sombreado dos Andes central e sul mostrando características topográficas das placas de Nazca e Sul-americana. O mapa foi construído usando os mesmos dados topográficos e métodos da Fig. 7.1. Os pontos pretos são vulcões ativos. LOFZ é a zona de falha Liquiñe-Ofqui. A caixa mostra a localização da Fig. 10.1b. Perfil ANCORP mostrado na Fig. 10.6. (b) Províncias fisiográficas dos Andes centrais (adaptado de Mpodozis et al., 2005, com permissão da Elsevier).

importantes condições que contornam para processos orogênicos não colisionais. Uma dessas evidências é que a margem ativa da América do Sul foi caracterizada por um regime não compressional ou extensional durante o Jurássico e o Cretáceo Inferior (Mpodozis & Ramos, 1989). Nesta época, a maior parte da margem estava abaixo do nível do mar conforme uma série de bacias extensionais retroarcos e marginais (Fig. 9.34) se formaram acima de uma zona de subducção (Dalziel, 1981; Mpodozis & Allmendinger, 1993; Mora et al., 2006). Essa história mostra que por si só a subducção não pode dar conta da formação das orogenias tipo andina. Em vez disso, a construção da montanha neste ambiente só pode ocorrer quando a convergência oceano-continente leva à compressão na placa superior (Seções 9.6, 10.2.5).

Nos Andes, regimes de compressão foram estabelecidos várias vezes desde o Mesozoico Inferior, com o início da fase mais recente há cerca de 25-30 Ma (Allmendinger et al., 1997). O início desta última fase de compressão tem sido interpretado de modo a refletir dois processos principais: a aceleração da placa Sul-Americana no sentido da fossa oceânica (Pardo-Casas & Molnar, 1987; DeMets et al., 1990; Somoza, 1998) e o forte acoplamento interplaca entre a litosfera oceânica subductante e o continente superior (Jordan et al., 1983; Gutscher et al., 2000; Yáñez & Cembrano, 2004). Um dos principais objetivos dos estudos tectônicos nos Andes é determinar a origem da resposta altamente variável da placa Sul-Americana a esta compressão. Esta seção apresenta uma discussão sobre as características físicas de primeira ordem dos Andes central e do sul que permitem que pesquisadores façam inferências sobre a gênese da cadeia montanhosa.

10.2.2 Sismicidade, movimentos de placas e geometria de subducção

O padrão geral de sismicidade na Cordilheira dos Andes está de acordo com a subducção para leste da placa de Nazca sob a América do Sul (Molnar & Chen, 1982). Dados geodésicos sugerem que as velocidades de convergência em relação à América do Sul são de 66-74 milímetros/ano na fossa oceânica (Norabuena et al., 1998; Angermann et al., 1999; Sella et al., 2002). Essas taxas são mais lentas do que os 77-80 mm/ano previstos pelo modelo NUVEL-1A de movimentos de placas (Seção 5.8) e parecem refletir a desaceleração de um pico de cerca de 150 mm/ano há 25 Ma (Pardo-Casas & Molnar, 1987; Somoza, 1998; Norabuena et al., 1999).

Atualmente, o movimento relativo resulta em deslocamento variável de componentes paralelos à fossa oceânica ao longo da margem. Nos Andes centrais, esse componente é menor e parece estar acomodado principalmente na própria placa subductada (Siame et al., 2005). No sul dos Andes, um componente moderado de movimento paralelo à trincheira é acomodado por deslizamento ao longo das principais falhas direcionais (Cembrano et al., 2000, 2002).

Soluções de mecanismo focal de terremotos rasos (≤ 70 km de profundidade) mostram que a placa Sul-Americana está atualmente em compressão (Fig. 10.2). Perto da Fossa Peru-Chile, algumas falhas normais se formam em resposta à flexão e a outros ajustes mecânicos dentro da litosfera oceânica subductante. Mais a leste, soluções tipo empurrão são mais abundantes, com alguns movimentos direcionais (Gutscher et al., 2000; Siame et al., 2005). Em geral, o eixo de esforço compressivo máximo está alinhado com o vetor de movimento da placa, sugerindo que os esforços do limite de placa são transmitidos por várias centenas de quilômetros na placa Sul-Americana.

A distribuição de hipocentros de terremotos com a profundidade indica que a margem é dividida em segmentos de subducção rasa e íngreme (Barazangi & Isacks, 1979; Jordan et al., 1983). Abaixo do sul do Peru e da Bolívia, os mer-

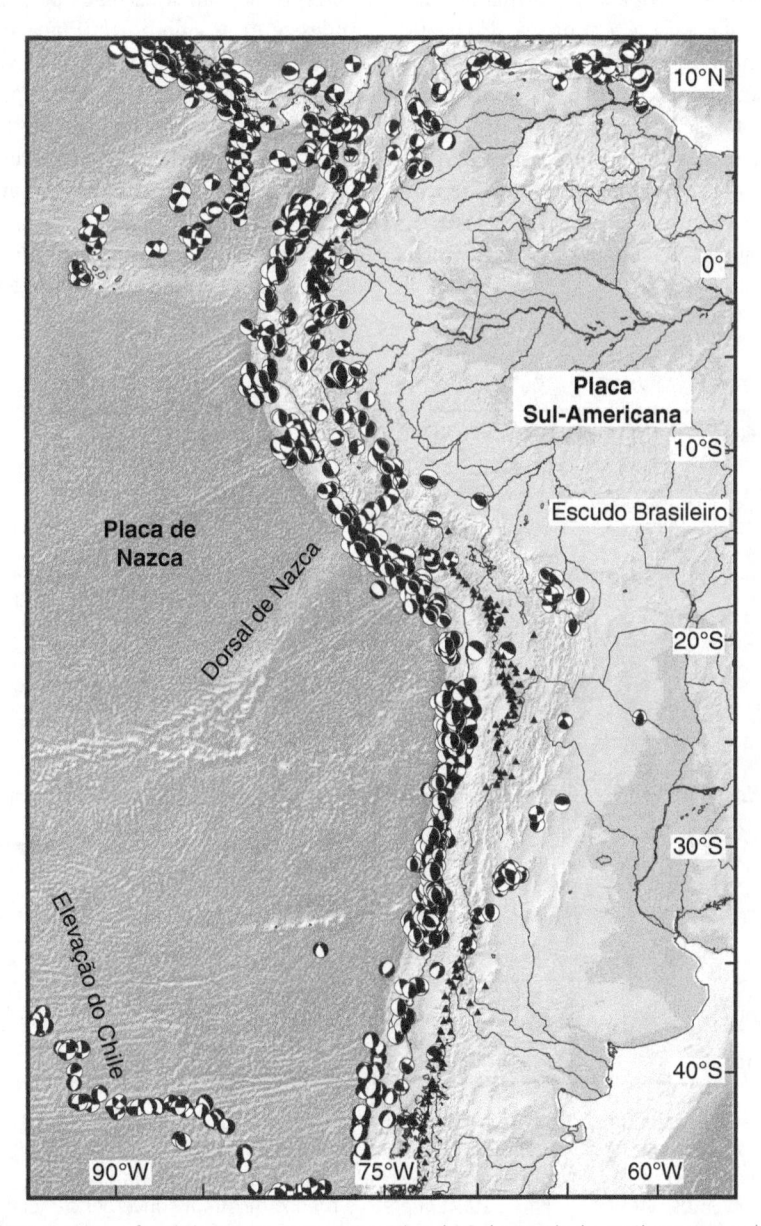

Figura 10.2 Soluções de mecanismo focal de terremotos na América do Sul a partir do catálogo Harvard CMT para terremotos (< 70 km) rasos (1976-1999) (imagem fornecida por M.-A. Gutscher e adaptada de Gutscher et al, 2000, com permissão da American Geophysical Union. Copyright © 2000 American Geophysical Union). Mapa de relevo sombreado é da base de dados de Smith & Sandwell (1997). Triângulos cinza-escuro são vulcões.

gulhos da Zona de Benioff têm cerca de 30° (Fig. 10.3a,b). Abaixo do centro-norte do Chile, têm inicialmente um ângulo de 30° até uma profundidade de aproximadamente 100 km, mudando depois para um mergulho de 0-10° por várias centenas de quilômetros (Fig. 10.3c). Para permitir que a subducção tenha lugar em ângulos tão diferentes, tanto uma ruptura litosférica quanto uma placa descendente altamente distorcida devem acomodar as transições entre os segmentos rasos e íngremes.

Acima de zonas de subducção rasas, a sismicidade superficial é mais abundante e amplamente distribuída do que em segmentos íngremes vizinhos (Barazangi & Isacks, 1979; Jordan et al., 1983). A energia sísmica liberada na placa superior acima de *slabs* rasas é, em média, 3-5 vezes maior do que em segmentos íngremes (> 30°) entre 250 e 800 km da trincheira (Gutscher et al., 2000). Essas diferenças sugerem que segmentos de *slabs* rasas são fortemente acoplados à placa continental sobrejacente (Seção 9.6). O acoplamento parece ser controlado pela presença de um *slab* em profundidade rasa abaixo da litosfera continental, o que fortalece a placa superior e lhe permite transmitir esforços a longas distâncias.

Além de influenciar o comportamento mecânico, variações no mergulho da placa subductante afetam padrões de vulcanismo. Nos Andes centrais, onde o *slab* é íngreme, o vulcanismo neógeno é abundante (Figura 10.1a do encarte colorido). Por outro lado, acima de segmentos de placa rasas no centro-norte do Peru e do Chile (latitude 30°S), o vulcanismo neógeno está ausente. Essas lacunas vulcânicas e segmentos de placas rasas se alinham com a localização de dorsais subductadas parcialmente assísmicas. Gutscher et al. (2000) utilizaram hipocentros de terremotos realocados (Engdahl et al., 1998) inferiores a 70 km de profundidade para gerar uma imagem tridimensional tomográfica da placa de Nazca subductada sob os Andes centrais e do norte (Placa 10.1b, entre páginas 244 e 245). A imagem mostra duas elevações morfológicas que correspondem à Dorsal de Nazca parcialmente subductada e à dorsal totalmente subductada abaixo do Planalto Inca. Um rasgo litosférico pode ocorrer na borda noroeste da placa rasa. Essas relações apoiam interpretações nas quais a subducção da litosfera oceânica espessa e flutuante leva à subducção rasa, podendo finalizar o magmatismo pela eliminação da cunha astenosférica (Seção 9.6).

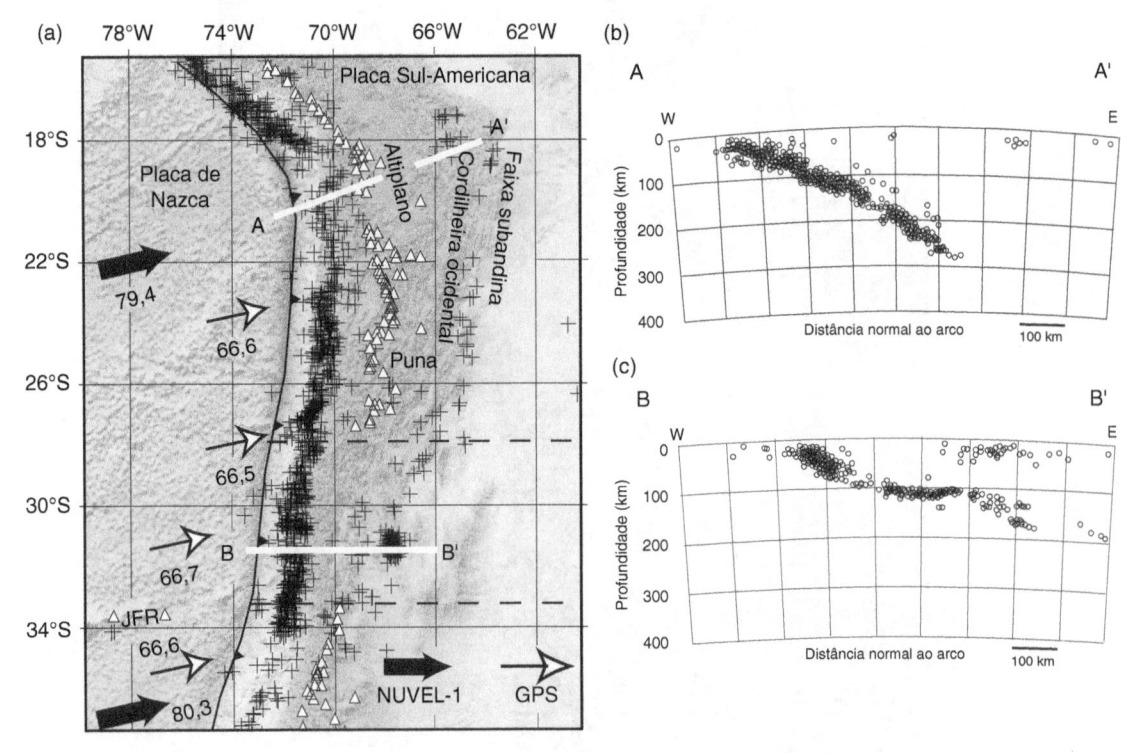

Figura 10.3 (a) Mapa de relevo sombreado dos Andes centrais mostrando a distribuição de terremotos grandes a moderados (cruzes) e vulcões (triângulos) ativos desde o Plioceno. As bases de dados topográficos são de Hastings & Dunbar (1998) e Smith & Sandwell (1997). Os terremotos são do USGS National Earthquake Information Center, catálogo Preliminary Determination Epicenter (1973 até o presente) para eventos rasos (≤ 70 km). Setas em preto e branco mostram convergência relativa das placas de Nazca e Sul-Americana de NUVEL-1 (DeMets et al., 1990, 1994) e observação de GPS contínua (Kendrick et al., 1999, 2003) em mm/ano. (b,c) As secções transversais mostram a distribuição em profundidade de terremotos realocados (Engdahl et al., 1998) (imagens fornecidas por L. Siame e adaptadas de Siame et al., 2005, com permissão da American Geophysical Union. Copyright © 2005 American Geophysical Union). JFR, Dorsal Juan Fernández.

10.2.3 Geologia geral dos Andes centrais e do sul

Os Andes centrais exibem duas grandes cadeias de montanhas chamadas de Cordilheira Ocidental e Oriental (Fig. 10.1b). Na região onde a Placa de Nazca subducta abruptamente, ao sul da latitude 15°S, a Cordilheira Ocidental apresenta um arco vulcânico ativo. A norte dessa latitude, onde um arco ativo está ausente, ela é composta de rochas extrusivas cenozoicas. Rochas metassedimentares paleozoicas dobradas conjuntamente com sequências vulcânicas e sedimentares do Mesozoico-Cenozoico compõem a Cordilheira Oriental.

Aproximadamente ao sul da latitude 15°S, as cordilheiras Ocidental e Oriental divergem em torno de um grande planalto composto chamado de Altiplano-Puna (Fig. 10.1b). Este planalto orogênico tem cerca de 3,8-4,5 km de altura, 1.800 km de comprimento e 350-400 km de largura (Isacks, 1988). Somente o Planalto Tibetano (Seção 10.4.2) é maior e mais amplo. O Altiplano-Puna contém amplas áreas internamente drenadas de baixo relevo e registra pouca erosão superficial. Sua história de soerguimento começou durante o Mioceno, quando as taxas de convergência da placa estavam em seu auge (Allmendinger et al., 1997). A fase inicial de soerguimento coincidiu com a principal geração de ignimbritos e com um período de intenso encurtamento crustal, ocorrido inicialmente nas cordilheiras Oriental e Ocidental (Allmendinger & Gubbels, 1996), migrando depois para o leste para a zona subandina e para a bacia de antepaís Chaco (Seção 10.3.2). Esse encurtamento resultou em crosta continental muito espessa e quente sob o planalto (Seção 10.2.4). Dados geodésicos indicam que o encurtamento na frente do orógeno registra atualmente taxas de 5-20 mm/ano (Klotz et al., 1999; Hindle et al., 2002).

Entre a Cordilheira Ocidental (arco vulcânico) e a Fossa Peru-Chile, as elevações caem a profundidades de 7 a 8 km abaixo do nível do mar em uma distância horizontal de apenas 60-75 km. Esta estreita região de antearco sugere que parte da margem andina central tenha sido removida, seja por falha direcional ou por erosão associada a subducção (von Huene & Scholl, 1991) (Seção 9.6). O antearco inclui dois grandes cinturões de rocha que são separadas por um vale central cheio de sedimentos cenozoicos. A leste do vale, a Precordillera expõe embasamento pré-cambriano, sequências sedimentares mesozoicas e rochas intrusivas e extrusivas Cenozoicas. A presença desse cinturão, que se alinha com o Maciço Arequipa do Pré-Cambriano no sul do Peru (Fig. 10.1b), indica que o orógeno andino é embasado em crosta continental pré-cambriana. A oeste do vale central, a Cordilheira Costeira é composta de rocha ígnea do Mesozoico Inferior testemunho da longa história de subducção ao longo da margem. Falhas de alto ângulo da Cordilheira Costeira, incluindo o sistema de falhas do Atacama, registram uma longa e complexa história de deslocamentos normal, de empurrão e direcionais (Cembrano et al., 2005).

Perto da latitude 20°S (Fig. 10.1a), onde o orógeno tem > 800 km de largura, a região de retroarco registra 300-350 km de encurtamento durante o Neógeno (Allmendinger et al., 1997; McQuarrie, 2002). A maior parte desse encurtamento ocorre na zona subandina, onde combinações de falhas de empurrão e dobras deformam as sequências de rochas cenozoicas, mesozoicas e paleozoicas, em um *cinturão de dobras e empurrão de antepaís* (ver também Seções 9.7 e 10.3.4). A leste das cordilheiras subandinas, a bacia de antepaís Chaco, de 200 km de largura, é preenchida com pelo menos 5 km de sedimentos do Neógeno sobre o Escudo Brasileiro. Essa bacia fornece um importante registro da elevação, erosão e deposição cenozoica nos Andes centrais (Seção 10.3.2).

O antepaís andino registra três estilos diferentes de encurtamento tectônico (Fig. 10.4): (i) cinturões de dobramento e de empurrão tipo *thin-skinned* que são destacados dentro de sequências sedimentares do Paleozoico em profundidades de 7-10 km (Lamb et al., 1997); (ii) cinturões de dobramento e de empurrão tipo *thick-skinned* com deslocamentos inferidos no embasamento pré-cambriano, a 10-20 km de profundidade, e (iii) empurrões do embasamento do antepaís que parecem cortar toda a crosta (Kley et al., 1999). Esses diferentes estilos devem a sua origem, em parte, a variações nas estruturas litosféricas, temperatura e estratigrafia pré-neógenas (Seção 10.3.4). Além disso, os empurrões pré-cambrianos profundamente arraigados do antepaís Pampeanos (Fig. 10.5) correspondem a uma região de subducção rasa, sugerindo uma possível relação causal (Jordan et al., 1983; Ramos et al., 2002).

Alternâncias entre os diferentes estilos de encurtamento ao longo da direção do orógeno produziram uma segmentação geológica do antepaís andino. Uma das transições mais bem estudadas ocorre ao sul da latitude 24°S. De norte a sul, um estilo de encurtamento tipo *thin-skinned* na faixa subandina (Fig. 10.5b,c) muda para um estilo de encurtamento tipo *thick-skinned* na Serra de Santa Bárbara e ao norte das Serras Pampeanas (Fig. 10.5d,e). Essa mudança é acompanhada por uma diminuição na quantidade de encurtamento. Uma mudança semelhante em magnitude de encurtamento ocorre ao norte da latitude 14°S (Fig. 10.5a), implicando que a atual forma arqueada dos Andes Centrais resultou ou foi acentuada por diferenças na quantidade de encurtamento ao longo da direção do orógeno (Isacks, 1988). A forma arqueada, ou *oroclínio*, e os gradientes de encurtamento também implicam que os Andes Centrais tenham girado em torno de um eixo vertical durante o Neógeno. Os dados de GPS, bem como indicadores paleomagnéticos e geológicos, sugerem que essas rotações são anti-horárias no Peru e na Bolívia, ao norte da curvatura nos Andes Centrais, e no sentido horário ao sul da curvatura (Allmendinger et al., 2005).

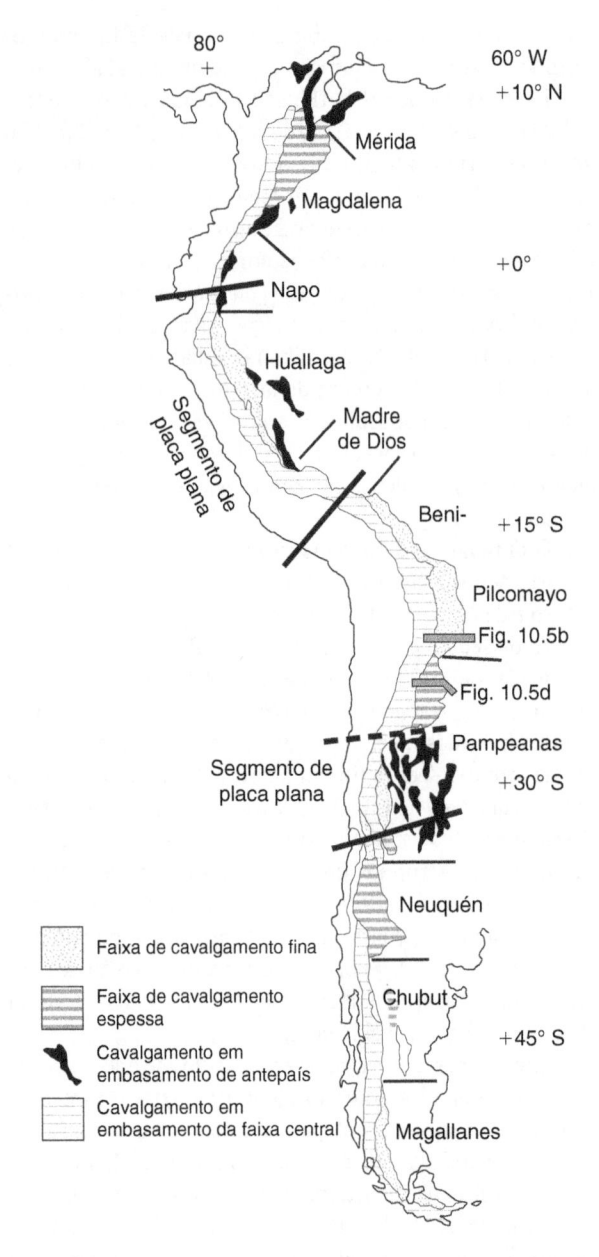

Figura 10.4 Distribuição do estilo segmentado da deformação de antepaís nos Andes (segundo Kley et al., 1999, com permissão da Elsevier). Segmentos planos da placa são indicados.

Entre as latitudes 40° e 46°S, a idade da placa subductante de Nazca reduz-se de ~25 Ma na latitude 38°S para praticamente zero na latitude 46°S, onde a dorsal do Chile está atualmente em subducção (Herron et al., 1981; Cande & Leslie, 1986). Ao longo desse segmento, a convergência ocorre em um ângulo de aproximadamente 26° à ortogonal da trincheira (Jarrard, 1986). A convergência oblíqua tem impulsionado deformação cenozoica tardia dentro de um orógeno relativamente estreito (300-400 km), caracterizado por elevação média de < 1 km (Montgomery et al., 2001). Um arco vulcânico ativo ocorre ao norte da dorsal subductante, onde o antearco está sofrendo encurtamento. Dentro do arco, falhas direcionais dextrais da zona de falha Liquiñe-Ofqui de 1.000 km de comprimento acomodam o componente de movimento do movimento das placas paralelo à fossa (Cembrano et al., 2000, 2002) (Seção 5.3). Na região retroarco, o encurtamento é relativamente menor (< 50 km) e controlado pela inversão tectônica parcial (Seção 10.3.3) de uma bacia extensional mesozoica (Ramos, 1989; Kley et al., 1999). Os Andes do Sul são, portanto, caracterizados por vulcanismo de arco, relevo relativamente baixo e deformação focada em um orógeno transpressional estreito.

10.2.4 Estrutura profunda dos Andes centrais

Em 1996, pesquisadores trabalhando no Andean Continental Research Project (ANCORP 96) completaram um perfil de reflexão sísmica de 400 km de extensão através dos Andes centrais na latitude 21°S (Fig. 10.6). Esse perfil, juntamente com os resultados de estudos geológicos (Allmendinger et al., 1997; McQuarrie, 2002) e outras investigações geofísicas (Patzwahl et al., 1999; Beck & Zandt, 2002), formaram parte de uma transecta de > 1000 km de comprimento entre a costa do Pacífico e o cráton brasileiro (Fig. 10.7). Abaixo do antearco central andino, o perfil de reflexão sísmica mostra pacotes de refletores mergulhando para leste (~20°), o que marca o topo da Placa de Nazca subductante (ANCORP Working Group, 2003). Acima e paralelas ao *slab* estão estruturas espessas e altamente reflexivas, o que indica a presença de líquidos trapeados e manto hidratado cisalhado no topo da placa descendente. Alguma sismicidade difusa nessa região está provavelmente relacionada à fragilização proveniente da desidratação (Seção 9.4). Refletores sub-horizontais abaixo da Cordilheira Costeira podem representar antigas intrusões que foram colocadas durante o magmatismo de arco mesozoico.

A leste do antearco, ondas telessísmicas convertidas (compressionais até de cisalhamento) indicam que a espessura da crosta aumenta de cerca de 35 km para aproximadamente 70 km abaixo da Cordilheira Ocidental e do Altiplano (Yuan et al., 2000; Beck & Zandt, 2002). A espessura da crosta também varia ao longo da direção do orógeno, atingindo um máximo de 75 km sob o norte do Altiplano e um mínimo de 50 km sob o Planalto Puna (Yuan et al., 2000, 2002). A litosfera tem 100-150 km de espessura abaixo do Altiplano (Whitman et al., 1996) e é várias dezenas de quilômetros mais fina abaixo de Puna. O afinamento litosférico sob este último segmento explica a altitude elevada (~4 Km) da Puna acima de uma Moho relativamente raso. A transição para o sul a partir da falha de empurrão de *thin* para *thick skinned* nesta mesma região (Fig. 10.5) sugere que a remoção do excesso de manto litosférico acomoda o *underthrusting* para oeste do Escudo Brasileiro (McQuarrie et al., 2005).

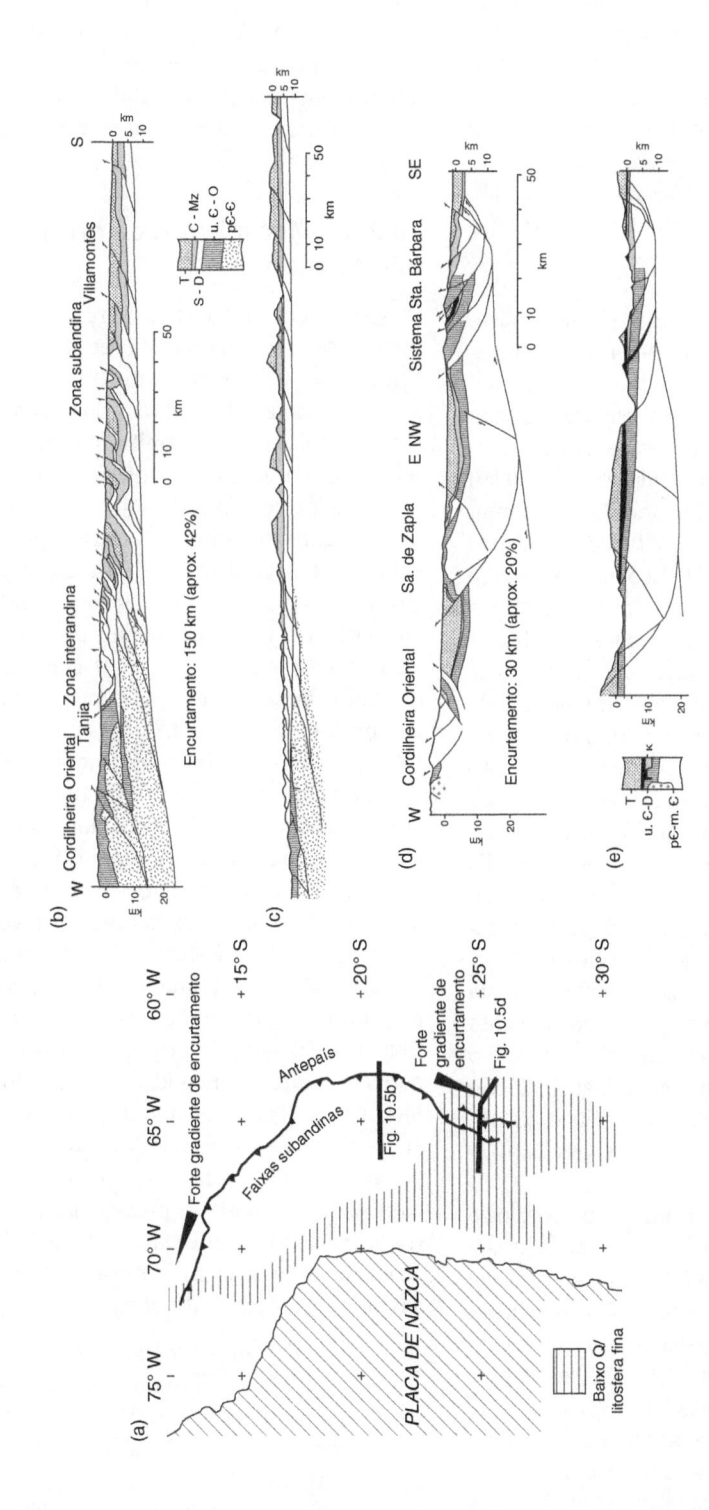

Figura 10.5 (a) Mapa esquemático mostrando as transições de litosfera espessa para fina sob os Andes Centrais, conforme determinado a partir de dados de ondas sísmicas atenuadas. Zona de litosfera espessa correlaciona-se com áreas de maior gradiente de encurtamento. O sistema Santa Bárbara (SBS) é caracterizado por deformação epidérmica espessa (*thin-skinned*). Faixas de empurrão epidérmico fino (b) e secção restaurada (c) das cordilheiras subandinas, Bolívia, usando dados de Baby et al. (1992), Dunn et al. (1995) e Kley (1996). Faixas de empurrão epidérmico espesso (*thick-skinned*) (d) e secção restaurada (e) do sistema Santa Bárbara (todas as imagens adaptadas de Kley et al., 1999, com permissão da Elsevier). Localização dos perfis (b) e (d) também mostrada na Fig. 10.4.

Através do perfil de sísmica de reflexão ANCORP 96 (Fig. 10.6), uma Moho distinta está visivelmente ausente. Uma ampla zona de transição de refletividade fraca ocorre na profundidade esperada. A causa desse caráter difuso do limite parece estar relacionada com processos ativos por influência de fluidos, incluindo a hidratação das rochas do manto e a colocação de magma sob e na crosta inferior. A maior parte da refletividade ao longo do perfil está ligada a processos petrológicos envolvendo liberação, trapeamento e/ou consumo de fluidos (ANCORP Working Group, 2003). Esses processos têm produzido um perfil de reflexão sísmica cujas características contrastam com aquelas coletadas através de cinturões montanhosos fósseis (Figs. 10.33b, 10.34b, 11.15b, c), em que perfis de reflexão sísmica podem ser interpretados apenas em termos de estrutura e contrastes litológicos.

No interior da crosta, as velocidades sísmicas indicam a presença de uma zona de 15-20 km de espessura de ondas sísmicas de baixa velocidade em profundidades de 14-30 km abaixo da Cordillera Ocidental e Altiplano-Puna (Yuan et al., 2000, 2002). A razão média crustal V_p/V_s de 1,77 abaixo do platô e os valores de pico de 1,80-1,85 abaixo do arco vulcânico ativo sugerem a presença de altas temperaturas e de fusão generalizada da intracrosta. Trechos de reflexões de alta amplitude e zonas de refletividade difusa a cerca de 20-30 km de profundidade abaixo da Pré-cordilheira e do Altiplano sugerem a presença de fluidos subindo através de zonas de falhas profundas (ANCORP Working Group, 2003). Uma dessas maiores manchas é o Ponto Brilhante Quebrada Blanca (Fig. 10.6). Outras zonas de baixa velocidade e refletores claros ocorrem em profundidades da crosta média abaixo da Cordilheira Oriental e da região retroarco. A presença dessas feições ajuda a explicar as diferenças na espessura da crosta terrestre e na altitude do Altiplano e de Puna. Transporte generalizado de fluidos e fusão parcial da crosta média e inferior durante o encurtamento e o crescimento do planalto neógenos parecem ter enfraquecido a crosta o suficiente para permitir que ela flua (Gerbault et al., 2005). Características semelhantes sob o Planalto Tibetano (Seção 10.4.5) sugerem que planaltos orogênicos, em geral, envolvem uma crosta muito frágil.

A leste do Altiplano-Puna, a determinação da função de receptores mostra uma diminuição na espessura da crosta de 60 a 74 km abaixo da Cordilheira Oriental para cerca de 30 km abaixo da planície do Chaco (Yuan et al., 2000; Beck & Zandt, 2002). Imagens de tomografia do manto indicam que as zonas de baixa velocidade de onda a 30 km de profundidade se estendem através da litosfera sob o campo de ignimbrito Los Frailes (Fig. 10.7), sugerindo que o vulcanismo está enraizado no manto e que a litosfera mantélica nesta região foi alterada ou removida (Myers et al., 1998). A leste dessa zona de baixa velocidade, alta velocidade sísmica no manto superficial, alto Q (Seção 9.4) e uma mudança na direção rápida da anisotropia de ondas de cisalhamento sugerem a presença da litosfera fria, espessa e resistente do Escudo Brasileiro (Polet et al., 2000). Anomalias da gravidade Bouguer mostram que a flexura da litosfera (Seções 2.11.4, 10.3.2) suporta parte da Cordilheira Oriental e a zona subandina (Watts et al., 1995). Relações entre elevações da superfície e espessura da crosta (Yuan et al., 2002) indicam uma espessura de 130-150 km da litosfera sob cinturão subandina e uma litosfera mantélica muito mais espessa a leste (Fig. 10.7).

10.2.5 Mecanismos de orogêneses não colisionais

Orogenias em margens convergentes oceano-continente iniciam-se onde duas condições são satisfeitas (Dewey & Bird, 1970): (i) a placa continental superior é submetida a compressão e (ii) as placas convergentes são suficientemente acopladas para permitir que esforços de compressão sejam transmitidos para o interior da placa superior.

Estudos de zonas de subducção, em geral, sugerem que o regime de esforço na placa superior é influenciado pela taxa e pela idade da litosfera oceânica subductante (Uyeda & Kanamori, 1979; Jarrard, 1986). Altas taxas de convergência e subducção da litosfera jovem, espessa e/ou flutuante tendem a induzir compressão, diminuir o mergulho do *slab* e reforçar a transferência de esforços de compressão (Seção 10.2.2). No entanto, embora esses fatores possam explicar as diferenças gerais entre zonas de subducção do tipo chileno e do tipo Mariana (Seção 9.6), eles não explicam as diferenças longitudinais na estrutura e na evolução do orógeno Andino (Seções 10.2.3, 10.2. 4). O exemplo Andino mostra que nem subducção rasa, nem o *underthrusting* de litosfera oceânica jovem e/ou flutuante controlam áreas de encurtamento máximo e espessamento crustal (Yáñez & Cembrano, 2004). Da região do Altiplano para norte e para sul, há uma diminuição na quantidade total de encurtamento crustal e espessamento sem correspondência direta com a idade do *slab* (Jordan et al., 1983; McQuarrie, 2002) ou com a taxa de convergência (Jordan et al., 2001). Essas observações indicam que outros fatores além da geometria, taxa e idade da litosfera subductante controlam a resposta da placa superior à compressão. Entre os mais importantes fatores temos: (i) a resistência do acoplamento interplaca na fossa e (ii) a estrutura interna e a reologia da placa continental.

1 *Acoplamento interplaca na fossa*. Yáñez & Cembrano (2004) utilizaram uma abordagem mecânica do contínuo para examinar os efeitos de quantidades variáveis de acoplamento interplaca na fossa na deformação da placa superior. Esses autores observaram que os padrões de sismicidade nos Andes sugerem que a subducção rasa controla algumas áreas de forte acoplamento interplaca (Seção 10.2.2). No entanto, a maior liberação de energia sísmica acima de

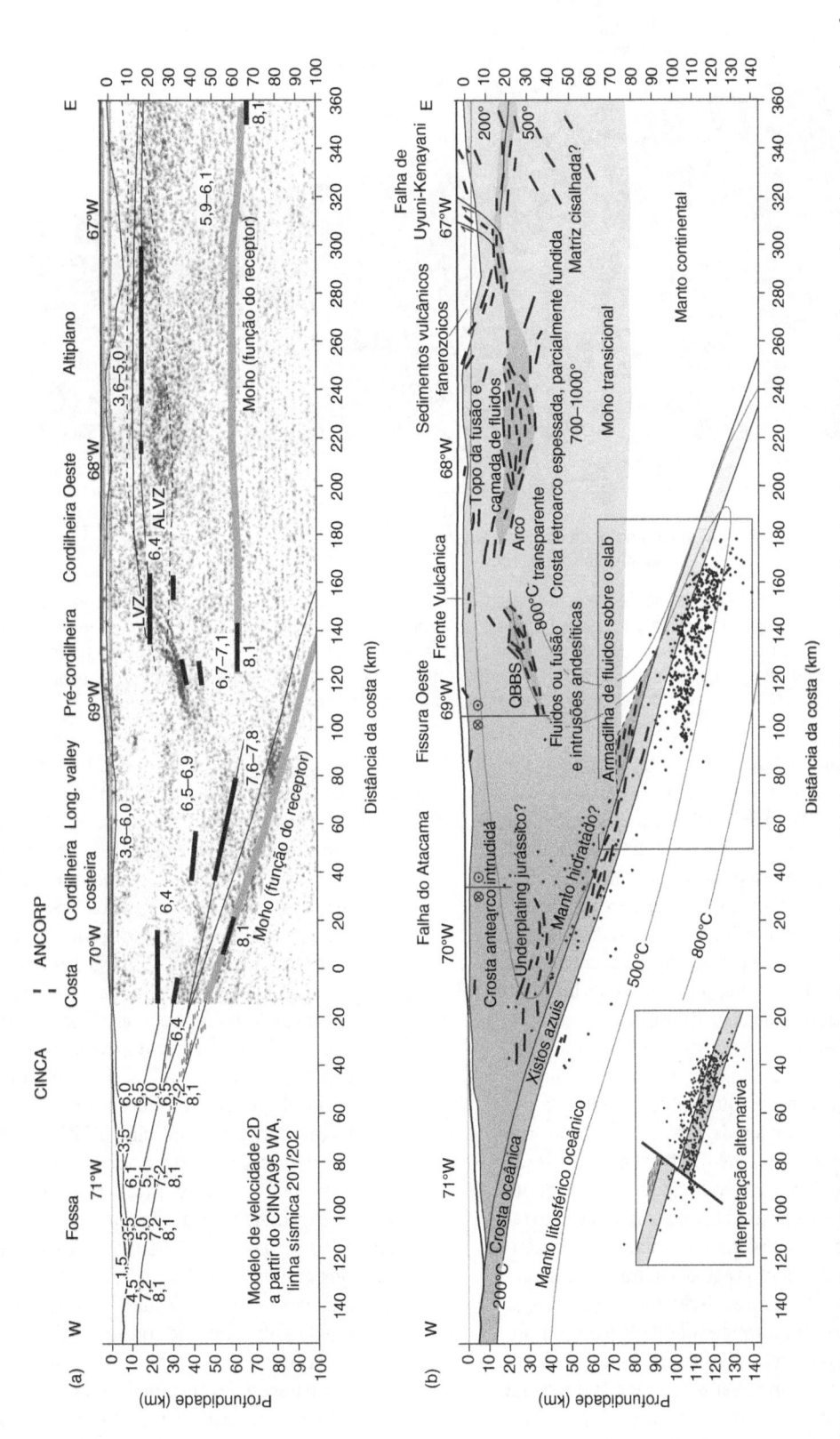

Figura 10.6 (a) Os resultados sísmicos e (b) a interpretação de dados de reflexão ANCORP de profundidade migrada, incluindo resultados *onshore* de grande angular e função do receptor de Yuan et al. (2000) misturados com resultados *offshore* de experimentos CINCA (Patzwahl et al., 1999) (imagem fornecida por O. Oncken e adaptadas de ANCORP Working Group 2003, com permissão da American Geophysical Union. Copyright © 2003 American Geophysical Union). Localização da secção mostrada na Fig. 10.1a. Inserção em (b) mostra uma interpretação alternativa da geometria da placa e da sismicidade. ALVZ, zona de baixa velocidade do Altiplano; QBBS, Ponto Brilhante Quebrada Blanca.

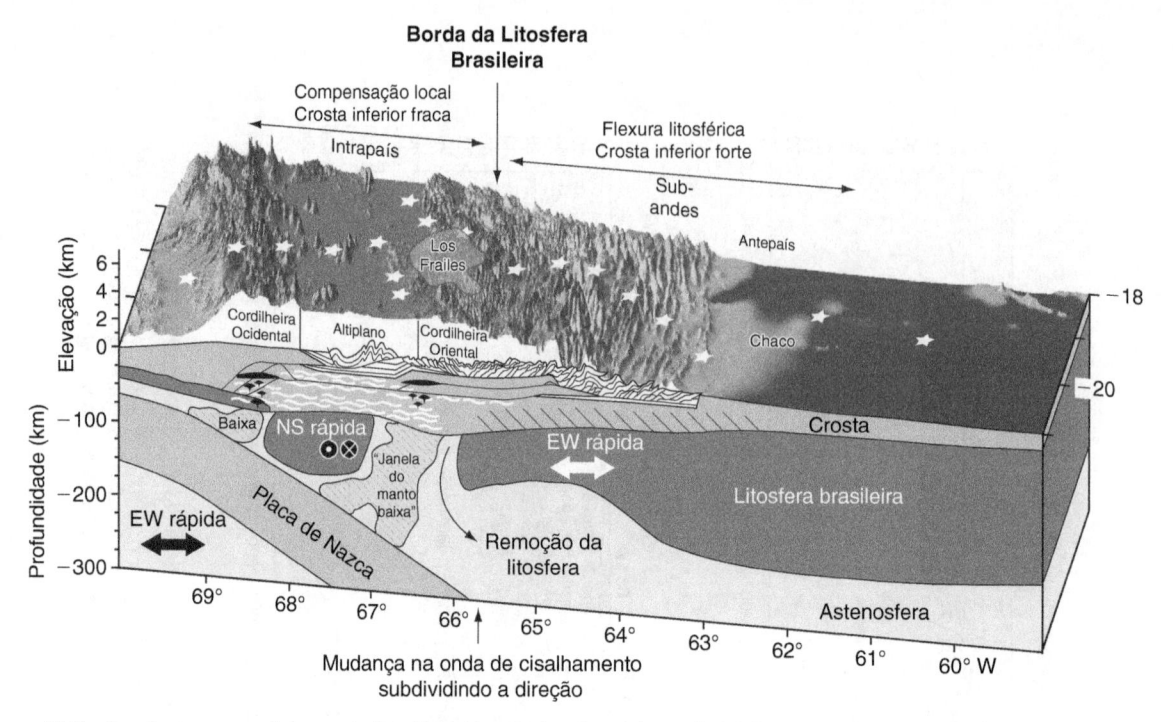

Figura 10.7 Secção transversal de escala litosférica dos Andes Centrais nas latitudes 18-20°S mostrando interpretações da estrutura da crosta e do manto (imagem fornecida por N. McQuarrie e adaptada de McQuarrie et al., 2005, com permissão da Elsevier). São mostradas velocidades de onda P rápidas (cinza-escuro) e velocidades lentas da onda P (tons branco e cinza) do manto superior. Ondas brancas, zona crustal de baixa velocidade. Secção transversal mostra lascas de embasamento empurrado sob a Cordilheira Oriental, rochas de cobertura são brancas. Estrelas brancas são estações de registro de dados.

segmentos rasos ocorre a várias centenas de quilômetros para o interior do continente a partir da fossa (Gutscher et al., 2000). Por outro lado, a sismicidade na Fossa Peru-Chile é aproximadamente equivalente em ambos os segmentos do slab raso e íngreme. Essa observação, e a falta de correlação entre a quantidade de encurtamento intraplaca e os segmentos do *slab* raso, sugere que o grau de acoplamento interplaca na fossa pode ser tão ou mais importante no controle da deformação da placa superior.

Para testar essa ideia, Yáñez & Cembrano (2004) dividiram a placa Sul-Americana em dois domínios tectônicos que se caracterizam por diferentes balanços de força: o antearco e o retroarco-antepaís. No antearco, a idade da crosta oceânica e a velocidade convergente controlam a resistência do acoplamento através da interface oceano-continente. A resistência do acoplamento regula a quantidade de deformação. Os autores derivaram uma relação empírica entre a topografia da fossa e o grau de acoplamento através da interface de deslizamento utilizando variações longitudinais na forma da encosta interior da fossa (Fig. 10.8a). Esta abordagem é baseada no trabalho de Wdowinski (1992), que sugeriu que, após um período de equilíbrio de 5 a 10 Ma, a topografia da fossa reflete o equilíbrio entre as forças tectônicas e de flutuação associadas à subducção. Forças de flutuabilidade associadas com a crosta continental dominam o equilíbrio de força se a resistência da interface da placa for baixa, resultando em um movimento ascendente do antearco (Fig. 10.8b). Forças tectônicas associadas com o afundamento da litosfera oceânica dominam se a resistência da interface da placa for alta, causando movimento descendente do antearco. Ao assumirem que a topografia da fossa está em equilíbrio com essas forças, Yáñez & Cembrano (2004) deduziram a resistência da interface, encontrando o menor campo de deslocamento para diferentes faixas de parâmetros de deslizamento.

A Fig. 10.8c resume os resultados da modelagem. Nos gráficos, a viscosidade da interface de deslizamento controla a sua resistência. O mergulho do slab, a taxa de convergência e a idade da placa subductante também são mostradas para comparação. Os resultados indicam que o acoplamento interplaca mais forte ocorre nos Andes centrais, perto de latitude 21°S (Fig. 10.8a), onde taludes internos da fossa são mais íngre-

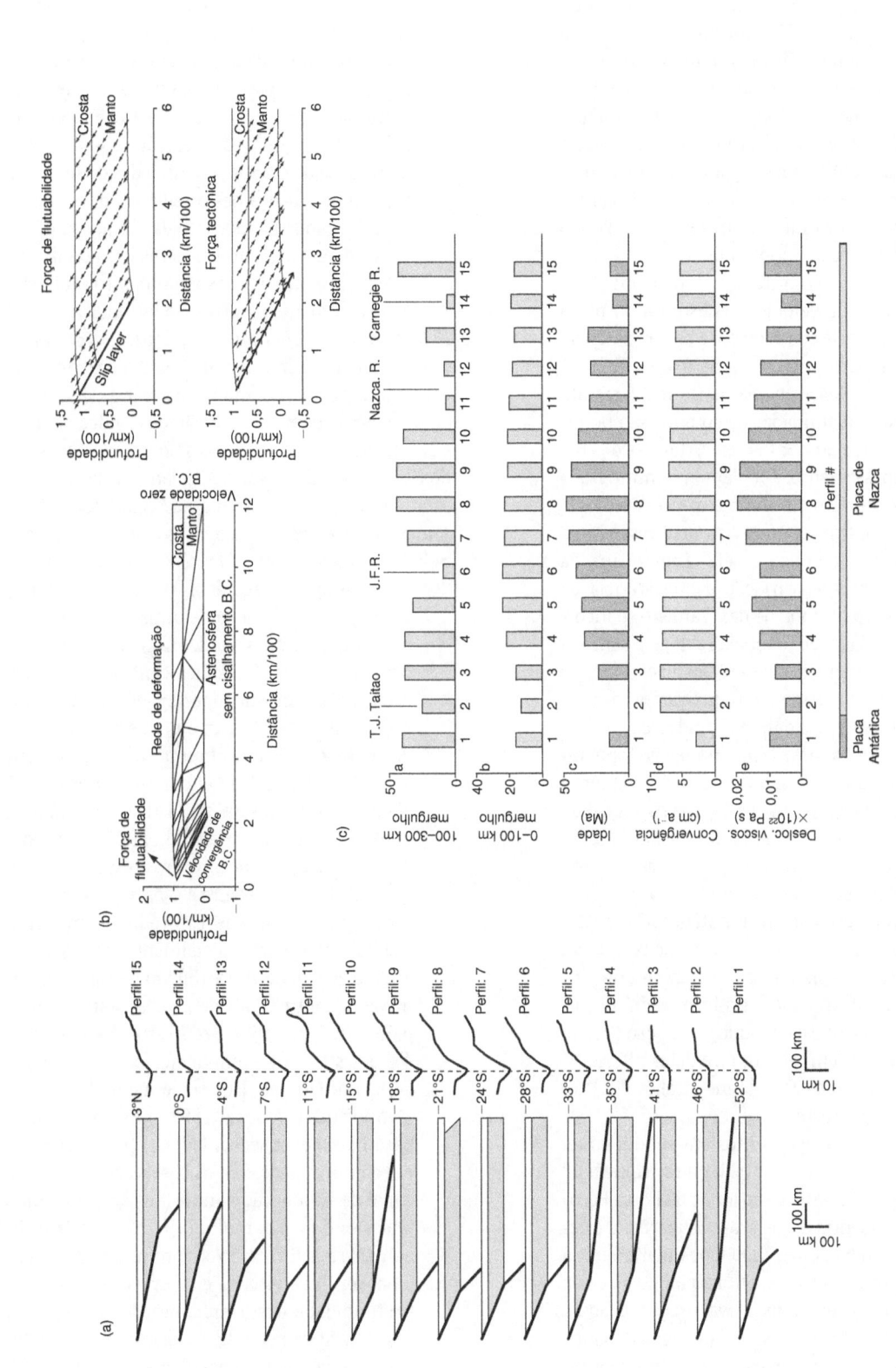

Figura 10.8 (a) Topografia da fossa oceânica a partir de 15 perfis dos Andes entre 3°N e 56°S mostrando o mergulho da zona de Benioff em escala 1:1 (esquerda). Perfis batimétricos à direita mostram um exagero vertical de 10. (b) Modelo de viscosidade de topografia da fossa mostrando a grade da malha e condições de contorno (B.C.). Equilíbrio dinâmico da fossa é controlado pelas forças de flutuação (superior direito) e tectônicas (inferior direito) concorrentes. Campos de velocidade representados com setas são apenas para referência. (c) Os resultados do modelo mostram mergulho do slab abaixo da cunha astenosférica, ângulo de mergulho do slab próximo à fossa, idade do slab subductante próximo à fossa, velocidade de convergência, viscosidade de deslizamento da camada para uma camada de 10 km de espessura (todas as imagens adaptadas de Yáñez & Cembrano, 2004, com permissão da American Geophysical Union. Copyright © 2004 American Geophysical Union) T.J., junção tríplice; J.F.R., Dorsal Juan Fernández.

mes e a idade da crosta subductada é mais antiga. Ocorre acoplamento fraco no sul dos Andes, ao sul da latitude 35°S, onde a idade da crosta oceânica é significativamente mais jovem e os taludes da fossa mergulham suavemente. Para uma taxa de convergência constante, a subducção de uma crosta oceânica jovem e de dorsais assísmicas resulta em acoplamento fraco, pois a temperatura mais alta da litosfera oceânica nessas zonas resulta em um reajuste térmico da interface oceano-continente.

No domínio retroarco-antepaís, a deformação é controlada pela velocidade absoluta da placa continental, pela sua reologia e pela resistência do acoplamento interplaca na fossa (Yáñez & Cembrano, 2004). Acoplamento forte resulta em grandes quantidades de compressão no retroarco, o que aumenta o encurtamento crustal e o espessamento. Acoplamento muito fraco impede encurtamento no retroarco. A reologia da placa continental é regida pela resistência da litosfera mantélica e pela temperatura da Moho. Através da variação da resistência de acoplamento na zona de deslizamento e incorporando uma lei de potência reológica sensível às taxas de temperatura e deformação (Seção 2.10.3), esses autores reproduziram várias características principais dos Andes centrais e sul. Estas incluem variações no relevo topográfico médio dos Andes, a taxa de encurtamento e a espessura da crosta observadas na região do Altiplano, e rotações de bloco (Seção 10.2.3). As rotações são induzidas por diferenças nas forças de flutuabilidade causadas por variações de espessura crustal e na resistência do acoplamento interplaca a norte e a sul do Altiplano. Variações na resistência do acoplamento interplaca também podem explicar as diferenças no grau de erosão de subducção (Seção 9.6) ao longo da margem, embora modelos alternativos (por exemplo, von Huene et al., 2004) tenham sido propostos.

Além da taxa e da idade da litosfera subductante, outro fator que pode controlar a resistência do acoplamento interplaca ao longo da Fossa Peru-Chile é a quantidade de erosão superficial e deposição. Lamb & Davis (2003) postularam que a corrente de água fria que flui ao longo da costa do Chile e do Peru inibe a evaporação da água, resultando em pouca chuva, pequenas quantidades de erosão e transporte mínimo de sedimentos para a fossa. Uma fossa seca e faminta de sedimentos pode resultar em um alto grau de atrito ao longo da interface das placas de Nazca e Sul-Americana, aumentando o esforço cisalhante e levando ao aumento da compressão e da elevação nos Andes centrais. Por outro lado, nos Andes do sul, onde o fluxo de ventos do oeste, as chuvas abundantes e os efeitos da glaciação resultam em taxas de erosão elevadas, a Fossa Peru-Chile está repleta de sedimentos. A presença de grandes quantidades de sedimentos inconsolidados nessa região pode reduzir o atrito ao longo da interface da placa, reduzindo efetivamente a quantidade de esforço cisalhante e levando a um menor soerguimento topográfico e uma menor deformação intraplaca.

2 *Estrutura e reologia da placa continental*. Variações na estrutura inicial e na reologia da placa continental também podem explicar várias diferenças de primeira ordem na evolução dos Andes centrais e sul. Entre essas diferenças estão o *underthrusting* do Escudo Brasileiro sob o Altiplano-Puna, o importante afinamento litosférico na região central dos Andes e a ausência dessas feições no sul dos Andes. Sobolev & Babeyko (2005) realizaram uma série de modelos termomecânicos bidimensionais (Fig. 10.9) que simularam a deformação no centro e no sul dos Andes usando duas estruturas iniciais diferentes. Os Andes centrais envolvem uma espessa crosta superior félsica, uma fina crosta inferior gabroica e uma espessura total de 40-45 km. Esta configuração pressupõe que a crosta já tenha sido encurtada antes do início da deformação em 30-35 Ma (Allmendinger et al., 1997; McQuarrie et al., 2005). O sul dos Andes é formado por uma crosta superior e inferior de igual espessura e uma espessura crustal total de 35-40 km. Em todos os modelos, a subducção ocorre inicialmente em um baixo ângulo abaixo de 100 a 130 km de espessura de litosfera continental (Fig. 10.9a), estando livre para mover-se com o progresso da subducção. A placa superior é empurrada para a esquerda (V_1), simulando o drift ocidental da Placa Sul-Americana (Somoza, 1998). O slab é puxado para baixo com velocidades (V_2) que estejam em conformidade com as observações. Um fino canal de subducção simula a interface de uma placa onde uma reologia friccional (rúptil) controla a deformação em profundidades rasas, e ocorre fluxo viscoso em níveis profundos. A profundidade dessa mudança de reologia e a resistência da zona de deslizamento são reguladas através de um coeficiente de atrito.

O experimento numérico que melhor replica a estrutura dos Andes centrais é mostrado na Fig. 10.9. Neste modelo, 58% do drift para o oes-

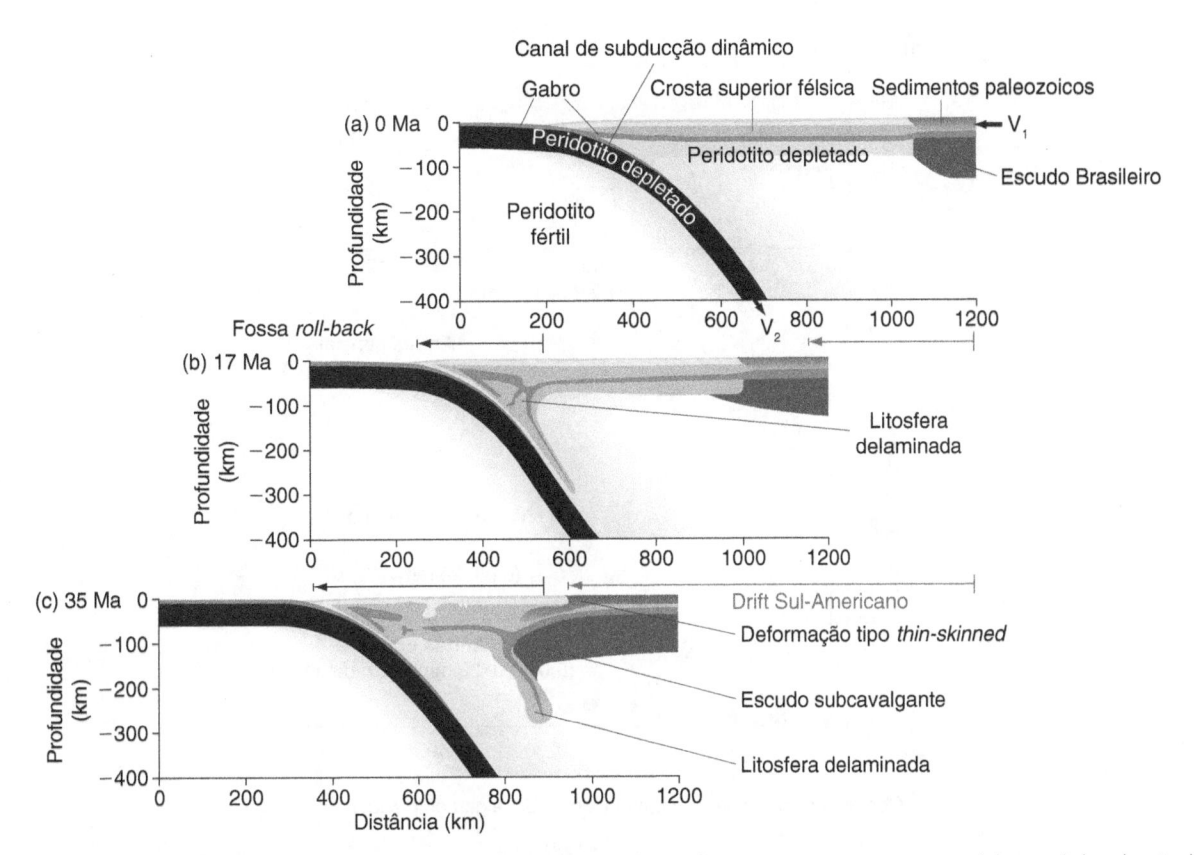

Figura 10.9 (a-c) Imagens instantâneas no tempo mostrando a evolução do encurtamento para um modelo mecânico dos Andes Centrais (adaptado de Sobolev & Babeyko, 2005, com permissão da Geological Society of America).

te da América do Sul, ao longo de um período de 35 Ma, são acomodados por movimentação para trás (*roll-back*) (Seção 9.10) da placa de Nazca na trincheira, com o restante sendo acomodado por encurtamento intraplaca (37%) e erosão de subducção (5%). Durante o encurtamento, a espessura da crosta dobra, enquanto a crosta inferior e o manto litosférico se tornam mais finos por delaminação (Fig. 10.9b). A delaminação é impulsionada pela transformação do gabro para eclogito na crosta inferior, o que aumenta sua densidade e permite que ele descole e afunde no manto. Outro possível mecanismo para a redução da espessura da litosfera é a erosão tectônica impulsionada por fluxo de convecção no manto (Babeyko et al., 2002). Esses processos levam a um aumento da temperatura da Moho, o que enfraquece a crosta e permite que sua parte inferior flua.

Após 20-25 Ma em tempo modelado, o encurtamento tectônico gera topografia elevada entre o arco magmático e o Escudo Brasileiro (Fig. 10.10a). Os gradientes topográficos elevados iniciam fluxo em uma crosta média e inferior fraca que equilibra a espessura crustal e a topografia da superfície, formando um platô orogênico de 4 km de altura após 30-35 Ma. O modelo também prevê falhamento mecânico da cunha de sedimentos paleozoicos por falha de empurrão tipo *thin-skinned* no antepaís (Seção 10.3.4) a 25 Ma, em tempo modelado, seguido por *underthrusting* do Escudo Brasileiro sob o platô (Fig. 10.9c). O falhamento dos sedimentos do antepaís marcam uma mudança no modo de encurtamento – de cisalhamento puro para deformação por cisalhamento simples (por exemplo, Seção 10.3.4, Fig. 10.12). O encurtamento atinge 300-350 km em 30-35 Ma, como indicado pela curva de círculos preenchidos na Fig. 10.10b.

Esses e outros modelos permitem que o processo dominante controle o encurtamento tectônico nos Andes para acelerar a deriva da placa Sul-Americana para o oeste. No entanto, para explicar as principais características tectônicas dos Andes centrais, as altas velocidades convergentes e o forte acoplamento interplaca devem ser acompanhados por uma crosta continental inicialmente espessa e fraca (Sobolev & Babeyko, 2005; McQuarrie et al., 2005). Evidências geológicas sugerem que essas condições

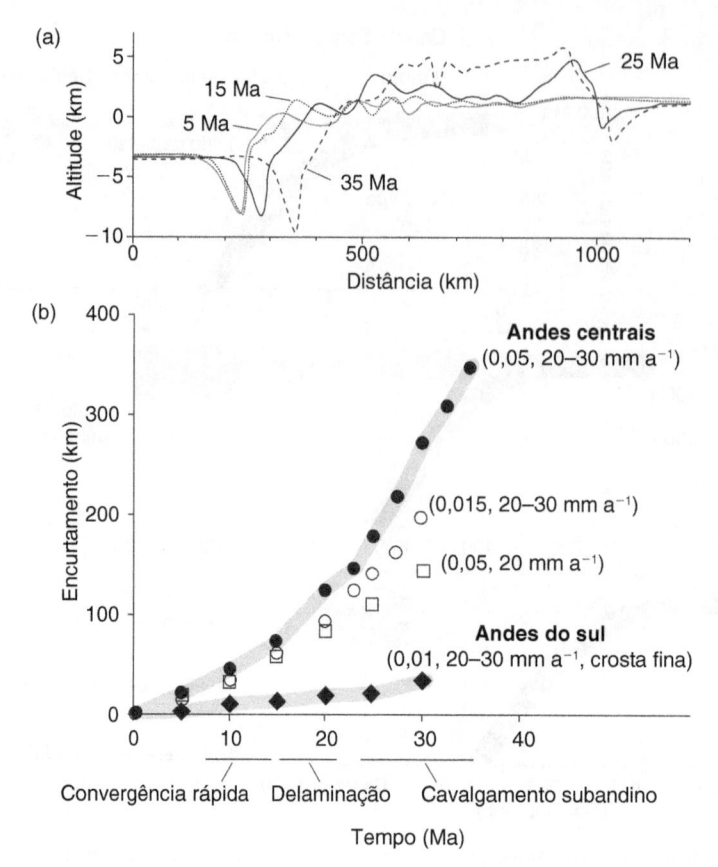

Figura 10.10 (a) Evolução de topografia da superfície e (b) encurtamento calculado em função do tempo para os modelos usando a configuração mostrada na Fig. 10.9 (adaptado de Sobolev & Babeyko, 2005, com permissão da Geological Society of America). Note a formação de topografia elevada e, em seguida, platô durante os últimos 10 Ma em (a). Números junto ao modelo em (b) indicam coeficiente de fricção do canal de subducção (primeiro número) e velocidade de deriva da placa Sul-Americana para oeste (segundo grupo de números).

provavelmente só foram obtidas nos Andes centrais, talvez como consequência das elevadas taxas de convergência, subducção rasa e/ou subcavalgamento de espessa crosta oceânica flutuante. Além disso, a falha mecânica de pilhas de espessura de rocha sedimentar, subcavalgamento continental e afinamento litosférico enfraquece internamente a placa continental e influencia o seu comportamento à medida que a orogênese se desenvolve.

10.3 BACIAS SEDIMENTARES COMPRESSIONAIS

10.3.1 Introdução

Bacias sedimentares que se formam ou evoluem em resposta à compressão regional são comuns em faixas orogênicas. Entre os tipos mais recorrentes, temos as *bacias antepaís* (Seção 10.3.2), que se formam como resultado direto do espessamento crustal e do soerguimento topográfico que acompanham a orogênese e as bacias que inicialmente se formam durante um período de extensão ou transtensão e, posteriormente, evoluem durante um período de compressão. Este último processo, chamado de *inversão de bacia* (Seção 10.3.3), também ocorre em associação com a falha direcional (Fig. 8.10) e é o mecanismo pelo qual sequências de margem passiva antigas se deformam durante a colisão continental (Seção 10.4.6). Qualquer bacia sedimentar em compressão pode desenvolver uma faixa de dobramento e empurrão (Seção 10.3.4) cujas características refletem a resistência da litosfera continental e os efeitos das heterogeneidades estratigráficas e estruturais preexistentes.

10.3.2 Bacias antepaís

Além de elevar a topografia, a orogênese geralmente forma uma região de subsidência chamada de *bacia antepaís* ou *antefossa* (Dickinson, 1974). O antepaís se situa na borda externa do órogeno, em direção ao interior continental não deformado (por exemplo, Fig. 10.7). Se um arco vulcânico estiver presente, ele coincide com a região retroarco da margem. Sua contrapartida, o *intrapaís*, corresponde à zona interna do orógeno onde as montanhas são mais altas e as rochas mais intensamente deformadas.

Bacias antepaís se formam onde o espessamento crustal e o soerguimento topográfico criam uma massa de crosta que é grande o suficiente para causar a flexão (Seção 2.11.4) do cráton continental. Essa flexão cria uma depressão que se estende para muito longe no cráton circundante, e não somente em torno da margem da crosta espessada. Ela é delimitada de um lado pelo avanço da frente de cavalgamento e, por outro, por um pequeno soerguimento flexural chamado de *forebulge* (por exemplo, Fig. 10.18). A bacia coleta material sedimentar (molassa) que vem das montanhas soerguidas à medida que estas experimentam erosão e enquanto o empurrão transporta lascas de material sobre o cráton. Sua estratigrafia fornece um registro importante do tempo, da paleogeografia e da progressiva evolução de eventos orogênicos.

A forma de uma bacia antepaís é controlada pela resistência e reologia da litosfera. A baixa rigidez à flexão, o que caracteriza litosferas jovens, quentes e fracas, resulta em uma bacia estreita e profunda. A alta rigidez à flexão, o que caracteriza litosferas velhas, frias e fortes, produz uma bacia larga com um *forebulge* mais bem desenvolvido (Flemings & Jordan, 1990; Jordan & Watts, 2005). Variações na resistência e temperatura da litosfera podem, assim, fazer com que o caráter da bacia antepaís possa mudar ao longo da direção do orógeno. Outros fatores, como herança estratigráfica e heterogeneidades estruturais, também influenciam a geometria da bacia. Nos Andes, uma segmentação longitudinal do antepaís coincide, em parte, com variações dessas propriedades e com a geometria segmentada da placa de Nazca subductada (Seção 10.2.3).

Como resultado da flexão da litosfera, a espessura sedimentar na bacia antepaís reduz à medida que se afasta da frente montanhosa no sentido da borda no *forebulge* (Flemings & Jordan, 1990; Gómez et al., 2005). Próximo à cadeia montanhosa, os sedimentos são de granulação grosseira e depositados em um ambiente de águas rasas ou continental; na borda distante, são de granulação fina e muitas vezes turbidíticos. Os sedimentos formam, assim, uma sequência característica em forma de cunha, em perfil, cuja estratigrafia reflete a história de subsidência da bacia à medida que cresce e migra para fora durante a convergência. A estratigrafia caracteriza-se por unidades que afinam lateralmente, sobrepõem membros mais velhos, ou podem ser truncadas por erosão.

Cinturões de rochas sedimentares deformadas nas quais as camadas são dobradas e duplicadas por falhas de empurrão são comuns nas bacias antepaís. Como os seus homólogos em prismas acrescionários (Seção 9.7, Fig. 9.20) e em zonas de transpressão (Seção 8.2, Fig. 8.8b), *dobras de antepaís e cinturões de empurrão* se formam à medida que a crosta é encurtada em um regime de compressão (Fig. 10.5). Durante o encurtamento, pequenas bacias sedimentares chamadas de *bacias piggyback* podem formar-se na parte superior das lascas de empurrão em movimento.

10.3.3 Inversão de bacia

Muitas bacias sedimentares registram uma reversão no sentido do movimento em falhas de escorregamento em diferentes estágios de sua evolução. Essa reversão é conhecida como *inversão*. Atualmente não existe uma definição universal do processo. No entanto, o tipo mais comum refere-se à reativação compressional de falhas normais preexistentes em bacias sedimentares e margens passivas que originalmente se formaram por extensão ou transtensão (Turner & Williams, 2004). A reativação de falhas muda a arquitetura da bacia e geralmente resulta no soerguimento de áreas anteriormente subsidentes e na exumação de rochas anteriormente soterradas. Evidências para este tipo de inversão ocorrem em uma ampla gama de escalas em muitas configurações diferentes, incluindo em orógenos colisionais e não colisionais e em regiões de falhamento direcional. Em margens convergentes, a inversão tectônica de bacias retroarco e intra-arco extensionais é um processo especialmente importante que acomoda encurtamento crustal, localiza deformação contracional e resulta em uma segmentação longitudinal à margem.

Em muitas bacias, um critério comum para o reconhecimento de inversão controlada por falha é a identificação do *ponto nulo* em perfis verticais ou de uma *linha nula* em três dimensões. A Fig. 10.11 mostra um corte transversal ilustrando a geometria de um meio graben invertido na Indonésia (Turner & Williams, 2004). O perfil mostra uma falha reativada ao longo da qual o deslocamento total muda de normal, em sua base, para reverso, perto do topo. O ponto nulo ocorre onde o deslocamento total ao longo da falha é zero e divide a área, exibindo deslocamento inverso das que exibem deslocamento normal. Com o aumento da magnitude da inversão, o ponto nulo migra ao longo da falha. O soerguimento e dobramento dos sedimentos sin- e pós-rifte indicam que a inversão ocorreu por reativação compressiva de uma falha normal.

A inversão de bacia é causada por uma variedade de mecanismos. Colisão continente-continente ou arco-continente pode resultar em compressão, soerguimento e reativação de falhas. Mudanças na taxa e no mergulho da subducção (Seção 10.2.2, Fig. 9.18) também podem causar inversão de bacia em margens convergentes oceano-continente. Em regiões de falha direcional, inversões rápidas no sentido de movimento sobre as falhas geralmente ocorrem entre *releasing bends* e *restraining bends* (Seção 8.2, Fig. 8.9). Mecanismos isostáticos, flexurais e térmicos também têm sido propostos para explicar o soerguimento associado à inversão da bacia. No entanto, muitos autores veem esses mecanismos como subordinados ao esforço externo horizontal que direciona a reativação compressional de falhas.

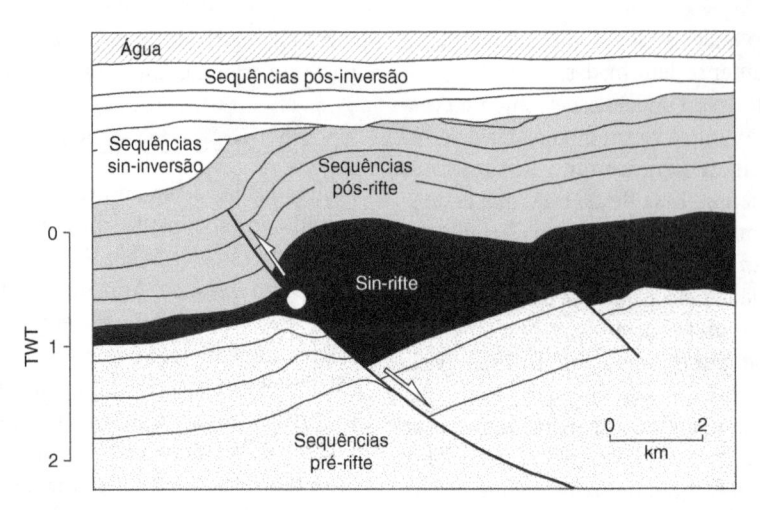

Figura 10.11 Secção transversal derivada de um perfil de reflexão sísmica mostrando um meio graben invertido a partir da Bacia do Mar Oriental de Java, Indonésia (adaptado de Turner & Williams, 2004, com permissão da Elsevier). TWT é o tempo de mão dupla de viagens de reflexões sísmicas. O ponto branco indica o ponto nulo.

10.3.4 Formas de encurtamento em cinturões de dobras e empurrão de antepaís

Uma característica comum das faixas de dobras e empurrão é a presença de uma ou mais superfícies de descolamento subjacentes a sequências encurtadas de rochas sedimentares e vulcânicas (Seção 9.7). A geometria dessas superfícies tende a se adaptar à forma das seções sedimentares e vulcânicas nas quais se formaram. Na maioria das bacias antepaís, sequências sedimentares afinam em direção ao antepaís, resultando em descolamentos que mergulham no sentido do intrapaís (Figs. 10.5b, 10.7). Em faixas de empurrão (*thin-skinned*) (Seção 10.2.4, Fig. 10.5b), o descolamento inferior, ou basal, separa uma cobertura sedimentar deslocada lateralmente de um embasamento subjacente que ainda está em sua posição original. Em estilos *thick-skinned* (Fig. 10.5d), a superfície de descolamento corta e envolve o embasamento cristalino.

O desenvolvimento de estilos de encurtamento tipo *thin-skinned* e *thick-skinned* é comumente controlado pela presença de heranças de heterogeneidades estratigráficas e estruturais na crosta. No antepaís centroandino, por exemplo (Seção 10.2.3), as variações na espessura e distribuição de sequências sedimentares têm sido associadas a diferentes formas de encurtamento neógeno (Kley et al., 1999). Estilos *thin-skinned* ocorrem preferencialmente em regiões que acumularam > 3 km de sedimentos, onde a baixa resistência mecânica das sequências localiza deformações acima do embasamento cristalino (Allmendinger & Gubbels, 1996). Estilos *thick-skinned* tendem a ocorrer em regiões onde bacias extensionais mesozoicas estão invertidas (Seções 9.10, 10.3.3). Como estas últimas bacias experimentam a mudança de extensão para contração, velhas falhas normais envolvendo rochas do embasamento se reativaram (Turner & Williams, 2004; Saintot et al., 2003; Mora et al., 2006).

Em muitos cinturões de dobra e empurrão, e especialmente em variedades *thick-skinned*, o encurtamento resulta em algumas falhas que mergulham em uma direção oposta à do descolamento basal, criando uma *cunha de empurrão duplamente vergente* composta por empurrões com quebra frontal e quebra anterior. Essas cunhas duplamente vergentes podem ocorrer em qualquer escala, desde maciços de embasamento relativamente pequenos (Fig. 10.5d) até a escala de um orógeno colisional inteiro (Fig. 8.23b,d). Sua geometria bivergente reflete uma condição onde o material na parte superior de uma lasca de empurrão ou placa em avanço encontra resistência para uma continuação do movimento frontal (Erickson et al., 2001; Ellis et al., 2004). A resistência pode se originar do atrito ao longo da superfície de descolamento à medida que a cunha espessa ou quando o material se move sobre uma rampa de empurrão (Seção 9.7). Ela também pode resultar onde uma lasca de empurrão que avança se encontra com um contraforte feito de um material forte, como um arco vulcânico em um prisma acrescionário (Seção 9.7) ou o limite entre uma placa rígida e uma placa mais fraca (Seção 8.6.3). Contrafortes também podem resultar de uma mudança na litologia através de uma falha antiga normal ou de empurrão, a partir de espessamento de uma sequência de rocha sedimentar ou de qualquer outro mecanismo.

O crescimento lateral (através da direção) de cunhas de empurrão (Seção 9.7) e o envolvimento dos níveis inferiores na deformação são controlados pela temperatura e resistência relativa da crosta rasa e profunda. Se a crosta superior é forte e a crosta profunda relativamente quente e fraca, então o encurtamento pode se localizar em zonas estreitas e em estilos de deformação do tipo *thick-skinned* (Ellis et al., 2004; Babeyko & Sobolev, 2005). Uma crosta média e inferior fraca promove fluxo dúctil e inibe o crescimento lateral da cunha de empurrão. Fluxo crustal profundo também pode resultar em baixa conicidade crítica (Seção 9.7) e uma estrutura crustal simétrica que inclui tanto empurrão frontal ou retroempurrão. Durante a inversão de bacia, mais falhas normais tendem a reativar se a crosta média ou inferior for fraca em relação à crosta superior (Nemcok et al., 2005; Panien et al., 2005). Por outro lado, se a crosta superior é fraca e a crosta profunda é fria e forte, então o encurtamento leva a uma falha mecânica de sequências superiores da crosta, e o orógeno cresce lateralmente por deformação tipo *thin-skinned*. Em cenários envolvendo uma crosta inferior forte, as cunhas de empurrão tendem a mostrar conicidade altas, estilos assimétricos (principalmente empurrões frontais) e crescimento lateral rápido.

A combinação desses efeitos pode explicar porque a deformação contracional levou ao crescimento lateral rápido de um cinturão de dobra e empurrão antepaís nos Andes Centrais e não nos Andes do Sul (Seção 10.2.3). Allmendinger & Gubbels (1996) reconheceram que a deformação nessas duas regiões envolveu duas formas distintas de encurtamento. Em uma forma de encurtamento mais velha, por *cisalhamento puro*, a deformação da crosta superior e inferior ocorreu simultaneamente na mesma coluna vertical de rocha. A norte do paralelo 23°S, esse tipo de deformação foi focado dentro do Altiplano. Mais tarde, durante o Mioceno tardio, a deformação migrou para o leste, formando uma faixa de dobra e empurrão de antepaís tipo *thin-skinned* nas cadeias subandinas, enquanto a crosta média e inferior do Altiplano continuou a deformar. Esta forma posterior de encurtamento, em que a deformação na crosta superior e na crosta inferior são separadas lateralmente, é conhecida como *cisalhamento simples*. O subcavalgamento do Escudo Brasileiro sob o Altiplano provavelmente ocorreu por cisalhamento simples (Seção 10.2.5). A sul da latitude 23°S, a forma de encurtamento por cisalhamento puro durou mais tempo e foi substituída por uma faixa de empurrão tipo *thick-skinned* envolvendo uma mistura tanto de cisalhamento puro quanto simples.

Essas diferenças no estilo e na forma de encurtamento ao longo da direção dos Andes parecem estar relacionadas a variações na resistência e na temperatura da litosfera do antepaís. Allmendinger & Gubbels (1996) postularam que o embasamento raso e a falta de uma cobertura sedimentar espessa nas cadeias da Sierra Santa Bárbara, ao sul da latitude 23°S, excluem uma deformação tipo *thin-skinned* e permitem que a deformação permaneça na crosta termicamente suavizada de Puna por um longo período de tempo. Além disso, a litosfera mantélica abaixo de Puna é significativamente mais fina do que sob o Altiplano, o que sugere que a crosta no primeiro é mais quente e mais fraca.

Para testar essa ideia, Babeyko & Sobolev (2005) conduziram uma série de experimentos termomecânicos em que a litosfera fria e rígida do Escudo Brasileiro entalhou a litosfera quente e macia do Altiplano-Puna adjacente. A Fig. 10.12a mostra a configuração do modelo, que inclui uma crosta de platô espessa à esquerda e uma crosta de três camadas no lado direito acima da litosfera mantélica. A crosta de três camadas inclui uma camada de 8 km de espessura de sedimentos paleozoicos. A resistência mecânica desta ca-

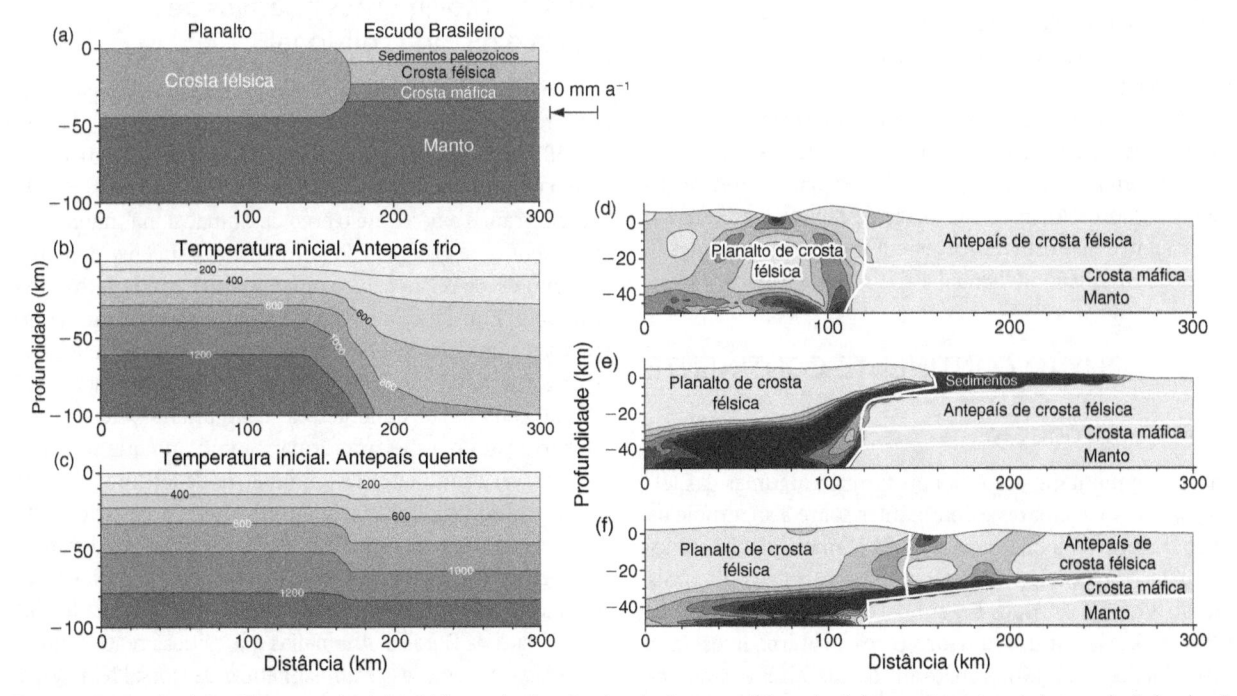

Figura 10.12 (a-c) Configuração inicial e (d-f) resultados de simulações numéricas de deformação antepaís (segundo Babeyko & Sobolev, 2005, com permissão da Geological Society of america). (d-f) Deformação finita acumulada após 50 km de encurtamento para três modos. Linhas brancas contínuas são os limites das unidades litológicas. Veja texto para explicação.

mada e a temperatura do antepaís são as duas principais variáveis no modelo. A reologia elastoplástica Mohr-Coulomb simula uma deformação frágil, e uma reologia viscoelástica dependente da temperatura e da taxa de deformação simula deformação dúctil. Todo o sistema é impulsionado por uma taxa de encurtamento de 10 mm/ano aplicada para o lado direito do modelo.

Após 50 km de encurtamento, os modelos mostram distintos modos de encurtamento. No caso em que os sedimentos paleozoicos são fortes (ou ausentes) e posicionados sobre um Escudo Brasileiro forte e frio (Fig. 10.12b), a crosta e o manto deformam juntos de forma homogênea em modo de cisalhamento puro (Fig. 10.12d). Nenhuma deformação ocorre no antepaís indentado onde baixas temperaturas inibem o crescimento lateral de uma cunha de empurrão. No caso em que os sedimentos do Paleozoico são frágeis e o antepaís frio e resistente (Fig. 10.12e), o antepaís exibe um modo de deformação por cisalhamento *thin-skinned* simples. Subcavalgamento do escudo é acompanhado pela propagação leste da faixa de empurrão *thin-skinned* sobre uma superfície de descolamento rasa de 8 a 14 km de profundidade e direciona a deformação na crosta inferior abaixo do platô. Este estilo se adapta bem às observações a leste do Altiplano e a norte da latitude 23°S. Também simula as condições da faixa de empurrão do Himalaia a sul do Planalto Tibetano (Seção 10.4.4). No caso de os sedimentos do Paleozoico serem fracos e o antepaís quente e fraco (Fig. 10.12c), a deformação no antepaís é do tipo *thick-skinned* com um profundo descolamento em ~25 km de profundidade (Fig. 10.12f). Este último estilo se adapta bem às observações a leste de Puna e a sul da latitude 23°S e ocorre porque o antepaís é fraco o suficiente para deformar por flambagem.

Essas observações e experimentos mostram que variações na resistência da litosfera e na reologia desempenham um papel importante no controle da evolução tectônica das bacias compressionais e das faixas de dobras e empurrão. Esses efeitos são proeminentes em escalas que vão desde lascas de empurrão individual até a litosfera inteira.

10.4 COLISÃO CONTINENTE-CONTINENTE

10.4.1 Introdução

Cadeias de montanhas colisionais formam algumas das feições mais espetaculares e dominantes sobre a superfície da Terra. Exemplos incluem o orógeno Himalaiano-Tibetano, os Apalaches, o Caledoniano, os Alpes Europeus, os Urais (Seção 11.5.5), os Alpes Do sul da Nova Zelândia (Seções 8.3.3, 8.6.3) e muitos dos orógenos proterozoicos (por exemplo, Seção 11.4.3). A anatomia dessas faixas é altamente diversificada, em parte devido a diferenças no tamanho, forma e resistência mecânica das placas colisionais e aos efeitos de diferentes histórias tectônicas pré-colisionais.

Além disso, a colisão continental pode variar de altamente oblíqua, como ocorre na Ilha Sul da Nova Zelândia, a quase ortogonal. Essas diferenças influenciam muito nos mecanismos da orogênese colisional (Seção 10.4.6).

O orógeno Himalaiano-Tibetano (Fig. 10.13) é um dos melhores lugares para o estudo em grande escala da colisão continente-continente que se seguiu ao fechamento de uma grande bacia oceânica e à formação de um planalto orogênico. A tectônica ativa, a estrutura diversificada e a relativamente bem conhecida história dos limites de placa dessas faixas permitem a medição direta de muitas relações tectônicas, fornecendo importantes considerações sobre os mecanismos de condução da deformação e a maneira como a deformação é acomodada (Yin & Harrison, 2000). Além disso, o imenso tamanho e as altas elevações desse orógeno ilustram como formação de montanhas e clima global estão interligados. Essas interações formam elementos importantes da orogênese na maioria, se não em todas as configurações tectônicas.

Esta seção apresenta uma discussão de quatro aspectos principais do orógeno Himalaiano-Tibetano: (i) o movimento relativo da Índia e da Eurásia e sua história tectônica antes da colisão; (ii) a natureza da deformação convergente pós-colisional como revelada por sismicidade e dados geodésicos; (iii) a história geológica do Himalaia e do Platô Tibetano; e (iv) a estrutura profunda do orógeno. A Seção 10.4.6 fornece uma discussão dos principais fatores controladores da evolução mecânica do orógeno.

10.4.2 Movimentos relativos de placa e história colisional

O orógeno Himalaiano-Tibetano foi criado principalmente pela colisão entre a Índia e a Eurásia ao longo dos últimos 70-50 Ma (Yin & Harrison, 2000). O orógeno é parte do sistema maior Himalaia no Alpino, que se estende desde o Mar Mediterrâneo a oeste até o arco da Sumatra, na Indonésia, a leste, por uma distância de > 7.000 km. Esta faixa composta evoluiu desde o Paleozoico, quando os Oceanos Tethys (por exemplo, Fig. 11.27) se fecharam entre duas massas continentais convergentes: Laurásia ao norte e Gondwana ao sul (Şengör & Natal'in, 1996). O Tethys pode ter tido apenas algumas centenas de quilômetros de largura no Ocidente, mas se abriu para o leste para formar um oceano que teve, pelo menos, vários milhares de quilômetros de largura.

A colisão Índia-Eurásia foi provocada a partir do rifteamento da Índia da África e do leste da Antártida durante o Mesozoico (Seção 11.5.5) e pela sua migração para o norte enquanto a litosfera oceânica interveniente era subductada sob a placa da Eurásia. Anomalias magnéticas no Oceano Índico-leste e medições paleomagnéticas da Dorsal Ninety e do subcontinente indiano registram a deriva em sentido norte da Placa Indiana e permitem a reconstrução da sua paleolatitude (Fig. 10.14). Os dados mostram uma rápida diminuição

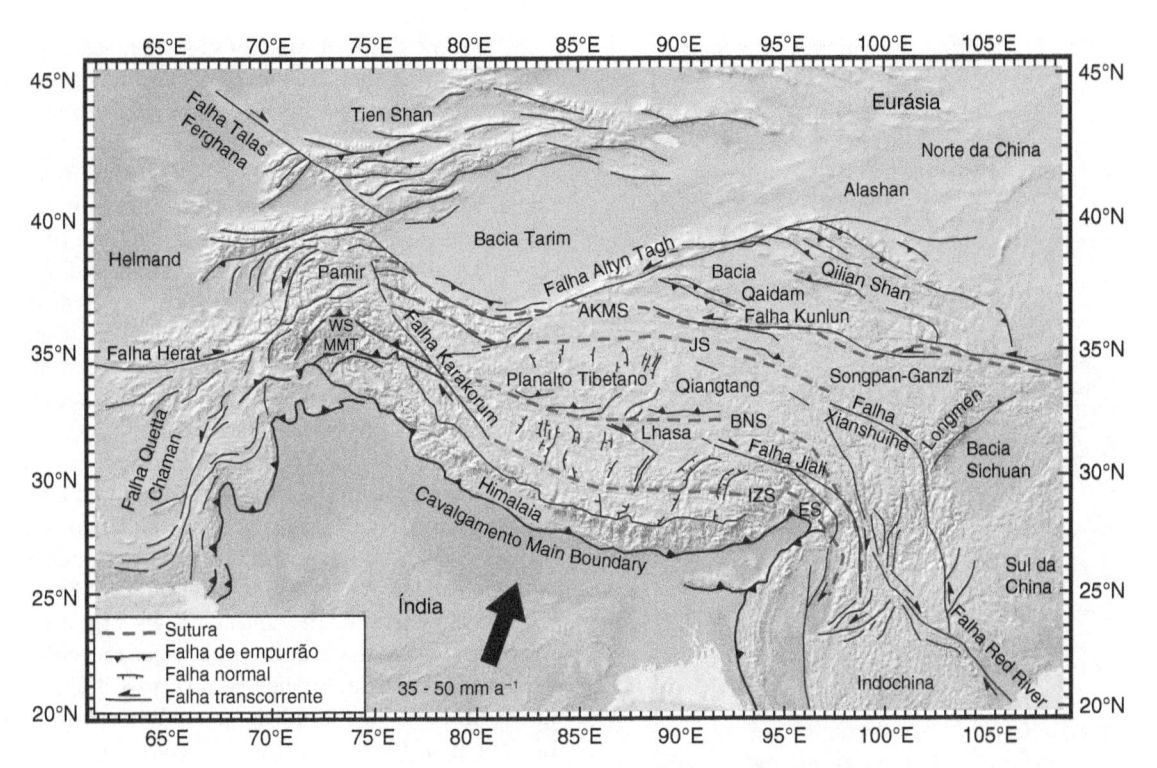

Figura 10.13 Mapa de relevo sombreado mostrando falhamentos principais e características topográficas do orógeno Himalaiano-Tibetano. Traços de falhas são de Hodges (2000), Yin & Harrison (2000), Tapponnier et al. (2001). WS, Sintaxe do Himalaia Ocidental; ES, Sintaxe do Himalaia Oriental; MMT, Empurrão Principal (mestre) do Manto; AKMS, sutura Ayimaqin-Kunlun-Mutztagh; JS, sutura Jinsha; BNS, sutura Bangong-Nujiang; IZS, sutura Indus-Zangbo. O mapa foi construído usando os mesmos dados topográficos e métodos da Fig. 7.1.

na velocidade relativa entre as placas da Índia e da Eurásia entre 55-50 Ma. Este intervalo de tempo é comumente interpretado como indicador do início da colisão Índia-Eurásia. No entanto, não é certo se a diminuição resultou de um aumento na resistência a um movimento contínuo da placa da Índia, quando esta colidiu com a Eurásia, ou se ela simplesmente reflete uma diminuição súbita da velocidade de expansão ao longo da dorsal mesoceânica ao sul da Índia. Esta última possibilidade permite que a idade do contato inicial entre a Índia e a Eurásia seja mais velha do que 55-50 Ma.

Dados estratigráficos e sedimentológicos fornecem informações adicionais sobre a idade e a progressiva evolução da colisão Índia-Eurásia. Gaetani & Garzanti (1991) mostraram o término da sedimentação marinha e o início da deposição continental entre 55-50 Ma ao longo da margem sul da Ásia, o que está de acordo com as interpretações sobre a época da colisão inicial derivadas de anomalias magnéticas. No entanto, esta observação, na verdade, apenas limita a idade mais nova do possível início da colisão, pois, em torno de 500-1.000 km da margem continental passiva indiana foram *underthrust* abaixo da Ásia, eliminando portanto o registro inicial da colisão (Yin & Harrison, 2000). Beck et al. (1995) mostraram que a trincheira e o material antearco ao longo da margem sul da placa da Eurásia perto do Paquistão foram empurrados para a margem norte da Índia, entre 66 e 55 Ma. Willems et al. (1996) encontraram alterações nas fácies sedimentares e nos padrões de deposição no centro-sul do Tibete, o que sugere que um contato inicial entre algumas partes da Índia e da Ásia poderia ter ocorrido próximo aos 70 Ma. Essas relações sugerem que o início da colisão pode ter iniciado já no Cretáceo Superior. Em geral, muitos autores acreditam que a litosfera oceânica Tethyana desapareceu aos 45 Ma e que aos 36 Ma tenha havido uma redução na velocidade da deriva da Índia em direção ao norte de mais de 100 mm/ano para cerca de 50 mm/ano. Este último momento pode marcar a fase final da colisão continente-continente propriamente dita (Yin & Harrison, 2000).

Observações geológicas no Tibete e na China adicionam detalhes importantes à sequência de eventos que antecedeu a colisão Índia-Eurásia. A geologia indica que a colisão principal entre a Índia e a Eurásia foi precedida pela colisão de vários microcontinentes, complexos *flysch* e de arcos de ilhas durante o Paleozoico e o Mesozoico. A colisão e a acreção desses terrenos são marcadas por uma série de zonas de sutura (Fig. 10.13), algumas das quais preservam ofiólitos e blocos de rochas metamórficas de alta pressão (Seção 9.9). Algumas dessas suturas expõem relíquias de minerais de altíssima pressão (UHP), como coesita e microdiamantes, em geral como inclusões em fases não reativas de zircão e granada. A presença desses minerais, e as pressões ele-

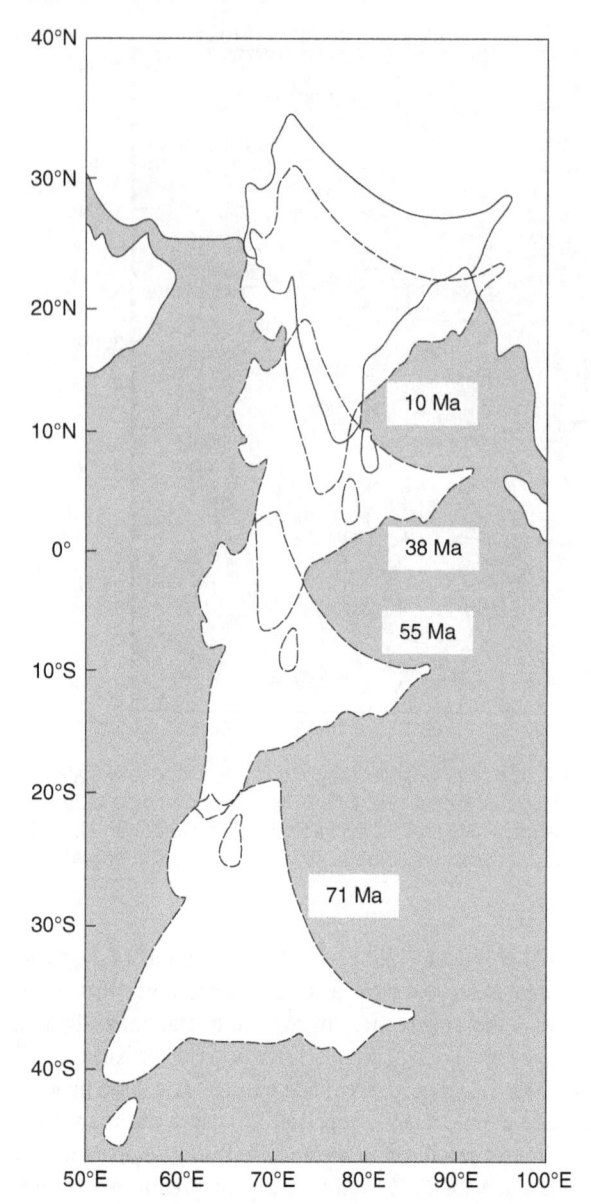

Figura 10.14 Deriva para o norte da Índia com relação à Ásia de 71 Ma até o presente, determinada a partir de lineamentos magnéticos nos oceanos Índico e Atlântico (adaptado de Molnar & Tapponnier, 1975, *Science* **189**, 419-26, com permissão da AAAS).

vadas (2,5-4,0 GPa) sob a qual se formaram, pode refletir situações em que uma secção da crosta continental entra na zona de subducção e desce a profundidades de 60-140 km antes de se desacoplar da placa subductante (Ernst, 2003; Harley, 2004). Os mecanismos pelos quais paragêneses UHP e outras rochas metamórficas de alta pressão são exumadas para a superfície podem envolver deformação contracional, extensional e/ou direcional, acompanhando a evolução da zona de limite de placa. Hacker et al. (2004) descrevem os processos associados com a exumação de terrenos UHP no sul da China.

O terreno Songpan-Ganzi expõe espessas sequências *flysch* triássicas sobre sedimentos marinhos paleozoicos pertencentes à margem passiva do norte da China. Essas sequências foram depositadas, erguidas e deformadas durante a colisão triássica entre os blocos ao norte e sul da China, formando a sutura Ayimaqin-Kunlun-Mutztagh (Yin & Harrison, 2000). Até o final do Triássico (Fig. 10.15a), os terrenos Lhasa e Qiangtang foram rifteados do Gondwana, iniciando sua jornada em direção a Eurásia (Fig. 10.15b). O terreno Qiangtang colidiu com o Songpan-Ganzi por volta de 140 Ma, formando a sutura Jinsha. A convergência continuada trouxe o terreno Lhasa em justaposição com o Qiangtang e, eventualmente, soldou os dois fragmentos formando a sutura Bangong-Nujiang. A formação de uma nova zona de subducção sob Lhasa (Fig. 10.15c) criou um orógeno tipo andino (Fig. 10.15d) e acabou resultando na colisão entre a Índia e a Eurásia (Fig. 10.16e), formando a sutura Indus-Zangbo. A convergência continuada (Fig. 10.15f) resultou em encurtamento intraplaca e soerguimento e é associada com um novo limite de placa que está começando a se formar no Oceano Índico (Van Orman et al., 1995). A sutura Indus-Zangbo forma agora o limite sul do Planalto Tibetano (Fig. 10.13), que fica a mais de 5.000 m acima do nível médio do mar e cobre uma área de mais de um milhão de quilômetros quadrados.

Essa história mostra que o orógeno Himalaiano-Tibetano é construído através de uma colagem de material exótico que se soldou à Placa Eurasiana antes da colisão principal Índia-Eurásia (Şengör & Natal'in, 1996; Yin & Harrison, 2000). Este tipo de amálgama sequencial de microcontinentes e outros materiais durante subducção prolongada é característico de orógenos acrescionários (Seção 10.6.2) e representa um dos mecanismos mais eficientes de formação de supercontinentes (Seção 11.5). Essa história também resultou em uma placa continental Eurasiana quente e fraca antes de sua colisão com a Índia.

10.4.3 Campos de velocidade da superfície e sismicidade

A convergência contínua entre a Índia e a Eurásia se deu desde aproximadamente 50 Ma, a uma taxa desacelerada, provocando a penetração da Índia em torno de 2.000 km na Ásia (Dewey et al., 1989; Johnson, 2002). Esse movimento criou uma zona de deformação ativa que se estendeu até ~3000 km ao norte da cadeia de montanhas do Himalaia (Fig. 10.13). Medições através do Sistema de Posicionamento Global (GPS) mostram que a Índia está se movendo para o nordeste a uma velocidade de cerca de 35-38 mm/ano em relação à Sibéria (Larson et al., 1999; Chen et al., 2000; Shen et al., 2000; Wang et al., 2001). Esta taxa é consideravelmente mais lenta do que as taxas de longo prazo de 45-50 mm/ano estimadas a partir de modelos globais de movimento de placas (DeMets et al., 1994), o que é típico de

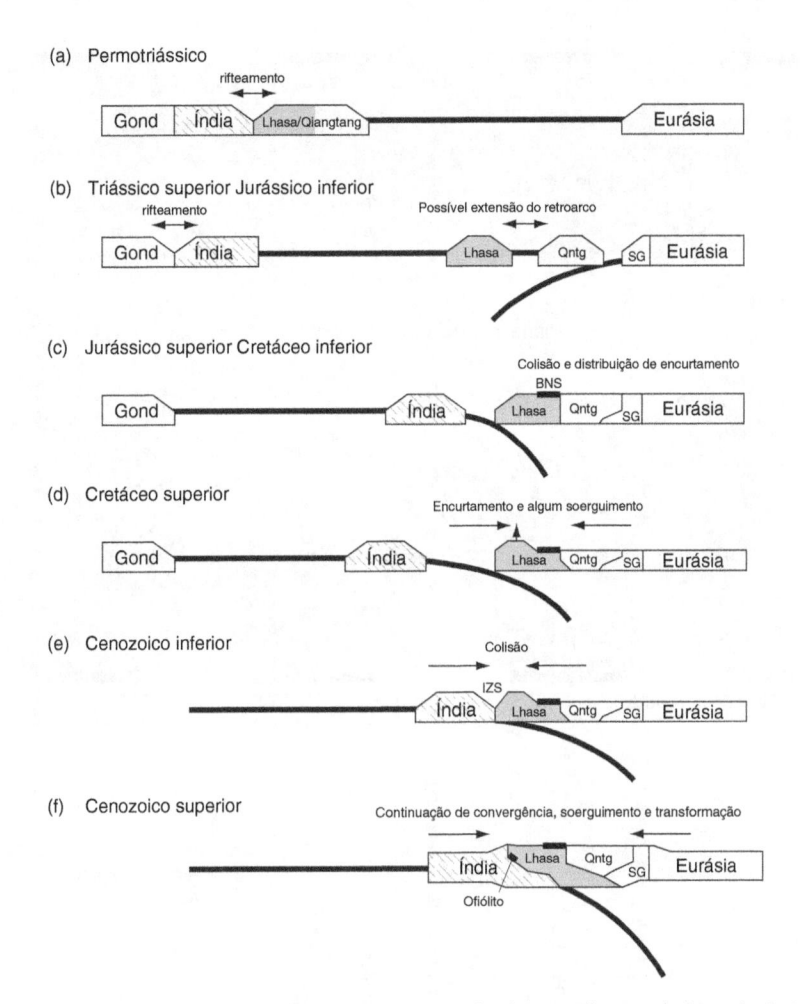

Figura 10.15 Possível sequência de eventos na evolução do orógeno Himalaiano-Tibetano (adaptado de Haines et al., 2003, com permissão da American Geophysical Union. Copyright © 2003 American Geophysical Union). A interpretação incorpora relações desenvolvidas por Allègre et al. (1984) e Yin & Harrison (2000). BNS, sutura Bangong-Nujiang; SG, terreno Songpan-Ganzi; Gond, Gondwana; Qntg, terreno Qiantang; IZS, sutura Indus-Zangbo.

taxas de deformação intersísmica de curto prazo medidas usando dados geodésicos (por exemplo, Seção 8.5).

Os dados geodésicos sugerem que a deformação dentro do Planalto Tibetano e de suas margens absorve mais de 90% do movimento relativo entre as placas da Índia e da Eurásia, sendo a maior parte centrada em uma região de 50 km de largura ao sul do Tibete (Wang et al., 2001). O encurtamento interno do planalto é responsável por mais de um terço da convergência total. Um componente adicional de encurtamento é acomodado a norte do Planalto Tibetano em Pamir, Tien Shan, Qilian Shan e em outros lugares, embora as taxas não sejam bem conhecidas nestas áreas.

Ao sul da Falha de Kunlun (Fig. 10.13), o campo de velocidade superficial mostra que o Planalto Tibetano é extrudido para leste em relação à Índia e à Ásia (Fig. 10.16). Esse movimento, em que fatias da crosta se movem lateralmente para fora do caminho da colisão das placas por deslizamento ao longo de falhas direcionais, é denominado *fuga lateral*. O movimento também envolve a rotação de material em torno de um faixa de curvas em Mianmar chamada de sintaxe do leste do Himalaia. O termo *sintaxe* refere-se às mudanças bruscas de direção que ocorrem em ambos os lados do Himalaia em Mianmar e no Paquistão, onde a direção das cadeias montanhosas têm ângulos quase retos com a direção do Himalaia. A leste do planalto, o norte e o sul da China estão se movendo para o leste-sudeste a taxas de 2-8 mm/ano e 6-11 mm/ano, respectivamente, em relação à Eurásia estável.

Um perfil de velocidade GPS em todo o Planalto Tibetano (Fig. 10.16a) é principalmente linear, paralelo à direção prevista da colisão Índia-Eurásia (N21°E), exceto para um alto gradiente através do Himalaia, no extremo sul do planalto (Wang et al., 2001). Essa tendência, na maior parte linear, sugere que o encurtamento em todo o planalto é amplamente distribuído; caso contrário, teríamos desvios significativos através das zonas de falhas individuais. No entanto, este estilo geralmente contínuo de deformação parece estar restrito principalmente ao próprio planalto.

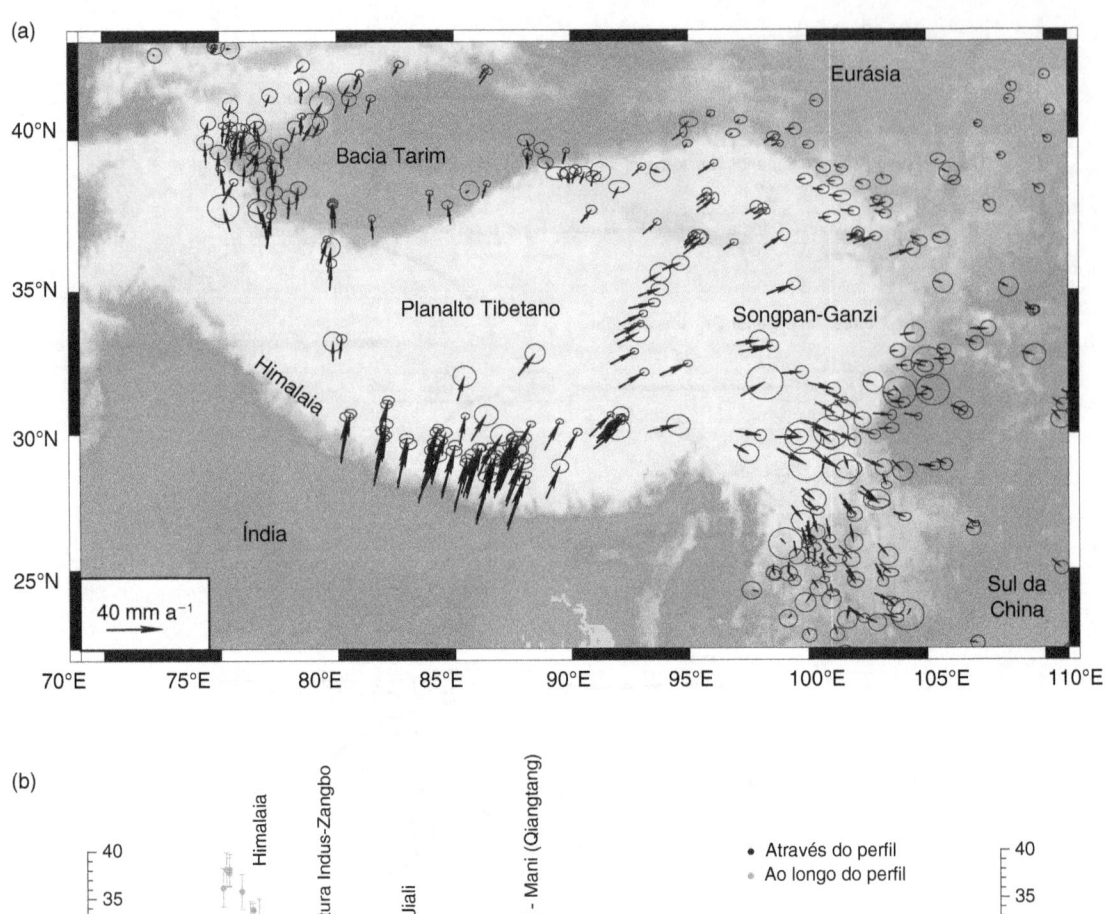

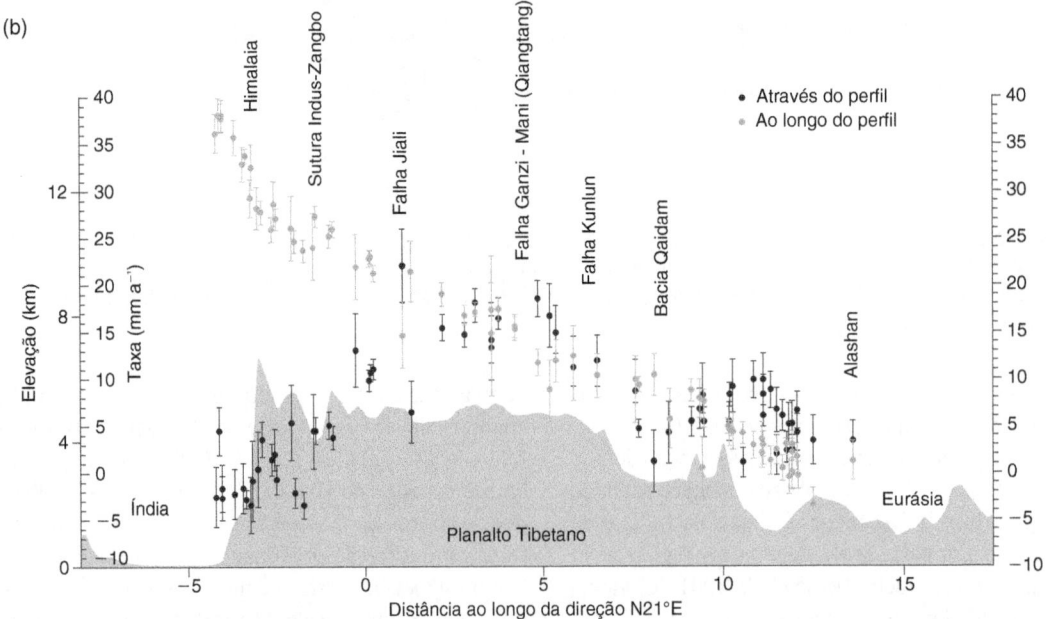

Figura 10.16 (a) Campo de velocidade de GPS em relação à Sibéria estável (imagem fornecida por Y. Yang e M. Liu e adaptada de Liu & Yang, 2003, com permissão da American Geophysical Union. Copyright © 2003 American Geophysical Union), combinando dados de Chen et al. (2000), Larson et al. (1999) e Wang et al. (2001). Elipses de erro são de confiança de 95%. A escala de velocidade é mostrada no canto inferior esquerdo. (b) Perfil de velocidade de GPS em todo o Planalto Tibetano na direção N21°E (segundo Wang et al., 2001, *Science* **294**, 574-7, com permissão da AAAS). Diamantes negros representam a componente de velocidade perpendicular ao perfil, diamantes cinza-claro representam a componente da velocidade paralela ao perfil.

Movimentos de blocos tipicamente rígidos parecem caracterizar as regiões ao norte e nordeste do planalto, incluindo a Bacia Tarim e os blocos do norte e sul da China. Essas observações e dados geológicos sugerem que o crescimento do orógeno para norte não foi um processo suave e contínuo, mas ocorreu em uma série irregular de passos. Em uma direção ortogonal (latitude N111°E) à direção de convergência, o movimento horizontal aumenta de forma constante em direção ao norte do Himalaia através de todo o Planalto Tibetano (Fig. 10.16b), refletindo o movimento para o leste deste último em relação à Índia e à Eurásia. Na sua margem norte, as velocidades diminuem rapidamente como resultado de movimento direcional lateral-esquerdo na falha Kunlun e em outras (Wang et al., 2001). O Longmen Shan (Fig. 10.13) se move para o leste com o bloco do sul da China (Burchfiel, 2004).

Soluções de mecanismo focal de terremotos, compiladas para o período de 1976-2000 por Liu & Yang (2003), revelam o estilo de falhamento ativo no orógeno Himalaiano-Tibetano (Fig. 10.17). Zonas de falhas de empurrão concentradas ocorrem ao longo das margens norte, sul e leste do Planalto Tibetano. Dentro do Himalaia, falhas de empurrão prevalecem. A sul do Himalaia (Fig. 10.18), terremotos intraplaca e outras evidências geofísicas indicam que a placa da Índia flexiona e desliza para baixo do Himalaia, onde sofre uma guinada para o norte durante os terremotos de grande porte (Bilham et al., 2001). O padrão geral da deformação é semelhante ao que ocorre em zonas de convergência oceano-continente, onde uma placa oceânica flexiona para baixo em uma zona de subducção. No norte do Himalaia, falhamento normal e extensão leste-oeste dominam no centro e ao sul do Tibete. Falhas direcionais dominam uma região de cerca de 1.500 km de largura ao norte do Himalaia e estendem-se para leste até a Indochina. Mais distante da cadeia de montanha temos uma região de extensão crustal e falhas normais que se estende do Rifte Baikal, na Sibéria, ao norte do Mar da China. Falhas direcionais ativas também ocorrem na sintaxe do oeste do Himalaia e na sintaxe do leste do Himalaia no Paquistão e em Mianmar, respectivamente. A sul da sintaxe no Paquistão, falhas de direção norte têm movimento dominantemente sinistro; a sul da sintaxe em Mianmar, o movimento é principalmente dextral. Esses sentidos opostos de movimento entre ambos os lados da Índia são compatíveis com o transporte norte da Índia, na região sul da Ásia.

Essas observações indicam que a convergência entre a Índia e a Eurásia é acomodada por combinações de encurtamento, extensão leste-oeste, falhamento direcional, escape lateral e rotações no sentido horário. Além disso, o soerguimento das grandes altitudes do Planalto Tibetano no Mioceno (Blisniuk et al., 2001; Kirby et al., 2002) indica que uma elevação vertical significativa ocorreu depois que a Índia colidiu com a Ásia. Atualmente, o Himalaia é soerguido rapidamente a taxas entre 0,5 e 4 mm/ano, sofrendo altas taxas de erosão ao longo de seu flanco sul (Hodges et al., 2001).

10.4.4 Geologia geral do Himalaia e do Planalto Tibetano

O Himalaia é composto por três grandes fatias de empurrão imbricadas e dobras relacionadas separadas por quatro sistemas de falhas maiores (Figs. 10.19, 10.20). Esses empur-

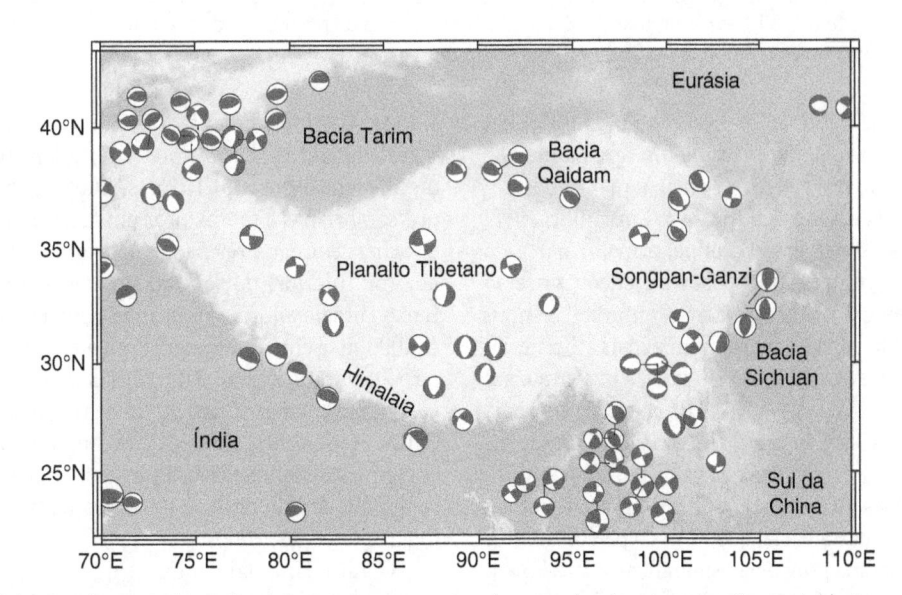

Figura 10.17 Soluções de mecanismo focal de terremoto mostrando a predominante extensão crustal leste-oeste no Planalto Tibetano (imagem fornecida por Y. Yang e M. Liu e adaptada de Liu & Yang, 2003, com permissão da American Geophysical Union. Copyright © 2003 American Geophysical Union). Os dados são eventos com magnitude > 5,5 e profundidade < 33 km a partir do catálogo de Harvard (1976-2000).

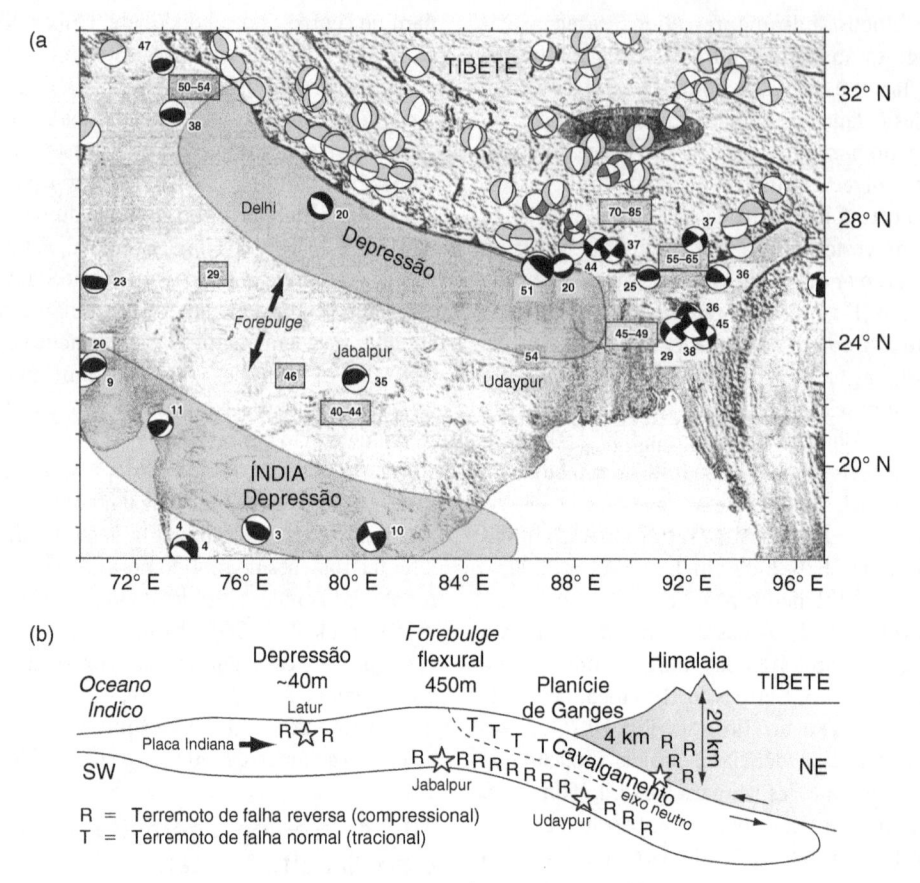

Figura 10.18 (a) Mecanismo de solução focal de terremotos na Índia e no sul do Tibete (adaptado de Jackson et al. 2004, com permissão da Geological Society of America). Números representam profundidades. Soluções negras são de eventos que ocorrem dentro do Cráton Indiano, soluções cinza-clara estão em profundidades de 10-15 km. Profundidades destacadas por uma caixa são profundidades de Moho a partir de estudos de função do receptor. Elipse no Tibete é a anomalia de alta velocidade imaginada por Tilmann et al. (2003) e mostrada na Figura 9.4 do encarte colorido. (b) Corte esquemático mostrando flexão da litosfera indiana como *underthrust* na parte norte sob o Tibete (adaptado de Bilham, 2004). A crista da protuberância flexural da superfície da placa Indiana está em tração (T) e sua base em compressão (R).

rões imbricados, que ocupam uma secção de 250-350 km de largura, parecem acomodar cerca de um terço a metade dos ~2.000 ou mais quilômetros de encurtamento pós-colisional entre a Índia e a Eurásia (Besse & Courtillot, 1988; DeCelles et al., 1998). Na base da pilha, a maior parte do Empurrão Mestre Frontal está encoberta e encontra-se ao longo da frente topográfica da cadeia montanhosa (Wesnousky et al., 1999). Esta falha é a mais jovem e mais ativa na cadeia de montanha e leva a rocha do Himalaia em sentido sul para um antepaís flexural (Seção 10.3.2) chamado de bacia antepaís Ganga. A bacia Ganga contém mais de 5 km de sequências sedimentares terrígenas do Mioceno-Plioceno recobertos por aluviões do Pleistoceno Tardio (DeCelles et al., 2001). A parte norte dessa bacia, que forma o pé dos montes do Himalaia, define uma província fisiográfica de 10 a 25 km de largura comumente referida como Sub-Himalaia.

Acima e ao norte do Empurrão Mestre Frontal temos o Empurrão Mestre de Borda (Fig. 10.19). Este último sistema de falha mergulha suavemente para o norte e parece ter sido ativo principalmente durante o Pleistoceno, apesar de o deslizamento sobre ele poder ter iniciado durante o final do Mioceno-Plioceno (Hodges, 2000). A falha traz rochas pré-cambrianas e mesozoicas em fácies xistos verdes baixas e rochas sedimentares não metamorfizadas do Baixo Himalaia (ou Inferior) no sentido sul, sobre o Sub-Himalaia. O Baixo Himalaia forma uma zona com altitudes entre 1.500 e 3.000 m. Acima do Baixo Himalaia, gnaisses de alto grau e rochas graníticas do Alto Himalaia (ou Superior) são levados para o sul ao longo do Empurrão Mestre Central (DeCelles et al., 2001). Este último empurrão acomodou encurtamento significativo durante o Mioceno e o Plioceno, sendo que atualmente se encontra inativo na maioria dos lugares (Hodges, 2000).

O Alto Himalaia, que atinge altitudes de mais de 8.000 m, é composto de gnaisse pré-cambriano recoberto por rochas sedimentares paleozoicas e mesozoicas de origem Tethyana. Essas rochas foram empurradas para o sul por uma distância superior a 100 km. A unidade inclui ro-

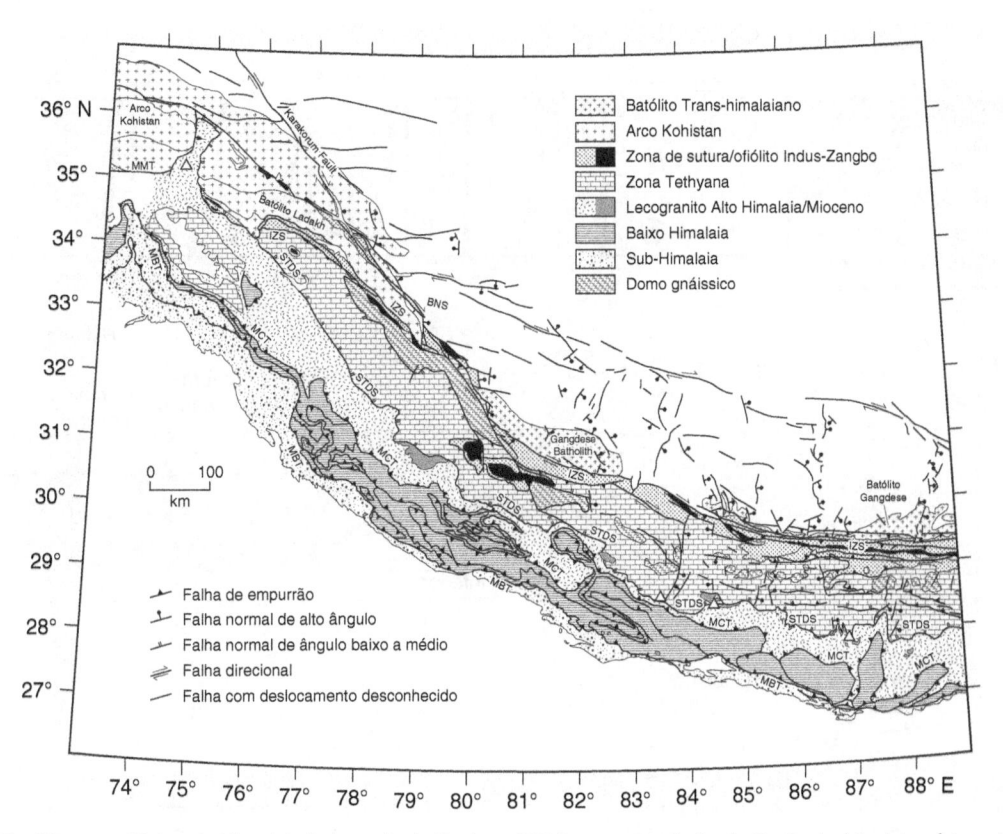

Figura 10.19 Mapa geológico do Himalaia (adaptado de Hodges, 2000, com permissão da Geological Society of America). BNS, sutura Bangong-Nujiang; IZS, sutura Indus-Zangbo; MBT, Empurrão Mestre de Borda; MCT, Empurrão Mestre Central; MMT, Empurrão Mestre Mantélico principal; STDS, Sistema de Descolamento do Sul Tibetano.

chas metamórficas de fácies migmatitos e anfibolito intrudidos por corpos graníticos de cor clara de idade miocênica chamadas de leucogranito (Hodges et al., 1996; Searle et al., 1999). O migmatito e o leucogranito têm origem pela fusão parcial da crosta inferior abaixo do Tibete (Le Fort et al., 1987) e estão ausentes a norte do Alto Himalaia.

A diminuição progressiva da idade do empurrão de norte para sul dentro do Himalaia define um sistema de dobras e empurrão com propagação antepaís. Em profundidade, cada um dos três principais sistemas de empurrão se fundem em um descolamento comum chamado de Empurrão Mestre Himalaiano (Fig. 10.20). Sísmica de reflexão e perfis de velocidade (Zho et al., 1991; Nelson et al., 1996) mostram que o descolamento continua abaixo do Alto Himalaia, onde desaparece por baixo do sul do Tibete em meio a uma zona de fraca refletividade, parecendo representar uma zona de rochas parcialmente fundidas (Seção 10.4.5).

Delimitando o topo da pilha de empurrão na superfície, temos um sistema de falhas normais que formam o Sistema de Descolamento do Sul Tibetano (Burchfiel et al., 1992). O deslocamento basal mergulha suave a moderadamente para o norte e separa os gnaisses de alto grau do Alto Himalaia de rochas de baixo grau do Cambriano-Eoceno da zona Tethyana (Fig. 10.19). Estas últimas rochas foram depositadas na margem passiva do norte da Índia antes de sua colisão com a Eurásia. O descolamento basal registrou deslocamentos miocênicos e, possivelmente, pliocênicos de pelo menos 35-40 km, com deslizamento normal de sentido norte, o que ocorreu simultaneamente com o movimento dirigido para o sul no Empurrão Mestre Central (Hodges, 2000). No teto (*hanging wall*), as rochas Tethyanas são dissecadas por complexos arranjos de falhas oblíquas (Fig. 10.19), cujo deslocamento acumulado provavelmente se aproxima ao do descolamento basal (Searle, 1999).

Em toda a zona Tethyana, temos uma série descontínua de culminações metamórficas chamadas de domos gnáissicos. O mais estudado deles é o domo gnáissico Kangmar, que faz parte de um núcleo antiforme de embasamento metamórfico pré-cambriano cercado por uma auréola de rochas metamórficas carboníferas-triássicas de menor grau (Burg et al., 1984). Alguns dos maiores domos gnáissicos preservam assembleias metamórficas de fácies eclogito que são superimpostas por assembleias de fácies anfibolito (Guillot et al., 1997). Os domos são dissecados por falhas normais e têm alguma semelhança com os complexos de núcleos metamórficos extensionais na parte ocidental dos Estados Unidos e em outros locais (Seção 7.3). No entanto, sua origem não é bem compreendida e diferentes mecanismos têm sido propostos para explicá-los, incluindo falhas de empurrão e dobras, somadas a falhamento normal e fluxo crustal basal.

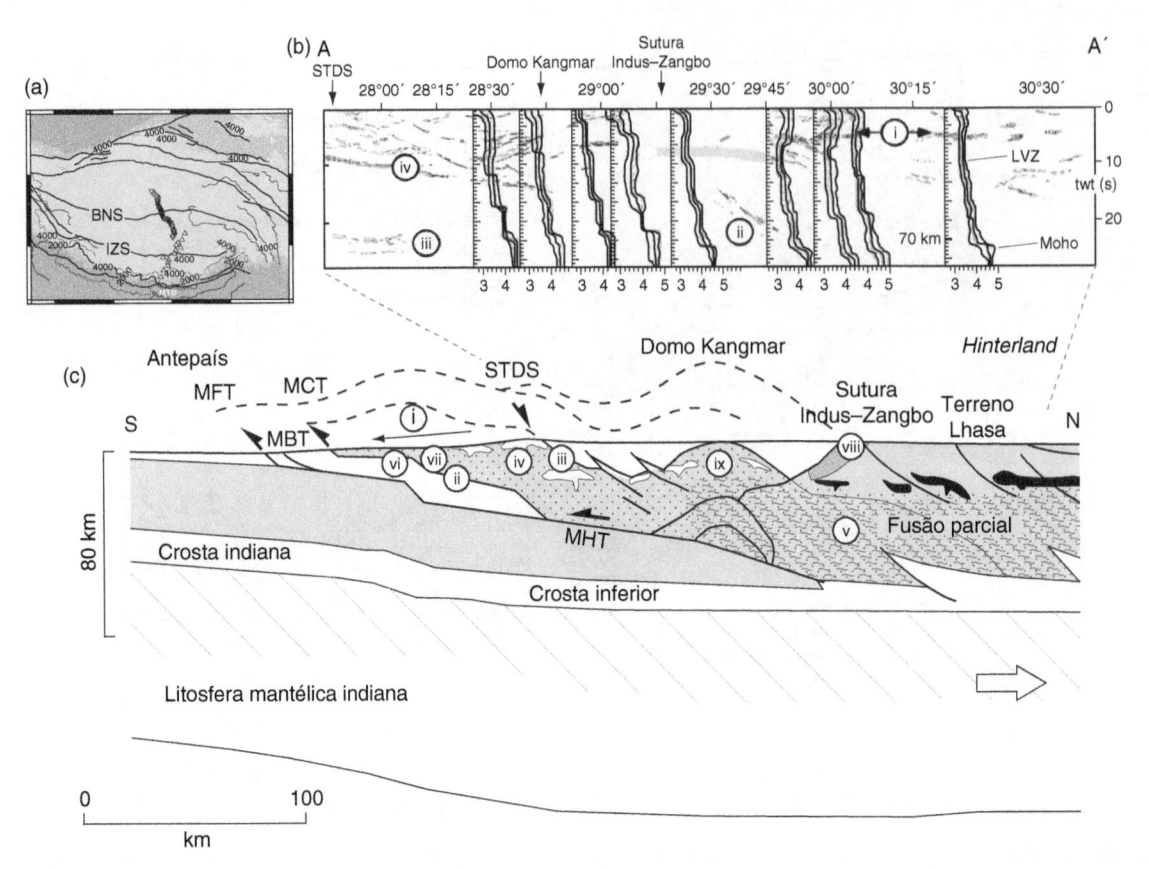

Figura 10.20 (a) Mapa mostrando a localização dos perfis INDEPTH (adaptado de Xie et al., 2001, com permissão da American Geophysical Union. Copyright © 2001 American Geophysical Union). Triângulos, direita ascendente, INDEPTH I, II; triângulos, superior descendente, INDEPTH III. (b) Composto de informação sísmica INDEPTH, incluindo modelos de velocidade de onda S derivados de modelagem em forma de onda de dados de terremotos em banda larga (barras de erro mostradas em torno de perfis centrais) e dados de reflexão angular ampla no norte da sutura Indus-Zangbo (adaptado de Nelson et al., 1996, *Science* **274**, 1684-8, com permissão da AAAS). LVZ, zona de baixa velocidade da crosta intermediária; DST, Deslocamento Sul Tibetano; i, reflexões interpretadas como representando fluidos em profundidades de 15-20 km; ii, reflexão íngreme na crosta inferior interpretada para representar empurrão; iii, Moho em 75 km de profundidade; iv, falha que acomoda *underthrusting* da Índia sob o Tibete. (c) Secção transversal interpretativa do Himalaia central e do sul do Tibete (secção fornecida por C. Beaumont e adaptada da compilação de Beaumont et al., 2004, com permissão da American Geophysical Union. Copyright © 2004 American Geophysical Union). Secção incorpora observações de Nelson et al. (1996), Hauck et al. (1998) e DeCelles et al. (2002). Algarismos romanos são explicados na Secção 10.4.6. MFT, Empurrão Mestre Frontal; MHT, Empurrão Mestre Himalaiano. Outras abreviações como na Fig. 10.19.

No extremo norte da Zona Tethyana, a sutura Indus-Zangbo separa rochas que já faziam parte da Placa Indiana de rochas do Paleozoico-Mesozoico do terreno Lhasa (Seção 10.4.2). A sutura é definida por uma mistura deformada de componentes derivados tanto da placa Indiana como da Eurásia, assim como de ofiólitos tethyanos e xistos azuis (Seção 9.9). Os ofiólitos não são contínuos e são localmente substituídos por sedimentos depositados em um ambiente antearco. Empurrão mergulhando para sul e falhas direcionais deformam essas unidades rochosas. A norte da sutura, rochas sedimentares paleozoicas-mesozoicas que formam a maior parte do sul do Tibete são intrudidas pelo batólito Gangdese do Cretáceo-Eoceno da zona Trans-himalaiana (Fig. 10.19). Este batólito se formou ao longo de uma margem de placa convergente oceano-continente em resposta ao *underthrusting* para norte da litosfera oceânica Tethyana antes da colisão Índia-Eurásia (Fig. 10.15c,d). No Himalaia ocidental, a unidade equivalente é um arco de ilhas que se formou dentro do Oceano Tethys durante o Cretáceo Médio. A sutura Bangong-Nujiang separa esta unidade do batólito granítico Karakorum no lado norte (Fig. 10.19).

A norte da sutura Indus-Zangbo, falhamentos normais ativos e extensão leste-oeste são dominantes. Este estilo de deformação formou uma série de bacias rifte jovens com orientação aproximada norte-sul. Essas bacias registram extensão de algumas dezenas de quilômetros. A maioria é preenchida com conglomerados do Plioceno e mais jovens, podendo ter se formado desde o Mioceno. Alguns estão associados com grandes falhas direcionais, como a Falha Jiali, e podem representar bacias *pull-apart* (Seção 8.2). Essas observações e dados geocronológicos sugerem que a extensão leste-oeste é mais jovem ou durou mais que a extensão norte-sul registrada pelo Sistema de Deslocamento do Sul Tibetano (Harrison et al., 1995). Atividades intrusivas e extrusivas do Cenozoico Tardio também ocorrem no Tibete do sul e central (Chung et al., 2005).

Entre a sutura Bangong-Nujiang e a Bacia Qaidam (Fig. 10.13) temos três faixas de dobra e empurrão principais de idade Cenozoica média a tarde. Todas as três estão associadas com o desenvolvimento de uma bacia antepaís (Yin & Harrison, 2000). O montante acumulado de encurtamento acomodado por essas faixas é pouco conhecido, mas pode chegar a várias centenas de quilômetros. Na margem norte do Tibete, a deformação é dividida entre as dobras e empurrão ativos e várias grandes falhas direcionais ativas, incluindo as falhas Altyn Tagh e Kunlun. Ao longo da primeira falha, o movimento direcional sinistral é transferido por até 270 km de encurtamento nordeste-sudoeste no Qilian Shan. Mais a leste e sudeste do Qilian Shan, a direção de encurtamento muda para leste-oeste onde o movimento de falhas direcional leste é transferido para falhas ativas de empurrão de direção norte no Longmen Shan (Burchfiel, 2004). Esta última cordilheira também registra encurtamento mesozoico e sobe mais de 6 km acima da Bacia Sichuan de caráter rígido, praticamente não deformada, formando uma das mais íngremes frentes ao longo do Planalto Tibetano (Clark & Royden, 2000). Ao sul da bacia, muitas das principais falhas direcionais, incluindo as falhas Jiali e Xianshuihe, são curvas. Essas falhas giram no sentido horário em torno da sintaxe do Himalaia oriental em relação ao sul da China (Wang et al., 1998).

Ao norte do planalto também ocorre encurtamento ativo nas cadeias Tien Shan e Altai do norte da China e da Mongólia. A deformação nessas regiões parece ser controlada principalmente por resistência heterogênea preexistente na litosfera da Eurásia.

10.4.5 Estrutura profunda

Modelos de velocidade e imagens tomográficas derivados de estudos das ondas de superfície de Rayleigh (Seção 2.1.3) mostram que a crosta e o manto superior do Escudo Indiano são caracterizados por alta velocidade sísmica (Mitra et al., 2006). Essa característica sugere que o subcontinente é composto de litosfera relativamente fria e resistente. No extremo norte do Escudo, velocidades comparativamente baixas ocorrem sob as planícies do Ganges, como resultado dos sedimentos molássicos e de coberturas aluviais na antefossa Ganga. Baixas velocidades também caracterizam a espessa crosta abaixo do Himalaia e do Planalto Tibetano. Dados telessísmicos de banda larga a sul do Himalaia indicam que a espessura crustal varia de 35 a 44 km (Mitra et al., 2005). Essa variabilidade reflete parcialmente a flexão da placa Indiana (Fig. 10.18) em função do *underthrust* para o norte sob a Eurásia (Seção 10.4.3).

Abaixo do Himalaia, a reflexão sísmica e os perfis de velocidade de onda de cisalhamento (Fig. 10.20b) mostram uma Moho bem definida a 45 km de profundidade que desce como uma única superfície lisa a profundidades de 70-80 km abaixo do sul do Tibete (Nelson et al., 1996; Schulte-Pelkum et al., 2005). Uma superfície de descolamento crustal acima da Moho mergulha em sentido norte, indo dos 8 km abaixo do Sub-Himalaia a uma profundidade média crustal de 20 km abaixo do Grande Himalaia. Acima do descolamento, uma camada fortemente anisotrópica (20%), caracterizada por velocidades sísmicas rápidas, se formou em resposta ao cisalhamento localizado. Ligeiramente ao norte do Grande Himalaia, a crosta inferior do Escudo Indiano mostra uma região de alta velocidade que pode conter eclogito. Essas observações sugerem que as partes superior e média da crosta indiana se separam ao longo da base da zona de cisalhamento e são incorporadas ao Himalaia, enquanto a crosta inferior continua a sua descida para o sul do Tibete (Fig. 10.21). Esta conclusão é consistente com medições gravimétricas que preveem um aumento na profundidade da Moho sob o Grande Himalaia (Cattin et al., 2001).

A estrutura profunda do Planalto Tibetano tem sido estudada através de pesquisas sísmicas de fonte ativa e passiva, medições magnetotelúricas e estudos geológicos de superfície, como parte de um projeto interdisciplinar chamado de INDEPTH (Perfilagem Internacional Profunda do Tibete e do Himalaia). Os dados geofísicos indicam que a reflexão da Moho sob o Tibete é bastante difusa (Fig. 10.20b), semelhante ao observado nos perfis de reflexão sísmica através de todo o planalto dos Andes Centrais (Fig. 10.6). Como nos Andes Centrais, a parte sul do Tibete é caracterizada por zonas de baixa velocidade na crosta e bandas de reflexões intracrustais claras a 15-20 km de profundidade, que resultam também de uma concentração de fluidos aquosos ou da presença de fusão parcial (Nelson et al., 1996; Makovsky & Klemperer, 1999). Baixos valores de Q (~90) nesta região são consistentes com temperaturas anormalmente elevadas, bem como uma crosta parcialmente fundida (Xie et al., 2004). Dados magnetotelúricos, que medem a resistividade elétrica da subsuperfície (ver também Seção 8.6.3), são particularmente sensíveis à presença de líquidos interligados em uma matriz rochosa. Unsworth et al. (2005) encontraram baixa resistividade ao longo de pelo menos 1.000 km da margem sul do Planalto Tibetano, sugerindo que ele é caracterizado por crosta frágil de baixa viscosidade. Esta zona frágil está limitada em seu lado sul através da crosta indiana falhada do Grande Himalaia e é sustentada por manto rígido indiano (Rapine et al., 2003).

No Tibete central, os dados telessísmicos e as funções receptoras fornecem informações sobre a estrutura crustal e os mecanismos de deformação abaixo da sutura Bangong-Nujiang (Ozacar & Zandt, 2004). Anisotropia sísmica forte (> 10%) na crosta superior mostra uma trama de orientação WNW-ESE paralela tanto à sutura quanto às

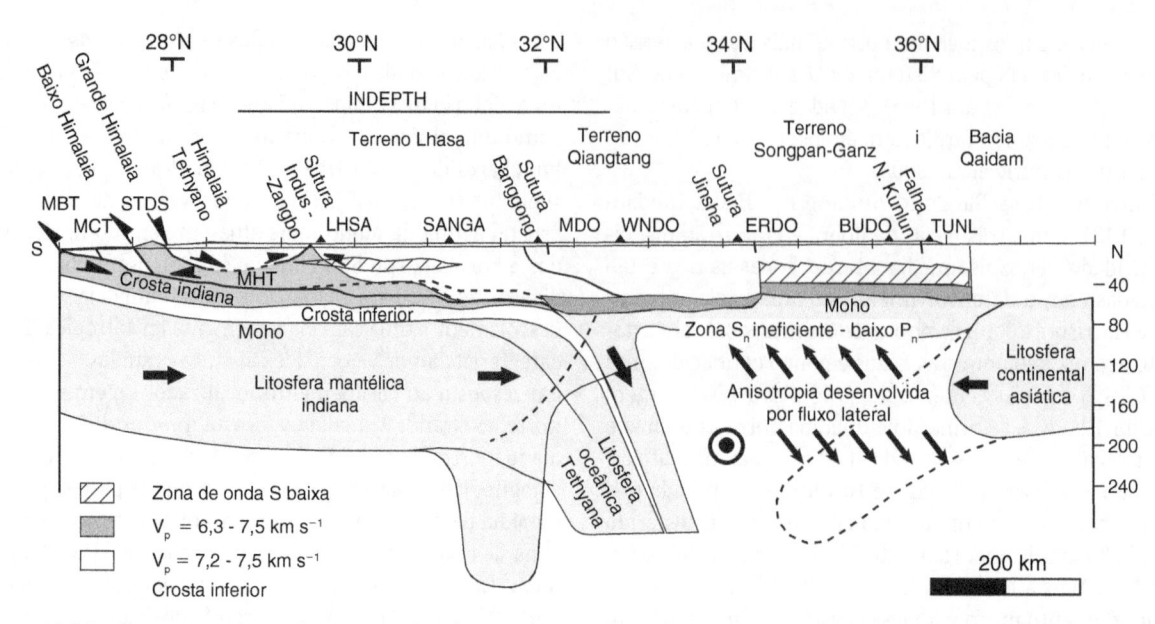

Figura 10.21 Transversa norte-sul representativa do orógeno Himalaia-Tibetano (imagem fornecida por C. Beaumont e adaptada de compilações de Beaumont et al., 2004, com permissão da American Geophysical Union. Copyright © 2004 American Geophysical Union). Secção incorpora observações de Owens & Zandt (1997), DeCelles et al. (2002), Johnson (2002), Tilmann et al. (2003), Haines et al. (2003). Triângulos mostram sete estações de registro sísmico (LHASA, SANG, AMDO, WNDO, ERDÖ, BUDO, TUNL). Abreviações de falhas como nas Figs. 10.19 e 10.20. Símbolo olho de touro indica o movimento lateral do material para fora da superfície da página.

falhas transcorrentes jovens. A anisotropia sísmica (18%) também ocorre entre 24 e 32 km de profundidade na crosta média. Esta última zona mostra uma trama quase horizontal de mergulho suave, sugerindo fluxo da crosta média na direção norte-sul. As propriedades sísmicas da crosta inferior e do manto superior também se modificam através da sutura (McNamara et al., 1997; Huang W. et al., 2000), embora a sutura em si tenha pouca expressão geofísica (Haines et al., 2003). Na crosta inferior, algumas reflexões de mergulho norte podem representar fatias ou cunhas de empurrão dúctil (Fig. 10.20c), e os dados sísmicos de fonte ativa mostram que a Moho permanece rasa até 5 km no lado norte do limite (Haines et al., 2003). Essas observações, bem como o montante relativamente pequeno de encurtamento registrado na crosta superior do Tibete, sugerem que a crosta superior é mecanicamente descolada das camadas subjacentes através de uma crosta média dúctil que flui fracamente.

Estudos de onda de superfície (Curtis & Woodhouse, 1997) e observações de ondas P_n e S_n (McNamara et al., 1997; Zho et al., 2001) do manto superior indicam que as velocidades rápidas do manto ocorrem sob o sul do Tibete e que as velocidades lentas do manto ocorrem ao norte da sutura Bangong-Nujiang (Fig. 10.21). Essas diferenças sugerem a presença de manto frio e resistente abaixo do sul do Tibete e de manto anormalmente quente e frágil abaixo do Tibete central e norte. O padrão pode indicar que a litosfera indiana tem sofrido *underthrust* pelo menos um ponto abaixo do centro do Planalto Tibetano. No entanto, essa interpretação está em conflito com as estimativas da quantidade total de convergência e de encurtamento da litosfera desde o começo da colisão. Estimativas da convergência total (~2.000 km) derivadas de anomalias magnéticas, estudos paleomagnéticos e estimativas da quantidade mínima de encurtamento pós-colisional (Johnson, 2002) sugerem que a litosfera indiana fria também pode ocorrer debaixo do norte do Tibete.

Imagens tomográficas de alta resolução do manto superior podem ajudar a resolver esta discrepância. Tilmann et al. (2003) interpretaram a presença de uma zona de alta velocidade subvertical localizada ao sul da sutura Bangong-Nujiang entre 100 km e 400 km de profundidade (Figura 9.4 do encarte colorido). Essa zona subvertical pode representar a subducção do manto litosférico indiano. A litosfera indiana adicional ajuda a explicar a quantidade total de encurtamento no Himalaia e no Tibete. A subducção também pode explicar a presença de manto quente debaixo do norte e do e centro do Tibete, que poderia fluir para cima para contrabalançar um déficit na astenosfera causado pela subducção. A ocorrência de rochas vulcânicas do tipo calcoalcalina no sul e no centro do Tibete pode apoiar esta interpretação, exigindo que uma parte da crosta continental tenha sofrido *underthrust* no manto abaixo do norte e do sul do Tibete (Yin & Harrison, 2000). Apesar disso, os mecanismos pelos quais a litosfera da Índia encurta e sofre *underthrust* debaixo do Tibete permanecem controversos.

Na margem norte e noroeste do Tibete, a Moho mergulha abruptamente até profundidades de 50-60 km em toda a Falha Altyn Tagh e abaixo da Bacia de Tarim (Wittlinger et al., 2004). A Moho também parece rasa em toda a sutura Jinsha abaixo do terreno Songpan-Ganzi (Fig. 10.21). Das funções receptoras, é impossível distinguir se a Moho faz parte da litosfera Indiana ou Eurasiana. Ocorre crosta relativamente espessa (60 km) sob o Tien Shan e gradualmente afina para o norte a uma média de 42 km abaixo do Escudo da Eurásia (Bump & Sheehan, 1998). A espessa crosta abaixo do Tien Shan é consistente com a evidência de encurtamento crustal nesta região (Seção 10.4.3).

10.4.6 Mecanismos de colisão continental

Como todas as outras zonas principais de deformação continental (por exemplo, Seções 7.6, 8.6, 10.2.5), a evolução dos orógenos colisionais é regida pelo equilíbrio entre as forças regionais e locais, pela resistência e reologia da litosfera continental e por processos de mudança desses parâmetros ao longo do tempo. Para determinar como as interações entre esses fatores controlam o desenvolvimento do Orógeno Himalaiano-Tibetano, pesquisadores desenvolveram modelos físicos e análogos de colisão continental. Esta seção apresenta uma discussão sobre os principais resultados e as diferentes abordagens utilizadas neste campo de estudo.

1 *História pré-colisional*. A resistência e a reologia da litosfera continental no início da colisão continental são governadas pela história pré-colisão das duas placas colisionais. No caso do orógeno Himalaiano-Tibetano, milhões de anos de subducção, magmatismo de arco, acreção de terrenos e espessamento crustal ao longo da margem sul da Eurásia (Seção 10.4.2) enfraqueceram a litosfera. Durante a colisão Indo-Eurasiana, as muitas zonas de sutura, espessas sequências *flysch* e outras zonas de fraqueza que caracterizam a Eurásia permitiram que a deformação se estendesse profundamente no interior do continente (Yin & Harrison, 2000; Tapponnier et al., 2001).

Ao contrário da Eurásia, o escudo pré-cambriano da Índia, relativamente frio e profundamente enraizado, configurou uma placa relativamente forte que resistiu ao encurtamento durante a colisão. A resistência mecânica comum e a alta espessura elástica da litosfera indiana levaram ao seu *underthrusting* debaixo do sul do Tibete (Seção 10.4.3). Uma exceção a sua comum alta resistência é o sedimento que foi depositado na margem continental passiva do norte da Índia desde o Proterozoico Inferior até o Paleoceno. Durante a colisão, essas sequências frágeis falharam e foram raspadas da placa subductante, formando a faixa de dobra e empurrão do Himalaia.

2 *Underthrusting continental*. O *underthrusting*, ou subducção, da litosfera continental sob outra placa continental é um dos mecanismos mais importantes que acomoda a convergência em zonas de colisão continental. A reologia das duas placas e do grau de acoplamento mecânico entre eles controla o encurtamento e a evolução dos esforços dentro da placa superior. No Orógeno Himalaiano-Tibetano, o *underthrusting* da litosfera continental indiana dirige o encurtamento intraplaca na borda frontal da placa Indiana e no Tibete e, possivelmente, também mais ao norte da Ásia. O encurtamento resultante gerou crosta que tem até 70-80 km de espessura (Seção 10.4.5) e tem contribuído para o soerguimento e o crescimento do Planalto Tibetano. Como em seu homólogo nos Andes centrais (Seção 10.2.4), o planalto está associado com altas temperaturas e a fusão generalizada da crosta intracrustal que enfraqueceram a crosta o suficiente para permitir que ela flua. Este processo descoplou a crosta tibetana de movimentos convergentes subjacentes e alterou a dinâmica do orógeno.

Embora as observações geofísicas mostrem que a litosfera indiana sofre *underthrust* pelo menos um ponto abaixo do Tibete central, as interpretações divergem sobre como esse processo é acomodado (Dewey et al., 1989; Yin & Harrison, 2000; Johnson, 2002). O principal problema é que o *underthrusting* requer a remoção ou o deslocamento da litosfera asiática de baixo do Tibete (Seção 10.4.5). Vários mecanismos podem aliviar este problema, incluindo o *downturning* do manto litosférico indiano abaixo da sutura Bangong-Nujiang (Fig. 10.21, Figura 9.4 do encarte colorido), a remoção convectiva ou a delaminação do manto litosférico sob o Tibete (England & Houseman, 1988; Molnar et al., 1993), a subducção para sul do manto asiático (Willett & Beaumont, 1994) e a remoção do manto da Ásia através de falhamentos direcionais durante a fuga lateral do Tibete (Seção 10.4.3). Apesar de o papel desses diversos processos permanecer incerto, parece provável que uma combinação de mecanismos acomodou o encurtamento abaixo do Tibete.

3 *Entalhe, escape lateral e colapso gravitacional*. Uma comparação entre o montante total de convergência entre a Índia e a Eurásia desde sua colisão e estimativas sobre a quantidade total de encurtamento acomodado por faixas de dobra-empurrão no orógeno levou a um déficit de encurtamento variando entre 500 km e 1.200 km (Dewey et al., 1989; Johnson, 2002). Esse déficit tem levado a numerosas tentativas de explicar como a convergência não contabilizada foi acomodada por dobramento e empurrão. Uma das principais hipóteses envolve o

entalhe da Índia na Ásia e a escape lateral do leste do Tibete (Seção 10.4.3).

Entalhe é o processo pelo qual um bloco rígido imprensa e deforma um bloco mais suave durante a convergência. A teoria do entalhe foi originalmente desenvolvida por engenheiros mecânicos para prever a configuração de linhas de esforço cisalhante máxima, ou linhas de deslizamento, na deformação de materiais plásticos. Em aplicações geológicas, as linhas de deslizamento correspondem a falhas direcionais dextrais e sinistrais cujo padrão é controlado pela forma do entalhamento e por restrições laterais colocadas em um meio plástico (Tapponnier & Molnar, 1976; Tapponnier et al., 1982).

Em uma aplicação pioneira, Tapponnier et al. (1982) exploraram os efeitos do entalhamento com um bloco rígido de 50 mm de largura (Índia) penetrando em um bloco mais macio (Ásia) feito de plasticina laminada. A Fig. 10.22 mostra duas sequências evolutivas em que a plasticina é bilateralmente confinada nas duas arestas paralelas ao movimento do entalhe (Fig. 10.22a-c) ou unilateralmente confinada em apenas uma dessas bordas (Fig. 10.22d-f). O caso bilateralmente confinado produz um padrão simétrico de linhas de deslizamento à frente de um "triângulo morto" que rapidamente se solda ao entalhe. A penetração prossegue com a criação de numerosas falhas dextrais e sinistrais de curta duração próximo ao vértice do triângulo. O caso unilateral gera um padrão assimétrico, em que as falhas que permitem o deslocamento em direção à borda livre predominam, como a F_1. O bloco translacionado para o lado gira cerca de 25° no sentido horário e é seguido por extrusão de um segundo bloco junto a outra falha sinistral, F_2, que permite uma rotação contínua do primeiro bloco por até cerca de 40°. Bacias *pull-apart* (Seção 8.2) se desenvolvem ao longo das falhas sinistrais por causa de sua geometria irregular. Com o desenrolar desse movimento, uma lacuna cresce entre o entalhe e a plasticina extrudada. Tapponnier et al. (1982) sugeriram que esses resultados explicam a predominância de deslocamento sinistral na China (Fig. 10.22g).

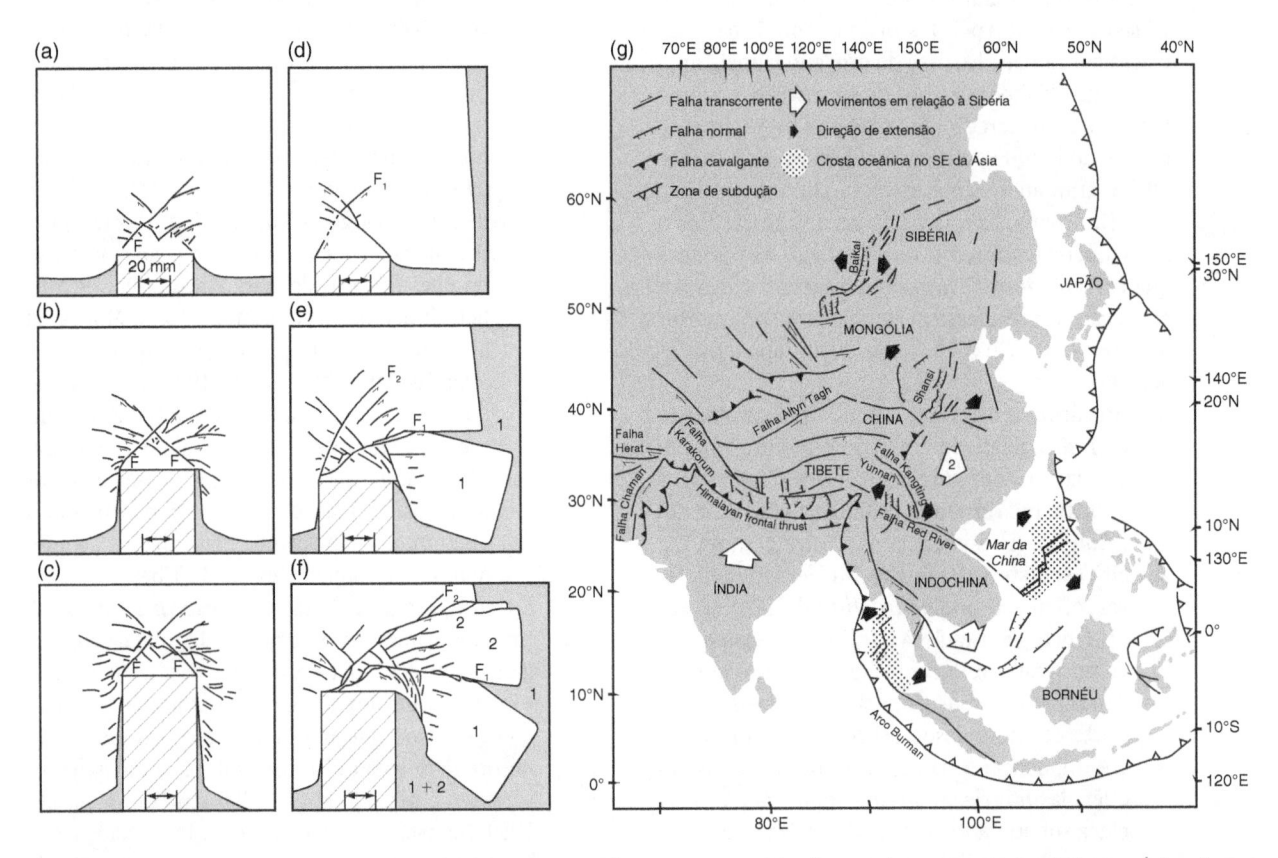

Figura 10.22 (a-f) Experimentos de entalhe em Plasticina e (g) mapa esquemático ilustrando a extrusão tectônica na Ásia oriental (adaptado de Tapponnier et al., 1982, com permissão da Geological Society of America). F, falhas principais. Números associados com setas em (g) são fases de extrusão: 1 ~ 50-20 Ma; 2 ~ 20-0 Ma.

As estruturas *pull-apart* podem ser análogas aos regimes extensionais em Shansi, Mongólia e Baikal. A Falha Altyn Tagh pode estar correlacionada com o deslocamento F_2 principal, e a Falha do Red River com F_1. A comparação também sugere que o entalhe causa a curvatura do sistema de falhas localizado a leste do Tibete. Finalmente, extrusão lateral entre e para o sudeste das falhas Altyn Tagh e Red River resulta em extensão que se assemelha a padrões observados no Mar da China Meridional e no Golfo da Tailândia (Fig. 10.22g).

Desde o seu desenvolvimento no final dos anos 1970 e início dos anos 1980, o modelo de entalhe de colisões continentais evoluiu consideravelmente. Embora o modelo de Tapponnier et al. (1982) explique o padrão geral e a distribuição de falhas direcionais no leste do Tibete e no sudeste da Ásia, ele tem sido menos bem-sucedido em explicar outros aspectos da deformação. Um dos problemas é que ele prevê deslocamentos laterais de centenas a milhares de quilômetros nas grandes falhas direcionais dentro do Tibete. No entanto, as estimativas da magnitude do deslizamento sobre as grandes falhas direcionais, até agora, não conseguiram confirmar as magnitudes extremamente altas de deslocamento. A Falha Altyn Tagh, por exemplo, só pode ter 200 km de deslizamento lateral esquerdo, e a Falha Xianshuihe cerca de 50 km (Yin & Harrison, 2000). Essas observações sugerem que, enquanto escapes laterais estiverem ocorrendo, ele pode ocorrer em escalas menores do que previsto inicialmente.

Outro problema com a aplicação mostrada na Fig. 10.22 é que ela não prevê, ou não considera, os efeitos das variações na espessura da crosta durante a deformação. Além disso, a região de extensão leste-oeste e de falhas normais no Tibete não tem análogo no modelo. Uma possível explicação para a extensão é que ela resulta de forças de flutuação gravitacional associadas com a grande espessura e as altas elevações do planalto. Nesta visão, um excesso de energia potencial gravitacional é aumentado pela presença de uma raiz crustal flutuante, e é possível que a remoção da litosfera mantélica por erosão convectiva ou delaminação (ver também Seção 10.2.5) dirija o *colapso gravitacional* da crosta superespessada (Dewey, 1988; England & Houseman, 1989). Gradientes laterais em energia potencial gravitacional podem ajudar o planalto a espalhar-se e mover-se lateralmente em direção às planícies do leste, onde ele interage com outros elementos da litosfera. Considerando que há outras hipóteses para esta extensão, explicações quantitativas dessas forças sugerem que a evolução do planalto depende tanto das forças de flutuabilidade e das condições de contorno locais como faz no entalhe ou no aparecimento de esforços nas bordas das placas da Índia e da Eurásia (Royden, 1996; Liu & Yang, 2003). O colapso gravitacional da crosta continental superespessada também explica a evolução de orógenos depois da convergência parar, onde, em muitas áreas, tem sido associada à formação de complexos de núcleos metamórficos extensionais (Seção 7.3).

Para explicar esses efeitos, os pesquisadores simularam a deformação da Ásia utilizando uma folha viscosa que deforma em resposta a forças de borda decorrentes da colisão continental e a forças internas geradas pelas diferenças na espessura da crosta (England & Houseman, 1989; Robl & Stüwe, 2005a). Em vez de modelar deslocamentos de falhas individuais, estes modelos do contínuo simulam a deformação como uma zona de fluxo distribuído entre duas placas em colisão. A maioria prevê que uma zona de encurtamento e espessamento da crosta cresce na parte frontal e, com as condições de borda apropriadas, para o lado de um entalhe em avanço. Os resultados sugerem que a zona de deformação diretamente relacionada com a colisão Índia-Eurásia é muito menor do que o previsto pelos modelos de plasticina e que outras regiões deformadas no Sudeste Asiático não estão relacionadas com as forças locais e tectônicas decorrentes da colisão. Em vez disso, a deformação nessas regiões pode resultar de campos de esforços tectônicos regionais relacionados com os limites de placa localizados ao sul e leste da Ásia.

Modelos do contínuo de entalhe, em geral, têm sido bem-sucedidos para explicar a assimetria de deformação na Ásia, incluindo o escape lateral do leste do Tibete. Eles também são adequados para examinar os efeitos de variações na resistência e na reologia da litosfera sobre o estilo de deformação observado na Índia e na Ásia. Robl & Stüwe (2005a, 2005b), por exemplo, exploraram os efeitos de variações na forma, ângulo de convergência e reologia de um entalhe continental em ambos os padrões de esforço lateral e vertical na Ásia durante a fuga lateral. Esses autores investigaram a sensibilidade de uma folha viscosa deformando associada ao entalhe envolvendo combinações desses parâmetros. Um aspecto especialmente interessante da sua aplicação é a investigação de como as forças de flutuação decorrentes do espessamento crustal são equilibradas pelas forças de borda do entalhe.

Nos experimentos de Robl & Stüwe (2005a), a Ásia é modelada como uma folha viscosa composta de uma malha regular quadrada com 3.200 triângulos (Fig. 10.23a). Os limites leste, oeste e norte da malha são rígidos e não podem se mover. Estas considerações simulam os efeitos da Bacia de Tarim para o norte e de Pamir para o oeste. Na fronteira sul, um entalhe de largura ($D/2$) e comprimento (ω) se move para o norte na malha com uma velocidade dimensionada para ser de 50 mm/ano. Esse movimento resultou em deformação e espessamento que é distribuído entre o entalhe e o antepaís ao norte (Fig. 10.23b). Duas variáveis importantes incluem o contraste de viscosidade (η) entre o entalhe e o antepaís e o ângulo (α) entre a frente do entalhe e a direção do entalhe. Todos os materiais são descritos usando uma reologia *power law* com expoente (n), que descreve a forma como taxas de deformação estão relacionadas ao esforço (Seção 2.10.3).

Os efeitos da forma do entalhe na distribuição da deformação são bem ilustrados em simulações em que o entalhe é forte. Contrastes de viscosidade $\eta = 1000$ e $\eta = 100$ simulam esta condição. Os resultados mostram que, para um ângulo de entalhe de $\alpha = 45°$ e um entalhe forte e viscoso, a deformação se localiza ao longo da interface entre os blocos em colisão e o campo de velocidade horizontal é altamente assimétrico. O espessamento da crosta está com um máximo a norte da ponta ocidental e um pouco menor na frente da borda nordeste (Fig. 10.24a,b). Uma banda de material em movimento para o leste se desenvolve a nordeste (Fig. 10.25a) Essas assimetrias contrastam com os padrões de simetria que cercam o entalhe retangular com viscosidades elevadas (Figs. 10.23b, 10.25b). Para um entalhe de baixa viscosidade ($\eta = 2$ ou 3), o ângulo de entalhe desempenha apenas um papel menor. Nestes últimos casos, o entalhe acomoda a maior parte do encurtamento e do espessamento, com o padrão se tornando progressivamente mais simétrico e deslocado ao longo do tempo (Fig. 10.24c,d). As Figs. 10.25c e d mostram que o campo de velocidade horizontal para condições retangulares, o escape lateral da crosta aumenta com o ângulo de entalhe para entalhes com

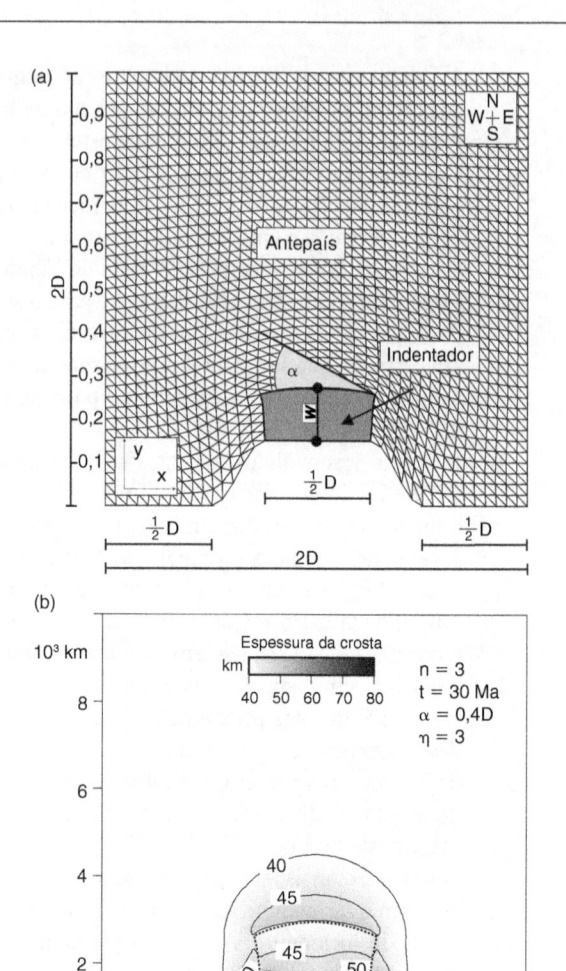

Figura 10.23 Geometria e condições de contorno de um modelo de elemento finito de entalhe (imagem fornecida por J. Robl e adaptada de Robl & Stüwe, 2005a, com permissão da American Geophysical Union. Copyright © 2005 American Geophysical Union). (a) Malha regular composta por 3.200 triângulos. Região sombreada é o entalhe, e região clara é o antepaís. (b) Resultado de modelo típico em escala para uma escala de comprimento de D = 5.000 km e uma velocidade de entalhe de 50 mm/ano. Escala de cinza indica espessamento crustal distribuído entre entalhe e antepaís.

reologias relativamente fortes e simula os padrões de deslocamento observados no leste do Tibete.

Em situações em que a litosfera asiática é especialmente viscosa e resistente, o escape lateral resulta principalmente de compressão horizontal com blocos movendo-se para fora do caminho do entalhe rígido. Nesses casos, as forças de flutuação resultantes do espessamento crustal pouco contribuem para o campo de velocidade horizontal, porque o espessamento tende a ser

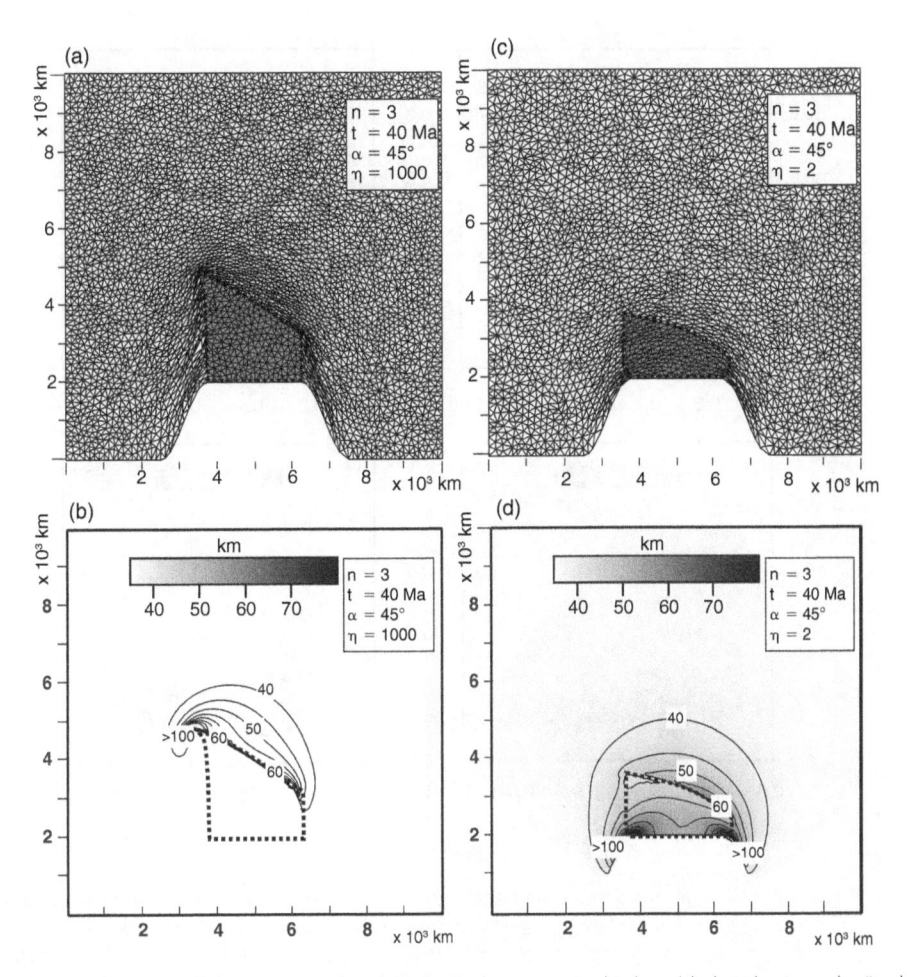

Figura 10.24 Modelo de elementos finitos mostrando a influência do contraste de viscosidade sobre a evolução do entalhe oblíquo (imagem fornecida por J. Robl e adaptada de Robl & Stüwe, 2005a, com permissão da American Geophysical Union. Copyright © 2005 American Geophysical Union). Em ambos os modelos, a geometria era idêntica, e $n = 3$ e $\alpha = 45°$. Linha pontilhada em negrito é o esboço do entalhe. (a,b) Contraste de viscosidade $\eta = 1000$. (c), (d) Contraste de viscosidade $\eta = 2$. (a) e (c) mostram malha de elementos finitos após 40 Ma, (b) e (d) mostram os diagramas correspondentes contornado para espessura crustal.

altamente localizado ou inibido pela alta resistência do material. À medida que a resistência da Ásia diminui, a magnitude e a distribuição do espessamento crustal aumentam e a força de flutuabilidade gravitacional se torna cada vez mais importante. As simulações numéricas de Robl & Stüwe (2005a) e outros (Liu & Yang, 2003) sugerem que as forças de flutuação desenvolvidas em crostas fracas e espessas como a do Tibete aumentam a taxa de escape lateral.

Um modelo viscoelástico tridimensional desenvolvido por Liu & Yang (2003) ilustra como várias possíveis forças motrizes e uma estrutura reológica envolvendo variações verticais e laterais influenciam padrões de deformação no Tibete e nas regiões vizinhas. Esse modelo, como a maioria dos outros, envolve uma placa rígida indiana que colide com um continente eurasiano deformável a uma velocidade constante em relação à Eurásia. As duas placas são acopladas através de uma zona de falha que simula o Empurrão Mestre de Borda (Fig. 10.26a). Nos lados leste e sudeste do modelo, as condições da borda são atribuídas para simular a fuga lateral da crosta. No oeste, os efeitos de uma mola ou rolo simulam a força lateral de resistência a um bloco rígido em Pamir. No lado norte do modelo, as condições de borda aproximam a resistência ao movimento da rígida Bacia de Tarim. A superfície superior se aproxima da topografia real e a parte inferior fica a 70 km de profundidade. Uma carga topográfica vertical é incluída através do cálculo do peso de colunas de rocha em cada grade de superfície do modelo de elemento finito. Uma força isostática de restauração é aplicada para a parte inferior do modelo. Ao contrário de muitos outros modelos, esse experimento também incorpora as

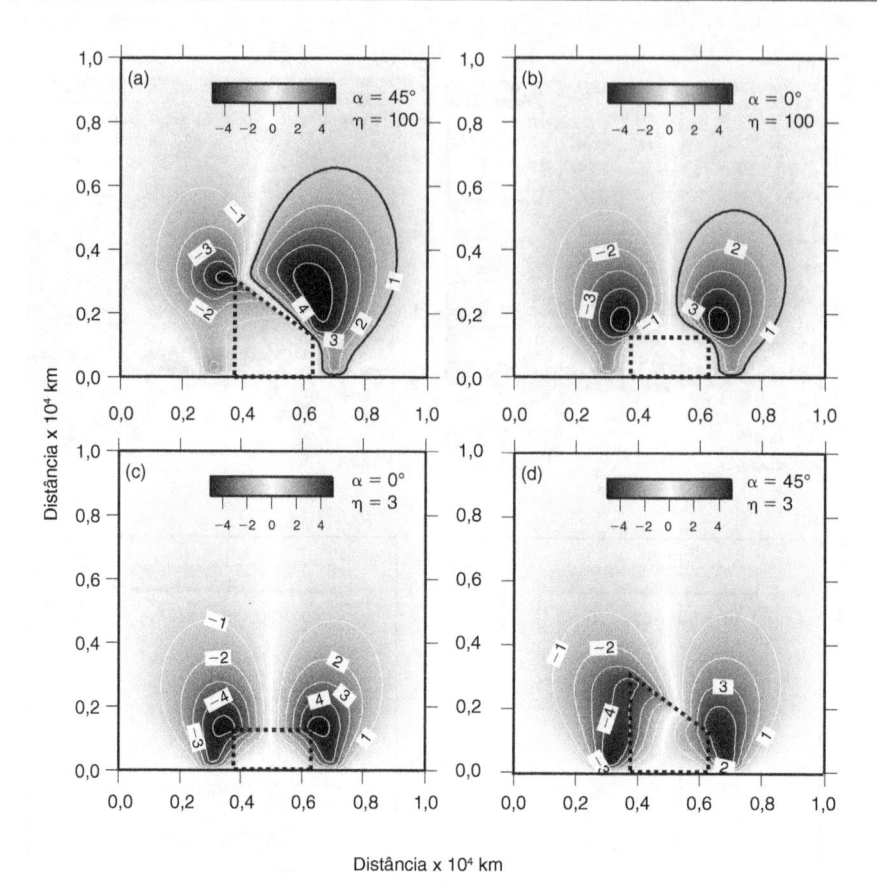

Figura 10.25 Resultados de modelagem de elementos finitos, mostrando o campo de deslocamento lateral instantâneo durante o entalhe para duas reologias de indentadores diferentes e dois ângulos indentadores (α) (imagem fornecida por J. Robl e adaptada de Robl & Stüwe, 2005a, com permissão da American Geophysical Union. Copyright © 2005 American Geophysical Union). (a) e (b) mostram um contraste de viscosidade entre indentador e antepaís de $\eta = 100$; (c) e (d) mostram um contraste de $\eta = 3$. Ângulos de indentadores de $\alpha = 0°$ e $\alpha = 45°$ estão representados. Barra de tons cinza mostram a velocidade horizontal. Intervalo de contorno é de 1 mm/ano. Área movendo para o leste é maior para o indentador oblíquo mostrado em (a).

variações laterais na reologia utilizando três blocos crustais, incluindo uma placa Indiana rígida, um fraco Planalto Tibetano e um continente asiático com resistência intermediária ao norte do planalto. Além disso, seis camadas de materiais com diferentes viscosidades efetivas representam variações verticais na reologia desses blocos (Fig. 10.26b).

Dentro deste quadro, Liu & Yang (2003) consideram que as combinações das seguintes forças contribuem para o atual estado de esforços no Himalaia e no Planalto Tibetano: i) uma força compressiva horizontal resultante da colisão da Índia com a Ásia, (ii) forças de flutuabilidade resultantes de topografia isostaticamente compensada; (iii) cisalhamento basal na placa da Eurásia, assim como fatias da Índia abaixo do Tibete e (iv) forças horizontais provenientes do puxar de zonas de subducção localizadas ao sul e leste da Ásia. O campo de esforço é definido por dados de GPS, mecanismo focal de terremotos, topografia e outras observações. A Fig. 10.26c e d mostram os esforços previstos na crosta superior (a 10 km de profundidade), utilizando as condições de limite de velocidade com base em dados geodésicos: a taxa de convergência uniforme de 44 mm/ano na direção N20°E no fronte Himalaiano (V_1), 7 mm/ano para o leste no lado ocidental (V_2) e 10 mm/ano para o sudeste no lado sudeste do modelo (V_3). A velocidade de 20 mm/ano para o norte (V_N) ocorre no lado ocidental do modelo e diminui para zero no lado oriental. Maiores taxas convergentes levam a um acoplamento mecânico reforçado entre as placas da Eurásia e da Índia, embora este efeito possa ser compensado por uma Zona de Empurrão Mestre de Borda que é mecanicamente fraca.

Os resultados do modelo sugerem que o campo de velocidade de superfície e o regime de defor-

Capítulo 10 Cinturões orogênicos   287

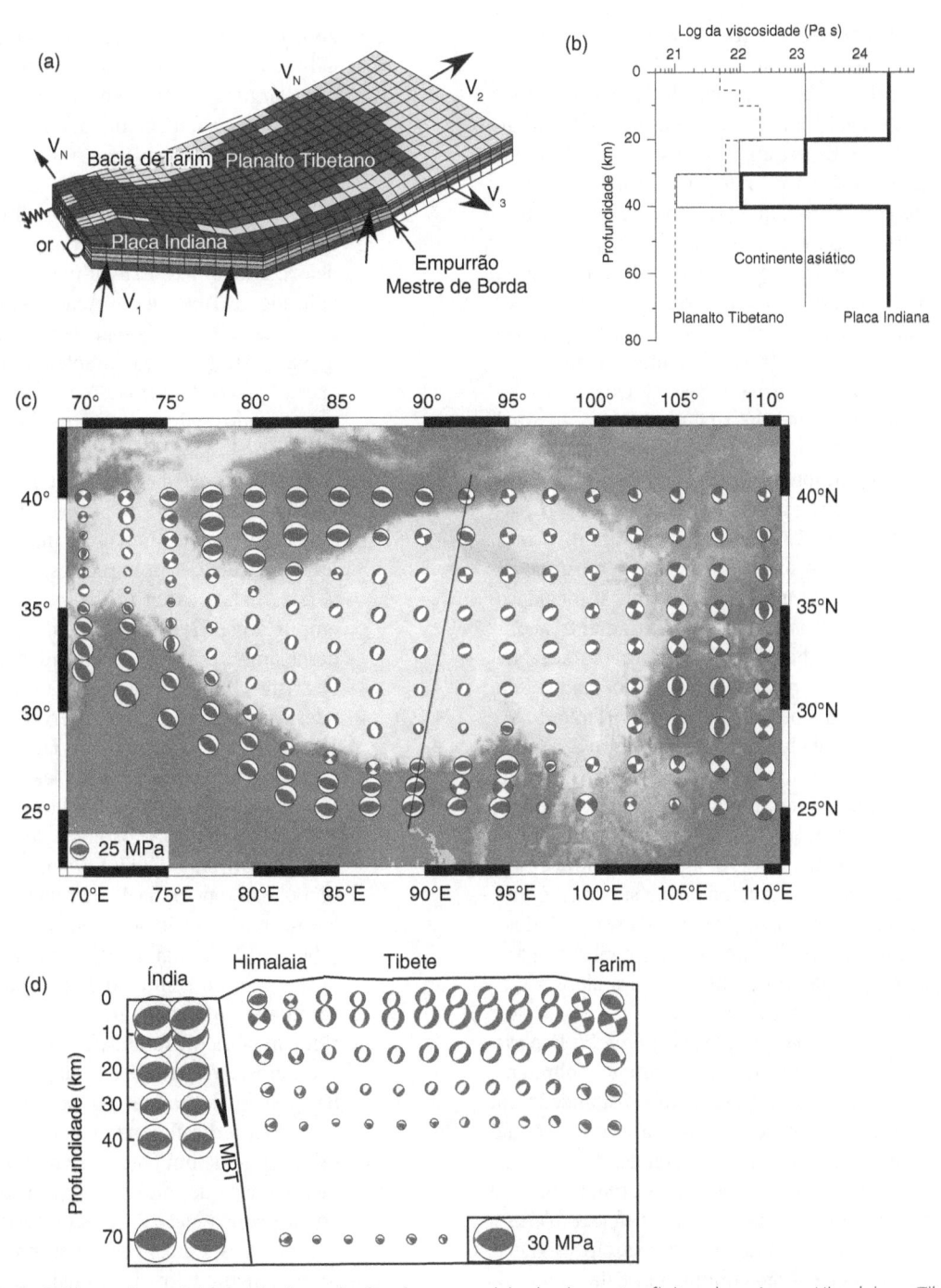

Figura 10.26 (a,b) Condições iniciais e (c,d) resultados de um modelo de elementos finitos do orógeno Himalaiano-Tibetano (imagens fornecidas por Y. Yang e M. Liu e adaptadas de Liu & Yang, 2004, com permissão da American Geophysical Union. Copyright © 2004 American Geophysical Union). O Principal Empurrão de Borda é simulado por uma zona fraca, que é ajustada para refletir o grau de ligação mecânica entre a placa da Índia e o continente da Eurásia. Perfis de viscosidade efetiva em (b) correspondem ao Planalto Tibetano (linha tracejada), à Placa Indiana (linha grossa) e ao restante do continente da Eurásia (linha fina). (c) Mostra o esforço previsto em 10 km de profundidade. Cada símbolo é uma projeção da rede do hemisfério inferior do estado de esforço tridimensional, semelhante ao usado para mecanismo focal de terremotos. (d) Mostra a variação em esforço prevista com a profundidade. A variação de profundidade está relacionada ao modelo reológico usado em (b). Escalas são mostradas abaixo, à direita.

mação no orógeno (Seção 10.4.3) refletem um equilíbrio mecânico entre a flutuação gravitacional, o entalhe da placa Indiana e a geometria específica e as condições de contorno do planalto. Espessamento crustal e soerguimento topográfico são reforçados pela presença da Bacia de Tarim, que atua como uma retrobarreira no extremo norte do modelo. Para obter a extensão leste-oeste observada e as grandes altitudes do Tibete, a crosta Tibetana deve ser muito fraca. O modelo sugere que o equilíbrio de força evolui através do tempo à medida que a crosta se deforma e espessa. Quando o planalto é 50% mais baixo que sua elevação atual de cerca de 5 km, as falhas direcionais e reversas dominam a região do planalto. Ocorre significativa extensão crustal quando o planalto atinge 75% da sua altura atual. O modelo também sugere que, embora o campo de forças extensionais possa aumentar o colapso do planalto, isso não necessariamente acontece. O cisalhamento basal também acentua o regime extensional no Himalaia e no sul do Tibete, enquanto aumenta o encurtamento no norte do Tibete. Este último efeito acontece porque o cisalhamento basal alivia o esforço compressivo (entalhe) que equilibra as forças de flutuabilidade, levando à extensão na borda sul do Tibete. Isso leva a uma diminuição no esforço compressivo na crosta superior, o que aumenta a extensão. Ao norte da sutura Indus-Zangbo, o cisalhamento basal contribui para a compressão horizontal, resultando em um aumento do encurtamento.

4 *Fluxo da crosta inferior e extrusão dúctil*. Experimentos numéricos e analógicos simples sobre entalhe descritos acima ilustram a sensibilidade da deformação em faixas colisionais para condições de contorno local e variações na reologia da litosfera. Um grupo particularmente interessante de experimentos numéricos tem explorado os efeitos da crosta inferior e média em fluxo e com baixa resistência na dinâmica de colisão continental. Esta condição de crosta fraca está em concordância com as observações geológicas e geofísicas que indicam que a crosta média abaixo do Tibete é quente, rica em fluido e/ou parcialmente fundida (Seção 10.4.5).

Royden (1996) e Ellis et al. (1998) mostraram que a estratificação vertical da litosfera em camadas resistentes e fracas influencia o grau de deformação durante a convergência. Onde a crosta inferior é relativamente forte e resiste ao fluxo, a crosta tende a interagir com o manto inferior durante o encurtamento, resultando em uma zona de deformação relativamente estreita localizada na superfície. Este efeito pode explicar a largura relativamente estreita e de forma triangular e a falta de um platô orogênico elevado nos Alpes orientais e nos Alpes do sul da Nova Zelândia. Em contrapartida, onde a crosta inferior é relativamente fraca e flui facilmente, a crosta descola do manto, resultando em deformação difusa. Este último efeito pode ser aplicado ao Tibete e aos Andes centrais, onde zonas de baixa viscosidade têm se desenvolvido na crosta profunda durante o espessamento crustal, havendo formação de planaltos largos e escarpados acima das zonas fracas (Seções 10.2.4, 10.4.5).

A separação vertical da litosfera como resultado do fluxo dúctil em uma crosta inferior fraca é bem ilustrada ao longo das margens norte e leste do Tibete. Nessas regiões, secções transversais balanceadas mostram que falhas de empurrão se transformam em superfícies de descolamento na crosta intermediária (Yin & Harrison, 2000). A comparação de dados geodésicos (Fig. 10.16a) e observações geológicas indica que o movimento lateral da crosta na região Longmen Shan no leste do Tibete é acomodado principalmente por fluxo crustal menor com pouca ocorrência de falha na superfície (Burchfiel, 2004). A noroeste da Bacia Sichuan, a topografia é anormalmente elevada em relação ao resto do Tibete. Clark & Royden (2000) e Clark et al. (2005) explicam essas relações como o resultado da pressão dinâmica resultante do fluxo lateral de uma crosta inferior parcialmente fundida à medida que encontra a crosta resistente e o manto superior da Bacia Sichuan. Na margem ocidental da bacia, a crosta inferior flui, desviando para o nordeste ao longo de um corredor crustal reologicamente fraco que coincide com a sutura Qinling do Paleozoico-Mesozoico. A resposta da crosta superior a este fluxo pode incluir soerguimento dinâmico e falha direcional, resultando na topografia anormalmente alta do leste do Tibete em relação aos seus setores central e sul.

Os efeitos do enfraquecimento da deformação (*strain softening*) do *underthrusting* continental, juntamente com a maior erosão da superfície, também podem resultar em deformação localizada que altera a dinâmica da orogênese. Um excelente exemplo deste processo ocorre nos Alpes do Sul na Nova Zelândia (Seção 8.6.3). A retomada da deformação por amaciamento também tem contribuído significativamente para a evolução tectônica da faixa de dobramento e empurrão do Himalaia e do sul do Tibete, onde a litosfera indiana sofre *underthrust* para o norte sob a Eurásia. Hodges (2000) resumiu as nove principais características geológicas e tectônicas desta zona relativamente estreita que exigem explicação em qualquer modelo quantitativo do orógeno. Essas feições incluem (Fig. 10.20c): (i) rápida erosão do flanco sul do Himalaia; (ii) encurtamento do sistema de falhas Empurrão Mestre Central (MCT) para o sul; (iii) extensão no sistema de Descolamento do Sul Tibetano (STD); (iv) metamorfismo de alto grau e fusão crustal no Alto Himalaia; (v) fusão crustal na crosta média abaixo do Tibete; (vi) justaposição de litologias contrastantes através do MCT; (vii) sequência metamórfica invertida onde rochas de alto grau são lançadas sobre o Baixo Himalaia ao longo do MCT; (viii) posição da sutura Indus-Zangbo; e (ix) falhas normais acomodando a extensão norte-sul ao sul do Planalto Tibetano.

Para determinar como a maior erosão associada ao *underthrusting* continental pode explicar essas importantes feições, Beaumont et al. (2001, 2004) construíram um modelo termomecânico envolvendo combinações de dois processos relacionados. O primeiro processo é um *canal de fluxo* da crosta dúctil média à inferior. O canal de fluxo envolve o movimento lateral da crosta parcialmente fundida em uma zona estreita limitada acima e abaixo por zonas de cisalhamento. Os autores utilizaram este tipo de fluxo para explicar o crescimento progressivo do Planalto Tibetano. O segundo processo é a *extrusão dúctil* de rochas metamórficas de alto grau entre zonas de cisalhamento contemporâneas normal e de empurrão. Este último processo é usado para explicar a exumação das rochas do Alto Himalaia ao longo do flanco sul da cadeia montanhosa. Nos modelos, esses dois processos estão ligados através dos efeitos da denudação da superfície (ou seja, a remoção de material da superfície) que está focada ao longo da borda sul do planalto e da presença de crosta parcialmente fundida e de baixa viscosidade abaixo do Tibete. Variações na espessura crustal entre o planalto alto e o antepaís Ganga, a taxa de denudação e a resistência da crosta superior também afetam o estilo da deformação. Os modelos são relativamente insensíveis a heterogeneidades do canal e a variações no comportamento do manto litosférico abaixo do planalto modelado.

Os modelos termomecânicos de Beaumont et al. (2004) consistem em um plano vertical dividido entre camadas da crosta e do manto (Fig. 10.27a). Uma grade marcadora passiva e marcadores verticais numerados acompanham a deformação progressiva do modelo durante a convergência. A sutura (S) marca a posição onde a litosfera da Índia é subductada abaixo da Eurásia e mergulha no manto em uma velocidade constante (V_p) e em um ângulo de mergulho constante (θ). Este ponto pode migrar durante a convergência. A condição de velocidade basal orienta o fluxo na placa superior. A crosta é constituída por camadas de quartzo e feldspato médias e superiores sobrepondo uma crosta inferior seca granulítica que é modelada usando uma reologia plástico-viscosa de *power law*. A estrutura inicial térmica (Fig. 10.27b) mostra duas camadas radioativas (A_1, A_2) que fornecem calor interno para a crosta. O limite litosfera-astenosfera é definido para ser na isoterma de 1350°C. Dado um fluxo de calor basal de $q_m = 20$ mW m^{-2} um fluxo de calor da superfície de $q_s = 71,25$ mW m^{-2}, e uma temperatura de superfície (T_s) de 0°C sem fluxo de calor através dos lados do modelo, a temperatura da Moho é de 704°C. Outras importantes propriedades do modelo incluem um incremento extra de enfraquecimento viscoso na crosta, o que simula a presença de uma pequena quantidade de fusão parcial e denudação da superfície dimensionada para 1,0-20 mm/ano.

A Fig. 10.27c-e mostra os resultados de um modelo que fornece uma explicação interna consistente da geometria em grande escala e das características tectônicas do Himalaia e do sul do Tibete. Este modelo incorpora uma taxa de convergência de 50 mm/ano e subducção avançada, o que imita a maneira pela qual as zonas de sutura pré-colisional envolvem o entalhe rígido da Índia conforme penetra na Eurásia. A denudação da superfície também exige que a sutura (S) avance, o que é modelado a uma taxa de $V_s = 25$ mm/ano. Apesar de S se mover durante o modelo, os resultados na Fig. 10.27c-e são mostrados com um ponto fixo "S" para manter o tamanho dos diagramas gerenciável. O avanço da subducção requer a remoção da litosfera da Eurásia, que também é modelada por subducção. A crosta inferior da Índia é subductada juntamente com o seu manto litosférico subjacente. Não ocorrem deslocamentos para fora do plano do modelo.

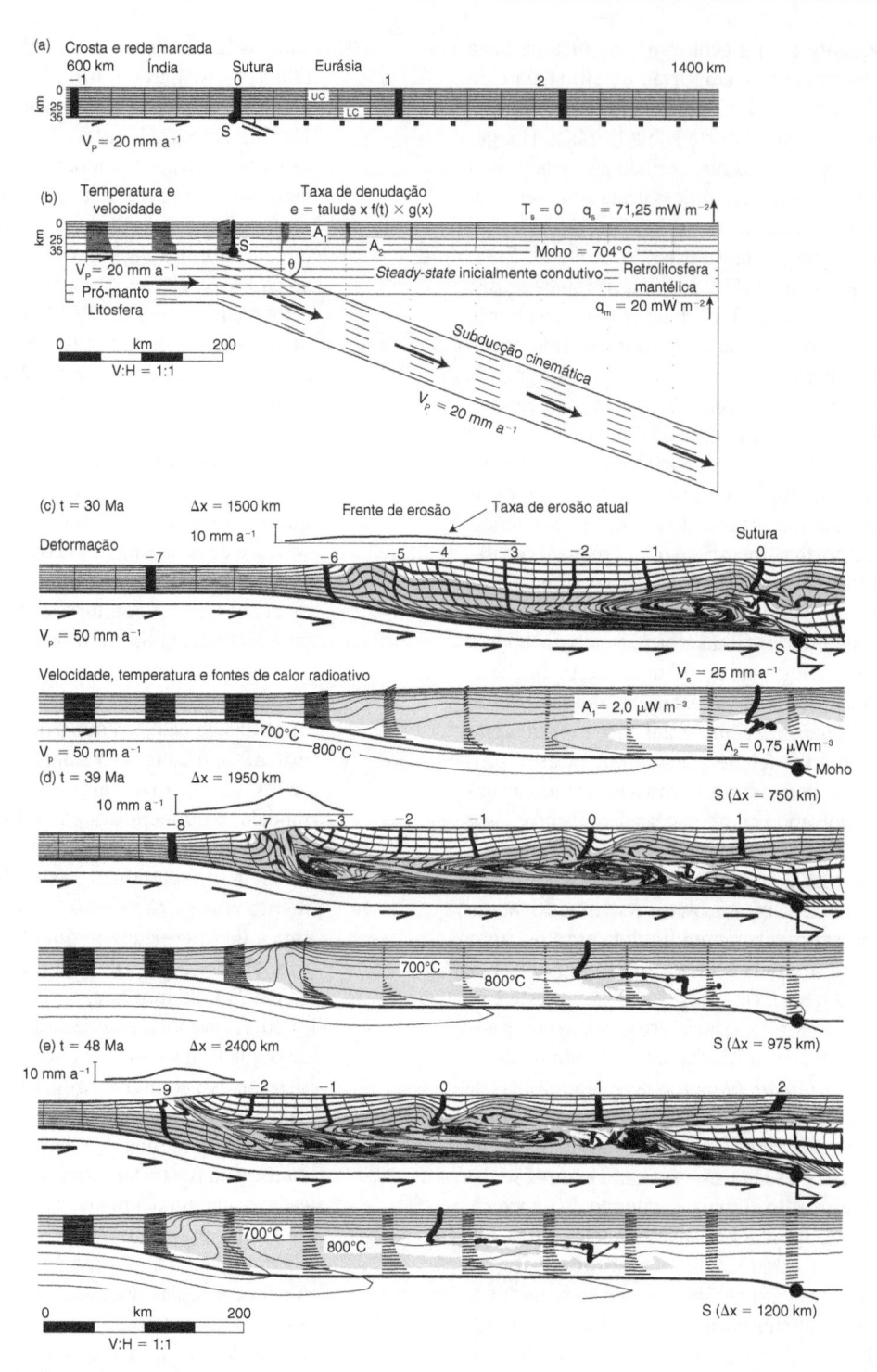

Figura 10.27 (a,b) Condições iniciais e (c-e) resultados de um modelo termomecânico do orógeno Himalaiano-Tibetano (imagens fornecidas por C. Beaumont e adaptadas de Beaumont et al., 2004, com permissão da American Geophysical Union. Copyright © 2004 American Geophysical Union). Grade marcadora passiva e camadas mecânicas são mostradas em (a). Estrutura térmica inicial, camadas radioativas, isotermas e vetores de velocidade instantânea são mostrados em (b). Painéis de topo em (c-e) mostram a grade marcadora deformada, painéis de fundo mostram a evolução da estrutura térmica. Linhas densas com pontos de sutura representam a posição do modelo de sutura (marcador vertical 0), S é a sutura do manto, cuja posição é controlada por uma distância horizontal (Δx). Plotagem nos perfis acima mostram a distribuição e a taxa de inclinação dependente da quantidade de erosão através da superfície modelada. A quantidade de convergência, que progride de 1.500 a 2.400 km, também é marcada pela distância Δx horizontal.

Como a litosfera da Índia sofre *underthrusting* debaixo do sul do Tibete, o canal de fluxo se inicia pelo desenvolvimento de material parcialmente fundido na crosta média a inferior abaixo do platô (Fig. 10.27c,d). Zonas de cisalhamento contemporâneas com sentido inverso e normal desenvolvem-se através das partes superior e inferior do canal, respectivamente. Essas zonas de cisalhamento são interpretadas como correspondentes ao Empurrão Mestre Central e à Falha de Descolamento do Sul Tibetano. O canal se propaga através da crosta convergente. Erosão eficiente na borda sul do planalto leva a um acoplamento entre o fluxo de canal e a denudação da superfície. A denudação faz com que a posição da superfície da sutura (S) migre para a Índia em relação ao manto (Fig. 10.27c-e), porque cria um desequilíbrio no fluxo de material crustal através do modelo. A posição final da sutura após 51-54 Ma imita a posição da sutura Indus-Zangbo dentro do Planalto Tibetano.

O acoplamento entre o canal de fluxo e a denudação da superfície leva, com o tempo, à extrusão dúctil e à exumação de material quente no canal entre falhas de empurrão e normais contemporâneas (Fig. 10.27d,e). A exumação expõe as rochas metamórficas de alto grau e *migmatitos* (isto é, uma rocha mista, composta por componentes metamórficos e ígneos) do Alto Himalaia. A proveniência do material do canal é derivada de duas fontes. Inicialmente, o enfraquecimento da fusão na crosta intermediária ocorre bem ao sul do ponto "S" (Fig. 10.27c). Mais tarde, com a advecção da sutura para o sul, o material é derivado a partir do lado Eurasiano da sutura. Este processo prevê que o canal de crosta a sul da sutura Indus-Zangbo mostre afinidades com a crosta indiana, enquanto o material do canal norte da sutura tenha afinidade crustal eurasiana de uma forma consistente com observações geológicas (Seção 10.4.4). Outros modelos semelhantes preveem a formação de domos gnáissicos semelhantes aos observados no Alto Himalaia.

10.5 COLISÃO ARCO–CONTINENTE

Cinturões orogênicos que resultam da colisão entre um arco de ilha e um continente normalmente são menores do que aqueles que se formam por colisão continente-continente (Dewey & Bird, 1970). A colisão arco-continente também tende a ter atuação relativamente curta, pois geralmente representa uma etapa intermediária durante o fechamento de uma bacia oceânica contratante. Exemplos ativos deste tipo de orógeno ocorrem em Taiwan (Huang C.-Y. et al., 2000, 2006), em Papua Nova Guiné (Wallace et al., 2004) e no arco Timor-Banda na região norte da Austrália (Audley-Charles, 2004). Essas faixas fornecem informações importantes sobre os mecanismos pelos quais os continentes crescem, inclusive pelo acréscimo de terrenos (Seção 10.6.3).

A sequência de eventos que ocorre durante a colisão arco-continente começa com a aproximação de um arco de ilha a um continente pelo consumo de um oceano interveniente. A colisão começa quando a margem continental é conduzida para baixo da parede interna da trincheira. Neste ponto, a flutuabilidade positiva da litosfera continental diminui a taxa de *underthrusting*, que pode bloquear a trincheira. Se a margem continental for irregular ou se encontrar em um ângulo em relação ao arco de ilhas, o tempo de colisão arco-continente pode variar ao longo da direção do orógeno. Uma vez começada a colisão, a região antearco e a cunha acrescionária são soerguidas e deformadas por falhas de empurrão levando fatias de *flysch* e crosta oceânica para cima da placa continental. Se as duas placas continuarem a convergir, uma nova trincheira pode se desenvolver no lado oceânico (ou retroarco) do arco de ilhas.

A região do arco Timor-Banda fornece um exemplo de uma colisão arco-continente em seus estágios iniciais de desenvolvimento. Antes dos 3 Ma, a litosfera oceânica da Placa Indo-Australiana subductou para norte sob a placa da Eurásia na Fossa de Java (Fig. 10.28a). Esta subducção criou o arco vulcânico Banda e a zona de Benioff com mergulho norte, que se estende a profundidades de pelo menos 700 km. Entre 3 e 2 Ma, a subducção trouxe a litosfera continental australiana até o contato com o antearco Banda, parte do qual foi empurrado para o sul para cima da margem continental australiana em colisão, estando atualmente bem exposta no Timor (Harris et al., 2000; Hall, 2002). O talude continental australiano em mergulho obstruiu a zona de subducção e criou uma faixa dobrada e de empurrão (Fig. 10.28b) que tem deformado tanto as sequências antearco quanto a sequência de cobertura não subductada estruturalmente inferior da margem continental da Austrália. As sequências australianas incluem rochas sedimentares pré-rifte do Jurássico Superior ao Permiano de um bacia cratônica do Gondwana e depósitos de margem continental pós-rifte mais jovens do Jurássico superior ao Plioceno que se acumularam em talude e plataformas continentais rifteados (Audley-Charles, 2004). Dentro do arco vulcânico adjacente ao norte de Timor, o vulcanismo parou nas ilhas de Alor, Wetar e Romang. A oeste da zona de colisão tectônica, ainda está ocorrendo vulcanismo nas ilhas de Flores, Sumbawa e Lombok, a norte da bacia antearco triangular Savu-Wetar (Fig. 10.28a).

No leste da Indonésia, a leste da zona de colisão Austrália-Timor, os padrões de sismicidade fornecem evidências da antiga subducção da litosfera oceânica india-

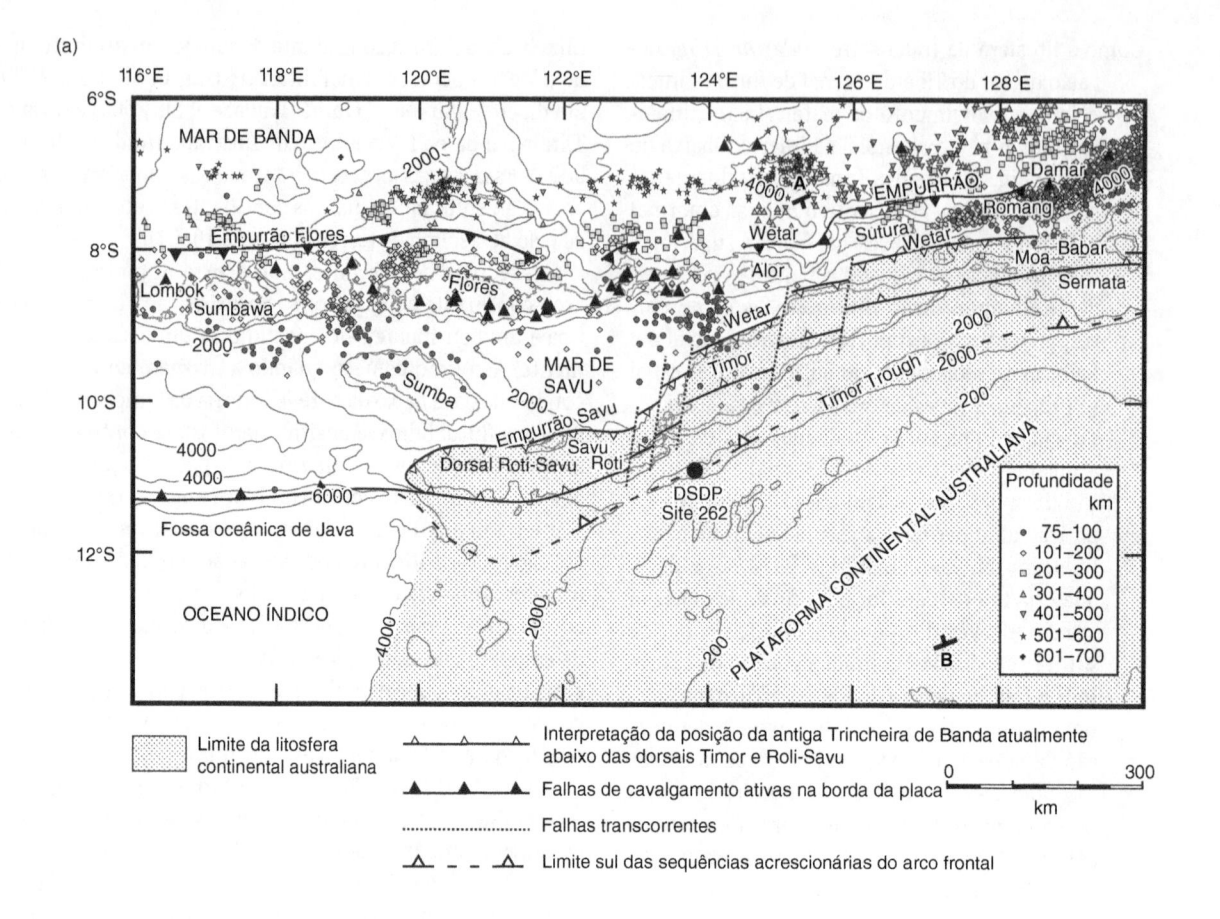

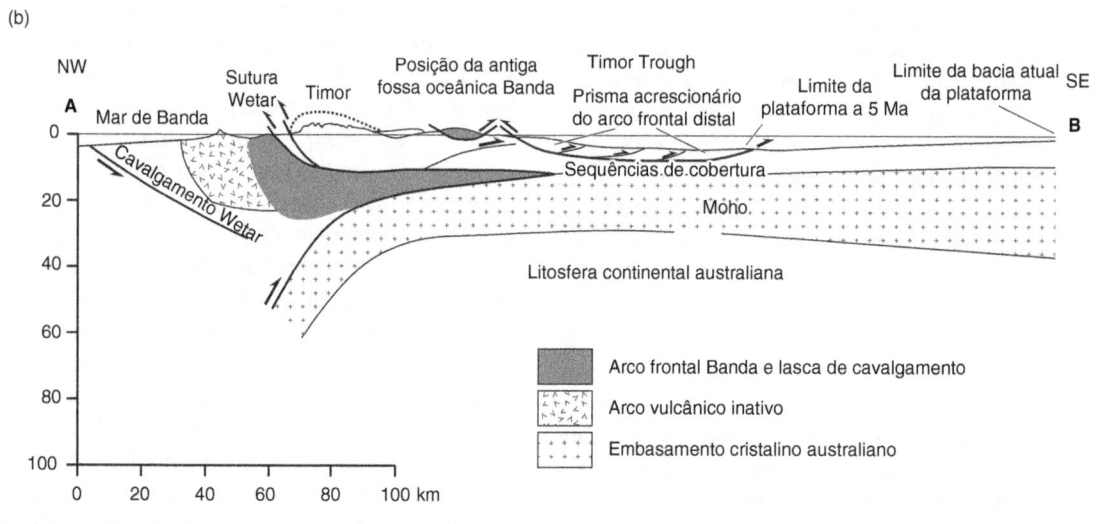

Figura 10.28 (a) Mapa tectônico e (b) secção transversal linterpretativa da zona de colisão arco-Austrália Banda (imagens fornecidas por M. Audley-Charles e R. Hall e adaptadas de Audley-Charles, 2004, com permissão da Elsevier). Triângulos são vulcões ativos. Hipocentros para eventos abaixo de 75 km de profundidade mostram a fatia da litosfera australiana mergulhando para norte e são baseados no conjunto de dados de Engdahl et al. (1998). Secção geológica incorpora dados de Hughes et al. (1996), Richardson & Blundell (1996), Harris et al. (2000), Hall & Wilson (2000) e Hall (2002). Borda da plataforma continental australiana é marcada através de contorno de 200 m. Padrão pontilhado em (a) ilustra que a litosfera continental australiana subjaz as ilhas de Savu, Roti, Timor, Moa, Sermata e Babar. Borda da plataforma em 5 Ma é estimada a partir de furo 262 do Deep Sea Drilling Program (círculo preto).

na abaixo do Mar de Banda (Milsom, 2001). A Fig. 10.28a mostra a posição inferida da antiga trincheira Banda, que representa a continuação leste da trincheira Java antes de ter sido obliterada por sua colisão com a litosfera continental australiana. A distribuição de hipocentros de terremoto sob o Estreito de Wetar e arco Banda marca a localização da litosfera continental descendente a profundidades superiores a 300 km (Engdahl et al., 1998). Registros de terremoto sugerem que as placas superior e inferior da zona de subducção na região de Timor estão agora bloqueadas (McCaffrey, 1996; Kreemer et al., 2000). A norte do arco Banda, Silver et al. (1983) descobriram duas falhas de empurrões de sentido norte (empurrões Wetar e Flores) que parecem representar os precursores de uma nova zona de subducção que está se formando em resposta à colisão (Fig. 10.28a,b).

Um exemplo de uma colisão arco-continente oblíqua ocorre em Taiwan e nas suas regiões *offshore*. Esta faixa é especialmente interessante devido a uma convergência oblíqua entre o arco Luzon e a margem continental da Eurásia, resultando em um progressivo rejuvenecimento da zona de colisão do norte para o sul (Fig. 10.29). Esta geometria tem permitido que pesquisadores usem variações espaciais nos padrões de deformação, soerguimento e sedimentação para reunir a evolução progressiva de uma colisão oblíqua. C.-Y. Huang et al. (2000, 2006) utilizaram esta abordagem para propor quatro estágios de colisão arco-continente, começando com subducção intraoceânica e evoluindo por estágios iniciais e avançados antes do colapso do arco e do antearco e subsidência.

A sul de Taiwan, perto da latitude 21°N (Fig. 10.29), a subducção da litosfera oceânica do sul do Mar da China sob a placa do Mar das Filipinas resultou em vulcanismo e formou um prisma acrescionário e uma bacia antearco (Figs. 10.29, 10.30a). O talude Hengchun/Kaoping e Luzon a norte representam esses dois elementos tectônicos, respectivamente. Mais ao norte, perto da latitude 22°N, a Fossa Luzon ao norte se afina às custas de um prisma acrescionário em expansão (Fig. 10.29). Nesta última região, a colisão arco-continente começou há cerca de 5 Ma e resultou na formação de uma sutura entre o arco e o prisma. A sutura registra tanto movimento convergente como direcional sinistral (Malavieille et al., 2002) e separa duas zonas de vergência estrutural contrastante. A leste, sequências antearco foram empurradas para o leste em direção ao arco, formando a Dorsal Huatung (Fig. 10.29). A oeste, material antearco no talude continental da Ásia e na bacia do Mar do Sul da China é levado para oeste dentro de um prisma acrescionário em crescimento. Na península de Hengchun, ardósias miocênicas e turbiditos do prisma foram soerguidos e expostos. Essas e outras observações sugerem que a fase inicial de colisão oblíqua arco-continente envolve os seguintes processos (Fig. 10.30b):

1 soerguimento e erosão do prisma acrescionário e contínua deposição de sequências de bacia antearco;
2 redução do vulcanismo de arco e formação de recifes em arcos de ilhas inativas;
3 subsidência de arco, falha direcional, e desenvolvimento de bacias *pull-apart* intra-arco;
4 sutura, rotação no sentido horário e encurtamento das sequências antearco para formar uma faixa de dobra e empurrão sin-colisional.

A norte da Dorsal Huatung, perto da latitude 23°N, a colisão arco-continente atingiu um estágio avançado (Huang et al., 2006). Aqui, a colisão desde o Pliopleistoceno resultou em empurrão em sentido oeste e em acreção do arco de Luzon e de sequências antearco para a cunha de acreção e para o continente asiático (Fig. 10.30c). Estes acontecimentos levaram ao soerguimento e à exumação da crosta continental (*underthrust*) eurasiana na Cordilheira Costeira do leste de Taiwan. A última etapa no processo de colisão/acreção é registrada ao norte da latitude 24°N, onde o colapso e a subsidência do arco e antearco acrescionários ocorreram nos últimos um a dois milhões de anos (Fig. 10.30d), possivelmente como resultado da subducção para o norte da Cordilheira Costeira na Fossa Ryukyu (Fig. 10.29). C.-Y. Huang et al. (2000) postularam que as falhas longitudinais Vale-Chingshui marcam o traço do colapso do arco onde ele se aproxima da zona de subducção. Essa sequência de eventos sugere que orógenos formados por colisão arco-continente podem progredir rapidamente durante o estágio inicial de colisão para um estágio avançado e até mesmo colapso do arco e antearco em apenas alguns milhões de anos.

10.6 ACREÇÃO DE TERRENOS E CRESCIMENTO CONTINENTAL

10.6.1 Análise de terrenos

Muitos orógenos são compostos por uma colagem de blocos, limitados por falhas, que preservam uma história geológica não relacionada à dos blocos adjacentes. Essas unidades são conhecidas como *terrenos* e podem variar em tamanho de algumas centenas a milhares de quilômetros quadrados. Terrenos geralmente são classificados em grupos considerando se são nativos ou exóticos aos seus crátons continentais adjacentes (por exemplo, Seção 11.5.5). Terrenos exóticos (ou alóctones) são aqueles que mudaram em relação aos corpos adjacentes e, em alguns casos, viajaram distâncias muito grandes. Por exemplo, as investigações paleomagnéticas têm demonstrado que alguns terrenos têm um componente norte-sul de movimento de vários milhares de quilômetros (Beck, 1980; Ward et al., 1997) e foram submetidos a rotações de até 60° (Cox, 1980; Butler et al., 1989). O limite dos terrenos pode ser por falha normal, reversa ou direcional; ocasionalmente podem

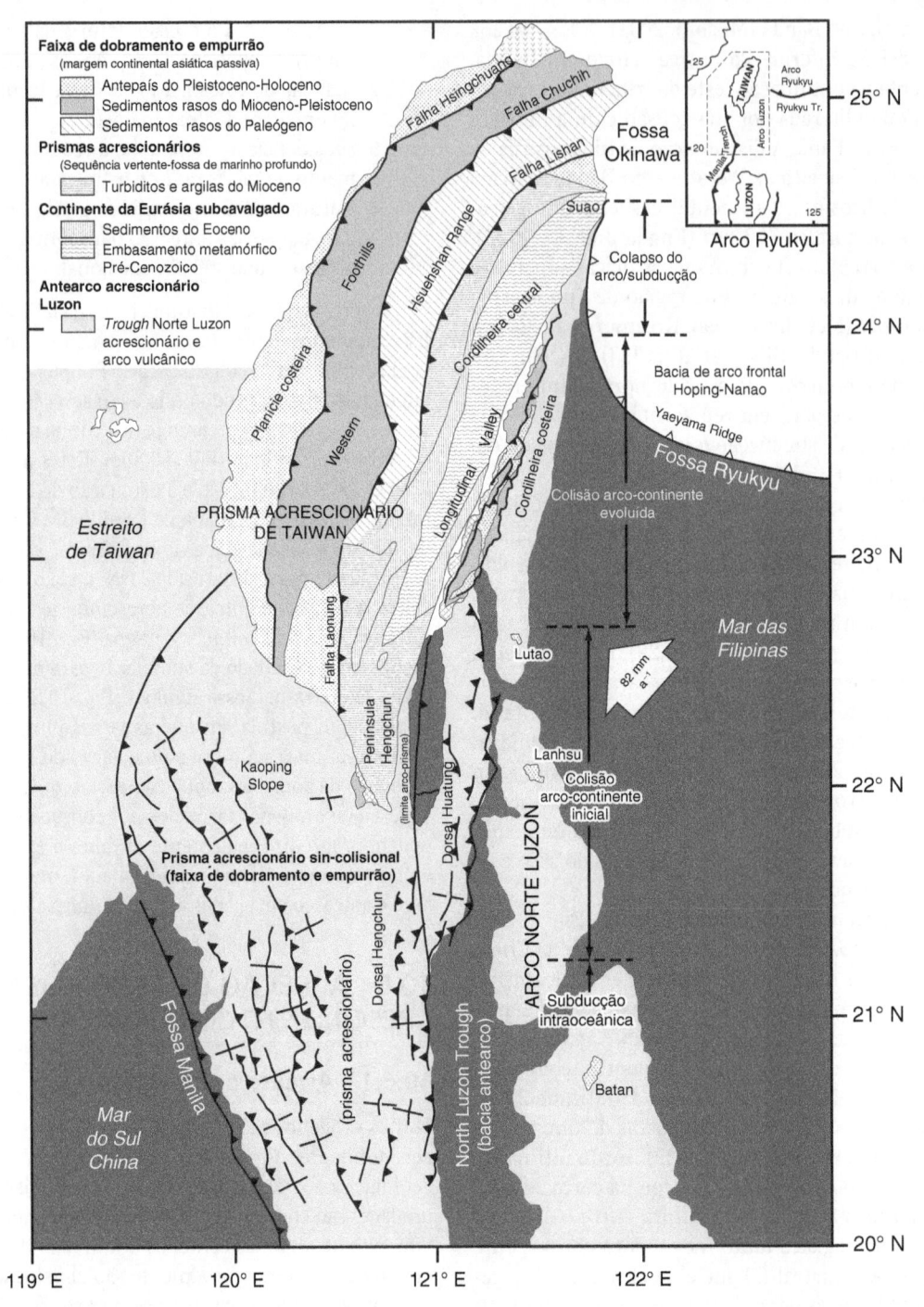

Figura 10.29 Mapa tectônico da colisão arco-continente de Taiwan (imagens fornecidas por C.-Y. Huang e adaptadas de Huang C.-Y. et al., 2000, com permissão da Elsevier).

Capítulo 10 Cinturões orogênicos 295

(a) **Subducção intraoceânica** (15–11 Ma ao presente)

(b) **Colisão arco-continente inicial** (5 Ma ao presente)

(c) **Colisão arco-continente avançada** (2 Ma ao presente)

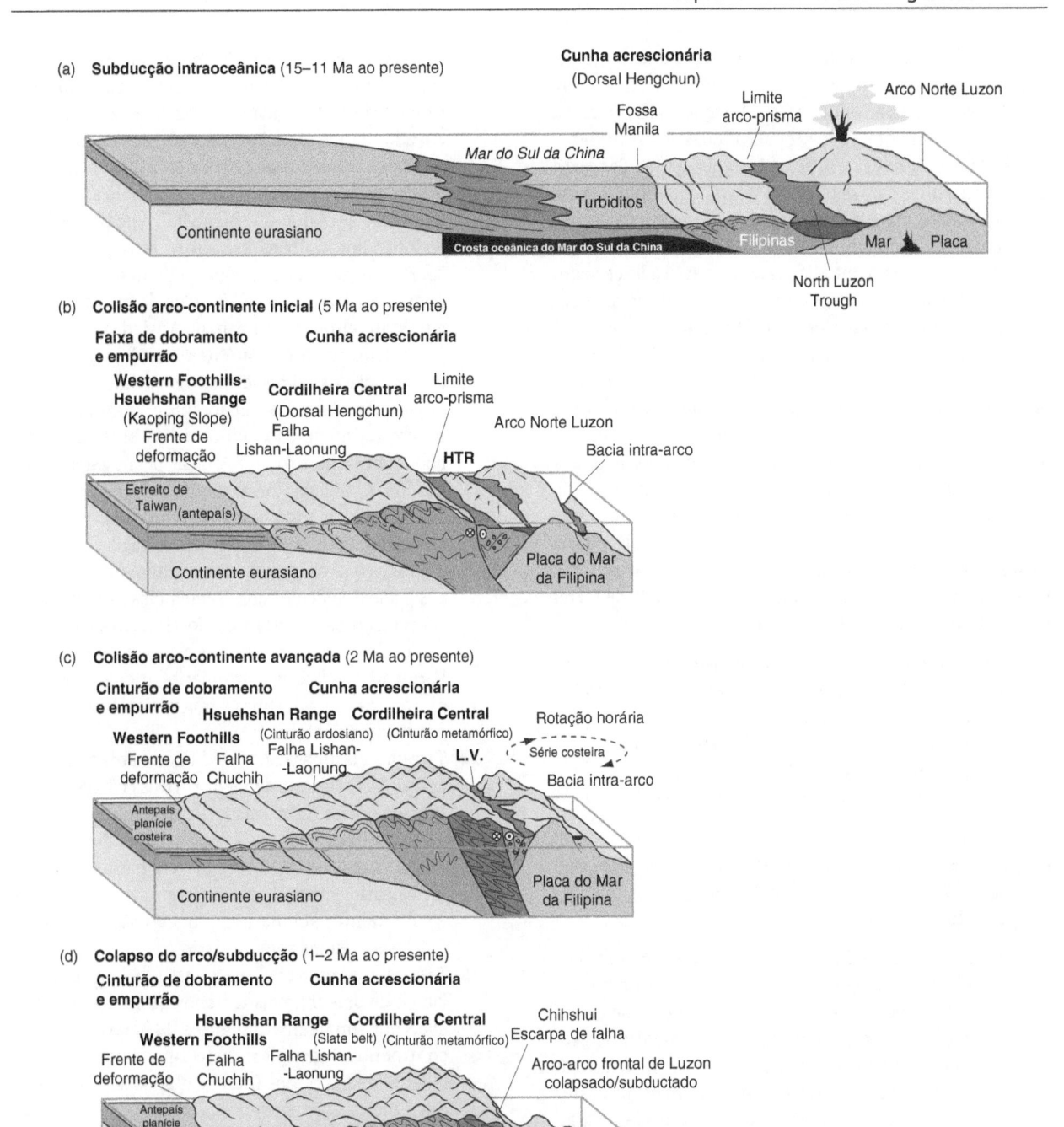

(d) **Colapso do arco/subducção** (1–2 Ma ao presente)

Figura 10.30 Evolução tectônica da colisão arco-continente Taiwan (imagens fornecidas por C.-Y. adaptadas de Huang C.-Y. et al., 2000, com permissão da Elsevier). (a) Subducção intraoceânica. (b) Colisão arco-continente inicial. (c) Colisão arco-continente avançada. (d) Colapso do arco, subsidência e subducção. LV, Vale Longitudinal; HTR, Dorsal Huatung.

preservar ofiólitos finos, xisto azul ou *flysch* altamente deformado. Terrenos são "suspeitos" se houver dúvida sobre a sua paleogeografia com relação a terrenos adjacentes ou à margem continental (Coney et al., 1980; Howell, 1989).

A identificação e a análise de terrenos é uma das abordagens mais úteis para determinar a evolução a longo prazo de orógenos, os mecanismos de crescimento continental e a origem dos componentes constituintes da litosfera continental. O reconhecimento de terrenos é baseado em contrastes de histórias estratigráficas e estruturais detalhadas, embora, em muitos casos, estas tenham sido destruídas ou modificadas por eventos mais novos. De forma semelhante, a natureza original das falhas delimitadoras de muitos terrenos podem ser obscurecida por metamorfismo, atividade ígnea ou deformação. Consequentemente, a fim de determinar se as histórias geológicas de terrenos adjacentes são compatíveis com suas atuais relações espaciais, são necessárias muitas investigações estruturais, geoquímicas e isotópicas detalhadas e completas (por exemplo, Keppie & Dostal, 2001; Vaughan et al., 2005). Na prática, vários critérios são utilizados para reconhecer a identidade de terrenos, incluindo contrastes conforme:

1. a proveniência, estratigrafia e história sedimentar;
2. a afinidade petrogenética e a história do magmatismo e do metamorfismo;
3. a natureza, história e estilo de deformação;
4. a paleontologia e os paleoambientes;
5. as posições de paleopolo e paleodeclinação.

As associações de rochas que compõem terrenos tendem a ser semelhantes entre orógenos. Consequentemente, os pesquisadores os agruparam em vários tipos gerais (Jones et al., 1983; Vaughan et al., 2005):

1. Terrenos turbidíticos caracterizados por espessas pilhas de sedimentos derivados do continente que são transportados *offshore* por correntes de densidade e depositados em um ambiente marinho profundo. As sequências são comumente siliciclásticas e também podem ser calcárias. A maioria desses terrenos foi metamorfoseada e imbricada pela falha de empurrão durante ou após a acreção; alguns podem preservar um embasamento cristalino. Três variedades principais ocorrem:
   (a) turbiditos que fazem parte de um prisma acrecionário em um cenário antearco (Seção 9.7) com uma grande proporção de rocha basáltica;
   (b) turbiditos formando parte de um prisma acrecionário em um ambiente antearco com uma proporção menor de rocha basáltica;
   (c) turbiditos que escaparam de serem incorporadas a um prisma acrecionário.
2. Terrenos *mélange* tectônicos e sedimentares que consistem em um conjunto heterogêneo de basalto alterado e serpentinito, *chert*, calcário, grauvaca, folhelho e fragmentos de rochas metamórficas (incluindo xisto azul) em uma matriz de argilito clivado, de granulação fina e altamente deformado. Esses terrenos são comumente associados com *flysch*, terrenos turbidíticos e assembleias de zona de colisão e subducção (Seção 9.7) e podem ocorrer ao longo dos limites entre outros terrenos.
3. Terrenos magmáticos, que podem ser predominantemente máficos ou félsicos de acordo com o ambiente em que se formam. Variedades máficas geralmente incluem ofiólitos, basaltos almofadados associados com sedimentos pelágicos e vulcanogênicos, derrame subaéreo de basalto, diques *sheeted* e complexos plutônicos. Esta categoria pode representar rochas geradas pela expansão dos fundos oceânicos, formação de LIP (Seção 7.4.1), vulcanismo de arco, ilhas oceânicas e fragmentos do embasamento provenientes de bacias retroarco e antearco. Em alguns casos, fragmentos oceânicos estão associados com sequências sedimentares sobrejacentes resultantes do transporte do mar profundo para ambientes de margem continental. Variedades félsicas comumente incluem rochas plutônicas calcoalcalinas e fragmentos dispersos de crosta continental antiga.
4. Terrenos clásticos não turbidíticos, carbonáticos ou evaporíticos, que se dividem em duas categorias:
   (a) sequências terrestres ou fluviais marinhas rasas e bem acamadadas, como aquelas depositadas nas margens continentais e em bacias rasas;
   (b) calcários maciços, como os removidos de cumes de montes submarinos quando são incorporados a prismas acrecionários.
5. Terrenos compostos, que consistem em uma colagem de dois ou mais terrenos de qualquer variedade que amalgamaram antes da acreção em um continente. Exemplos deste tipo de terreno incluem Superterrenos Intermontanos e Insulares da Cordilheira Canadense (Fig. 10.33a) e de Avalonia (Figs. 10.34; 11.24b).

A sequência cronológica da acreção do terreno ao continente pode ser determinada a partir de eventos geológicos que são posteriores à acreção e ligam terrenos adjacentes (Fig. 10.31). Estes incluem a deposição de sedimentos através dos limites dos terrenos (Fig. 10.31a), o aparecimento de sedimentos provenientes de um terreno adjacente (Fig. 10.31b) e a "costura" juntando terrenos através de atividade plutônica (Fig. 10.31c).

Após a identificação dos terrenos que compõem um orógeno, uma variedade de ferramentas analíticas pode ser aplicada para determinar se são exóticos ou nativos aos crátons adjacentes. Além dos estudos paleomagnéticos, es-

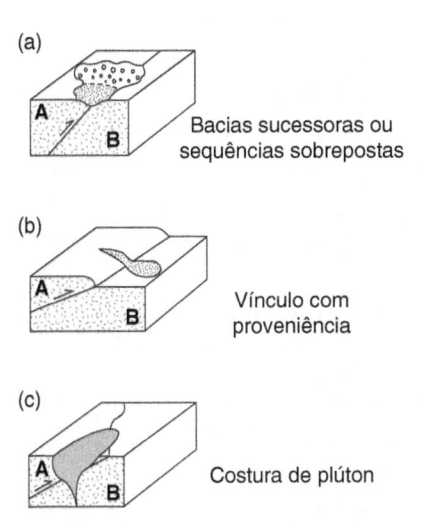

Figura 10.31 Relações geológicas que ajudam a estabelecer o momento da fusão do terreno e da acreção (adaptado de Jones et al., 1983).

(a) Bacias sucessoras ou sequências sobrepostas
(b) Vínculo com proveniência
(c) Costura de plúton

truturais e paleontológicos, há a aplicação de geoquímica isotópica e geocronologia para determinar a evolução térmica, a história da proveniência e as fontes crustais dos terrenos. As técnicas de proveniência mais comumente utilizadas incluem datação e caracterização geoquímica de zircão, utilizando composições isotópicas do U, Pb e Hf (por exemplo, Gehrels, 2002; Hervé et al., 2003; Griffin et al., 2004). O zircão é um mineral altamente refratário que muitas vezes ocorre em granitoides e em rochas sedimentares e pode preservar as evidências isotópicas de múltiplas fases de crescimento ígneo e metamórfico. Comparações dos espectros de idade a partir de populações de zircões detríticos coletadas de rochas sedimentares e metassedimentares são especialmente úteis para determinar a história da proveniência (por exemplo, seções 3.3, 11.1). Análises da composição e da evolução petrológica de xenólitos transportados para a superfície a partir de grandes profundidades fornecem outro meio importante para analisar as raízes profundas de terrenos para determinar sua idade, fontes e evolução tectônica (por exemplo, Seção 11.3.3).

10.6.2 Estrutura de orógenos acrescionários

Uma das faixas de terrenos acrescionários mais bem estudadas é a Cordilheira do oeste da América do Norte (Fig. 10.32). A distribuição dos terrenos nesta região forma uma zona de cerca de 500 km de largura que representa cerca de 30% do continente (Coney et al., 1980). A maioria dos terrenos na Cordilheira foi acrescionada à margem ancestral da América do Norte durante o Mesozoico (Coney, 1989). Alguns também experimentaram translações laterais ao longo de falhas direcionais. Este último processo de *dispersão*, em que terrenos acrescionados foram separados e redistribuídos ao longo da margem, continua ocorrendo hoje como falhas transcorrentes ativas desmembrando e transportando terrenos dentro do Canadá, Estados Unidos e México.

Duas secções transversais compostas através de toda a Cordilheira Canadense (Fig. 10.33a) ilustram a estrutura tectônica em escala regional de um orógeno acrescionário principal. As secções foram construídas através da combinação de sísmica de reflexão profunda e dados de refração do Lithoprobe Slave-Northern Cordillera Lithospheric Evolution (SNORCLE) e de transectas no sul da Cordilheira, com informações geológicas e resultados de outros levantamentos geofísicos (Clowes et al., 1995, 2005; Hammer & Clowes, 2007). A Fig. 10.33b mostra uma parte da Cordilheira do Norte, onde a subducção cessou e o lado ocidental do orógeno é marcado por uma zona de falha transcorrente ativa. A Fig. 10.33c mostra uma parte da Cordilheira do Sul, onde a subducção ainda está ocorrendo. Estes transectos elucidam a parte mais jovem de uma história de quatro bilhões de anos de subducção, colisão arco-continente e acreção de terrenos ao longo da margem ocidental da América do Norte (Clowes et al., 2005) (ver também Seção 11.4.3).

Após a amalgamação do Escudo Canadense durante o Proterozoico (Seção 11.4.3), uma série de eventos de rifteamento entre 1,74 Ga e o Devoniano Médio criou sequências de margens passivas espessas que foram depositadas em cima da crosta do cráton Proterozoico norte-americano (Thorkelson et al., 2001). Essas sequências ocupam a parte central da Linha 2B/21 do SNORCLE (Fig. 10.33a,b). Durante o Jurássico Médio, um terreno composto, chamado de Superterreno Intermontano, começou a acrescionar sobre a margem continental. A colisão encurtou as sequências de margem passiva, translacionando-a para o leste e resultando em um cinturão de dobramento e empurrão principal que agora forma a maior parte da Cordilheira oriental. A oeste do antepaís, a faixa Omineca consiste em rochas altamente deformadas e metamorfoseadas Jurássico Médio no que representam a zona de sutura criada pela colisão Intermontano-América do Norte. Um resultado fundamental da transecta da Cordilheira Norte (Fig. 10.33b) é que a maioria dos terrenos acrescionados são lascas relativamente finas da crosta com uma extensão vertical de menos de 10 km. A espessura da crosta é anormalmente baixa e quase uniforme em toda a Cordilheira, variando entre 33 e 36 km (Clowes et al., 2005). A espessura da litosfera também é excepcionalmente fina, espessando gradualmente para leste abaixo do escudo pré-cambriano. Essas observações demonstram que muitos terrenos acrescionados não possuem as raízes espessas do manto, o que caracteriza a maioria dos crátons continentais (Seção 11.3.1) (Figura 11.1 do encarte colorido).

Durante o Cretáceo Superior, a Cordilheira Norte-Americana voltou a crescer para o oeste como outro terreno composto, chamado de Superterreno Insular, acrescionado à margem. Este conjunto composto era exótico à América do Norte e consistiu basicamente em dois terrenos de arco

Terrenos principais

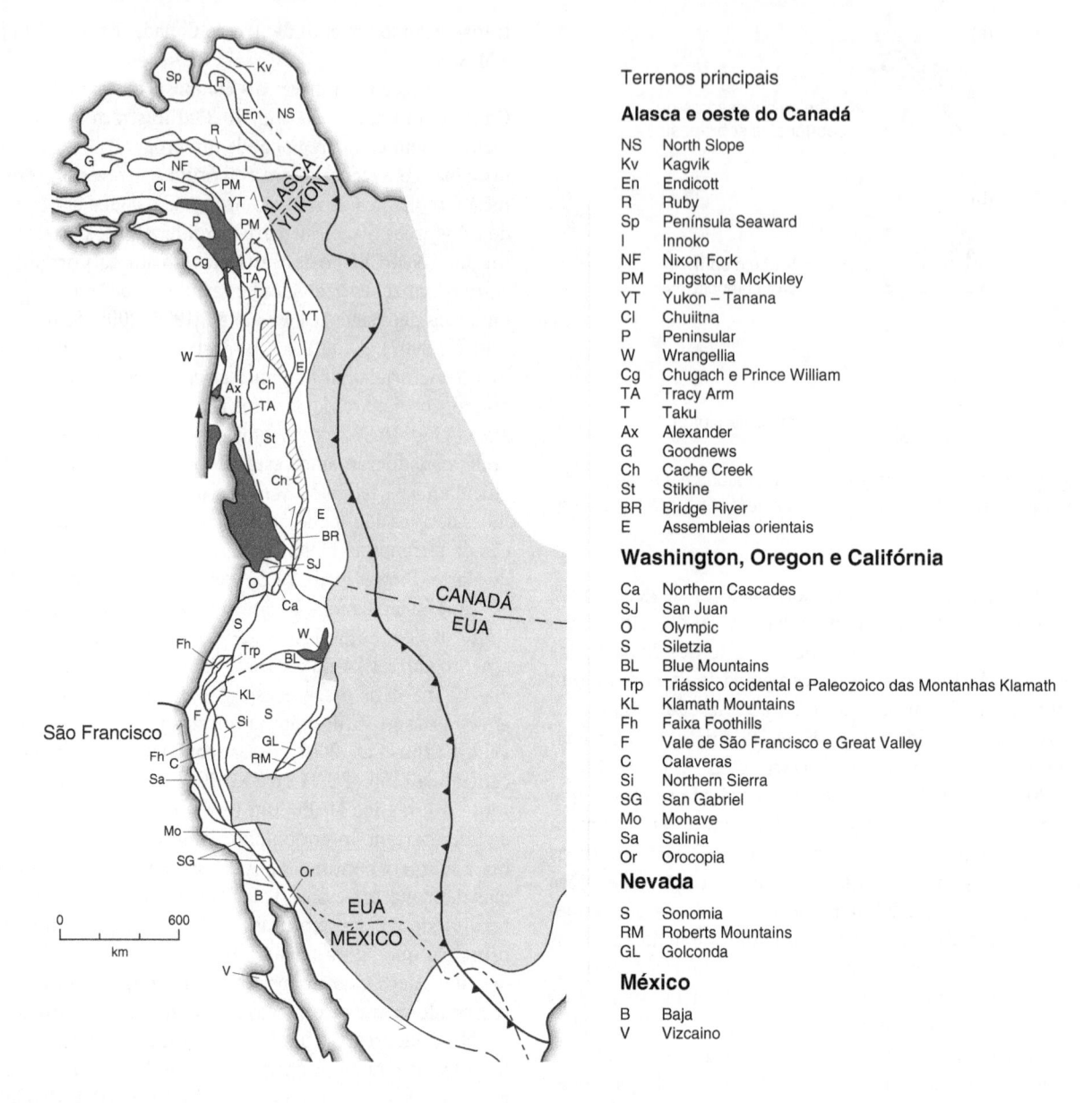

Alasca e oeste do Canadá

NS	North Slope
Kv	Kagvik
En	Endicott
R	Ruby
Sp	Península Seaward
I	Innoko
NF	Nixon Fork
PM	Pingston e McKinley
YT	Yukon – Tanana
Cl	Chuitna
P	Peninsular
W	Wrangellia
Cg	Chugach e Prince William
TA	Tracy Arm
T	Taku
Ax	Alexander
G	Goodnews
Ch	Cache Creek
St	Stikine
BR	Bridge River
E	Assembleias orientais

Washington, Oregon e Califórnia

Ca	Northern Cascades
SJ	San Juan
O	Olympic
S	Siletzia
BL	Blue Mountains
Trp	Triássico ocidental e Paleozoico das Montanhas Klamath
KL	Klamath Mountains
Fh	Faixa Foothills
F	Vale de São Francisco e Great Valley
C	Calaveras
Si	Northern Sierra
SG	San Gabriel
Mo	Mohave
Sa	Salinia
Or	Orocopia

Nevada

S	Sonomia
RM	Roberts Mountains
GL	Golconda

México

B	Baja
V	Vizcaino

Figura 10.32 Mapa geral de terrenos suspeitos no oeste da América do Norte. Ornamento pontilhado, embasamento cratônico norte-americano; linha farpada, limite oriental da deformação da Cordilheira Mesozoica-Cenozoica; ornamento sólido, Wrangellia; ornamento diagonal, Terreno Cache Creek (adaptado de Coney et al., 1980, com permissão da *Nature*. **288**, 329-33. Copyright © 1980 Macmillan Publishers Ltd).

de ilha: Alexander e Wrangellia. O último terreno, em homenagem às Montanhas Wrangell no Alasca (Jones et al., 1977), é particularmente bem estudado e compreende rochas de arco de ilha do Paleozoico Superior recobertas por espessos fluxos de lava subaérea capeadas por uma sequência de carbonato triássico. Esta geologia particular permitiu que pesquisadores identificassem vários fragmentos do terreno que estão agora espalhados ao longo de aproximadamente 2.500 km da Cordilheira, ocupando uma extensão latitudinal de quase 24° (Fig. 10.32). No entanto, alguns dados paleomagnéticos indicam que o espalhamento original foi de 4°, implicando na ocorrência de uma grande quantidade de fragmentação e dispersão pós-acreção. A paleolatitude dos fragmentos é centrada na latitude 10° N ou S (o hemisfério é desconhecido devido a incertezas na polaridade do campo magnético da Terra durante o Triássico) e está de acordo com um ambiente tropical sugerido por sua geologia. Assim, parece que Wrangellia pode ter se originado no oeste do Pacífico em tempos triássicos, perto da posição atual da Nova Guiné. Seguindo sua origem, parece ter atravessado o Pacífico como uma entidade completa e acrescionada à América do Norte, onde foi posteriormente fragmentada e

Capítulo 10 Cinturões orogênicos 299

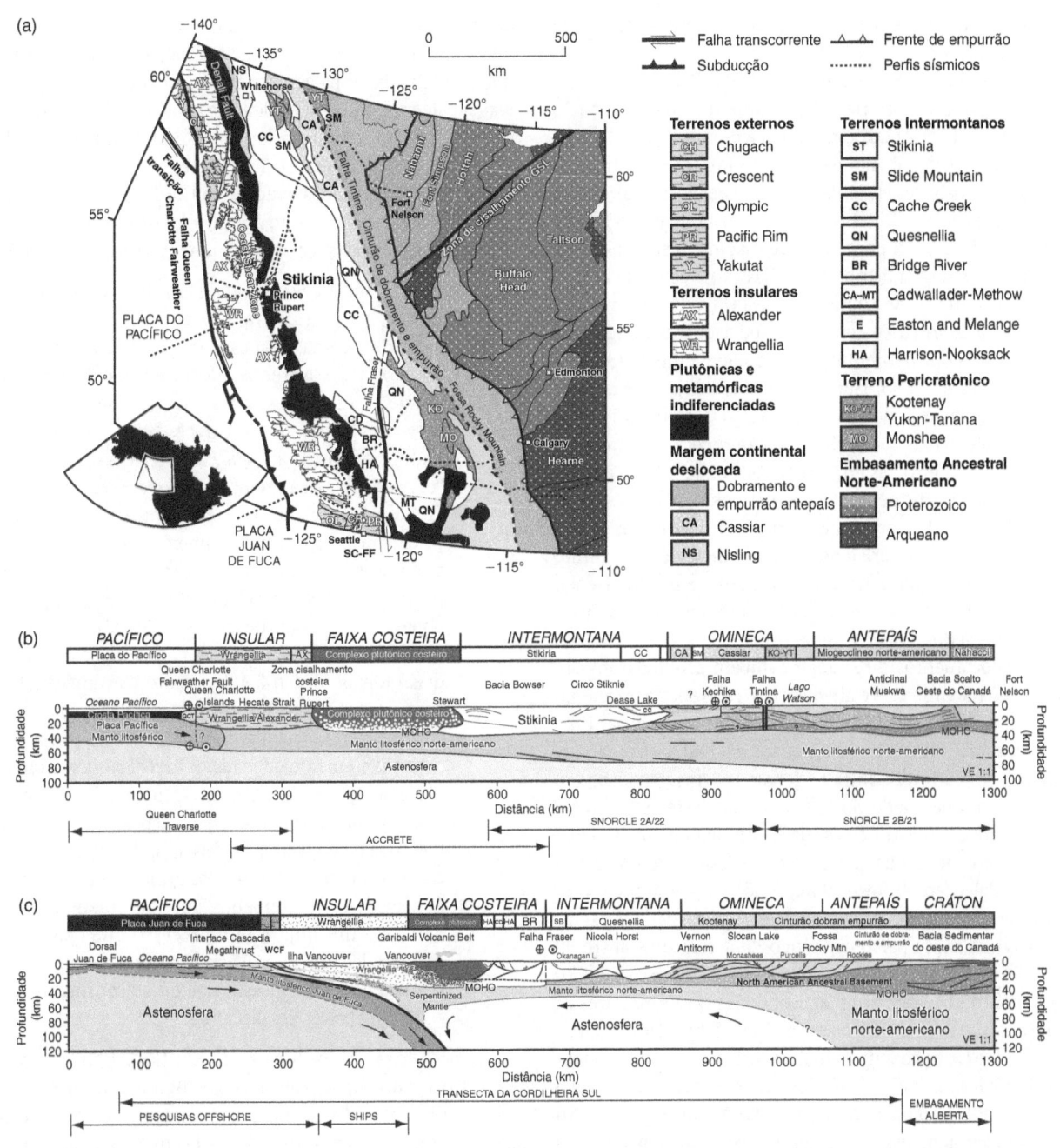

Figura 10.33 (a) Mapa tectônico do terreno e secções transversais interpretadas do (b) norte e (c) sul da Cordilheira do Canadá com base na velocidade da litosfera, dados de reflexão sísmica (linhas contínuas em preto) e informações geológicas (imagens fornecidas por R. Clowes e P. Hammer e adaptadas de Hammer e Clowes, 2007, com permissão da Geological Society of America). Fontes de dados: Traversa Queen Charlotte – Spence & Asudeh (1993), Dehler & Clowes (1988); Acreção – Morozov et al. (1998, 2001), Hammer et al. (2000); SNORCLE – Hammer & Clowes (2004), Cook et al. (2004), Welford et al. (2001); Pesquisas *offshore* – Rohr et al. (1988), Hasselgren & Clowes (1995), Drew & Clowes (1990); NAVIOS – Ramachandran et al. (2006); Transecta da Cordilheira Sul – Clowes et al. (1987), Hyndman et al. (1990), Clowes et al. (1995), Varsek et al. (1993), Cook et al. (1992); Embasamento Alberta – Chandra & Cumming (1972), Lemieux et al. (2000). QCT, Transformante Queen Charlotte; WCF, Falha West Coast.

translacionada para suas localizações presentes através de falhamentos direcionais.

A chegada do Superterreno Insular deformou o interior do continente norte-americano e formou uma parte importante da faixa costeira. Antes e durante a amalgamação, a subducção abaixo da margem formou o Complexo Plutônico Costeiro (Hutchison, 1982; Crawford et al., 1999; Andronicos et al., 2003) durante o principal período de crescimento crustal por adição de magma. A secção transversal de sísmica marinha ACCRETE através da faixa costeira (Hollister & Andronicos, 1997) (Fig. 10.33b) mostra a presença de intrusões em alta velocidade e acamadadas e uma crosta continental mais fina do que a média (32 km) (Morozov et al, 1998; Hammer et al., 2000). Na sua margem ocidental, a Zona de Cisalhamento Costeira em escala litosférica (Klepeis et al., 1998) separa rochas do Complexo Plutônico Costeiro das do terreno Alexander, que se encontra em crosta continental de apenas 25 km de espessura. A Falha Rainha Charlotte, que forma o limite entre as placas do Pacífico e da América do Norte, coincide com o limite ocidental do orógeno. Esta transformante e a Falha Denali a oeste de Yukon e sudeste do Alasca representam a única grande falha direcional ativa na transecta.

Deslocamentos direcionais também acomodaram um pouco de movimento relativo entre os terrenos acrescionados e a América do Norte na Cordilheira Canadense. Uma das mais proeminentes destas zonas é a Falha Tintina, que agora forma o limite entre os terrenos acrescionados para o oeste e a América do Norte ancestral, a leste. Esta falha é uma estrutura mestra de escala litosférica que pode registrar várias centenas de quilômetros de deslocamento dextral desde o Paleoceno (Clowes et al., 2005). Outros grandes deslocamentos direcionais são mais especulativos. Por exemplo, alguns dados paleomagnéticos sugerem que, entre 90 Ma e 50 Ma, muitos dos terrenos a sudeste do Alasca e da Colúmbia Britânica tenham sido deslocados vários milhares de quilômetros em sentido norte, paralelo à margem, a partir de uma latitude próxima à atual Baja, na Califórnia (Umhoefer, 1987; Irving et al., 1996). Esta interpretação é conhecida como *hipótese Baja-Colúmbia Britânica* ou *Baja-BC*. No entanto, a grande magnitude dos deslocamentos postulados foi contestada, principalmente porque as falhas ao longo das quais os terrenos podem ter se movido a grandes distâncias não foram encontradas (por exemplo, Cowan et al., 1997). Muitas correlações da estratigrafia e das estruturas através das falhas sugerem que os deslocamentos são muito inferiores aos indicados por alguns dados paleomagnéticos. Numerosas tentativas de resolver essas observações conflitantes têm sido propostas, incluindo: (i) testes dos dados paleomagnéticos usando outros tipos de dados (Housen & Beck, 1999; Keppie & Dostal, 2001); (ii) determinação das razões pelas quais as falhas transcorrentes que registram grandes translações não são suscetíveis de preservação (Umhoefer, 2000); e (iii) avaliação de correlações alternativas de unidades através de terrenos (Johnston, 2001). Parece provável que somente por meio de uma abordagem interdisciplinar que combina dados paleomagnéticos, movimentos de placa, dados paleontológicos e evidências geológicas será possível resolver a história de translações de grande magnitude de terrenos no oeste da América do Norte.

Em geral, essas observações da Cordilheira Canadense e de outros lugares sugerem que antigos orógenos acrescionários são caracterizados pelo seguinte (Clowes et al., 2005):

1 Uma estrutura de velocidade sísmica extremamente heterogênea na crosta, produzida por deformação epidérmica fina e espessa (Seção 10.3.4), em que a maioria dos terrenos é formada por finas (< 10 km de espessura) escamas crustais e sem as espessas raízes do manto que caracterizam a maioria dos crátons continentais. Há exceções a esse padrão de "escamas finas", a exemplo do terreno Stikinia (Fig. 10.33b), que exibe uma extensão crustal. Faixas epidérmicas espessas comumente mostram cunhas tectônicas em escala crustal caracterizadas por um padrão complexo de indentações e interdigitação.
2 Espessuras crustais observadas são extraordinariamente baixas (33-36 km) em comparação com médias globais (Seção 2.4.3), exceto para médias em zonas de extensão continental.
3 A Moho permanece predominantemente plana, independentemente da idade de acreção crustal ou da idade em que a última grande deformação tectônica ocorreu. Mudanças laterais na espessura da crosta terrestre tendem a ser graduais, com variações bruscas ocorrendo nos limites dos principais terrenos.
4 A dispersão dos terrenos por falhamentos direcionais é um importante processo que ocorre na maioria dos orógenos. Variações sutis na velocidade sísmica e/ou na espessura da crosta normalmente ocorrem através dessas falhas.

A estrutura da Cordilheira do Sul (Fig. 10.33c), onde está ocorrendo subducção, fornece algumas informações adicionais sobre os mecanismos que resultam em muitas das características da transcecta norte em escala litosférica. A parte sul da margem mostra encurtamento e espessamento crustal na região antearco e um arco vulcânico ativo na faixa costeira. A litosfera mantélica mostra evidências de alteração hidrotermal (serpentinização) na cunha do manto superior sob o arco e substancial afinamento de várias centenas de quilômetros em direção ao interior do continente. Este adelgaçamento da litosfera na região retroarco é similar ao observado em outras margens convergentes oceano-continente (por exemplo, Fig. 10.8) e parece refletir processos intimamente associados com subducção. Esses processos poderiam incluir afinamento por delaminação ou erosão tectônica impulsionada pelo fluxo de convecção no manto (Seção 10.2.5).

Em escalas menores do que a da transecta mostrada na Fig. 10.33b e c, a estrutura do antigo orógeno acrescionário fornece um registro de processos envolvidos na acreção do terreno, incluindo subducção e formação de cunhas em escala crustal. Por exemplo, dados de reflexão sísmica coletados através do orógeno Apalachiano em Newfoundland forneceram uma imagem (Fig. 10.34) de uma zona colisional do Ordoviciano-Devoniano que se formou quando vários terrenos exóticos acrescionaram na margem da Laurentia (Hall et al., 1998; van der Velden et al., 2004). Antes da colisão, espessas sequências de rocha sedimentar foram depositadas em uma margem continental passiva localizada do lado externo do cráton. Essas sequências registram o estiramento, afinamento e eventual ruptura (Seções 7.2, 7.7) da litosfera continental proterozoica enquanto o Oceano Iapetus se abria durante o Proterozoico Superior e o Cambriano Inferior. Este evento de rifteamento foi seguido por uma série de colisões de terrenos e ciclos acrescionários que formaram as orogenias paleozoicas das Montanhas dos Apalaches (Seção 11.5.4). Muitos dos terrenos acrescionados, como Meguma e Avalonia, foram microcontinentes e terrenos compostos rifteados do noroeste do Gondwana durante o Ordoviciano Inferior (Seção 11.5.5, Fig. 11.24a).

Os dados de reflexão sísmica (Fig. 10.34b) mostram refletividade proeminente em níveis profundos da crosta Apalachiana que afina para o oeste e funde com uma Moho bem definida (van der Velden et al., 2004). A forma e o caráter dessas reflexões sugerem que elas marcam o local de uma antiga zona de subducção do Ordoviciano-Devoniano. Uma feição semelhante ocorre sob o Escudo Canadense (Fig. 11.15b), sugerindo que a preservação de antigas calhas de subducção possa ser relativamente comum. Acima e para o leste da zona de paleosubducção, temos uma série de falhas de empurrão e cunhas tectônicas compostas de fatias interacamadadas dos terrenos amalgamados. Algumas reflexões são truncadas por falhas direcionais quase verticais que cortam a crosta inteira.

Essas e outras relações observadas nos Apalaches e no norte da Cordilheira Canadense mostram que antigos orógenos acrescionários tendem a preservar as estruturas tectônicas em larga escala e os contrastes litológicos associados com acreção e dispersão de terrenos. Por outro lado, orógenos ativos como os Andes, o orógeno Himalaiano-Tibetano e o sul da Cordilheira Canadense produzem perfis de reflexão sísmica cuja estrutura profunda exibe os efeitos da liberação, aprisionamento e consumo de fluidos acima da zona de subducção (Figs. 10.6a, 10.20b).

10.6.3 Mecanismos de acreção de terrenos

Observações a partir da Cordilheira da América do Norte, dos Apalaches e de muitos outros orógenos antigos sugerem que a acreção e a dispersão de terrenos envolvem processos que são semelhantes aos que ocorrem em orógenos modernos. Os regimes de colisão arco-continente ativos no sudoeste do Pacífico (Seção 10.5), por exemplo, oferecem excelentes análogos para explicar como uma variedade de terrenos tectônicos e sedimentares se originaram e foram alojados em margens continentais. Em geral, à medida que a subducção da litosfera oceânica traz espessas sequências de material continental, oceânico e de arco de ilha em contato com a trincheira, a flutuabilidade positiva interrompe a zona de subducção. À medida que a colisão se inicia, as cunhas antearco e acrescionária são elevadas e transportadas, ou sofrem obducção, sobre a margem continental por falhas de empurrão. Com a redução ou parada da subducção, uma trincheira nova pode desenvolver no sentido do antigo oceano (Seção 10.5), e o processo de acreção pode começar de novo.

Muitos terrenos exóticos parecem se originar durante eventos de rifteamento associados com a formação e o quebramento dos supercontinentes (por exemplo, Fig. 11.24). Outros podem ter sua origem nas abundantes cordilheiras oceânicas, elevações e planaltos que compõem cerca de 10% da área das bacias oceânicas atuais (Ben-Avraham et al., 1981). A maioria dessas elevações topográficas representa extintos arcos de ilha, microcontinentes submersos e LIPs (Seção 7.4.1). À medida que essas feições são levadas a uma trincheira, sua flutuabilidade positiva também pode inibir a sua subducção e permitir-lhes serem acrescionadas como terrenos exóticos.

Além dos processos descritos em outra parte deste capítulo, dois mecanismos adicionais de acreção de terrenos e crescimento continental merecem maior destaque: a obducção de ofiólitos (Seção 2.5); e o crescimento continental por magmatismo, sedimentação e por formação e destruição de retroarco, intra-arco e bacias antearco. A presença de assembleias ofiolíticas em orógenos fornece um importante marcador de processos tectônicos acrescionários (Seções 2.5, 10.4.3, 11.4.3). Como indicado na Seção 2.5, os modelos de obducção de ofiólitos tendem a ser bastante variáveis, em parte devido à diversidade dos ambientes em que estes conjuntos podem se formar e à forma em que são soerguidos e colocados na crosta superior. Em um modelo postulado, Wakabayashi & Dilek (2000) descreveram como material ofiolítico em um ambiente retroarco pode ficar aprisionado em um ambiente antearco antes de sua obducção. Este modelo é interessante porque explica como as mudanças na locação ou polaridade da subducção podem resultar na captação de material que se formou originalmente em um ambiente diferente daquele em que se alojou. Este mecanismo também pode ocorrer em escalas maiores, em que pode resultar na formação de um mar marginal pelo aprisionamento da crosta oceânica. Muitos dos mares marginais atuais para os quais não há qualquer evidência convincente para a expansão do retroarco (Seção 9.10), como o caso do leste do Caribe e do Mar de Bering, podem ter se formado desta maneira (Ben-Avraham et al., 1981; Cooper et al., 1992).

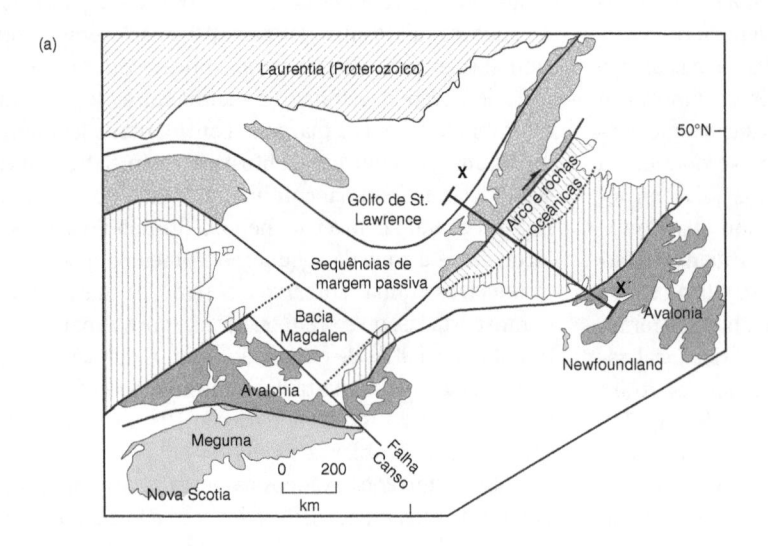

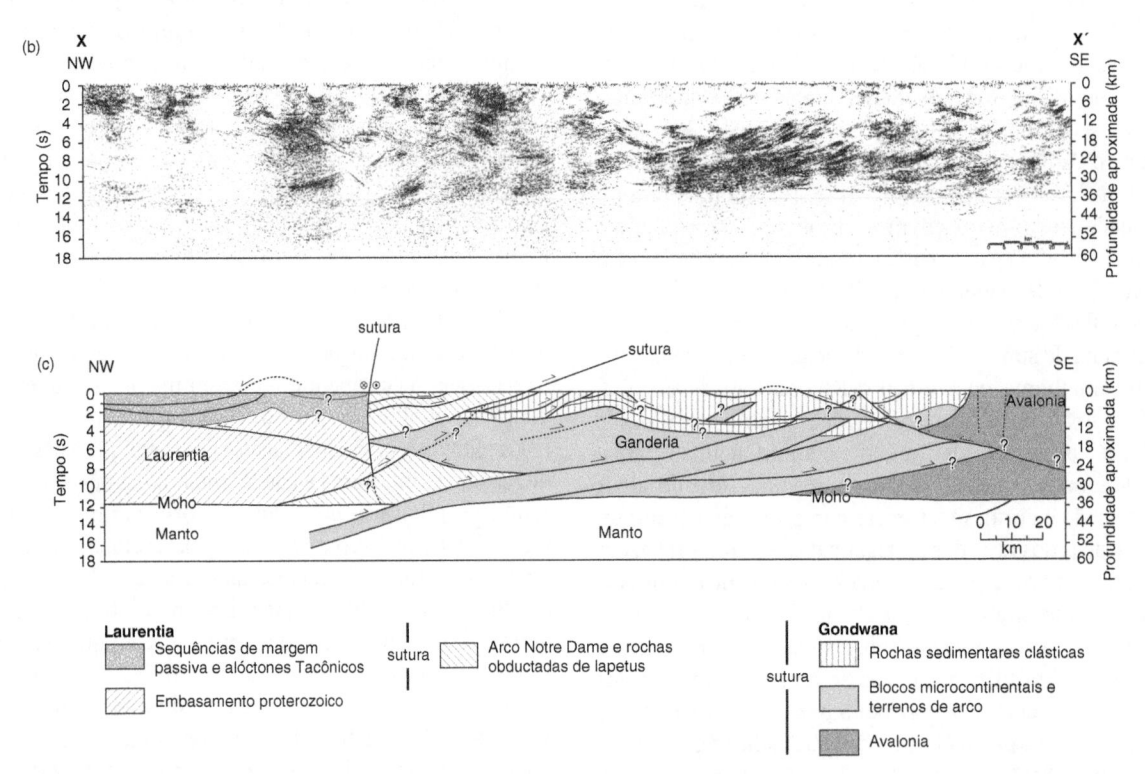

Figura 10.34 (a) Províncias tectônicas de Newfoundland no leste canadense e gráfico (b) e interpretação (c) de dados de reflexão sísmica (segundo van der Velden et al., 2004, com permissão da Geological Society of America). Dados migrados são plotados sem exagero vertical e a uma velocidade média assumida de 6 km/seg.

No modelo de Wakabayashi & Dilek (2000), o ofiólito da Cordilheira Costeira do oeste da América do Norte se forma atrás de um arco de ilhas mesozoico localizado no oceano e acima de uma zona de subducção que mergulha para o oeste (Fig. 10.35a). Mais tarde, o arco de ilhas colide com o continente, e uma nova zona de subducção de mergulho leste se inicia, capturando o ofiólito no antearco em desenvolvimento (Fig. 10.35b,c). Ofiólitos obductados posteriormente ocorrem em um cenário antearco quando as camadas da crosta são separadas e soerguidas como resultado da compressão (Fig. 10.35d). A compressão pode ser resultado de quaisquer mecanismos, incluindo a chegada de material flutuante na trincheira.

Além da colisão e da acreção de terrenos exóticos, pode ocorrer significativo crescimento continental pela adição de magma e sedimentação. Um exemplo de um orógeno acrescionário que cresceu em mais de 700 km principalmente por este último mecanismo é o orógeno do Paleozoico Médio Lachlan, do sudeste da Austrália (Foster & Gray, 2000; Collins, 2002a; Glen, 2005). Este orógeno não tem muitas das características que definem os orógenos colisionais principais, como terrenos exóticos, desenvolvimento de topografia elevada, falhas de empurrão profundas e exposições de rochas metamórficas de alta pressão. Em vez disso, é dominado por um enorme volume de rochas granitoides (Fig. 10.36), sequências vulcânicas e extensa quantidade de turbiditos ricos em quartzo, de baixo grau, que recobrem a crosta continental afinada e a crosta inferior máfica de afinidade oceânica (Fergusson & Coney, 1992). Como os Andes do Mesozoico-Cenozoico, ele registra um histórico de convergência oceano-continente que durou cerca de 200 milhões de anos e envolveu muitos ciclos de extensão e contração (Foster et al., 1999). Bacias extensionais extensas (até 1.000 km de largura) pavimentadas por basalto e gabro se formaram atrás de um ou mais arcos de ilha que eventualmente acrescionaram sobre a margem continental (Glen, 2005). Entre as rochas vulcânicas, existem partes acrescionadas de um enorme sistema de dispersão de sedimentos submarinos que se desenvolveu ao longo da margem do Gondwana durante o início do Paleozoico. Pulsos diacrônicos de deformação contracional e transcorrente seguiram cada ciclo extensional, gerando dobras verticais e clivagens superimpostas em uma série de cunhas de empurrão na parte superior dos 15 km da crosta. Este estilo de encurtamento não leva ao desenvolvimento de uma bacia antepaís bem definida, nem a dobramento antepaís e faixa de empurrão conforme visto nos Andes centrais (Fig. 10.5) e no Himalaia (Figs. 10.19, 10.20). Em vez disso, era controlado por espessa sucessão (10 km) de turbiditos e localmente por gradientes geotérmicos elevados. Essas relações sugerem que a orogenia e o

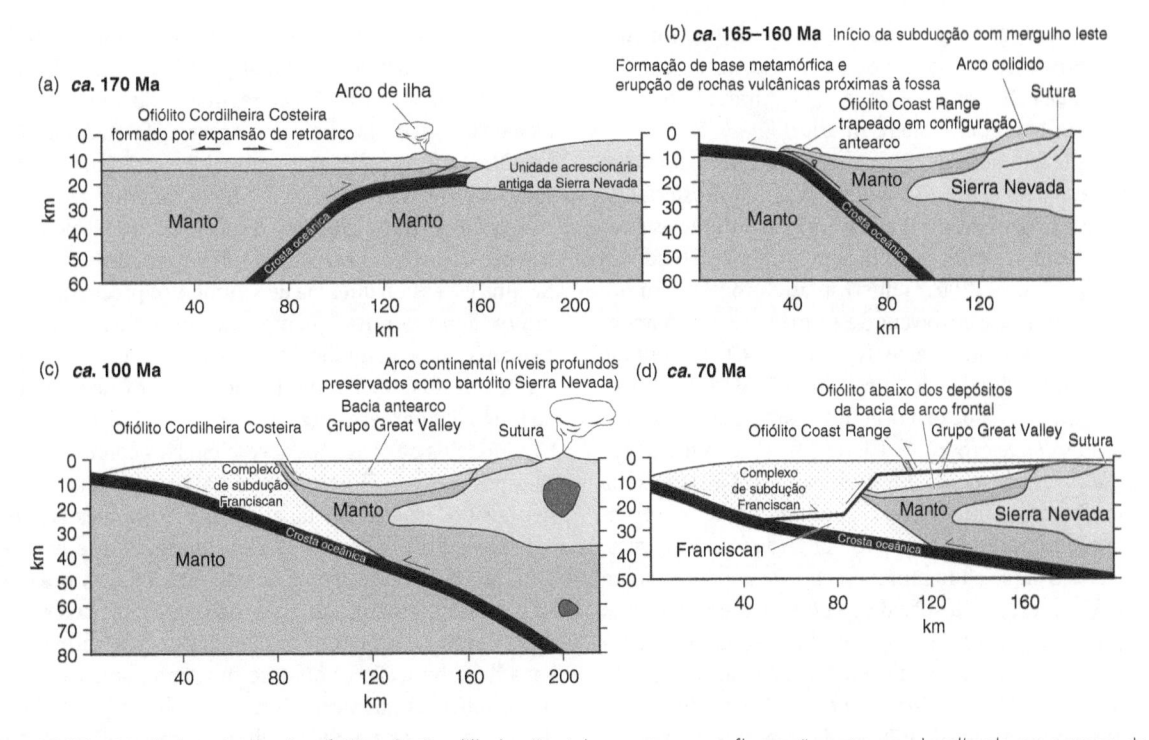

Figura 10.35 Possível evolução do ofiólito da Cordilheira Costeira em uma configuração retroarco localizada no oceano da Califórnia e sua posterior colocação em um ambiente antearco (segundo Wakabayashi & Dilek, 2000, com permissão da Geological Society of America). (a) Ofiólito da Cordilheira Costeira se forma atrás de um arco de ilhas mesozoico. (b,c) Arco de ilha colide com o continente e uma nova zona de subducção de mergulho leste se inicia, capturando o ofiólito no antearco. (d) Obducção de ofiólito ocorre em um cenário antearco.

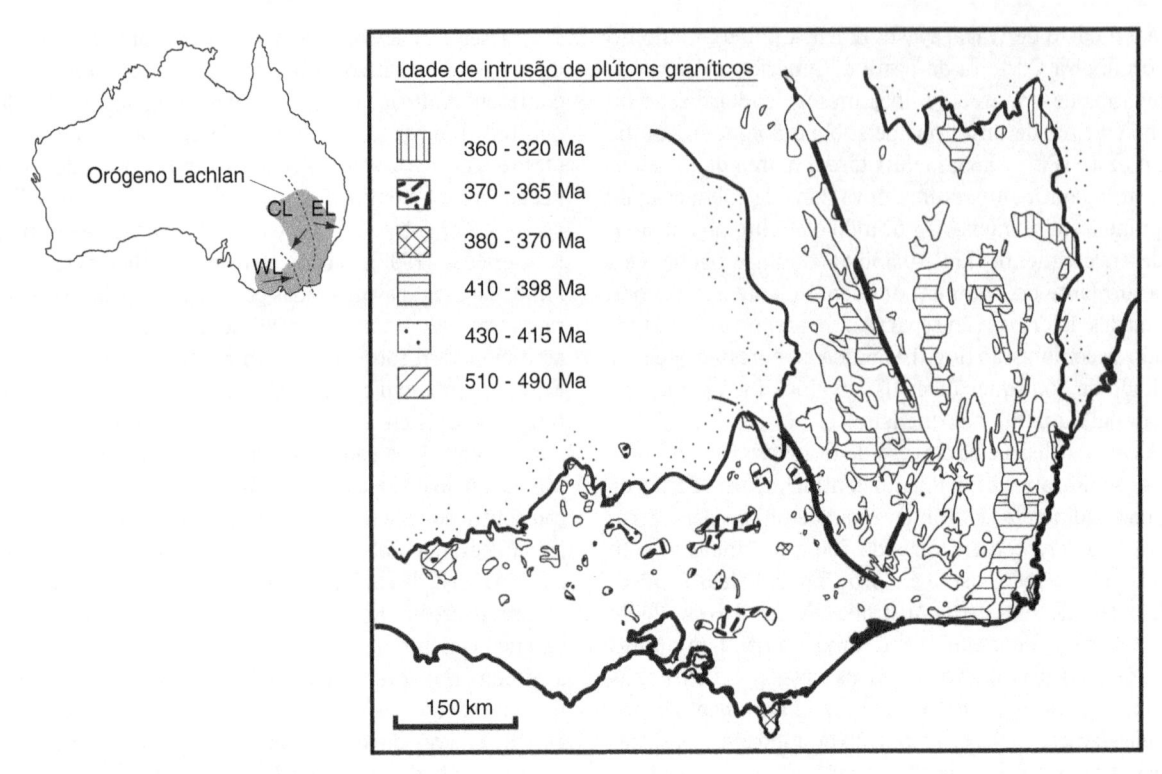

Figura 10.36 Mapa geológico das províncias Ocidental (WL), Central (CL) e Leste (EL) do orógeno Lachlan, mostrando a distribuição de granitoides e as idades de intrusão (adaptado com permissão de Foster & Gray, 2000, Annual Review of Earth and Planetary *Sciences* **28**. Copyright © 2000 Annual Reviews).

crescimento crustal no orógeno Lachlan foram dominados por magmatismo e reciclagem de detritos continentais durante ciclos de extensão e contração que duraram do Ordoviciano Superior ao Carbonífero Inferior.

Ciclos de extensão de retroarco e intra-arco, como os que ocorreram no orógeno Lachlan, geraram litosfera fina e quente que podem localizar a deformação durante as fases subsequentes de contração, colisão e orogenia (Hyndman et al., 2005). Collins (2002b) ilustrou este processo em um modelo de orogênese envolvendo a formação e o fechamento de bacias autóctones retroarco (Seção 9.10) acima de uma zona de subducção de longa duração. O modelo começa com uma zona de extensão intra-arco que evolui em resposta ao *roll back* (Seção 9.10) de uma placa subductante (Fig. 10.37a). Esta configuração é análoga à atual zona vulcânica Taupo da Ilha Norte, Nova Zelândia. Com o rompimento e a migração do arco para longe da fossa oceânica, uma bacia retroarco e um remanescente de arco se formam (Fig. 10.37b), levando a subsidência e afinamento crustal. Fusão por descompressão (Seção 9.8) na cunha mantélica superior sob a região retroarco gera crosta basáltica à medida que magma máfico *underplating* e invade a crosta mais fina. Em seguida, a zona de subducção aplaina, e a placa superior do orógeno é jogada em compressão, possivelmente como resultado da chegada de um platô oceânico ou de um arco de ilhas na zona de subducção (Fig. 10.37c). Esta etapa também pode ser análoga ao regime de subducção plano de placa e à contração que caracteriza parte do Andes (Seção 10.2.2). Deformação contracional e espessamento crustal estão concentrados na região termicamente amaciada do retroarco. A contração fecha a bacia retroarco e pode levar à acreção do arco e do antearco sobre a margem continental. Se uma espessa sequência de sedimentos preencheu a bacia, um orógeno estreito, quente e de curta duração (~10 Ma) se forma. Com a subducção do platô oceânico, a extensão é reestabelecida, formando um novo sistema arco-retroarco ao longo da margem (Fig. 10.37d).

Modelos de orógenos acrescionários como este, embora especulativos, ilustram como algumas margens continentais podem crescer na ausência de grandes eventos de colisão. Outro exemplo de uma margem que parece ter crescido por mecanismos acrescionários está preservado na história mesozoica de Baja, na Califórnia (Busby, 2004). Aqui, como no orógeno Lachlan, a extensão acima de uma zona de subducção criou arco flutuante, antearco e terrenos ofiolíticos que acrescionaram sobre a placa superior durante a convergência, resultando em crescimento continental significativo.

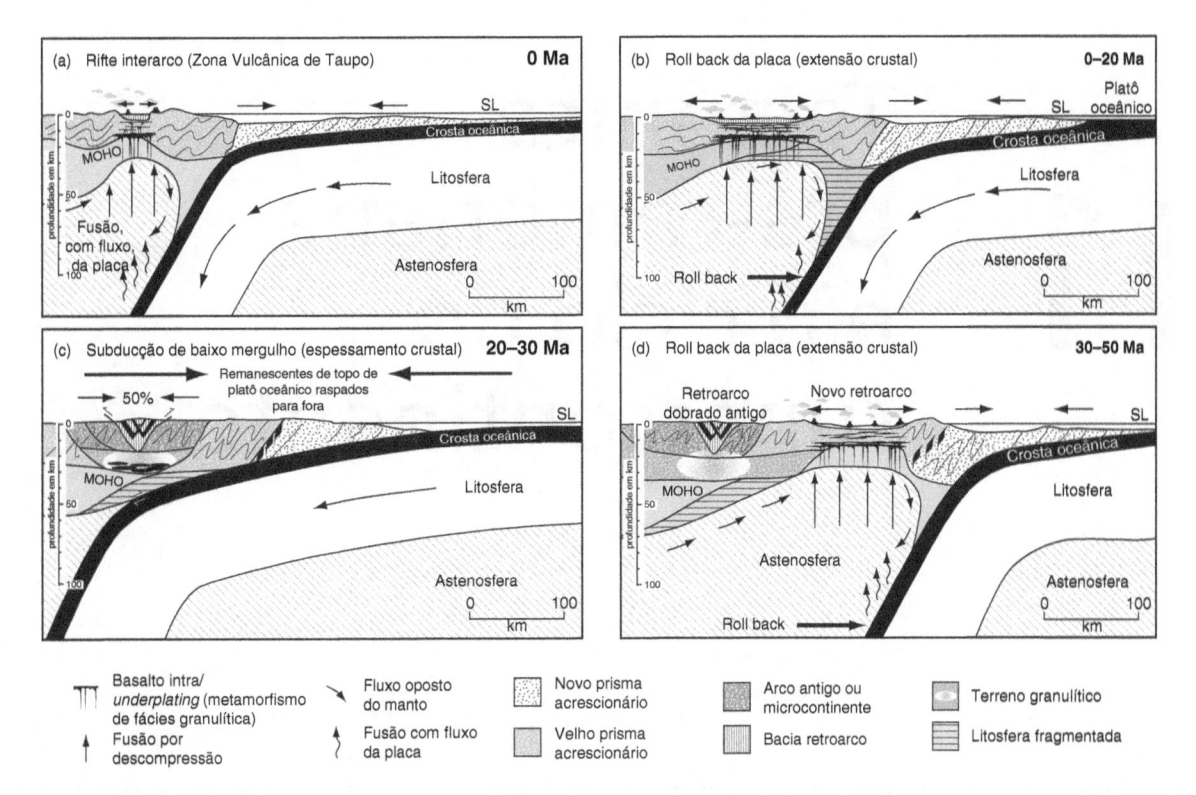

Figura 10.37 Modelo mostrando a evolução do orógeno Lachlan do sudeste da Austrália através de tectônica acrescionária envolvendo a criação e destruição de bacias retroarco acima de uma zona de subducção oceano-continente (segundo Collins, 2002a, com permissão da Geological Society of America). (a) Extensão intra-arco devido ao roll back de uma placa subductante. (b) Bacia retroarco e forma de arco remanescente. (c) Zona de subducção achata e a placa superior do orógeno é jogada em compressão. Contração e espessamento crustal estão focados no retroarco termicamente amaciado. (d) Extensão é restabelecida, e um novo sistema arco-retroarco se forma.

11 | Tectônica pré-cambriana e o ciclo do supercontinente

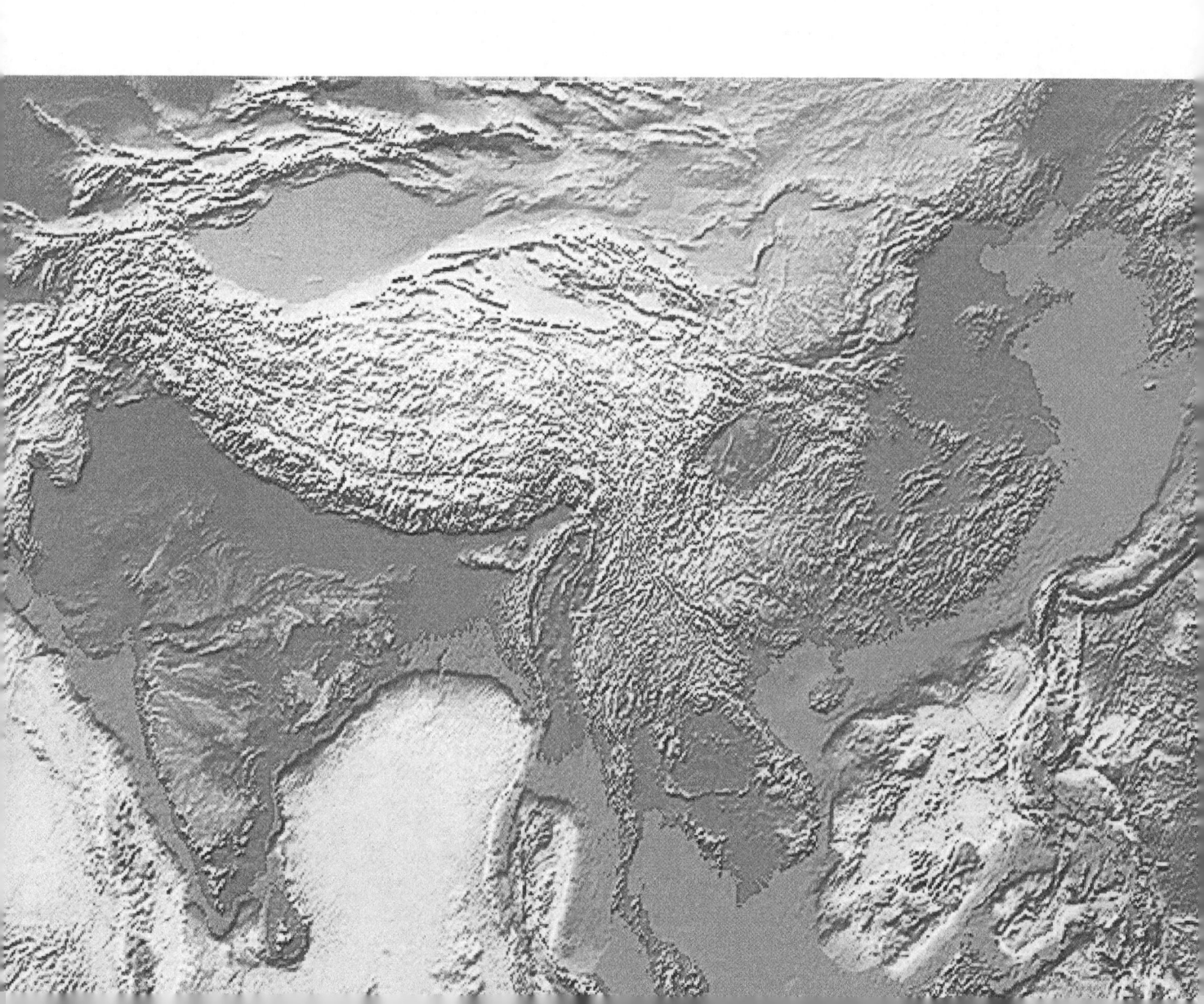

11.1 INTRODUÇÃO

As regiões relativamente planas e estáveis dos continentes contêm restos de crosta arqueana que se formaram a cerca de 4,4 a 2,5 bilhões de anos atrás (Placa 11.1a, entre as páginas 244 e 245). A formação desses núcleos cratônicos marca a transição de uma Terra primitiva, tão quente e cheia de energia que não preservou remanescentes da crosta, para um estado em que a preservação da crosta terrestre se tornou possível. A maioria dos crátons está ligada a uma raiz de alta velocidade do manto que se estende a profundidades de pelo menos 200 km (King, 2005) (Placa 11.1b,c, entre as páginas 244 e 245). Estas raízes cratônicas são compostas de material do manto rígido e quimicamente flutuante (Seção 11.3.1) cujas qualidades de resistência contribuíram para a sobrevivência a longo prazo da litosfera continental arqueana (Carlson et al., 2005).

O início do Éon Arqueano coincide aproximadamente com a idade da crosta continental mais antiga. A visão convencional coloca esta idade em torno de 4,0 Ga, o que coincide com a idade das rochas mais antigas encontradas até agora na Terra: os gnaisses Acasta do cráton Slave no noroeste do Canadá (Bowring & Williams, 1999). No entanto, idades > 4,4 Ga em minerais de zircão detríticos encontrados no cráton Yilgarn da Austrália Ocidental (Wilde et al., 2001) sugerem que algumas crostas continentais podem ter se formado antes de 4,4-4,5 Ma, embora esta interpretação seja controversa (Harrison et al., 2005, 2006; Vale et al., 2006). Devido à evidência de crosta continental e às idades das rochas e minerais mais antigos conhecidos serem continuamente reposicionados para mais cedo no tempo, o Arqueano não tem o limite inferior definido (Gradstein et al., 2004). O fim do Arqueano, marcando o início do Proterozoico, coincide aproximadamente com as mudanças inferidas no estilo tectônico e as características petrológicas de rochas pré-cambrianas. Essas inferências são centrais para um debate sobre a natureza da atividade tectônica em tempos pré-cambrianos. Entre as questões mais importantes estão se alguma forma de tectônica de placa estava operando na Terra primitiva e, em caso afirmativo, quando ela começou. A evidência atual (Seções 11.3.3, 11.4.3) sugere que os mecanismos de placas tectônicas, incluindo de subducção, estavam ocorrendo pelo menos há 2,8-2,6 Ga e, possivelmente, muito mais cedo (van der Velden et al., 2006; Cawood et al., 2006).

Ao considerar a natureza dos processos tectônicos pré-cambrianos, três abordagens foram adotadas (Kröner, 1981; Cawood et al., 2006). Em primeiro lugar, uma abordagem estritamente uniformitarista leva em conta os mesmos mecanismos de placas tectônicas que caracterizam tempos fanerozoicos aplicados aos crátons pré-cambrianos. Esta abordagem é comum na interpretação de faixas proterozoicas, embora também tenha sido aplicada a parte dos crátons arqueanos. Em segundo lugar, uma abordagem uniformitarista modificada pode ser postulada, na qual processos de placas tectônicas no Pré-Cambriano foram um pouco diferentes dos atuais, porque as condições físicas que afetam a crosta e o manto mudaram ao longo do tempo geológico. Esta abordagem tem sido utilizada em estudos geológicos tanto do Arqueano como do Proterozoico Inferior. Terceiro, alternativas aos mecanismos de placas tectônicas podem ser invocadas para tempos pré-cambrianos. Esta última abordagem, não uniformitarista, é aplicada mais frequentemente ao Arqueano Inferior e Médio. Cada uma destas três abordagens produziu resultados informativos.

11.2 FLUXO DE CALOR PRÉ-CAMBRIANO

Um dos parâmetros físicos mais importantes que variou ao longo do tempo geológico é o fluxo de calor. A maior parte da produção de calor terrestre vem do decaimento de isótopos radioativos dispersos por todo o núcleo, o manto e a crosta continental (Seção 2.13). O fluxo de calor no passado deve ter sido consideravelmente maior do que no presente, devido às taxas exponenciais de decaimento desses isótopos (Fig. 11.1). Para um modelo de Terra com uma razão K/U derivada de medições de rochas da crosta terrestre, o fluxo de calor na crosta em 4,0 Ga teria sido três vezes maior do que nos dias de hoje e, em 2,5 Ga, cerca de duas vezes o valor atual (Mareschal & Jaupart, 2006).

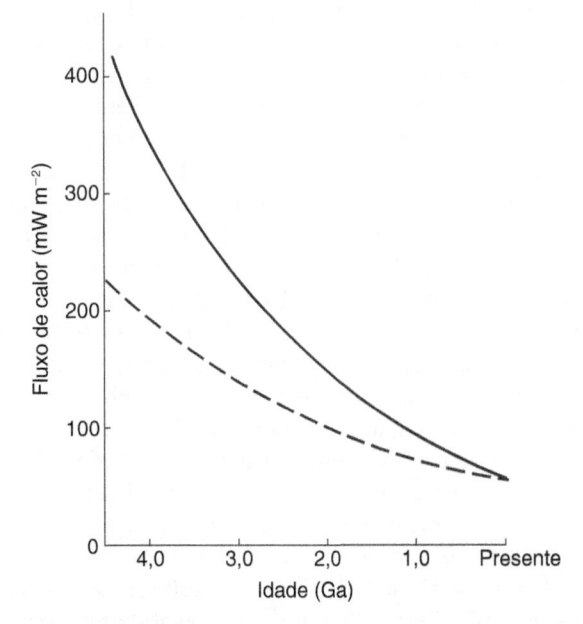

Figura 11.1 Variação do fluxo de calor de superfície com o tempo. Linha contínua, com base em um modelo condrítico; linha tracejada, com base em uma razão K/U derivada de rochas da crosta terrestre (adaptado de McKenzie & Weiss, 1975, com permissão da Blackwell Publishing).

Para razões K/U semelhantes às descritas em meteoritos condríticos, que são maiores do que aquelas em rochas da crosta, a magnitude do decaimento teria sido maior.

O fluxo de calor elevado em tempos arqueanos implica que o manto era mais quente na Terra jovem do que é hoje. No entanto, quão mais quente e o quanto esse manto mais quente influenciou a litosfera continental jovem a ser mais quente do que no presente permanece incerto. Esta incerteza surge porque não há maneira direta para determinar a proporção de perda de calor para a produção de calor na Terra jovem. Se a perda de calor ocorreu na maior parte pelo mecanismo relativamente ineficiente de condução, então a litosfera teria sido mais quente. Porém, se o principal mecanismo de perda de calor foi a convecção sob a litosfera oceânica, que é muito eficaz na dissipação de calor, então a litosfera continental não teria sido muito mais quente (Lenardic, 1998). Esclarecer estes aspectos do regime térmico arqueano é essencial para reconstruir os processos tectônicos na Terra antiga e para avaliar se eles eram diferentes do que são hoje.

Outra parte do desafio de definir o regime térmico pré-cambriano é resolver uma aparente inconsistência que vem de observações de partes da crosta e do manto litosférico arqueano. A evidência geológica de muitos dos crátons, incluindo uma abundância de assembleias de minerais metamórficos de alta temperatura/baixa pressão e a intrusão de grandes volumes de granitoides (Seção 11.3.2), sugere temperaturas relativamente elevadas (500-700 ou 800°C) na crosta durante épocas arqueanas, mais ou menos semelhantes ao que ocorre atualmente em regiões de grau geotérmico elevado. Em contraste, levantamentos geofísicos e estudos isotópicos de nódulos do manto sugerem que o manto cratônico é resistente e frio e que o grau geotérmico é relativamente baixo desde o Arqueano (Seção 11.3.1). Algumas das evidências mais convincentes do manto litosférico frio vêm de estudos termobarométricos de inclusões de silicato em diamantes arqueanos, os quais sugerem que as temperaturas em profundidades de 150-200 km durante o Arqueano Superior eram semelhantes às temperaturas atuais nessas profundidades (Boyd et al., 1985; Richardson et al., 2001). Apesar dos pesquisadores ainda não terem ajustado esta aparente inconsistência, a relação fornece importantes condições de fronteira para os modelos térmicos e os processos tectônicos do Arqueano e do Proterozoico.

Além de permitir estimativas geotermais do manto primitivo, a evidência de xenólitos do manto indica que as raízes frias do manto sob os crátons rapidamente alcançaram a sua espessura atual de $\geq$ 200 km durante o Arqueano (Pearson et al., 2002; Carlson et al., 2005). Esta espessura é maior do que a da litosfera oceânica antiga, mas muito mais fina do que seria se a litosfera simplesmente tivesse arrefecido por condução a partir de cima desde o Arqueano (Sleep, 2005). Espessamento progressivo por arrefecimento condutivo também pode ser descartado, pois as raízes do manto não apresentam uma progressão de idade com a profundidade (James & Fouch, 2002; Pearson et al., 2002). Em vez disso, a espessura relativamente pequena e a preservação a longo prazo das raízes cratônicas indicam que elas devem ter sido mantidas finas pelo calor convectivo do manto subjacente (Sleep, 2003). Quando as raízes cratônicas estabilizaram, o calor fornecido à base da litosfera do resto do manto deve ter se equilibrado pelo fluxo de calor ascendendo para a superfície. Neste modelo, uma camada da litosfera quimicamente flutuante forma uma tampa altamente resistente acima do manto convectivo, permitindo-lhe manter uma espessura quase constante ao longo do tempo. Estas considerações ilustram como a formação e a sobrevivência a longo prazo das raízes frias do manto abaixo dos crátons ajudaram pesquisadores a descrever os mecanismos de transferência de calor durante os tempos pré-cambrianos.

As diferenças no mecanismo inferido de perda de calor do interior da Terra resultaram em visões contrastantes sobre o estilo da tectônica que pode ter operado durante o Pré-Cambriano (por exemplo, Hargraves, 1986; Lowman et al., 2001; van Thienen et al., 2005). A visão convencional sugere que uma fonte de calor intensificada no manto arqueano poderia ser dissipada através do aumento do comprimento dos sistemas de dorsais oceânicas ou do aumento da taxa de produção de placas em relação ao presente (Bickle, 1978). Hargraves (1986) concluiu que a perda de calor através da litosfera oceânica é proporcional à raiz cúbica do comprimento total das dorsais mesoceânicas. Assumindo uma Terra não expandida (Seção 12.3), o aumento da taxa de produção de placas implica um aumento semelhante na taxa de subducção de placas. Esses cálculos sugerem que alguma forma de tectônica de placas estava acontecendo durante o Pré-Cambriano a uma taxa muito maior do que hoje. As taxas rápidas sugerem uma imagem da superfície sólida da Terra primitiva onde a litosfera foi dividida em muitas pequenas placas, o que contrasta com o número relativamente pequeno de placas grandes que existem atualmente. Essa interpretação é consistente com os resultados de modelos numéricos de convecção do manto, que mostram que pequenas placas são capazes de liberar mais calor do interior da Terra do que placas grandes (Lowman et al., 2001).

Cálculos mais recentes têm contestado essa visão convencional, pelo menos para o Arqueano Superior. Van Thienen et al. (2005) sugeriram que o aumento do fluxo de calor do manto arqueano poderia ter sido dissipado pelo adelgaçamento da litosfera, aumentando, assim, o fluxo de calor através da litosfera. Estes autores concluíram que, para um arrefecimento (exponencialmente) constante da Terra, a tectônica de placas é capaz de remover todo o calor necessário a uma taxa de tectônica de placa comparável ou menor do que a taxa atual de operação. Este resultado é contrário à noção de que um espalhamento mais rápido seria necessário em uma Terra mais quente para ser capaz de remover o excesso de calor (por exemplo, Bickle, 1978). Ele também sugere que a tração do *slab* e as forças de empurrão das cristas em um manto mais quente resultariam em uma taxa tectônica mais lenta em comparação com a Terra moderna. Korenaga (2006) mostrou que um estilo tectônico mais lento durante o Arqueano muitas vezes satisfaz todos os dados geoquímicos sobre a abundância de elementos produtores de calor na crosta e no manto e evidencia um arrefecimento gradual do manto com o tempo, levando em conta a convecção do manto como um todo. Este resultado elimina a necessidade térmica de se ter extensas cristas oceânicas e/ou dispersão rápida e subducção. Deve ser avaliado, no entanto, que as condições térmicas durante tempos arqueanos são bastante conjecturais, de modo que estas e outras interpretações alternativas permanecem especulativas.

11.3 TECTÔNICA ARQUEANA

11.3.1 Características gerais do manto litosférico cratônico

Uma característica que define o manto litosférico cratônico é a velocidade sísmica que é maior do que a do manto subcontinental normal em profundidades de pelo menos 200 km, chegando a 250-300 km em alguns locais (Figura 11.1b,c do encarte colorido). Muitas faixas proterozoicas não apresentam essas anomalias de alta velocidade em profundidades semelhantes. Além disso, crátons arqueanos são caracterizados por menor fluxo de calor de superfície comparado a qualquer região da Terra, apresentando um fluxo de calor menor do que a crosta proterozoica e fanerozoica adjacentes em cerca de 20mW m^{-2} (Jaupart & Mareschal, 1999; Artemieva & Mooney, 2002). Determinações de idades isotópicas e estudos de Re-Os de nódulos do manto (Pearson et al., 2002; Carlson et al., 2005) confirmam que as raízes do manto são de idade arqueana e indicam que a maioria permaneceu termicamente e mecanicamente estável ao longo dos últimos 2-3 Ga. Essas observações indicam que as raízes dos crátons arqueanos são frias, resistentes e composicionalmente distintas do manto envolvente.

Nas bacias oceânicas, a base da litosfera oceânica é marcada por uma forte diminuição na velocidade das ondas de cisalhamento em profundidades geralmente menores que 100 km abaixo da crosta (Seções 2.8.2, 2.12). Zonas de baixa velocidade similares ocorrem em regiões continentais tectonicamente ativas, como a Província Basin and Range, porém, sob os crátons estáveis, as zonas de baixa velocidade são extremamente fracas ou totalmente ausentes (Carlson et al., 2005). Consequentemente, a base da litosfera continental não está bem definida por dados sismológicos. Com o aumento da profundidade, as altas velocidades sísmicas da litosfera estável gradualmente aproximam-se daquelas do manto convectivo através de uma ampla zona de transição mal definida abaixo de 200 km. O modelamento térmico e dados geoquímicos de xenólitos do manto ajudaram a definir a localização do limite litosfera-astenosfera. Os resultados sugerem que a base da litosfera continental é mais profunda (~250 km) em áreas cratônicas não perturbadas e mais rasas (~180 km) em áreas abaixo de riftes e orógenos fanerozoicos (O'Reilly et al., 2001). Esta determinação está de acordo com as observações sísmicas.

Além de serem frias e resistentes, os estudos de xenólitos do manto indicam que as raízes dos mantos arqueanos são quimicamente dinâmicas e altamente empobrecidas em elementos incompatíveis (O'Reilly et al., 2001; Pearson et al., 2002). Quando ocorre a fusão do manto, elementos como alumínio, cálcio e certos elementos radiogênicos são concentrados e extraídos pela massa fundida, enquanto outros elementos, particularmente o magnésio, seletivamente permanecem no resíduo sólido. Esses elementos que se concentram no fundido são conhecidos como *incompatíveis* (Seção 2.4.1). Tanto a flutuação quanto a depleção química são alcançadas simultaneamente por fusão parcial e extração pelo fundido, o que, no caso do manto litosférico, deixou para trás um resíduo composto por harzburgitos ricos em Mg, lherzolitos e peridotitos (O'Reilly et al., 2001). O eclogito também parece estar presente na litosfera cratônica. No entanto, os corpos de alta velocidade compatíveis com grandes massas densas de eclogito não foram observados no manto continental (James et al., 2001; Gao et al., 2002). Um inventário de xenólitos do manto do cráton Kaapvaal sugere que o eclogito atinge abundância de apenas 1% em volume no manto continental (Schulze, 1989). Essas características têm resultado na estabilidade mecânica e térmica dos crátons por até três bilhões de anos (Seção 11.4.2).

11.3.2 Geologia geral dos crátons arqueanos

Crátons arqueanos expõem dois grandes grupos de rochas que se distinguem em função do seu grau de metamorfismo: *greenstone belts* e *terrenos gnáissicos de alto grau* (Windley, 1981). Ambos os grupos se caracterizam por grandes volumes de granitoides. Juntas, essas rochas formam as *faixas granito-greenstone* arqueanas. A estrutura e composição de tais faixas fornecem informação sobre a origem da crosta arqueana e a evolução da Terra precoce.

Os *greenstones* consistem em rochas metavulcânicas e metassedimentares que exibem um metamorfismo regional de baixa pressão (200-500 MPa) e baixa temperatura (350-500°C) de fácies xisto verde. Sua cor verde escura vem da presença de minerais que ocorrem normalmente em rocha ígnea máfica alterada (ou seja, rica em Mg e Fe), incluindo clorita, actinolita e epídoto. Três principais grupos estratigráficos são reconhecidos dentro de *greenstone belts* (Windley, 1981). O grupo inferior é composto por lavas toleíticas e komatiíticas. Komateítos, nomeados em menção à Formação Komati no cinturão *Greenstone* Barberton no cráton Kaapvaal, África do Sul (Viljoen & Viljoen, 1969), são variedades de basaltos ricos em Mg e lavas ultramáficas que ocorrem quase exclusivamente em crosta arqueana. O teor elevado de Mg (> 18% em peso de MgO) destas rochas (Nisbet et al., 1993; Arndt et al., 1997) é comumente usado para inferir temperaturas de fusão que são mais elevadas do que as dos modernos magmas basálticos (Seção 11.3.3). O grupo central contém rochas vulcânicas intermediárias e félsicas cujos elementos-traço e terras raras são semelhantes aos encontrados em algumas rochas de arco de ilhas. O grupo superior é composto por sedimentos clásticos, como grauvacas, arenitos, conglomerados e formações ferríferas bandadas (BIFs). Estas últimas consistem em unidades químico-sedimentares de camadas de óxido de ferro que se alternam com sílex, rocha calcária e camadas ricas em sílica (ver também Seção 13.2.2).

Terrenos gnáissicos de alto grau geralmente apresentam metamorfismo regional de baixa pressão e alta temperatura (> 500°C), de fácies anfibolito ou granulito (Seção 9.9). Estas faixas formam a maioria das áreas cratônicas arqueanas. Há uma variedade de tipos mais comuns, incluindo gnaisses quartzo-feldspáticos de composição principalmente granodiorítica e tonalítica, complexos acamadados de peridotito-gabro-anortosito ou leucogabro-anortosito, e anfibolitos metavulcânicos e metassedimentos (Windley, 1981). O peridotito (Seções 2.4.7, 2.5) é uma rocha ultramáfica rica em minerais tipo olivina e piroxênios. Leucogabro se refere à cor clara incomum da rocha gábrica devido à presença de plagioclásio. *Anortositos* são rochas plutônicas que consistem em > 90% de plagioclásio e não têm equivalentes vulcânicos conhecidos. Estas últimas rochas ocorrem exclusivamente na crosta arqueana e proterozoica. A maioria dos autores veem os anortositos arqueanos como tendo sido diferenciados de um magma primitivo, com um basalto rico em Fe, Al e Ca ou, possivelmente, um komatiito (Winter, 2001). Terrenos gnáissicos de alto grau são altamente deformados e podem formar contemporânea e estruturalmente abaixo ou adjacente a *greenstone belts* de baixo grau (Percival et al., 1997).

Os granitoides que intrudem os *greenstone belts* e gnaisses de alto grau formam um grupo de composição distinta conhecido como suítes *tonalito-trondhjemito-granodiorito*, ou *TTG* (Barker & Arth, 1976). Tonalitos (Seção 9.8) e trondhjemitos são variedades de quartzo diorito que normalmente são deficientes em feldspato potássico. Estas suítes ígneas formam as associações de rochas mais volumosas na crosta arqueana e representam um passo importante na formação da crosta continental félsica a partir do manto primordial (Seção 11.3.3).

11.3.3 Formação da litosfera arqueana

A composição distinta e as propriedades físicas das resistentes raízes flutuantes do manto sob os crátons (Seção 11.3.1) resultam da depleção química e extração de fundente do manto primitivo. Estes dois processos baixam a densidade e aumentam a viscosidade do resíduo deixado por fusão parcial e resultam em uma quilha que consiste principalmente em olivina com alto Mg e em ortopiroxênio com alto Mg (O'Reilly et al., 2001; Arndt et al., 2002). Ambos os componentes estão ausentes no manto fértil (não depletado) peridotítico e são raros nos resíduos de fusão do manto normal, como o que produz crosta oceânica moderna e ilhas oceânicas. Consequentemente, a maioria das pesquisas concluiu que a composição distinta está relacionada com graus anormalmente elevados (30-40%) de fusão do manto ao longo de um intervalo de pressões (4-10 GPa) do manto (Pearson et al., 2002; Arndt et al., 2002). Alto grau de fusão parcial do manto peridotítico produz magma de composição komatiítica (Seção 11.3.2) e um resíduo sólido que é muito semelhante à composição do manto litosférico arqueano (Herzberg, 1999; Arndt et al., 2002).

Um sistema radiométrico de uso considerável para determinar quando a extração de fusão e a formação de raiz arqueana ocorreram envolve o decaimento de ^{187}Re para ^{188}Os (Walker et al., 1989; Carlson et al., 2005). A principal característica deste sistema isotópico é que Os é compatível durante a fusão do manto e Re é moderadamente incompatível. Por conseguinte, qualquer resíduo deixado para trás depois da extração do fundido terá um Re menor e uma concentração mais elevada de Os que em qualquer fundido do manto ou do manto fértil. Esta característica permite realizar análises isotópicas Re-Os de xenólitos do manto para se obter informações sobre a idade de extração do fundido. Os dados de xenólitos do manto mostram que os eventos mais antigos de fusão são do Arqueano Inferior a Médio. Quantidades significativas de manto litosférico também se formaram em tempos neoarqueanos e são associadas com volumoso magmatismo máfico (Pearson et al., 2002).

Embora, sem dúvida, tenha ocorrido alto grau de fusão parcial, este processo por si só não pode explicar a origem do manto litosférico arqueano. A principal razão para esta conclusão é que a abundância de komatiito encontrada no registro crustal do Arqueano é demasiadamente baixa para equilibrar a quantidade de peridotito altamente empobrecido encontrada no manto cratônico (Carlson et al., 2005). Este desequilíbrio sugere que uma grande proporção de um magma komatiítico nunca alcançou a superfície ou que outros processos devem ter contribuído para a formação das raízes. Um desses processos é um mecanismo de triagem eficiente que concentrou os componentes incomuns do manto litosférico do Arqueano à custa de todos os outros (Arndt et al., 2002). A força motriz mais provável da diferenciação é a flutuabilidade e alta viscosidade de olivina e ortopiroxênio de alto Mg, embora a forma exata como isso aconteceu seja incerta. A densidade e a viscosidade desses minerais depende respectivamente de suas razões Mg-Fe e conteúdo de água, que são mais baixos no manto litosférico arqueano em comparação com o manto astenosférico normal. Arndt et al. (2002) consideraram três processos que devem ter resultado na separação mecânica e na acumulação de uma camada de manto flutuante viscoso perto da superfície da Terra durante o período Arqueano. Primeiro, a ressurgência de resíduo flutuante no núcleo de uma pluma do manto poderia ter se separado do exterior mais denso e mais frio e acumulado durante a subida (Fig. 11.2a). Neste modelo, a fusão começa sob alta pressão (profundidade 200 km) e continua em profundidades rasas, onde neste ponto volumes de fundidos são elevados e o resíduo denso de fundido de baixo grau e precoce é varrido pelo fluxo do manto. Segundo, o resíduo flutuante poderia ter se segregado lentamente conforme o material era transportado para baixo em zonas de subducção e se reciclado através do manto em células de convecção (Fig. 11.2b). Terceiro, porções de litosferas subcontinentais poderiam ser os restos de uma crosta inicial que se cristalizou em um oceano de magma arqueano que se formou durante os estágios finais de acreção da Terra (Fig. 11.2c). Em todos os três casos, o material flutuante e viscoso sobe e é separado do resíduo de maior densidade durante o fluxo do manto. É altamente especulativo se alguma combinação desses processos ajudou a formar as quilhas cratônicas. Mesmo assim, eles ilustram a forma como vários mecanismos diferentes poderiam ter concentrado parte do resíduo de fusão do manto em uma camada próxima à superfície.

Além do alto grau de fusão parcial e da eficiente diferenciação, a maioria dos autores também concluíram que a formação e a evolução da litosfera do manto envolveram uma história multiestágio com muitos eventos tectônicos e magmáticos (James & Fouch, 2002). No entanto, as opiniões estão divididas sobre se a construção da raiz envolveu preferencialmente a subducção e o empilhamento de placas oceânicas subductadas (Carlson et al., 2005), a acreção e o espessamento do material de arco (Lee, 2006) ou a extração de fundido de plumas mantélicas quentes (Wyman & Kerrich, 2002). Através da aplicação de uma série de critérios, alguns estudos geológicos mostraram casos convincentes de que antigas plumas do manto desempenharam um papel-chave na evolução da litosfera arqueana (Tomlinson & Condie, 2001; Ernst et al., 2005). Os dados de perfis sís-

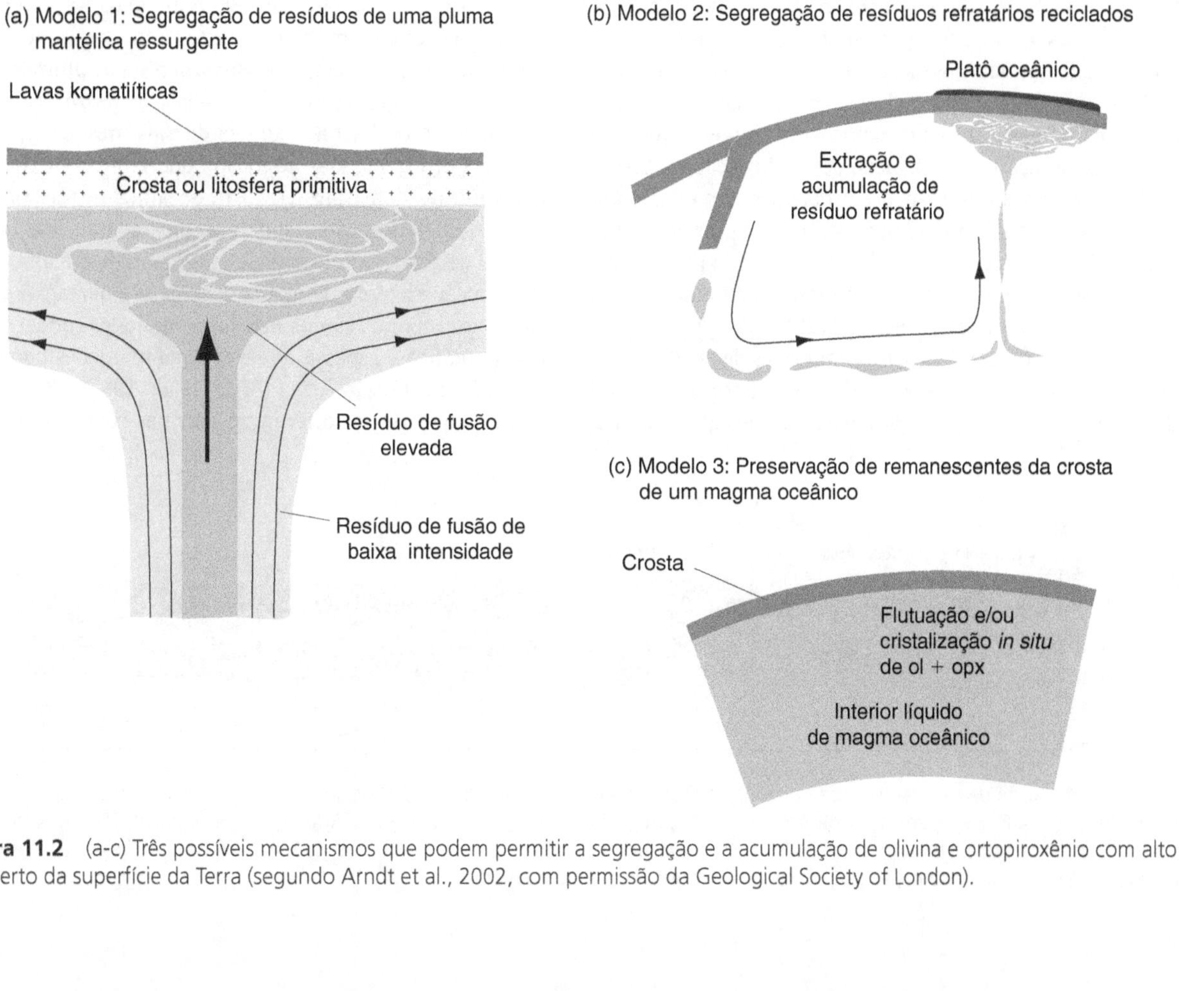

Figura 11.2 (a-c) Três possíveis mecanismos que podem permitir a segregação e a acumulação de olivina e ortopiroxênio com alto Mg perto da superfície da Terra (segundo Arndt et al., 2002, com permissão da Geological Society of London).

micos, estudos geocronológicos e análises isotópicas indicam que muitas raízes foram afetadas por grandes pulsos de magmatismo máfico durante o Arqueano Superior (Wyman & Kerrich, 2002; James & Fouch, 2002). Outros estudos, entretanto, enfatizaram uma configuração da zona de subducção para explicar a evolução do manto litosférico arqueano. A maioria dos crátons exibe evidências de uma significativa alteração das raízes cratônicas por colisões entre terrenos e espessamento durante, pelo menos, algum estágio de sua história (James & Fouch, 2002; Schmitz et al., 2004). Apoiando um mecanismo de zona de subducção, uma zona de subducção fóssil do Arqueano Superior (2,8-2,6 Ga) (Fig. 11.3) foi encontrada dentro do cráton Abitibi no norte do Canadá, com o uso de dados sísmicos (Calvert & Ludden, 1999; van der Velden et al., 2006). No entanto, é importante reconhecer que as raízes do manto arqueano provavelmente resultaram de mais de um ambiente tectônico e que nenhuma configuração ou evento único é aplicável a todos os casos.

As associações de rochas distintivas que compõem os granito-*greenstone belts* (Seção 11.3.2) fornecem outro meio importante de avaliar os mecanismos que contribuíram para a formação e a evolução da litosfera arqueana. Uma das questões-chave a serem respondidas é se as lavas toleíticas e komatiíticas que formam a maioria dos *greenstones belts* se formaram em ambientes que eram muito semelhantes aos ambientes tectônicos modernos. Por exemplo, se essas lavas vagamente representam o equivalente arqueano de basaltos modernos da dorsal mesoceânica, como normalmente se pensa, elas poderiam ser usadas para inferir que a maior parte do vulcanismo em tempos arqueanos envolveu a criação e a destruição de crosta oceânica (Arndt et al., 1997). No entanto, um dos problemas com essas comparações é que nenhum exemplo completo e quimicamente inalterado da crosta oceânica do Arqueano está preservado. Além disso, o manto arqueano era um pouco mais quente do que o manto moderno (Seção 11.2), o que, sem dúvida, influenciou as composições, profundidades de origem e padrões do vulcanismo (Nisbet et al., 1993). Esses problemas têm complicado interpretações dos processos que produzi-

ram e reciclaram a crosta continental arqueana e como eles podem ser diferentes daqueles em ambientes modernos.

A maioria dos autores concluiu que os altos conteúdos de magnésio e o elevado grau de fusão associados com a formação de komateítos refletem temperaturas de fusão (1400-1600°C) superiores às de magmas basálticos modernos (Nisbet et al., 1993). Exatamente o quão mais quente, no entanto, é assunto problemático. Parman et al. (2004) propuseram uma origem relacionada com subducção para estas rochas, similar ao que produziu boninitos no arco de ilha Izu-Bonin-Mariana (Fig. 11.4). *Boninitos* são andesitos de alto Mg considerados resultado da fusão do manto anormalmente quente e hidratado em regiões antearco acima de zonas de subducção jovens (Crawford et al., 1989; Falloon & Danyushevsky, 2000). Se os komatiítos foram produzidos pela fusão do manto hidratado, então a profundidade da fusão poderia ter sido relativamente rasa, como em zonas de subducção, e o manto arqueano só precisaria ser um pouco mais quente (~100°C) do que no presente (Grove & Parman, 2004). Nesta interpretação, fusão rasa e subducção resultam na formação e no espessamento do manto litosférico altamente empobrecido, que algum tempo depois é incorporado no manto cratônico abaixo de um continente.

Alternativamente, se as rochas geradoras de komatiítos estavam anidras, as altas temperaturas ambientais no manto arqueano teriam causado o início da fusão em profundidades que eram muito maiores do que a que ocorre em zonas de subducção, possivelmente em plumas mantélicas ressurgentes ou em níveis extraordinariamente profundos (200 km) abaixo das dorsais mesoceânicas. As maiores profundidades de fusão poderiam produzir grandes volumes de basalto e crosta oceânica muito mais espessa (~20-40 km) do que é hoje (Bickle et al., 1994). Evidência de grandes volumes de magma máfico e altas taxas de erupção sugere que platôs oceânicos e derrames basálticos continentais são os melhores análogos modernos da crosta máfica e espessa e levam a comparações com LIPs fanerozoicos (Seção 7.4.1) (Arndt et al., 1997, 2001). Neste último contexto, as diferenças entre as rochas modernas

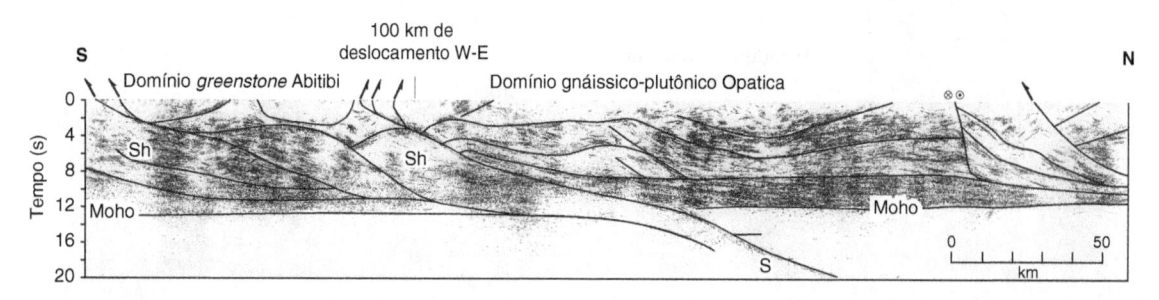

Figura 11.3 Perfil de reflexão sísmica do cinturão Opatica-Abitibi na Província Superior no norte do Canadá (adaptado de van der Velden et al., 2006, com permissão da American Geophysical Union. Copyright © 2006 American Geophysical Union). A interpretação é modificada de Calvert et al. (1995), Lacroix e Sawyer (1995) e Calvert & Ludden (1999). S, zona de subducção fóssil; Sh, reflexões em formato de telha, sugerindo material imbricado na crosta média.

(a) Início da subducção

(b) Zona de subducção madura

(c) Término da subducção-colisão continental

Manto litosférico altamente depletado

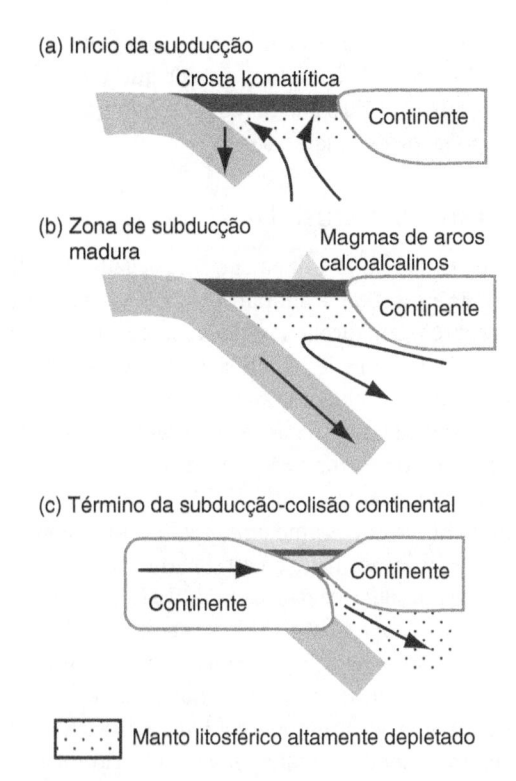

Figura 11.4 Modelo conceitual para a geração de komatiítos e manto cratônico por fusão parcial em uma zona de subducção (segundo Parman et al., 2004. Copyright © 2004 Geological Society of South Africa). (a) A fusão parcial produz magma komatiítico em um ambiente de arco frontal. (b) A subducção madura resfria e hidrata o manto residual. (c) Ocorre obdução da crosta komatiítica durante a colisão.

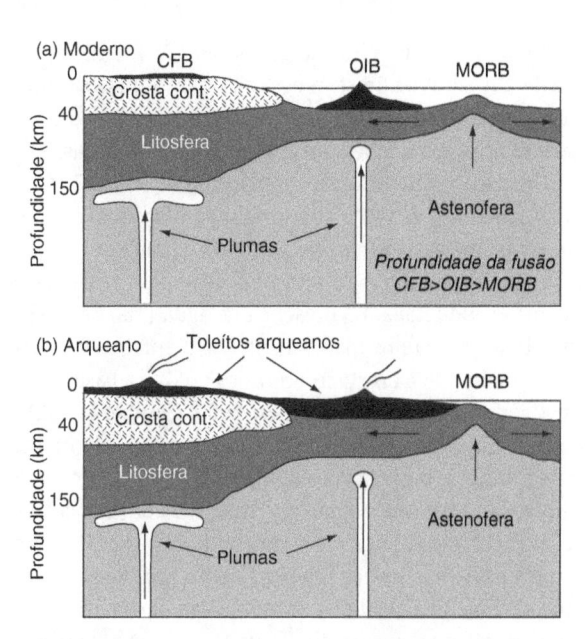

Figura 11.5 Modelo de formação de basalto toleítico e komatiítico envolvendo plumas mantélicas (segundo Arndt et al., 1997, com permissão da Oxford University Press). O modelo mostra a influência da espessura da litosfera na profundidade de fusão onde CFB é derrame basáltico continental, OIB basalto de ilha oceânica, e MORB basalto de dorsal mesoceânica.

e antigas são explicadas por variações na profundidade de fusão e nos efeitos de uma espessa litosfera primordial (Fig. 11.5). Estes e uma variedade de outros modelos (Fig. 11.6) ilustram como informações sobre a profundidade e a fonte da fusão que produziu komatiítos têm consequências importantes para a configuração tectônica e a evolução térmica da Terra primordial.

Vários modelos tectônicos também foram postulados para a origem da crosta continental arqueana. Windley (1981) observou as semelhanças geológicas e geoquímicas entre suítes tonalito-trondhjemito-granodiorito (TTG) arqueanas e granitoides exumados associados às zonas de subducção tipo Andina (Seção 9.8). Ele considerou este como sendo um ambiente no qual quantidades volumosas de tonalitos podem ser produzidas e concluiu que isso representa um análogo razoável para a formação dessas rochas em tempos arqueanos. O trabalho subsequente levou a um consenso geral de que estes modelos de subducção são aplicáveis ao Arqueano Superior. No entanto, a sua aplicabilidade para o Eoarqueano e Mesoarqueano é controversa, pois neste tempo a espessura da crosta oceânica pode ter inibido a subducção. Como alternativa à subducção, Zegers & van Keken (2001) postularam que suítes TTG se formaram por remoção e afundamento da parte densa e menos espessa do platô oceânico. A descamação, ou *delaminação*, de uma raiz de eclogito densa resulta em soerguimento, extensão e fusão parcial para produzir magmas de suítes TTG. Este processo poderia ter retornado algum material oceânico para o manto e pode ter acompanhado as colisões entre terrenos oceânicos no Arqueano Inferior a Médio. No entanto, a eventual ausência de subducção cria um problema na medida em que, assu-

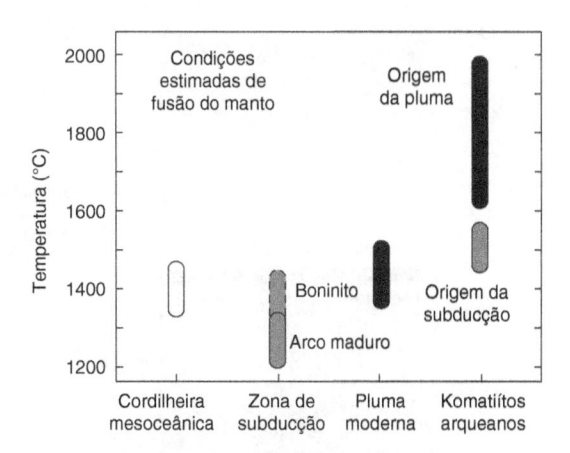

Figura 11.6 A gama de temperaturas de geração de fusão do manto estimadas para várias configurações tectônicas modernas comparada às temperaturas inferidas para a geração de komatiíto por fusão em um modelo de pluma (oval preenchida em preto) e um modelo de subducção (oval preenchida em cinza) (segundo Grove & Parman, 2004, com permissão de Elsevier).

mindo uma Terra não expandida (Seção 12.3), uma elevada taxa de formação da litosfera oceânica durante estes tempos deve ter sido acompanhada por um mecanismo pelo qual a litosfera oceânica também foi destruída em altas taxas.

Um aspecto importante da origem das suítes TTG é o tipo de material da fonte que fundiu para produzir o magma. Os primeiros estudos petrológicos sugeriram que esses magmas poderiam resultar da fusão parcial de crosta oceânica subductada, na presença de água (Martin, 1986). No entanto, trabalhos mais recentes têm enfatizado outras fontes, incluindo a crosta inferior dos arcos e a base de platôs oceânicos espessos (Smithies, 2000; Condie, 2005a). A importância da fonte de material é ilustrada por um modelo de dois estágios proposto por Foley et al. (2003). Este modelo prevê que, durante o Arqueano Inferior, a crosta oceânica era muito espessa para ser subductada como uma unidade, portanto suas partes inferiores sofreram delaminação e fusão (Fig. 11.7a). Infere-se que essas partes inferiores são compostas por piroxenitos que foram produzidos pelo metamorfismo de cumulatos acamadados ultramáficos. A fusão do piroxenito não favoreceu a geração de fundidos TTG, mas produziu fusão basáltica. À medida que a crosta oceânica é resfriada e se torna mais fina, foi alcançado, no Arqueano Superior, um ponto no qual a crosta inteira poderia subductar (Fig. 11.7b). Neste momento, a crosta hidrotermalmente alterada, como anfibolito, foi introduzida em zonas de subducção e levou à formação generalizada de suítes TTG. Este modelo suporta a visão de que a formação da crosta continental mais antiga requer subducção e a fusão de uma fonte máfica hidratada.

11.3.4 Estrutura crustal

Granito-*greenstone belts* exibem uma variedade de estilos estruturais e padrões de afloramento, muitos dos quais também ocorrem em orógenos fanerozoicos (Kusky & Vearncombe, 1997). Aqueles comuns aos cinturões arqueanos e fanerozoicos incluem grandes extensões de rochas ígneas metamorfizadas e rochas sedimentares que são deformadas por falhas de empurrão e zonas de cisalhamento transcorrente (por exemplo, Figs. 10.13, 10.19). Outro padrão, comumente referido como uma arquitetura de domo e quilha, ocorre exclusivamente na crosta arqueana. Este último estilo estrutural forma o foco da discussão nesta seção.

Províncias *domo e quilha* (*dome-and-keel*) consistem em quilhas em forma de calha ou sinclinais compostas de *greenstone*, que circundam domos elipsoidais e ovoides compostos por gneisse, granitoide e migmatito (Seção 9.8). Os contatos entre domos e quilhas geralmente são zonas de cisalhamento dúctil de alto grau. Marshak et al. (1997) distinguiram dois tipos dessas províncias. Um tipo tem quilhas compostas de *greenstones* e suas camadas metassedimenta-

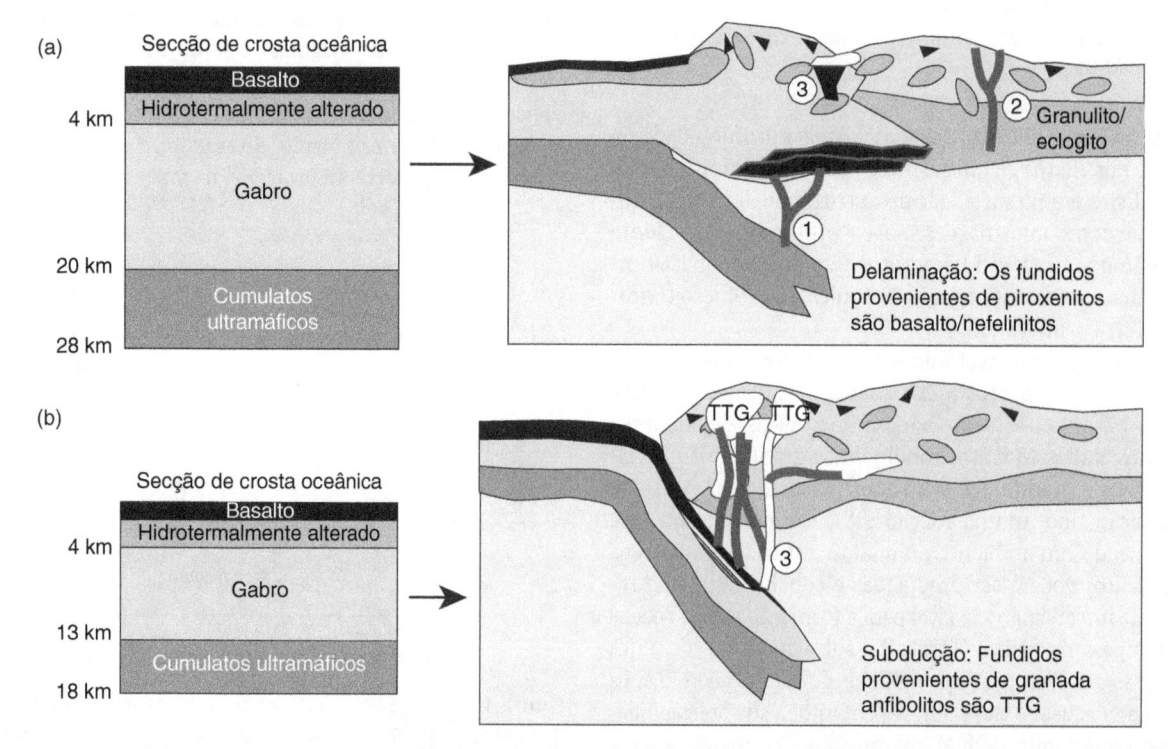

Figura 11.7 Modelo de dois estágios da evolução crustal arqueana (segundo Foley et al., 2003, com permissão da *Nature* **421**, 249-52. Copyright © 2003 Macmillan Publishers Ltd). (a) Arqueano Inferior com delaminação de crosta oceânica espessa e fusão de piroxenitos (1). Fusão local da crosta inferior (2) e de granada anfibolito (3) também pode ocorrer para produzir pequenos volumes de magma félsico. (b) Subducção total da crosta no Neoarqueano e fusão em larga escala de granada anfibolito para produzir suítes TTG (3).

res associadas (Seção 11.3.2) e domos compostos de rocha granitoide similar em idade ou um pouco mais jovem do que os *greenstones*. O outro tipo tem domos principalmente de rochas gnáissicas e migmatíticas do embasamento e quilhas compostas de *greenstones* que são mais jovens que as rochas do domo.

O cráton Pilbara Oriental do noroeste da Austrália (Fig. 11.8) é um dos mais antigos e melhor preservados exemplos de um cinturão granito-*greenstone* e de uma província domo e quilha, com uma história de 3,72-2,83 Ga (Collins et al., 1998; Van Kranendonk et al., 2002, 2007). O cráton expõe nove domos graníticos com diâmetros variando de 35 km a 120 km. Estudos de dados de refração sísmica, gravimetria e anomalias magnéticas (Wellman, 2000) indicam que as margens dos domos são geralmente íngremes e se estendem a profundidades mesocrustais de ~14 km. Apesar dos seus contornos simples, a estrutura interna dos domos é complexa. Cada um contém restos de suítes granitoides TTG de 3,50-3,43 Ga (Seção 11.3.2) que são intrudidas por suítes ígneas potássicas mais jovens (3,33-2,83 Ga) (Fig. 11.9a). Os domos exibem zonação composicional e graus variáveis de deformação. Em muitos casos, os corpos mais jovens estão localizados nos núcleos de domos com granitoides mais velhos e mais deformados nas margens. Esta estrutura interna indica que cada cúpula foi construída através do alojamento de muitas intrusões ao longo de centenas de milhões de anos e cuja deformação acompanha o magmatismo.

Entre os domos granitoides estão tratos sinclinais de *greenstone* compostos de sequências vulcânicas e sedimentares inclinadas de até 23 km de espessura (Van Kranendonk et al., 2002). Sucessivos grupos desses estratos foram depositados em bacias autóctones que se desenvolveram em sinclinais de *greenstones* mais velhos. Episódios de vulcanismo félsico nessas faixas acompanham a colocação das cúpulas graníticas. O grau de metamorfismo e da idade dos estratos diminui gradualmente a partir das margens deformadas dos domos para os núcleos dos sinclinais onde os *greenstones* são apenas fracamente deformados. Essas áreas fracamente deformadas preservam os delicados estromatólitos arqueanos e outras evidências de vida primitiva (Buick, 2001). A geometria dos sinclinais entre os domos cria uma estrutura de domo e quilha de amplitude alta (~15 km) e comprimento de onda longo (120 km) que se desenvolveu ao longo de toda a história do Pilbara Oriental.

Os contatos entre os domos granitoides e os *greenstones* em Pilbara Oriental variam entre intrusivos e discordantes, falhas anelares e zonas de cisalhamento de alto grau. As zonas de cisalhamento e as falhas anelares são concêntricas sobre os domos e geralmente exibem orientações subverticais a íngremes (Figs. 11.8, 11.9b,c). Muitas dessas zonas de cisalhamento, incluindo a Zona de Cisalhamento Monte Edgar, formaram-se durante o período de 3,32-3,30 Ga (Van Kranendonk et al., 2007). A parte central do cráton contém uma zona de 5-15 km de largura de deformação dúctil chamada de corredor estrutural Lalla Rookh--Shaw Ocidental (Fig. 11.8). Esta zona formou-se durante um período (~2,94 Ga) de contração e é caracterizada por várias gerações de dobras e matrizes de rocha dúctil (Van Kranendonk & Collins, 1998).

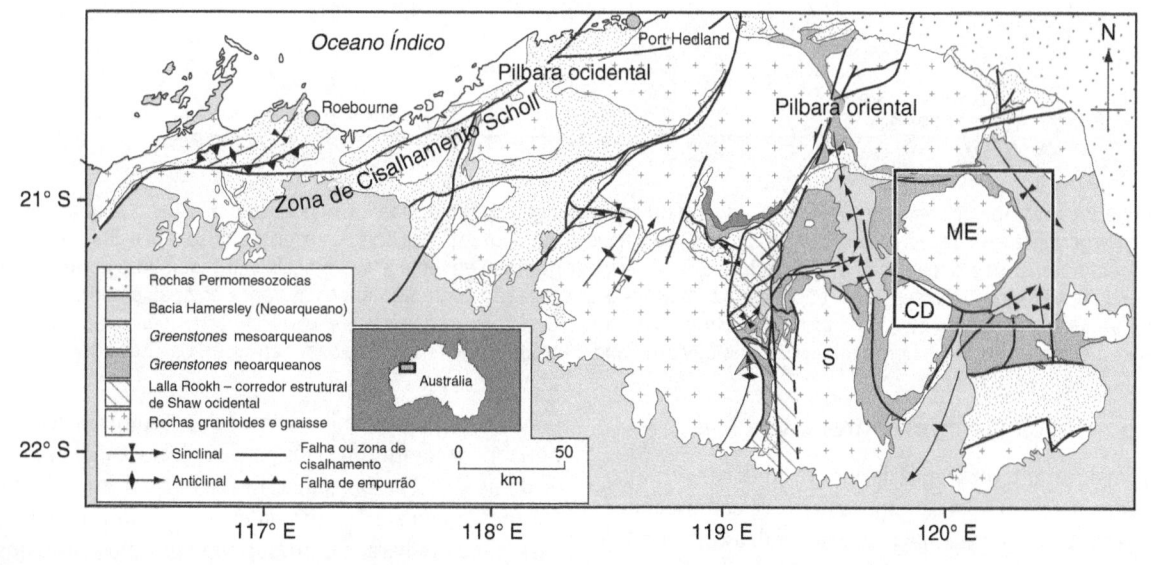

Figura 11.8 Mapa geológico do cinturão granito-*greenstone* Pilbara (adaptado de Zegers & van Keken, 2001, com permissão da Geological Society of America, com informação estrutural adicional de Van Kranendonk et al., 2007) mostrando o padrão ovoide típico de suítes granitoides TTG cercadas por *greenstone belts*. ME, Domo Monte Edgar; CD, Domo Corunha Downs; S, Domo Shaw. Caixa preta mostra a localização da Fig. 11.9.

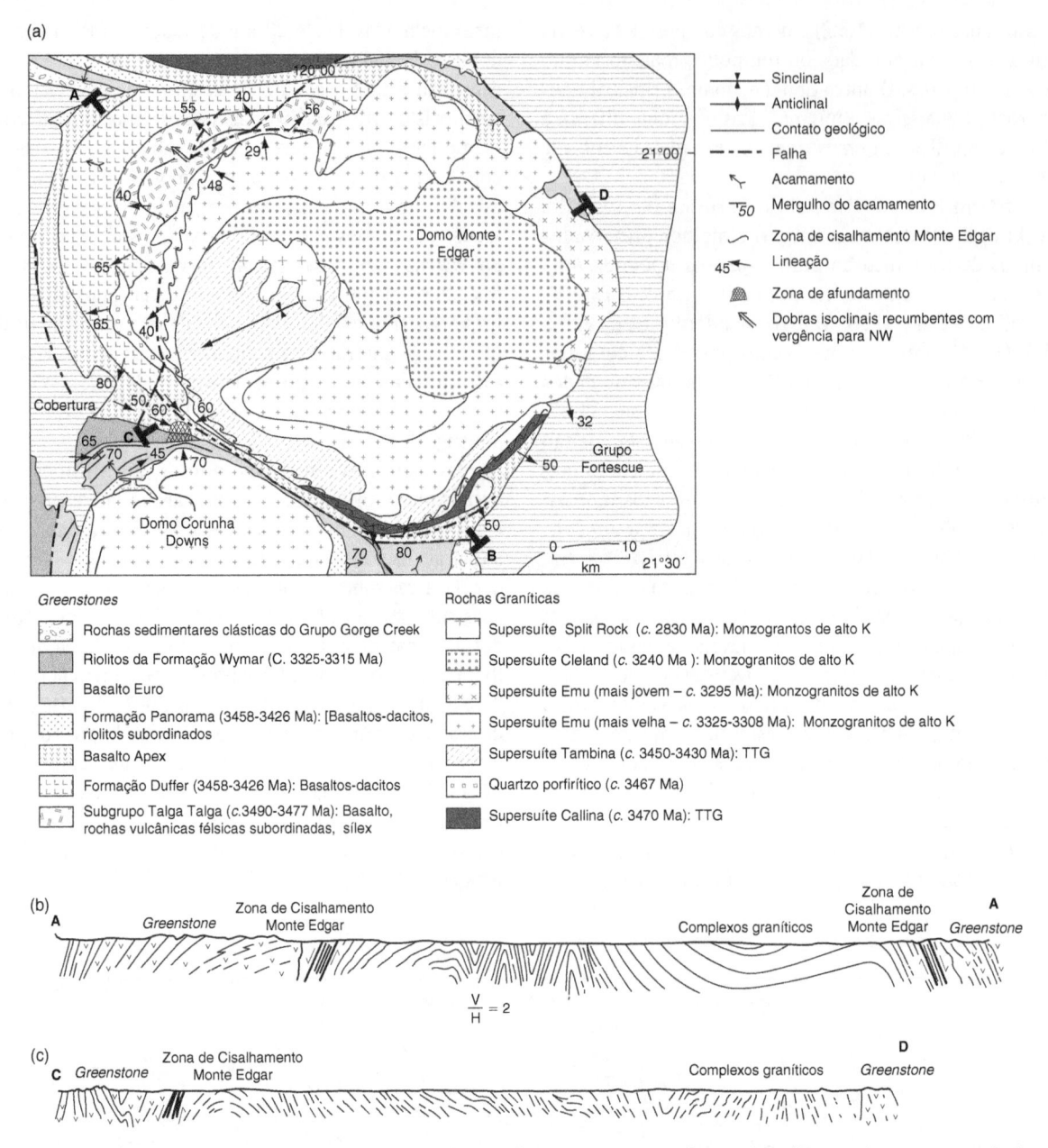

Figura 11.9 (a) Mapa geológico do Domo Mt. Edgar e do complexo granítico em Pilbara Oriental (segundo Van Kranendonk et al., 2007, com permissão da Blackwell Publishing). O mapa mostra a estrutura interna dos domos e a distribuição radial das lineações minerais metamórficas de alongamento (setas) de 3,32-3,30 Ga, que convergem em uma zona vertical de afundamento entre os Domos Monte Edgar, Carunna Downs e Shaw (não mostrados). Estes elementos são contemporâneos às zonas de cisalhamento arqueadas que se formam ao longo do contato granito-*greenstone* (Fig.11.8). (b,c) Cortes transversais mostrando as tendências de superfícies de foliação e zonas de cisalhamento dentro do Domo Monte Edgar (segundo Collins, 1989, com permissão da Elsevier).

11.3.5 Tectônica horizontal e vertical

A origem da arquitetura única de domo e quilha dos crátons arqueanos (Seção 11.3.4) é importante para compreender a natureza da tectônica arqueana. Em geral, as interpretações podem ser divididas em visões contrastantes sobre os papéis relativos dos deslocamentos verticais e horizontais para produzir este padrão. O cráton Pilbara Oriental no oeste da Austrália ilustra como modelos tectônicos verticais e horizontais foram aplicados para explicar o estilo estrutural de domo e quilha. Durante esta discussão, é importante ter em mente que a estrutura da crosta, como ilustrado pelo exemplo de Pilbara, é o produto de múltiplos episódios de deformação, metamorfismo e colocação de plútons, em vez de um único episódio tectônico.

Modelos tectônicos verticais descrevem a subida diapírica de domos de granitoides quentes como o resultado de um tombamento parcial convectivo da crosta média e superior. Collins et al. (1998) e Van Kranendonk et al. (2004) utilizaram padrões de tensão NW, deslocamento em zonas de cisalhamento na forma de domo voltado para cima/*greenstone* voltado para baixo e outros recursos para vincular a formação de estruturas domo e quilha à subsidência dos *greenstones*. O processo começa com a colocação da suíte de granitoides TTG quente (Seção 11.3.2) em uma sucessão de *greenstones* mais velhos (Fig. 11.10a). Os domos são iniciados em centros vulcânicos félsicos devido a uma colocação lateralmente desigual de magma TTG. Após um hiato de várias dezenas de milhões de anos, o alojamento de camadas grossas de basalto sobre granitoides menos densos cria um perfil de densidade crustal invertido (Fig. 11.10b). O magmatismo também soterra os granitoides a uma profundidade na crosta onde eles se fundem parcialmente devido ao acúmulo de calor radiogênico e, possivelmente, devido à advecção de calor da atividade da pluma mantélica. O enfraquecimento térmico e uma redução da viscosidade na crosta intermediária facilita o afundamento dos *greenstones*, que, em seguida, expulsam o fundido subjacente de domos graníticos de grande amplitude em ascensão (Fig. 11.10c). A convecção deprime o gradiente geotermal nos tratos de *greenstones*, resultando em arrefecimento local e preservação de rochas metamórficas portadoras de cianita, que entram em equilíbrio a pressões moderadas (~600 MPa) e baixas temperaturas (500°C). Este modelo explica a formação da estrutura de domo e quilha sem placas rígidas ou forças em limites de placas e é semelhante aos modelos de afundamento ou *sagducção* propostos para a formação de estruturas em domo e quilha no cráton Dharwar na Índia (Chardon et al., 1996).

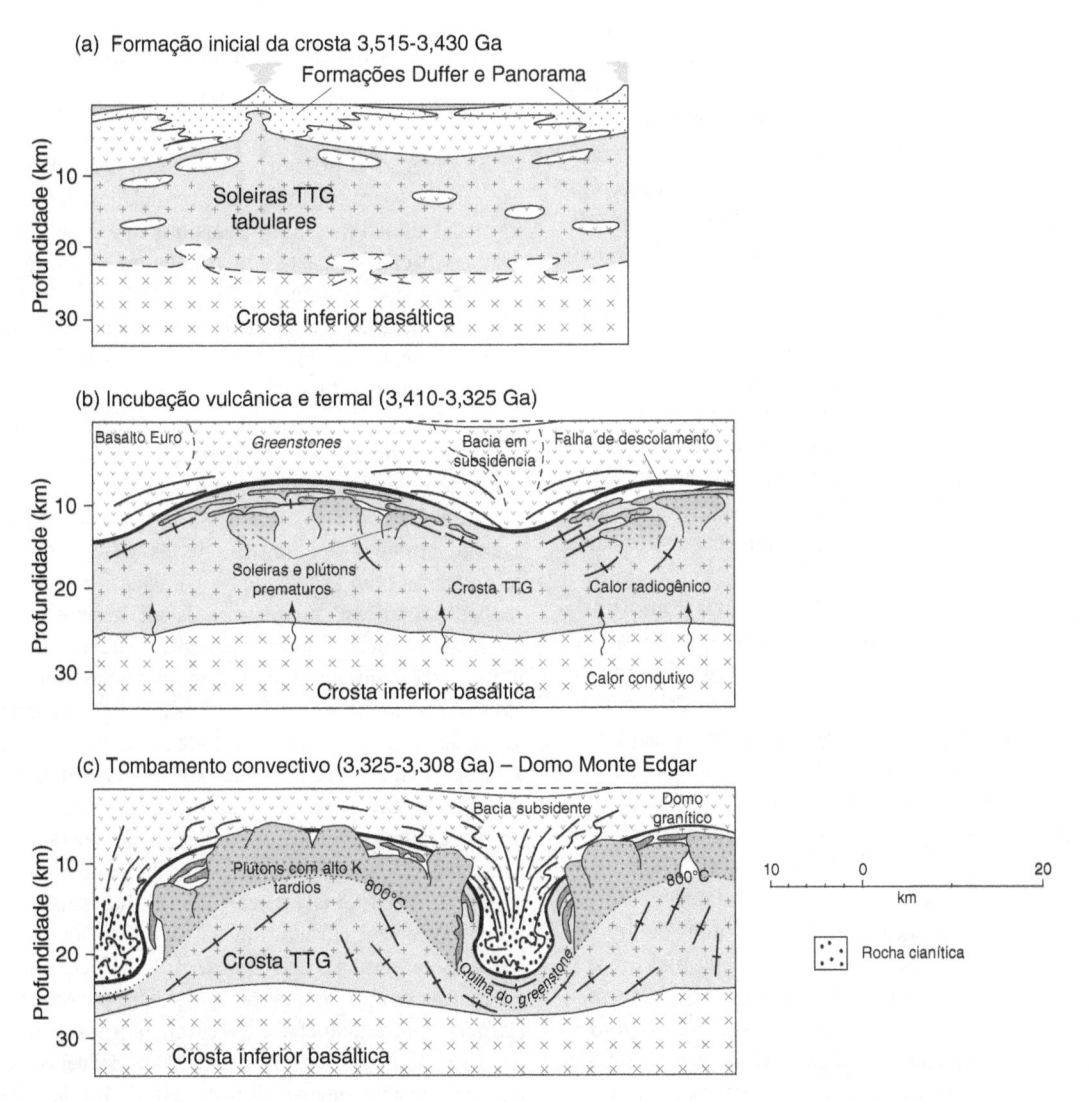

Figura 11.10 Modelo diapírico de três estágios de províncias de domo e quilha do cráton Pilbara Oriental (segundo Collins et al., 1998, com permissão de Pergamon Press, Copyright Elsevier, 1998; a variação de idade dos estágios é de Van Kranendonk et al., 2007).

Modelos tectônicos horizontais para o Pilbara Oriental propõem que os *greenstones* foram afetados por um ou mais períodos de contração e extensão horizontal (Blewitt, 2002). Nessas interpretações, a contração resulta de episódios de colisão no Eoarqueano (Seções 10.4, 10.5) e de acreção de terreno (Seção 10.6). Períodos de extensão horizontal resultaram na formação de destacamentos crustais e na colocação de domos granitoides. Kloppenburg et al. (2001) utilizaram observações de padrões de matrizes de corte transversais múltiplos e de padrões unidirecionais de lineações de estiramento para sugerir que o Domo Monte Edgar se formou inicialmente como um complexo central extensional metamórfico (Seções 7.3, 7.6.3, 7.6.6). Um período inicial de colisão e cavalgamento de terrenos anterior a 3,32 Ga espessa o *Greenstone Belt* Eoarqueano Warrawoona e soterra o embasamento granitoide para níveis intermediários da crosta, onde este se funde parcialmente. A fusão parcial facilita o colapso extensional da crosta espessada, formando falhas de descolamento (isto é, zona de cisalhamento Monte Edgar, Fig. 11.11a) semelhantes às encontradas em complexos fanerozoicos (por exemplo, Figs. 7.14b, 7.39c). A inversão da densidade criada por *greenstones* densos que cobrem o embasamento flutuante parcialmente fundido provoca o aumento dos domos granitoides em 3,31 Ga por fluxo de estado sólido durante a extensão (Fig. 11.11b). Essa extensão é acomodada pelo deslocamento na zona de cisalhamento Monte Edgar e pelo movimento transcorrente lateral em uma zona de transferência dentro do embasamento gnáissico. Deslocamentos normais levam os *greenstones* para baixo entre os domos em soerguimento. A colocação dos domos inclina os planos de descolamento e altera a geometria do sistema, de forma que sua estrutura já não se assemelha à de complexos do Fanerozoico (Fig. 11.11c). A inclinação durante períodos de encurtamento fornece uma explicação alternativa dos lados quase verticais dos domos granitoides.

A aplicação tanto dos modelos verticais como horizontais para os crátons arqueanos envolve numerosas incertezas. Problemas com modelos diapíricos geralmente incluem incertezas que cercam o momento da inversão convectiva e como um perfil de densidade invertida poderá ser mantido ou periodicamente estabelecido por uma história de 750 milhões de anos sem causar falha de empurrão (Van Kranendonk et al., 2004). A forma como a reologia de granitoides permite diapirismo também não está clara. Problemas com modelos de tectônica horizontal podem incluir um hiato de evidências de duplicação tectônica de grande escala dos *greenstones* por empurrão em algumas áreas e incertezas em torno de como a formação de complexos metamórficos principais poderiam produzir padrões ovoides distintos dos granitoides. Modelos tectônicos horizontais também não explicam claramente a cinemática e a forma de ferradura da geometria de zonas de cisalhamento que bordejam muitos domos graníticos (Marshak, 1999).

Uma comparação da evolução de vários crátons arqueanos sugere que os processos tectônicos horizontais e verticais ocorreram em locais e em tempos diferentes. Hickman (2004) ilustra numerosas diferenças tectônicas e metamórficas entre as partes oriental e ocidental do cráton Pilbara antes de ~2,95 Ga. Ele mostrou que, ao contrário da estrutura de domo e quilha mais ou menos autóctone de Pilbara Oriental, o Pilbara Ocidental preserva uma série de terrenos amalgamados (Seção 10.6.1) que são separados por uma série de zonas de cisalhamento e empurrão (Fig. 11.8) e envolveu episódios de compressão horizontal que se assemelham a um estilo fanerozoico de placas tectônicas. Essas diferenças sugerem que tectônicas tanto verticais como horizontais tenham desempenhado um papel importante durante a formação do cráton Pilbara.

11.4 TECTÔNICA DO PROTEROZOICO

11.4.1 Geologia geral da crosta proterozoica

Faixas proterozoicas exibem dois grupos de rochas que são distinguidos com base no seu grau metamórfico e na história de deformação. O primeiro grupo é composto de sequências espessas de rochas sedimentares e vulcânicas fracamente deformadas e, não metamorfizadas que foram depositadas em grandes bacias na parte superior de crátons arqueanos. O segundo grupo é composto de rochas muito deformadas de alto grau metamórfico que definem grandes faixas orogênicas. Ambos os grupos contêm suítes distintas de rochas ígneas.

A assembleia litológica mais comum nas partes fracamente deformadas da crosta Eomesoproterozoica são sequências de quartzito-carbonato-xisto que alcançam espessuras de cerca de 10 km (Condie, 1982b). Conglomerados com seixos de quartzo e arenitos maciços com estratificação cruzada também são comuns. Muitas dessas sequências são intercaladas com as formações bandadas de ferro, cherts e rochas vulcânicas. Outros tipos de rocha raros ou ausentes em faixas arqueanas neste momento incluem extensos evaporitos, sequências sedimentares ricas em fósforo e depósitos tipo *red bed* (Seção 3.4). Estas última rochas geralmente são interpretadas como tendo se acumulado em ambientes estáveis de águas rasas após 2,0 Ga. O aparecimento e a preservação de tais sequências de rocha sedimentar são interpretados como reflexo da estabilização da crosta continental pré-cambriana durante os períodos do Proterozoico (Eriksson et al., 2001, 2005) (Seção 11.4.2). Na região de Pilbara no noroeste da Austrália (Fig. 11.8), a deposição de espessas rochas sedimentares clásticas de 2,78-2,45 Ga e sequências vulcânicas em um ambiente de plataforma rasa na Bacia de Hamersley (Trendall et al., 1991) refletem essa estabilização. A existência de grandes massas de terra estáveis e de atmosfera livre de oxigênio permitiu, a partir de 1,8 Ga, o desenvolvimento de todos os ambientes sedimentares conhecidos que caracterizam o Fanerozoico (Eriksson et al., 2005).

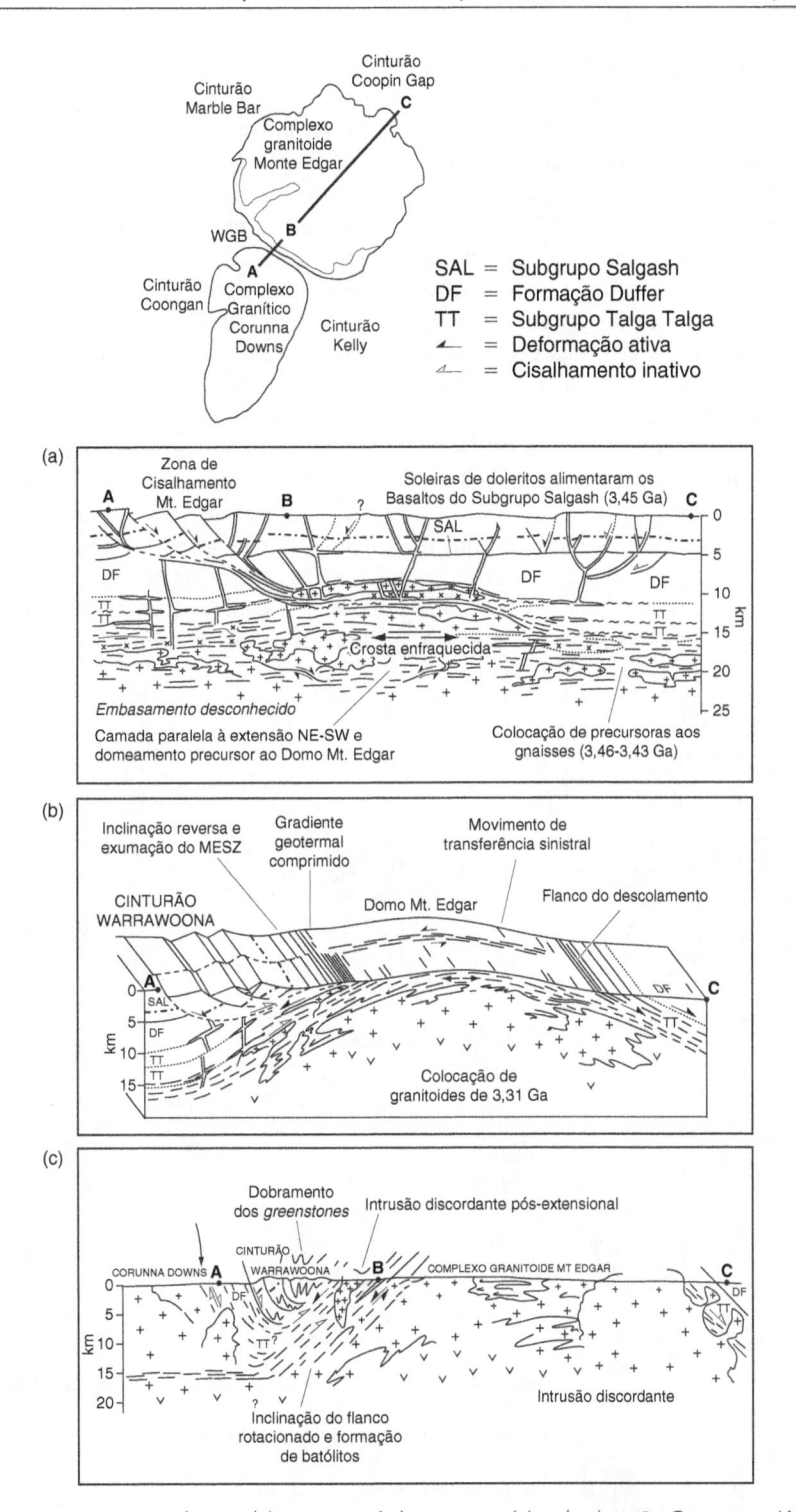

Figura 11.11 Desenhos que resumem o desenvolvimento tectônico e magmático do cinturão *Greenstone* Warrawoona (WGB) e do Domo Monte Edgar por extensão horizontal (segundo Kloppenburg et al., 2001, com permissão da Elsevier). (a) Intrusões de gabro/diorito e dolerito, antes de 3,33 Ga, extensão NE-SW, e domeamento do Complexo Granitoide Monte Edgar. (b) Extensão diferencial na Zona de Cisalhamento Monte Edgar (MESZ) e movimento lateral ao longo de uma zona de transferência dentro do complexo granitoide em 3,31 Ga. (c) Deslocamentos normais finais localizados e aumento da curvatura MESZ seguidos por intrusões discordantes de plútons pós-extensionais.

As regiões altamente deformadas da crosta proterozoica podem ser divididas em dois tipos (Kusky & Vearncombe, 1997). O primeiro tipo constitui-se em sequências sedimentares espessas que foram deformadas em cinturões de dobramento e empurrão lineares semelhantes aos descritos nos orógenos fanerozoicos (Figs. 10.5, 10.19). O segundo tipo consiste em gnaisses de alto grau de fácies granulito e fácies anfibolito superior. Alguns dos maiores e mais conhecidos destes últimos cinturões formam as províncias Grenville (~1,0 Ga) da América do Norte, América do Sul, África, Antártida, Índia e Austrália (Fig. 11.19). Outras faixas (Fig. 11.12) evoluíram durante o período de 2,1-1,8 Ga (Zhao et al., 2002). Esses orogenos contêm grandes zonas de empurrão dúcteis que separam terrenos distintos. Alguns contêm ofiólitos (Seção 2.5) que lembram exemplos fanerozoicos, exceto pela falta de rochas altamente deformadas derivadas do manto nas suas bases em ofiólitos com mais de ~1 Ga (Moores, 2002). A presença dessas características reflete a importância da subducção, colisão e acreção de terrenos ao longo das margens continentais proterozoicas (Carr et al., 2000; Karlstrom et al., 2002).

Uma comparação de rochas ígneas em faixas arqueanas e proterozoicas indica uma mudança progressiva na composição da massa da crosta ao longo do tempo (Condie, 2005b). Durante o Eoarqueano, rochas basálticas foram mais abundantes (Seção 11.3.2). Mais tarde, a fusão parcial dessas rochas em zonas de subducção ou na base de platôs oceânicos produziu grandes volumes de granitoides TTG (Seções 11.3.2, 11.3.3). A partir de 3,2 Ga, aparecem granitos pela primeira vez no registro geológico, sendo produzidos em grandes quantidades após 2,6 Ga. Esta tendência composicional de basalto para tonalito para granito é geralmente atribuída a um aumento na importância da reciclagem crustal e da subducção durante a transição do Neoarqueano para o início dos tempos proterozoicos.

Grandes enxames de diques máficos foram colocados em crátons arqueanos e nas rochas de cobertura durante o Arqueano-Eoproterozoico e em diante. Um dos melhores exemplos expostos é o enxame de diques Mackenzie no Escudo Canadense (1,27 Ga), que exibe diques que se espalham ao longo de um arco de 100° e se estendem por mais de 2.300 km (Ernst et al., 2001). Algumas dessas regiões do escudo também contêm enormes intrusões de soleiras e camadas de rochas máficas e ultramáficas que ocupam cen-

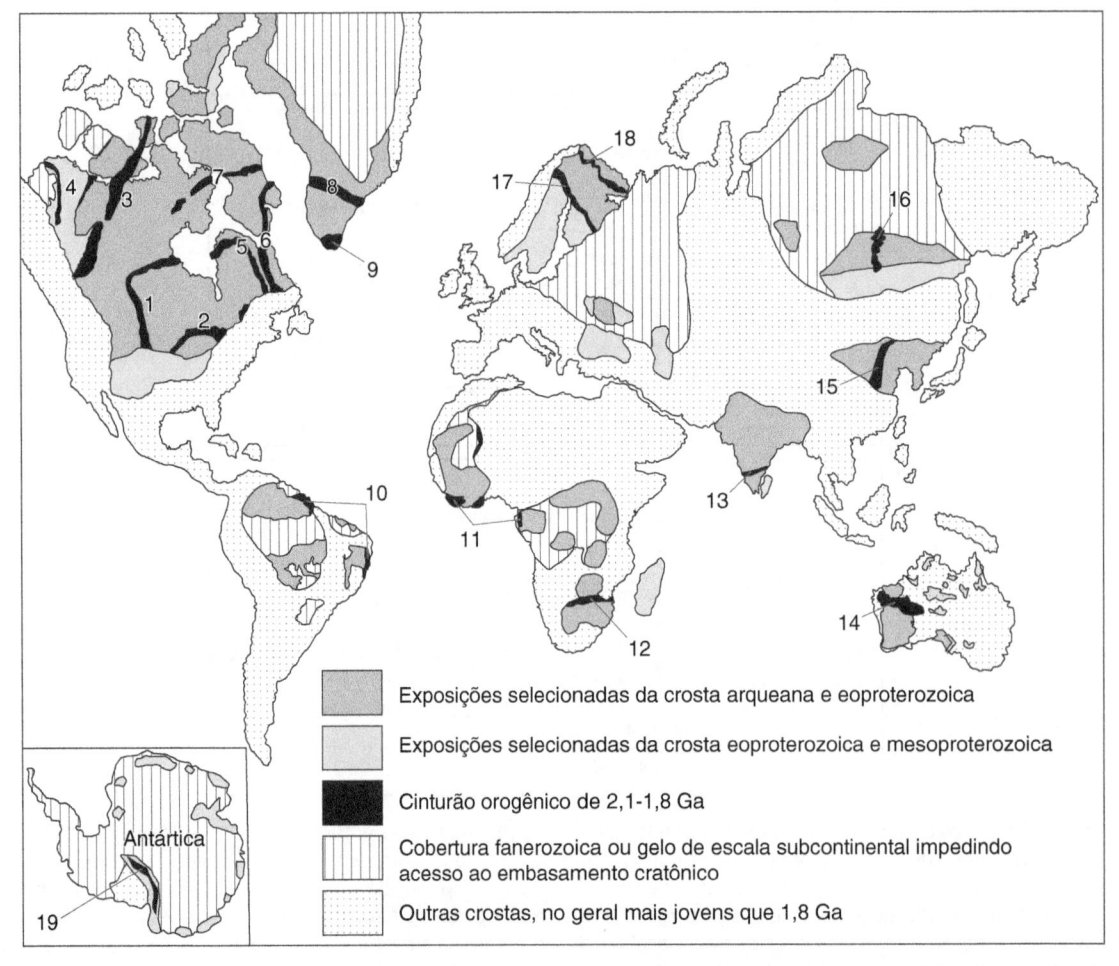

Figura 11.12 Distribuição global de faixas orogênicas de 2,1-1,8 Ga, mostrando áreas selecionadas do Arqueano e embasamento do Proterozoico Inferior (segundo Zhao et al., 2002, com permissão da Elsevier). Orógenos rotulados como segue: 1, Trans-Hudson; 2, Penokean; 3, Taltson-Thelon; 4, Wopmay; 5, Cabo Smith-Nova Quebec; 6, Torngat; 7, Foxe; 8, Nagssugtoqidian; 9, Makkovikian-Ketilidian; 10, Transamazônica; 11, Eburnian; 12, Limpopo; 13, Moyar; 14, Capricórnio; 15, Transnorte da China; 16, Aldan Central; 17, Svecofennian; 18, Kola-Karelian; 19, Transantártico.

tenas de milhares de quilômetros quadrados. Essas intrusões fornecem informações sobre os sistemas de conexão de câmaras magmáticas profundas do Pré-Cambriano e de interações crosta-manto. Três dos exemplos mais conhecidos são a intrusão Muskox (~1,27 Ga) no norte do Canadá (Le Cheminant & Heaman, 1989; Stewart & DePaolo, 1996), o complexo Bushveld (~ 2,0 Ga) na África do Sul (Hall, 1932; Eales & Cawthorn, 1996) e o complexo Stillwater (~ 2,7 Ga) em Montana, EUA (Raedeke & McCallum, 1984; McCallum, 1996). Ao contrário das camadas das suítes ígneas dos terrenos gnáissicos arqueanos de alto grau (Seção 11.3.2), essas intrusões são virtualmente indeformadas.

Maciços anortosíticos (Seção 11.3.2) colocados durante o Proterozoico também diferem dos exemplos arqueanos. anortositos proterozoicos estão associados com granitos e contêm menor quantidade de plagioclásio que anortositos arqueanos (Wiebe, 1992). Essas rochas formam parte de uma associação conhecida como suítes anortosito-mangerita-charnockito-granito (AMCG). *Charnockitos* são rochas de alta temperatura e quase anidras e podem ser tanto de origem ígnea ou de alto grau metamórfico (Winter, 2001). A fonte de magma e a definição dos anortositos são controversas. A maioria dos estudos as interpreta como tendo cristalizado a partir de fundidos derivados do manto, que foram contaminados por crosta continental (Musacchio & Mooney, 2002), ou como fusão principal derivada da crosta continental inferior (Schiellerup et al., 2000). A evidência atual favorece o modelo anterior. Alguns autores também têm sugerido que essas rochas foram colocadas em riftes ou ambientes retroarco, seguindo períodos de orogênese; outros argumentam que elas estão intimamente relacionadas aos processos orogênicos (Rivers, 1997). A formação dessas rochas representa um importante mecanismo do crescimento continental e da reciclagem crustal no Proterozoico.

11.4.2 Crescimento continental e estabilização cratônica

Muitas das características geológicas presentes em cinturões proterozoicos indicam que a litosfera continental atingiu estabilidade tectônica ampla durante este Éon. Estabilidade tectônica refere-se à resistência geral dos crátons aos processos de reciclagem de larga escala. Os resultados dos estudos sísmicos e petrológicos (Seções 11.3.1, 11.3.3) e de modelagem numérica (Lenardic et al., 2000; King, 2005), sugerem que a flutuabilidade composicional e um manto cratônico altamente viscoso explicam por que os crátons foram preservados por bilhões de anos. Essas propriedades e o isolamento da convecção do manto mais profundo permitiram que o manto litosférico mantivesse sua integridade mecânica e resistisse à grande escala de subducção, delaminação e/ou erosão basal. Processos tectônicos fanerozoicos resultaram em certa reciclagem da litosfera continental (por exemplo, Seções 10.2.4, 10.4.5, 10.6.2); no entanto, a escala deste processo em relação ao tamanho dos crátons é pequena.

Os núcleos dos primeiros continentes parecem ter atingido, cerca de 3 bilhões de anos atrás, tamanho e espessura suficientes para resistir ao retorno para o manto por subducção ou delaminação. Collerson & Kamber (1999) usaram medidas de razões Nb/Th e Nb/U para inferir a taxa de produção líquida de crosta continental desde 3,8 Ga. Esses métodos expõem diferenças no comportamento desses elementos durante a depleção química e a fusão parcial do manto. As diferentes razões potencialmente fornecem informações sobre a extensão da depleção química e da quantidade de crosta continental que estava presente na Terra em tempos diferentes. Este trabalho e os resultados das datações isotópicas (Fig. 11.13) sugerem que a produção da crosta foi episódica, com crescimento líquido rápido em 2,7, 1,9 e 1,2 Ga e um crescimento mais lento depois (Condie, 2000; Rino et al., 2004). Cada um destes pulsos pode ter sido curto, durando $\leq$ 100 Ma (Condie, 2000; Rino et al., 2004). Com base nos dados disponíveis, Condie (2005b) concluiu que 39% da crosta continental foram formadas no Arqueano, 31% no Eoproterozoico, 12% no Mesoneoproterozoico e 18% no Fanerozoico.

Dois dos mais importantes mecanismos do crescimento continental e da evolução da raiz cratônica do Neorqueano e do Eoproterozoico foram as adições magmáticas (Seção 9.8) e a acreção de terrenos (Seção 10.6). Vários autores (por exemplo, Condie, 1998; Wyman & Kerrich, 2002) têm sugerido que a subida de material máfico flutuante em plumas do manto pode ter iniciado a formação de crostas e pode ter iniciado ou modificado a formação de raízes durante períodos de crescimento rápido (Seção 11.3.3). Schmitz et al. (2004) ligaram a formação e a estabilização do cráton arqueano Kaapvaal na África do Sul com subducção, magmatismo de arco e acréscimo de terrenos em 2,9 Ga. Neste cráton e na maioria dos outros, as idades isotópicas de xenólitos do manto e várias assembleias crustais indicam que a depleção química no manto litosférico foi acoplada a processos de acreção na crosta sobrejacente (Pearson et al., 2002). Esta correspondência ampla é uma forte evidência de que a crosta e o manto litosférico formados mais ou menos no mesmo período mantiveram-se mecanicamente acoplados, pelo menos desde o

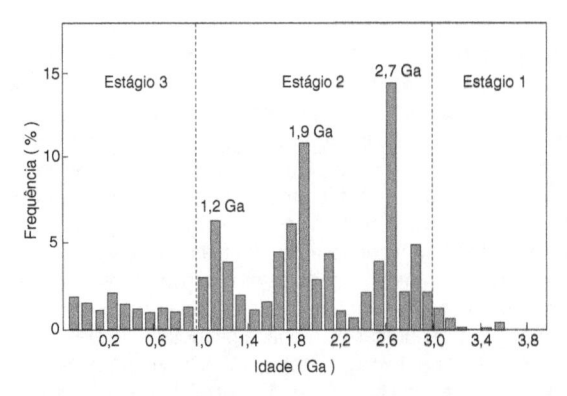

Figura 11.13 Gráfico mostrando a distribuição das idades U-Pb em zircão em crosta continental (segundo Condie, 1998, com permissão da Elsevier).

Neoarqueano. Uma diminuição progressiva do grau de depleção no manto litosférico desde o Arqueano (Fig. 11.14) indica que o limite Arqueano-Proterozoico representa uma grande mudança na natureza dos processos formadores da litosfera, com mais mudanças graduais ocorrendo durante o Fanerozoico (O'Reilly et al., 2001). O mecanismo de condução mais óbvio dessa mudança é o resfriamento secular da Terra (Seção 11.2). Além disso, os processos relacionados com colisão, subducção, acreção de terreno e adição magmática também ajudaram a formar e a estabilizar a litosfera continental.

Embora estas e muitas outras investigações tenham identificado alguns dos processos que contribuíram para a formação e a estabilização dos crátons arqueanos, numerosas perguntas ainda permanecem. Conciliar a composição de raízes de crátons determinada a partir de estudos petrológicos com os resultados dos estudos de velocidades sísmicas é problemático (King, 2005). Há muitas incertezas sobre como a estabilidade pode ser alcançada por bilhões de anos sem sofrer erosão mecânica e reciclagem na presença de subducção e convecção do manto. Outro problema é que a resistência dos materiais do manto necessária para estabilizar as raízes cratônicas em experimentos numéricos excede a resistência estimada desses materiais, derivada a partir de medições de laboratório (Lenardic et al., 2003). Estas questões, e até que ponto o manto cratônico interage e influencia o padrão de convecção do manto, atualmente estão sem solução. Uma melhor resolução da evolução das estruturas, da idade e da geoquímica da crosta continental e do manto litosférico promete ajudar pesquisadores a resolverem estes problemas no futuro.

11.4.3 Tectônica de placas proterozoica

Os primeiros modelos tectônicos da litosfera proterozoica projetavam que os crátons arqueanos foram divididos por faixas móveis em que a deformação foi totalmente ensialica, com nenhuma associação de rochas que poderia ser equiparada a bacias oceânicas antigas. As interpretações em que orogenias proterozoicas ocorreram longe das margens continentais, desde então, caíram em descrença. A maioria dos estudos já indica que orógenos proterozoicos (Fig. 11.12) evoluíram ao longo das margens das placas litosféricas por processos que eram semelhantes aos processos tectônicos modernos.

Um dos exemplos mais bem estudados de um orógeno Eoproterozoico que se formou por processos de placas tectônicas situa-se entre o cráton Slave e a Cordilheira Canadense fanerozoica no noroeste do Canadá. Essa região possui um registro de cerca de 4 bilhões de anos de desenvolvimento da litosfera (Clowes et al., 2005). Dados sísmicos de reflexão profunda coletados como parte do Lithoprobe SNORCLE (Evolução da Cordilheira Slave do Norte) na transecta do Escudo Canadense (ver também Seção 10.6.2) fornecem evidências de colisão arco-continente de estilo de tectônica de placa moderno, acreção de terreno e o subducção ao longo da margem do cráton arqueano Slave entre 2,1 e 1,84 Ga (Cook et al., 1999). Esses processos formaram o Orógeno Proterozoico Wopmay (Fig. 11.15a) e resultaram em crescimento continental através da adição de uma série de arcos magmáticos, incluindo os terrenos Hottah e Fort Simpson e o arco magmático Great Bear.

O final da formação do cráton Slave ocorreu em ~2,5 Ma. Cook et al. (1999) sugeriram que a sísmica de reflexão de baixo ângulo abaixo da Bacia Yellowknife (Fig. 11.15b) representa superfícies que acomodaram encurtamento durante esta evolução. Alguns desses reflectores se projetam no manto superior e representam o remanescente de uma zona de subducção do Neoarqueano que mergulhava para leste. Logo após a amalgamação do cráton, o terreno Hottah formou-se como um arco magmático, a uma certa distância da margem continental antiga, entre 1,92 e 1,90 Ga. Durante a fase Calderiana (1,90-1,88 Ga) do Orógeno Wopmay, este terreno de arco colidiu com o cráton Slave, causando compressão, encurtamento e translação de material exótico para leste (Fig. 11.15c). No perfil sísmico (Fig 11.15b), a crosta proterozoica acretada mostra um leve dobramento das camadas da crosta superior; sobrepondo reflectores que parecem ser lascas de cavalgamento acima de falhas de descolamento que se tornam progressivamente planas em direção à Moho. Remanescentes da antiga zona de subducção com mergulho para leste associados com a colisão ainda estão visíveis hoje como reflectores que se projetam por 200 km ou mais por baixo do cráton Slave.

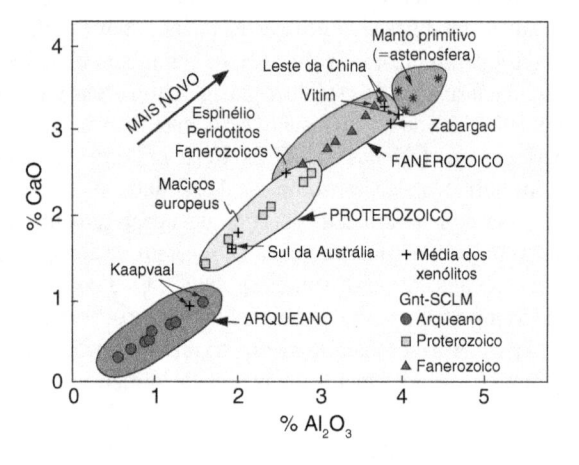

Figura 11.14 Trama CaO-Al_2O_3 mostrando a variedade de composições do manto litosférico subcontinental (SCLM) para crátons selecionados que foram pareados com idades dos eventos tectonotermais mais jovens na crosta sobrejacente (segundo O'Reilly et al., 2001, com permissão da Geological Society of America). As composições foram calculadas a partir de xenocristais de granada (Gnt). As médias de xenólitos são mostradas para comparação. O gráfico mostra que o manto litosférico subcontinental recém formado tornou-se progressivamente menos empobrecido em conteúdo de Al e Ca do Arqueano ao Proterozoico e Fanerozoico. Xenólitos de granada peridotitos de áreas extensionais jovens (por exemplo, leste da China; Vitim, na região de Baikal na Rússia; e Ilha Zabargad, no Mar Vermelho) são geoquimicamente semelhantes ao manto primitivo, indicando níveis muito baixos de esgotamento de depleção de fundidos.

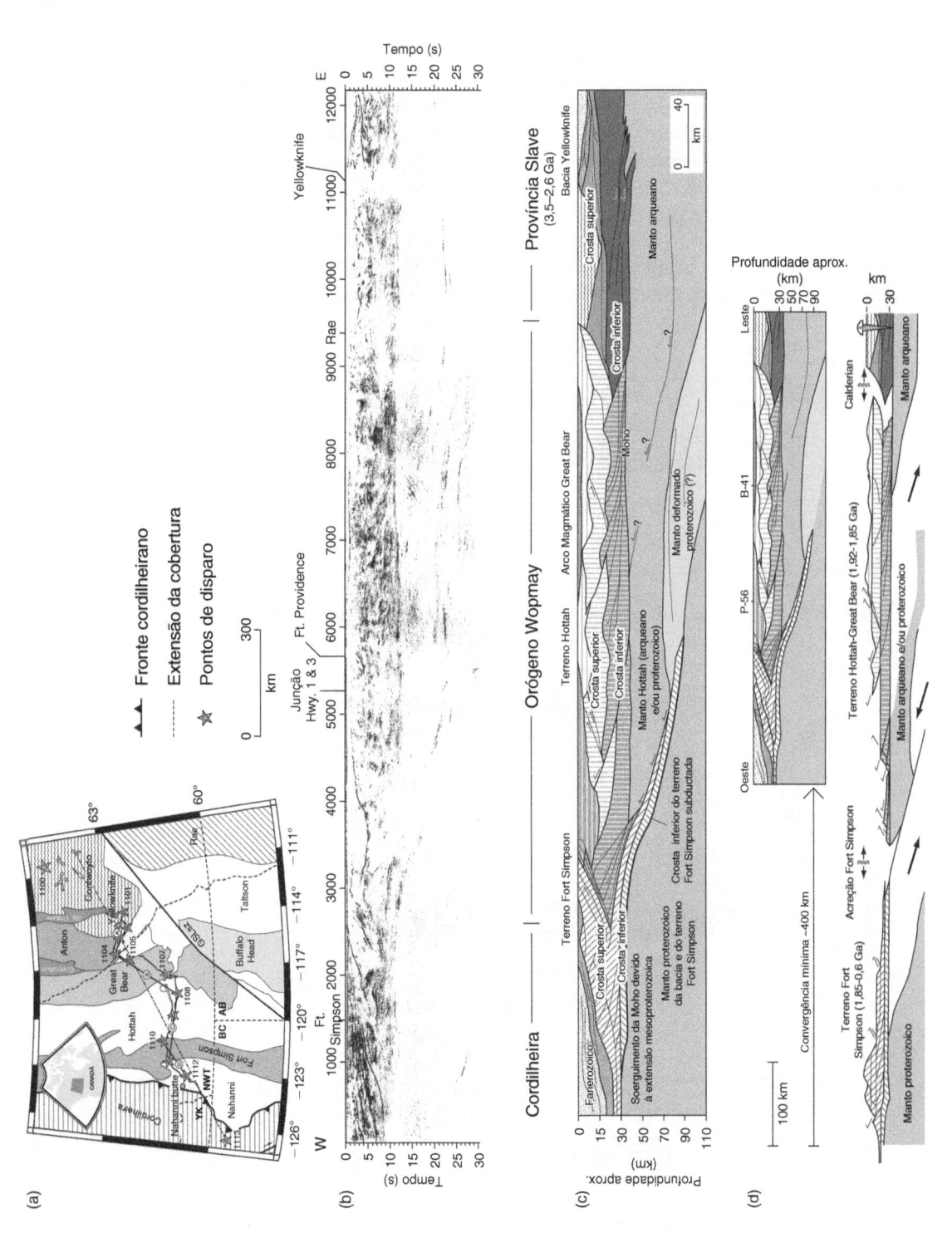

Capítulo 11 Tectônica pré-cambriana e o ciclo do supercontinente   323

Figura 11.15 (a) Mapa mostrando elementos tectônicos do Orógeno Wopmay e a localização da transecta SNORCLE (Fernández-Viejo & Clower, 2003, com permissão de Blackwell Publishing). Linhas pretas retas (letras circuladas) mostram a divisão usada para a interpretação da estrutura crustal. Os orógenos incluem os domínios Coronation, Great Bear, Hottah, Fort Simpson e Nahanni: BC, Colúmbia Britânica; AB, Alberta; YK, Yukon; NWT, Territórios Noroestes; GSLsz, zona de cisalhamento Great Slave Lake. (b) Perfil sísmico. (c) interpretação e (d) reconstrução do Orógeno Wopmay e da Província Slave (Cook et al., 1999, com permissão da American Geophysical Union. Copyright © 1999 American Geophysical Union). A reconstrução é feita ao longo das maiores falhas (linhas pretas grossas) e mostra uma estimativa mínima.

Uma vez terminada a acreção do terreno Hottah, a subducção da litosfera oceânica para leste para baixo da margem continental criou o Arco Magmático Great Bear (1,88-1,84 Ga) e eventualmente levou à colisão do terreno Fort Simpson algum tempo depois em 1,71 Ga (Fig. 11.15c,d). Refletores do manto que registram a subducção e o encurtamento durante esta colisão arco-continente mergulham para leste por baixo do Arco Magmático Great Bear, da crosta inferior para profundidades de 100 km (Fig. 11.15b,c,d). Onde os refletores do manto se tornam planos na crosta inferior, eles se juntam com os refletores crustais que mergulham para oeste, produzindo uma cunha acrescionária em escala litosférica que mostra lascas de cavalgamento imbricadas. Este material falhado e o undershrust da crosta inferior representam parte da zona de subducção do Eoproterozoico que suporta uma surpreendente semelhança com estruturas que registram subducção e acreção dentro da Cordilheira Canadense (Fig. 10.33) e ao longo da margem paleozóica do Laurentia (Fig. 10.34). Dados sísmicos de refração e de reflexão de alto ângulo (Fernández-Viejo & Clowes, 2003) indicam a presença de uma crosta inferior com velocidade singularmente alta (7,1 km s^1) e um manto superior com velocidade singularmente baixa (7,5 km s^{-1}) nesta zona (Fig. 11.16c) comparadas a outras partes desta seção (Fig. 11.16a,b,d). Esta observação indica que o efeito da colisão, da subducção e das mudanças físicas das rochas permanecem reconhecíveis por 1,84 Ga depois de formadas.

No oeste da Austrália, padrões distintivos de anomalias magnéticas fornecem evidência direta para a colisão e a sutura dos crátons arqueanos Yilgarn e Pilbara que

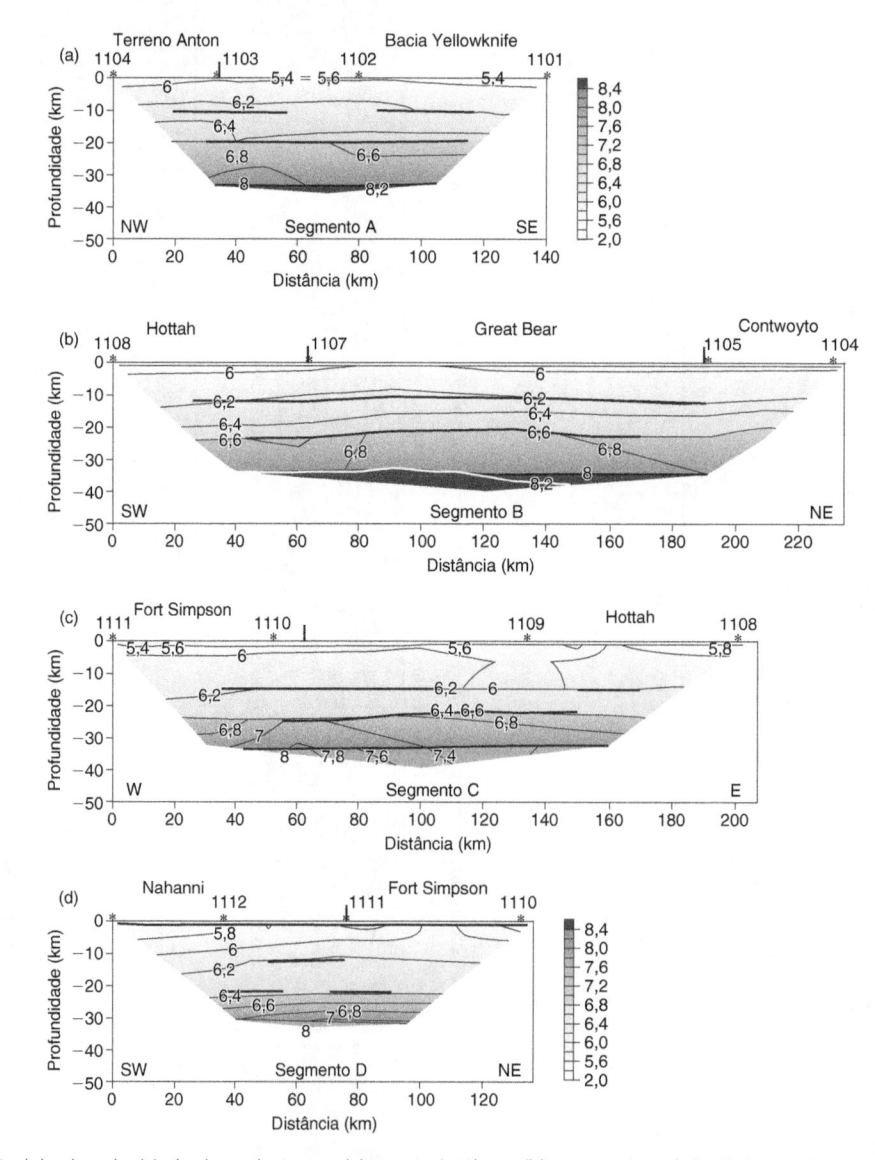

Figura 11.16 Modelo de velocidade da onda P para (a) Província Slave, (b) parte oriental do Orógeno Wopmay e transição para a Província Slave, (c) terrenos Hottah e Fort Simpson e (d) terreno Fort Simpson e domínio Nahanni (Fernández-Viejo & Clowes, 2003, com permissão da Blackwell Publishing). Os segmentos são mostrados na Fig. 11.15a. Intervalo dos contornos é de 0,2 km s^{-1}. Linhas pretas são locais onde refletores de alto ângulo foram observados.

se iniciou em torno de 2,2 Ga (Cawood & Tyler, 2004). O Orógeno Capricórnio (Fig 11.17a,b) é composto por suítes plutônicas do Eoproterozoico, rochas de médio e alto grau metamórfico, uma série de bacias vulcanossedimentares e a margem deformada de dois crátons arqueanos. Rifteamento no Neoarqueano e deposição de sequências de margem passiva na margem sul do cráton Pilbara são registrados pelas sequências basais da Bacia Hamersley. Após o rifteamento entre os crátons, ocorreram vários pulsos principais de deformação contracional e metamorfismo durante o intervalo 2,00-1,96 Ga, 1,83-1,78 Ga e 1,67-1,62 Ga. Esses eventos resultaram na deformação da bacia e em justaposição de crátons de diferentes idades e padrões estruturais (Fig. 11.17b,c). A história episódica de rifteamento foi seguida por múltiplos episódios de contração e colisão correspondentes a pelo menos um ou provavelmente dois ciclos de Wilson (Seção 7.9), envolvendo a abertura e o fechamento de bacias oceânicas arqueanas-eoproterozoicas (Cawood & Tyler, 2004). A presença de orógenos colisionais similares em Laurentia, Báltica, Sibéria, China e Índia sugere que o período do Eo- ao Mesoneoproterozoico marca a formação de supercontinentes pelos processos de tectônica de placas (Fig. 11.12) (Seção 11.5.4).

O aparecimento de produtos metamórficos da subducção e da colisão continental durante o Eopaleozoico, incluindo eclogitos e outras assembleias de alta pressão com mais de 1 GPa (por exemplo, Seções 9.9, 10.4.2), representa um importante marco no contexto tectônico, similar aos vistos na Terra fanerozoica (O'Brien & Rötzler, 2003; Collins et al., 2004; Brown, 2006). Eclogitos fanerozoicos muitas vezes preservam evidências de terem sido parcialmente subductados para profundidades maiores que 50 km e, após, rapidamente exumados (Fig. 11.18) (Collins et al., 2004). Na Terra moderna, as condições não usuais são encontradas em complexos de subducção-acreção e em locais de colisão continental onde a crosta relativamente fria é soterrada à profundidades subcrustais. Para essas rochas subductadas retornarem para a superfície com assembleias minerais de fácies eclogito, elas devem ser exumadas rapidamente antes que as isotermas, tectonicamente subsididas, possam se reequilibrar e sobrepor essas assembleias com minerais de maior temperatura de fácies granulito.

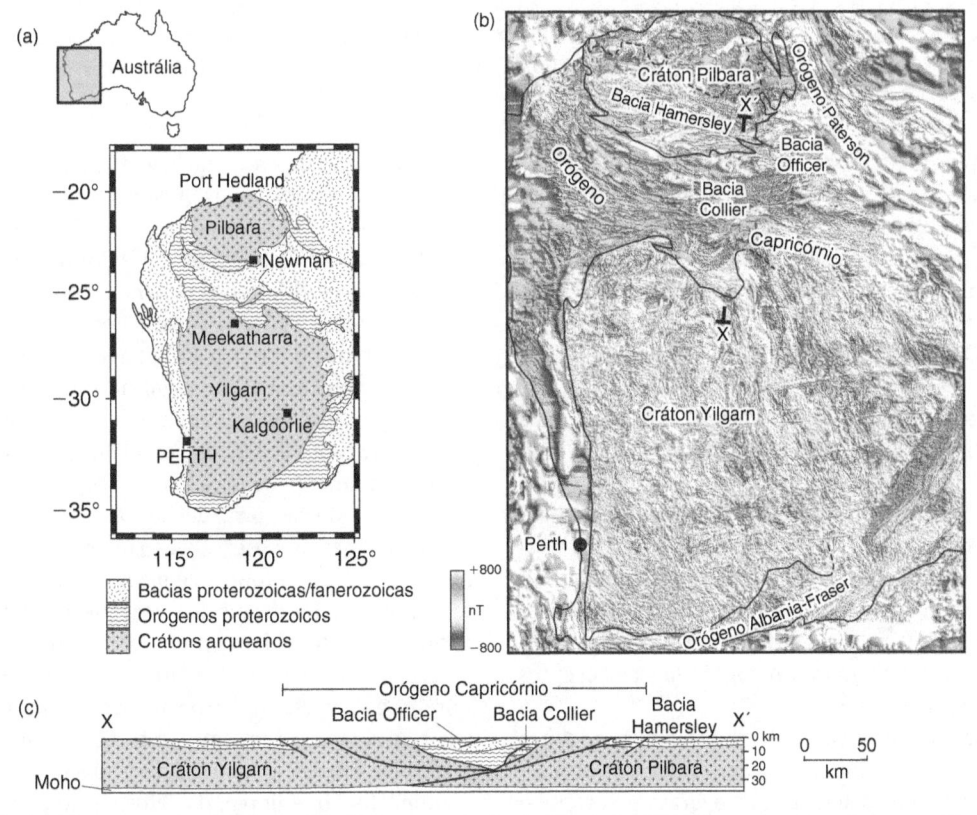

Figura 11.17 (a) Mapa tectônico (Hackney, 2004, com permissão da Elsevier) e (b) imagem de anomalias magnéticas enfatizando gradientes na intensidade magnética total (Kilgour & Hatch, 2002, com permissão da Geoscience Australia; imagem fornecida por M. Van Kranendonk, Geological Survey of Western Australia). A imagem de anomalias magnéticas mostra a intensidade magnética total medida em nanotesla (nT), compilada a partir de levantamentos geofísicos marinhos, aéreos e terrestres. Os distintos padrões de anomalias magnéticas dos crátons Pilbara e Yilgarn refletem diferentes tendências estruturais que resultaram de processos de placas tectônicas pré-cambrianas. (c) Secção transversal interpretativa do Orógeno Capricórnio mostrando os crátons suturados (segundo Cawood & Tyler, 2004, com permissão da Elsevier).

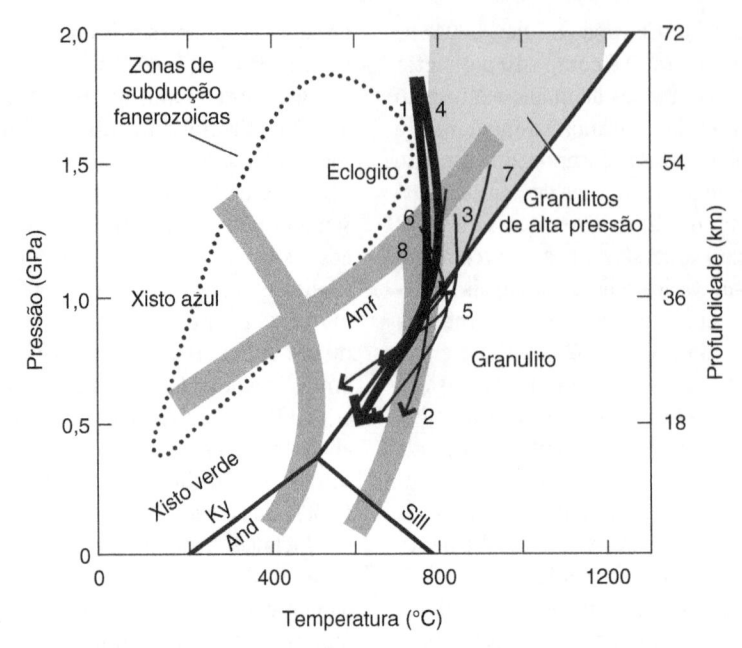

Figura 11.18 Gráfico de pressão-temperatura mostrando os caminhos de evolução das rochas metamórficas eclogito de temperatura moderada e fácies granulito de alta pressão mais antigas que 1,5 Ga (segundo Collins et al., 2004, com permissão da Elsevier). 1, Cinturão Usagaran, Tanzânia; 2, Cinturão Hengshan, China; 3, Cinturão Sanggan, China; 4, Cinturão Ubendian, Tanzânia; 5, Cinturão Jianping, China; 6, Sare Sang, Bloco Badakhshan, Afeganistão; 7, zona tectônica Snowbird, Canadá; 8, Cinturão Granulítico Lapland. Setas grossas referem-se aos eclogitos Usagaran/ Ubende. O campo de metamorfismo de zona de subducção fanerozoica e fácies metamórficas está indicado por curvas grossas cinzas. O campo de polimorfos de aluminossilicatos está representado para referência. And, andaluzita; Ky, cianita; sill, silimanita; Anf, anfibolito.

Os exemplos mais antigos de eclogitos *insitu* (ou seja, outras rochas que não xenolíticas) incluem variedades de 1,80 Ga e 2,00 Ga (<1,8 GPa, 750°C) do cráton do norte da China e dos orógenos proterozoicos que circundam o cráton da Tanzânia (Zhao et al., 2001; Möller et al., 1995). Eclogitos registrando condições de ~1,2 GPa e 650-700°C em 1,9-1,88 Ga também ocorrem no Cinturão Granulítico Lapland na Finlândia (Tuisku & Huhma, 1998). O Escudo Aldan, na Sibéria (Smelov & Beryozkin, 1993), e a zona tectônica entre os crátons Rae e Hearne, no Canadá (Baldwin et al., 2003), preservam eclogitos retrogradacionais de 1,90 Ga. A ausência de rochas arqueanas de fácies eclogitos sugere que, antes do Eoproterozoico, as condições para produzir este tipo de rochas ou os processos para exumarem-nas a uma taxa suficiente para preservar as assembleias minerais de fácies eclogito não existiram, ou todos os exemplos preexistentes foram obliterados por eventos tectônicos subsequentes.

A presença de assembleias de ofiólitos nos orógenos pré-cambrianos fornece outro provável marco de processos tectônicos similares àqueles que operaram durante o Fanerozoico (de Wit, 2004; Parman et al., 2004). Alguns *greenstones belts* do Arqueano são interpretados como ofiólitos, apesar desta interpretação ser controversa. Os exemplos inequívocos mais antigos são do Eopaleozoico e suportam interpretações em que o espalhamento de fundo oceânico e a formação de crosta oceânica associada foram um mecanismo estabelecido da tectônica de placas nesta época. Um dos mais preservados e menos equivocados exemplos do Eoproterozoico é o Complexo Purtuniq (Scott et al., 1992; Stern et al., 1995) do Orógeno Trans-Hudson, entre os crátons Hearne e Superior no norte do Canadá (Figura 11.1a do encarte colorido). Outros exemplos ocorrem no Escudo Arabia-Nubia (Kröner, 1985) e nos orógenos Yavapai-Mazatzal no sudoeste dos Estados Unidos (Condie, 1986). A presença dessas características sugere que ciclos de Wilson completos (Seção 7.9) de abertura e fechamento de oceanos e obducção de ofiólitos estavam ocorrendo em torno de 2,0 Ga.

Juntas, estas observações sugerem fortemente que mecanismos de tectônica de placas se tornaram cada vez mais importantes depois do Neoarqueano. Muitos autores ligam este desenvolvimento ao aumento da estabilidade da crosta continental durante este Éon (Seção 11.4.2). Porém, é importante levar em conta que muitas incertezas ainda persistem sobre a tectônica proterozoica. A idade de formação de unidades rochosas e o momento do metamorfismo regional, da deformação e do resfriamento são pouco conhecidos em muitas regiões. As fontes magmáticas, a dimensão e os mecanismos da reciclagem crustal também não são claros. Além disso, ainda existe a necessidade de mais dados paleomagnéticos de alta resolução e geocronológicos para possibilitar a reconstrução acurada dos continentes e oceanos durante o Proterozoico, assim como durante o Arqueano (Seção 11.5.3). Estes dados são cruciais para determinar a evolução tectônica da litosfera proterozoica e para uma comparação detalhada entre orógenos proterozoicos e fanerozoicos.

11.5 O CICLO DO SUPERCONTINENTE

11.5.1 Introdução

Evidências geológicas da ocorrência repetida de colisão continental e rifteamento desde o Arqueano levaram à hipótese de que os continentes se fundiram periodicamente em grandes massas continentais chamadas de supercontinentes. Os mais conhecidos supercontinentes incluem Gondwana (Fig. 3.4) e Pangeia (Fig. 11.27), que se formaram no Neoproterozoico e no final do Paleozoico, respectivamente. Outros supercontinentes, como Rodínia e Laurussia, também têm sido propostos como do Neoproterozoico e do final do Paleozoico, respectivamente. Processos no manto que podem ter levado a sua formação e dispersão são discutidos na Seção 12.11.

11.5.2 Reconstruções pré-mesozoicas

Mapas paleogeográficos para o Mesozoico e o Cenozoico podem ser construídos pelo encaixe das margens continentais ou lineações oceânicas de mesma idade em ambos os lados de uma dorsal oceânica (Capítulos 3 e 4). A localização dos paleopolos pode ser determinada a partir de medições paleomagnéticas (Seção 3.6), e, assim, o meridiano zero é o único fator desconhecido nessas reconstruções. Estas técnicas combinadas não podem ser usadas para reconstruções antes do Mesozoico, devido à inexistência de crosta oceânica *in situ* neste período.

Métodos de quantificação de movimentos da placa em idades pré-mesozoicas por vezes envolvem o uso de dados paleomagnéticos acoplados com geocronologia de alta precisão. Bordas de placas antigas, embora um pouco distorcidas, são marcadas por cinturões orogênicos e assembleias ofiolíticas (Seções 2.5, 11.4.3) que indicam as suturas entre os continentes antigos e os terrenos acrescidos. Evidências fornecidas pelas distribuições de flora e fauna do passado e indicadores de paleoclima também ajudam essas reconstruções de placa (Seções 3.4, 3.5). Para um tempo em particular, o polo paleomagnético para cada placa antiga é rotacionado para um único polo magnético arbitrário, e os continentes sobre a placa são reprojetados com a mesma rotação de Euler. Os continentes são, então, sucessivamente deslocados ao longo de latitudes fixas, isto é, rotacionados em torno do polo magnético, até que a sobreposição das margens continentais seja minimizada. Embora os dados paleomagnéticos não forneçam uma sequência única de reconstruções, eles claramente indicam as tendências gerais de movimentos tectônicos durante os tempos antigos. Inferências mais detalhadas sobre a evolução de determinadas regiões são então feitas a partir de suas características geológicas em termos de mecanismos de placas tectônicas.

A aplicação de métodos paleomagnéticos para o Pré-Cambriano é mais complicada do que para o Fanerozoico, por três razões principais (Dunlop, 1981). Em primeiro lugar, os limites de erro de idades isotópicas são tipicamente maiores. Segundo, registros isotópicos e magnéticos podem ser parcialmente apagados durante o metamorfismo em diferentes graus, e a distinção entre sobreposições isotópicas e magnéticas pré- e pós-orogênicas pode ser difícil. Terceiro, sobreposições ocorrem durante o resfriamento e o soerguimento pós-orogênico, e as temperaturas nas quais os sistemas isotópicos fecham e magnetizações estabilizam são diferentes, de modo que as datas podem ser mais jovens ou mais velhas do que as magnetizações em intervalos de dezenas de milhões de anos. No entanto, mesmo tendo em conta essas incertezas e as lacunas no registro paleomagnético decorrentes da falta de amostras adequadas de certas idades, os dados permitem que pesquisadores testem a validade de reconstruções paleogeográficas para tempos Pré-Mesozoicos com base no registro geológico dos continentes.

11.5.3 Um supercontinente neoproterozoico

Semelhanças entre o registro geológico neoproterozoico no oeste do Canadá e no leste da Austrália (Bell & Jefferson, 1987; Young, 1992) e entre o sudoeste dos Estados Unidos e o leste da Antártica sugerem que essas áreas foram justapostas durante o final do Proterozoico (Dalziel, 1991, 1995; Moores, 1991; Hoffman, 1991) (Fig. 11.19a). Esta sugestão aparentemente radical foi chamada de hipótese SWEAT (Sudoeste dos Estados Unidos e Leste da Antártica). Os cinturões orogênicos Grenville, amplamente distribuídos e imediatamente anteriores ao Neoproterozoico, sugerem que muitos outros fragmentos continentais podem ser adicionados a essa reconstrução para formar um supercontinente neoproterozoico chamado de *Rodínia* (Fig. 11.19a). A Laurentia (América do Norte e Groenlândia) constitui o núcleo do supercontinente e é margeada a norte pelo leste da Antártica. A reconstrução mostra que a Província Grenville da América do Norte continua diretamente no leste da Antártica, e cinturões similares com esta idade podem ser traçados sobre a maioria dos fragmentos do Gondwana. A idade da rocha sedimentar mais antiga associada com a ruptura e o isolamento de certos grupos de animais ao longo da ruptura sugerem que o supercontinente se fragmentou em torno de 750 Ma (Storey, 1993). Durante a fragmentação, os blocos que compõem agora o Gondwana Oriental (leste da Antártica, Austrália e Índia) se moveram no sentido anti-horário, abrindo o Oceano Protopacífico (Pantalassa), e colidiram com os blocos do Gondwana Ocidental (Congo, África Ocidental e Amazônia). O Oceano Moçambique in-

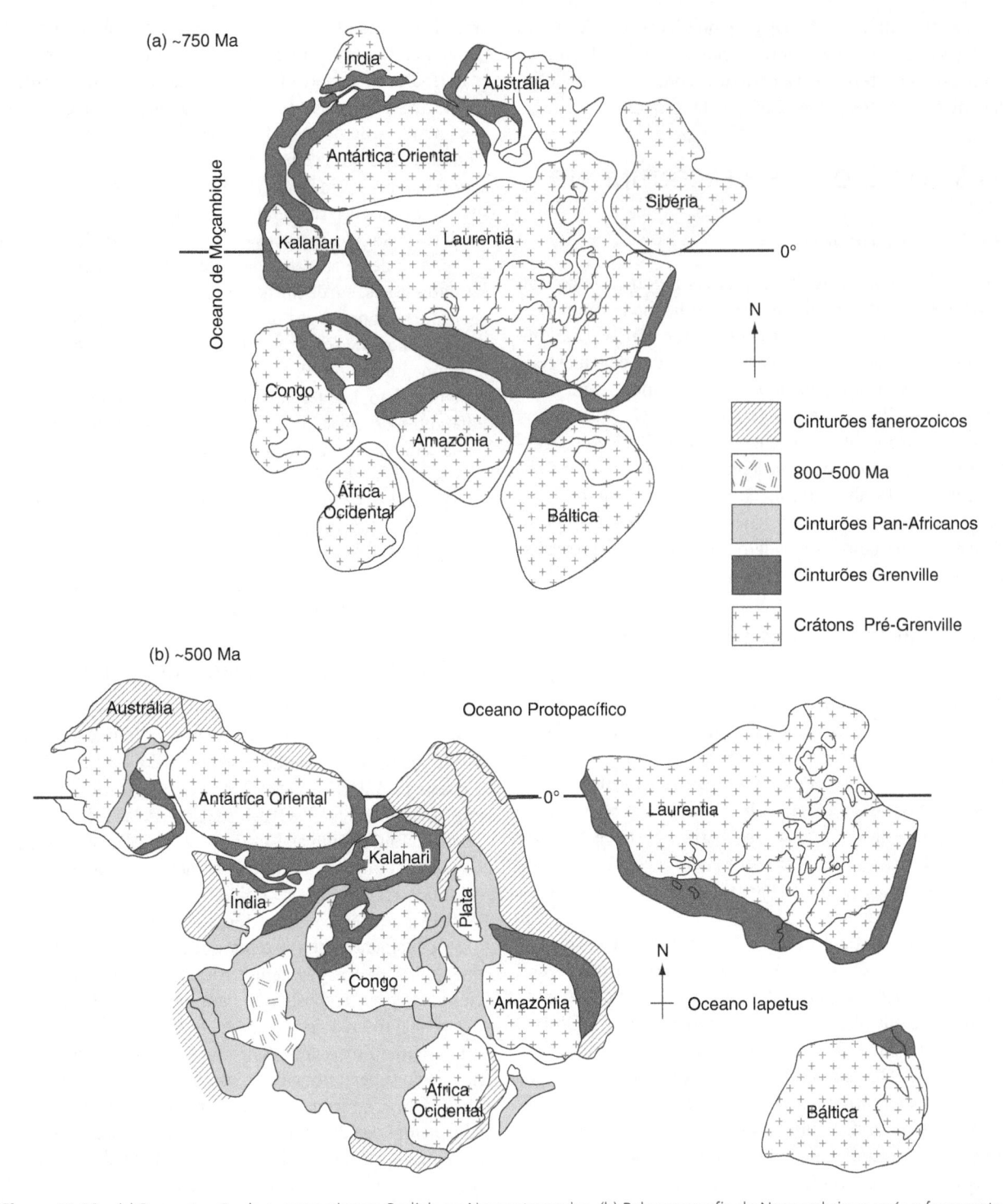

Figura 11.19 (a) Reconstrução do supercontinente Rodínia no Neoproterozoico. (b) Paleogeografia do Neocambriano após a fragmentação de Rodínia e a formação do Gondwana (segundo Hoffman, 1991, com permissão de *Science* **252**, 1409-12, com permissão de AAAS).

terveniente fechou-se por movimentos do tipo pinça desses blocos, e o Gondwana foi criado quando eles colidiram para formar os Cinturões de Moçambique, no leste da África e em Madagáscar. O Gondwana então rotacionou no sentido horário, afastando-se da Laurentia, cerca de 200 Ma mais tarde.

A África do Sul estava localizada no pivô desses movimentos, e a Báltica se moveu de forma independente para longe da Laurentia, abrindo o Oceano Iapetus, que posteriormente fechou durante a formação da Pangeia (Seção 11.5.5). A Fig. 11.19b mostra uma configuração postulada a 500 Ma.

O primeiro teste paleomagnético da hipótese SWEAT foi realizado por Powell et al. (1993), que mostrou que os polos paleomagnéticos em 1055 Ma e em 725 Ma para Laurentia e Gondwana Oriental são concordantes quando reposicionados de acordo com a reconstrução de Rodínia, dando suporte à hipótese. Entre 725 Ma e o Cambriano, os APWPs divergem, sugerindo que o Gondwana Oriental se separou da Laurentia após 725 Ma. O único fragmento de Rodínia para o qual uma deriva polar aparente pode ser definida para o período 1100-725 Ma é a Laurentia (McElhinny & McFadden, 2000). Isto, portanto, é usado como uma referência contra a qual os polos paleomagnéticos reposicionados de outros fragmentos de Rodínia podem ser comparados. No entanto, muitos dos testes foram dificultados pela falta de geocronologia de alta qualidade. Conforme novos dados foram coletados, a existência de um supercontinente neoproterozoico ganhou aceitação, embora numerosas modificações tenham sido propostas (Dalziel et al., 2000b; Karlström et al., 2001; Meert & Torsvik, 2003). Existem agora evidências geológicas e paleomagnéticas consideráveis de que, exceto para a Amazônia, os crátons da América do Sul e da África nunca fizeram parte de Rodínia, embora eles provavelmente estivessem próximos a ele (Fröner & Cordani, 2003). Os modelos mais recentes também indicam o consumo de blocos da formação de Rodínia com idade colisão de Grenville no leste do Canadá e na Austrália em 1,3-1,2 Ga, seguido de uma colisão Amazônia-Laurentia em 1,2 Ga (Tohver et al., 2002), com a maioria das colisões entre 1,1 e 1,0 Ga e colisões menores entre 1,0 e 0,9 Ga (Li et al., 2008). Muitos dos modelos atuais de Rodínia também mostram um ajuste entre os crátons a 750 Ma que difere substancialmente das hipóteses mais antigas (Wingate et al., 2002). Torsvik (2003) publicou um modelo (Fig. 11.20) que resume algumas dessas mudanças. A posição dos continentes sugere que o rompimento de Rodínia tinha começado em 850 ou 800 Ma, com a abertura do oceano Protopacífico, entre Laurentia ocidental e a Austrália e a Antártica Oriental. A deposição dos enxames de diques máficos no oeste da Laurentia em 780 Ma pode refletir esta fragmentação (Harlan et al., 2003). A posição da Austrália e da Antártica Oriental também sugere que a Índia não estava ligada à Antártica Oriental até depois de ~550 Ma. Este modelo enfatiza que a geometria interna de Rodínia provavelmente mudou várias vezes durante as poucas centenas de milhões de anos em que existiu.

As diferenças entre os modelos recentes e antigos de Rodínia ilustram a natureza controversa das reconstruções pré-cambrianas. Existem diversas incertezas nas posições relativas dos continentes, sendo que somente alguns crátons possuem paleolatitudes conhecidas para qualquer dado momento. Também deve-se lembrar que métodos paleomagnéticos não dão controle sobre paleolongitude (Seção 3.6), de modo que regiões lineares intercratônicas, direcionadas para o polo de Euler usado para trazer os crátons em justaposição, não são caracterizadas como tendo qualquer largura particular. Por essas razões, a maioria das reconstruções conta com combinações de diversos conjuntos de dados, incluindo correlações geológicas baseadas em histórias orogênicas, proveniência sedimentar, idades de rifteamento e formação de margem continental, e com o registro de eventos de plumas do manto (Li et al., 2008).

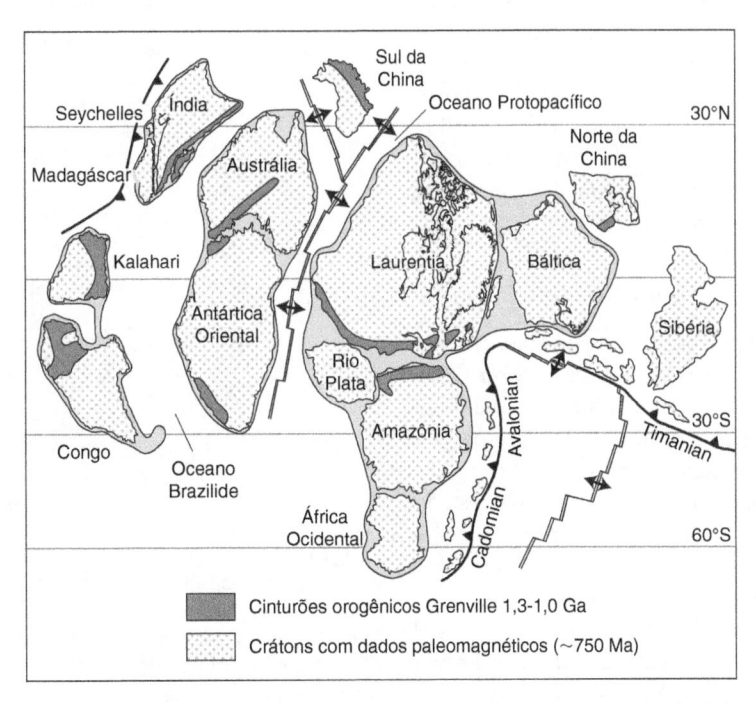

Figura 11.20 Reconstrução de Rodínia em ~750 Ma (Segundo Torsvik, 2003, com permissão da *Science* **300**,1379-81, com permissão das AAAS).

Outro aspecto controverso do supercontinente Rodínia diz respeito ao efeito da sua dispersão em climas passados. Alguns estudos sugerem que, quando o Rodínia se fragmentou, o planeta entrou em um estado de depósito de gelo ou de *Terra bola de neve*, no qual esteve de forma intermitente completamente coberto por gelo (Evans, 2000; Hoffman & Schrag, 2002). A evidência geológica para esta intermitente mas generalizada glaciação inclui depósitos glaciais de idade neoproterozoica que contêm detritos de carbonato ou que estão diretamente cobertas por rochas carbonáticas indicativas de águas quentes. Além disso, os dados paleomagnéticos sugerem que, pelo menos durante dois episódios glaciais neoproterozoicos, camadas de gelo atingiram o equador. Uma possível explicação para essas observações é que os períodos de glaciação global durante o Neoproterozoico eram controlados por concentrações atmosféricas de CO_2 anormalmente baixas (Hyde et al., 2000; Donnadieu et al., 2004). Durante a fragmentação, a mudança da paleogeografia dos continentes pode ter levado a um aumento no escoamento superficial, e, portanto, do consumo de CO_2, através do intemperismo continental que diminuiu as concentrações atmosféricas de CO_2 (Seção 13.1.3). As condições glaciares extremas podem ter terminado quando emanações vulcânicas de CO_2 produziram um efeito estufa grande o suficiente para derreter o gelo. O "efeito estufa" resultante teria reforçado a precipitação e o intemperismo, dando origem à deposição de carbonatos em cima dos depósitos glaciais (Hoffman et al., 1998). Por outro lado, essas transições podem ter resultado principalmente da mudança da configuração dos fragmentos continentais e do seu efeito sobre a circulação oceânica (Seções 13.1.2, 13.1.3). Qualquer que seja a visão correta, essas interpretações sugerem que a fragmentação de Rodínia desencadeou grandes mudanças no clima global. No entanto, a origem, a extensão e o término das glaciações proterozoicas, e sua possível relação com a fragmentação do supercontinente, continuam a ser uma questão não resolvida e altamente controversa (Kennedy et al., 2001; Poulsen et al., 2001).

11.5.4 Primeiros supercontinentes

A origem do primeiro supercontinente e quando ele pode ter se formado são altamente especulativos. Bleeker (2003) observou que há cerca de 35 crátons arqueanos hoje (Figura 11.1a do encarte colorido), e muitos mostram margens passivas, indicando que se fragmentaram a partir de massas continentais maiores. Vários cenários possíveis são testados para a distribuição global dos crátons durante a transição do Arqueano tardio para o início dos tempos proterozoicos (Fig. 11.21). Essas possibilidades incluem um único supercontinente, chamado de *Kenorland* por Williams et al. (1991), formado depois de um evento orogênico na Província Canadense Superior, e a presença de poucas ou muitas

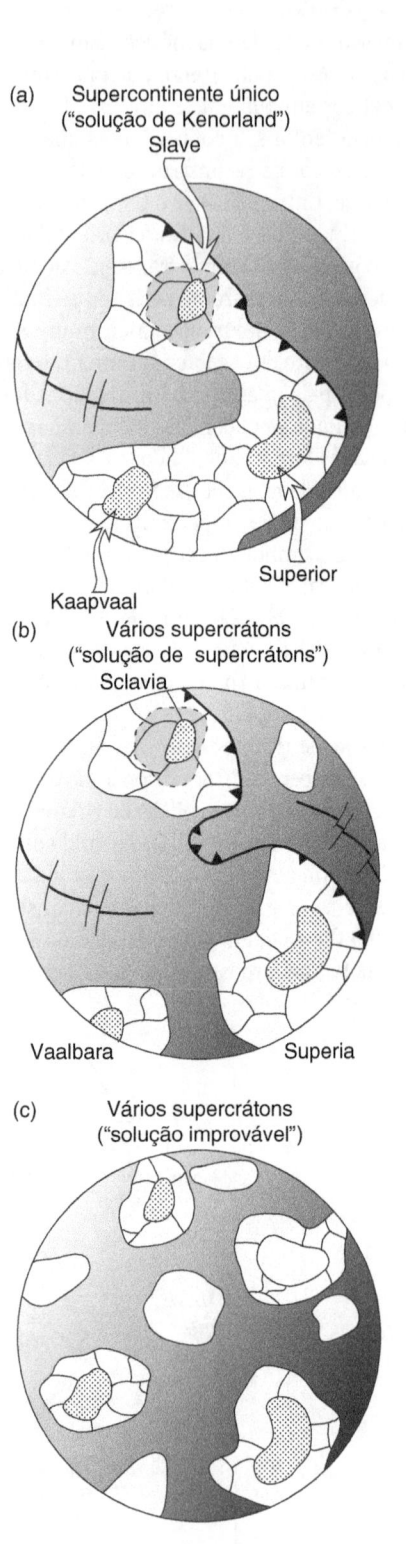

Figura 11.21 Representações das configurações possíveis durante o Neoarqueano-Eoproterozoico. Três conhecidos crátons (Slave, Superior e Kaapvaal) são mostrados sombreados em (a). Esses crátons podem ter sido gerados pelos supercrátons maiores mostrados em (b) (segundo Bleeker, 2003, com permissão da Elsevier).

agregações independentes chamadas de *supercrátons*. Bleeker (2003) concluiu que o grau de similaridade geológica entre os crátons expostos favorece a presença de vários supercrátons transitórios, mais ou menos independentes, em vez de um único supercontinente ou muitas pequenas massas dispersas. Ele definiu um mínimo de três supercrátons, *Sclavia*, *Superia* e *Vaalbara*, que exibem histórias distintas de aglutinação e fragmentação (Fig. 11.21b). O supercráton *Sclavia* parece ter se estabilizado até 2,6 Ga. A confirmação dessas tentativas de agrupamento aguarda a coleta de perfis de dados cronostratigráficos detalhados para cada um dos 35 crátons arqueanos.

Ocorreram fragmentações diacrônicas dos supercrátons definidos por Bleeker (2003) durante o período de 2,5-2,0 Ga, originando 35 ou mais crátons independentes colocados à deriva. Provas paleomagnéticas apoiam a conclusão de que existiam diferenças significativas nas paleolatitudes entre vários desses fragmentos durante o Paleoproterozoico (Cawood et al., 2006). Após a fragmentação dos crátons, os fragmentos resultantes parecem ter se amalgamado em vários supercontinentes. Hoffman (1997) postulou um supercontinente mesoproterozoico chamado de *Nuna*, o qual Bleeker (2003) considera representar o primeiro supercontinente verdadeiro. Zhao et al. (2002) também reconheceram que a maioria dos continentes contém evidências de eventos orogênicos de 2,1-1,8 Ga (Seção 11.4.3) (Fig. 11.12). Eles postularam que esses orógenos registram a aglutinação colisional de um supercontinente Eomesoproterozoico chamado de *Columbia* (Fig. 11.22). Esses estudos, embora ainda especulativos, sugerem que pelo menos um supercontinente se formou antes da aglutinação final de Rodínia e após os crátons arqueanos começarem a se estabilizar durante o Neoarqueano.

11.5.5 Aglutinação e fragmentação de Gondwana-Pangeia

A aglutinação do Gondwana começou imediatamente após a fragmentação de Rodínia no final do Proterozoico. De acordo com a hipótese SWEAT (Seção 11.5.3), o Gondwana Ocidental formou-se quando várias pequenas bacias oceânicas que cercavam os crátons africanos e sul-americanos fecharam durante a abertura do Oceano Protopacífico, criando os orógenos Pan-Africanos (Fig. 11.19b). O fechamento posterior do Oceano Moçambique resultou na colisão e na fusão do Gondwana Ocidental com os blocos do Gondwana Oriental. Esta fusão pode ter criado um supercontinente de vida curta chamado de *Pannotia*, no início do Cambriano. A existência deste supercontinente depende do tempo de rifteamento entre a Laurentia e o Gondwana (Cawood et al., 2001). Os modelos de Pannotia (Fig. 11.23a) são baseados principalmente em evidências geológicas de que a Laurentia e o Gondwana foram anexadas no final do Neoproterozoico ou próximo a este período (Dalziel, 1997). No entanto, os polos paleomagnéticos para essas duas massas continentais não se sobrepõem, sugerindo que uma configuração alternativa em que Laurentia é separada do Gondwana neste momento também é possível (Meert & Torsvik, 2003).

A maioria dos modelos sugere que a fragmentação de Pannotia começou com a abertura do Oceano Iapetus no final do Proterozoico ou no início do Cambriano, conforme a Laurentia foi rifteadeada da América do Sul e de Báltica (Figs. 11.19b, 11.23b). Zonas de subducção formaram-se posteriormente ao longo das margens do Iapetus em Gondwana e Laurentia, criando uma série de arcos vulcânicos, bacias extensionais retroarco e fragmentos de margens passivas. Com o fechamento do oceano, este conjunto complexo de terrenos foi acrescido às margens de Laurentia e Gondwana. A proveniência desses terrenos proporciona o controle sobre as longitudes relativas e a paleogeografia desses dois continentes antes da montagem da Pangeia no PermoCarbonífero (Dalziel, 1997).

Os primeiros terrenos do Paleozoico acrescidos em Laurentia e Gondwana são classificados em grupos, segundo a natureza nativa ou exótica de seus crátons adjacentes (Keppie & Ramos, 1999; Cawood, 2005). Os nativos para Laurentia incluem os arcos vulcânicos Notre Dame-Shelburne Falls (Taconic) Lough-Nafooey (Figs. 10.34, 11.24a), que se formaram próximos e foram acrescidos à Laurentia durante o Eo-Meso-Ordoviciano. Essas colisões eram parte da Orogenia Taconic nos Apalaches (Karabinos et al., 1998), da Orogenia Grampian nas Ilhas Britânicas e da Orogenia Finnmarkian na Escandinávia. Durante o mesmo período, o terreno do arco Famatina (Fig. 11.23b), de afinidade gondwânica, formou-se próximo e foi acrescido à margem ocidental da América do Sul (Conti et al., 1996).

Terrenos exóticos para Laurentia incluem Avalonia, Meguma, Carolina e Cadomia (Fig. 11.24a). Estes e outros terrenos rifteados do noroeste do Gondwana no Ordoviciano, e mais tarde acrescidos na margem de Laurentia, formam parte dos orógenos do Siluriano-Devoniano Acadian e Salinic no norte dos Apalaches e dos Caledonides da Báltica e da Groenlândia (Figs. 11.24c, 11.25). Cuyania, um terreno exótico localizado na atual Argentina (Fig. 11.23b), foi separado do sul da Laurentia durante o Eocambriano e mais tarde acrescido à margem de Gondwana (Dalziel, 1997). Essas trocas tectônicas sugerem que pelo menos dois regimes diferentes de placas existiam no leste e no oeste do Iapetus durante o Paleozoico, com zonas de subducção formadas ao mesmo tempo ao longo de parte dos continentes Gondwana e Laurentia (Fig. 11.24a). Embora a geometria dos limites das placas seja altamente especulativa, a interpretação dos regimes de placas distintos explica o crescimento gradual de ambos os continentes por acreção antes da formação da Pangeia.

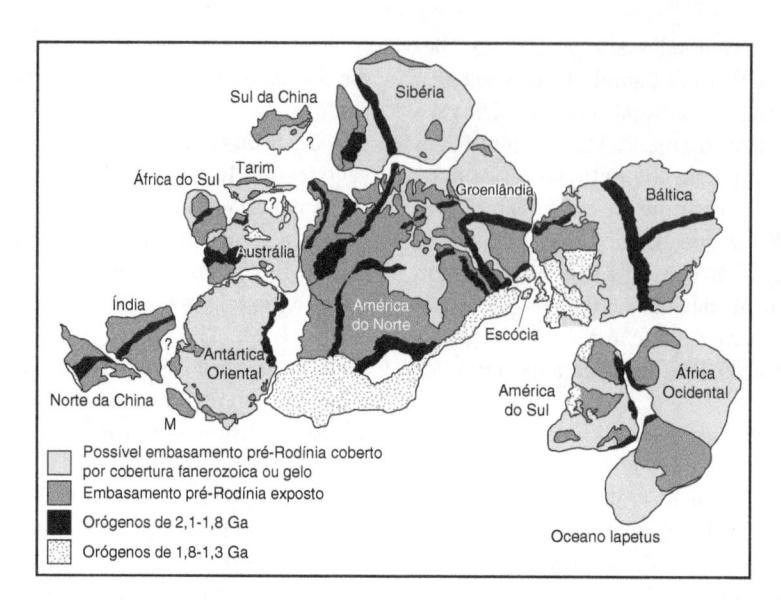

Figura 11.22 Reconstrução do supercontinente Columbia postulado no Eoneoproterozoico (segundo Zhao et al., 2002, com permissão da Elsevier). M, Madagáscar. Os orógenos eoproterozoicos (2,1-1,8 Ga) são identificados na Fig. 11.12.

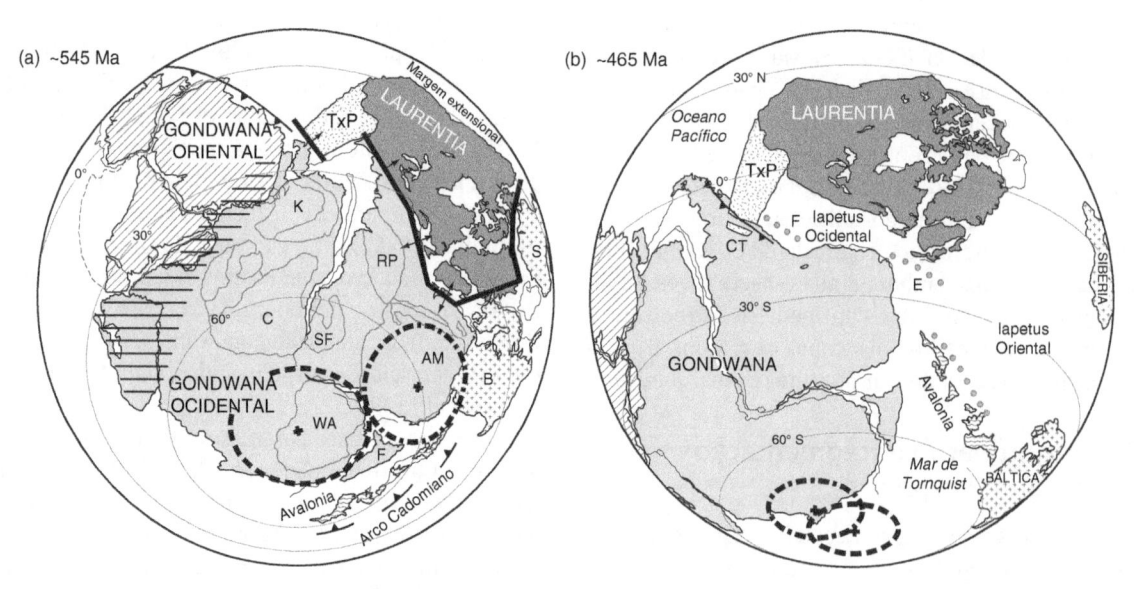

Figura 11.23 Reconstruções postuladas de (a) Pannotia em ~545 Ma e (b) do rifteamento de Laurentia e Gondwana em ~465 Ma, enfatizando a paleogeografia de Laurentia em relação o Gondwana (segundo Dalziel, 1997, com permissão da Geological Society of America). Cruzes com círculos de confiança de 95% mostrados em (a) com uma linha tracejada, e uma linha tracejada-pontilhada indica polos paleomagnéticos para Laurentia e Gondwana, respectivamente. As linhas horizontais em (a) designam o limite do cinturão orogênico Moçambique; a linha contínua espessa e negra marca a localização de um rifte entre Laurentia e Gondwana. Em (b), polos paleomagnéticos são para Laurentia + Báltica + Avalonia + Sibéria (cruz com círculo de confiança tracejado) e Gondwana (cruz com círculo de confiança tracejado-pontilhado). Cuyania (TC) tem acrescido sobre a margem de Gondwana. Abreviaturas: C, Congo; K, Kalahari; WA, África Ocidental; AM, Amazônia; RP, Rio la Plata; SF, São Francisco; S, Sibéria; B, Báltica; TxP, o hipotético Platô do Texas; F, arco Famatina; E, arco Exploits.

A separação dos terrenos Avalonia do Gondwana no Neocambriano e no Eo-ordoviciano levou à abertura do Oceano Rheic entre o continente Gondwana e os fragmentos crustais no mar (Fig. 11.24a,b). Após o fechamento do Iapetus e da acreção do Avalonia, o Oceano Rheic continuou a existir entre a Laurentia e o Gondwana, embora a sua largura seja

Capítulo 11 Tectônica pré-cambriana e o ciclo do supercontinente   333

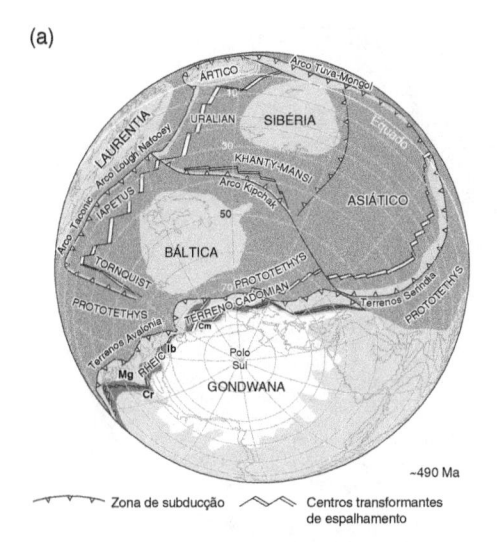

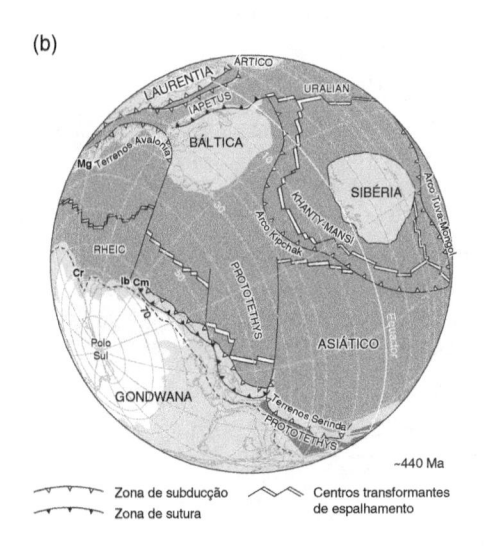

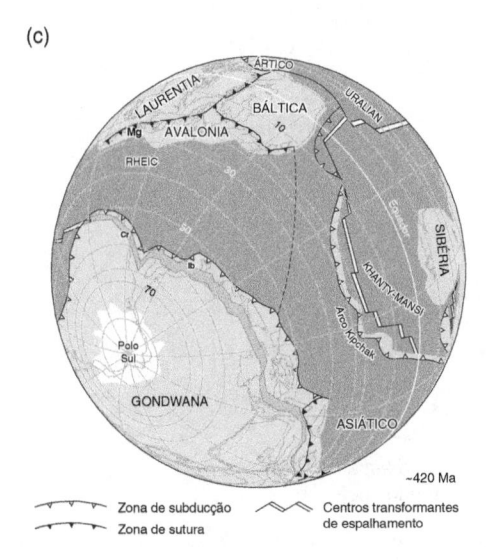

◀ **Figura 11.24** Reconstruções de placa postuladas para o Paleozoico em (a) 490 Ma, (b) 440 Ma e (c) 420 Ma, enfatizando a paleogeografia de terrenos provenientes do norte do Gondwana e da abertura do Oceano Rheic (imagens fornecidas por G.M. Stampfli e adaptadas de von Raumer et al., 2003, e Stampfli & Borel, 2002, com permissão da Elsevier). As interpretações incorporam a dinâmica da hipótese dos limites de placas convergentes, divergentes e transformantes. Terrenos marcados em (a) são: Mg, Meguma; Cm, Cadomia; Ib, Iberia; Cr, Carolina.

incerta (Fig. 11.24c). Durante estes tempos, uma nova série de terrenos de arco separou-se da margem do Gondwana, resultando na abertura do Oceano Paleotethys (Fig. 11.26a). A abertura do Paleotethys e o fechamento do Oceano Rheic resultaram na acreção desses terrenos derivados do Gondwana para a Laurentia, seguida de uma colisão continente-continente entre a Laurussia e o Gondwana (Fig. 11.26b). Esta colisão produziu os orógenos permocarboníferos Alleghenian e Variscan na América do Norte, na África e no sudoeste da Europa. Colisões na Ásia, incluindo a sutura de Báltica e da Sibéria para formar o Orógeno Ural em ~280 Ma, resultaram na formação final da Pangeia. O supercontinente no momento de maior extensão em ~250 Ma é mostrado na Fig. 11.27.

Assim como a sua formação, a fragmentação da Pangeia foi heterogênea. O processo de fragmentação começou no Mesojurássico, com o rifteamento de Lhasa e do oeste da Birmânia separando-os do Gondwana e a abertura do Atlântico central logo após 180 Ma (Lawver et al., 2003). Anomalias magnéticas indicam que, em 135 Ma, o Atlântico Sul tinha começado a abrir. O rifteamento entre a América do Norte e a Europa começou durante o intervalo de 140-120 Ma. A África e a Antártica começaram a se separar em 150 Ma. A Austrália também começou a se separar da Antártica em torno de 95 Ma, com a Índia separando-se da Antártica aproximadamente ao mesmo tempo. Esses dados indicam que a maior parte da fragmentação da Pangeia ocorreu durante o intervalo de 150-95 Ma. Pequenos fragmentos de

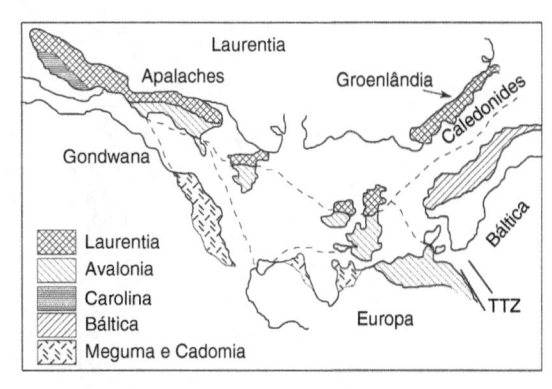

Figura 11.25 Reconstrução para o Neopaleozoico, mostrando os orógenos Apalachiano e Caledoniano (Acadian e Salinic) do Siluriano-Devoniano (segundo Keller & Hatcher, 1999, com permissão da Elsevier). TTZ é a zona Teisseyre-Tornquist, que representa um limite crustal maior entre a Báltica e o sul da Europa.

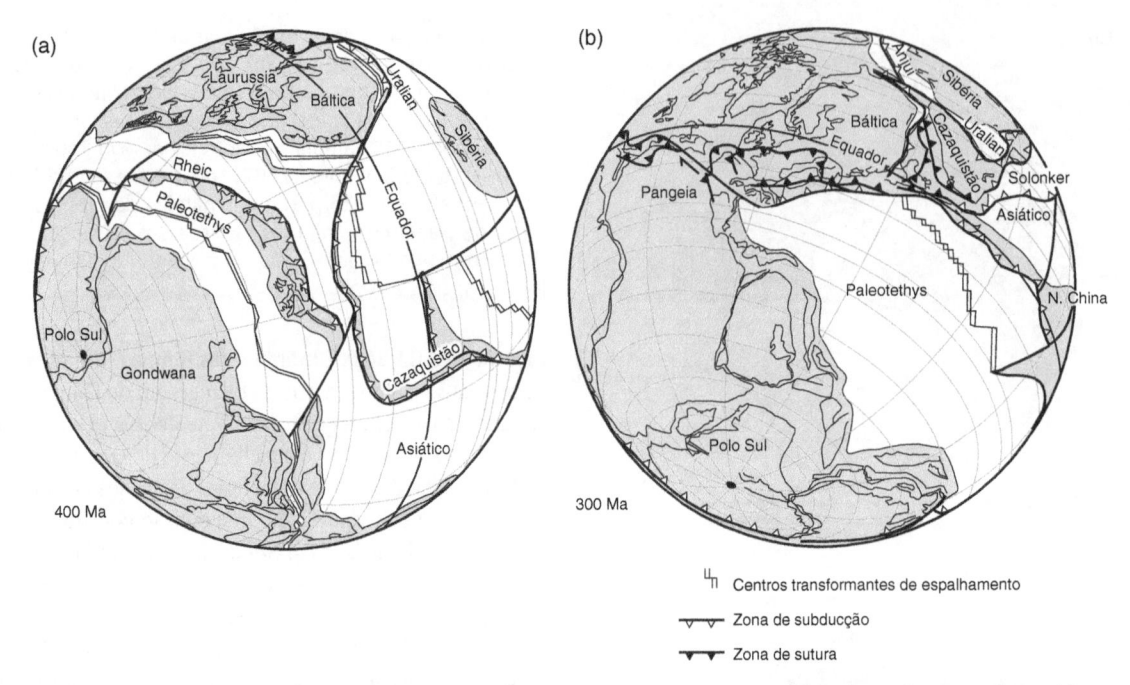

Figura 11.26 Reconstruções de placa postuladas para o Paleozoico em (a) 400 Ma e (b) 300 Ma (imagens fornecidas por G.M. Stampfli e adaptadas de Stampfli & Borel, 2002, com permissão da Elsevier). Em (a), o Oceano Rheic fecha conforme o Paleotethys é aberto. Em (b), o Gondwana colidiu com a Laurussia, criando os Variscides europeus e o Orógeno Alleghenian.

crosta continental, como a Baja Califórnia e a Arábia, continuaram a se separar do continente Pangeia remanescente. Assim como aconteceu com os supercontinentes mais velhos, a fragmentação da Pangeia foi acompanhada pelo fechamento de oceanos, como o Paleotethys e o Neotethys (Fig. 11.27), e por colisões, incluindo aquelas que ocorrem atualmente no sul da Ásia (Fig. 10.13), no sul da Europa e na Indonésia (Fig. 10.28).

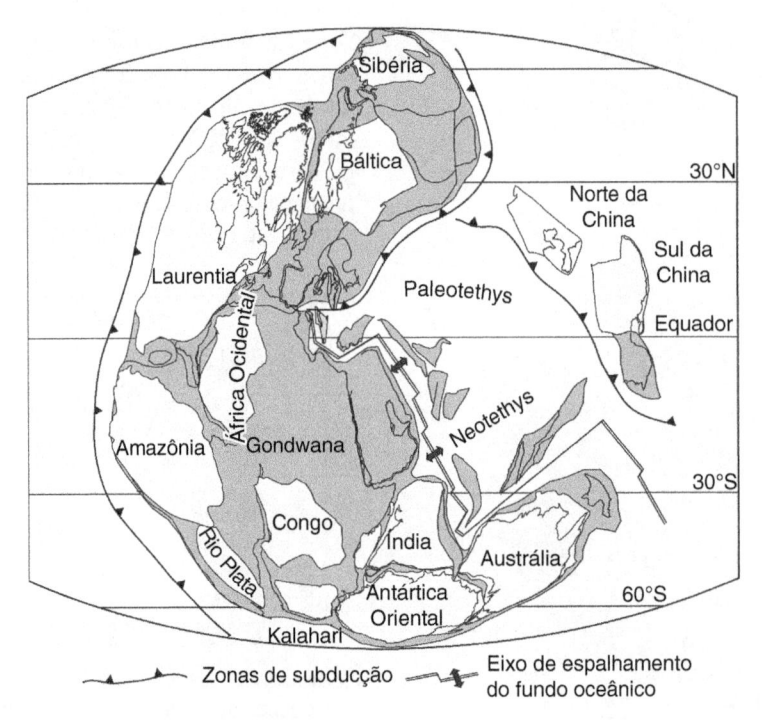

Figura 11.27 Reconstrução da Pangeia em 250 Ma (segundo Torsvik, 2003, com permissão da *Science* **300**, 1379-81, com permissão das AAAS). São mostrados os crátons principais.

O mecanismo da tectônica de placas

12

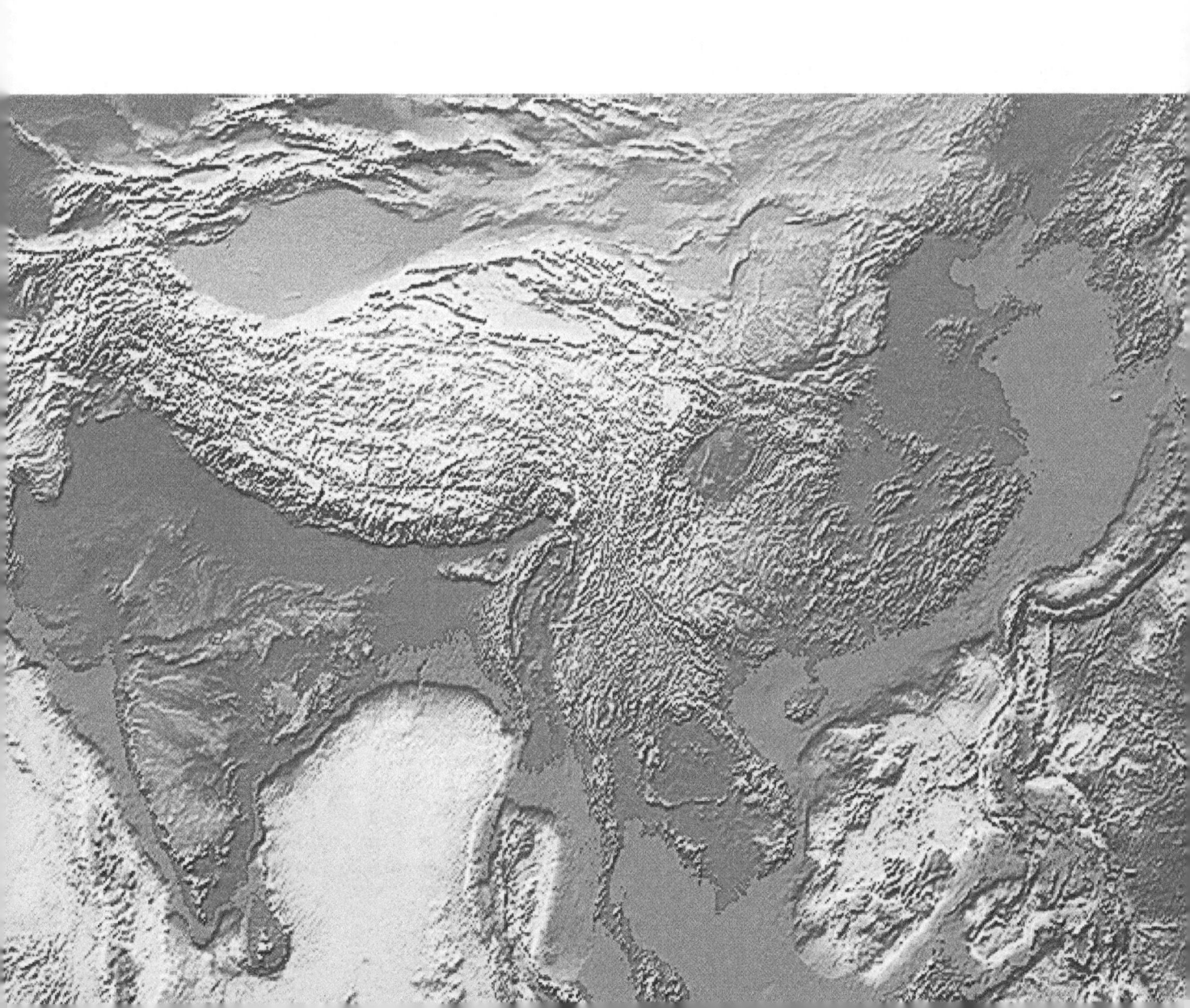

12.1 INTRODUÇÃO

O mecanismo que fundamenta o movimento de placas ainda é controverso. Teorias mais antigas sobre a origem das principais características estruturais da superfície da Terra que se fundamentaram na suposta contração ou expansão da Terra já foram descartadas. O mecanismo mais provável de transferência de calor da profundidade parece ser o de convecção. A forma dessa convecção e a maneira como a energia térmica é utilizada no transporte das placas são discutidas neste capítulo.

12.2 HIPÓTESE DA TERRA EM CONTRAÇÃO

No século XIX, acreditava-se que a Terra, desde a sua formação, tivesse sido resfriada devido à perda de calor por condução térmica. Cálculos feitos por Lord Kelvin sobre a taxa de resfriamento da Terra, inicialmente fundida, forneceu a primeira estimativa, errônea, sobre a idade da Terra, com valor de 100 Ma. Como corolário, sugeriu-se que a contração da Terra poderia fornecer um mecanismo para a formação de montanhas acompanhando seu resfriamento. Foi estimado que a circunferência da Terra diminuiu entre 200-600 km desde a sua acreção. A descoberta da radioatividade no final do século XIX negou a maior parte das afirmações iniciais, uma vez que forneceu um método preciso para datar rochas e também demonstrou que a Terra possui suas próprias fontes internas de calor.

A hipótese de contração previa que a região central da Terra tivesse sofrido resfriamento e contração mais rapidamente do que a parte externa, sendo, portanto, colocada em um estado de tração tangencial. Acima de um horizonte de não deformação, a camada externa da Terra foi, submetida à compressão tangencial, à medida que entrava em colapso na direção do centro em encolhimento (Fig. 12.1). A litosfera é muito espessa para ceder a esta compressão por flambagem, mas poderia responder através de falhas de empurrão, produzindo cadeias de montanhas pelo empilhamento de fatias de empurrão. A contração da Terra não é mais reconhecida como um possível mecanismo para a atividade tectônica por duas razões convincentes:

1 A Terra não está resfriando rápido o suficiente para ser coerente com a contração, e a avaliação atual das taxas de resfriamento implica uma contração total de apenas algumas dezenas de quilômetros. Consequentemente, a hipótese de contração não pode ser responsável por muitos milhares de quilômetros de encurtamento crustal que deve ter ocorrido em cadeias de montanhas ao longo do tempo geológico.

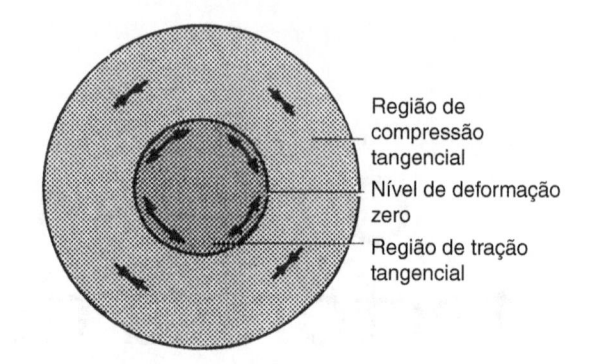

Figura 12.1 Modelo da Terra em contração.

2 A hipótese implica que a litosfera está em compressão em toda parte, não podendo fornecer uma explicação para os fenômenos que devem ter se originado em regimes tracionais, como falhas normais, cristas oceânicas e vales riftes.

12.3 HIPÓTESE DA TERRA EM EXPANSÃO

A hipótese da Terra em expansão foi proposta pela primeira vez na década de 1920 e foi posteriormente adotada por vários geólogos como o mecanismo que apoia o desmembramento dos continentes, a formação de riftes continentais e a presença de características extensionais como falhas normais (Carey, 1976, 1988). Sua proposta era que a litosfera continental tivesse sido originalmente contínua sobre a superfície de uma Terra de raio menor e que, com a sua expansão e o aumento da área de superfície, a litosfera continental tivesse se fragmentado e dispersado, enquanto o material do manto se expandia, preenchendo as lacunas para formar os oceanos. Evidências independentes para a hipótese de expansão da Terra pareciam ser fornecidas por certos físicos teóricos, que sugeriram que a constante gravitacional universal foi diminuindo com o tempo em consequência da expansão do universo, fazendo com que a matéria constituinte se tornasse mais amplamente dispersa. As forças gravitacionais são responsáveis por ligar a Terra em uma forma esférica, e, uma vez que a constante gravitacional controla diretamente a magnitude da força de atração entre as massas, a sua diminuição implicaria um relaxamento progressivo das forças de ligação e um aumento no raio da Terra.

As versões mais recentes da hipótese da Terra em expansão correlacionam o período de rápida expansão com o desmembramento e a fragmentação da Pangeia nos últimos 200 Ma. Os argumentos de que as reconstruções continentais podem ser organizadas de forma mais precisa em um globo de raio menor e a proposta de que, durante este período, a área da superfície da Terra tenha aumentado em um fator de 2,5 implicam um aumento de 63% no valor do raio atual e uma taxa média de expansão radial de cerca de 12 mm a^{-1}.

Existem dois métodos disponíveis que podem ser usados para testar diretamente a hipótese de expansão da Terra.

12.3.1 Cálculo do antigo momento de inércia da Terra

O momento de inércia de um corpo rígido em volta de um determinado eixo é definido como Σmr^2, onde m é a massa de cada pequeno elemento do corpo e r a distância do elemento a partir do eixo de rotação. O momento de inércia de uma esfera uniforme é dado por $2MR^2/5$, onde M é a massa da esfera e R seu raio. As leis da mecânica de Newton para o movimento linear afirmam que o *momentum* (massa × velocidade) de um sistema é mantido a menos que uma força externa atue sobre ele. Estas leis se aplicam igualmente ao movimento angular (rotação), no qual o *momentum* angular (momento de inércia × velocidade angular) é mantido a menos que o sistema seja influenciado por um torque externo.

Uma vez que a massa da Terra permanece constante, qualquer determinação do antigo momento de inércia da Terra permitiria um cálculo de seu antigo raio, demonstrando assim se alguma expansão ocorreu.

A teoria que apoia qualquer uma dessas determinações é complicada pelo fato de que o *momentum* é conservado dentro de um sistema que compreende a Terra e a Lua. Durante todo o tempo geológico, o *momentum* angular herdado a partir dos fragmentos que se acrescionaram para formar a Terra e a Lua tem sido progressivamente dividido entre os dois corpos, por um mecanismo conhecido como interação de maré, de forma a reduzir a energia de rotação do sistema. No presente, alcançou-se a fase em que a Lua gira muito lentamente e, como consequência, deve estar a uma distância maior da Terra do que no passado, de modo que o *momentum* é conservado em seu movimento orbital. A interação de maré da Lua sobre a Terra causa, de forma semelhante, a desaceleração da rotação angular desta. Como o número de rotações em uma órbita completa do Sol determina o número de dias em um ano, o ano no passado teria tido mais dias do que atualmente. Isso também implica que a duração do dia tem aumentado progressivamente.

A transferência de *momentum* angular da Terra para a Lua provoca, portanto, um aumento na duração do dia. Uma contribuição extra para esse fenômeno seria um aumento no momento de inércia da Terra, o que permitiria que o *momentum* angular fosse conservado através de uma taxa de rotação mais lenta. O conhecimento sobre a duração do mês lunar permitiria uma estimativa sobre a contribuição lunar para a desaceleração da rotação da Terra, permitindo ainda mudanças no isolamento do seu momento de inércia.

Informações sobre a história de rotação do sistema Terra-Lua são fornecidas a partir de um detalhado exame de organismos fósseis cujos padrões de crescimento são fortemente afetados pelos efeitos diurnos. Em especial, certos corais de variedade rugose, de idade devoniana média (390 Ma), têm sido apresentados mostrando faixas epithecais que podem ser atribuídas a ciclos de crescimento diários, mensais e anuais (Scrutton, 1967). Tais estudos indicam que o ano do Devoniano Médio teve 400 ± 7 dias e foi dividido em 13 meses lunares de 30,5 dias. O aumento médio na duração do dia até os tempos presentes é de 20 s/Ma.

A duração do mês lunar durante o Devoniano permite uma estimativa do *momentum* angular da Lua naquela época e, portanto, da desaceleração da rotação da Terra resultante da fricção das marés. A desaceleração não contabilizada dessa maneira pode ser usada para fornecer uma estimativa do momento de inércia da Terra no Devoniano, que parece ser de 99,4-99,9% do seu valor atual. Dadas as incertezas no cálculo, o momento de inércia não parece ter se alterado significativamente. A expansão da Terra necessária para causar a deriva continental implica que o momento de inércia devoniana teria que ter sido apenas 94% do seu valor atual. Consequentemente, esta rápida expansão pode ser descartada.

12.3.2 Cálculo do antigo raio da Terra

Um método um pouco menos complicado de testar a hipótese da Terra em expansão implica a determinação do paleorraio da Terra utilizando técnicas paleomagnéticas (Egyed, 1960).

O método envolve a seleção de locais de amostragem, quando possível, da mesma idade, no mesmo paleomeridiano e com diferentes paleolatitudes. Esses locais também devem estar em uma massa rochosa mantida estável desde o tempo em que as rochas adquiriram suas magnetizações remanescentes primárias (Fig. 12.2). A determinação das paleolatitudes (ϕ_1, ϕ_2) dos locais fornece, então, o ângulo originalmente subtendido no centro da Terra ($\phi_1 + \phi_2$). A separação conhecida dos locais (d) pode então ser usada para calcular o paleorraio da Terra (R_a) de acordo com a relação $R_a = d/(\phi_1 + \phi_2)$, onde os ângulos são expressos em radianos. No entanto, é raro encontrar dois locais de amostragem paleomagnética no mesmo paleomeridiano, de forma que, na prática, este método é de aplicabilidade limitada. Ward (1963) desenvolveu um *método de dispersão mínima*, mais geral, que facilita uma análise de locais de amostragem distribuídos arbitrariamente. A dispersão de polos paleomagnéticos de locais da mesma idade e posição paleogeográfica relativa conhecida é calculada usando-se o método de Fisher (1953) para dispersão sobre uma esfera, para diferentes valores de raio da Terra. O raio para o qual a dispersão dos polos é um mínimo é usado como a melhor estimativa do paleorraio. McElhinny et al. (1978)

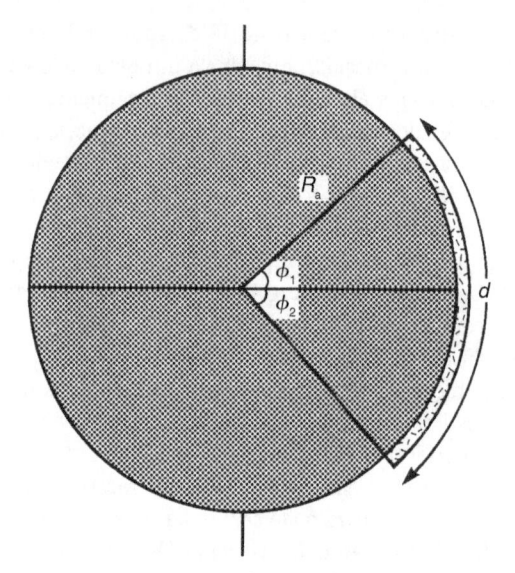

Figura 12.2 Parâmetros utilizados na estimativa do paleorraio da Terra a partir de dados paleomagnéticos.

analisaram os dados paleomagnéticos disponíveis naquele momento utilizando este método. Eles descobriram que, para os últimos 400 Ma, o paleorraio médio foi 102 ± 2,8% do raio atual. Uma pequena contração ou ínfima expansão da Terra poderia ser tolerada nesta análise, mas o aumento muito grande no raio exigido pela hipótese de expansão da Terra deve ser descartado. Análises adicionais por McElhinny & McFadden (2000) produziram resultados muito semelhantes.

A hipótese da Terra em expasão, claramente, não resiste a testes direcionados. Também, indiretamente, a hipótese não responde a fenômenos observáveis atualmente. Se a deriva continental resultasse deste mecanismo, não haveria necessidade de zonas de subducção para o consumo de litosfera oceânica, não havendo explicação alguma para as extensas zonas afetadas por tectônica colisional. A maioria das placas está se expandindo atualmente em um sentido leste-oeste. Se tal padrão resultasse de uma Terra em expansão, implicaria um aumento progressivo no tamanho da convexidade equatorial, o que não está ocorrendo. Uma expansão da Terra implicaria a existência de extensas zonas sujeitas a esforços de membrana, à medida que placas tentariam se ajustar ao crescente raio de curvatura da Terra, e estas não existem. Finalmente, a teoria não fornece mecanismo para a deriva continental ocorrida em tempos pré-mesozoicos (Seção 11.5).

12.4 IMPLICAÇÕES DO FLUXO DE CALOR

O gradiente térmico vertical médio na superfície da Terra é de cerca de 25°C/km. Se esse gradiente se mantivesse constante com a profundidade, a temperatura a uma profundidade de 100 km seria de 2500°C. Esta temperatura é superior à temperatura de fusão de rochas do manto a essa profundidade, e então teríamos uma camada fluida neste contexto. Tal camada fundida não existe pelo fato das ondas S se propagarem através desta região (Seção 2.1.3). Duas possibilidades existem na explicação desse fenômeno: primeiro, que as fontes de calor estão concentradas acima de uma profundidade de 100 km; e, segundo, que um mecanismo mais eficiente do que a condução opera abaixo desta profundidade em que o calor é transferido em um gradiente térmico muito menor. Esses processos podem ser distinguidos, considerando a variação no fluxo de calor através da superfície da Terra em conjunção com a variação no conteúdo de minerais radioativos de diferentes tipos crustais.

O fluxo de calor geralmente diminui com a idade da crosta (Sclater et al., 1980). Nos oceanos, o fluxo de calor diminui das dorsais oceânicas para as bacias em suas margens, uma vez que se mostrou (Seção 6.4) que este arrefecimento se correlaciona com um espessamento progressivo da litosfera oceânica e com um aumento na profundidade da lamina d'água. Da mesma forma, o fluxo de calor de bacias retroarco (Seção 9.10) diminui com a idade, com as bacias atualmente ativas exibindo o maior fluxo de calor. Dentro das regiões continentais, o fluxo de calor geralmente diminui com o aumento do tempo desde o último evento tectônico. Consequentemente, escudos pré-cambrianos são caracterizados pelo menor fluxo de calor, e cadeias de montanhas jovens pelo mais elevado.

A representação do padrão global de fluxo de calor é difícil, porque a densidade das observações é altamente variável, de modo que a localização de contornos pode ser muito influenciada por apenas um pequeno número de medições. Chapman & Pollack (1975) superaram o problema das limitadas observações em algumas áreas, prevendo o fluxo de calor nessas áreas em função da correlação do fluxo de calor com a idade da litosfera oceânica e a idade do último evento tectônico a afetar a crosta continental. Na Fig. 12.3, seus resultados são apresentados por uma análise harmônica esférica do fluxo de calor medido ou previsto em áreas do globo com malha de 5° × 5°. Este procedimento dá uma certa suavização ao padrão verdadeiro, de modo que variações com comprimentos de onda inferiores a cerca de 3.300 km não são representadas. A Fig. 12.3 ilustra o fluxo de calor elevado associado com o sistema de dorsais oceânicas e com as bacias marginais mais jovens do Pacífico ocidental. Valores de baixo fluxo de calor são associados com crosta oceânica antiga e com escudos pré-cambrianos.

Histogramas de medições de fluxo de calor dos oceanos e continentes são apresentados na Fig. 12.4. A maior dispersão dos valores oceânicos reflete a variabilidade decorrente da localização de valores extremos nas cristas das dorsais oceânicas. Por outro lado, há menos valores extremamente altos ou baixos presentes nas medições continentais. A média das medições de fluxo de calor oceânico é de 67 mW/m^2. No entanto, isso só representa a perda de calor por condu-

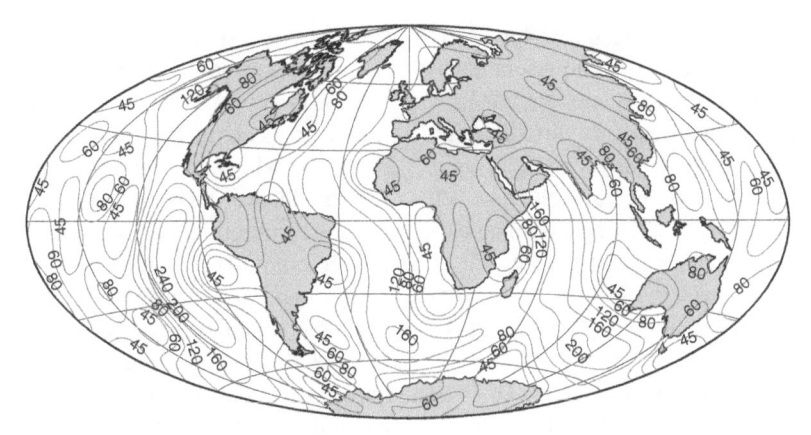

Figura 12.3 Padrão de fluxo de calor global representado por análise harmônica esférica. Equidistância de 40 mW/m² (segundo Chapman & Pollack, 1975).

ção, ignorando o calor que atinge a superfície pela liberação de fluidos quentes, como água e lava. Hoje em dia, aceita-se que a contribuição hidrotermal responda por aproximadamente um quarto da perda global de calor e que o fluxo de calor oceânico médio seja 101 mW/m². O fluxo de calor continental médio é de 65 mW/m², incluindo a pequena contribuição das lavas. O fluxo de calor médio global é de 87 mW/m² (Pollack et al., 1993).

A maior parte do calor que escapa para a superfície da Terra se origina do decaimento de isótopos radioativos de longa vida de urânio, tório e potássio (Seção 2.13) que têm meia-vida da mesma ordem que a idade da Terra. Esses isótopos são relativamente enriquecidos na crosta continental superior, e estima-se que seu decaimento contribua 18-38 mW/m² para o fluxo de calor observado (Pollack & Chapman, 1977). Por conseguinte, até cerca de 60% do fluxo de calor em regiões continentais podem ser gerados nos 10-20 km da crosta superior. No entanto, a crosta oceânica é praticamente estéril de isótopos radioativos, e apenas cerca de 4 mW/m² podem ser atribuídos a esta fonte. Mais de 96% do fluxo de calor nos oceanos devem ser originados abaixo da crosta, e, portanto, processos diferentes de fornecimento de calor devem agir sob os continentes e oceanos (Sclater & Francheteau, 1970).

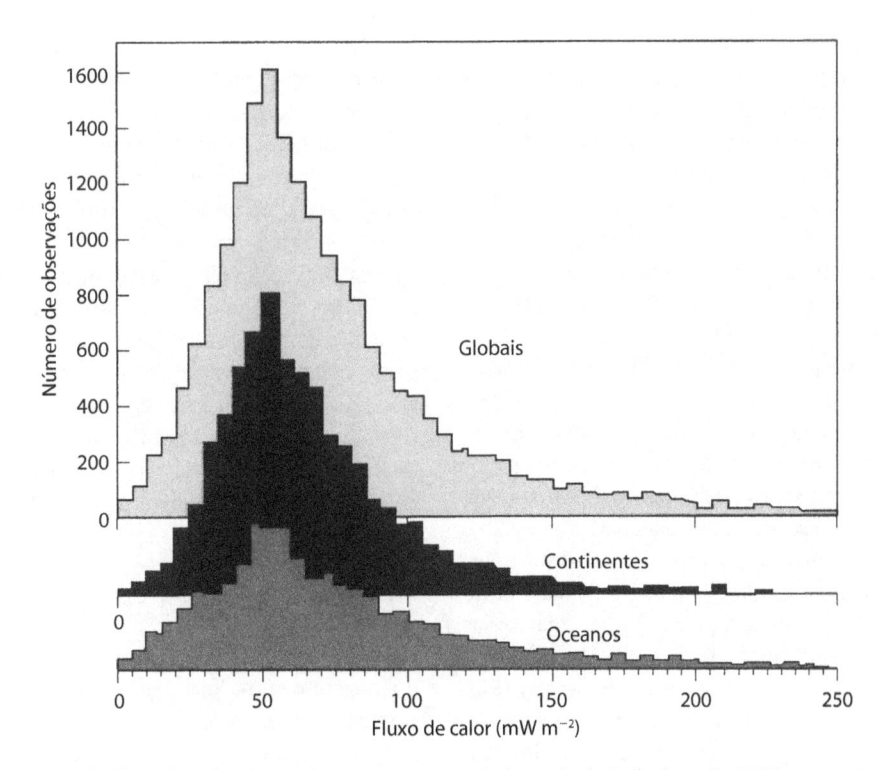

Figura 12.4 Comparação do fluxo de calor de continentes e oceanos (adaptado de Pollack et al., 1993, com permissão da American Geophysical Union. Copyright © 1993 American Geophysical Union).

Assim, uma grande proporção do fluxo de calor continental vem de fontes concentradas em uma profundidade rasa, sendo necessário apenas um pequeno componente subcrustal. Por outro lado, a maior parte do fluxo de calor oceânico deve ser originário de níveis subcrustais. Devido aos problemas de fusão discutidos acima, este calor deve ser transportado sob a influência de um gradiente térmico baixo. O mecanismo de transferência de calor por convecção é o único processo viável que obedece a essas restrições. Portanto, embora a transferência de calor por condução ocorra dentro da litosfera rígida, a transferência de calor por convecção deve predominar no manto sublitosférico. De fato, a condução não pode ocorrer a qualquer grande profundidade devido ao fato da taxa de transferência de calor por esse mecanismo ser muito mais lenta do que o necessário. A viabilidade e a forma desta convecção são discutidas nas seções seguintes.

12.5 CONVECÇÃO NO MANTO

12.5.1 O processo de convecção

A natureza do fluxo de convecção no manto é problemática. Uma solução analítica é difícil devido à estrutura reológica complexa, incluindo a presença de uma zona de transição (Seção 2.8.5), à presença de fontes de calor dentro da camada de convecção, bem como abaixo dela, à influência de uma litosfera rígida sobrejacente no padrão de convecção e ao fato de que a camada de convecção tem a forma de uma concha esférica. No entanto, como resultado dos avanços na simulação numérica e na modelagem analógica e das considerações sobre o padrão de convecção fornecidas por tomografia sísmica e movimentos de placa do passado e do presente, é possível obter importantes informações sobre o processo convectivo.

Convecção em um fluido envolve transporte de calor pelo movimento do fluido, causado pela flutuação positiva ou negativa de alguns dos fluidos, isto é, contrastes de densidade horizontal ou gradientes dentro dele. Estes últimos são geralmente produzidos por fluxo astenosférico descendente mais denso a partir de uma camada limite fria ou de ressurgências menos densas de uma camada limite quente, mas também podem ser de origem composicional. Na verdade, tende-se a pensar em uma camada de fluido convectivo como sendo aquecida a partir de baixo e resfriada acima, em cujo caso há uma camada-limite térmica quente em sua base e uma camada térmica fria no topo (Fig. 12.5a). No entanto, é possível que uma dessas camadas-limite possa ser fraca ou ausente. Além disso, a camada fluida pode ser aquecida a partir de dentro (Fig. 12.5b,c). Na Fig. 12.5b, a camada-limite inferior está faltando, e o líquido é aquecido internamente. O fluido frio denso que afunda da camada-limite superior gera convecção, e a ressurgência é passiva em vez de flutuante; o fluido tem que se mover para cima, para criar espaço para o afundamento do fluido frio. O manto se parece, provavelmente, mais com a Fig. 12.5c, na qual é aquecido a partir de baixo, pelo calor que flui do núcleo, e de dentro, por radioatividade. Na Fig. 12.5, se a temperatura do limite inferior é fixada em cada caso, então o perfil de temperatura será como mostrado à direita da figura (a). Se não houver aquecimento a partir de baixo, a temperatura no interior do fluido será a mesma que na base da camada de fluido (Fig. 12.5b). Se houver algum aquecimento a partir de baixo, além do aquecimento interno (Fig. 12.5c), então o interior do fluido convectivo terá uma temperatura intermediária entre os casos (a) e (b). Isso resulta em uma queda maior na temperatura em toda a camada-limite superior e uma queda menor na temperatura em toda a camada-limite inferior, em comparação com o caso (a). Esse efeito de aquecimento interno em que a camada-limite superior é reforçada e a camada-limite inferior é enfraquecida pode, portanto, ser aplicável ao manto.

O efeito de aquecimento interno e a falta de uma camada-limite inferior térmica estão ilustrados na Fig. 12.6. Ela mostra os resultados de dois modelos numéricos com parâmetros apropriados ao manto. Os três quadros da esquerda se referem a um modelo com aquecimento de baixo e sem aquecimento interno, e aqueles à direita a um modelo com aquecimento interno e nenhuma camada-limite inferior. No primeiro caso, podem-se ver claramente colunas frias afundando e colunas quentes subindo, análogas à Fig. 12.5a. No caso da direita, apenas fluxo astenosférico descendente é aparente, e as ressurgências são passivas e amplamente distribuídas (cf. Fig. 12.5b).

Embora instrutivos, esses modelos provavelmente não simulam com precisão a convecção no manto por assumirem uma viscosidade uniforme em toda a camada de convecção, uma camada paralela em vez de esférica, apenas convecção térmica e nenhuma mudança de fase no fluido. Acredita-se que, no manto da Terra, a viscosidade aumenta com a profundidade e que a flutuabilidade é, em parte, criada por variações de composição. Como discutido na Seção 12.9, esses dois fatores parecem estabilizar o padrão de convecção por centenas de milhões de anos, enquanto os padrões de convecção desenvolvidos nos modelos da Fig. 12.6 são claramente instáveis ao longo deste período de tempo.

12.5.2 Viabilidade da convecção do manto

Para o estudo sobre a viabilidade e a natureza da convecção no interior de uma Terra esférica e rotativa, é necessário assumir um manto próximo de um fluido newtoniano. Embora esta suposição possa ser errônea, ela permite a realização de cálculos simples sobre o processo convectivo.

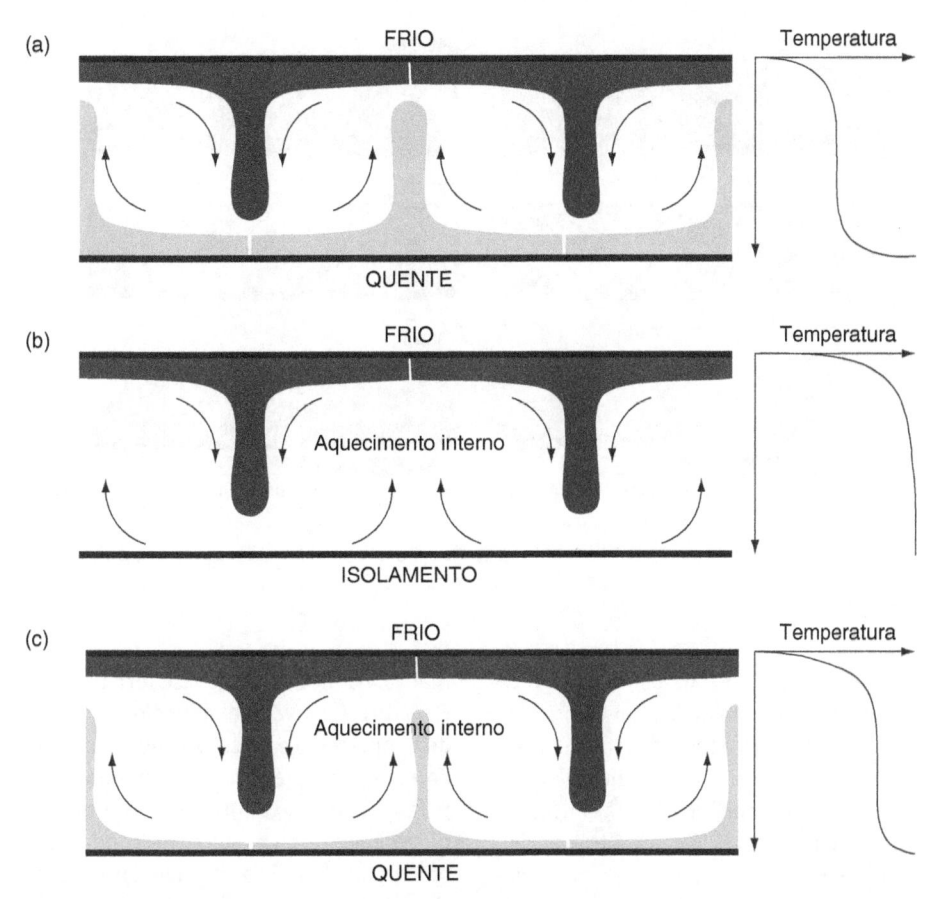

Figura 12.5 Esboços de camadas de fluidos em convecção e seus perfis temperatura-profundidade associados, ilustrando a natureza variável da camada-limite térmica inferior dependendo da maneira como a camada de fluido é aquecida (segundo Davies, 1999. Copyright © Cambridge University Press, reproduzido com permissão).

A condição para o início da convecção térmica é controlada pela magnitude do número adimensional de Rayleigh (R_a), que é definido como a razão entre as forças de flutuabilidade e os efeitos da resistência das forças viscosas e da difusão térmica.

$$R_a = \alpha\beta\rho g d^4/k\eta$$

onde α é o coeficiente de expansão térmica, β o gradiente de temperatura superadiabática (o gradiente em excesso ao que se espera estar associado com a pressão em ascensão), ρ é a densidade do fluido, g a aceleração devido à gravidade, d a espessura do fluido em convecção, k a difusividade térmica (a relação entre a condutividade térmica e o produto da densidade e do calor específico em um volume constante), e η a viscosidade dinâmica (Seção 2.10.3). Para a convecção no manto, o número de Rayleigh que corresponde ao início da convecção é aproximadamente 10^3. Isso corresponde ao menor gradiente de temperatura necessário para a ocorrência de convecção. Para o gradiente de temperatura atual, o número de Rayleigh é da ordem de 10^6 ou superior. Isso implica condições muito favoráveis para a convecção e, como consequência, camadas-limite finas em comparação com a espessura da camada total.

A natureza do fluxo de um fluido em convecção pode ser avaliada pela magnitude do número de Reynolds (Re), que permite a discriminação entre fluxo laminar e turbulento. Re é definido:

$$Re = vd/\nu$$

onde v é a velocidade do fluxo e ν é a viscosidade cinemática (a razão entre a viscosidade dinâmica, η, e a densidade). Considerando $v = 200$ mm/a $= 6 \times 10^{-9}$ m/s, $d = 3000$ km $= 3 \times 10^6$ m e $\nu = 2 \times 10^{17}$ m^2/s, $Re = 9 \times 10^{-20}$. Este valor muito baixo indica que as forças viscosas dominam, e, portanto, o fluxo é laminar. O efeito da rotação da Terra sobre a convecção pode ser considerado pela magnitude do número de Taylor (T), que é definido:

$$T = (2wd^2/\nu)^2$$

onde w é a velocidade angular de rotação. Colocando $w = 7{,}27 \times 10^{-5}$ rad s^{-1} e outros valores como acima, $T \approx 4 \times 10^{-17}$. Um valor de T menor que a unidade implica um efeito de rotação não significativo sobre a convecção, de forma que a rotação da Terra não deve ter qualquer efeito sobre o padrão de convecção do manto.

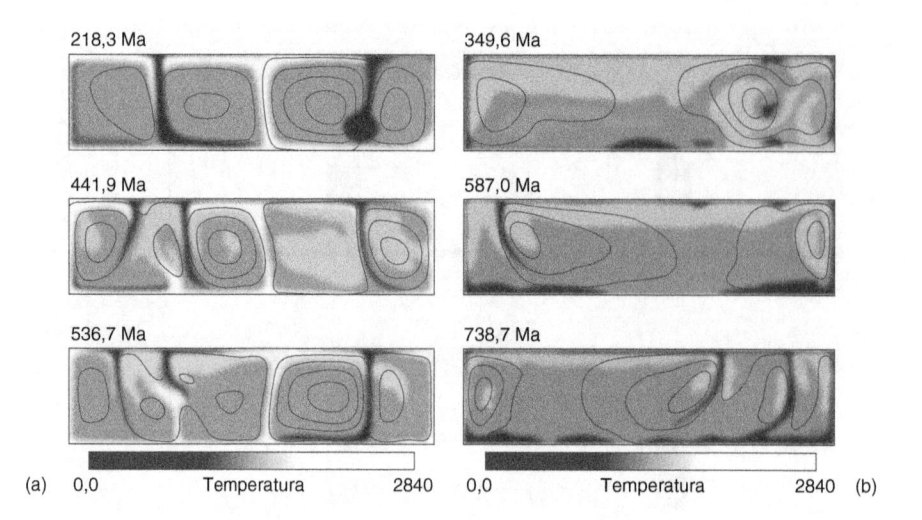

Figura 12.6 Quadros de modelos numéricos que ilustram (a) a convecção em uma camada aquecida por baixo e (b) a convecção em uma camada aquecida internamente e sem aquecimento inferior (segundo Davies, 1999. Copyright © Cambridge University Press, reproduzido com permissão).

A eficiência da convecção é medida pelo número de Nusselt (Nu), que é a razão entre o total de calor transferido e aquele transferido somente por condução térmica. Elder (1965) calculou experimentalmente a relação entre Nu e R_a. Ele descobriu que, em valores apropriados de R_a à convecção marginal, Nu é unitária e muito pouco calor é transferido por convecção. Em valores de R_a 10^6 ou maiores, apropriados para o manto, Nu é cerca de 100, indicando a predominância da transferência de calor por convecção.

12.5.3 A extensão vertical da convecção

A zona de transição do manto (Seção 2.8.5) pode muito bem influenciar a natureza ou até mesmo a extensão vertical da convecção no manto. Se esta zona for caracterizada por uma mudança na composição química, as correntes de convecção não a atravessarão. Neste caso, camadas separadas de circulação por convecção ocorreriam acima e abaixo da zona de transição, com o calor sendo transportado por condução através de uma camada-limite térmica em toda ou em parte da zona de transição.

A natureza da zona de transição do manto é mal-interpretada, mas a maioria parece acreditar que esta representa uma região em que ocorram mudanças de fase em estado sólido. Nesta, a mineralogia do material do manto muda para formas de pressão mais elevadas com a profundidade, em vez de representar uma mudança na composição química (Seção 2.8.5). Watt & Shankland (1975) mostraram, a partir de uma inversão de dados de velocidade-densidade, que o peso atômico médio do manto não mostra mudança através da zona de transição. Se este for o caso, as correntes de convecção podem atravessar a zona de transição, desde que as mudanças de fase ocorram muito rapidamente, fazendo com que as células de convecção estejam por todo o manto. As mudanças de fase teriam dois efeitos importantes sobre a convecção, à medida que elas são dependentes de temperatura e pressão e envolvem calor latente. No caso de olivina para espinélio, a mudança de formas de baixa para alta pressão ocorre em profundidades mais rasas do que médias, em correntes descendentes frias, e, acima da profundidade média, nas correntes ascendentes quentes. Consequentemente, minerais de baixa densidade são criados em maiores profundidades na ascensão, enquanto os de alta pressão e maior densidade se formam em profundidades menores na descendência. Suas flutuabilidades, respectivamente, positiva e negativa, ajudam, então, a conduzir as células de convecção. A mudança de fase também está associada com uma liberação ou absorção de calor latente, em que a reação de pressão alta para baixa é exotérmica e a reação de pressão baixa para alta endotérmica. Isso causa a verticalização (*steepening*) do gradiente termal através da zona de transição, de modo que a temperatura na parte inferior do manto é 100-150°C mais alta do que se a zona não existisse.

Tackley et al. (1993) modelaram numericamente a convecção do manto em três dimensões, com uma mudança de fase endotérmica na base da zona de transição. Eles sugerem que o material frio em subsidência se acumula acima de 660 km e depois periodicamente flui ao manto inferior. Isso se encaixa bem com os resultados de imageamento por tomografia sísmica de zonas de subducção, que sugerem que algumas placas se achatam no sentido da zona de transição e outras penetram na base da zona e descem para o manto inferior (Seção 9.4; Figura 9.2 do encarte colorido).

Assim, a zona de transição pode não ser uma barreira para a convecção através do manto, pois vários pesquisadores apresentaram evidências que confirmam essa premissa. Kanasewich (1976) observou uma distribuição organizada de placas, na qual as placas do Pacífico e Africanas são aproximadamente circulares, sendo as placas menores de uma forma aproximadamente elíptica e organizadas, sistematicamente, entre estas duas grandes placas. Kanasewich atribuiu esta organização à convecção através do manto. Davies (1977) realizou modelos experimentais e concluiu que apenas contrastes de viscosidade extremos restringiriam a convecção ao manto superior, sustentando que tais contrastes não existem. Elsasser et al. (1979) empregaram uma análise em escala, na qual a profundidade da convecção é derivada como uma função de parâmetros conhecidos, e concluíram que essa profundidade é consistente com a convecção através de todo o manto. A topografia na base da zona de transição do manto tem uma amplitude de cerca de 30 km (Shearer & Masters, 1992), que é uma ordem de magnitude menor do que a prevista para uma mudança química, em vez de alteração de fase, nessa profundidade. Morgan & Shearer (1993) derivaram a distribuição de flutuabilidade no manto a partir de mapas de tomografia sísmica e concluíram que deve haver um fluxo significativo entre o manto inferior e o superior. No entanto, outros trabalhos, resumidos por van Keken et al. (2002), sugerem que os padrões geoquímicos e isotópicos de elementos-traço encontrados em rochas vulcânicas oceânicas suportam um modelo em que porções do manto foram quimicamente isoladas em grande parte da história da Terra. Isso sugeriria que a mistura implícita pela convecção total do manto não ocorreu e que a convecção em camadas é mais provável. No entanto, à luz das evidências geofísicas para a convecção através do manto, geoquímicos derivaram modelos em que os distintos reservatórios químicos podem ser preservados dentro desse contexto (por exemplo, Tackley, 2000; Davies et al., 2002). Parece, portanto, que a circulação convectiva é, provavelmente, distribuída através do manto, não sendo limitada pela zona de transição.

12.6 AS FORÇAS ATUANTES NAS PLACAS

Com o objetivo de compreender os estilos estruturais e o desenvolvimento tectônico das margens e dos interiores das placas, é necessário considerar a natureza e a magnitude de todas as forças que atuam sobre elas. Forsyth & Uyeda (1975) resolveram o problema da determinação da magnitude relativa das forças em placas a partir da observação dos seus movimentos e geometrias. Uma vez que as velocidades atuais das placas parecem ser constantes, cada placa deve estar em equilíbrio dinâmico, com as forças motrizes sendo equilibradas por forças de inibição. Forsyth & Uyeda (1975) usaram este corolário, de que a soma dos torques em cada placa deve ser zero, para determinar o tamanho relativo das forças sobre as 12 placas consideradas componentes da superfície da Terra. O papel da astenosfera neste cenário foi considerado essencialmente passivo. Um conjunto semelhante de cálculos, com base em um método similar e proporcionando resultados semelhantes, foi feito por Chapple & Tullis (1977). A seguinte descrição de forças é baseada na extensão do trabalho de Forsyth & Uyeda (1975) feita por Bott (1982).

Em cadeias oceânicas, a força de empurrão (*push*) das dorsais F_{RP} (Fig. 12.7) atua sobre as bordas das placas divergentes. Isso deriva do fato de a flutuabilidade do material quente afluído causar a elevação do cume e, portanto, uma pressão hidrostática adicional em profundidades rasas que atua na litosfera mais fina da crista da dorsal. Isso também pode ocorrer a partir do resfriamento e do espessamento da litosfera oceânica com o afastamento da dorsal (Seção 6.4), que exerce uma tração (*pull*) na região da dorsal. Por isso, é basicamente uma força gravitacional. A força de empurrão (*push*) da dorsal pode ser duas ou três vezes maior se houver uma pluma mantélica (Seção 5.5) subjacente à dorsal

F_{RP} – Empurrão dorsal
F_{NB} – Flutuabilidade Negativa
F_{SP} – Tração da placa
F_{SU} – Sucção da fossa
R_R – Resistência da dorsal
R_B – Resistência à flexão
R_S – Resistência da placa
R_O – Resistência da placa cavalgante
R_{DO} – Arrasto do manto abaixo do oceano
R_{DC} – Arrasto do manto abaixo do continente

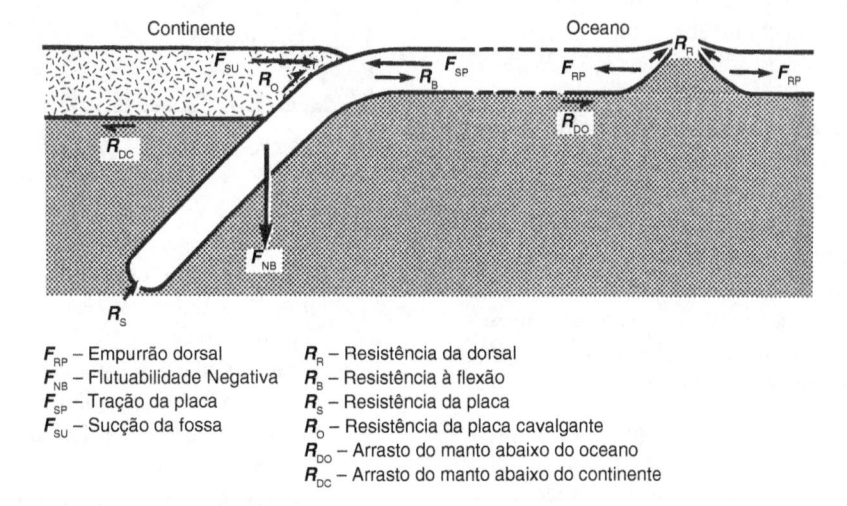

Figura 12.7 Algumas das forças que atuam sobre as placas (desenvolvido de Forsyth & Uyeda, 1975, por Bott, 1982, reproduzido com permissão de Edward Arnold (Publishers) Ltd).

(Bott, 1993), devido ao aumento da pressão na astenosfera na região das cristas. A separação de placas junto às cristas oceânicas está oposta a uma menor resistência da dorsal R_R que se origina em uma crosta frágil superior e cuja existência é demonstrada pela atividade sísmica na cristas da dorsal. As forças que resistem são pequenas, de forma que o efeito total é a presença de uma força motriz.

Sob o interior das placas, temos a força de arrasto do manto atuando tanto na base da litosfera oceânica como continental, se a velocidade da astenosfera subjacente diferir daquela da placa. Se a velocidade da astenosfera exceder à da placa, o arraste do manto aumenta o movimento da placa (F_{DO}, F_{DC}), mas, se a velocidade da astenosfera for menor, como mostrado na Fig. 12.7, o arraste do manto tende a resistir o movimento das placas (R_{DO}, R_{DC}). O arrasto do manto abaixo dos continentes é aproximadamente oito vezes o arrasto abaixo dos oceanos, o que pode ocorrer devido ao aumento da espessura da litosfera subcontinental sob áreas cratônicas (Sleep, 2003).

Em zonas de subducção, a maior força atuando em placas é resultado da flutuabilidade negativa (F_{NB}) da placa fria e densa de litosfera descendente. Parte desta força vertical é transmitida para a placa como a força de tração (*pull*) da placa F_{SP}. O contraste de densidade e, portanto, F_{NB}, é muito maior em profundidades de 300-400 km, onde a transição olivina-espinélio ocorre na placa. F_{SP} é oposta a uma resistência da placa (R_S), que atua preferencialmente na borda principal da placa descendente, onde é cinco a oito vezes maior do que o arrasto viscoso em sua superfície superior e inferior. *Underthrusting* envolve uma flexão descendente da litosfera em resposta a F_{NB}, e, desde que ela se comporte de forma elástica nas poucas dezenas de quilômetros superiores, a flexão estará oposta por uma resistência à flexão (R_B). Outra resistência ao movimento em zonas de subducção é o atrito entre as duas placas. Esta resistência superior da placa (R_O) se expressa na intensa atividade sísmica e tectônica observada em profundidades rasas nas margens de placas destrutivas. A placa subductante atinge uma velocidade final quando F_{SP} está quase equilibrada por $R_S + R_O$. Se F_{SP} excede $R_S + R_O$, a placa desce mais fundo do que a velocidade final e joga a placa em tração em profundidades rasas. Se F_{SP} é inferior a $R_S + R_O$, a placa é jogada em compressão. O equilíbrio entre forças de condução e de resistência pode controlar a distribuição de tipos de esforços, como revelado por soluções de mecanismo focal de sismos, dentro de placas subductantes (Seção 9.4).

Na parte continental das zonas de subducção, a litosfera superior é tracionada pela força de sucção da trincheira (F_{SU}). Existem várias causas possíveis para essa força (Fig. 12.8):

1 Ela pode aparecer devido ao ângulo de subducção tornar-se progressivamente maior com a profundidade (Fig. 12.8a). Haverá tração quando a placa superior colapsar em direção à fossa.

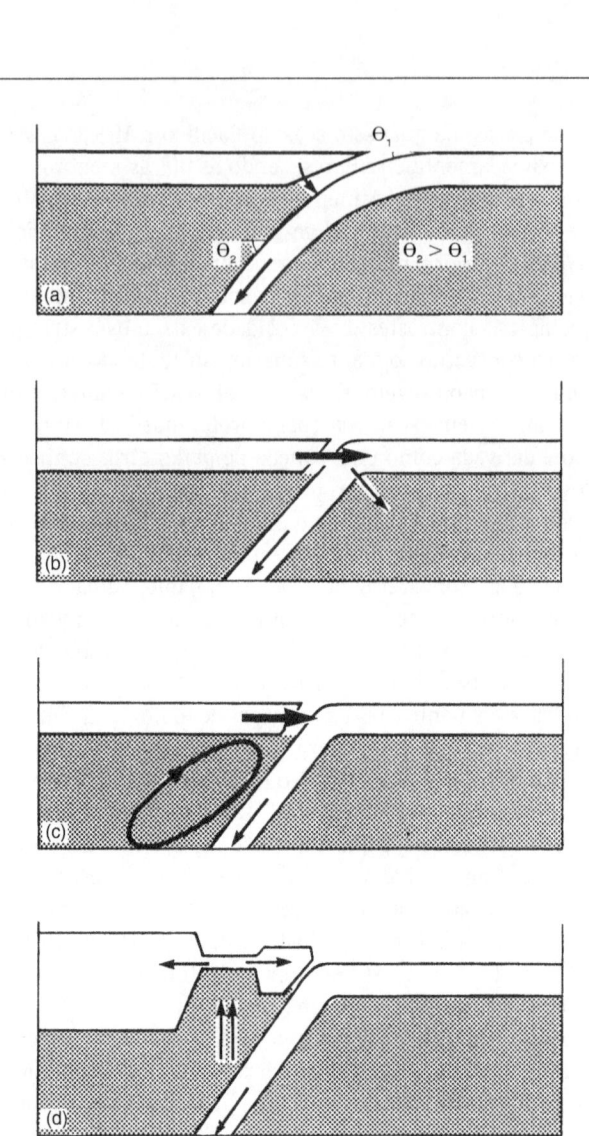

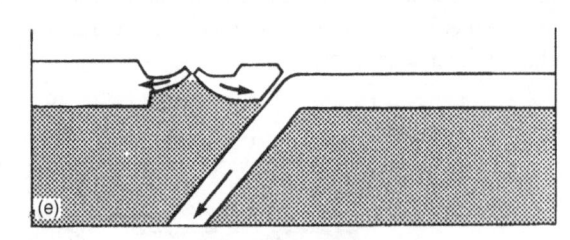

Figura 12.8 Possíveis fontes da força de sucção da trincheira (segundo Forsyth & Uyeda, 1975, com permissão da Blackwell Publishing).

2 A tração poderia resultar do "*roll-back*" da placa inferior (Fig. 12.8b). Isto é, a placa subductante recua da placa superior.
3 A tração poderia ser gerada pelo fluxo de convecção secundário na região que cobre a placa subductante (Fig. 12.8c). Isso exigiria um gradiente geotérmico relativamente alto, dando origem a uma viscosidade relativamente baixa na astenosfera (Seção 12.5.2).

4 A tração poderia surgir de qualquer um dos vários mecanismos propostos para a formação de bacias retroarco na parte continental das zonas de subducção (Fig. 12.8d), conforme descrito na Seção 9.10. Entretanto, uma vez começado o espalhamento do retroarco, a placa continental começa a dissociar-se do sistema da fossa (Fig. 12.8e).

Quando duas placas da litosfera continental são trazidas para contato após o consumo total de um oceano interveniente na zona de subducção, a resistência de qualquer movimento adicional é conhecida como resistência à colisão. O mecanismo dessa resistência é complexo, porque ocorre tanto na sutura entre as placas como dentro da placa superior (Seções 10.4.3, 10.4.6). Finalmente, a resistência de falha transformante afeta margens de placas conservadoras nas áreas continental e oceânica. A resistência age paralelamente às falhas e dá origem a terremotos com um mecanismo direcional (Seção 2.1.5) confinado a uma profundidade rasa. É encontrada resistência mais complexa onde a orientação da falha é sinuosa, de forma que o movimento não é puramente direcional (Seção 8.2).

A magnitude relativa das forças que atuam nas placas e sua relevância para o mecanismo de condução das placas tectônicas serão discutidas na Seção 12.7.

12.7 MECANISMOS MOTRIZES DA TECTÔNICA DE PLACA

A energia disponível para controlar e dirigir os movimentos de placas é o calor gerado no núcleo e no manto que é trazido à superfície por convecção. Resta agora considerar a maneira pela qual esta energia térmica é empregada na condução das placas litosféricas. A proposta de Morgan (1971, 1972b) de que as placas são levadas pelo fluxo horizontal de material trazido à base da litosfera por pontos quentes (*hotspots*) foi desconsiderada inicialmente (Chapple & Tullis, 1977), devido ao fluxo lateral ser, provavelmente, igual em todas as direções horizontais, e, portanto, não aplicaria uma força direcional para as placas. Dois modelos foram propostos. O modelo clássico, ou de arrasto do manto, considera que a camada-limite superior e fria do sistema de convecção é representada pela parte superior da astenosfera, na qual as placas são movidas pelo arraste viscoso da astenosfera em suas bases. Por contraste, o modelo de força de borda reconhece a litosfera como a camada-limite superior e fria das células de convecção e propõe que as placas sejam movidas por forças aplicadas às suas margens. Os dois modelos diferem, portanto, na importância dada às várias forças agindo nas placas (Seção 12.6) descritas por Forsyth & Uyeda (1975).

12.7.1 Mecanismo de arrasto do manto

O arrasto do manto foi o primeiro mecanismo de condução a ser proposto e prevê movimento de placas em resposta ao arrasto viscoso exercido na base da litosfera pelo movimento lateral do topo das células de convecção do manto na astenosfera (Fig. 12.9a). As células de convecção, consequentemente, subiriam abaixo das cristas oceânicas e desceriam sob as fossas, sendo praticamente inexistentes abaixo de regiões continentais. Este mecanismo prevê que a litosfera oceânica estaria em um estado de tração nas cristas oceânicas e de compressão em fossas.

Devido às suas relações com as margens de placa acrescionárias e destrutivas, as dimensões horizontais das células de convecção, alimentando o arrasto do manto, se-

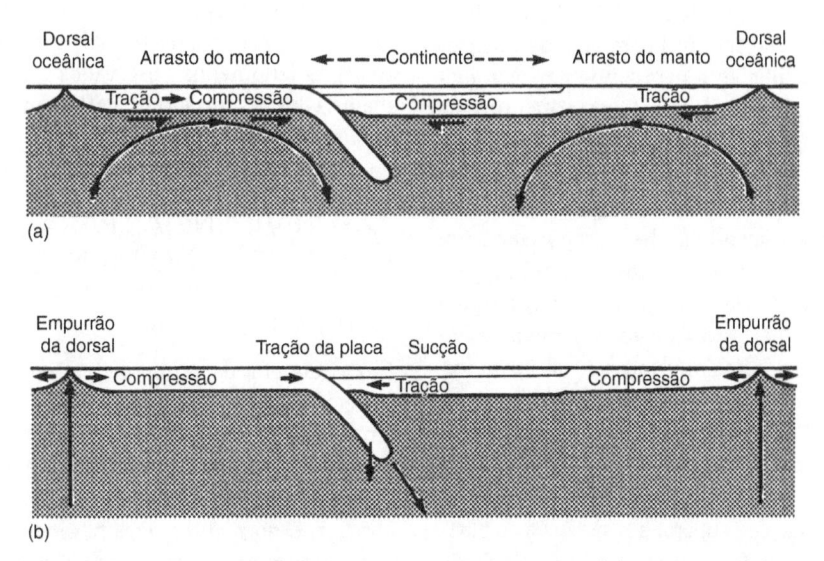

Figura 12.9 Dois conceitos de mecanismo de condução de placa: (a) convecção celular, com as células exercendo um arrasto do manto na litosfera; (b) convecção tipo Orowan-Elsasser, com placas conduzidas por forças de borda (adaptado de Bott, 1982, com permissão de Edward Arnold (Publishers) Ltd).

riam de aproximadamente metade da largura de um oceano, ou seja, 3.000 km. Esta grande extensão lateral implica que as células devem ter uma forma relativamente simples. É difícil explicar como as células de geometria simples poderiam dirigir placas com margens irregulares, como a Dorsal Mesoatlântica em latitudes equatoriais onde é deslocada ao longo de um conjunto de falhas transformantes. Além disso, a geometria constante nas células de convecção não pode explicar os movimentos relativos entre as margens da placa, como está acontecendo entre as dorsais do Atlântico Central e Carlsberg. A grande dimensão horizontal das células não consegue explicar os movimentos de placas pequenas, como as placas do Caribe e das Filipinas, que dificilmente podem ser alimentadas por seu próprio sistema individual de convecção.

Assim, parece que o clássico mecanismo de arraste do manto não é o principal processo causador da mobilidade das placas. É possível, no entanto, que os nossos pontos de vista sobre o arrasto do manto sejam influenciados pelo fato de que os continentes atuais estejam dispersos. Ziegler (1993) argumenta que o arrasto do manto pode ter sido um mecanismo importante durante a fragmentação dos supercontinentes, e, de fato, os movimentos de placas fanerozoicas parecem exigir esse mecanismo (Seção 12.11).

12.7.2 Mecanismo de força de borda

Neste mecanismo, a litosfera oceânica representa a parte superior do sistema de convecção, onde as placas se movem em resposta a forças aplicadas em suas bordas (Fig. 12.9b). O mecanismo foi primeiramente proposto por Orowan (1965) e Elsasser (1969, 1971) e é por vezes referido como convecção do tipo Orowan-Elsasser (Davies & Richards, 1992).

Apenas uma pequena porcentagem da energia fornecida a partir do manto está disponível para conduzir as placas, mas esta fração é suficiente para alimentar os movimentos das placas atuais (Bott, 1982). A energia é utilizada pela litosfera para conduzir as placas de várias maneiras. A força de empurrão da dorsal (Seção 12.6) origina-se do soerguimento da crista da dorsal causado pela astenosfera anormalmente quente abaixo dela. Isso proporciona um empurrão lateral na retaguarda da litosfera oceânica em acreção. A força de tração da placa (Seção 12.6) surge a partir da flutuabilidade negativa da placa subductante em fossas, sendo acompanhada por mudanças de fase para formas mais densas que afetam os minerais na placa com o aumento da pressão. A força de tração da placa é aproximadamente quatro vezes maior do que a força de empurrão da dorsal, embora, na prática, grande parte desta força seja, provavelmente, utilizada para superar a resistência da placa (Chapple & Tullis,, 1977). A força de sucção da fossa (Seção 12.6) se origina a partir da geometria da placa subductante e também fornece uma força motriz significativa.

O mecanismo de força de borda pode ser responsável por muitos fenômenos de modo mais satisfatório do que o mecanismo de arrasto do manto, sobretudo:

1 É termodinamicamente mais aceitável e muito mais eficaz no transporte de calor do manto.
2 É consistente com o padrão observado de esforço intraplaca. Como discutido na Seção 12.7.1, o mecanismo de arrasto do manto implica tração em dorsais oceânicas e compressão em fossas. O mecanismo de força de borda daria origem à configuração de esforço oposto, e isso está de acordo com o regime de esforço indicado por soluções de mecanismo focal dos sismos intraplaca.
3 É conciliável com os movimentos de placa atuais, em particular com as observações de Forsyth & Uyeda (1975) de que:
   (a) a velocidade da placa é independente da área da placa (Fig. 12.10a). Se o arrasto do manto operasse, seria esperado que as maiores velocidades fossem experimentadas por placas com áreas maiores sobre as quais o arrasto do manto agisse;
   (b) placas fixadas em placas (*slabs*) subductantes movem-se mais rapidamente do que outras placas (Fig. 12.10b). Isso está de acordo com a força de tração da placa, sendo maior do que as outras forças que afetam as placas;
   (c) placas com uma grande área de crosta continental se movem mais lentamente (Fig. 12.10c). Isso implica que o arrasto do manto inibe o movimento dessas placas, em vez de transportá-las.

O mecanismo também fornece uma explicação razoável para os movimentos de placas menores.

Consequentemente, o mecanismo de força de borda de placa parece ser muito mais bem-sucedido em explicar todos os fenômenos observados e tem sido adotado pela maioria dos pesquisadores, certamente para os movimentos atuais de placas.

12.8 EVIDÊNCIAS PARA CONVECÇÃO NO MANTO

12.8.1 Introdução

Um axioma fundamental da tectônica de placas é que a litosfera oceânica é formada a partir de material do manto em cristas de dorsais mesoceânicas, tendo retornado para o manto em zonas de subducção. Assim, a criação o movimento e a destruição de placas fornecem evidências de convecção no manto. Deve haver fluxo astenosférico descendente no manto associado com zonas de subducção e ressurgência abaixo de cristas de dorsais mesoceânicas. No entanto, além disso, as placas tectônicas não fornecem

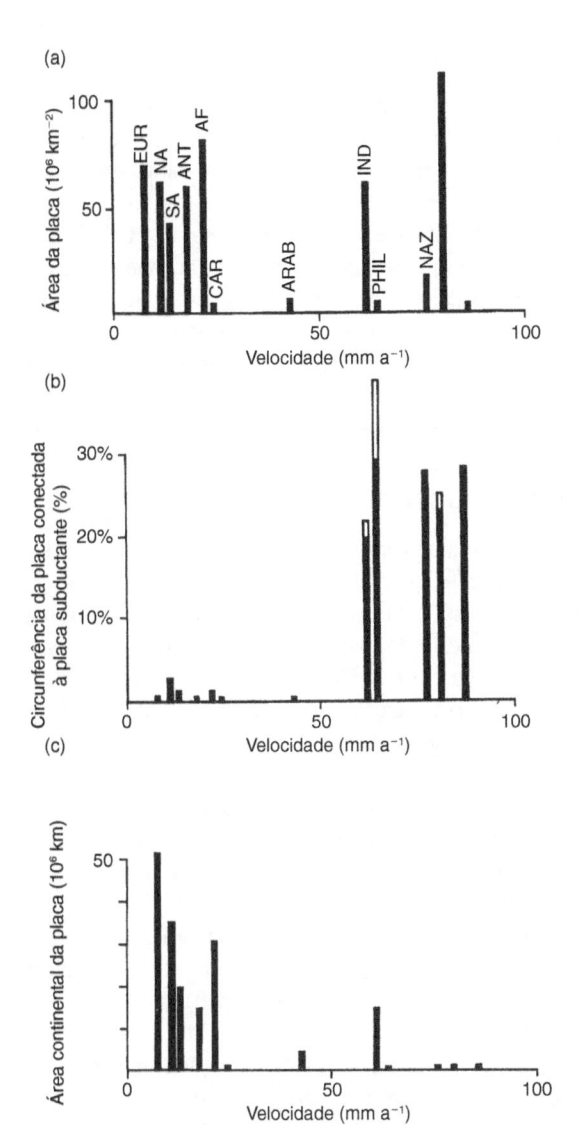

Figura 12.10 Correlações entre parâmetros e velocidade da placa: (a) área da placa; (b) circunferência da placa conectada à placa subductante (barra aberta, comprimento total; barra cheia, comprimento efetivo); (c) área continental da placa (adaptado de Forsyth & Uyeda, 1975, com permissão da Blackwell Publishing).

evidência alguma para a localização do fluxo de retorno ao manto ou para a extensão da profundidade de convecção, o que é diferente da sismicidade associada à subducção de placas (Seção 9.4). É preciso, portanto, mudar para outras linhas de evidência para obter informações sobre o padrão de convecção no manto profundo.

12.8.2 Tomografia sísmica

Informações importantes sobre a estrutura tridimensional do manto foram fornecidas por tomografia sísmica (Seção 2.1.8). A convecção é dirigida por diferenças laterais de temperatura e densidade. Essas variáveis afetam a velocidade sísmica, que tipicamente decresce com a diminuição da densidade e aumenta com a temperatura (Dziewonski & Anderson, 1984). Mapeando velocidades no manto, é possível inferir as diferenças de temperatura e densidade que são uma consequência da convecção. Além disso, através do mapeamento de anisotropia sísmica tanto vertical quanto lateralmente, é possível obter estimativas da direção do fluxo do manto.

Os primeiros modelos tridimensionais de velocidade sísmica do manto derivados por técnicas tomográficas foram publicados no início de 1980 (Woodhouse & Dziewonski, 1984). Desde então, há grandes melhorias na qualidade dos dados, na cobertura geográfica e nas técnicas de processamento, levando a uma grande melhoria na resolução de modelos subsequentes. No entanto, muitas das características essenciais das variações de velocidade eram aparentes nos primeiros modelos. A Figura 12.1 do encarte colorido mostra as variações na velocidade da onda de cisalhamento em 12 profundidades no manto, de acordo com o modelo S16B30 de Masters et al. (1996). Fica evidente que as maiores variações ocorrem perto da parte superior e inferior do manto, presumivelmente dentro ou nas proximidades das camadas de limite térmico. Dentro dos 200 km superiores, as perturbações são fortemente relacionadas com características tectônicas superficiais. As dorsais oceânicas, os riftes do nordeste da África e as bacias retroarco ativas do Pacífico ocidental são todos sustentados por manto de velocidade anormalmente baixa. Áreas continentais em geral e áreas de escudo em particular são sustentadas por velocidades maiores, e crostas oceânicas mais velhas por velocidades relativamente altas. Essas variações refletem essencialmente os diferentes gradientes térmicos e, portanto, a espessura da litosfera nestas áreas (Seção 11.3.1). Entre 200 e 400 km, a maior parte dessas generalizações ainda se aplica, mas os contrastes de velocidade são mais baixos. A grande exceção é o manto sob as bacias retroarco onde as baixas velocidades em profundidades mais rasas foram substituídas por anomalias perto de zero. Na zona de transição (por exemplo, 530 km), as variações são em geral muito pequenas, e a correlação com as características da superfície é geralmente destruída. Novamente, uma exceção é o manto sob bacias retroarco do Pacífico ocidental, o qual, nessa profundidade, é caracterizado por altas velocidades presumivelmente associadas com litosfera subductada fria. Na parte inferior do manto (profundidades superiores a 660 km), as variações na velocidade da onda de cisalhamento são geralmente muito pequenas (menos de ± 1,5%), mas uma característica persistente é um anel de velocidades acima da média abaixo da borda do Pacífico. Isso fica particularmente marcado nos 400 km inferiores do manto (por exemplo, profundidades de 2.500 e 2.750 km). Em profundidades superiores a 2.000 km, há grandes regiões de velocidades anormalmente baixas registradas sob o Pacífico central, sob o sul da África e em parte do Atlântico Sul.

A Figura 12.2 do encarte colorido mostra quatro secções transversais através do modelo de velocidade de onda de cisalhamento de Masters et al. (1996), cada um em um plano que passa pelo centro da Terra. Três dessas secções são longitudinais, isto é, os planos também passam pelos polos norte e sul; o quarto é uma secção equatorial. Observe que, em cada secção transversal, o grande círculo mostra que a intersecção do plano da secção com a superfície da Terra é o menor círculo no diagrama. A Figura 12.2a do encarte colorido ilustra claramente a maneira pela qual as altas velocidades associadas com áreas continentais, como a América do Norte e a Eurásia, e as áreas de baixas velocidades associadas com dorsais mesoceânicas, como a Elevação do Pacífico Leste e a dorsal do Oceano Índico central, somente se estendem a profundidades de 200-400 km no manto superior. A secção na Figura 12.2b do encarte colorido passa através do Pacífico central e do sul da África, revelando as regiões de baixa velocidade no manto inferior sob estas áreas e a maneira como elas têm a sua maior extensão no limite manto-núcleo. Nesta secção, também é marcante observar que, abaixo do Alasca, as velocidades acima da média se estendem desde a superfície até o núcleo e que, em partes inferiores do Pacífico e ao sul da África do Sul, as baixas velocidades se estendem desde a superfície até o limite manto-núcleo. A Figura 12.2c do encarte colorido mostra que baixas velocidades também existem a partir da superfície até o núcleo abaixo da região dos Açores e das Ilhas Canárias no Atlântico Norte. Como mostrado nas secções da Figura 12.2a-c do encarte colorido todas as que passam por ambos os polos têm regiões de baixa velocidade no manto superior associado com a Dorsal do Ártico e altas velocidades no manto superior sob o continente da Antártica. A secção equatorial é particularmente instrutiva, revelando que não só atravessa as regiões de baixa velocidade no manto inferior abaixo do sul da África e no Pacífico central, mas também mostra que regiões de alta velocidade associadas com subducção sob a América do Sul e a Indonésia se estendem continuamente através da zona de transição e do manto inferior até o limite manto-núcleo. Além disso, ela mostra que esses dois pares de feições, que podem representar respectivamente fluxo astenosférico ascendente quente e fluxo astenosférico descendente frio, são quase diametralmente opostos um ao outro.

Como discutido na Seção 2.10.6, as medições de anisotropia sísmica no manto podem produzir informações sobre o padrão de fluxo. Dependendo do mecanismo de deformação e dos minerais envolvidos, as tramas cristalográficas podem ser preferencialmente alinhadas, causando ondas sísmicas que se propagam com diferentes velocidades em diferentes direções. O alinhamento preferencial da olivina por fluxo no manto superior, por exemplo, dá origem à maior velocidade sísmica na direção do fluxo (Karato & Wu, 1993). Estudos de anisotropia sísmica no manto superior revelam direções de fluxo que estão geralmente paralelas aos movimentos da placa, com indicações de fluxo vertical abaixo das dorsais mesoceânicas e nas proximidades das zonas de subducção (Park & Levin, 2002).

A maior parte do manto inferior é isotrópico. Isso se deve, provavelmente, ao fato de que sob o mecanismo de temperatura, pressão e deformação reinante no manto inferior, os minerais presentes, como perovskita e magnetowüstite, são efetivamente isotópicos (Karato et al., 1995). No manto inferior, a camada D″, com anisotropia sísmica, tem sido observada (Seção 2.10.6). Acredita-se que ela esteja refletindo deformação devido ao fluxo horizontal, porém, na base das regiões de baixa velocidade abaixo do Pacífico central e do sul da África, há indícios de fluxo vertical, sugerindo o início da ressurgência (Panning & Romanowicz, 2004).

12.8.3 Superintumescimento

As feições mais pronunciadas no manto inferior reveladas por tomografia sísmica são duas extensas regiões de baixa velocidade sob o Atlântico Sul e o sul da África, e o centro e o sudoeste do Pacífico (Figura 12.1, 12.2 do encarte colorido). Elas se relacionam com elevação anormalmente alta da superfície da Terra nessas áreas. A largura do intumescimento topográfica em cada caso de vários milhares de quilômetros, é tão grande que eles têm sido chamados de superintumescimentos (McNutt & Judge, 1990; Nyblade & Robinson, 1994). Isso contrasta com as ondulações topográficas associadas com pontos quentes que têm tipicamente menos de 1.000 quilômetros de diâmetro. No entanto, a topografia e a batimetria elevadas dos superintumescimentos não podem ser explicadas por temperaturas anormalmente altas e/ou tipos de rochas de baixa densidade na litosfera e na astenosfera abaixo dessas regiões (Ritsema & van Heijst,, 2000). A única explicação plausível é que elas estejam dinamicamente apoiadas por ressurgências de material quente no manto inferior (Hager et al., 1985; Lithgow-Bertelloni & Silver, 1998). Essas regiões quentes e de baixa velocidade, definidas por tomografia sísmica, parecem subir a partir da camada de limite térmico no limite manto-núcleo Figura 12.2 do encarte colorido (Seção 12.8.4).

Assim como ressurgências no manto produzem soerguimento regional da superfície da Terra, o fluxo astenosférico descendente produz subsidência regional (Gurnis, 2001). O exemplo mais notável de crosta deprimida nos dias de hoje é a região da Indonésia. Esta se situa acima de velocidades sísmicas anormalmente altas na zona de transição e na parte superior do manto inferior (Figura 12.2b, do encarte colorido) que provavelmente refletem uma confluência de subsidência de placas litosféricas. A tomografia sísmica só pode mapear regiões de velocidade baixa e alta e, portanto, de possível ressurgência no manto, nos dias de hoje. No entanto, evidências de registro geológico em elevações e depressões da crosta terrestre, em escala regional, podem indicar que uma determinada área tenha sido sustentada por ressurgência principal do manto ou por subducção profunda de placas no passado. Inicialmente pensava-se que mudanças no nível do mar, causando grandes transgressões e regressões marinhas na crosta continental, fossem sincrônicas em todo o mundo, longe das áreas de tectonismo ativo. No entanto, com o aumento de dados acumulados, tornou-se claro que este não era o caso, embora faltasse uma explicação óbvia. Agora, é perceptível que a elevação e o afundamento da litosfera associada à convecção no manto poderia fornecer uma explicação para observações enigmáticas do passado.

Denver, Colorado, no centro dos Estados Unidos tem uma elevação de 1,6 km, mas é sustentado por sedimentos cretáceos típicos de deposição de águas rasas. Naquela época a placa de Farallon, o flanco leste da Elevação do Pacífico Leste, no nordeste do Pacífico, estava sendo subductado abaixo do oeste e do centro da América do Norte, acreditando-se ter causado depressão da crosta acima dele. Com a progressiva eliminação da Elevação do Pacífico Leste, no nordeste do Pacífico, ao longo do Cenozoico tardio, a placa de Farallon foi separada, afundando continuamente para leste e permitindo que a flutuabilidade da crosta do oeste e do centro dos Estados Unidos se reacertar e causando o soerguimento da região do Colorado. Van der Hilst et al. (1997), por meio de tomografia sísmica, imagearam a placa subductante de Farallon, a 1.600 km abaixo do leste dos Estados Unidos. Acredita-se que movimentos verticais anômalos similares ocorrendo desde o início do Cretáceo em partes da Austrália se devem à influência de fluxo astenosférico descendente criada por zonas de subdução, inicialmente para o leste da Austrália e, mais recentemente, para o norte (Gurnis et al., 1998)

12.8.4 A camada D″

Reconheceu-se há algum tempo que os maiores contrastes nas propriedades físicas e na composição química do interior da Terra ocorrem no limite manto-núcleo e que este é certamente o local da camada-limite termoquímica (Seção 2.8.6). Inicialmente, os sismologistas não conseguiram detectar qualquer acamamento na parte inferior do manto, referindo-se a ele como Camada D (Bullen, 1949). Posteriormente, percebeu-se que uma camada na base do manto, de talvez 200-300 km de espessura, tinha características distintas e variáveis; normalmente com velocidade sísmica mais baixa ou um gradiente de velocidade menor do que o manto inferior acima. Então o manto inferior passou a ser dividido em duas camadas sismológicas, D′ e D″. Com novos aperfeiçoamentos nas técnicas sismológicas, os estudos de ondas sísmicas refletidas, refratadas e difratadas no limite manto-núcleo revelaram detalhes notáveis sobre a complexidade e a variabilidade lateral da camada D″. A distribuição geográfica dos sismos e dos observatórios sismológicos é tal que nem todas as partes da camada podem ser estudadas no mesmo grau de detalhe. É evidente que, para tal camada remota, que se acredita ter variabilidade vertical e horizontal análoga à da litosfera, isso representa um grande desafio para futuros estudos sismológicos.

A Fig. 12.11 ilustra a imagem que está emergindo da natureza da camada D″ em três regiões muito diferentes, para as quais estudos detalhados foram possíveis: abaixo da América Central, do Havaí e da África do sul. O limite superior da camada é caracterizado por uma descontinuidade de velocidade. Abaixo deste, pode haver aumento ou diminuição nas velocidades sísmicas, especialmente na velocidade da onda de cisalhamento, ou uma diminuição no gradiente de velocidade com a profundidade. Um aumento da velocidade é mais marcante abaixo de regiões onde há placas subductantes, como a América Central (Fig. 12.11a). Em uma camada com 5 a 50 km de espessura logo acima do limite manto-núcleo, existe muitas vezes uma zona de velocidades sísmicas ultrabaixas, com decréscimos de 10-

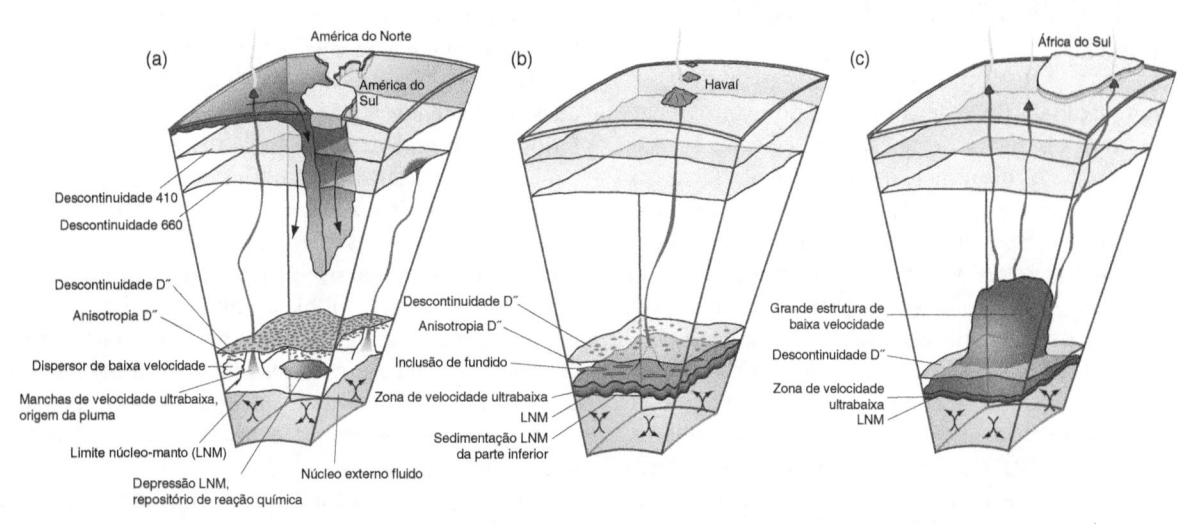

Figura 12.11 Secções através do interior da Terra abaixo de regiões centradas na (a) América Central, (b) Havaí e (c) África do Sul, ilustrando variações na natureza da camada D″ (reproduzido de Garnero, 2004, *Science* **304**, 834-6, com permissão da AAAS).

50% na velocidade da onda de cisalhamento. Isto implica em fusão parcial com mais de 15% de fundido (Thybo et al., 2003). Essas zonas de velocidade ultrabaixa (ULVZ) são desenvolvidas principalmente sob pontos quentes importantes, como o Havaí (Fig. 12.11b) e abaixo da superintumescência e das ressurgências inferidas do Pacífico central e do sul da África (Fig. 12.11c). Ao contrário das variações na velocidade sísmica na parte principal do manto inferior, que se acredita serem em grande parte devidas a diferenças de temperatura, variações laterais e verticais as marcadas na camada D" podem ser causadas por variações na composição química, mudanças nas fases mineralógicas e/ou variações nos graus de fusão parcial, além de diferenças de temperatura. Variações composicionais podem ser devidas à mistura de ferro fundido do núcleo com a perovskita do manto para formar novos minerais de alta pressão (Seção 2.8.6). Acredita-se que isso ocorra mais provavelmente nas ULVZs onde é facilitada por temperaturas mais altas, fusão parcial e baixa viscosidade. O resultado seria uma camada de alta densidade, quimicamente distinta, mas com uma baixa viscosidade. A mudança de fase da perovskita em uma forma mais densa e fortemente anisotrópica é uma possibilidade interessante, já que algumas partes da camada D" apresentam anisotropia bem marcada. Acredita-se que esta anisotropia possa ser induzida por placas subductantes abaixo do fluxo astenosférico descendente e por fluxo de cisalhamento abaixo de ressurgências.

Parece provável que as placas de litosferas subductadas que afundam no manto inferior afetam a natureza da camada D" abaixo delas, mais notavelmente a sua temperatura. Esta, por sua vez, modula o fluxo de calor do núcleo, que irá influenciar a convecção no núcleo e a natureza do campo magnético da Terra e determinar onde o fluxo pode ocorrer dentro e acima da camada D".

12.9 NATUREZA DA CONVECÇÃO NO MANTO

A comprovação do fluxo de convecção no manto, a partir de tomografia sísmica e de estudos regionais sobre o soerguimento e a subsidência da superfície da Terra, sugere fortemente que há duas principais forças motrizes para esta convecção. A flutuabilidade negativa da litosfera subductante fria parece determinar os principais locais de possível fluxo astenosférico descendente, e a flutuabilidade positiva de material quente e de baixa viscosidade originário da camada D" mais baixa do manto determina a ressurgência. Esses dois modos complementares de convecção no manto foram chamados de modos de placa e de pluma, respectivamente (Davies, 1999). Ambos têm suas origens em camadas de limite térmico: o modo de placa na litosfera logo abaixo da superfície da Terra, e o modo de pluma na camada D" do manto, logo acima do limite manto-núcleo.

Como acertadamente apresentado por Davies (1993), o modo de placa é crucial no resfriamento do manto, com a criação de litosfera oceânica, e o modo de pluma libera calor do núcleo. Acredita-se que a liberação do calor pelo modo de placa seja muito maior que a liberação a partir do núcleo, quando o manto é aquecido internamente por radioatividade. Era de se esperar, portanto, que o modo de placa fosse o dominante. Esses dois modos de convecção muito diferentes não precisam necessariamente ser fortemente acoplados. No entanto, é digno de nota que os dois principais fluxos astenosféricos ascendentes nos dias de hoje, sob o sul da África e ao sul do Pacífico Central, estão nos centros do anel de expansão de zonas de subducção, em torno do que foi o Gondwana, e do anel de contração de zonas de subducção ao redor do Pacífico, respectivamente, e, portanto, distantes do efeito de resfriamento das placas subductantes, que parecem se estender até o limite manto-núcleo (Figura 12.2 do encarte colorido, e Fig. 12.12). Também é notável que essas duas ressurgências ativas não correspondem diretamente às cadeias mesoceânicas. Isso é consistente com a interpretação da ressurgência abaixo das dorsais ser totalmente passiva. Meguin & Romanowicz (2000) e Montelli et al. (2004b) notaram que há evidência, nos seus modelos de tomografia do manto, de fluxo lateral no manto superior a partir da ressurgência africana para as dorsais do Atlântico e do Oceano Índico e da ressurgência do Pacífico para a Elevação do Pacífico Leste. Se afirmativo, isso completaria a rota ilusória de retorno do fluxo de zonas de subducção às cadeias mesoceânicas, ou pelo menos forneceria uma rota.

A escala, ou o comprimento de onda, desse padrão bruto de convecção no manto é maior do que o previsto por experimentos analógicos e por modelos numéricos iniciais assumindo um número de Rayleigh maior que 10^6. Verifica-se que isso acontece porque esses modelos assumiram viscosidade uniforme em toda a camada de convecção. No manto da Terra, a viscosidade varia com a temperatura e a pressão. Para um gradiente de temperatura significativo no manto o efeito do aumento de pressão com a profundidade quase certamente significa que a viscosidade do manto inferior é muito maior do que a do manto superior. Bunge et al. (1997) investigaram modelos de convecção esféricos tridimensionais do manto nos quais a viscosidade do manto inferior foi 30 vezes maior do que a do manto superior. Eles descobriram que não só o comprimento de onda da convecção resultante foi maior, mas que há muito fluxos astenosféricos descendentes lineares formados a partir da camada-limite superior; ambos os efeitos tornam o padrão de convecção muito semelhante àquele deduzido para o manto. O padrão de convecção também teve uma maior estabilidade temporal.

Os pesquisadores também investigaram o efeito na convecção do manto da mudança de fase endotérmica a uma profundidade de 660 Km, a base da zona de transi-

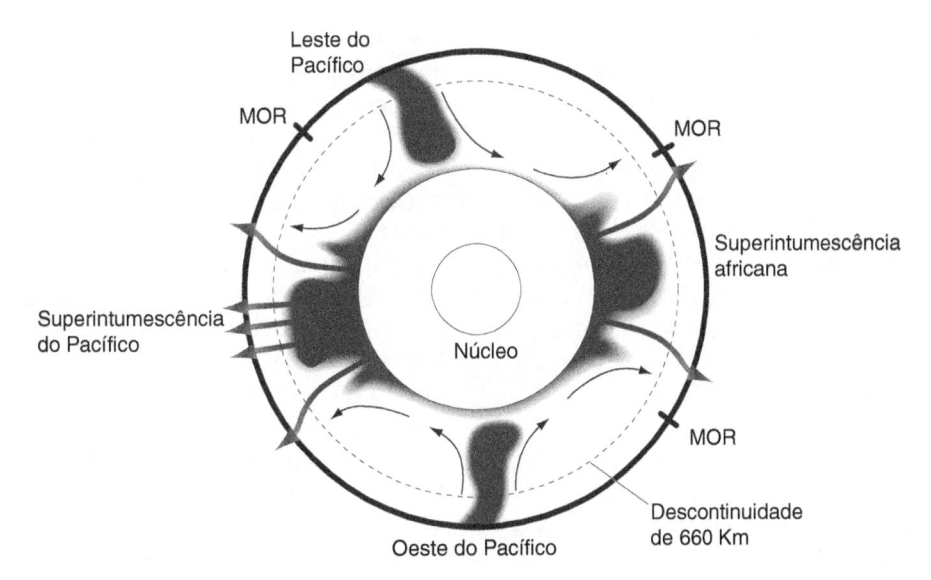

Figura 12.12 Desenho esquemático mostrando uma secção aproximadamente equatorial através da Terra e ilustrando a possível relação de zonas de subducção, superintumescência, plumas e dorsais mesoceânicas (MOR) para o padrão bruto de circulação no manto. Note que as plumas profundas ou primárias, como Afar, Reunião, Tristan, Havaí, Páscoa e Louisville, são periféricas à superintumescência e que as plumas secundárias são comuns acima da superintumescência do Pacífico. As dorsais mesoceânicas são uma resposta passiva à separação da placa, e não sistematicamente relacionadas ao padrão principal de convecção.

ção. Para características físicas plausíveis desta mudança de fase, os resultados sugerem que ela pode inibir, mas não impedir a passagem de fluxos astenosféricos ascendentes e descendentes através dela. Isso é consistente com os resultados de tomografia sísmica que indicam que a zona de transição tem certo efeito, mas que não é suficiente para impedir a convecção total do manto (Montelli et al., 2004b).

A heterogeneidade química da camada D" (Seção 12.8.4) significa que ela age como uma camada termoquímica, em vez de uma camada de limite térmica. Na verdade, onde mais quente, ela é essencialmente uma camada-limite térmica, em vez de uma camada-limite química, a zona de velocidade ultrabaixa (ULVZ). A ressurgência da camada de limite térmica de baixa viscosidade e de baixa densidade, nestes pontos, arrasta a viscosidade baixa, mas o transporte de uma camada de limite químico de alta densidade a uma altura de 50-100 km depende da resistência ao fluxo astenosférico ascendente (Fig. 12.13). Experimentos analógos (Davaille, 1999) indicam que a natureza da ressurgência depende da razão entre a estabilização da anomalia de densidade química e a desestabilização da anomalia de densidade térmica. Se esta for maior que 1, uma ressurgência tipo pluma será formada e, se ela for de aproximadamente 0,5, térmicas (ampla ressurgência ou domos) serão produzidas. Em ambos os casos, acredita-se que o arrasto da camada de limite químico densa estabilizará a localização da pluma ou a ressurgência térmica (Jellinek & Manga, 2004). No entanto, como resultado da relação de maior estabilidade, as plumas tenderão a ser mais duradouras.

Se este quadro geral de convecção no manto for correto, os papéis das zonas de subducção e uma camada de limite químico na base do manto são cruciais na determinação do padrão e da natureza da convecção. Na verdade, pode-se argumentar que a localização das zonas de subducção é mais fundamental não só por determinar a ocorrência de fluxo astenosférico descendente, mas também onde a camada limite na fronteira manto-núcleo é mais quente e, portanto, onde ocorrem ressurgências. No entanto, as zonas de subducção são aspectos transitórios no contexto do tempo geológico. Dentro do ciclo do super-

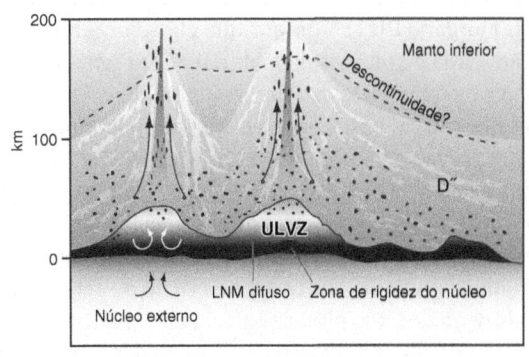

Figura 12.13 Desenho esquemático da camada D", onde é mais quente do que as temperaturas médias. Estas regiões incluem uma zona de velocidade ultrabaixa (ULVZ), que parece ser caracterizada por fusão parcial, heterogeneidade química e dispersores de fusão total e, possivelmente, pontos de origem de plumas (adaptado, com permissão, de Garnero, 2000. *Annual Review of Earth and Planetary Sciences*, **28**. Copyright © 2000, Annual Reviews).

continente (Seção 11.5), há momentos em que as zonas de subducção são iniciadas, como resultado de quebramento continental, terminando por colisão continente-continente. Tais eventos podem iniciar mudanças no padrão geral da convecção no manto e até mesmo alterar a distribuição de massa no interior da Terra, causando uma mudança na localização do eixo rotacional, isto é, o eixo no qual o momento de inércia é um máximo. Isto seria ainda mais verdadeiro se o desenvolvimento inicial das zonas de subducção incluísse um acúmulo de material subductado na zona de transição que, em última análise, escorregaria para dentro do manto inferior. Acredita-se que esta deriva polar verdadeira (Seção 5.6) ocorreu entre 130 e 50 Ma atrás (Besse & Courtillot, 2002), um período de tempo limitado pelo desmembramento da Pangeia, com o início de zonas de subducção, e a colisão da Índia com a Eurásia e uma grande mudança na taxa de subducção nesta zona. A mudança na direção da cadeia submarina Havaiana-Imperador e a mudança no movimento relativo entre a rede de referência de pontos quentes do Pacífico e do Indo-Atlântico (Seção 5.5) também ocorreram na época da colisão da Índia 40-50 Ma atrás. Assim, isso também poderia refletir as consequentes mudanças no regime térmico e no padrão de convecção no manto e, portanto, as posições relativas das duas principais células de convecção dentro dos hemisférios Africano e do Pacífico.

12.10 PLUMAS

Certos pontos quentes vulcânicos na superfície da Terra parecem ser essencialmente fixos em relação ao interior profundo da Terra, fornecendo também uma referência absoluta para movimentos de placa para os últimos 40 Ma (Seção 5.5). A natureza fixa de pontos quentes, como o Havaí, primeiramente apresentada por Wilson (1963), levou Morgan (1971) a propor que eles estavam localizados em cima de plumas de material ressurgente do manto inferior ou até mesmo do limite manto-núcleo. A hipótese de pluma tem sido, e continua a ser, controversa, porque provou ser difícil fornecer evidências inequívocas de sua existência (Foulger & Natland, 2003). No entanto, agora temos um crescente arquivo de evidências, provenientes de modelagem e de dados observáveis, mostrando que alguns pontos quentes na superfície da Terra podem ser alimentados por plumas estreitas de alta temperatura e material de baixa viscosidade ascendendo de pontos essencialmente fixos no limite núcleo-manto. Existem, também, evidências teóricas e empíricas de que a matéria-prima para outros pontos quentes pode ser derivada de profundidades muito mais rasas, dentro da zona de transição do manto ou da parte superior do manto inferior, ou mesmo de locais logo abaixo da litosfera, sendo estes últimos uma resposta passiva a várias formas de quebramento litosférico (Anderson, 2000). A sugestão de que existem três tipos de pontos quentes, em termos de profundidade de origem, foi deduzida por Courtillot et al. (2003), principalmente por uma consideração sobre os papéis das três potenciais camadas de limite térmico no manto. Para tanto, existe um apoio substancial a partir dos resultados de tomografia sísmica (Montelli et al., 2004a, 2004b). Pontos quentes sustentados por baixa velocidade sísmica no manto superior parecem ser limitados apenas em quantidade. Os exemplos na Fig. 5.7 são de Bowie, Cobb, Galápagos, Austrália Oriental e, talvez surpreendentemente, Islândia, embora seja sustentada por uma anomalia muito grande do manto superior (Montelli et al., 2004b). A Islândia também é anômala em termos de indicadores geoquímicos provenientes do manto inferior, em especial as razões de $^{3}He/^{4}He$ e $^{186}Os/^{187}Os$ nas lavas (Foulger & Pearson, 2001; Brandon, 2002). Montelli et al. (2004b) descreveram a anomalia tomográfica abaixo de Yellowstone como sendo praticamente inexistente.

Experimentos de laboratório indicam que os picos que se desenvolvem na ULVZ na camada D", onde é denso o suficiente, se formam cristas entre embanhamentos na superfície da ULVZ se encontram em um ponto elevado (Jellinek & Manga, 2004). Como resultado, o fluxo astenosférico ascendente da camada de limite térmico que produz esses picos é focado em um canal estreito e cilíndrico. A diferença de temperatura entre esta pluma e o manto envolvente é, provavelmente, de 200-300°C, o que implica a redução de mais de duas ordens de magnitude na viscosidade através da camada-limite entre eles. Se tivermos a presença de fusão parcial na camada de limite térmico do fluxo astenosférico ascendente reduziremos também a viscosidade. O arrasto da fusão parcial da ULVZ pode ser necessário para explicar as razões isotópicas de ósmio em certas lavas de pontos quentes que parecem indicar que a fonte do ósmio é o núcleo externo (Brandon et al., 1998).

Modelos numéricos e analógicos dessas plumas quentes e de baixa viscosidade, originários do manto profundo, sugerem que a forma e a mobilidade da pluma são controladas pela magnitude do contraste de viscosidade com o manto envolvente (Kellogg & King, 1997; Lowman et al., 2004; Lin & van Keken, 2006). À medida que o contraste aumenta, o conduto da pluma se torna mais estreito e sua cabeça se torna larga e em forma de cogumelo com material quente capaz de se mover para cima de forma mais eficiente (Fig. 12.14). Este modelo, com uma cabeça da pluma em forma de cogumelo e uma cauda longa e fina estendendo-se até a profundidade de origem, tem alcançado ampla aplicação. Ainda assim, os modelos numéricos também preveem uma grande variedade de formas e tamanhos de plumas nos casos em que contrastes de densidade devido a variações químicas no manto inferior são incorporados em modelos de formação de pluma (Seção 12.9) (Farnetani & Samuel, 2005; Lin & van Keken, 2006).

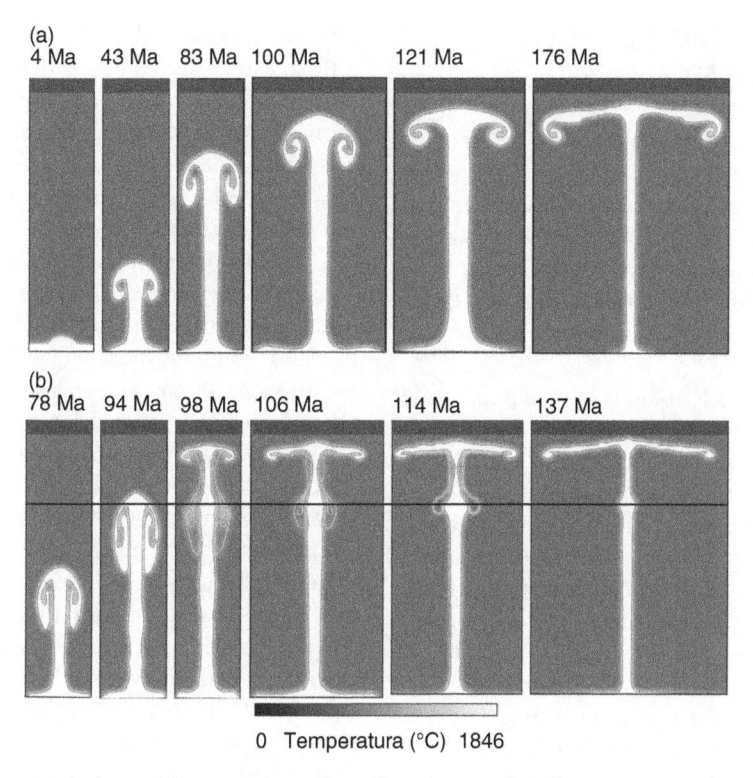

Figura 12.14 Sequências a partir de modelos numéricos, dimensionadas aproximadamente ao manto, nas quais uma pluma cresce a partir de uma camada de limite térmico. Em (a), a viscosidade é uma função da temperatura e, em (b), a viscosidade também aumenta por um fator de 20 em 700 km de profundidade. Em (b), a pluma desacelera e engrossa através da descontinuidade de 700 km, mas depois estreita e acelera na camada superior de baixa viscosidade (segundo Davies, 1999. Copyright © Cambridge University Press, reproduzido com permissão).

Em geral, o modelo de uma pluma estreita, em forma de cogumelo se encaixa bem com a expressão inicial de alguns pontos quentes, em termos de basaltos de fluxo continental ou platôs oceânicos, refletindo a chegada da cabeça da pluma por baixo de uma litosfera afinada e o posterior traço do ponto quente, na forma de uma crista vulcânica ou de linhas de vulcões, produzido pela cauda. Courtillot et al. (2003) sugerem que estes pontos quentes sejam chamados de pontos quentes *primários* (Seção 5.5). Eles também sugeriram que a vida útil dos pontos quentes primários pode ser de aproximadamente 140 Ma. Os iniciados nos últimos 100 Ma, como Afar e Reunião, ainda estão ativos; aqueles que têm entre 100 a 140 Ma, como os de Louisville e Tristão da Cunha, podem estar enfraquecendo; e aqueles que se formaram há mais de 140 Ma, como Karoo e Sibéria, não têm mais traço ativo. Argumentos teóricos preveem que tais cabeças de pluma largas e de cauda de vida longa devem ter se originado em uma camada de limite térmico em grande profundidade, presumivelmente na camada D″ no limite manto-núcleo. Estima-se que uma pluma principal pode ser alimentada por 100 Ma a partir de um volume de camada D″ de apenas dezenas de quilômetros de espessura e 500-1.000 km de diâmetro.

Se ressurgências principais, como as abaixo da África do Sul e no Pacífico Sul alcançam a base da zona de transição, elas podem formar uma camada de limite térmico nessa profundidade, a partir da qual plumas *secundárias* podem se originar (Brunet & Yuen, 2000; Courtillot et al., 2003). Estas seriam de vida relativamente curta e sem derrames iniciais de basaltos, mas podem explicar os pontos quentes na superintumescência, do Pacífico Sul como a das ilhas Society e Cook-Austral, Samoa, Pitcairn e Carolina (Fig. 5.7) (Adam & Bonneville, 2005). Por outro lado, não há plumas dentro da superintumescência da África do Sul, embora, como no Pacífico, haja várias plumas potenciais de mantos profundos, ou plumas *primárias*, em seu entorno (Figs. 5.7, 12.11c). Esse contraste também está refletido na diferença marcante em anomalias de velocidade sísmica no manto superior sob as duas áreas (Figura 12.2b,d do encarte colorido). As características diferenciais da superintumescência Africana e do Pacífico podem surgir do fato de que a ressurgência do sul do Pacífico é o remanescente da superpluma cretácea nesta área (Seção 5.7). O soerguimento do sul da África também foi iniciado no Cretáceo Médio, sugerindo que a ressurgência do manto ou de superplumas pode ter um ciclo de vida análogo e talvez relacionado a um ciclo de vida do conjunto e do quebramento de supercontinentes.

12.11 O MECANISMO DO CICLO DO SUPERCONTINENTE

A junção e a dispersão dos supercontinentes refletem interações entre a litosfera continental e processos operacionais no manto. O primeiro tipo de interação envolve o amplo fluxo astenosférico ascendente e descendente que define as células do manto de convecção (Seção 12.9). O segundo está relacionado com o possível impacto de plumas do manto inferior (Seção 12.10) na base da litosfera continental.

Simulações numéricas têm fornecido um importante meio para investigar as possíveis relações entre os padrões de convecção do manto e movimentos de placas. Gurnis (1988) sugeriu que, durante os períodos de dispersão, os continentes tendem a se agregar sobre o fluxo astenosférico descendente frio no manto, onde atuam como um cobertor de isolamento. O manto, consequentemente, se aquece, alterando o padrão de convecção, e o supercontinente se fragmenta em resposta à tração resultante. Os fragmentos continentais movem-se então no sentido do novo fluxo astenosférico descendente frio resultante da mudança do regime convectivo. Gurnis enfatizou o fato de que os continentes, exceto a África, estão se movendo atualmente para regiões frias do manto, que são caracterizadas por alguns pontos quentes e altas velocidades sísmicas. Parece que cerca de 200 Ma atrás, a Pangeia estava posicionada sobre o que hoje é a ressurgência abaixo da África do Sul. Uma vez que a África tem se movido apenas lentamente no que diz respeito ao quadro de referência de pontos quentes, parece que a Pangeia pode ter estado situada acima desta ressurgência antes do quebramento, de acordo com o modelo. Talvez exista, então, uma relação positiva entre os padrões de convecção do manto e a formação dos supercontinentes.

Os resultados dos experimentos também sugerem que vários mecanismos produzem padrões de convecção que promovem o crescimento e a dispersão de supercontinentes. As propriedades isolantes de grandes massas de litosfera continental criam ressurgência de manto sob seus interiores (Gurnis, 1988; Zhong & Gurnis, 1993; Guillou & Jaupart, 1995). Grandes placas também impedem que o manto abaixo delas se refriem por subducção, o que posteriormente promove a ressurgência (Lowman & Jarvis, 1999). Locais de fluxo astenosférico descendente podem ser controlados pela flutuabilidade intrínseca da litosfera continental, que tende a concentrar zonas de subducção ao longo das margens continentais. Este efeito foi ilustrado por Lowman & Jarvis (1996, 1999), que mostraram que a colisão de dois continentes em um local de fluxo astenosférico descendente pode desencadear uma reorganização do padrão de convecção, conduzindo a fluxo astenosférico descendente nas margens e a ressurgência sob seus interiores (Fig. 12.15). Esses autores também mostraram que as forças de compressão de placa e de sucção da fossa (Seção 12.6), provavelmente, eram tão importantes quanto a ressurgência do manto na fragmentação de supercontinentes.

Outro processo importante que afeta a relação entre os padrões de convecção do manto e os movimentos de placas é o aquecimento interno (Seção 12.5.1). Lowman et al. (2001, 2003) mostraram que, em modelos internamente aquecidos, o movimento das placas é caracterizado por reversões episódicas de direção, conforme os padrões de circulação do manto mudam de sentido horário para anti-horário e vice-versa. Essas reversões são causadas pela captura e acumulação de forças de calor e de flutuabilidade no interior de células de convecção, o que desestabiliza o padrão de convecção. Os resultados de modelagem sugerem que o fluxo astenosférico descendente de material frio na extremidade de uma placa pode arrastar material quente que está preso sob a placa e arrastá-lo para o manto inferior. O material quente flutuante começa em seguida a subir, à medida que o arrasto do fluxo astenosférico descendente frio mingua. A ascensão de material quente empurra a placa lateralmente e induz novo fluxo astenosférico descendente frio no outro lado da placa, começando um novo ciclo de ressurgência e de movimento da placa na direção oposta. Este tipo de relação de retroalimentação entre o movimento da placa e a convecção do manto aquecido internamente pode explicar por que algumas placas repentinamente mudam de direção em escalas de tempo de cerca de 300 Ma.

Muitas investigações geológicas (por exemplo, Hill, 1991; Storey, 1995; Dalziel et al., 2000a) demonstraram relações tempo-espaço entre LIPs, pontos quentes e fragmentação supercontinental. No entanto, o papel dos pontos quentes ou da ressurgência de plumas do manto inferior durante a fragmentação continental é incerto. Forças de flutuabilidade térmica devido à ressurgência do manto e trações na base da litosfera causadas por convecção da astenosfera podem contribuir para uma tração deviatória horizontal que seja suficiente para quebrar a litosfera continental (Seção 7.5). Lowman & Jarvis (1999) mostraram que esforços tracionais no interior dos supercontinentes dependem do tamanho da placa, do número de Rayleigh da convecção dos manto (Seção 12.5.2), do perfil de viscosidade do manto e da quantidade de calor radioativo presente. Além disso, os modelos sugerem que, dado um manto internamente aquecido, os esforços gerados em zonas de subducção também podem ser suficientemente grandes para causar rifteamento em um supercontinente estacionário.

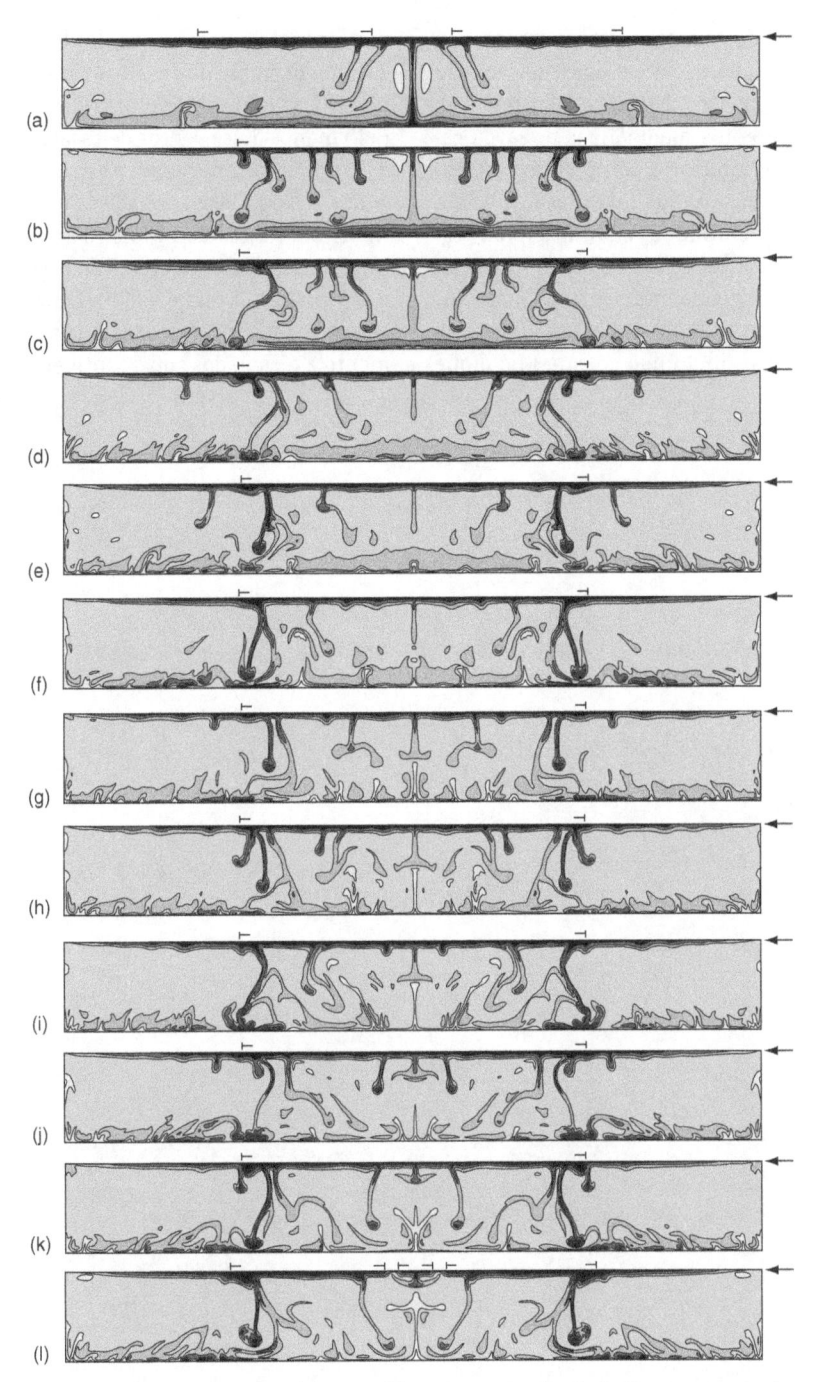

Figura 12.15 Campos de temperatura em um modelo numérico de convecção de todo o manto que incorpora dois continentes de 5.800 km de largura (adaptado de Lowman & Jarvis, 1999, com permissão da American Geophysical Union. Copyright © 1999 American Geophysical Union). Sombreado escuro e claro representam temperaturas frias e quentes, respectivamente; marcas no topo indicam os locais das margens continentais. Os continentes colidem no plano de simetria do modelo entre os painéis (a) e (b), formando um supercontinente de 11.600 km de largura. Como a subducção (fluxo astenosférico descendente escuro) entre os dois continentes cessa, uma nova zona de subducção se forma ao longo das margens continentais. Ao final, uma ressurgência central de material quente se forma sob o supercontinente. Os supercontinentes sofrem rifteamento entre os painéis (k) e (l) cerca de 600 Ma depois da sua formação.

Alguns dados geológicos sugerem que magmatismo relacionado a pluma coincidiu com a aglutinação, em vez do quebramento, do supercontinentes. Hanson et al. (2004) mostraram que eventos magmáticos de larga escala ocorreram dentro de interiores continentais durante a aglutinação Proterozoica de Rodínia (Seção 11.5.3). Esses autores também concluíram que o impacto da ressurgência do manto sobre a base da litosfera continental provavelmente ocorreu independentemente do ciclo supercontinente. Isley & Abbott (2002) utilizaram uma série de aproximações de plumas, incluindo enxames de dique maciços, rochas extrusivas de alta Mg (por exemplo, Seção 11.3.2), derrame de basaltos e intrusões acamadadas, para identificar eventos de pluma mantélica através do tempo. Pelo menos dois eventos de escala global coincidiram com a aglutinação continental no Arqueano Superior e Proterozoico. A partir dessas relações, parece que pode haver dois tipos de eventos de pluma mantélica, os associados com fragmentação de supercontinentes e as associadas com a sua formação (Condie, 2000). Estes estudos destacam o intrigante, mas incerto relacionamento entre as plumas do manto e o ciclo dos supercontinentes.

Implicações da tectônica de placas

13

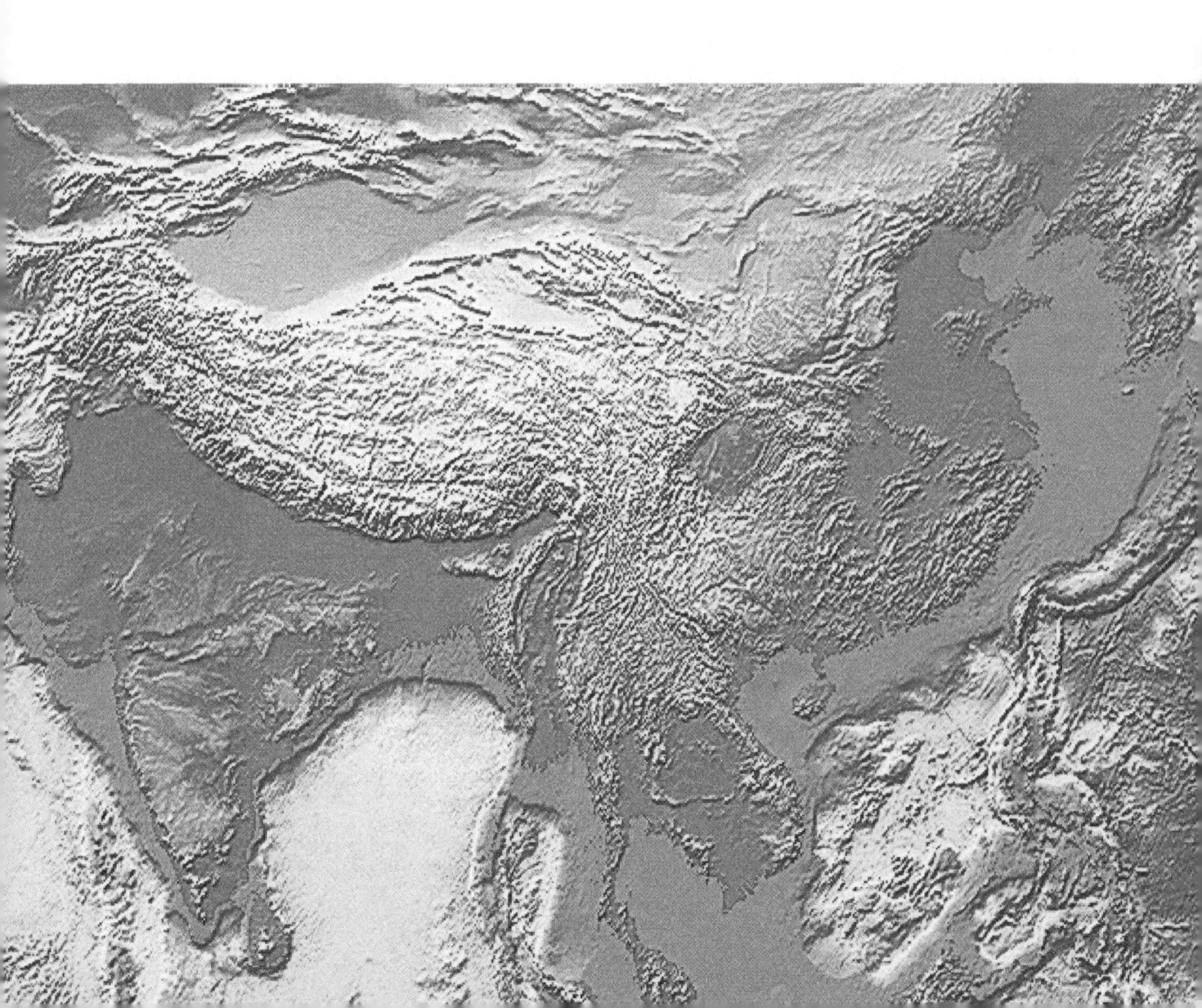

13.1 MUDANÇA AMBIENTAL

13.1.1 Alterações no nível do mar e na composição química da água do mar

O registro sedimentar em áreas continentais é caracterizado por transgressões e regressões marinhas, devido a mudanças no nível do mar ao longo do tempo geológico. Um dos mais altos níveis do mar ocorreu no Cretáceo Superior, quando, por exemplo, o calcário marinho altamente puro, "calcário microcristalino branco" (*chalk*), foi depositado em grande parte do noroeste da Europa.

As maiores mudanças no nível do mar, de 100 m ou mais, são difíceis de serem explicadas, exceto durante as eras glaciais, quando grandes volumes de água doce estavam concentrados em grandes camadas sobre terra de gelo. No entanto, por grande parte do tempo geológico não houve grandes glaciações; mesmo assim, houve grandes mudanças no nível do mar. O conceito de expansão dos fundos oceânicos, de pontos quentes e de plumas fornecem mecanismos plausíveis para resolver este problema. A profundidade de água sobre a crosta oceânica formada exclusivamente por expansão de fundo oceânico está relacionada com a idade da crosta (Seção 6.4). As mais jovens ocorrem em profundidades menores. Essa crosta tem uma espessura essencialmente uniforme de 6-7 km (Seção 2.4.4). No entanto, se essa crosta é espessada, como um resultado do aumento da atividade ígnea acima de um ponto quente ou de uma pluma, a profundidade da água será menor do que a prevista pela relação idade/profundidade. Excepcionalmente, como no caso da Islândia e dos Açores, o edifício vulcânico se eleva acima do nível do mar. Assim, taxas elevadas de expansão dos fundos oceânicos, de atividade de pontos quentes ou da pluma podem produzir fundo do mar elevado, deslocando a água para cima e provocando elevação do nível do mar. Durante o Cretáceo, por exemplo, a permanência do nível do mar elevado pode estar relacionada às taxas excepcionalmente elevadas de expansão dos fundos oceânicos e da atividade de pluma, como discutido na Seção 5.7.

As alterações na taxa total de formação de crosta oceânica, como resultado de modificações nas taxas de expansão e/ou comprimento total de dorsais tectonicamente ativas, são uma maneira muito eficaz de alterar a proporção de fundo oceânico jovem e elevado, consequente produzindo, a longo prazo, alterações no nível do mar. Variações na taxa de acreção também implicam alterações na quantidade de atividade ígnea e hidrotermal nos centros de propagação, o que terá implicações sobre o quimismo da água do mar. Interações entre a água do mar circulante e a rocha basáltica quente de cristas da dorsal são tidas como responsáveis pela remoção de magnésio e sódio da água e pela liberação de íon de cálcio da rocha. Também é possível que o íon sulfato seja removido da água quando encontra as condições óxicas no, ou perto do, fundo do mar. Essas mudanças indicam que as razões Mg/Ca, SO_4/Cl e Na/K na água do mar decrescem durante períodos de altas taxas de formação de crosta oceânica e de atividade hidrotermal.

Stanley & Hardie (1999) sugerem que tais mudanças na química da água do mar são refletidas na mineralogia de evaporitos marinhos e de sedimentos carbonáticos durante todo o Fanerozoico. Eles assumem que a curva do nível do mar de primeira ordem pode ser utilizada como um parâmetro para a determinação da taxa de produção de crosta oceânica e, consequentemente, da variação no fluxo de salmoura hidrotermal, ao longo dos 550 Ma passados (Fig. 13.1). A partir disso, a variação temporal na razão Mg/Ca para a água do mar é calculada (Hardie, 1996). Durante os períodos resultantes de baixa razão Mg/Ca, associada a nível do mar alto, os carbonatos não esqueletais são compostos por calcita, (de baixo magnésio) e os evaporitos marinhos são caracterizados por fomação tardia de KCl (silvita) e por ausência de sais de Mg. Em contraste, os períodos de razão Mg/Ca alta são caracterizados por depósitos de carbonato nãoesqueletais compostos de calcita e aragonita (um polimorfo de calcita), com alto magnésio e de evaporitos marinhos nos quais o $MgSO_4$ se formou durante as fases finais da evaporação. Os períodos iniciais foram chamados de períodos de "mares de calcita", e acredita-se estar em associação com pCO_2 altos e com altas temperaturas de superfície, ou seja, um "Efeito Estufa Global" como o que provavelmente caracterizou o

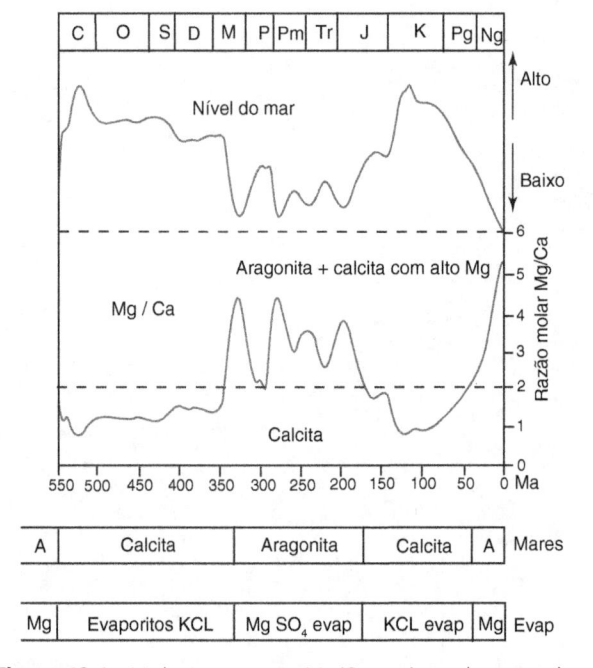

Figura 13.1 Variação na razão Mg/Ca na água do mar, calculada por Hardie, 1996, a partir de uma curva assumida de alterações do nível do mar a longo prazo, e (abaixo) síntese da mineralogia de carbonatos não esqueletais e evaporitos marinhos, ilustrando a correlação com as mudanças previstas na razão Mg/Ca na água do mar durante os últimos 550 Ma (com base na figura 2 em Stanley & Hardie, 1999).

Cretáceo. Os períodos de altas razões de Mg/Ca foram designados como períodos de "mares de aragonita." Estes parecem estar relacionados com tempos de pCO_2 baixos e com baixas temperaturas de superfície e incluem idades do gelo, ou seja, um "Efeito Icehouse Earth (Terra Glacial)".

Acredita-se que variações no pCO_2 na atmosfera no passado geológico tenham sido em grande parte devidas a emanações de CO_2 a partir de atividade vulcânica. Assim, mudanças eustáticas do nível do mar, mudanças do quimismo da água do mar e variações na concentração de CO_2 na atmosfera da Terra, no passado, podem estar relacionadas a variações nas taxas de expansão dos fundos oceânicos e a atividade de plumas.

13.1.2 Alterações na circulação oceânica e o clima da Terra

Duas das mais significativas influências sobre o clima da Terra são a concentração de gases de efeito estufa na atmosfera (Seções 5.7, 13.1.1) e a extensão, distribuição e topografia do fundo oceânico. A configuração das bacias oceânicas afeta o transporte de calor nos oceanos, por correntes de superfície e circulação de água em profundidade, afetando a temperatura e o conteúdo de umidade na atmosfera em de áreas oceânicas. Correntes de superfície são basicamente condutores de ventos e, por conseguinte, em grande parte, determinantes na circulação da atmosfera. A rotação da Terra e a concentração da radiação solar incidente nos trópicos produzem ventos (alísios) de superfície do leste em latitudes baixas, ventos do oeste em latitudes intermediárias e ventos do leste em latitudes altas (maior que 60°).

Se a superfície continental fosse inteiramente coberta por um oceano, a corrente oceânica equatorial resultante, de direção oeste, e as correntes circumpolares, de direção leste em latitude intermediária, suportariam "giros" irregulares circulando no sentido horário no hemisfério norte e anti-horário no hemisfério sul. Nesta situação, as correntes equatoriais e circumpolares de circulação mundial tenderiam a inibir a transferência de calor por correntes de superfície de latitudes baixas para elevadas, acentuando o gradiente de temperatura entre o equador e os polos. Como consequência, poderia haver a formação de gelo em oceanos polares. No entanto, massas de terra com linhas de costa com orientação norte-sul em latitudes baixas e intermediárias irão defletir correntes equatoriais e circumpolares, para a direita no hemisfério norte e para a esquerda no hemisfério sul, intensificando os giros e a transferência de calor dos trópicos para latitudes mais altas por meio de correntes de contorno oeste. Neste cenário, o gradiente de temperatura é reduzido. Um exemplo clássico nos dias de hoje é a Corrente do Golfo do oeste do Atlântico Norte, que aquece o ar acima do oceano no extremo do Atlântico Norte, minorando o clima da Islândia e do noroeste da Europa. A abertura ou o fechamento do acesso para correntes equatoriais ou circumpolares, como resultado da deriva continental, podem levar a efeitos pronunciados sobre o clima da terra (Smith & Pickering, 2003).

Durante os últimos 200 Ma, o supercontinente Pangeia foi separado progressivamente. Os fragmentos resultantes deslocaram-se em toda a face do globo, de tal forma que o contínuo caminho tropical marítimo, o Neotethys, foi formado, e posteriormente fechado, e um oceano ao sul gradualmente se abriu em torno da Antártica (Figs. 13.2-13.7). No Cenozoico Médio, uma corrente completa circumpolar sul veio a existir, isolando a Antártica e sendo provavelmente instrumento de desencadeamento do primeiro grande acúmulo de gelo antártico (Kennett, 1977).

No início da Era Mesozoica, há 250 Ma, o supercontinente Pangeia se estendia de polo a polo (Fig. 13.2), sem extensas massas polares em qualquer hemisfério. Fortes correntes para o oeste a partir da costa leste da Pangeia teriam transportado água quente para latitudes elevadas, impedindo a formação de camadas de gelo e aquecendo a costa voltada para o leste. O interior do supercontinente teria tido fortes extremos sazonais. Em torno de 160 Ma (Fig. 13.3), um mar leste-oeste em baixa latitude começou a se abrir, entre o que é hoje a América do Norte e o noroeste da África, como consequência da primeira fase de rifteamento do supercontinente. Isso se iniciou aproximadamente 180 Ma atrás. Assim, a "enseada Tethyana" na Pangeia (Fig. 13.2) foi estendida para o oeste para facilitar uma corrente circum-equatorial global. Isso significa que algumas águas tropicais foram aquecidas a uma maior temperatura antes de se virarem para o norte e para o sul para aquecerem as latitudes mais altas. Desta forma, toda a Terra tornou-se quente, e o gradiente de temperatura do equador para os polos foi posteriormente reduzido.

A separação entre Antártica e África, que começou há cerca de 165 Ma, foi a primeira etapa do rompimento do Gondwana (Fig. 13.4). Seguiu-se, em torno de 125 Ma, o rifteamento da América do Sul e da África, tendo começado no sul e se propagando para o norte. Isso, juntamente com o complexo padrão de zona de fratura na região do Atlântico equatorial, devido à falha de transferência, fez com que a passagem entre o Atlântico Norte e o Sul não se abrisse até cerca de 95 Ma (Fig. 13.5) (Poulsen et al., 2001). As mudanças iniciais na circulação de águas profundas, decorrentes da abertura desta passagem, podem explicar o "evento anóxico" que produziu os folhelhos negros de forma generalizada em áreas adjacentes nesta época (Poulsen et al., 2001). Aos 95 Ma, a Índia se separou da Antártica, e um importante Oceano Austral foi aberto ao sul da África e da Índia. No entanto, no Cretáceo Superior e até mesmo na era Cenozoica Inferior (Fig. 13.6), a corrente circum-equatorial ainda existia, e as águas superficiais dos oceanos em latitude mais elevada, ainda estavam muito mais quentes do que são hoje.

Ao longo do Cenozoico, a África, a Índia e a Austrália continuaram à deriva em direção ao norte, afastando-se da Antártica e ampliando, assim, os oceanos do sul e o Ín-

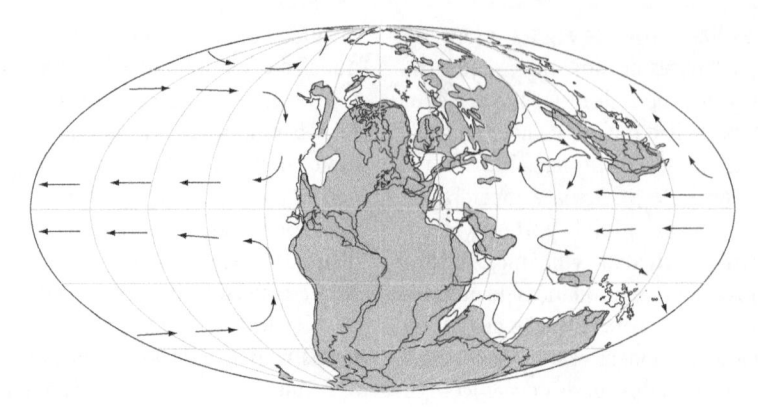

Figura 13.2 Padrão de circulação possível de correntes oceânicas de superfície durante o Triássico Inferior (245 Ma). Figs. 13.2-13.7. Reconstruções continentais e linhas de costa atuais e antigas são de Smith et al., 1994 (Copyright © Cambridge University Press, reproduzido com permissão). Áreas de terra estão sombreadas. Algumas indicações de superfície de corrente equatorial foram omitidas devido às incertezas que circundam sua existência e localização no passado geológico. As correntes mostradas nas Figs. 13.3, 13.5, 13.6, 13.7 baseiam-se em parte em Haq, 1989.

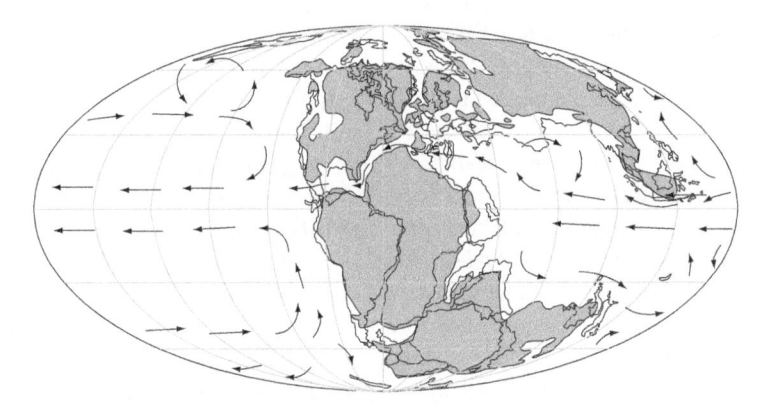

Figura 13.3 Como na Fig. 13.2, para o Jurássico (160 Ma).

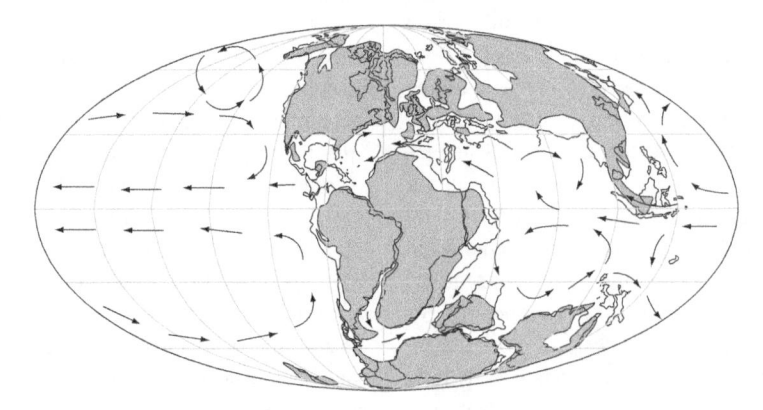

Figura 13.4 Como na Fig. 13.2, para o Cretáceo Inferior (130 Ma).

dico, e finalmente formaram os Alpes e o Himalaia, como resultado da colisão da África e da Índia com a Eurásia (Seção 10.4.1). Em 30 Ma (Fig. 13.7), a passagem Tethys foi efetivamente fechada, e o Oceano Austral circundou completamente a Antártica, como resultado da abertura de passagens ao sul da Tasmânia e na Passagem de Drake, ao sul da América do Sul. Esses resultados da deriva continental deram origem a grandes mudanças na circulação oceânica próxima à superfície. Não havia mais uma corrente circum-equatorial completa, e uma corrente circumpolar acentuada foi estabelecida no Oceano Austral. Assim, a água equatorial tornou-se menos quente, e a Antártica foi aquecida pela água quente que circulava nos principais giros do hemisfério sul dos oceanos Pacífico, Atlântico e Índico.

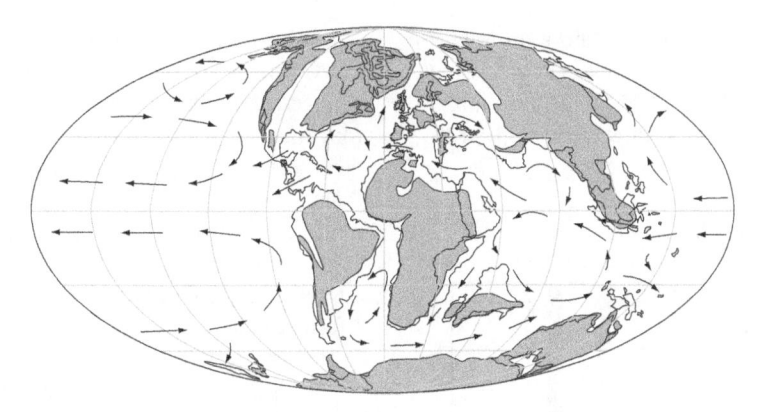

Figura 13.5 Como na Fig. 13.2, para o Cretáceo Médio (95 Ma).

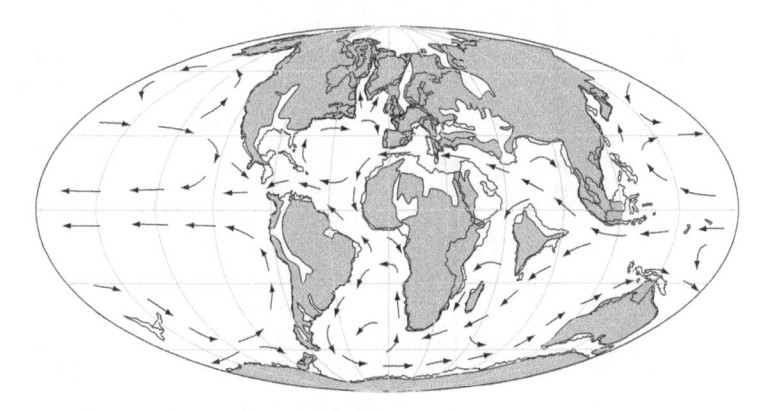

Figura 13.6 Copmo na Fig. 13.2, para o Paleoceno Médio (60 Ma).

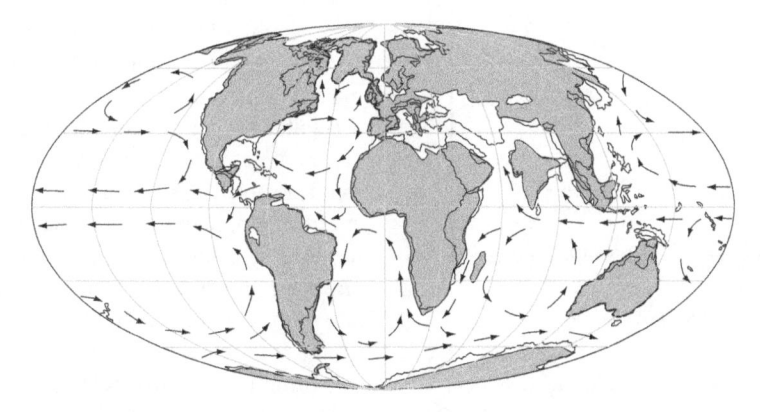

Figura 13.7 Como na Fig. 13.2, para o Oligoceno Médio (30 Ma).

Uma mudança nas razões de isótopos de oxigênio nos testes de microfósseis planctônicos e bentônicos (Shackleton & Kennett, 1975) e a primeira grande acumulação de gelo na Antártica coincidiram com esses acontecimentos e parecem marcar uma transição de um efeito estufa para um efeito glacial. A alteração nos valores de isótopos de oxigênio é bem pronunciada e documentada e é essencialmente coincidente com o limite Eoceno-Oligoceno (Fig. 13.8). Este é também o momento da abertura da passagem de ligação ao sul da Tasmânia (Exon et al., 2002). A abertura total da Passagem de Drake é bem menos definida, mas foi provavelmente logo depois (Livermore et al., 2004). As razões de isótopos de oxigênio e uma queda no nível do mar de 40 m sugerem que, durante o Oligoceno Inferior, o volume de gelo na Antártica chegou a aproximadamente metade do seu volume atual. Isso e o aumento posterior no volume de gelo e as mudanças no nível do mar deram origem à emersão de áreas continentais e a uma grande redução na área de mares rasos na crosta continental (cf. Figs. 13.6, 13.7).

Após um período de aquecimento e degelo no Oligoceno superior (Fig. 13.8), acredita-se terem ocorrido significativos aumentos no volume de gelo na Antártica, com queda do nível do mar no Mioceno Médio e no Mioceno Superior. A queda do nível do mar associada com o aumento do volume de gelo a 6 Ma pode explicar o isolamento e a posterior desecação do Mar Mediterrâneo, como resultado da exposição da soleira no Estreito de Gibraltar (Van Couvering et al., 1976), tendo restringido o fluxo de água pelo oceano entre a América do Norte e do Sul. No entanto, movimentos tectônicos adicionais foram necessários antes de se formar uma ponte continental completa por volta de 3 Ma atrás, como demonstrado a partir do intercâmbio de mamíferos entre a América do Norte e do Sul (Marshall, 1988). A formação gradual do Istmo do Panamá teria levado à intensificação da Corrente do Golfo e, finalmente, talvez, à formação das camadas de gelo no hemisfério norte (Haug & Tiederman, 1998).

As águas quentes da Corrente do Golfo teriam dado lugar a ar mais quente e úmido e a maior precipitação em latitudes relativamente elevadas na região do Atlântico Norte. A distribuição geográfica de camadas de gelo não é determinada somente pela temperatura ambiente fria, mas também pela disponibilidade de precipitação. Por este motivo, as camadas de gelo do Plio-pleistoceno do hemisfério norte eram restritas à Groenlândia, à América do Norte e ao noroeste da Europa. Da mesma forma, a ocorrência de florestas tropicais é determinada não só pelas altas temperaturas, mas também pela distribuição de precipitação pelas correntes quentes equatoriais. As florestas de carvão tropicais do Carbonífero, por exemplo, se formaram no limite ocidental do embaiamento equatorial do Tethys no supercontinente embrionário da Pangeia. (Fig. 3.9). Hoje em dia, as áreas mais extensas de florestas tropicais estão na Bacia Amazônica e no arquipélago do sudeste da Ásia, áreas aquecidas pelas principais correntes equatoriais de direção oeste dos oceanos atuais. O resfriamento progressivo do clima da Terra durante os últimos 50 Ma, em particular em latitudes mais elevadas, levou a uma redução geral na quantidade de precipitação e a um aumento na aridez. Assim, áreas anteriormente cobertas por florestas em latitudes elevadas foram transformadas em tundra e, em latitudes temperadas, em pastagens. Como consequência do resfriamento maior há cerca de 6 Ma, mesmo em latitude baixas, florestas tropicais foram convertidas em savanas. Acredita-se que este fato tenha tido um efeito profundo sobre mamíferos e, em última análise, sobre a evolução humana.

Durante o "efeito estufa", os oceanos eram quentes por toda a parte, com muito pouca circulação de água profunda. Como consequência, as águas do fundo tornaram-se desoxigenadas, havendo potencial para a preservação de material orgânico e, portanto, para a formação de depósitos de folhelho negro (Seções 3.4, 5.7). Na medida em que há mistura vertical, isso é desencadeado pelas mudanças regionais na salinidade e, assim, na densidade da água do mar nos trópicos. A circulação fraca e a preservação de matéria orgânica significam que havia muito menos ressurgência de nutrientes em comparação com os oceanos atuais. Assim, a fertilidade geral dos oceanos cretácicos era baixa, mas o potencial para a formação de óleo, a partir de rochas do Cretáceo de origem marinha, foi elevado. No "efeito glacial", águas fi-

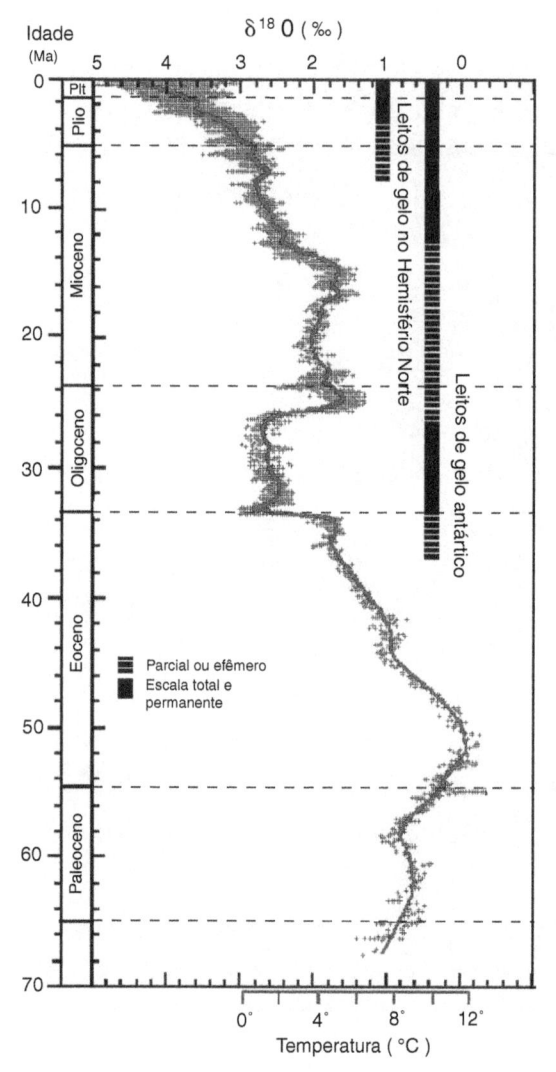

Figura 13.8 Registro global de isótopos de oxigênio do mar profundo, compilado a partir de várias medições da fauna bentônica em testemunhos do Deep Sea Drilling Project e do Ocean Drilling Project. A curva ajustada é uma suavização de cinco pontos de média. A escala da temperatura refere-se a um oceano livre de gelo e, consequentemente, aplica-se apenas ao tempo anterior ao início da glaciação em grande escala na Antártica (aprox. 35 Ma). Grande parte da variabilidade subsequente dos registros de $\delta^{18}O$ reflete mudanças no volume de gelo na Antártica e no Hemisfério Norte. Quando a água do mar evapora, as moléculas que contêm os isótopos ^{16}O, mais leve, evaporam mais rapidamente. Então, quando vapor de água atmosférica se precipita como neve nas regiões polares, a água torna-se empobrecida em ^{18}O, ficando sequestrada nas calotas polares, e a proporção de ^{18}O na água do mar aumenta (parte da figura 2 de Zachos et al., 2001, reproduzido da *Science* **292**, 686-93, com permissão das AAAS).

nas e densas se formaram nas regiões polares, afundaram e migraram em direção ao equador, criando assim uma circulação relativamente vigorosa e certamente muito significativa de águas profundas. O resfriamento que marcou a transição de um efeito estufa para um efeito glacial, próximo ao limite Eoceno-Oligoceno, provavelmente permitiu a formação de gelo marinho pela primeira vez em torno da margem da Antártica. Durante a formação do gelo marinho, a maior parte do teor de sal da água do mar é eliminada, aumentando a densidade da água do mar debaixo do gelo. Esta água densa e fria desce então ao fundo do oceano fluindo para o norte, como acontece nos dias atuais.

Um dos enigmas do resfriamento da Terra no final do Cenozoico foi a súbita acumulação de gelo na Antártica no Mioceno Médio (Fig. 13.8). Uma possibilidade interessante e relevante é de ela ter sido causada por uma alteração na topografia do fundo do mar no extremo do Atlântico Norte, como uma consequência de processos tectônicos (Schnitker, 1980). É provável que a dorsal Groenlândia-Islândia-Ilhas Faroé tenha tido subsidência suficiente neste momento para que a água fria do Ártico cobrisse esta soleira e fluísse em direção ao fundo do mar. Embora fria e salina, esta corrente não é tão densa quanto a água do fundo da Antártica se movendo para o norte. Como consequência, a água do Ártico viaja para o sul em uma profundidade intermediária e ao final é redirecionada para a superfície fora da Antártica. Aqui ela está "quente", em relação à água do mar ao redor, carregando o ar com mais humidade e assim aumentando a precipitação sobre a Antártica. Este modelo enfatiza novamente a importância da precipitação, além das temperaturas abaixo de zero, na facilitação da acumulação de uma camada de gelo.

13.1.3 Áreas e clima continentais

A extensão, a distribuição e a topografia das áreas continentais também afetam o clima na terra. O continente esquenta e esfria mais rapidamente que o mar. O ciclo diário de brisa do mar e do continente em áreas costeiras é uma consequência bem conhecida deste fato. Um fenômeno similar, em uma escala de tempo longa e sazonal, afetando uma grande área geográfica é o clima de monções da Índia e do Mar Árabe. No verão do norte a grande massa de terra do sul da Ásia aquece, e o ar em ascensão cria uma área de baixa pressão, puxando o ar carregado de umidade do noroeste do Oceano Índico – a monção sudoeste. No inverno, o ar frio e denso sobre a área de terra fria aumenta a pressão, dando origem à monção nordeste, cujo vento seco sopra do continente para o mar. O aquecimento e o resfriamento sazonal do ar sobre o Sahara produzem um efeito semelhante, mas em escala menor, sobre a África Central e o Atlântico equatorial no Golfo da Guiné, caracterizando um regime similar de monção. Essas duas áreas de monções são responsáveis pelas florestas tropicais da África Central, da Birmânia, do Sri Lanka e de partes da Índia.

O albedo de áreas continentais é variável, dependendo do tipo ou da falta de cobertura vegetal, mas é tipicamente maior do que o das zonas marinhas, as quais possuem um albedo baixo. A distribuição continental e marinha e seu efeito no albedo da Terra no passado podem ter causado repercussões significativas sobre o clima, mas isso ainda é mal compreendido. Um continente ou um mar coberto por gelo ou neve apresenta um albedo elevado e claramente significativo, pelo menos por proporcionar um mecanismo de resposta positivo: quanto maior for a extensão do gelo e/ou neve, maior será o grau de resfriamento. Montanhas, mesmo em baixas latitudes, podem ser cobertas com neve permanente ou sazonal, aumentando assim o albedo continental. No entanto, a formação de cadeias montanhosas pode afetar o clima de uma forma mais substancial, por alteração da taxa de intemperismo na superfície da Terra, que por sua vez afeta a quantidade de dióxido de carbono na atmosfera.

O intemperismo dos carbonatos expostos em terra, pela ação de solução fraca de ácido carbônico presente na água da chuva, formado pela dissociação de dióxido de carbono da atmosfera ou do solo, produz íons de cálcio e de bicarbonato que são então transportados para o mar por rios. Nos oceanos, a reação de intemperismo é invertida: o carbonato de cálcio é secretado pelos organismos, para produzir suas carapaças, as quais, se preservadas após a morte do organismo, formam os carbonatos sobre o assoalho oceânico.

$$CaCO_3 + CO_2 + H_2O \leftrightarrow Ca^{2+} + 2HCO_3^- \text{ (eq. 1)}$$

O dióxido de carbono liberado retorna finalmente para a atmosfera. Assim, o carbono fixado nos carbonatos em terra são redepositados no fundo do mar, sem nenhuma mudança no teor de CO_2 da atmosfera. O intemperismo das rochas silicatadas por ácido carbônico, no entanto, tem diferenças importantes. A reação simplificada de intemperismo pode ser expressa como:

$$\text{Mineral silicatado} + 2CO_2 + \text{água} \rightarrow$$
$$2HCO_3^- + \text{mineral de argila} + \text{cátion(s) (eq. 2)}$$

No oceano, os íons HCO_3 se combinam com Ca^{2+}, assim como no reverso da equação 1, para formar carbonato de cálcio. Neste caso, duas moléculas de CO_2 são removidas da atmosfera para cada molécula retornada para a atmosfera quando $CaCO_3$ é formado no oceano. O intemperismo intensificado de rochas silicáticas poderia, portanto, baixar o teor de CO_2 da atmosfera e ser uma possível causa do resfriamento global (Raymo & Ruddiman, 1992).

Como resultado da fase mais recente da deriva continental, o Cenozoico foi caracterizado por um importante episódio da construção de montanhas, principalmente através do cinturão Alpino-Himalaiano, e culminou com a elevação do Planalto Tibetano no Neocenozoico. A elevação das montanhas teria intensificado bastante os processos de intemperismo físico e químico, sobretudo por concentrarem chuvas em seus flancos de barlavento. Acredita-se que a elevação do Planalto Tibetano, por exemplo, tenha gerado uma forte intensificação da monção sudoeste, trazendo chuvas muito mais pesadas e causando intemperismo muito mais intenso na encosta sul do Himalaia. A elevação do Tibete e de áreas vizinhas é particularmente importante porque, embora represente apenas 5% da área continental da Terra, 23% do fluxo global de material dissolvido em rios são derivados de rios que nascem na região do Tibete/Himalaia. Existem indicações de fauna e flora e registro sedimentar do norte da Índia mostrando que havia uma grande intensificação da monção sudoeste cerca de 8 Ma atrás (An et al., 2001). A questão permanece, contudo, se isso se correlaciona com o soerguimento do Planalto Tibetano (Seção 10.4.3). Os modelos atuais para este soerguimento, que podem envolver a remoção convectiva da litosfera espessada sob o Tibete (Seção 10.4.6), implicam que a fase final de soerguimento pode ter sido relativamente súbita, em termos geológicos. As tentativas de obter uma estimativa independente para a cronometragem deste levantamento, usando evidências paleobotânicas ou a datação de sistemas de falhas, provaram ser inconclusivas, com alguns resultados confirmando a idade de 8 Ma, mas outros indicando uma idade de 14-15 Ma para o soerguimento final do Tibete (Spicer et al., 2003). Spicer et al. sugerem que uma possível explicação para isso é que o soerguimento ocorreu progressivamente do sul para o norte durante um período de 6-7 Ma.

O intemperismo muito maior de rochas silicatadas no Mioceno Superior teria retirado CO_2 da atmosfera da Terra e pode também explicar o pronunciado resfriamento global revelado por estudos de isótopos de oxigênio exata ou aproximadamente no limite Mioceno-Plioceno, ou seja, próximo a 6 Ma atrás (Fig. 13.8). Como indicado anteriormente, isso pode ter produzido efeitos que levaram, por fim, ao início da Idade do Gelo aproximadamente 3 Ma atrás.

Portanto, os processos de placas tectônicas influenciam todos os principais fatores considerados para a determinação de mudanças no clima na Terra a longo prazo. A concentração de CO_2 na atmosfera, em qualquer ponto no tempo, é creditada em grande parte à quantidade de vulcanismo naquele momento. Assim, os níveis excepcionalmente elevados de CO_2 associados ao "efeito estufa" do período Cretáceo estão relacionados à atividade da super-pluma e as altas taxas de expansão e subducção dos fundos oceânicos, todos os três culminando no aumento da atividade vulcânica. Inversamente, quedas sistemáticas na atividade de pluma e a acreção e a destruição de placas poderiam causar um resfriamento global. No entanto, os períodos de pronunciado resfriamento global durante os últimos 50 Ma não estão associados com a diminuição do vulcanismo (Fig. 5.13). Parece provável, portanto, que sejam necessários outros impactos potenciais dos processos de placas tectônicas sobre o clima da Terra, como alterações na circulação oceânica, consequências da formação de montanhas e intemperismo pronunciado, para explicar a transição de efeito estufa para efeito glacial no Cenozoico Médio, e, ao final, o desencadeamento das Eras Glaciais 3 Ma atrás.

13.2 GEOLOGIA ECONÔMICA

13.2.1 Introdução

A aplicação da teoria da tectônica de placas na exploração de depósitos minerais e de hidrocarbonetos economicamente viáveis é uma abordagem comum no domínio da geologia econômica. A tectônica de placas tem proporcionado a geólogos da área de exploração subsídios para que possam relacionar os ambientes específicos e as relações espaciais dos depósitos econômicos (Rona, 1977; Bierlein et al., 2002; Richards, 2003). Estudos deste tipo aumentaram na medida em que a busca por depósitos pequenos e encobertos tem se tornado gradativamente mais importante. Esta abordagem levou a uma classificação de depósitos econômicos de acordo com processos de tectônica de placas. Muitas das observações que sustentam esta classificação (listada abaixo) são discutidas por Mitchell & Garson (1976, 1981), Rona (1977), Tarling (1981), Hutchinson (1983), Sawkins (1984) e Evans (1987).

1 Depósitos autóctones diretamente relacionados ao magmatismo em margens de placas e interiores
2 Depósitos alóctones relacionados ao magmatismo de margem de placa
3 Depósitos relacionados com bacias sedimentares formadas por movimentos de placas
4 Depósitos relacionados ao clima e às mudanças na paleolatitude resultantes de movimentos de placas

Enquanto a teoria da tectônica de placa tem sido útil para a compreensão da origem e da evolução de depósitos economicamente viáveis, abordagens alternativas também têm sido empregadas, especialmente no que diz respeito aos depósitos minerais. Uma área atual de pesquisa envolve a investigação das possíveis ligações entre a formação de depósitos minerais, a evolução das grandes províncias ígneas (LIPs, Seção 7.4.1) e os efeitos de plumas mantélicas profundas (Ernst et al., 2005). A formação das LIPs e a ascensão de plumas mantélicas profundas podem envolver atividades tectônicas e magmáticas que operam independentemente dos movimentos de placas. Além disso, a compreensão do depósito mineral em crátons arqueanos é dificultada pela possibilidade de atuação de um único processo geológico ou tectônico nos primórdios da Terra (Seção 11.1). Essas diferenças exigem modelos que incorporam os aspectos únicos da geologia e da tectônica do Arqueano (Herrington et al., 1997).

13.2.2 Depósitos minerais autóctones e alóctones

Os diferentes ambientes de placa tectônica nos quais muitos depósitos metálicos se encontram, são apresentados na Fig. 13.9. O rifteamento inicial de um continente inclui o alojamento de rochas ígneas alcalinas e peralcalinas e o estabelecimento de elevados gradientes geotérmicos (Seções 7.4.2, 7.2, respectivamente). Minérios são gerados a partir deste magmatismo e da circulação em grande escala de fluidos hidrotermais que são energizados pelo magmatismo. Um dos grupos de rochas ígneas frequentemente associado com a mineralização extensiva inclui os *carbonatitos*. Estes são rochas incomuns compostas por mais de 50% de minerais de carbonato que formam complexos anelares dentro de rochas alcalinas. Os elementos importantes encontrados neste ambiente são fósforo (como apatita), nióbio (pirocloro), terras raras (monazita, bastnasita), cobre, urânio, tório e zircônio. Também são encontradas magnetita, fluorita, barita, e stroncianita e vermiculita. Os carbonatitos também podem contribuir para o carbonato de sódio, cloreto e fluoreto encontrados em grandes quantidades nos lagos do sistema de Rifte do Leste Africano, embora seja possível que eles derivem do intemperismo das rochas alcalinas. Diretamente relacionados ao magmatismo, temos os depósitos de molibdênio pórfiro e do tipo veio, associados com granitos subalcalinos, depósitos de cobre-níquel associados com intrusões máficas e depósitos de cobre hidrotermais. Contidos nos sedimentos relacionados com o rifteamento, encontram-se os depósitos de cobre estratiformes de grande volume associados com horizontes específicos de folhelho ou de arenito. Acredita-se que esses minérios disseminados formam-se durante a primeira transgressão marinha no interior continental, sobrepondo horizontes de *red-beds*, e são provavelmente derivados de basaltos de rifte ricos em cobre, em resposta ao elevado fluxo de calor do rifte. Minérios de chumbo-zinco-barita hospedados em carbonatos também são encontrados nos riftes intracratônicos e em margens passivas continentais (Seção 7.7) cujos depósitos típicos são os do Alto Vale do Mississippi, na América do Norte. Têm sido feitas tentativas para vincular uma grande variedade de depósitos minerais relacionados ao magmatismo em ambientes de rifte continental aos efeitos de plumas do manto em ascensão (Pirajno, 2004).

Com o desenvolvimento de uma bacia oceânica estreita entre os fragmentos continentais rifteados, novos depósitos minerais são criados na dorsal mesoceânica. O exemplo atual deste tipo de ambiente é o Mar Vermelho. Aqui, 13 piscinas de salmoura quente (Fig. 13.10) foram localizadas ao longo da dorsal central, onde é cortada por falhas transformantes. Essas piscinas contêm sedimentos de zinco-cobre-chumbo de possível valor econômico, como, por exemplo, o Atlantis II Deep, que contém camadas de sulfeto com teores de até 20% de zinco, 20 m de espessura e que cobrem uma área de mais de 50 km². Geralmente é aceito que os metais sejam de origem vulcânica, tendo se concentrado em salmouras pela circulação termicamente induzida de água do mar através das rochas vulcânicas e por sequências espessas de evaporíticos encontradas nesta região (Cowan & Cann, 1988). Com a evolução da bacia oceânica, esses depósitos podem ser soterrados por sedimentos e reaparecer em orógenos colisionais, onde o tectonismo mascara a sua configuração original. Também associados a esta fase avançada de rifteamento, há depósitos de sulfetos maciços hospedados em sedimentos, os quais ocorrem em espessos sedimentos clásticos derivados do continente sobre margens continentais passivas. Estes compreendem lentes simples ou múltiplas de minérios de pirita, galena e esfalerita com prata e cobre subordinados. Eles não são comuns e, provavelmente, refletem a influência de águas com rica concentração de metais movidas por sistemas geotérmicos de longa duração.

Com o avanço do crescimento da bacia oceânica, ocorrem mineralizações contemporâneas na dorsal mesoceânica, como observado em certos locais ao longo das dorsais oceânicas do Pacífico (Corliss et al., 1979), do Atlântico (Scott et al., 1973) e do Índico. A mineralização é de origem hidrotermal e sua localização depende da existência de crosta oceânica de alta permeabilidade recobrindo a câmara magmática, permitindo o percolamento dos fluidos com relativa facilidade. Processos hidrotermais de baixa intensidade levam à formação de nódulos de ferromanganês e de incrustações de ferro e de manganês em basaltos almofadados na interface das camadas 1 e 2. Atividade hidrotermal de maior intensidade foi observada em alguns locais, como na Elevação do Pacífico Leste, onde a descarga é de dois tipos. *Fumarolas negras* são aberturas onde as partículas de pirrotita são precipitadas, produzindo minérios que podem ser ricos em zinco ou ferro e que contêm menores quantidades de cobalto, chumbo, cádmio e prata. Em *fumarolas brancas*, pouco material sulfetado é precipitado, e o precipitado principal é a barita.

Em condições de mar aberto, nódulos e incrustações ferromanganésicas se formam em cima de basalto ou de sedimentos onde as fortes correntes oceânicas evitam o acúmulo de sedimentos clásticos. Esses depósitos são de origem hidratada e se acumulam lentamente, às vezes formando extensos pavimentos. Bem como ferro e manganês, eles também contêm quantidades menores de cobre, níquel e cobalto.

Além dos processos exalativos de mineralização descritos anteriormente, corpos de minério podem formar-se no interior da litosfera oceânica enquanto ela é gerada. Grande parte do nosso conhecimento sobre esses depósitos é derivado de estudos de ofiólitos (Seção 2.5), que são interpretados como fatias alóctones de litosfera oceânica ou de bacias retroarco tectonicamente colocadas dentro de crosta continental durante a orogênese colisional. Um dos corpos deste tipo mais intensamente estudados é o complexo Troo-

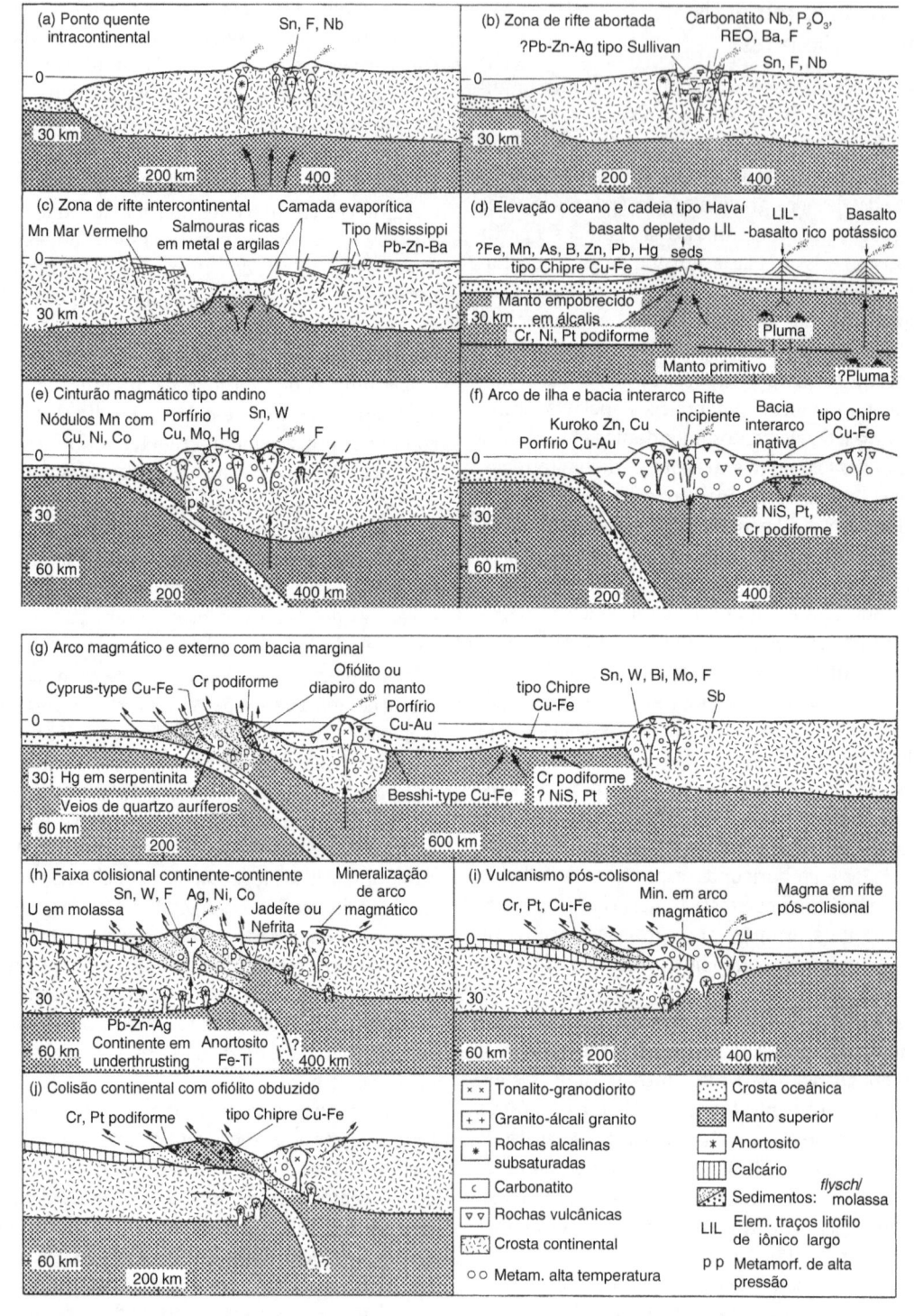

Figura 13.9 (a-j) Secções transversais esquemáticas através de cenário tectônico de mineralização relacionado a limites de placas (adaptado de Mitchell & Garson, 1976).

dos, do Chipre (Fig. 13.11), e outros exemplos incluem os ofiólitos do noroeste de Newfoundland, o Ofiólito de Semail de Omã e o Ergani Maden na Turquia. Em níveis superiores na litosfera, depósitos de sulfeto maciço (marcassita, calcopirita e esfalerita) ocorrem sobre ou dentro de lavas acamadadas da camada 2. Sugere-se que estes sulfetos são formados de uma maneira semelhante às salmouras do Mar Vermelho ou por precipitação, a partir de soluções hidrotermais que se tornaram ricas em metais através da circulação dentro das rochas vulcânicas. As porções plutônicas

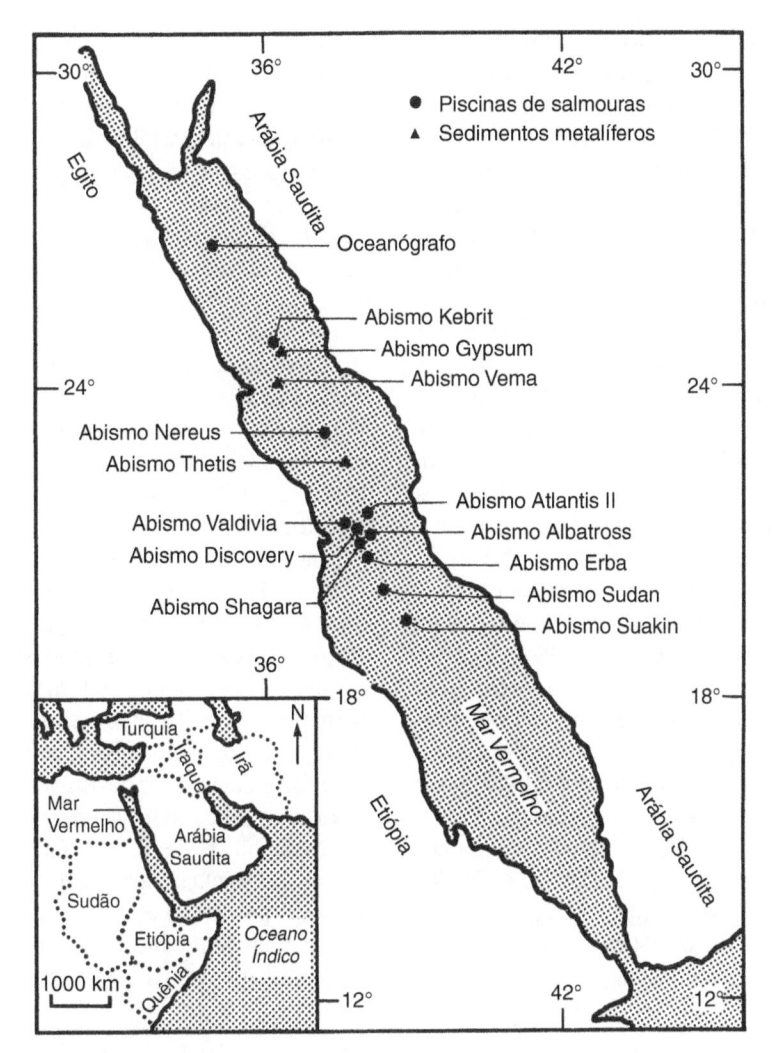

Figura 13.10 Localização das piscinas de salmouras quentes e de sedimentos metalíferos no Mar Vermelho (adaptado de Bignell et al., 1976, com permissão da Geological Association of Canada).

mais profundas dos ofiólitos contêm depósitos econômicos de cromita, que ocorrem como corpos podiformes e massas tabulares dentro dos harzburgitos e dunitos do manto superior da litosfera. Esses depósitos podem ter se formado por fusão parcial do material do manto primitivo ou por fracionamento de cristal dentro da câmara magmática subjacente a cordilheiras oceânicas (Seção 6.10). De forma similar, associados com a câmara magmática, há sulfetos de níquel e platina. O modelo para a mineralização da litosfera oceânica derivada de estudos ofiolíticos é mostrado na Fig. 13.12 (Rona, 1984).

A formação de depósitos de minério compostos de elementos do grupo do cobre, do níquel e da platina também pode ser associada ao magmatismo máfico e ultramáfico que resulta na formação de LIPs (Seção 7.4.1). Exemplos desses tipos de depósito incluem o depósito de 250 Ma de Noril'sk na Sibéria, que atualmente produz 70% do paládio consumido no mundo, e a intrusão proterozoica Bushveld (Seção 11.4.1) da África do Sul, que produz grandes quantidades de platina e cromo (Naldrett, 1999). Modelos de exploração que integram as características desses depósitos com a formação de LIPs apoiam-se em informações detalhadas sobre as fontes de magma e os sistemas de dutos profundos que os transportam através da crosta (Pirajno, 2004).

Várias formas de mineralização estão presentes em ambientes de zona de subducção, cujos tipos variam se a litosfera primordial é continental ou oceânica. Hedenquist & Lowenstern (1994) revisaram o papel dos magmas na formação de minérios hidrotermais em tais ambientes. As mais importantes mineralizações são os corpos de cobre pórfiro. Estes são depósitos de baixo grau relativamente raros, que são ricos em ouro e pobres em molibdênio quando associados a arcos insulares, e pobres em ouro e ricos em molibdênio em cadeias de montanha do tipo Andino. Eles são encontrados, por exemplo, nos próprios Andes, bem como nas Filipinas, em Taiwan, em Porto Rico e nos arcos Ryuku e Birmânia. A ampla uniformidade desses depósitos em todo o mundo sugere que os controles de sua localização estão relacionados com o magmatismo associado à subducção primária e não requerem a presença de crosta ou de tipo específico de magma. Magmas podem ser alojados e cobre pórfiro pode se formar em qualquer lugar ao longo do arco vulcânico, mas grandes depósitos provavelmente serão formados onde a ascensão do magma for concentrada ao longo de um período prolongado de tempo. Richards (2003) revisou muitos dos processos de grande escala magmática e tectônica que conduzem à formação de depósitos de pórfiro em margens convergentes.

Outra importante classe de depósitos encontrada associada com zonas de subducção oceânica (Fig. 13.13) são maciços estratiformes de sulfetos de zinco, chumbo e cobre conhecidos, segundo sua área de ocorrência no Japão, como minérios do tipo Kuroko. Esses minérios também são conhecidos como associações vulcânicas ou depósitos de sulfetos vulcanogênicos maciços (VMS). Eles refletem a deposição em um ambiente marinho raso e ocorrem intercalados com lavas piroclásticas e calcoalcalinas silicatadas. Boa parte deles parece ocorrer durante uma fase tardia da evolução do arco vulcânico. Halbach et al. (1989) sugerem que eles se formaram em uma bacia retroarco (Seção 9.10) e citam a Fossa Okinawa como um análogo moderno. Provavelmente, eles foram depositados por salmouras submarinas quentes provenientes da separação de fluidos aquosos de minério durante as fases finais do fracionamento magmático ou a partir da lixiviação de rochas vulcânicas mais velhas. Minérios tipo Kuroko podem ter sido incorporados em continentes durante colisões do tipo continente-arco de ilha, como em Río Tinto na Espanha, Umm Samiuki no Egito e a mina Buchans em Newfoundland.

Existem outras formas de sulfetos maciços estratiformes que diferem do tipo Chipre ou Kuroko no seu ambiente deposicional. Eles estão associados a rocha vulcânica intermediária a básica, argilitos carbonosos, calcários clásticos ou quartzitos, sendo que todos sugerem um ambiente de águas profundas, diferentemente de dorsais oceânicas, bacias oceânicas ou arcos insulares. Eles são denominados depósitos tipo Besshi e podem ter se formado em uma fossa ou em um ambiente tracional, mas sua origem ainda permanece obscura.

Existem vários tipos de depósito que são específicos à subducção do tipo Andino. Estes incluem depósitos de sulfeto de cobre estratiformes, como os encontrados no Chile, que estão estreitamente relacionados com vulcanismo episódico calcioalcalino e ocorrem dentro de lavas andesíticas porfiríticas. Os principais minerais são calcocita, bornita e calcopirita e contêm quantidades significativas de prata. A intercalação desses depósitos com os marinhos e terrestres rasos sugerem a sua formação em pequenas lagoas. Mineralizações de estanho e tungstênio ocorrem no leste do Andes do Peru e da Bolívia sobre o lado continental do cinturão de cobre porfiritico. Elas parecem ser derivadas da mesma região da zona de Benioff, assim como os magmas, sendo que sua existência pode ser devida ao mergulho anormalmente baixo da zona de subducção nesta região (Seção 10.2.2).

No ambiente de retroarco de zonas subducção do tipo Andino, no Pacífico, existem cinturões de granito que contêm os depósitos de estanho e tungstênio e subordinadamente molibdênio, bismuto e fluorita. A origem do estanho, em particular, é controversa. O estanho está presente

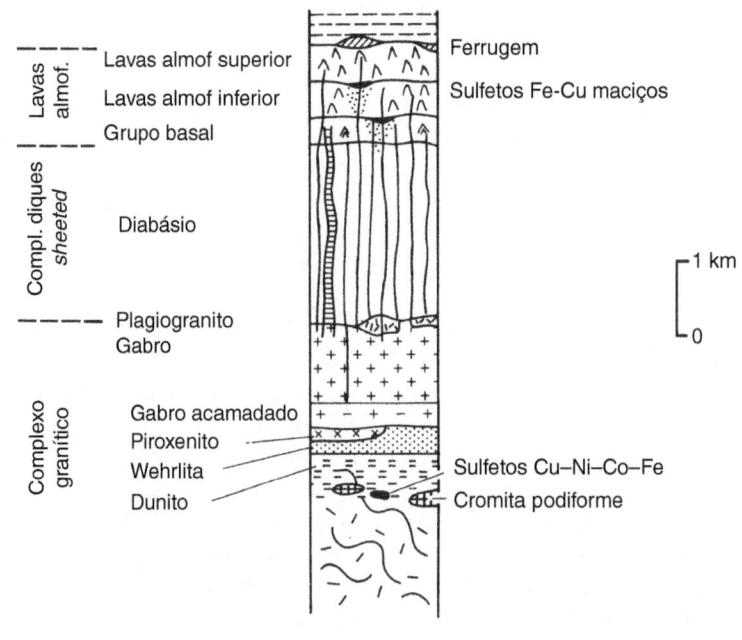

Figura 13.11 Mineralização no Ofiólito Troodos (adaptado de Searle & Panayiotou, 1980, com permissão do Ministério da Agricultura e Recursos Naturais, Chipre).

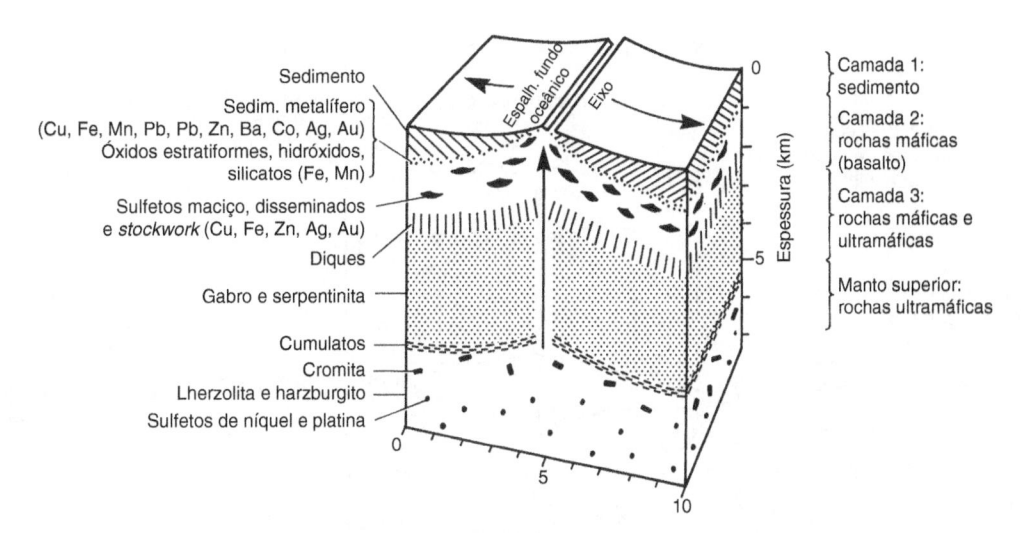

Figura 13.12 Bloco-diagrama esquemático mostrando a distribuição do potencial de jazidas minerais na litosfera oceânica (adaptado de Rona, 1984, com permissão da Elsevier).

em quantidades muito pequenas na crosta oceânica, estando igualmente ausente em arcos insulares. Uma origem oceânica do estanho parece improvável. Uma hipótese é que o estanho seja proveniente do fundo de uma zona de Benioff que tenha se distanciado de um continente durante a expansão retroarco. O flúor originário desses níveis extrairia estanho a partir de níveis profundos de plútons graníticos ainda quentes e o depositaria na superfície vizinha. Outra hipótese é que a geração de estanho requeira a presença de crosta continental espessa, como está presente nas faixas de estanho dos Andes, do Alasca e do Alto Myanmar, e de uma zona de Benioff de mergulho raso, que atua como uma fonte de calor e de voláteis. Neste caso, o estanho pode ser originário de concentrações preexistentes na crosta continental inferior.

Em bacias retroarco ensialicas são comuns depósitos tipo veio de ouro e prata, como os encontrados na Grande Bacia de Nevada. Estes estão associados com andesitos, dacitos e riolitos e pré-datam o principal episódio de falhamento. Eles provavelmente se originaram a partir de salmouras associadas a magmas. Em bacias retroarco que se formam acima de zonas de subducção oceânicas, a crosta é semelhante à oceânica, embora gerada de uma forma diferente, e assim não se esperaria que depósitos minerais se diferenciassem muito daqueles em crosta oceânica. A mineralização nestas configurações pode ser semelhante àquela formada durante o início do desenvolvimento de uma dorsal expansiva e, portanto, pode estar relacionada com processos magmáticos e vulcânicos exalativos.

Zonas de colisão continental e acreção de terrenos (Seções 10.4, 10.6) também hospedam uma ampla gama de depósitos metálicos. Esses cinturões podem exibir terrenos alóctones contendo associações minerais que se formaram durante os primeiros estágios de acreção crustal, como ofiólitos, nódulos ferromanganésicos, depósitos relacionados a subducção e mineralizações relacionadas a estágios iniciais de rifteamento. Depósitos que se originam durante a colisão continental também estão presentes. Solomon (1990) observou que, na margem sudoeste do círculo marginal do Pacífico, depósitos porfiríticos de cobre-ouro se formam principalmente após uma inversão da polaridade do arco seguindo um evento colisional. Por vezes, associados com cobres pórfiros, depósitos de mercúrio (como cinábrio ou mercúrio) podem ter se originado de uma maneira semelhante. Corpos de granito geralmente são alojados durante e após um evento colisional. Associados a esses granitos estão os depósitos de estanho-tungstênio, cassiterita e volframita e, em alguns casos, depósitos de urânio tipo veio. Essa mineralização, como dos granitos, pode ser derivada da fusão parcial da crosta continental inferior.

O orógeno paleozoico Lachlan do sudeste da Austrália ilustra os tipos de metais comuns e preciosos que se formam e são preservados em orógenos acrescionários de longa duração (Seção 10.6.3). Bierlein et al. (2002) descreveram depósitos orogênicos de ouro formados em cunhas de acreção em desenvolvimento, enquanto grandes depósitos porfiríticos de cobre-ouro se formaram em um arco de ilhas oceânicas localizado em alto mar próximo à costa pacífica das margem do Gondwana. À medida que sequências oceânicas deformadas, arcos vulcânicos e microcontinentes acrescionaram à margem australiana, depósitos de cobre-ouro hospedados em sedimentos e depósitos de chumbo e zinco formaram-se em bacias intra-arco de curta duração, enquanto depósitos vulcanogênicos de sulfeto maciço foram produzidos em regiões de frente de arco. A compressão que levou à inversão (Seção 10.3.3) dessas bacias também desencadeou pulsos de mineralização de ouro orogênico. Este e outros estudos (Groves et al., 2003) ilustram como depósitos ricos em ouro podem se formar durante qualquer fase da evolução orogênica.

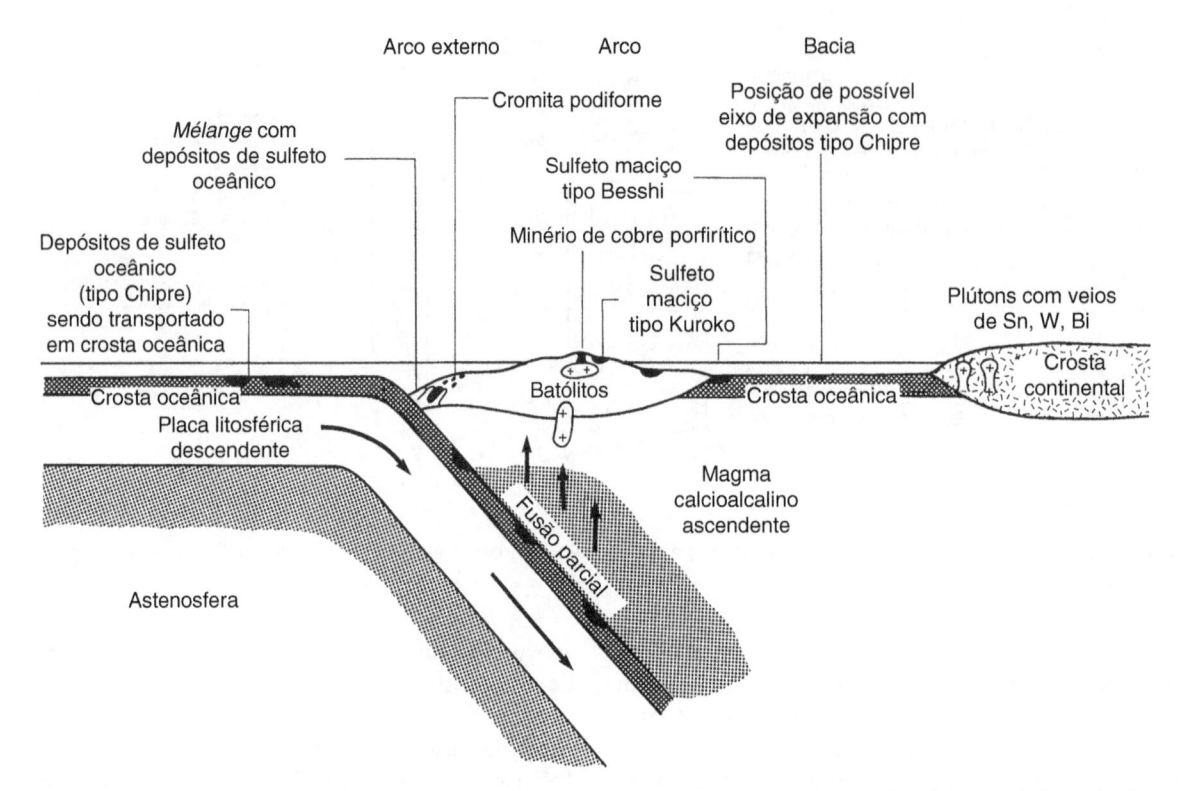

Figura 13.13 Desenvolvimento e colocação de depósitos minerais relacionados ao ambiente de subducção (adaptado de Evans, 1987, usando dados de Sillitoe, 1972a, 1972b, com permissão do Economic Geology Publishing Co. e do Institute of Mining and Metallurgy).

Falhas transformantes oceânicas são ambientes favoráveis para a mineralização porque podem estar associadas com fluxo de calor elevado e fornecem condutos altamente fraturados e permeáveis, tanto para a percolação descendente de água do mar como para a migração ascendente dos fluidos mineralizantes. Concreções de sulfeto de ferro foram descritas na Zona de Fratura Romanche do Atlântico equatorial, as quais podem ter se originado por este mecanismo. As piscinas de salmoura do Mar Vermelho parecem estar localizadas onde falhas transformantes intersectam a dorsal central, sendo possível que os metais ascendam ao longo dessas falhas. De fato, depósitos de metais são encontrados ao longo da continuação das falhas em continente. Um mecanismo semelhante tem sido postulado para as salmouras do Mar Salton, na Califórnia. É provável que as intrusões ultramáficas que ocorrem nas zonas de fratura (Seção 6.12) contenham proporções elevadas de níquel, cobalto e cobre.

Para a mineralização nos crátons arqueanos, analogias com configurações de placas tectônicas de alguns depósitos fanerozoicos são possíveis. Por exemplo, muitas faixas de xistos verdes (*greenstone belts*) arqueanos hospedam sulfetos vulcanogênicos maciços (tipo Kuroko), sulfetos de cobre-zinco-chumbo e depósitos de ouro que também ocorrem durante todo o registro fanerozoico. No entanto, muitos aspectos da metalogênese arqueana requerem uma investigação mais aprofundada. Cobres porfiríticos, que tipicamente têm uma clara associação com ambientes da zona de subducção, são extremamente raros no Arqueano, com exceção de alguns exemplos controversos (Herrington et al., 1997). Somado a isso, depósitos de sulfeto de níquel hospedados em komatiítos em *greenstone belts* arqueanos (Seção 11.3.2) não possuem análogos modernos. Alguns estudos (de Ronde et al., 1997) sugeriram que a circulação de fluido no Arqueano ocorreu em uma escala maior do que em outros momentos da história da Terra, o que teria influenciado a formação de depósitos de minério hidrotermais. Essas feições podem refletir fundamentalmente diferentes processos tectônicos e/ou crustais operantes durante o Arqueano se comparados ao Fanerozoico (Seção 11.3).

Formações ferríferas bandadas (BIFs) são comuns em crátons arqueanos (Seção 11.3.2), embora também ocorram em rochas devonianas. Essas rochas contêm magnetita, hematita, pirita, siderita e outros silicatos ricos em ferro. Dois tipos principais foram identificados (Pirajno, 2004). O tipo Algoma está associado com sequências vulcânicas em ambientes retroarco. O tipo Superior está associado com sequências sedimentares depositadas nas plataformas continentais de margens continentais passivas. O desenvolvimento de BIFs em uma escala global durante o Arqueano Superior e o Proterozoico Inferior também pode refletir um período de elevada atividade de pluma mantélica.

Depósitos minerais do Proterozoico são amplamente interpretados como formados em ambientes de placas tectônicas, sobretudo aqueles relacionados com margens de placas divergentes e zonas de subducção (Gaál & Schulz, 1992). Possíveis exceções a esta abordagem podem incluir complexos anortosíticos do tipo maciço que estão associados com depósitos de ferro-titânio com magnetita e ilmenita. Esses depósitos de minério hospedados em magma podem ter se originado durante os episódios de fusão da crosta inferior (Seção 11.4.1). Alguns estudos têm relacionado este magmatismo com o quebramento dos supercontinentes, a zonas de rifteamento continental e a plumas mantélicas (Pirajno, 2004).

Outro tipo de depósito hospedado em magma inclui diamantes que ocorrem nos dutos de kimberlito. Kimberlitos consistem em pequenas intrusões ultramáficas potássicas que se originam no manto. Essas intrusões ocorrem praticamente em todos os crátons arqueanos, bem como ao longo de todo o Fanerozoico. Em algumas áreas, como em partes da América do Norte e do Sul, há evidências de que a maioria dos kimberlitos foi gerada em época de atividade elevada de pontos quentes (*hotspots*) ou de pluma mantélica (Seções 5.5, 5.7), possivelmente associada com o quebramento do supercontinente Gondwana. As relações entre magmatismo kimberlítico, aglutinação e dispersão de supercontinente, a relativa estabilidade da crosta e do manto e a produtividade de diamante são discutidos por Heaman et al. (2003).

13.2.3 Depósitos de bacias sedimentares

A maioria dos combustíveis fósseis é encontrada dentro de bacias sedimentares cuja formação pode estar relacionada direta ou indiretamente a movimentos de placas. Além do ambiente de sedimentação, são necessárias condições muito rigorosas para o desenvolvimento e a preservação desses recursos.

Existem quatro critérios principais que devem ser satisfeitos para o desenvolvimento de petróleo e gás, doravante referidos como hidrocarbonetos: camadas ricas em matéria orgânica no interior da sucessão sedimentar; uma fonte de calor aplicada por um tempo suficiente para a maturação da matéria orgânica em hidrocarbonetos; caminhos permeáveis que permitam o movimento dos hidrocarbonetos; e um reservatório poroso cuja parte superior seja selada por camadas impermeáveis de cobertura.

A principal fonte de matéria orgânica disseminada, ou kerogenos, em sedimentos é o plâncton. A abundância de plâncton é controlada pelo clima, pela quantidade de nutrientes disponíveis e pela geometria do corpo de água. Os dois primeiros fatores são dependentes da latitude, e a maioria das bacias petrolíferas se origina em latitudes baixas. A latitude é, obviamente, afetada pela componente norte-sul de movimento das placas, enquanto a configuração da placa em qualquer dado momento determina a geometria do corpo de água. O material orgânico é especialmente abundante ao longo das margens continentais onde há maior escoamento de rios em deltas de grandes dimensões.

A preservação dos kerogenos requer condições que não sejam oxidantes. Essas condições são alcançadas ao longo de taludes continentais, onde a produção de matéria orgânica excede a disponibilidade de oxigênio livre para convertê-los em dióxido de carbono, e em bacias anóxicas fechadas. Os folhelhos e argilitos produzidos em tais ambientes são as rochas-fonte mais comuns, por terem a capacidade de absorver kerogenos e removê-los dos efeitos do oxigênio livre. A temperatura experimentada pelos kerogenos após o soterramento é um fator crítico e depende do gradiente geotérmico local. Temperaturas de 70-85° C são necessárias para desenvolver líquidos e de 150-175°C para o gás seco. Também é importante que o tempo crítico de exposição a essas temperaturas seja excedido, de modo que a bacia deve estar livre de tectonismo e elevação durante este período.

Após a formação, os hidrocarbonetos sofrem migração primária a partir das rochas-fonte de granulometria fina e migração secundária quando se concentram e acumulam em um reservatório de alta porosidade. A migração ocorre por causa da flutuabilidade dos hidrocarbonetos, o que resulta que todas as acumulações de hidrocarbonetos sejam alóctones. Existem vários tipos de trapas de petróleo, incluindo anticlinais, falhas, discordâncias estratigráficas e armadilhas litológicas, que têm o efeito de proporcionar um capeamento impermeável para o reservatório que impede o posterior fluxo ascendente.

As placas tectônicas controlam as localizações dos reservatórios, sendo responsáveis pela formação e pela preservação das bacias sedimentares em que os hidrocarbonetos são gerados e aprisionados. Estas incluem:

1 bacias intracratônicas formadas por atividade de ponto quente (*hotspot*), bacias de Paris e de Michigan;
2 bacias associadas a rifteamento continental por exemplo, o Golfo de Aden, o Mar Vermelho;
3 aulacógenos (Seção 7.1); por exemplo, o Mar do Norte;
4 bacias de margem continental passiva; por exemplo, a Bacia do Gabão;
5 bacias retroarco ensiálicas; por exemplo, a Bacia Oriental do Equador e do Peru;
6 mares marginais; por exemplo, o Mar Andaman;
7 prismas acrescionários; por exemplo, os campos petrolíferos litorâneos do Equador e do Peru;
8 bacias de arco frontal; por exemplo, Cook Inlet do sul do Alasca;
9 bacias *pull-apart* associadas a falhas direcionais (Seção 8.2); por exemplo, a bacia de Los Angeles, ocidental dos Estados Unidos (Moody, 1973);
10 bacias antepaís (Seção 10.3.2) de orógenos; por exemplo, Bacia de Aquitaine, sudoeste da França;

11 bacias extensionais associadas com tectônica de indentação (Seção 10.4.6); por exemplo, sul da Ásia e do Tibete.

As placas tectônicas não são somente responsáveis pela criação de habitat para depósitos de hidrocarbonetos, mas também podem explicar por que certas regiões são particularmente ricas nesses depósitos. Uma grande proporção das reservas de hidrocarbonetos do planeta está localizada no Oriente Médio, sendo que a evolução e a preservação desses depósitos foram consequência de um padrão específico de interação de placas (Irving et al., 1974).

Durante o Mesozoico e o início do Cenozoico, duas grandes enseadas existiam no continente Afro-Árabe, no lado sul do Oceano Tétis (Fig. 13,5, 13,6). Tais enseadas ao redor dos Thetys, que também incluíam o Golfo do México e o Golfo Pérsico, podem ter sido ligadas através do Mar Protomediterrâneo ou da abertura marítima Thetys-Atlântico, que se situavam em baixas latitudes. Por volta de 100 Ma, a taxa de propagação da abertura marítima aumentou, maximizando o desenvolvimento de rochas-fonte de hidrocarbonetos devido à formação de mares extensos, quentes e rasos que foram supridos com uma grande quantidade de nutrientes a partir do centro da propagação. Quando posteriormente a abertura marítima começou a fechar-se, seguido pelo desenvolvimento de uma zona de subducção em sua margem norte, a geometria dos movimentos das placas visou proteger o Golfo Pérsico de tectonismo intenso. Isso surgiu por que o movimento rápido da Placa Indiana para o norte absorveu a maior parte da energia associada à colisão com a placa da Eurásia. O Golfo do México foi protegido, de forma similar, pelo movimento para o nordeste das Grandes Antilhas.

O carvão é uma rocha sedimentar combustível que contem um excedente de 50% em peso de material carbonoso. Ele é formado por decomposição, compactação e diagênese de um depósito de restos de plantas terrestres e de água doce. Carvões aparecem, assim, no registro geológico desde os tempos devonianos, quando as primeiras plantas apareceram.

A fim de evitar a destruição total da matéria vegetal por decomposição bioquímica, há a necessidade de condições muito úmidas para interromper o apodrecimento pela acumulação de produtos residuais tóxicos. As condições em que este processo ocorre são controladas por clima e topografia. Normalmente é necessário um clima quente e úmido para promover crescimento exuberante, e isso deve ser sob condições constantes de água parada. Entretanto, em regiões de alta pluviosidade, a turfa se forma em regiões montanhosas, sendo que raramente se preserva devido à erosão sofrida neste ambiente. As condições principais para a formação do carvão são terrenos planos e rebaixados invadidos pelos pântanos com água estagnada. O lento afundamento dessas regiões preserva as camadas orgânicas através de soterramento progressivo.

O processo de carbonificação refere-se às alterações físicas e químicas sofridas pela matéria orgânica após o soterramento, em resposta ao aumento da temperatura e da pressão. Na compressão, água e voláteis são expelidos, tornando o depósito enriquecido em carbono. O grau de carbonificação é expresso em carvão de diferentes classificações, variando de linhita (categoria inferior) a antracita (categoria superior).

A tectônica de placas afeta a formação de carvão na medida em que controla a latitude de uma região (Seção 3.4) e cria os ambientes necessários para a preservação de matéria orgânica, sendo as margens continentais passivas o mais importante (Seção 7.7). Deltas formados em tais margens produzem as condições mais favoráveis para a formação de carvão, podendo os pântanos se desenvolver em uma escala regional. Exemplos atuais incluem os deltas do Níger, do Amazonas e do Mississippi, e, dentre os exemplos antigos, temos os carvões carboníferos da América do Norte e do noroeste da Europa. Deltas intracratônicos, como o Reno, são similarmente produtivos e suscetíveis de serem preservados devido à estabilidade da área. Depósitos de carvão também são encontrados em aulacógenos e bacias retroarco ensialicas. O tectonismo associado a orógenos colisionais fornece um ambiente no qual os carvões aumentam em grau devido ao metamorfismo de alta pressão.

13.2.4 Depósitos relacionados ao clima

Já foi discutido que a formação de hidrocarbonetos e depósitos de carvão é dependente tanto do clima como das condições especiais de sedimentação. Existem, no entanto, certos depósitos que parecem estar relacionados apenas ao clima. Como o clima depende muito da latitude, o movimento norte-sul das placas pode ser considerado como controlador da formação de tais depósitos. Eles incluem lateritas e evaporitos.

O depósito laterítico mais importante é o níquel laterítico, que resulta do extremo intemperismo de partes ultramáficas de corpos ofiolíticos sob condições tropicais. O teor de níquel primário do peridotito fresco torna-se enriquecido por um fator de cerca de sete sob a influência deste intemperismo por percolação da água do solo. Esses depósitos estão se tornando cada vez mais fontes importantes de níquel e são explorados no sudoeste do Pacífico e no norte do Caribe.

Um depósito semelhante é a bauxita, um depósito residual enriquecido em hidróxido de alumínio, o qual fornece a grande maioria do alumínio do mundo. Ele se forma pelo intemperismo *in situ* de minerais aluminossilicatados em topografia peneplana estável, em um clima úmido tropical, pela intensa lixiviação de álcalis e sílica. A bauxita somente se forma até 30° a partir do equador e requer alta pluviosidade e altas temperaturas ambientes. Ela é minerada na Jamaica, no norte da Austrália e na China.

Evaporitos se formam em um clima árido, pela evaporação da água do mar em bacias semi-isoladas que recebem periódicos influxos marinhos. Eles não podem se desenvolver pela evaporação de um corpo único e isolado de água, pois isso não explicaria as vastas espessuras de depósitos evaporíticos observadas. A sequência de minerais precipitados é carbonato e sulfato de cálcio, cloreto de sódio e, finalmente, minerais de magnésio ou de potássio. Evaporitos são importantes comercialmente na indústria química, sobretudo para os sais de potássio. Eles também são importantes na geração de armadilhas de hidrocarbonetos, porque, sendo de baixa densidade, se movimentam após o soterramento e sobem através das camadas sedimentares. Tal halocinese fornece armadilhas de falhas ao longo das laterais de massas de sal em ascensão e armadilhas anticlinais nas camadas acima das massas que são dobradas durante a subida. Este é, por exemplo, um importante processo no Mar do Norte e no Golfo do México, que são sustentados por depósitos de sal de idade permiana.

13.2.5 Energia geotérmica

A energia geotérmica pode ser efetivamente utilizada para geração de energia quando o gradiente térmico vertical é várias vezes maior que o valor médio de cerca de $25°C^{-1}$ km, produzindo temperaturas acima de 180°C perto da superfície. Esta condição é alcançada em margens de placas construtivas e destrutivas, como exemplificado pelas centrais geotérmicas da Islândia e da Ilha Norte da Nova Zelândia, respectivamente. Gradientes geotérmicos anormalmente elevados também estão presentes em áreas intraplaca intracontinentais, onde são frequentemente associados com plútons graníticos. O gradiente geotérmico normal pode ser utilizado para a geração de energia de menor potência, a exemplo de aquecimento de ambientes em que uma grande espessura de sedimentos permeáveis permite a circulação de fluidos a profundidades de vários quilômetros. Um exemplo deste tipo é a Bacia de Paris, onde o aquecimento de ambientes para mais de 20.000 habitações é fornecido pela circulação profunda de fluidos.

13.3 RISCOS NATURAIS

Os riscos naturais mais óbvios resultantes de atividade tectônica são terremotos e erupções vulcânicas. Porém, ambos podem provocar maremotos, direta ou indiretamente, pelo desencadeamento de grandes escorregamentos ou quedas de encostas íngremes na borda de plataformas continentais ou em ilhas vulcânicas. Os maiores maremotos ou tsunamis são causados por terremotos em falhas que deslocam o fundo oceânico, normalmente na proximidade de fossas oceânicas e associados à subducção do assoalho oceânico (Fig. 9.5). Um exemplo recente foi o tsunami do sul da Ásia decorrente do terremoto da Indonésia de 26 de dezembro de 2004. As erupções nas ilhas vulcânicas, particularmente quando são explosivas, como no caso dos vulcões nos arcos de ilhas, também podem produzir maremotos muito destruidores. A erupção de Santorini no Mar Egeu, que no século XVII a.C. danificou severamente esta parte da civilização minoica em Creta, e a erupção do Krakatoa na Indonésia em 1883 são exemplos clássicos. O mapeamento detalhado do fundo do oceano revelou grandes escorregamentos de detritos além do talude continental, como o escorregamento de Storega, próximo ao litoral da Noruega, e em torno de ilhas vulcânicas como as da cadeia havaiana. Como a maioria desses escorregamentos são pré-históricos, não se pode ter certeza de que todos tenham sido desencadeados por terremotos ou atividade ígnea, mas parece muito provável que tenham sido.

Centenas de milhares de terremotos são registrados pela Rede Sismográfica Global a cada ano. A maioria deles é tão insignificante que passa despercebida pelas pessoas, e menos de 1%, cerca de 1.000, causa danos. Terremotos são mais comuns sobre limites de placas ou na proximidade dela e nas outras zonas de deformação mostradas na Fig. 5.10. Felizmente, terremotos destruidores, de grandes magnitude, são relativamente raros, em média um ou dois por ano, e estão confinados a estas importantes zonas sísmicas. Em qualquer área geográfica, o intervalo entre grandes terremotos destruidores pode ser de várias centenas de anos. A frequência de ocorrência é inversamente proporcional à magnitude; assim, sismos de pequena magnitude são muito comuns em zonas sísmicas principais. Também ocorrem terremotos nos interiores de placas, longe das áreas sismogênicas principais, como resultado dos esforços e da deformação dentro das placas provocados pelas forças de transporte das placas. Tais terremotos ocorrem frequentemente em falhas preexistentes que têm uma orientação apropriada em relação ao campo de esforços atual. O intervalo de recorrência entre os terremotos em uma região intraplaca é geralmente muito longo – centenas ou milhares de anos. Os longos intervalos entre os terremotos em uma região intraplaca e entre terremotos de grande magnitude nas principais regiões de terremotos significam que as populações são muitas vezes surpreendidas e mal preparadas quando um terremoto ocorre.

Grandes erupções vulcânicas são ainda menos frequentes, mas, ao contrário da situação com terremotos, as técnicas para fornecer previsões úteis de erupções vulcânicas mostram-se cada vez mais promissoras e devem salvar cada vez mais vidas. A natureza das erupções depende da química do magma envolvido. A sílica relativa e os magmas de vulcões de arco de ilha ricos em voláteis dão origem a erupções explosivas como resultado da sua temperatura relativamente baixa, alta viscosidade e alto conteúdo de gás. Esses vulcões dão origem a grandes volumes de cinzas, têm lavas viscosas lentas e, na pior das hipóteses, nuvens turbulentas de gases superaquecidos e cinzas incandescentes, conhecidas como *nuees ardentes*. Magmas toleíticos pobres em sílica e voláteis, como os da Islândia e do Havaí, dão origem a extrusão tranquila de laavs de baixa viscosidade que flui prontamente na sua origem, mas lentamente enquanto resfria e preenche depressões topográficas. Populações afetadas podem geralmente evitar o avanço do fluxo de lava, mas não nuvens de cinza incandescente. A pedra-pome e as cinzas que se acumulam nas encostas dos vulcões explosivos também podem ser remobilizadas por chuvas torrenciais acionadas pela nuvem de partículas de poeira que acompanha a erupção. Em seguida, a enxurrada de lama resultante desce os flancos com grande velocidade, reunindo mais material e, ao final, engolfando cidades e vilas em seu caminho.

Riscos naturais devastadores associados a terremotos e vulcões são, na verdade, uma consequência inevitável do estado dinâmico do interior da Terra. Sem tais processos, a Terra não seria um planeta tão distinto, não só em termos das suas características de superfície e da concentração de recursos energéticos e minerais próxima da superfície, mas também, segundo todos os indícios, em termos da origem e da evolução da vida.

Exercícios de revisão

1 a. Resuma as subdivisões do manto silicático e do núcleo metálico da Terra que foram deduzidas de estudos sismológicos. Indique sucintamente o tipo de estudo ou observação sismológica que fornece evidências para cada camada que você mencionar.

b. Sugira uma distribuição de temperatura plausível no interior da Terra que seja consistente com o estado físico e com as propriedades reológicas dessas diferentes camadas.

2 a. Descreva como o "primeiro movimento" sísmico de uma série de observatórios sismológicos em todo o mundo pode ser usado para obter uma solução de mecanismo focal para um terremoto de magnitude suficientemente alta.

b. Explique como, para terremotos próximos à superfície, tais soluções podem ser relacionadas a uma teoria simples de falhamento e, portanto, às direções do esforço principal nas proximidades do terremoto e ao sentido de movimento na fratura.

3 Revise criticamente as várias linhas de evidências geofísicas que sugerem que há uma camada de baixa resistência (a astenosfera) no manto superior. Como, se possível, a profundidade dessa camada varia sob diferentes províncias geológicas?

4 No final dos anos 1960, quatro aspectos da sismologia forneceram a base para a formulação do conceito de placas tectônicas:

a. determinações de profundidade epicentral e focal mais precisas;

b. estudo de ondas de superfície e de oscilações livres;

c. estudos de atenuação; e

d. determinação de soluções de mecanismos focais.

Explique brevemente a natureza e o significado de cada uma dessas contribuições. Demonstre como um relato quase completo das placas tectônicas pode ser obtido usando-se apenas a sismologia.

5 a. Explique os pressupostos subjacentes do método paleomagnético para a determinação da paleolatitude e da orientação de uma área continental. Descreva as diversas etapas envolvidas na realização de tal estudo paleomagnético.

b. Descreva duas maneiras pelas quais estudos baseados na magnetização remanescente das rochas têm contribuído para a verificação da deriva continental e para a formulação das placas tectônicas.

6 a. Defina o termo falha transformante e ilustre as seis possibilidades teóricas para falhas transformantes ativas e laterais dextrais que não terminam em junções tríplices. Indique a maneira pela qual a geometria de cada tipo evolui com o tempo e, quando possível, cite um exemplo recente ou atual.

b. Explique a importância das falhas transformantes para deduzir o movimento relativo entre placas litosféricas adjacentes.

7 Explique os princípios pelos quais a direção e a taxa de movimento relativo entre placas litosféricas são obtidas para os diferentes tipos de limites de placas desenvolvidos na superfície da Terra. Comente sucintamente os tipos de argumentos usados para converter esses movimentos "relativos" em movimentos de placa "absolutos" em relação ao interior profundo da Terra. Até que ponto os modelos resultantes de movimentos de placa absolutos diferem?

8 a. Descreva brevemente os pressupostos básicos envolvidos na criação de um estudo paleomagnético.

b. Explique qualitativamente como o conjunto de dados paleomagnéticos globais para rochas formadas durante os últimos 200 Ma pode ser analisado para testar:

i. o modelo geocêntrico dipolo para o campo magnético da Terra;

ii. o modelo de pontos quentes para os movimentos de placa absolutos, e

iii. a sugestão de que a maior parte do oeste da Cordilheira da América do Norte é composta por terrenos "deslocados" ou "suspeitos".

Em cada caso, determine os pressupostos e as limitações do método.

9 Explique os seguintes conceitos de placas tectônicas, ilustrando sua resposta com exemplos específicos:
   a. ramos abortados ou riftes falhados
   b. junções tríplices
   c. expansão do retroarco
   d. plano Benioff reversato

10 Explique as principais diferenças estruturais entre margens passivas vulcânicas e não vulcânicas. Discuta como esses dois tipos de margem se formam em termos de processos de ruptura continental.

11 De que forma os princípios fundamentais das placas tectônicas não conseguem explicar como a crosta continental se deforma? Que tipos de dados são usados para determinar como grandes zonas de deformação continental se comportam?

12 Acredita-se que a evolução dos riftes continentais é controlada por vários mecanismos conflitantes, incluindo estiramento litosférico, enfraquecimento induzido por deformação e intrusão de magma. Explique como esses mecanismos influenciam a evolução do rifte.

13 Explique como soluções de mecanismo focal de terremotos podem dar uma indicação do campo de esforço nas proximidades do foco sísmico. Cite exemplos de soluções de mecanismo focal e direções do esforço compressivo principal máximo e mínimo deduzidas para terremotos que ocorrem:
   a. em limites de placas
   b. dentro de placas

14 Quais são os controles sobre a geometria das bacias de antepaís e os modos de encurtamento em cinturões de dobramentos e empurrão antepaís?

15 Descreva a morfologia geral de uma zona de subducção, explicando todas as características descritas em termos de um modelo de subducção.

16 Formule um "ciclo de vida" possível para uma bacia oceânica no âmbito da deriva continental, da expansão do fundo oceânico e das placas tectônicas. Dê exemplos atuais para ilustrar vários estágios da sua proposta de ciclo.

17 Descreva as propriedades físicas e químicas do manto litosférico cratônico arqueano e explique como essas características contribuíram para a sua sobrevivência a longo prazo. Discuta pelo menos dois modelos que explicam como a litosfera arqueana pode ter se formado.

18 Forneça uma descrição detalhada das suítes de rocha ígnea que são esperadas em diferentes ambientes tectônicos. De que forma as suítes arqueanas são semelhantes e diferentes daquelas que caracterizam o Fanerozoico?

19 Como e por que o regime tectônico do Arqueano Inferior difere daquele de hoje?

20 Alguns geólogos e geofísicos afirmam que estudos da configuração estrutural, da estrutura interna e da composição de ofiólitos são altamente relevantes para uma melhor compreensão dos processos que ocorrem em zonas de subducção e em cristas de dorsais oceânicas. Descreva as evidências derivadas de ofiólitos e faça uma revisão crítica dessas alegações.

21 Compare e contraste as propriedades e o comportamento mecânico da litosfera continental *versus* oceânica.

22 Explique por que estudos de isostasia são importantes ao se considerar o comportamento dinâmico da Terra.

23 Explique os processos que podem estar envolvidos na formação de planaltos orogênicos em margens convergentes.

24 Resuma as observações que os pesquisadores têm usado para determinar o início das placas tectônicas no planeta Terra.

25 Descreva os dados e as técnicas utilizadas para realizar reconstruções continentais.

26 De que forma os estudos do fluxo de calor terrestre contribuíram para a teoria das placas tectônicas?

27 Explique os pontos fortes e as limitações das técnicas de paleoclimatologia para determinar movimentos e geografias de placas antigos.

28 Descreva as evidências do funcionamento dos processos de placas tectônicas em tempos proterozoicos.

29 Explique os tipos de metamorfismo que são esperados dentro de diferentes províncias de margens convergentes.

30 Discuta o papel dos supercontinentes no contexto das placas tectônicas.

31 Resuma as principais características das Grandes Províncias Ígneas (LIPs) e as principais observações que restringem suas origens possíveis. Explique por que esses atributos são importantes na evolução tectônica do planeta.

32 Descreva as alterações físicas que ocorrem em uma margem convergente como resultado de colisão arco-continente.

33 Avalie os prós e contras de se aplicarem os princípios básicos da tectônica de placas para explicar a origem e a evolução de depósitos minerais economicamente viáveis.

34. Descreva o princípio da análise de terrenos quando aplicado aos continentes e explique o que ele revelou sobre os mecanismos pelos quais os continentes crescem desde os tempos pré-cambrianos.

35. Descreva os principais fatores que controlam a deformação no interior da placa superior de margens convergentes. Que combinação de fatores explica as diferenças na largura do orógeno Andino no centro e no sul dos Andes?

36. Explique os mecanismos que permitem que transformantes continentais realizem os grandes deslocamentos que são observados nelas.

37. Explique as evidências a favor e contra a tectônica de entalhe aplicada ao sudeste da Ásia.

38. Discuta a evidência para convecção no manto.

39. Descreva e discuta os dados que levaram às teorias atuais das causas dos movimentos de placas.

40. Explique os vários mecanismos do fluxo dúctil no manto.

41. Explique como o fluxo de fluidos e as variações na pressão do fluido dos poros influenciam a estrutura e a evolução mecânica de prismas acrescionários.

42. Descreva as características principais de orógenos acrecionários e como se formam.

43. Discuta processos de desidratação em zonas de subducção e como eles influenciam a evolução tectônica de margens convergentes.

44. Explique como a erosão de superfície concentrada e a exumação de rochas da crosta profunda influenciam a evolução mecânica de orógenos.

45. a. Explique como bacias *pull-apart* e regiões de localização de soerguimento se formam ao longo de falhas direcionais continentais.

    b. Explique as várias maneiras pelas quais a deformação pode ser acomodada em zonas de transtração e transpressão. Apresente esboços simples para ilustrar sua resposta.

    c. Compare e contraste a estrutura profunda dos sistemas de falhas de San Andreas e dos Alpes. Em que os modelos dessas transformantes continentais diferem?

46. Descreva pelo menos dois problemas não resolvidos em nossa compreensão dos processos que podem acomodar colisão continental e discuta formas pelas quais esses problemas podem ser resolvidos no futuro.

47. A tabela a seguir lista dados obtidos a partir de duas províncias tectônicas da América do Norte. Calcule o fluxo de calor em cada local e, através de gráficos ou de cálculos conforme for necessário, discuta a importância dos resultados:

Local	Produção de calor de rochas de superfície (10^{-6} W m^{-3})	Condutividade térmica (Wm^{-1} °K^{-1})	Gradiente de temperatura (°K km^{-1})
Província cenozoica (último evento termal há 20 Ma)			
A1	4,28	6,6	15,0
A2	5,50	4,9	22,5
A3	5,90	3,8	30,0
A4	3,78	3,9	23,9
Província caledoniana (último evento termal há 400 Ma)			
B1	2,14	2,0	25,0
B2	2,90	3,0	18,5
B3	3,57	3,0	20,2
B4	4,83	4,2	16,0

48. Supondo-se que o mecanismo de Airy para compensação isostática é perfeitamente obedecido, mostre que a espessura da crosta continental em qualquer ponto é uma função linear da altura topográfica naquele ponto.

    O mapa de anomalias gravimétricas Bouguer para uma área montanhosa de Utopia teve a compensação isostática corrigida utilizando-se um modelo de Airy. Em geral, as anomalias no mapa de anomalias isostáticas resultante foram insignificantes, com exceção de uma área onde uma faixa larga de anomalias negativas persistiu. Isso foi interpretado como resultante de compensação pela topografia que já foi removida por erosão. Se essa anomalia isostática residual tinha uma amplitude de -1000 g.u. e a área é ampla, calcule a espessura em excesso da raiz. A que espessura de material crustal erodido isso corresponde?

    (G = $6,67 \times 10^{-11}$ m^3 kg^{-1} s^{-2}; 1 g.u. = 10^{-6} m s^{-2};
    Densidade média da crosta = 2,85 Mg m^{-3};
    Densidade do manto superior = 3,35 Mg m^{-3}).

49. A magnetização termorremanescente de Palisade Sill, que tem vista para o Rio Hudson e a cidade de Nova York, é dirigida para o norte e tem uma inclinação de 25,6° para baixo. Calcule a posição implícita do polo paleomagnético (em coordenadas atuais) e a latitude geográfica no momento da sua intrusão, há aproximadamente 190 Ma.

    Assumindo-se que a diferença entre a latitude atual e a paleolatitude da soleira se deve à deriva da América do Norte em relação ao polo geográfico, calcule a taxa implícita média de deriva durante os últimos 190 Ma.

Esta é uma taxa média absoluta, máxima ou mínima? Explique.

(Latitude e longitude atuais da soleira = 40,5°N, 75°W; 1 grau de latitude = 111 km)

50 Na situação de placa tectônica ilustrada abaixo, três placas (A, B e C) são separadas por uma dorsal de expansão simétrica em R e uma zona de subducção em T. Se a taxa de expansão em R é x mm a^{-1} por flanco da dorsal e a taxa de subducção em T é y mm a^{-1}, descreva como a situação evolui com o tempo em cada um dos cinco casos a seguir:

a. y menor que x;
b. y igual a x;
c. y entre x e $2x$;
d. y igual a $2x$; e
e. y maior que $2x$.

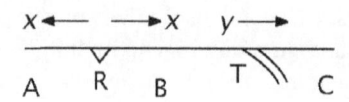

```
    x ←      → x    y →
    ─────────▽──────────╲╲──────
      A      R    B    T    C
```

Dica: Considere a placa C fixa e designe velocidades para A, R e B, relativas a C, em termos de x e y.

Referências

Abers, G.A. & Roecker, S.W. (1991) Deep structure of an arccontinent collision: earthquake relocation and inversion for upper mantle P and S wave velocities beneath Papua New Guinea. *J. geophys. Res.* 96, 6379–401.

Abers, G.A., Mutter, C.Z. & Fang, J. (1997) Earthquakes and normal faults in the Woodlark–D'Entrecasteaux rift system, Papua New Guinea. *J. geophys. Res.* 102, 15301–17.

Abers, G.A. et al. (2002) Mantle compensation of active metamorphic core complexes at Woodlark rift in Papua New Guinea. *Nature* 418, 862–5.

Achauer, U. & Masson, F. (2002) Seismic tomography of continental rifts revisited: from relative to absolute heterogeneities. *Tectonophysics* 358, 17–37.

Adam, C. & Bonneville, A. (2005) Extent of the south Pacific superswell. *J. geophys. Res.* 110, B09408, doi:10.1029/ 2004JB003465.

Afonso, J.C. & Ranalli, G. (2004) Crustal and mantle strengths in continental lithosphere: is the jelly sandwich model obsolete? *Tectonophysics* 394, 221–32.

Aki, K., Christofferson, A. & Husebye, E. (1977) Determination of three-dimensional seismic structures of the lithosphere. *J. geophys. Res.* 82, 277–96.

Allègre, C.J. et al. (1984) Structure and evolution of the Himalaya–Tibet orogenic belt. *Nature* 307, 17–22.

Allen, C.R. (1981) The modern San Andreas Fault. *In* Ernst, G. (ed.) *The Geotectonic Development of California*, pp. 511–34. Prentice Hall, Englewood Cliffs, NJ.

Allmendinger, R.W. (1992) Fold and thrust tectonics of the western United States exclusive of the accreted terranes. *In* Burchfiel, B.C., Lipman, P.W. & Zoback, M.L. (eds) *The Cordilleran Orogen: conterminous US. Geology of North America*, G3, pp. 583–607. Geological Society of America, Boulder, CO.

Allmendinger, R.W. & Gubbels, T. (1996) Pure and simple shear plateau uplift, Altiplano–Puna, Argentina and Bolivia. *Tectonophysics* 259, 1–14.

Allmendinger, R.W. et al. (1983) Cenozoic and Mesozoic structure of the eastern Basin and Range Province, Utah, from COCORP seismic-reflection data. *Geology* 11, 532–6.

Allmendinger, R.W. et al. (1986) Phanerozoic tectonics of the Basin and Range–Colorado Plateau transition from COCORP data and geological data; a review. *In* Baraxangi, M. & Brown, L.D. (eds) *Reflection Seismology; the continental crust*, pp 257–67. Geodynamics Series. American Geophysical Union, Washington, DC.

Allmendinger, R.W. et al. (1997) The evolution of the Altiplano–Puna plateau of the central Andes. *Annu. Rev. Earth Planet. Sci.* 25, 139–74.

Allmendinger, R.W. et al. (2005) Bending the Bolivian orocline in real time. *Geology* 33, 905–8.

Al-Zoubi, A. & ten Brink, U. (2002) Lower crustal flow and the role of shear in basin subsidence: an example from the Dead Sea basin. *Earth planet. Sci. Lett.* 199, 67–79.

An, Z. et al. (2001) Evolution of Asian monsoons and uplift of the Himalaya–Tibetan plateau since Late Miocene times. *Nature* 411, 62–6.

ANCORP Working Group (2003) Seismic imaging of a convergent continental margin and plateau in the central Andes. *J. geophys. Res.* 108, 23–28.

Anderson, D.L. (1982) Hot spots, polar wander, Mesozoic convection and the geoid. *Nature* 297, 391–3.

Anderson, D.L. (1994) Superplumes or supercontinents? *Geology* 22, 39–42.

Anderson, D.L. (2000) The thermal state of the upper mantle: no role for mantle plumes. *Geophys. Res. Lett.* 27, 3623–6.

Anderson, D.L. (2007) *New Theory of the Earth*, 2nd edn. Cambridge University Press, Cambridge, UK.

Anderson, D.L. & Natland, J.H. (2005) A brief history of the plume hypothesis and its competitors: concept and controversy. *In* Foulger, G.R. et al. (eds) *Plates, Plumes, & Paradigms. Geol. Soc. Amer. Sp. Paper* 388, 119–45.

Anderson, D.L., Tanimoto, T. & Zhang, Y. (1992) Plate tectonics and hotspots: the third dimension. *Science* 256, 1645–51.

Anderson, E.M. (1951) *The Dynamics of Faulting*, 2nd edn. Oliver and Boyd, Edinburgh.

Andrews, J.A. (1985) True polar wander: an analysis of Cenozoic and Mesozoic palaeomagnetic poles. *J. geophys. Res.* 90, 7737–50.

Andronicos, C.L. et al. (2003) Strain partitioning in an obliquely convergent orogen, plutonism, and synorogenic collapse: Coast Mountains Batholith, British Columbia, Canada. *Tectonics* 22, 1012, doi:10.1029/2001TC001312.

Angelier, J. (1994) Fault slip analysis and palaeostress reconstruction. *In* Hancock, P.L. (ed.) *Continental Deformation*, pp. 53–100. Pergamon Press, Tarrytown, NY.

Angermann, D., Klotz, J. & Reigber, C. (1999) Space–geodetic estimation of the Nazca–South America angular velocity. *Earth planet. Sci. Lett.* 171, 329–34.

Arculus, R.J. & Curran E.B. (1972) The genesis of the calc-alkaline rock suite. *Earth planet. Sci. Lett.* 15, 255–62.

Argus, D.F. &. Gordon, R.G. (2001) Present tectonic motion across the Coast Ranges and San Andreas fault system in California. *Bull. geol. Soc. Am.* 113, 1580–92.

Arndt, N.T., Albaréde, F. & Nisbet, E.G. (1997) Mafic and ultramafic volcanism. *In* De Wit, M.J. & Ashwal, L.D. (eds) *Greenstone Belts*, pp. 398–420. Clarendon Press, Oxford.

Arndt, N.T., Bruzak, G. & Reischmann, T. (2001) The oldest continental and oceanic plateaus: geochemistry of basalts and komatiites of the Pilbara Craton, Australia. *In* Ernst, R.E. & Buchan, K.L. (eds) *Mantle Plumes: their identification through time.* *Geol. Soc. of Amer. Sp. Paper* 352, 359–87.

Arndt, N.T., Lewin, E. & Albarède, F. (2002) Strange partners: formation and survival of continental crust and lithospheric mantle. *In* Fowler, C.M.R., Ebinger, C.J. & Hawkesworth, C.J. (eds) *The Early Earth: physical, chemical and biological development. Spec. Pub. geol. Soc. Lond.* 199, 91–103.

Artemieva, I.M. & Mooney, W.D. (2002) On the relations between cratonic lithosphere thickness, plate motions, and basal drag. *Tectonophysics* 358, 211–31.

Ashby, M.F. & Verrall, R.A. (1977) Micromechanisms of flow and fracture, and their relations to the rheology of the upper mantle. *Phil. Trans. Roy. Soc. Lond. A* 288, 59–95.

Attoh, K., Brown, L., Guo, J. & Heanlein, J. (2004) Seismic stratigraphic record of transpression and uplift on the Romanche transform margin, offshore Ghana. *Tectonophysics* 378, 1–16.

Atwater, T. (1970) Implications of plate tectonics for the Cenozoic tectonic evolution of Western North America. *Bull. geol. Soc. Am.* 81, 3513–36.

Atwater, T. (1989) Plate tectonic history of the northeast Pacific and western North America. *In* Winterer, E.L., Hussong, D.M. & Decker, R.W. (eds) *The Eastern Pacific and Hawaii. The Geology of North America* N, pp. 21–72. Geological Society of America, Boulder, CO.

Audley-Charles, M.G. (2004) Ocean trench blocked and obliterated by Banda forearc collision with Australian proximal continental slope. *Tectonophysics* 389, 65–79.

Audoine, E., Savage, M.K. & Gledhill, K. (2004) Anisotropic structure under a back arc spreading region, the Taupo Volcanic Zone, New Zealand. *J. geophys. Res.* 109, B11305, doi:10.1029/2003JB002932.

Auzende, J.-M. *et al.* (1989) Direct observation of a section through slow-spreading oceanic crust. *Nature* 337, 726–9.

Axen, G.J. (2004) Mechanics of low-angle normal faults. *In* Karner, G.D. *et al.* (eds) *Rheology and Deformation of the Lithosphere at Continental Margins,* pp. 46–91. Columbia University Press, New York.

Axen, G.J. & Bartley, J.M. (1997) Field test of rolling hinges: existence, mechanical types, and implications for extensional tectonics. *J. geophys. Res.* 102, 20515–37.

Aydin, A. & Page, B.M. (1984) Diverse Pliocene–Quaternary tectonics in a transform environment, San Francisco Bay region, California. *Bull. geol. Soc. Am.* 95, 1303–17.

Ayele, A., Stuart, G.W. & Kendall, J.-M. (2004) Insights into rifting from shear-wave splitting and receiver functions: an example from Ethiopia. *Geophys. J. Int.* 157, 354–62.

Babeyko, A.Y. & Sobolev, S.V. (2005) Quantifying different modes of the late Cenozoic shortening in the central Andes. *Geology* 33, 621–4.

Babeyko, A.Y. *et al.* (2002) Numerical models of the crustal scale convection and partial melting beneath the Altiplano–Puna plateau. *Earth planet Sci. Lett.* 199, 373–88.

Baby, P. *et al.* (1992) Geometry and kinematic evolution of passive roof duplexes deduced from cross section balancing: example from the foreland thrust system of the southern Bolivian Subandean Zone. *Tectonics* 11, 523–36.

Baines, A.G. *et al.* (2003) Mechanism for generating the anomalous uplift of oceanic core complexes: Atlantis Bank, southwest Indian Ridge. *Geology* 31, 1105–8.

Baker, P.E. (1982) Evolution and classification of orogenic volcanic rocks. *In* Thorpe, R.S. (ed.) *Andesites,* pp. 11–23. Wiley, Chichester.

Baldock, G. & Stern, T. (2005) Width of mantle deformation across a continental transform: evidence from upper mantle (Pn) seismic anisotropy measurements. *Geology* 33, 741–4.

Baldwin, J.A., Bowring, S.A. & Williams, M.L. (2003) Petrological and geochronological constraints on high pressure, high temperature metamorphism in the Snowbird tectonic zone, Canada. *J. metam. geol.* 21, 81–98.

Baldwin, S.L. *et al.* (2004) Pliocene eclogite exhumation at plate tectonic rates in eastern Papua New Guinea. *Nature* 431, 263–7.

Ballard, R.D. & van Andel, T.H. (1977) Morphology and tectonics of the inner rift valley at lat 36°50′N on the mid-Atlantic ridge. *Bull. geol. Soc. Am.* 88, 507–30.

Banks, R.J., Parker, R.L. & Huestis, S.P. (1977) Isostatic compensation on a continental scale: local versus regional mechanisms. *Geophys. J. Roy. astr. Soc.* 51, 431–52.

Barazangi, M. & Dorman, J. (1969) World seismicity maps compiled from ESSA, Coast and Geodetic Survey epicenter data, 1961–1967. *Bull. seism. Soc. Am.* 59, 369–80.

Barazangi, M. & Isacks, B. (1971) Lateral variations of seismic wave attenuation in the upper mantle above the inclined earthquake zone of the Tonga island arc: deep anomaly in the upper mantle. *J. geophys. Res.* 76, 8493–516.

Barazangi, M. & Isacks, B. (1979) Subduction of the Nazca plate beneath Peru: evidence from spatial distribution of earthquakes. *Geophys. J. Roy. astr. Soc.* 57, 537–55.

Barker, D.H.N. *et al.* (2003) Backarc basin evolution and cordilleran orogenesis: insights from new ocean-bottom seismograph refraction profiling in Bransfield Strait, Antarctica. *Geology* 31, 107–10.

Barker, F. & Arth, J.G. (1976) Generation of trondjhemitic-tonalitic liquids and Archaean bimodal trondhjemite-basalt suites. *Geology* 4, 596–600.

Barker, P.F. (1979) The history of ridge crest offset at the Falklands–Agulhas Fracture Zone from a small circle geophysical profile. *Geophys. J.* 59, 131–45.

Barnes, P.M. *et al.* (2001) Rapid creation and destruction of sedimentary basins on mature strike-slip faults: an example from the offshore Alpine fault, New Zealand. *J. struct. Geol.* 23, 1727–39.

Barnes, P.M., Sutherland, R. & Delteil, J. (2005) Strike-slip structure and sedimentary basins of the southern Alpine Fault, Fiordland, New Zealand. *Bull. geol. Soc. Am.* 117, 411–35, doi:10.1130/B25458.1.

Basile C. & Allemand, P. (2002) Erosion and flexural uplift along transform faults. *Geophys. J. Int.* 151, 646–53.

Bastow, I.D., Stuart, G.W., Kendall, J.-M. & Ebinger, C.J. (2005) Upper-mantle seismic structure in a region of incipient continental breakup: northern Ethiopian rift. *Geophys. J. Int.* 162, 479–93.

Båth, M. (1979) *Introduction to Seismology*. Birkhäuser Verlag, Basel.

Batiza, R., Melson, W.G. & O'Hearn, T. (1988) Simple magma supply geometry inferred beneath a segment of the Mid-Atlantic Ridge. *Nature* 335, 428–31.

Batt, G.E. & Braun, J. (1999) The tectonic evolution of the Southern Alps, New Zealand: insights from fully thermally coupled dynamical modelling. *Geophys. J. Int.* 136, 403–20.

Batt, G.E. *et al.* (2004) Cenozoic plate boundary evolution in the South Island of New Zealand: new thermochronological constraints. *Tectonics* 23, TC4001, doi:10.1029/2003TC001527.

Beanland, S. & Clark, M.M. (1994) The Owens Valley fault zone, eastern California, and surface faulting associated with the 1872 earthquake. *US Geol. Surv. Bull.* 1982, 1–29.

Beaumont, C. *et al.* (1996) The continental collision zone, South Island, New Zealand: comparison of geodynamical models and observations. *J. geophys. Res.* 101, 3333–59.

Beaumont, C. *et al.* (2001) Himalayan tectonics explained by extrusion of a low-viscosity crustal channel coupled to focused surface denudation. *Nature* 414, 738–42.

Beaumont, C. *et al.* (2004) Crustal channel flows: 1. Numerical models with applications to the tectonics of the Himalayan–Tibetan orogen. *J. geophys. Res.* 109, B06406, doi:10.1029/2003JB002809.

Beavan, J. *et al.* (1999) Crustal deformation during 1994–98 due to oblique continental collision in the central Southern Alps, New Zealand, and implications for seismic potential of the Alpine fault. *J. geophys. Res.* 104, 25233–55.

Bechtel, T.D. *et al.* (1990) Variations in effective elastic thickness of the North American lithosphere. *Nature* 343, 636–8.

Beck, M.E. Jr (1980) The palaeomagnetic record of plate margin tectonic processes along the western edge of North America. *J. geophys. Res.* 85, 7115–31.

Beck, R.A. *et al.* (1995) Stratigraphic evidence for an early collision between northwest India and Asia. *Nature* 373, 55–8.

Beck, S.L. & Zandt, G. (2002) The nature of orogenic crust in the central Andes. *J. geophys. Res.* 107, 2230, doi:10.1029/2000JB000124.

Becker, T.W., Hardebeck, J.L. & Anderson, G. (2005) Constraints on fault slip rates of the southern California plate boundary from GPS velocity and stress inversions. *Geophys. J. Int.* 160, 634–50.

Behn, M.D., Lin, J. & Zuber, M.T. (2002) A continuum mechanics model for normal faulting using a strain–rate softening rheology: implications for thermal and rheological controls on continental and oceanic rifting. *Earth planet. Sci. Lett.* 202, 725–40.

Bell, R. & Jefferson, C.W. (1987) An hypothesis for an Australian–Canadian connection in the Late Proterozoic and the birth of the Pacifi c Ocean. *In Proceedings of Pacific Rim Congress, 1987*, pp. 39–50. Australian Institute of Mining and Metallurgy, Parkville, Victoria.

Ben-Avraham, Z. *et al.* (1981) Continental accretion and orogeny. From oceanic plateaus to allochthonous terranes. *Science* 213, 47–54.

Ben-Avraham, Z., Nur, A. & Jones, D. (1982) The emplacement of ophiolites by collision. *J. geophys. Res.* 87, 3861–7.

Bennett, R.A., Davis, J.L. & Wernicke, B.P. (1999) Present-day pattern of Cordilleran deformation in the western United States. *Geology* 27, 371–4.

Bennett, R.A. *et al.* (2003) Contemporary strain rates in the northern Basin and Range province from GPS data. *Tectonics* 22, 1008, doi:10.1029/2001TC1355.

Benoit, M.H., Nyblade, A.A. & Pasyanos, M.E. (2006) Crustal thinning between the Ethiopian and East African plateaus from modeling Rayleigh wave dispersion. *Geophys. Res. Lett.* 33, L13301, doi:10.1029/2006GL025687.

Besse, J. & Courtillot, V. (1988) Paleogeographic maps of the continents bordering the Indian Ocean since the Early Jurassic. *J. geophys. Res.* 93, 11791–808.

Besse, J. & Courtillot, V. (1991) Revised and synthetic polar wander paths of the African, Eurasian, North American and Indian plates and true polar wander since 200 Ma. *J. geophys. Res.* 96, 4029–50.

Besse, J. & Courtillot, V. (2002) Apparent and true polar wander and the geometry of the geomagnetic field over the past 200 Ma. *J. geophys. Res.* 107, B11, doi:10.1029/2000JB000050.

Bevis, M. *et al.* (1995) Geodetic observations of very rapid convergence and back arc extension in the Tonga arc. *Nature* 374, 249–51.

Bickle, M.J. (1978) Heat loss from the Earth: a constraint on Archaean tectonics from the relation between geothermal gradients and the rate of plate production. *Earth planet. Sci. Lett.* 40, 301–15.

Bickle, M.J., Nisbet, E.G. & Martin, A. (1994) Archean greenstone belts are not oceanic crust. *J. Geol.* 102, 121–38.

Bicknell, J.D. *et al.* (1988) Tectonics of a fast spreading center – a deep-tow and seabeam survey at EPR 19°30′S. *Marine geophys. Res.* 9, 25–45.

Bierlein, F.P., Gray, D.R. & Foster, D.A. (2002) Metallogenic relationships to tectonic evolution – the Lachlan Orogen, Australia. *Earth planet. Sci. Lett.* 202, 1–13.

Bignell, R.D., Cronan, D.S. & Tooms, J.S. (1976) Red Sea metalliferous brine precipitates. *In* Strong, D.F. (ed.) *Metallogeny and Plate Tectonics*. Geol. Assoc. Can. Spec. Paper 14, pp. 147–79. St. John's, NL.

Bilham, R. (2004) Earthquakes in India and the Himalaya; tectonics, geodesy and history. *Ann. Geophys.* 47, 839–58.

Bilham, R. *et al.* (1999) Secular and tidal strain across the Main Ethiopian rift. *Geophys. Res. Lett.* 26, 2789–92.

Bilham, R., Gaur, V.K. & Molnar, P. (2001) Himalayan seismic hazard. *Science* 293, 1442–4.

Bird, R.T. *et al.* (1998) Plate tectonic reconstructions of the Juan Fernandez microplate: transformation from internal shear to rigid rotation. *J. geophys. Res.* 103, 7049–67.

Birt, C. *et al.* (1997) A combined interpretation of the KRISP '94 seismic and gravity data: evidence for a mantle plume beneath the East African plateau. *Tectonophysics* 278, 211–42.

Blackman, D.K. *et al.* (1998) Origin of extensional core complexes: evidence from the Mid-Atlantic Ridge at Atlantis Fracture Zone. *J. geophys. Res.* 103, 21315–33.

Bleeker, W. (2003) The late Archean record: a puzzle in ca. 35 pieces. *Lithos* 71, 99–134.

Blewitt, R.S. (2002) Archaean tectonic processes: a case for horizontal shortening in the North Pilbara Granite–Greenstone Terrane, Western Australia. *Precambrian Res.* 113, 87–120.

Blisniuk, P.M. *et al.* (2001) Normal faulting in central Tibet since at least 13.5 Myr ago. *Nature* 412, 628–32.

Boillot, G. & Froitzheum, N. (2001) Non-volcanic rifted margins, continental break-up and the onset of seafloor spreading: some outstanding questions. In Wilson, R.C.L. *et al.* (eds) *Non-volcanic Rifting of Continental Margins: a comparison of evidence from land and sea. Spec. Pub. geol. Soc. Lond.* 187, 9–30.

Bokelmann, G.H.R. & Beroza, G.C. (2000) Depth-dependent earthquake focal mechanism orientation: evidence for a weak zone in the lower crust. *J. geophys. Res.* 105, 21683–95.

Bonatti, E. (1978) Vertical tectonism in oceanic fracture zones. *Earth planet. Sci. Lett.* 37, 369–79.

Bonatti, E. & Crane, K. (1984) Oceanic fracture zones. *Sci. Am.* 250, 36–47.

Bonatti, E. & Honnorez, J. (1976) Sections of the Earth's crust in the equatorial Atlantic. *J. geophys. Res.* 81, 410–6.

Bonatti, E. *et al.* (1977) Easter volcanic chain (southeast Pacific): a mantle hot line. *J. geophys. Res.* 82, 2457–78.

Bos, A.G. & Spakman, W. (2005) Kinematics of the southwestern US deformation zone inferred from GPS motion data. *J. geophys. Res.* 110, B08405, doi:10.1029/2003JB002742.

Bos, B. & Spiers, W. (2002) Frictional-viscous flow of phyllosilicate-bearing fault rock; microphysical model and implications for crustal strength profiles. *J. geophys. Res.* 107, B2, 2028, doi:10.1029/2001JB000301.

Bostock, M.G., Hyndman, R.D., Rondenay, S. & Peacock, S.M. (2002) An inverted continental Moho and serpentinization of the forearc mantle. *Nature*, 417, 536–8.

Bott, M.H.P. (1967) Solution of the linear inverse problem in magnetic interpretation with application to oceanic magnetic anomalies. *Geophys. J. Roy astr. Soc.* 13, 313–23.

Bott, M.H.P. (1982) *The Interior of the Earth, its structure, constitution and evolution*, 2nd edn. Edward Arnold, London. Bott, M.H.P. (1993) Modelling the plate driving mechanism. *J. geol. Soc. Lond.* 150, 941–51.

Bowring, S.A. & Williams, I.S. (1999) Priscoan (4.00–4.03 Ga) orthogneisses from northwestern Canada. *Contrib. Mineral. Petrol.* 134, 3–16.

Boyd, F.R., Gurney, J.J. & Richardson, S.H. (1985) Evidence for a 150–200 km thick Archaean lithosphere from diamond inclusion thermobarometry. *Nature* 315, 387–9.

Brace, W.F. & Kohlstedt, D.L. (1980) Limits on lithospheric stress imposed by laboratory experiments. *J. geophys. Res.* 85, 6248–52.

Brandon, A.D. (2002) ^{186}Os–^{187}Os systematics of Gorgona komatiites and Iceland picrites (abstract). *Geochim. cosmochim. Acta* 66, 100. Brandon, A.D. *et al.* (1998) Coupled ^{186}Os and ^{187}Os evidence for core–mantle interaction. *Science* 280, 1570–3.

Brett, R. (1976) The current status of speculations on the composition of the core of the Earth. *Rev. Geophys. Space Phys.* 14, 375–83.

Briggs, J.C. (1987) *Biogeography and Plate Tectonics, developments in palaeontology and stratigraphy 10*. Elsevier, Amsterdam.

Brown, E.H. & McClelland, W.C. (2000) Plúton emplacement by sheeting and vertical ballooning in part of the southeast Coast plutonic complex, British Columbia. *Bull. geol. Soc. Am.* 112, 708–19.

Brown, M. (1998) Unpairing of metamorphic belts: P–T paths and a tectonic model for the Ryoke Belt, southwest Japan. *J. metam. geol.* 16, 3–22.

Brown, M. (2006) Duality of thermal regimes is the distinctive characteristics of plate tectonics since the Neoarchean. *Geology* 34, 961–4.

Brown, M. & Solar, G.S. (1999) The mechanism of ascent and emplacement of granite magma during transpression; a syntectonic granite paradigm. *Tectonophysics* 312, 1–33.

Brozena, J.M. & White, R.S. (1990) Ridge jumps and propagations in the South Atlantic Ocean. *Nature* 348, 149–52.

Brunet, D. & Yuen, D.A. (2000) Mantle plumes pinched in the transition zone. *Earth planet. Sci. Lett.* 178, 13–27.

Buck, W.R. (1988) Flexural rotation of normal faults. *Tectonics* 7, 959–73.

Buck, W.R. (1991) Modes of continental lithospheric extension. *J. geophys. Res.* 96, 20161–78.

Buck, W.R. (1993) Effect of lithospheric thickness on the formation of high- and low-angle normal faults. *Geology* 21, 933–36.

Buck, W.R. (2004) Consequences of asthenospheric variability on continental rifting. In Karner, G.D. *et al.* (eds) *Rheology and Deformation of the Lithosphere at Continental Margins*, pp. 1–30. Columbia University Press, New York.

Buck, W.R. *et al.* (1988) Thermal consequences of lithospheric extension: pure and simple. *Tectonics* 7, 213–34.

Buck, W.R., Lavier, L.L. & Poliakov, A.N.B. (1999) How to make a rift wide. *Phil. Trans. Roy. Soc. Lond. A* 357, 671–93.

Buick, R. (2001) Life in the Archaean. In Briggs, D.E.G. & Crowther, P.R. (eds) *Palaeogeology II*, pp. 13–21. Blackwell, Oxford.

Bull, W.B., & Cooper, A.F. (1986) Uplifted marine terraces along the Alpine Fault, New Zealand. *Science* 240, 804–5.

Bullard, E.C., Everett, J.E. & Smith, A.G. (1965) The fit of the continents around the Atlantic. *Phil. Trans. Roy. Soc. Lond. A* 258, 41–51.

Bullen, K.E. (1949) Compressibility–pressure hypothesis and the Earth's interior. *Geophys. J. R. Astron. Soc.* 5, 355–68.

Bump, H.A. & Sheehan, A.F. (1998) Crustal thickness variations across the northern Tien Shan from teleseismic receiver functions. *Geophys. Res. Lett.* 25, 1055–8.

Bunge, H.-P., Richards, M.A. & Baumgardner, J.R. (1997) A sensitivity study of three-dimensional spherical mantle convection at 10^8 Rayleigh number: effects of depth-dependent viscosity, heating mode, and an endothermic phase change. *J. geophys. Res.* 102, 11991–12007.

Burchfiel, B.C. (2004) New technology; new geological challenges. *GSA Today* 14, 4–9.

Burchfiel, B.C. *et al.* (1992) The south Tibetan detachment system, Himalayan orogen: extension contemporaneous with and parallel to shortening in a collisional mountain belt. *Geol. Soc. Am. Sp. Paper* 269, 1–41.

Burg, J.P. et al. (1984) Himalayan metamorphism and deformations in the North Himalayan belt, southern Tibet, China. *Earth planet Sci. Lett.* 69, 391–400.

Bürgmann, R. et al. (2006) Resolving vertical tectonics in the San Francisco Bay Area from permanent scatterer InSAR and GPS analysis. *Geology* 34, 221–4.

Busby, C. (2004) Continental growth at convergent margins facing large ocean basins: a case study from Mesozoic convergent-margin basins of Baja California, Mexico. *Tectonophysics* 392, 241–77.

Butler, R. et al. (1989) Discordant paleomagnetic poles from the Canadian Coast Plutonic Complex: regional tilt rather than large-scale displacement? *Geology* 17, 691–94.

Butler, R. et al. (2004) The Global Seismograph Network surpasses its design goal. *EOS Trans. Amer. Geophys. Un.* 85, 225–9.

Byerlee, J.D. (1978) Friction of rocks. *Pure Appl. Geophys.* 116, 615–26.

Bystricky, M. (2003) Mantle fl ow revisited. *Science* 301, 1190–1.

Calvert, A.J. (1995) Seismic evidence for a magma chamber beneath the slow-spreading Mid-Atlantic Ridge. *Nature* 377, 410–14.

Calvert, A.J. & Ludden, J.N. (1999) Archean continental assembly in the southeastern Superior Province of Canada. *Tectonics* 18, 412–29.

Calvert, A.J. et al. (1995) Archaean subduction inferred from seismic images of a mantle suture in the Superior Province. *Nature* 375, 670–4.

Campbell, A.C. et al. (1988) Chemistry of hot springs on the Mid-Atlantic Ridge. *Nature* 335, 514–9.

Cande, S.C. & Kent, D.V. (1992) A new geomagnetic polarity time scale for the late Cretaceous and Cenozoic. *J. geophys. Res.* 97, 13917–51.

Cande, S.C. & Kent, D.V. (1995) Revised calibration of the geomagnetic polarity timescale for the Late Cretaceous and Cenozoic. *J. geophys. Res.* 100, 6093–5.

Cande, S.C. & Leslie, R.B. (1986) Late Cenozoic tectonic of the Southern Chile Trench. *J geophys. Res.* 91, 471–96.

Cande, S.C. & Stock, J.M. (2004) Pacifi c–Antarctic–Australia motion and the formation of the Macquarie Plate. *Geophys. J. Int.* 157, 399–414.

Cande, S.C. et al. (1989) *Magnetic Lineations of the World's Ocean Basins*, pp. 13, 1 sheet. American Association of Petroleum Geologists, Tulsa, Oklahoma.

Cande, S.C. et al. (1999) Cenozoic motion between East and West Antarctica. *Nature* 404, 145–50.

Cann, J.R. (1970) New model for the structure of the ocean crust. *Nature* 226, 928–30.

Cann, J.R. (1974) A model for oceanic crustal structure developed. *Geophys. J. Roy. astr. Soc.* 39, 169–87.

Cann, J.R. et al. (1997) Corrugated slip surfaces formed at ridge–transform intersections on the Mid-Atlantic Ridge. *Nature* 385, 329–32.

Cannat, M. et al. (1995) Thin crust, ultramafic exposures, and rugged faulting patterns at the Mid-Atlantic Ridge (22°–24°N). *Geology* 23, 49–52.

Carbotte, S.M. & MacDonald, K.C. (1994) The axial topographic high at intermediate and fast spreading ridges. *Earth planet. Sci. Lett.* 128, 85–97.

Caress, D.W., Menard, H.W. & Hey, R.N. (1988) Eocene reorganization of the Pacific–Farallon spreading center north of the Mendocino fracture zone. *J. geophys. Res.* 93, 2813–38.

Caress, D.W., Burnett, M.S. & Orcutt, J.A. (1992) Tomographic image of the axial low velocity zone at 12°50′N on the East Pacifi c Rise. *J. geophys. Res.* 97, 9243–64.

Carey, S.W. (1958) A tectonic approach to continental drift. In Carey, S.W. (ed.) *Continental drift: a symposium,* pp. 177–355. Univ. of Tasmania, Hobart.

Carey, S.W. (1976) *The Expanding Earth*. Elsevier, Amsterdam.

Carey, S.W. (1988) *Theories of the Earth and Universe*. Stanford University Press, Stanford, CA.

Carlson, R.L. (2001) The abundance of ultramafic rocks in the Atlantic Ocean crust. *Geophys. J. Int.* 144, 37–48.

Carlson, R.W., Pearson, D.G. &. James, D.E. (2005) Physical, chemical, and chronological characteristics of continental mantle. *Rev. Geophys.* 43, RG1001, doi:10.1029/2004RG000156.

Carr, S.D. et al. (2000) Geologic transect across the Grenville orogen of Ontario and New York. *Can. J. Earth Sci.* 37, 193–216.

Carter, W.E. & Robertson, D.S. (1986) Studying the earth by very-long-baseline interferometry. *Sci. Am.* 255(5), 44–52.

Catchings, R.D. & Mooney, W.D. (1991) Basin and Range and upper mantle structure northwest to central Nevada. *J. geophys. Res.* 96, 6247–67.

Cattin, R. et al. (2001) Gravity anomalies, crustal structure and thermo-mechanical support of the Himalaya of central Nepal. *Geophys. J. Int.* 147, 381–92.

Cawood, P.A. (2005) Terra Australis Orogen: Rodinia breakup and development of the Pacific and Iapetus margins of Gondwana during the Neoproterozoic and Paleozoic. *Earth Sci. Rev.* 69, 249–79.

Cawood, P.A. & Suhr, G. (1992) Generation and obduction of ophiolites: constraints from the Bay of Islands complex, western Newfoundland. *Tectonics* 11, 884–97.

Cawood, P.A. & Tyler, I.M. (2004) Assembling and reactivating the Proterozoic Capricorn Orogen: lithotectonic elements, orogenies, and signifi cance. *Precambrian Res.* 128, 201–18.

Cawood, P.A., McCausland, P.J.A. & Dunning, G.R. (2001) Opening Iapetus: constraints from the Laurentian margin in Newfoundland. *Bull. geol. Soc. Am.* 113, 443–53.

Cawood, P.A. et al. (2003) Source of the Dalradian Supergroup constrained by U-Pb dating of detrital zircon and implications for the East Laurentian margin. *J. geol. Soc. Lond.* 160, 231–46.

Cawood, P.A., Kröner, A. & Pisarevsky, S. (2006) Precambrian plate tectonics: criteria and evidence. *GSA Today* 16, 4–11.

Cembrano, J. et al. (2000) Contrasting nature of deformation along an intra-arc shear zone, the Liquiñe–Ofqui fault zone, southern Chilean Andes. *Tectonophysics* 319, 129–49.

Cembrano, J. et al. (2002) Late Cenozoic transpressional ductile deformation north of the Nazca–South America–Antarctica triple junction. *Tectonophysics* 354, 289–314.

Cembrano, J. et al. (2005) Fault zone development and strain partitioning in an extensional strike-slip duplex: a case study from the Mesozoic Atacama fault system, Northern Chile. *Tectonophysics* 400, 105–25.

Chandra, N.N. & Cumming. G.L. (1972) Seismic refraction studies in Western Canada. *Can. J. Earth Sci.* 9, 1099–109.

Chapman, D.S. & Pollack, H.N. (1975) Global heat flow: a new look. *Earth planet. Sci. Lett.* 28, 23–32.

Chapple, W.M. & Forsyth, D.W. (1979) Earthquakes and bending of plates at trenches. *J. geophys. Res.* 84, 6729–49.

Chapple, W.M. & Tullis, T.E. (1977) Evaluation of the forces that drive plates. *J. geophys. Res.* 82, 1967–84.

Chardon, D., Choukroune, P. & Jayananda, M. (1996) Strain patterns, décollement and incipient sagducted greenstones terrains in the Archaean Dharwar craton (south India). *J. struct. Geol.* 18, 991–1004.

Chase, C.G. (1978) Plate kinematics: the Americas, east Africa, and the rest of the world. *Earth planet. Sci. Lett.* 37, 355–68.

Chen, Y. & Morgan, W.J. (1990) Rift valley/no rift valley transition at mid-ocean ridges. *J. geophys. Res.* 95, 17571–81.

Chen, Z. et al. (2000) Global positioning system measurements from eastern Tibet and their implications for India/ Eurasia intercontinental deformation. *J. geophys. Res.* 105, 16215–27.

Chesley, J.T., Rudnick, R.L. & Lee, C.-T. (1999) Re–Os systematics of mantle xenoliths from the East African Rift: age, structure, and history of the Tanzanian craton. *Geochim. cosmochim. Acta* 63, 1203–17.

Choukroune, P., Francheteau, J. & Le Pichon, X. (1978) *In situ* structural observations along Transform Fault A in the FAMOUS area, Mid-Atlantic Ridge. *Bull. geol. Soc. Am.* 89, 1013–29.

Christensen, D.H. & Ruff, L.J. (1998) Seismic coupling and outer rise earthquakes. *J. geophys. Res.* 93, 13421–44.

Christensen, N.I. & Fountain, D.M. (1975) Constitution of the lower continental crust based on experimental studies of seismic velocities in granulite. *Bull. geol. Soc. Am.* 86, 227–36.

Christensen, N.I. & Mooney, W.D. (1995) Seismic velocity structure and the composition of the continental crust: a global view. *J. geophys. Res.* 100, 9761–88.

Christensen, N.I. & Salisbury, M.H. (1972) Seafloor spreading, progressive alteration of layer 2 basalts, and associated changes in seismic velocities. *Earth planet. Sci. Lett.* 15, 367–75.

Christie-Blick, N. & Biddle, K.T. (1985) Deformation and basin formation along strike-slip faults. *In* Biddle, K.T. & Christie-Blick, N. (eds) *Strike-slip Deformation, Basin Formation, and Sedimentation. Soc. Econ. Pal. Mineral. Spec. Pub.* 37, 1–35.

Christodoulidis, D.C. et al. (1985) Observing tectonic plate motions and deformations from satellite laser ranging. *J. geophys. Res.* 90, 9249–63.

Chulick, G.S. & Mooney, W.D. (2002) Seismic structure of the crust and uppermost mantle of North America and adjacent oceanic basins: a synthesis. *Bull. seis. Soc. Am.* 92, 2478–92.

Chung, S.-L. et al. (2005) Tibetan tectonic evolution inferred from spatial and temporal variations in post-collisional magmatism. *Earth Sci. Rev.* 68, 173–96.

Clague, D.A. & Dalrymple, G.B. (1989) Tectonics, geochronology and origin of the Hawaiian–Emperor chain. *In* Winterer, E.L., Hussong, D.M. & Decker, R.W. (eds) *The Eastern Pacific and Hawaii. The Geology of North America* N, pp. 188–217. Geological Society of America, Boulder, CO.

Clark, M.K. & Royden, L.H. (2000) Topographic ooze: building the eastern margin of Tibet by lower crustal flow. *Geology* 28, 703–6.

Clark, M.K., Bush, J.W.M. & Royden, L.H. (2005) Dynamic topography produced by lower crustal flow against rheological strength heterogeneities bordering the Tibetan Plateau. *Geophys. J. Int.* 162, 575–90.

Clark, T.A. et al. (1987) Determination of relative site motions in the western United States using Mark III Very Long Baseline Interferometry. *J. geophys. Res.* 92, 12741–50.

Clarke, G.L. et al. (2005) Roles for fluid and/or melt advection in forming high-P mafic migmatites, Fiordland, New Zealand. *J. metam. geol.*, 23, 557–67.

Clarke, P.J. et al. (1998) Crustal strain in central Greece from repeated GPS measurements in the interval 1989–1997. *Geophys. J. Int.* 135, 195–214.

Clemens, J. D. & Mawer, C.K. (1992) Granitic magma transport by fracture propagation. *Tectonophysics* 204, 339–60.

Clift, P. & Vannucchi, P. (2004) Controls on tectonic accretion versus erosion in subduction zones: implications for the origin and recycling of continental crust. *Rev. Geophys.* 42, RG2001, doi:10.1029/2003RG000127.

Clouard, V. & Bonneville, A. (2001) How many Pacific hotspots are fed by deep mantle plumes? *Geology* 29, 695–8.

Clowes, R.M. et al. (1987) Lithoprobe–Southern Vancouver Island: Cenozoic subduction complex imaged by deep seismic reflection. *Can. J. Earth Sci.* 24, 31–51.

Clowes, R.M. et al. (1995) Lithospheric structure in the southern Canadian Cordillera from a network of seismic refraction lines. *Can. J. Earth Sci* 32, 1485–513.

Clowes, R.M. et al. (2005) Lithospheric structure in northwestern Canada from Lithoprobe seismic refraction and related studies: a synthesis. *Can. J. Earth Sci.* 42, 1277–93.

Coe, R.S., Hongre, L. & Glatzmaier, G.A. (2000) An examination of simulated geomagnetic reversals from a paleomagnetic perspective. *Phil. Trans. Roy. Soc. Lond. A* 358, 1141–70.

Coffin, M.F. & Eldholm, O. (1994) Large igneous provinces: crustal structure, dimensions, and external consequences. *Rev. Geophys.* 32, 1–36.

Cohen, S.C. & Smith, P.E. (1985) LAGEOS scientific results: introduction. *J. geophys. Res.* 90, 9217–20.

Collerson, K.D. & Kamber, B.S. (1999) Evolution of the continents and the atmosphere inferred from Th–U–Nb systematics of the depleted mantle. *Science* 282, 1519–22.

Collette, B.J. (1979) Thermal contraction joints in spreading seafloor as origin of fracture zones. *Nature* 251, 299–300.

Collier, J.S. & Singh. S.C. (1997) Detailed structure of the top of the melt body beneath the East Pacific Rise at 9°40′N from waveform inversion of seismic reflection data. *J. geophys. Res.* 102, 20287–304.

Collins, A.S. *et al.* (2004) Temporal constraints on Palaeoproterozoic eclogite formation and exhumation (Usagaran Orogen, Tanzania). *Earth planet. Sci. Lett.* 224, 175–92.

Collins, W.J. (1989) Polydiapirism of the Archean Mount Edgar Batholith, Pilbara Block, Western Australia. *Precambrian Res.* 43, 41–62.

Collins, W.J. (2002a) Hot orogens, tectonic switching, and creation of continental crust. *Geology* 30, 535–8.

Collins, W.J. (2002b) Nature of extensional accretionary orogens. *Tectonics* 21, doi:1029/2000TC001272.

Collins, W.J. & Sawyer, E.W. (1996) Pervasive granitoid magma transfer through the lower–middle crust during non-coaxial compressional deformation. *J. metam. geol.* 14, 565–79.

Collins, W.J., Van Kranendonk, M.J. & Teyssier, C. (1998) Partial convective overturn of Archaean crust in the east Pilbara Craton, Western Australia: driving mechanisms and tectonic implications. *J. struct. Geol.* 20, 1405–24.

Condie, K.C. (1982a) *Plate Tectonics and Crustal Evolution*. Pergamon Press, Oxford.

Condie, K.C. (1982b) Early and middle Proterozoic supracrustal successions and their tectonic settings. *Amer. J. Sci.* 282, 341–57.

Condie, K.C. (1986) Geochemistry and tectonic setting of early Proterozoic supracrustal rocks in the southwestern United States. *J. Geol.* 94, 845–64.

Condie, K.C. (1998) Episodic continental growth and supercontinents: a mantle avalanche connection? *Earth planet. Sci. Lett.* 163, 97–108.

Condie, K.C. (2000) Episodic continental growth models: afterthoughts and extensions. *Tectonophysics* 322, 153–62.

Condie, K.C. (2005a) TTGs and adakites: are they both slab melts? *Lithos* 80, 33–44.

Condie, K.C. (2005b) *Earth as an Evolving Planetary System*. Elsevier, Amsterdam.

Coney, P.J. (1989) Structural aspects of suspect terranes and accretionary tectonics in western North America. *J. struct. Geol.* 11, 107–25.

Coney, P.J. & Harms, T.A. (1984) Cordilleran metamorphic core complexes: Cenozoic extensional relics of Mesozoic compression. *Geology* 12, 550–4.

Coney, P.J., Jones, P.L. & Monger, J.W.H. (1980) Cordilleran suspect terranes. *Nature* 288, 329–33.

Conti, C.M. *et al.* (1996) Paleomagnetic evidence of an early Paleozoic rotated terrane in Northwest Argentina; a clue for Gondwana–Laurentia interaction? *Geology* 24, 953–6.

Cook, F.A. (2002) Fine structure of the continental reflection Moho. *Bull. geol. Soc. Am.*, 114, 64–79.

Cook, F.A. *et al.* (1992) Lithoprobe crustal reflection cross-section of the southern Canadian Cordillera I: foreland thrust and fold belt to Fraser River fault. *Tectonics* 11, 12–35.

Cook, F.A. *et al.* (1999) Frozen subduction in Canada's Northwest Territories: Lithoprobe deep lithospheric reflection profiling of the western Canadian Shield. *Tectonics* 18, 1–24.

Cook, F.A. *et al.* (2004) Precambrian crust beneath the Mesozoic northern Canadian Cordillera discovered by Lithoprobe seismic reflection profiling. *Tectonics* 23, doi:10.1029/ 2002TC001412.

Cooper, A.K. *et al.* (1992) Evidence for Cenozoic crustal extension in the Bering Sea region. *Tectonics* 11, 719–31.

Corliss, J.B. *et al.* (1979) Submarine thermal springs on the Galapagos Rift. *Science* 203, 1073–83.

Corti, G. *et al.* (2005) Active strike-slip faulting in El Salvador, Central America. *Geology* 33, 989–92.

Courtillot, V. & Besse, J. (1987) Magnetic field reversals, polar wander and core–mantle coupling. *Science* 237, 1140–7.

Courtillot, V. *et al.* (2003) Three distinct types of hotspots in the Earth's mantle. *Earth planet. Sci. Lett.* 205, 295–308.

Cowan, D., Brandon, M. & Garver, J. (1997) Geologic tests of hypotheses for large coastwise displacements – a critique illustrated by the Baja British Columbia controversy. *Amer. J. Sci.* 297, 117–173.

Cowan, J. & Cann, J. (1988) Supercritical two-phase separation of hydrothermal fluids in the Troodos ophiolite. *Nature* 333, 259–61.

Cox, A. (1980) Rotation of microplates in western North America. *In* Strangway, D.W. (ed.) *The Continental Crust and its Mineral Deposits*. Geol. Assoc. Canada. Spec. Paper 20, pp. 305–21.

Cox, A. & Hart, R.B. (1986) *Plate Tectonics. How it works*. Blackwell Scientific Publications, Oxford.

Cox, A., Doell, R.R. & Dalrymple, G.B. (1964) Geomagnetic polarity epochs. *Science* 143, 351–2.

Cox, A.V., Dalrymple, G.B. & Doell, R.R. (1967) Reversals of the Earth's magnetic field. *Sci. Am.* 216, 44–54.

Crawford, A.J., Falloon, T.J. & Green, D.G. (1989) Classification, petrogenesis, and tectonic setting of boninites. *In* Crawford, A.J. (ed.) *Boninites and Related Rocks*, pp. 1–49. Unwin-Hyman, London.

Crawford, M.L. *et al.* (1999) Batholith emplacement at mid-crustal levels and its exhumation within an obliquely convergent margin. *Tectonophysics* 312, 57–78.

Creer, K.M. (1965) Palaeomagnetic data from the Gondwanic continents. *In* Blackett, P.M.S., Bullard, E. & Runcorn, S.K. (eds) *A Symposium on Continental Drift*. *Phil. Trans. Roy. Soc. Lond. A* 258, 27–90.

Crittenden, M.D., Jr, Coney, P.J. & Davis, G.H. (1980) Cordilleran metamorphic core complexes. *Geol. Soc. Am. Mem.* 153, 490pp.

Cross, T.A. & Pilger, R.H. (1982) Controls of subduction geometry, location of magmatic arcs, and tectonics of arc and back-arc regions. *Bull. geol. Soc. Am.* 93, 545–62.

Crough, S.T. (1979) Hotspot epeirogeny. *Tectonophysics* 61, 321–33.

Curtis, A. & Woodhouse, J.H. (1997) Crust and upper mantle shear velocity structure beneath the Tibetan plateau and surrounding regions from interevent surface wave phase velocity inversion. *J. geophys. Res.* 102, 11789–813.

d'Acremont, E. et al. (2005) Structure and evolution of the eastern Gulf of Aden conjugate margins from seismic reflection data. *Geophys. J. Int.* 160, 869–90.

Daczko, N.R., Clarke, G.L. & Klepeis, K.A. (2001) Transformation of two-pyroxene hornblende granulite to garnet granulite involving simultaneous melting and fracturing of the lower crust, Fiordland, New Zealand. *J. metam. geol.* 19, 549–62.

Dahlen, F.A. (1990) Critical taper model of fold-and-thrust belts and accretionary wedges. *Annu. Rev. Earth planet. Sci.* 18, 55–99.

Dahlen, F.A. & Barr, T.D. (1989) Brittle frictional mountain building: 1. Deformation and mechanical energy budget. *J. geophys. Res.* 94, 3906–22.

Dalziel, I.W.D. (1981) Back-arc extension in the Southern Andes; a review and critical reappraisal. *Phil. Trans. Roy. Soc. Lond. A* 300, 319–35.

Dalziel, I.W.D. (1991) Pacific margins of Laurentia and East Antarctica–Australia as a conjugate rift pair: evidence and implications for an Eocambrian supercontinent. *Geology* 19, 598–601.

Dalziel, I.W.D. (1995) Earth before Pangea. *Sci. Am.* 272, 38–43.

Dalziel, I.W.D. (1997) Neoproterozoic–Paleozoic geography and tectonics: review, hypothesis, environmental speculation. *Bull. geol. Soc. Am.* 109, 16–42.

Dalziel, I.W.D., Lawver, L.A. & Murphy, J.B. (2000a) Plumes, orogenesis, and supercontinental fragmentation. *Earth planet. Sci. Lett.* 178, 1–11.

Dalziel, I.W.D., Mosher, S. & Gahagan, L.M. (2000b) Laurentia–Kalahari collision and the assembly of Rodinia. *J. Geol.* 108, 499–513.

Davaille, A. (1999) Simultaneous generation of hotspots and superswells by convection in a homogeneous planetary mantle. *Nature* 402, 756–60.

Davey, F.J. et al. (1995) Crustal reflections from the Alpine Fault zone, South Island, New Zealand. *NZ J. Geol. Geophys.* 38, 601–4.

Davidson, J.P. (1983) Lesser Antilles isotopic evidence of the role of subducted sediment in island arc magma genesis. *Nature* 306, 253–5.

Davies, D. (1968) A comprehensive test ban. *Sci. J. Lond.* Nov. 1968, 78–84.

Davies, G.F. (1977) Whole mantle convection and plate tectonics. *Geophys. J. Roy. astr. Soc.* 49, 459–86.

Davies, G.F. (1993) Cooling the core and mantle by plume and plate fl ows. *Geophys. J. Int.* 115, 132–46.

Davies, G.F. (1999) *Dynamic Earth: plates, plumes and mantle convection.* Cambridge University Press, Cambridge, 458pp.

Davies, G.F. & Richards, M.A. (1992) Mantle convection. *J. Geol.* 100, 151–206.

Davies, J.H., Brodholt, J.P. & Wood. B.J. (eds) (2002) Chemical reservoirs and convection in the Earth's mantle. *Phil. Trans. Roy. Soc. Lond. A* 360, 2361–648.

Davis, D., Suppe, J. & Dahlen, F.A. (1983) Mechanics of fold-andthrust belts and accretionary wedges. *J. geophys. Res.* 88, 1153–72.

Davis, M. & Kusznir, N. (2002) Are buoyancy forces important during the formation of rifted margins? *Geophys. J. Int.* 149, 524–33.

Davis, M. & Kusznir, N. (2004) Depth-dependent lithospheric stretching at rifted continental margins. *In* Karner, G.D. et al. (eds) *Rheology and Deformation of the Lithosphere at Continental Margins,* pp. 31–45. Columbia University Press, New York.

Davis, P.M. & Slack, P.D. (2002) The uppermost mantle beneath the Kenya dome and relation to melting, rifting and uplift in East Africa. *Geophys. Res. Lett.* 29, doi:10.1029/ 2001GL013676.

Dean, S.M. et al. (2000) Deep structure of the ocean–continent transition in the southern Iberia Abyssal Plain from seismic refraction profiles. II. The IAM–9 transect at 40°20′N. *J. geophys. Res.* 105, 5859–86.

DeCelles, P.G. et al. (1998) Eocene–early Miocene foreland basin development and the history of Himalayan thrusting, western and central Nepal. *Tectonics* 17, 741–65.

DeCelles, P.G., Robinson, D.M., & Zandt, G. (2002) Implications of shortening in the Himalayan fold-thrust belt for uplift of the Tibetan Plateau. *Tectonics* 21, 1062, doi:10.1029/ 2001TC001322.

DeCelles, P.G. et al. (2001) Stratigraphy, structure, and tectonic evolution of the Himalayan fold-thrust belt in western Nepal. *Tectonics* 20, 487–509.

Dehler, S.A. & Clowes, R.M. (1988) The Queen Charlotte Islands refraction project. Part I. The Queen Charlotte Fault Zone. *Can. J. Earth Sci.* 25, 1857–70.

DeLong, S.E., Dewey, J.F. & Fox, P.J. (1977) Displacement history of oceanic fracture zones. *Geology* 5, 199–201.

DeMets, C. (2001) A new estimate for present-day Cocos– Caribbean plate motion: implications for slip along the Central American volcanic arc. *Geophys. Res. Lett.* 28, 4043–6.

DeMets, C. & Dixon, T.H. (1999) New kinematic models for Pacific–North America motion from 3 Ma to present: 1. Evidence for steady motion and biases in the NUVEL–1A model. *Geophys. Res. Lett.* 26, 1921–4.

DeMets, C. et al. (1990) Current plate motions. *Geophys. J. Int.* 101, 425–78.

DeMets. C. et al. (1994) Effect of recent revisions to the geomagnetic time scale on estimates of current plate motions. *Geophys. Res. Lett.* 21, 2191–94.

de Ronde, C.E.J., Channer, D.M. DeR. & Spooner, E.T.C. (1997) Archaean Fluids. *In* De Wit, M.J. & Ashwal, L.D. (eds) *Greenstone Belts,* pp. 309–35. Clarendon Press, Oxford.

DESERT Group (2004) The crustal structure of the Dead Sea Transform. *Geophys. J. Int.* 156, 655–81.

Detrick, R.S. et al. (1987) Multi-channel seismic imaging of a crustal magma chamber along the East Pacifi c Rise. *Nature* 326, 35–41.

Detrick, R.S. et al. (1990) No evidence from multi-channel refl ection data for a crustal magma chamber in the MARK area on the Mid-Atlantic Ridge. *Nature* 347, 61–4.

Detrick, R.S., White R.S. & Purdy, G.M. (1993a) Crustal structure of North Atlantic fracture zones. *Rev. Geophys.* 31, 439–57.

Detrick, R.S. et al. (1993b) Seismic structure of the southern East Pacifi c Rise. *Science* 259, 499–503.

Detrick, R. et al. (1994) *In situ* evidence for the nature of the seismic layer 2/3 boundary in oceanic crust. *Nature* 370, 288–90.

Dewey, J.F. (1969) Evolution of the Appalachian/Caledonianorogen. *Nature* 222, 124–9.

Dewey, J.F. (1976) Ophiolite obduction. *Tectonophysics* 31, 93–120.

Dewey, J.F. (1988) Extensional collapse of orogens. *Tectonics* 7, 1123–39.

Dewey, J.F. & Bird, J.M. (1970) Mountain belts and the new global tectonics. *J. geophys. Res.* 75, 2625–47.

Dewey, J.F. & Burke, K.C.A. (1974) Hot spots and continental breakup: implications for collisional orogeny. *Geology* 2, 57–60.

Dewey, J.F., Cande, S. & Pitman, W.C. (1989) Tectonic evolution of the India–Eurasia collision zone. *Ecol. Geol. Helv.* 82, 717–34.

de Wit, M.J. (2004) Archean Greenstone Belts do contain fragments of ophiolites. *In* Kusky, T.M. (ed.) *Precambrian Ophiolites and Related Rocks. Developments in Precambrian Geology*, 13, pp. 599–613. Elsevier, Amsterdam.

Dick, H.B.J., Lin, J. & Schouten, H. (2003) An ultraslow-spreading class of oceanic ridge. *Nature* 426, 405–12.

Dickinson, W.R. (1971) Plate tectonic models of geosynclines. *Earth planet. Sci. Lett.* 10, 165–74.

Dickinson, W.R. (1974) Plate tectonics and sedimentation. *In* Dickinson, W.R. (ed.) *Tectonics and Sedimentation. Soc. econ. Pal. Mineral. Spec. Pub.* 22, 1–27.

Dickinson, W.R. (2002) The Basin and Range Province as a composite extensional domain. *Int. geol. Rev.* 44, 1–38.

Dietz, R.S. & Holden, C. (1970) The breakup of Pangaea. *Sci. Am.* 223, 30–41.

Dietz, R.S. (1961) Continental and ocean basin evolution by spreading of the sea floor. *Nature* 190, 854–7.

Dillon, J.T. & Ehlig, P.L. (1993) Displacement on the southern San Andreas fault. *In* Powell, R.E., Weldon, R.J.I. & Matti, J.C. (eds) *The San Andreas Fault System: displacement, palinspastic reconstruction, and geologic evolution. Geol. Soc. Am. Mem.* 178, 199–216.

Dixon, T.H. (1991) An introduction to the Global Positioning System and some geological applications. *Rev. Geophys.* 29, 249–76.

Dixon, T.H., Norabuena, E. & Hotaling, L. (2003) Paleoseismology and Global Positioning System; earthquake-cycle effects and geodetic versus geologic fault slip rates in the Eastern California shear zone. *Geology* 31, 55–8.

Donnadieu, Y. et al. (2004) A "snowball Earth" climate triggered by continental break-up through changes in runoff. *Nature* 428, 303–6.

Dooley, T. & McClay, K.R. (1997) Analog modelling of strike-slip pull-apart basins. *Bull. Am. Assoc. Petroleum Geols.* 81, 804–26.

Drew, J.J. & Clowes, R.M. (1990) A re-interpretation of the seismic structure across the active subduction zone of western Canada – CCSS Workshop Topic I, onshore–offshore data set. *In* Green, A.G. (ed.) *Studies of Laterally Heterogeneous Structures Using Seismic Refraction And Reflection Data. Proceedings of the 1987 Commission on Controlled Source Seismology Workshop, Geol. Surv. Canada*, Paper 89–13, pp. 115–32.

Driscoll, N.W. & Karner, G.D. (1998) Lower crustal extension across the Northern Carnarvon basin, Australia: evidence for an eastward dipping detachment. *J. geophys. Res.* 103, 4975–91.

du Toit, A.L. (1937) *Our Wandering Continents*. Oliver & Boyd, Edinburgh.

Duclos, M. et al. (2005) Mantle tectonics beneath New Zealand inferred from SKS splitting and petrophysics. *Geophys. J. Int.* 163, 760–4.

Dugda, M.T. et al. (2004) Crustal structure in Ethiopia and Kenya from receiver function analysis: implications for rift development in eastern Africa. *J. geophys. Res.* 110, doi:10.1029/2004JB003065.

Duncan, R.A. & Richards, M.A. (1991) Hotspots, mantle plumes, flood basalts, and true polar wander. *Rev. Geophys.* 29, 31–50.

Dunlop, D.J. (1981) Palaeomagnetic evidence for Proterozoic continental development. *Geophys. J. Roy. astr. Soc.* 301A, 265–77.

Dunn, J.F., Hartshorn, K.G. & Hartshorn, P.W. (1995) Structural styles and hydrocarbon potential of the Sub-Andean Thrust Belt of Southern Bolivia. *In* Tankard, A.J., Suárez-Soruco, R. & Welsink, H.J. (eds) *Petroleum Basins of South America. Amer. Assoc. Pet. geol. Mem.* 62, pp. 523–43. Tulsa, Oklahoma.

Dziak, R.P. & Fox, C.G. (1999) The January 1998 earthquake swarm at Axial Volcano, Juan de Fuca Ridge: evidence for submarine volcanic activity. *Geophys. Res. Lett.* 26, 3429–32.

Dziewonski, A.M. (1984) Mapping the lower mantle: determination of lateral heterogeneity up to degree and order 6. *J. geophys. Res.* 89, 5929–52.

Dziewonski, A.M. & Anderson, D.L. (1984) Seismic tomography of the Earth's interior. *Am. Sci.* 72, 483–94.

Eales, H.V. & Cawthorn, R.G. (1996) The Bushveld Complex. *In* Cawthorn R.G. (ed.) *Layered Intrusions*, pp. 181–229. Elsevier, Amsterdam.

Ebinger, C.J. (2005) Continental break-up: the East African perspective. *Astro. Geophys.* 46, 216–21.

Ebinger C.J. & Casey, M. (2001) Continental breakup in magmatic provinces: an Ethiopian example. *Geology* 29, 527–30.

Ebinger, C.J. & Ibrahim, A. (1994) Multiple episodes of rifting in Central and East Africa: a reevaluation of gravity data. *Geol. Rundsch.* 83, 689–702.

Ebinger, C.J. & Sleep, N.H. (1998) Cenozoic magmatism throughout east Africa resulting from impact of a single plume. *Nature* 395, 788–91.

Ebinger, C.J. et al. (1999) Extensional basin geometry and the elastic lithosphere. *Phil. Trans. Roy. Soc. Lond. A* 357, 741–65.

Eckstein, Y. & Simmons, G. (1978) Measurements and interpretation of terrestrial heat flow in Israel, *Geothermics* 6, 117–42.

Edgar, N.T. (1974) Acoustic stratigraphy in the deep oceans. *In* Bur, C.A. & Drake, C.L. (eds) *The Geology of Continental Margins*, pp. 243–6. Springer-Verlag, Berlin.

Edwards, R.A., Whitmarsh, R.B. & Scrutton, R.A. (1997) The crustal structure across the transform continental margin off Ghana, eastern equatorial Atlantic. *J. Geophys. Res.* 102, 747–72.

Egyed, L. (1960) Some remarks on continental drift. *Geofi s. Pura Appl.* 45, 115–16.

Elder, J.W. (1965) Physical processes in geothermal areas. *In* Lee, W.M.K. (ed.) *Terrestrial Heat Flow. Geophys. Monogr. Ser.* 8, pp. 211–39. American Geophysical Union, Washington, DC.

El-Isa, Z. et al. (1987a) A crustal structure study of Jordan derived from seismic refraction data. *Tectonophysics* 138, 235–53.

El-Isa, Z., Mechie, J. & Prodehl, C. (1987b) Shear velocity structure of Jordan from explosion seismic data. *Geophys. J. Roy. astr. Soc.* 90, 265–81.

Ellis, S. et al. (1998) Continental collision including a weak zone: the vise model and its application to the Newfoundland Appalachians. Can. J. Earth Sci. 35, 1323–46.

Ellis, S., Schreurs, G. & Panien, M. (2004) Comparisons between analogue and numerical models of the thrust wedge development. J. struct. Geol. 26, 1659–75.

Elsasser, W.M. (1969) Convection and stress propagation in the upper mantle. In Runcorn, S.K. (ed.) The Application of Modern Physics to the Earth and Planetary Interiors, pp. 223–46. Wiley-Interscience, London.

Elsasser, W.M. (1971) Sea-floor spreading as thermal convection. J. geophys. Res. 76, 1101–12. Elsasser, W.M., Olsen, P. & Marsh, B.D. (1979) The depth of mantle convection. J. geophys. Res. 84, 147–55.

Elthon, D. (1981) Metamorphism in oceanic spreading centres. In Emiliani, C. (ed.) The Oceanic Lithosphere. The Sea 7, pp. 285–303. Wiley, New York.

Elthon, D. (1991) Geochemical evidence for formation of the Bay of Islands ophiolite above a subduction zone. Nature 354, 140–3.

Engdahl, E.R., van der Hilst, R. & Buland, R. (1998) Global teleseismic earthquake relocation with improved travel times and procedures for depth determination. Bull. seis. Soc. Am. 88, 722–43.

Engebretson, D.C., Cox, A. & Gordon, K.G. (1985) Relative motion between oceanic and continental plates in the Pacific Basin. Geol. Soc. Am. Sp. Paper 206.

Engeln, J.F. et al. (1988) Microplate and shear zone models for oceanic spreading center reorganisations. J. geophys. Res. 93, 2839–56.

England, P. (1983) Constraints on extension in the continental lithosphere. J. geophys. Res. 88, 1145–52.

England, P. & Molnar, P. (1997) Active deformation of Asia: from kinematics to dynamics. Science 278, 647–50.

England, P. & Wilkins, C. (2004) A simple analytical approximation to the temperature structure in subduction zones. Geophys. J. Int. 159, 1138–54.

England, P., Engdahl, R. & Thatcher, W. (2004) Systematic variation in the depth of slabs beneath arc volcanoes. Geophys. J. Int. 156, 377–408.

England, P.C. & Houseman, G. (1988) The mechanics of the Tibetan plateau. Phil. Trans. Roy. Soc. Lond. A 326, 301–19.

England, P.C. & Houseman, G. (1989) Extension during continental convergence, with application to the Tibetan Plateau. J. geophys. Res. 94, 17561–79.

Erickson, S.G., Strayer, L.M. & Suppe, J. (2001) Initiation and reactivation of faults during movements over a thrust-fault ramp: numerical mechanical models. J. struct. Geol. 23, 11–23.

Eriksson, P.G. et al. (2001) An introduction to Precambrian basins: their characteristics and genesis. Sed. Geol. 141–142, 1–35.

Eriksson, P.G. et al. (2005) Patterns of sedimentation in the Precambrian. Sed. Geol. 176, 17–42.

Ernst, R.E., Grosfils, E.B. & Mege, D. (2001) Giant Dike Swarms: Earth, Venus and Mars. Ann. Rev. Earth planet. Sci. 29, 489–534.

Ernst, R.E., Buchan, K.L. & Campbell, I.H. (2005) Frontiers in Large Igneous Province research. Lithos 79, 271–97.

Ernst, W.G. (1973) Blueschist metamorphism and P–T regimes in active subduction zones. Tectonophysics 17, 255–72.

Ernst, W.G. (2003) High-pressure and ultrahigh-pressure metamorphic belts – subduction, recrystallization, exhumation, and significance for ophiolite study. In Dilek, Y. & Newcomb, S. (eds) Ophiolite Concept and the Evolution of Geological Thought. Geol. Soc. Am. Sp. Paper 373, 365–84.

Evans, A.M. (1987) An Introduction to Ore Geology, 2nd edn. Blackwell Scientific Publications, Oxford.

Evans, D. (2000) Stratigraphic, geochronological, and paleomagnetic constraints upon the Neoproterozoic climatic paradox. Amer. J. Sci. 300, 347–433.

Evans, R.L. et al. (1999) Asymmetric electrical structure in the mantle beneath the East Pacific Rise at 17°S. Science 286, 752–6.

Exon, N. et al. (2002) Drilling reveals climatic consequences of Tasmanian Gateway opening. EOS Trans. Amer. Geophys. Un. 83, pp. 253, 258–9.

Eyles, N. (1993) Earth's glacial record and its tectonic setting. Earth Sci. Rev. 35, 1–248.

Falloon, T.J. & Danyushevsky, L.V. (2000) Melting of refractory mantle at 1.5, 2 and 2.5 GPa under anhydrous and H2O undersaturated conditions: implications for the petrogenesis of high-Ca boninites and the influence of subduction components on mantle melting. J. Petrol. 41, 257–83.

Farnetani, C.G. & Samuel, H. (2005) Beyond the thermal plume paradigm. Geophys. Res. Lett. 32, L07311, doi:10.1029/2005GL022360.

Faul, U.H., Fitzgerald, J.D. & Jackson, I. (2004) Shear wave attenuation and dispersion in melt-bearing olivine polycrystals: 2. Microstructural interpretation and seismological implications. J. geophys. Res. 109, B06202, doi:10.1029/2003JB002407.

Fein, J.B. & Jurdy, D.M. (1986) Plate motion controls on back-arc spreading. Geophys. Res. Lett. 12, 545–8.

Fergusson, C.L. & Coney, P.J. (1992) Implications of a Bengal Fan-type deposit in the Paleozoic Lachlan fold belt of southeastern Australia. Tectonophysics 214, 417–39.

Fernandes, R.M.S. et al. (2004) Angular velocities of Nubia and Somalia from continuous GPS data: implications on present-day relative kinematics. Earth planet. Sci. Lett. 222, 197–208.

Fernández-Viejo G.F. & Clowes, R.M. (2003) Lithospheric structure beneath the Archaean Slave Province and Proterozoic Wopmay orogen, northwestern Canada, from a LITHOPROBE refraction/wide-angle reflection survey. Geophys. J. Int. 153, 1–19.

Ferris, A. et al. (2006) Crustal structure across the transition from rifting to spreading: the Woodlark rift system of Papua New Guinea. Geophys. J. Int. 166, 622–34.

Fisher, R.A. (1953) Dispersion on a sphere. Proc. Roy. Soc. London A217, 295–305.

Fleitout, L. & Froidevaux, C. (1982) Tectonics and topography for a lithosphere containing density heterogeneities. Tectonics 1, 21–56.

Flemings, P.B. & Jordan, T.E. (1990) Stratigraphic modeling of foreland basins; interpreting thrust deformation and lithosphere rheology. Geology 18, 430–4.

Flesch, L.M. et al. (2000) Dynamics of the Pacific–North American plate boundary in the western United States. *Science* 287, 834–6.

Flower, M.F.J. (1981) Thermal and kinematic control on ocean ridge magma fractionation: contrasts between Atlantic and Pacific spreading axes. *J. geol. Soc. Lond.* 138, 695–712.

Flower, M.F.J. & Dilek, Y. (2003) Arc–trench rollback and forearc accretion: 1. A collision–induced mantle flow model for Tethyan ophiolites. In Dilek, Y. & Robinson. P.T. (eds) *Ophiolites in Earth History*. *Spec. Pub. geol. Soc. Lond.* 218, 21–41.

Foley, S.F., Buhre, S. & Jacob, D.E. (2003) Evolution of the Archaean crust by delamination and shallow subduction. *Nature* 421, 249–52.

Force, E.R. (1984) A relation among geomagnetic reversals, sea floor spreading rate, paleoclimate, and black shales. *EOS Trans. Amer. Geophys. Un.* 65, 18–19.

Forsyth, D.W. (1975) The early structural evolution and anisotropy of the oceanic upper mantle. *Geophys. J. Roy. astr. Soc.* 43, 103–62.

Forsyth, D.W. (1977) The evolution of the upper mantle beneath mid-ocean ridges. *Tectonophysics* 38, 89–118.

Forsyth, D.W. (1992) Finite extension and low-angle normal faulting. *Geology* 20, 27–30.

Forsyth, D.W. & Uyeda, S. (1975) On the relative importance of the driving forces of plate motion. *Geophys. J. Roy. astr. Soc.* 43, 163–200.

Foster, A.N. & Jackson, J.A. (1998) Source parameters of large African earthquakes: implications for crustal rheology and regional kinematics. *Geophys. J. Int.* 134, 422–48.

Foster, A.N. et al. (1997) Tectonic development of the northern Tanzanian sector of the East African Rift system. *J. geol. Soc. Lond.* 154, 689–700.

Foster, D.A. & Gray, D.R. (2000) Evolution and structure of the Lachlan fold belt (orogen) of Eastern Australia. *Ann. Rev. Earth planet. Sci.* 28, 47–80.

Foster, D.A., Gray, D.R. & Bucher, M. (1999) Chronology of deformation within the turbidite–dominated Lachlan orogen: implications for the tectonic evolution of eastern Australia and Gondwana. *Tectonics* 18, 452–85.

Foulger, G.R. & Natland, J.H. (2003) Is "hotspot" volcanism a consequence of plate tectonics? *Science* 300, 921–2.

Foulger, G.R. & Pearson, D.G. (2001) Is Iceland underlain by a plume in the lower mantle? Seismology and helium isotopes. *Geophys. J. Int.* 145, F1–F5.

Fowler, C.M.R. (1976) Crustal structure of the Mid-Atlantic ridge crest at 37°N. *Geophys. J. Roy. astr. Soc.* 47, 459–91.

Fowler, C.M.R. (2005) *The Solid Earth: an introduction to global geophysics*, 2nd edn. Cambridge University Press, Cambridge.

Fox, P.J. & Stroup, J.B. (1981) The plutonic foundation of the oceanic crust. In Emliani, C. (ed.) *The Oceanic Lithosphere, The Sea*, 7, pp. 119–218. Wiley, New York.

Fox, P.J. et al. (1976) The geology of the Oceanographer Fracture Zone: a model for fracture zones. *J. geophys. Res.* 81, 4117–28.

Frakes, L.A. (1979) *Climates throughout Geologic Time*. Elsevier, Amsterdam.

Francheteau, J. (1983) The oceanic crust. *Sci. Am.* 249, 68–84.

Frank, F.C. (1968) Curvature of island arcs. *Nature* 220, 363.

Frankel, H. (1988) From continental drift to plate tectonics. *Nature* 335, 127–30.

Fryer, P., Wheat, C.G. & Mottl, M.J. (1999) Mariana blueschist mud volcanism: implications for conditions within the subduction zone. *Geology* 27, 103–6.

Fuis, G.S. et al. (2001) Crustal structure and tectonics from the Los Angeles basin to the Mojave Desert, southern California. *Geology* 29, 15–8.

Fuis, G.S. et al. (2003) Fault systems of the 1971 San Fernando and 1994 Northridge earthquakes, southern California: relocated aftershocks and seismic images from LARSE II. *Geology* 31, 171–74.

Fujiwara, T., Yamazaki, T. & Joshima, M. (2001) Bathymetry and magnetic anomalies in the Havre Trough and southern Lau Basin: from rifting to spreading in back-arc basins. *Earth Planet. Sci. Lett.* 185, 253–64.

Fukao, Y., Widiyantoro, S. & Obayashi, M. (2001) Stagnant slabs in the upper and lower mantle transition region. *Rev. Geophys.* 39, 291–323.

Furman, T. et al. (2004) East Africa Rift System (EARS) plume structure: insights from Quaternary mafic lavas of Turkana, Kenya. *J. Petrol.* 45, 1069–88.

Fyfe, W.S. & Londsdale, P. (1981) Ocean floor hydrothermal activity. In Emiliani, C. (ed.) *The Oceanic Lithosphere, The Sea* 7, pp. 589–638. Wiley, New York.

Gaál, G. & Schulz, K.J. (eds) (1992) Precambrian metallogeny related to plate tectonics. *Precambrian Res.* 58, 1–446.

Gaetani, M. & Garzanti, E. (1991) Multicyclic history of the northern India continental margin (northwestern Himalaya). *Bull. Am. Assoc. Petroleum Geols.* 75, 1427–46.

Gaina, C., Müller, R.D. & Cande, S.C. (2000) Absolute plate motion, mantle flow and volcanics at the boundary between the Pacific and Indian Ocean mantle domains since 90 Ma. In Richard, M., Gordon, R.G. & van der Hilst, R.O. (eds) *The History and Dynamics of Global Plate Motions*. *Geophys. Monogr. Ser.* 121, pp. 189–210. American Geophysical Union, Washington, DC.

Galanis Jr, S.P. et al. (1986) Heat flow at Zerqa Ma'in and Zara and a geothermal reconnaissance of Jordan. *USGS Open-File Report* 86–631, 110pp.

Gans, P.B. (1987) An open system, two-layer crustal stretching model for the Eastern Great Basin. *Tectonics* 6, 1–12.

Gao, S. et al. (1998) Chemical composition of the continental crust as revealed by studies in east China. *Geochim. cosmochim. Acta* 62, 1959–75.

Gao, S.S., Silver, P.G. & Liu, K.H. (2002) Mantle discontinuities beneath southern Africa. *Geophys. Res. Lett.* 29, 1491.

Gao, W. et al. (2004) Upper mantle convection beneath the central Rio Grande rift imaged by P and S wave tomography. *J. geophys. Res.* 109, B03305, doi:10.1029/2003JB002743.

Garfunkel, Z., Zak, I. & Freund, R. (1981) Active faulting in the Dead Sea Rift. *Tectonophysics*, 80, 1–26.

Garland, G.D. (1979) *Introduction to Geophysics*, 2nd edn. W.B. Saunders, Philadelphia, PA.

Garnero, E.J. (2000) Heterogeneity of the lowermost mantle. *Ann. Rev. Earth planet. Sci.* 28, 509–37.

Garnero, E.J. (2004) A new paradigm for the Earth's core–mantle boundary. *Science* 304, 834–6.

Garnero, E.J. *et al.* (1998) Ultralow velocity zone at the core–mantle boundary. *Geodyn. Ser.* 28, 319–34.

Gass, I.G. (1980) The Troodos massif; its role in the unravelling of the ophiolite problem and its significance in the understanding of constructive plate margin processes. *In* Panayistou, A. (ed.) *Ophiolites*, pp. 23–35. Geol. Surv. Cyprus.

Gehrels, G. (2002) Detrital zircon geochronology of the Taku terrane, southeast Alaska. *Can. J. Earth Sci.* 39, 921–31.

Gente, P. *et al.* (1995) Characteristics and evolution of the segmentation of the Mid-Atlantic Ridge between 20°N and 24°N during the last 10 million years. *Earth planet. Sci. Lett.* 129, 55–71.

Gerbault, M., Davey, F. & Henrys, S. (2002) Three-dimensional lateral crustal thickening in continental oblique collision: an example from the Southern Alps, New Zealand. *Geophys. J. Int.* 150, 770–9.

Gerbault M., Martinod, J. & Hérail, G. (2005) Possible orogeny-parallel lower crustal flow and thickening in the Central Andes. *Tectonophysics* 399, 59–72.

Gerbi, C., Johnson, S.E. & Paterson, S.R. (2002) Implications of rapid, dike-fed plúton growth for host-rock strain rates and emplacement mechanisms. *J. struct. Geol.* 26, 583–94.

Gilbert, H.J. & Sheehan, A.F. (2004) Images of crustal variations in the intermountain west. *J. Geophys. Res.* 109, B03306, doi:10:1029/2003JB002730.

Gill, J.B. (1981) *Orogenic Andesites and Plate Tectonics*. Springer-Verlag, Berlin.

Ginzburg, A. *et al.* (1979a) A seismic study of the crust and upper mantle of the Jordan–Dead Sea Rift and their transition toward the Mediterranean Sea. *J. geophys. Res.* 84, 1569–82.

Ginzburg, A. *et al.* (1979b) Detailed structure of the crust and upper mantle along the Jordan–Dead Sea Rift. *J. geophys. Res.* 84, 5605–12.

Glatzmaier, G.A. & Roberts, P.H. (1995) A three-dimensional self-consistent computer simulation of a geomagnetic field reversal. *Nature* 377, 203–9.

Glatzmaier, G.A. *et al.* (1999) The role of the Earth's mantle in controlling the frequency of geomagnetic reversals. *Nature* 401, 885–90.

Glen, R.A. (2005) The Tasmanides of eastern Australia. *In* Vaughan, A.P.M., Leat, P.T. & Pankhurst, R.J. (eds) *Terrane Processes at the Margins of Gondwana. Spec. Pub. geol. Soc. Lond.* 246, 23–96.

Godfrey, N.J. *et al.* (2002) Lower crustal deformation beneath the central Transverse Ranges, southern California. *J. geophys. Res.* 107, doi:10.1029/2001JB000354.

Goes, S. & van der Lee, S. (2002) Thermal structure of the North American uppermost mantle inferred from seismic tomography. *J. geophys. Res.* 107, 2050, doi:10.1029/2000JB000049.

Goldsworthy, M., Jackson, J. & Haines, J. (2002) The continuity of active fault systems in Greece. *Geophys. J. Int.* 148, 596–618.

Gómez, E. *et al.* (2005) Development of the Colombian foreland–basin system as a consequence of diachronous exhumation of the Northern Andes. *Bull. geol. Soc. Am.* 117, 1272–92.

Gordon, R.G. (1995) Present plate motions and plate boundaries. *In Global Earth Physics: A Handbook of Physical Constants. AGU Reference Shelf* 1, pp. 66–87. American Geophysical Union, Washington, DC.

Gordon, R.G. (1998) The plate tectonic approximation: plate non-rigidity, diffuse plate boundaries, and global plate reconstructions. *Ann. Rev. Earth planet. Sci.* 26, 615–42.

Gordon, R.G. (2000) Diffuse oceanic plate boundaries: strain rates, vertically averaged rheology, and comparisons with narrow plate boundaries and stable plate interiors. *In* Richards, M.A., Gordon, R.G. & van der Hilst, R.D. (eds) *The History and Dynamics of Plate Motions. Geophys. Monogr. Ser.* 121, pp. 143–59. American Geophysical Union, Washington, DC.

Gordon, R.G. & Stein, S. (1992) Global tectonics and space geodesy. *Science* 256, 333–42.

Gradstein, F.M., Ogg, J.G. & Smith, A.G. (eds) (2004) *A Geologic Time Scale 2004*. Cambridge University Press, Cambridge, 610pp.

Green, H.W. (1994) Solving the paradox of deep earthquakes. *Sci. Am.* 271, 50–7.

Green, W.V., Achauer, U. & Meyer, R.P. (1991) A three dimensional seismic image of the crust and upper mantle beneath the Kenya rift. *Nature* 354, 199–203.

Griffin, W.L. *et al.* (2004) Archean crustal evolution in the northern Yilgarn Craton: U-Pb and Hf-isotope evidence from detrital zircons. *Precambrian Res.* 131, 231–82.

Gripp, A.E. & Gordon, R.G. (2002) Young tracks of hotspots and current plate velocities. *Geophys. J. Int.* 150, 321–61.

Grove, T.L. & Parman, S.W. (2004) Thermal evolution of the Earth as recorded by komatiites. *Earth planet. Sci. Lett.* 219, 173–87.

Groves, D.I. *et al.* (2003) Gold deposits in metamorphic belts: overview of current understanding, outstanding problems, future research, and exploration significance. *Econ. Geol.* 98, 1–29.

Grow, J.A. (1973) Crustal and upper mantle structure of the central Aleutian arc. *Bull. geol. Soc. Am.* 84, 2169–92.

Guillot, S. *et al.* (1997) Eclogitic metasediments from the Tso Morari area (Ladakh, Himalaya): evidence for continental subduction during India–Asia convergence. *Contrib. Mineral. Petrol.* 128, 197–212

Guillou, L. & Jaupart, C. (1995) On the effect of continents on mantle convection. *J. geophys. Res.* 100, 24217–38.

Gulick, S.P.S. *et al.* (2004) Three-dimensional architecture of the Nankai accretionary prism's imbricate thrust zone off Cape Muroto, Japan: prism reconstruction via en echelon thrust propagation. *J. Geophys. Res.* 109, B02105, doi:10.1029/2003JB002654.

Gurnis, M. (1988) Large-scale mantle convection and the aggregation and dispersal of supercontinents. *Nature* 332, 695–9.

Gurnis, M. (2001) Sculpting the Earth from inside out. *Sci. Am.* 284, 40–47.

Gurnis, M., Müller, R.D. & Moresi, L. (1998) Cretaceous vertical motion of Australia and the Australian–Antarctic discordance. *Science* 279, 1499–1504.

Gutscher, M.-A. *et al.* (2000) Geodynamics of flat subduction: seismicity and tomographic constraints from the Andean margin. *Tectonics* 19, 814–33.

Hacker, B.R., Ratschbacher, L. & Liou, J.G. (2004) Subduction, collision and exhumation in the ultrahigh-pressure Qinling–Dabie Orogen. In Malpas, J. et al. (eds) *Aspects of the Tectonic Evolution of China*. Spec. Pub. geol. Soc. Lond. 226, 157–75.

Hackney, R. (2004) Gravity anomalies, crustal structure and isostasy associated with the Proterozoic Capricorn Orogen, Western Australia. *Precambrian Res.* 128, 219–36.

Hager, B.H. et al. (1985) Lower mantle heterogeneity, dynamic topography and the geoid. *Nature* 313, 541–5.

Haines, S.S. et al. (2003) INDEPTH III seismic data: from surface observations to deep crustal processes in Tibet. *Tectonics* 22, 1001, doi:10.1029/2001TC001305.

Halbach, P. et al. (1989) Probable modern analogue of Kurokotype massive sulphide deposits in the Okinawa Trough back-arc basin. *Nature* 338, 496–9.

Hall, A.L. (1932) The Bushveld igneous complex of the Central Transvaal. *Mem. Geol. Surv. S. Afr.* 28, 544pp.

Hall, J., Marillier, F. & Dehler, S. (1998) Geophysical studies of the structure of the Appalachian orogen in the Atlantic borderlands of Canada. *Can. J. Earth Sci.* 35, 1205–221.

Hall, J.K. (1993) The GSI digital terrain model (DTM) project completed. *Curr. Res. Geol. Surv. Isr.* 8, 47–50.

Hall, P.S. & Kincaid, C. (2001) Diapiric flow at subduction zones: a recipe for rapid transport. *Science* 292, 2472–5.

Hall, R. (2002) Cenozoic geological and plate tectonic evolution of SE Asia and the SW Pacific: computer-based reconstructions, model and animations. *J. Asian Earth Sci.* 20, 353–431.

Hall, R. & Wilson, M.E.J. (2000) Neogene sutures in eastern Indonesia. *J. Asian Earth Sci.* 18, 781–808.

Hallam, A. (1972) Continental drift and the fossil record. *Sci. Am.* 227, 56–66.

Hallam, A. (1973a) *A Revolution in the Earth Sciences*. Clarendon Press, Oxford.

Hallam, A. (1973b) Provinciality, diversity and extinction of Mesozoic marine invertebrates in relation to plate movements. In Tarling, D.H. & Runcorn, S.C. (eds) *Implications of Continental Drift to the Earth Sciences*, 1, pp. 287–94. Academic Press, London.

Hallam, A. (1975) Alfred Wegener and the hypothesis of continental drift. *Sci. Am.* 232, 88–97.

Hallam, A. (1981) Relative importance of plate movements, eustasy, and climate in controlling major biogeographical changes since the early Mesozoic. In Nelson, G. & Rosen, D.E. (eds) *Vicariance Biogeography, a critique*, pp. 303–40. Columbia University Press, New York.

Hammer, P.T.C. & Clowes, R.M. (2004) Accreted terranes of northwestern British Columbia, Canada: lithospheric velocity structure and tectonics. *J. geophys. Res.* 109, B06305, doi:10.1029/2003JB002749.

Hammer, P.T.C. & Clowes, R.M. (2007) Lithospheric-scale structures across the Alaskan and Canadian Cordillera: comparisons and tectonic implications. In Sears, J., Harms, T. & Evenchick, C. (eds) *Whence the Mountains? Inquiries into the Evolution of Orogenic Systems: A volume in honor of Raymond A. Price*. Geol. Soc. Am. Sp. Paper 433, 99–116.

Hammer, P.T.C., Clowes, R.M. & Ellis, R.M. (2000) Crustal structure of NW British Columbia and SE Alaska from seismic wide-angle studies: Coast Plutonic Complex to Stikinia. *J. geophys. Res.* 105, 7961–81.

Hammond, W.C. & Thatcher, W. (2004) Contemporary tectonic deformation of the Basin and Range province, western United States: 10 years of observation with the Global Positioning System. *J.geophys. Res.* 109, B08403, doi:10.1029/2003JB002746.

Handy, M.R. & Brun, J.-P. (2004) Seismicity, structure and strength of the continental lithosphere. *Earth planet. Sci. Lett.* 223, 427–41.

Hanson, R.E. et al. (2004) Coeval large-scale magmatism in the Kalahari and Laurentian cratons during Rodinia assembly. *Nature* 304, 1126–9.

Haq, B.U. (1989) Paleoceanography: a synoptic overview of 200 million years of ocean history. In Haq, B.U. & Millman, J.D. (eds) *MarineGgeology and Oceanography of Arabian Sea and Coastal Pakistan*, pp. 201–31. Van Nostrand Reinhold, New York.

Hardebeck, J.L. & Michael, A.J. (2004) Stress orientations at intermediate angles to the San Andreas Fault, California. *J. geophys. Res.* 109, B11303, doi:10.1029/2004JB003239.

Hardie, L.A. (1996) Secular variation in sea water chemistry: an explanation for the coupled secular variation in the mineralogy of marine limestones and potash evaporites over the past 600 Ma. *Geology* 24, 279–83.

Harding, T.P. (1974) Petroleum traps associated with wrench faults. *Bull. Am. Assoc. Petroleum Geols.* 58, 1290–304.

Harding, T.P. (1985) Seismic characteristics and identification of negative flower structures, positive flower structures and positive structural inversion. *Bull. Am. Assoc. Petroleum Geols.* 69, 582–600.

Hargraves, R.B. (1986) Faster spreading or greater ridge length in the Archean? *Geology* 14, 750–2.

Harlan, S.S. et al. (2003) Gunbarrel mafic magmatic event: a key 780-Ma time marker for Rodinia plate reconstructions. *Geology* 31, 1053–6.

Harley, S.L. (1989) The origin of granulites: a metamorphic perspective. *Geol. Mag.* 126, 215–47.

Harley, S.L. (2004) Extending our understanding of ultrahigh temperature crustal metamorphism. *J. Mineral. Petrol. Sci.* 99, 140–58.

Harper, J.F. (1978) Asthenosphere flow and plate motions. *Geophys. J. Roy. astr. Soc.* 55, 87–110.

Harris, R.A. et al. (2000) Thermal history of Australian passive margin cover sequences accreted to Timor during Late Neogene arc–continent collision, Indonesia. *J. Asian Earth Sci.* 18, 47–69.

Harrison, C.G.A. & Bonatti, E. (1981) The oceanic lithosphere. In Emiliani. C. (ed.) *The Oceanic Lithosphere. The Sea* 7, pp. 21–48. Wiley, New York.

Harrison, C.G.A. & Sclater, J.G. (1972) Origin of the disturbed magnetic zone between the Murray and Molokai fracture zones. *Earth planet. Sci. Lett.* 14, 419–27.

Harrison, T.M., McKeegan, K.D. & Le Fort, P. (1995) Detection of inherited monazite in the Manaslu leucogranite by ^{208}Pb/^{232}Th ion microprobe dating: crystallization age and tectonic significance. *Earth planet. Sci. Lett.* 133, 271–82.

Harrison, T.M. *et al.* (2005) Heterogeneous Hadean Hafnium: evidence of continental crust at 4.4 to 4.5 Ga. *Science* 310, 1947–50.

Harrison, T.M. *et al.* (2006) Response to comment on "Heterogeneous Hadean Hafnium: evidence of continental crust at 4.4 to 4.5 Ga". *Science* 312, 1139b.

Hartog, R. & Schwartz, S.Y. (2001) Depth-dependent mantle anisotropy below the San Andreas fault system: apparent splitting parameters and waveforms. *J. geophys. Res.* 106, 4155–67.

Hasegawa, A., Umino, N. & Takagi, A. (1978) Doubleplaned seismic zone and upper-mantle structure in the northeastern Japan arc. *Geophys. J. Roy. astr. Soc.* 54, 281–96.

Hasegawa, A., Horiuchi, S. & Umino, N. (1994) Seismic structure of the northeastern Japan convergent margin: a synthesis. *J. geophys. Res.* 99, 22295–311.

Hastings, D.A. & Dunbar, P.K. (1998) Development and assessment of the Global Land One-km base digital elevation model (GLOBE), *ISPRS Arch.* 32, pp. 218–21. *Int. Soc. Photogramm. Remote Sens. (ISPRS)*, Stuttgart, Germany.

Hauck, M.L. *et al.* (1998) Crustal structure of the Himalayan orogen at ~90° east longitude from Project INDEPTH deep reflection profiles. *Tectonics* 17, 481–500.

Haug, G.H. & Tiederman, R. (1998) Effect of the formation of the Isthmus of Panama on Atlantic Ocean thermohaline circulation. *Nature* 393, 673–6.

Hauksson, E. (1987) Seismotectonics of the Newport–Inglewood fault zone in the Los Angeles basin, southern California. *Bull. seis. Soc. Am.* 77, 539–61.

Hauksson, E. (1994) The 1991 Sierra Madre earthquake sequence in Southern California: seismological and tectonic analysis. *Bull. seis. Soc. Am.* 84, 1058–74.

Hauksson, E. *et al.* (1988) The 1987 Whittier Narrows earthquake in the Los Angeles metropolitan area, California. *Science* 239, 1409–12.

Hauksson, E., Jones, L.M. & Hutton, K. (1995) The 1994 Northridge earthquake sequence in California: seismological and tectonic aspects. *J. geophys. Res.* 100, 12335–55.

Hauser, E. *et al.* (1987) Crustal structure of eastern Nevada from COCORP deep seismic reflection data. *Bull. geol. Soc. Am.* 99, 833–44.

Heaman, L.M., Kjarsgaard, B.A. & Creaser, R.A. (2003) The timing of kimberlite magmatism in North America: implications for global kimberlite genesis and diamond exploration. *Lithos* 71, 153–84.

Heaton, T.H. (1982) The 1971 San Fernando earthquake: a double event? *Bull. seis. Soc. Am.* 72, 2037–62.

Hedenquist, J.W. & Lowenstern, J.B. (1994) The role of magmas in the formation of hydrothermal ore deposits. *Nature* 370, 519–27.

Heirtzler, J.R. *et al.* (1968) Marine magnetic anomalies, geomagnetic field reversals and motions of the ocean floor and continents. *J. geophys. Res.* 73, 2119–36.

Heirtzler, J.R., Le Pichon, X. & Baron, J.G. (1966) Magnetic anomalies over the Reykjanes Ridge. *Deep Sea Res.* 13, 427–43.

Helffrich, G.R. & Wood, B.J. (2001) The Earth's mantle. *Nature* 412, 501–7.

Hendrie, D. *et al.* (1994) A quantitative model of rift basin development in the northern Kenya Rift: evidence for the Turkana region as an "accommodation zone" during the Palaeogene. *Tectonophysics* 236, 409–38.

Henrys, S.A. *et al.* (2004) Mapping the Moho beneath the Southern Alps continent–continent collision, New Zealand, using wide-angle reflections. *Geophys. Res. Lett.* 31, L17602, doi:10.1029/2004GL020561.

Henstock, T.J. & Levander, A. (2000) Lithospheric evolution in the wake of the Mendocino triple junction: structure of the San Andreas Fault system at 2 Ma. *Geophys. J. Int.* 140, 233–47.

Herring, T.A. *et al.* (1986) Geodesy by radio interferometry: evidence for contemporary plate motion. *J. geophys. Res.* 91, 8341–7.

Herrington, R.J., Evans, D.M. & Buchanan, D.L. (1997) Metallogenic aspects. *In* De Wit, M.J. & Ashwal, L.D. (eds) *Greenstone Belts*, pp. 177–219. Clarendon Press, Oxford.

Herron, E.M. (1972) Sea-floor spreading and the Cenozoic history of the East–Central Pacific. *Bull. geol. Soc. Am.* 83, 1671–92.

Herron, E.M., Cande, S.C. & Hall, B.R. (1981) An active spreading center collides with a subduction zone, a geophysical survey of the Chile margin triple junction. *Geol. Soc. Am. Mem.* 154, 683–701.

Herron, T.J., Stoffa, P.L. & Buhl, P. (1980) Magma chamber and mantle reflections – East Pacific Rise. *Geophys. Res. Lett.* 7, 989–92.

Hervé, F., Fanning, C.M. & Pankhurst, R.J. (2003) Detrital zircon age patterns and provenance of the metamorphic complexes of southern Chile. *J. S. Am. Earth Sci.* 16, 107–23.

Herzberg, C. (1999) Formation of cratonic mantle as plume residues and cumulates. *In* Fei, Y., Bertka, C. & Mysen, B.O. (eds) *Mantle Petrology: field observations and high pressure experimentation*, pp. 241–57, Geochemical Society, Houston, TX.

Hess, H.H. (1962) History of ocean basins. *In Petrologic Studies: a volume in honor of A.F. Buddington*, pp. 599–620. Geological Society of America, New York.

Hetland, E.A. & Hager, B.H. (2004) Relationship of geodetic velocities to velocities in the mantle. *Geophys. Res. Lett.* 31, L17604, doi:10.1029/2004GL020691.

Hey, R.N. (1977) A new class of pseudofaults and their bearing on plate tectonics: a propagating rift model. *Earth planet. Sci. Lett.* 37, 321–5.

Hey, R.N., Dunnebier, F.K., & Morgan, W.J. (1980) Propagating rifts on mid-ocean ridges. *J. geophys. Res.* 85, 3647–58.

Hey, R.N. *et al.* (1986) Sea Beam/Deep-Tow investigation of an active propagating rift system, Galapagos 95.5°W. *J. geophys. Res.* 91, 3369–94.

Hey, R.N. *et al.* (1988) Changes in direction of seafloor spreading revisited. *J. geophys. Res.* 93, 2803–11.

Hickman, A.H. (2004) Two contrasting granite-greenstone terranes in the Pilbara craton, Australia: evidence for vertical and horizontal tectonic regimes prior to 2900 Ma. *Precambrian Res.* 131, 153–72.

Hickman, S. & Zoback, M. (2004) Stress orientations and magnitudes in the SAFOD pilot hole. *J. geophys. Res.* 31, L15S12, doi:10.1029/2004GL020043.

Hickman, S., Zoback, M. & Ellsworth, W. (2004) Introduction to special section: preparing for the San Andreas Fault Observatory at Depth. *Geophys. Res. Lett.* 31, L12S01, doi:10.1029/2004GL020688.

Hill, R.I. (1991) Starting plumes and continental breakup. *Earth planet Sci. Lett.* 104, 398–416.

Hilton, D.R. & Craig, H. (1989) A helium isotope transect along the Indonesian archipelago. *Nature* 342, 906–8.

Hindle, D. et al. (2002) Consistency of geologic and geodetic displacements during Andean orogenesis. *Geophys. Res. Lett.* 29, doi:10.1029/2001GL013757.

Hirth, G. & Kohlstedt, D. (2003) Rheology of the uper mantle and the mantle wedge: a view from experimentalists. In Eiler, J. (ed.) *Inside the Subduction Factory. Geophys. Monogr. Ser.* 138, pp. 83–106. American Geophysical Union, Washington, DC.

Hodges, K.V. (2000) Tectonics of the Himalaya and southern Tibet from two perspectives. *Bull. geol. Soc. Am.* 112, 324–50.

Hodges, K.V., Parrish, R.R. & Searle, M.P. (1996) Tectonic evolution of the central Annapurna Range, Nepalese Himalayas. *Tectonics* 15, 1264–91.

Hodges, K.V., Hurtado, J.M. & Whipple, K.X. (2001) Southward extrusion of Tibetan crust and its effect on Himalayan tectonics. *Tectonics* 20, 799–809.

Hoffman, P.F. (1991) Did the breakout of Laurentia turn Gondwanaland inside out? *Science* 252, 1409–12.

Hoffman, P.F. (1997) Tectonic genealogy of North America. In Van der Pluijm, B.A. & Marshak, S. (eds) *Earth Structure and Introduction to Structural Geology and Tectonics*, pp. 459–64. McGraw Hill, New York.

Hoffman, P.F. & Schrag, D.P. (2002) The snowball Earth hypothesis: testing the limits of global change. *Terra Nova* 14, 129–55.

Hoffman, P.F. et al. (1998) A Neoproterozoic snowball Earth. *Science* 281, 1342–6.

Hofmann, A.W. (1997) Mantle geochemistry: the message from oceanic volcanism. *Nature* 385, 219–29.

Hofmann, C. et al. (1997) Timing of the Ethiopian flood basalt event and implications for plume birth and global change. *Nature* 389, 838–41.

Hofmann, C., Feraud, G. & Courtillot, V. (2000) $^{40}Ar/^{39}Ar$ dating of mineral separates and whole rocks from the Western Gnats lava pile: further constraints on the duration and age of the Deccan Traps. *Earth planet. Sci. Lett.* 180, 13–28.

Hofstetter, R. & Beth, M. (2003) The Afar Depression: interpretation of the 1960–2000 earthquakes. *Geophys. J. Int.* 155, 715–32.\Hogrefe, A. et al. (1994) Metastability of estatite in deep subducting lithosphere. *Nature* 372, 351–3.

Holbrook, W.S. et al. (1996) Crustal structure of a transform boundary: San Francisco Bay and the central California continental margin. *J. geophys. Res.* 101, 22311–34.

Hole, J.A. et al. (2000) Three-dimensional seismic velocity structure of the San Francisco Bay area. *J. geophys. Res.* 105, 13859–74.

Hollister, L.S. & Andronicos, C.L. (1997) A candidate for the Baja British Columbia fault system in the Coast Plutonic Complex. *GSA Today* 7, 1–7.

Holmes, A. (1928) Radioactivity and Earth movements. *Trans. Geol. Soc. Glasgow* 18, 559–606.

Hopper, J.R. & Buck, W.R. (1996) The effect of lower crustal flow on continental extension and passive margin formation. *J. geophys. Res.* 101, 20175–94.

Hopper, J.R. et al. (2003) Structure of the SE Greenland margin from seismic reflection and refraction data: implications for nascent spreading center subsidence and asymmetric crustal accretion during North Atlantic opening. *J. geophys. Res.* 108, 2269, doi:10.1029/2002JB001996.

Hopper, J.R. et al. (2004) Continental breakup and the onset of ultraslow seafloor spreading off Flemish Cap on the Newfoundland rifted margin. *Geology* 32, 93–6.

Housen, B.A. & Beck, M.E. (1999) Testing terrane transport: an inclusive approach to the Baja B.C. controversy. *Geology* 27, 1143–46.

Howell, D.G. (1989) *Tectonics of Suspect Terranes: mountain building and continental growth.* Chapman & Hall, London.

Hsui, A.T. & Toksöz, M.N. (1981) Back-arc spreading: trench migration, continental pull or induced convection? *Tectonophysics* 74, 89–98.

Huang, C.-Y. et al. (2000) Geodynamic processes of Taiwan arc–continent collision and comparison with analogs in Timor, Papua New Guinea, Urals and Corsica. *Tectonophysics* 325, 1–21.

Huang, C.-Y., Yuan, P.B. & Tsao, S.-J. (2006) Temporal and spatial records of active arc–continent collision in Taiwan: a synthesis. *Bull. geol. Soc. Am.* 118, 274–88.

Huang, W. et al. (2000) Seismic polarization anisotropy beneath the central Tibetan Plateau. *J. geophys. Res.* 105, 27979–89.

Hughes, B.D. et al. (1996) Detailed processing of seismic reflection data from the frontal part of the Timor trough accretionary wedge, eastern Indonesia. In Hall, R., & Blundell, D. (eds) *Tectonic Evolution of Southeast Asia. Spec. Pub. geol. Soc. Lond.* 106, 75–83.

Huismans, R.S. & Beaumont, C. (2003) Symmetric and asymmetric lithospheric extension: relative effects of frictional-plastic and viscous strain softening. *J. geophys. Res.* 108, 2496, doi:10.1029/2002JB002026.

Huismans, R.S. & Beaumont, C. (2007) Roles of lithospheric strain softening and heterogeneity in determining the geometry of rifts and continental margins. In Karner, G.D., Manatschal, G. & Pinhiero, L.M. (eds) *Imaging, Mapping and Modelling Continental Lithosphere Extension and Breakup. Spec. Pub. geol. Soc. Lond.* 282, 107–34.

Huismans, R.S., Podladchikov, Y.Y. & Cloetingh, S. (2001) Transition from active to passive rifting: relative importance of asthenospheric doming and passive extension of the lithosphere. *J. geophys. Res.* 106, 11271–91.

Hurley, P.M. (1968) The confirmation of continental drift. *Sci. Am.* 218(4), 52–64.

Hutchinson, C.S. (1983) *Economic Deposits and their Tectonic Setting.* MacMillan Press, London.

Hutchison, W.W. (1982) Geology of the Prince Rupert–Skeena map area, British Columbia. *Mem. Geol. Surv. Can.* 394, 1–116.

Hyde, W.T. et al. (2000) Neoproterozoic "snowball Earth" simulations with a coupled climate/ice-sheet model. *Nature* 405, 425–9.

Hyndman, R.D., Currie, C.A. & Mazzotti, S.P. (2005) Subduction zone backarcs, mobile belts, and orogenic heat. *GSA Today* 15, doi:10.1130/1052–5173(2005)15<4:SZBMBA>2.0CO;2.

Hyndman, R.D. et al. (1990) The northern Cascadia subduction zone at Vancouver Island: seismic structure and tectonic history. *Can. J. Earth Sci* 27, 313–29.

Ibs-von Seht, M. et al. (2001) Seismicity, seismotectonics and crustal structure of the southern Kenya Rift – new data from the Lake Magadi area. *Geophys. J. Int.* 146, 439–53.

Irving, E., Emslie, R.F. & Ueno, H. (1974) Upper Proterozoic paleomagnetic poles from Laurentia and the history of the Grenville structural province. *J. Geophys. Res.* 79, 5491–502.

Irving, E., North, F. & Couillard, R. (1974) Oil, climate and tectonics. *Can. J. Earth Sci.* 11, 1–17.

Irving, E. et al. (1996) Large (1000–4000 km) northward movements of tectonic domains in the northern Cordillera, 83 to 45 Ma. *J. geophys. Res.* 101, 17901–16.

Isacks, B. & Molnar, P. (1969) Mantle earthquake mechanisms and the sinking of the lithosphere. *Nature* 223, 1121–4.

Isacks, B. & Molnar, P. (1971) Distribution of stresses in the descending lithosphere from a global survey of focal mechanism solutions of mantle earthquakes. *Rev. Geophys. Space Phys.* 9, 103–74.

Isacks, B., Oliver, J. & Sykes, L.R. (1968) Seismology and the new global tectonics. *J. geophys. Res.* 73, 5855–99.

Isacks, B., Sykes, L.R. & Oliver, J. (1969) Focal mechanisms of deep and shallow earthquakes in the Tonga–Kermadec region and tectonics of island arcs. *Bull. geol. Soc. Am.* 80, 1443–69.

Isacks, B.L. (1988) Uplift of the central Andean plateau and bending of the Bolivian orocline. *J. geophys. Res.* 93, 3211–31.

Isacks, B.L. & Barazangi, M. (1977) Geometry of Benioff zones: lateral segmentation and downward bending of the subducted lithosphere. *In* Talwani, M. & Pitman, W.C. III (eds) *Island Arcs, Deep Sea Trenches and Backarc Basins*, pp. 99–114. American Geophysical Union, Washington, DC.

Isley, A.E. & Abbott, D.H. (2002) Implications of the temporal distribution of high-Mg magmas for mantle plume volcanism through time, *J. Geol.* 110, 141–58.

Ito, E. & Sato, H. (1991) Aseismicity in the lower mantle by superplasticity of the descending slab. *Nature* 351, 140–1.

Jackson, H.R. (2002) Seismic refraction profiles in the Gulf of Saint Lawrence and implications for extent of continuous Grenville lower crust. *Can. J. Earth Sci.* 39, 1–17.

Jackson, J. (2002) Strength of continental lithosphere: time to abandon the jelly sandwich? *GSA Today* 12, 4–10.

Jackson, J. (2004) Velocity fields, faulting, and strength on the continents. *In* Karner, G.D. et al. (eds) *Rheology and Deformation of the Lithosphere at Continental Margins*, pp. 31–45. Columbia University Press, New York.

Jackson, J.A., Haines, A. & Holt, W. (1992) The horizontal velocity field in the deforming Aegean Sea region determined from the moment tensors of earthquakes. *J. geophys. Res.* 97, 17657–84.

Jackson, J.A. et al. (2004) Metastability, mechanical strength and the support of mountain belts. *Geology*, 32, 625–8.

Jacob, K.H., Nakamura, K. & Davies, J.N. (1977) Trench– volcano gap along the Alaska–Aleutian arc: facts and speculations on the role of terrigenous sediments for subduction. *In* Talwani, M. & Pitman, W.C. III (eds) *Island Arcs, Deep Sea Trenches and Back-arc Basins. Maurice Ewing Series* I, pp. 243–58. American Geophysical Union, Washington, DC.

Jacobs, J.A. (1991) *The Deep Interior of the Earth*. Chapman & Hall, London.

Jacobs, J.A. (1994) *Reversals of the Earth's Magnetic Field*. Cambridge University Press, Cambridge.

James, D.E. & Fouch, M.J. (2002) Formation and evolution of Archaean cratons: insights from southern Africa. *In* Fowler, C.M.R., Ebinger, C.J. & Hawkesworth, C.J. (eds) *The Early Earth: physical, chemical and biological development. Spec. Pub. geol. Soc. Lond.* 199, 1–26.

James, D.E. & Snoke, J.A. (1990) Seismic evidence for continuity of the deep slab beneath central and eastern Peru. *J. geophys. Res.* 95, 4789–5001.

James, D.E. et al. (2001) Tectospheric structure beneath southern Africa. *Geophys. Res. Lett.* 28, 2485–8.

James, E.W., Kimbrough, D.L. & Mattinson, J.M. (1993) Evaluation of displacements of pre-Tertiary rocks on the northern San Andreas fault using U-Pb zircon dating, initial SR, and common Pb isotopic ratios. *In* Powell, R.E., Weldon, R.J.I. & Matti, J.C. (eds) *The San Andreas Fault System: displacement, palinspastic reconstruction, and geologic evolution. Geol. Soc. Am. Mem.* 178, 257–71.

Jarrard, R.D. (1986) Relations among subduction parameters. *Rev. Geophys.* 24, 217–84.

Jaupart, C. & Mareschal, J.C. (1999) The thermal structure and thickness of continental roots. *Lithos* 48, 93–114.

Jellinek, A.M. & Manga, M. (2004) Links between long-lived hot spots, mantle plumes, D″, and plate tectonics. *Rev. Geophys.* 42, 3002.

Jennings, C.W. (1994) Fault activity map of California and adjacent areas. *Geol. Data Map* 6, Calif. Dep. of Conserv. Div. Mines and Geol., Sacramento, CA.

Johnson, M.C. & Plank, T. (1999) Dehydration and melting experiments constrain the fate of subducted sediments. *Geochem. Geophys. Geosyst.* 1, doi:10.1029/1999GC000014.

Johnson, M.R.W. (2002) Shortening budgets and the role of continental subduction during the India–Asia collision. *Earth Sci. Rev.* 59, 101–23.

Johnston, S.T. (2001) The great Alaskan terrane wreck: reconciliation of paleomagnetic and geologic data in the northern Cordillera. *Earth planet. Sci. Lett.* 193, 259–72.

Jones, C.H. & Phinney, R.A. (1998) Seismic structure of the lithosphere from teleseismic converted arrivals observed at small arrays in the southern Sierra Nevada and vicinity, California. *J. geophys. Res.* 103, 10065–90.

Jones, C.H. et al. (1992) Variations across and along a major continental rift: an interdisciplinary study of the Basin and Range Province, Western USA. *Tectonophysics* 213, 57–96.

Jones, D.G., Silberling, N.J. & Hillhouse, J. (1977) Wrangellia – a displaced terrane in northwestern North America. *Can. J. Earth Sci.* 14, 2565–77.

Jones, D.L. et al. (1983) Recognition, character and analysis of tectonostratigraphic terranes in western North America. In Hashimoto, M. & Uyeda, S. (eds) *Accretion Tectonics in the circum-Pacific Regions*, pp. 21–35. Terra Scientific, Tokyo.

Jones, E.J.W. (1999) *Marine Geophysic*. Wiley, Chichester, England.

Jordan, T.A. & Watts, A.B. (2005) Gravity anomalies, flexure and the elastic thickness structure of the India–Eurasia collisional system. *Earth planet. Sci. Lett.* 236, 732–50.

Jordan, T.E. et al. (1983) Andean tectonics related to geometry of subducted Nazca plate. *Bull. geol. Soc. Am.* 94, 341–61.

Jordan, T.E. et al. (2001) Extension and basin formation in the southern Andes caused by increased convergence rate: a mid--Cenozoic trigger for the Andes. *Tectonics* 20, 308–24.

Jurdy, D.M. & Stefanick, M. (1983) Flow models for back-arc spreading. *Tectonophysics* 99, 191–206.

Kamp, P.J.J., Green, P.F. & Tippett, J.M. (1992) Tectonic architecture of the mountain front–foreland basin transition, South Island, New Zealand, assessed by fission track analysis. *Tectonics* 11, 98–113.

Kanasewich, E.R. (1976) Plate tectonics and planetary convection. *Can. J. Earth Sci.* 13, 331–40.

Karabinos, P. et al. (1998) Taconic orogeny in the New England Appalachians: collision between Laurentia and the Shelburne Falls arc. *Geology* 26, 215–18.

Kárason, H. & van der Hilst, R.D. (2000) Constraints on mantle convection from seismic tomography. In Richards, M.A., Gordon, R. & van der Hilst, R.D. (eds) *The History and Dynamics of Global Plate Motion. Geophys. Monogr. Ser.* 121, pp. 277–88. American Geophysical Union, Washington, DC.

Karato, S.-I. (1998) Seismic anisotropy in the deep mantle, boundary layers and the geometry of mantle convection. *Pure Appl. Geophys.* 151, 565–87.

Karato, S.-I. & Wu, P. (1993) Rheology of the upper mantle: a synthesis. *Science* 260, 771–8.

Karato, S.-I., Zhang, S. & Wenk, H.-R. (1995) Superplasticity in the Earth's lower mantle: evidence from seismic anisotropy and rock physics. *Science* 270, 458–61.

Karig, D.E. (1970) Ridges and basins of the Tonga–Kermadec island arc system. *J. geophys. Res.* 75, 239–54.

Karig, D.E. & Kay, R.W. (1981) Fate of sediments on the descending plate at convergent margins. *Phil. Trans. Roy. Soc. Lond. A* 301, 233–51.

Karl, D.M. et al. (1988) Loihi Seamount, Hawaii: a mid-plate volcano with a distinctive hydrothermal system. *Nature* 335, 532–5.

Karlstrom, K.E. & Williams, M.L. (1998) Heterogeneity of the middle crust: implications for strength of continental lithosphere. *Geology* 26, 815–18.

Karlstrom, K.E. et al. (2001) Long-lived (1.8–1.0 Ga) convergent orogen in southern Laurentia, its extensions to Australia and Baltica, and implications for refining Rodinia. *Precambrian Res.* 111, 5–30.

Karlstrom, K.E. et al. (2002) Structure and evolution of the lithosphere beneath the Rocky Mountains: initial results from the CD-ROM Experiment. *GSA Today* 12, 4–10.

Karson, J.A. (2002) Geologic structure of the uppermost oceanic crust created at fast- to intermediate-rate spreading centers. *Annu. Rev. Earth planet. Sci.* 30, 347–84.

Karson, J.A. et al. (1987) Along-axis variations in seafloor spreading in the MARK area. *Nature* 328, 681–5.

Karson, J.A. et al. (2002) Structure of Uppermost fast-spread oceanic crust exposed at the Hess Deep Rift: implications for subaxial processes at the East Pacific Rise. *Geochem. Geophys. Geosyst.* 3, doi: 10.1029/2001GC000155.

Karson, J.A. et al. (2006) Detachment shear zone of the Atlantis Massif core complex, Mid-Atlantic Ridge, 30°N. *Geochem. Geophys. Geosyst.* 7, Q06016, doi:10.1029/2005GC001109.

Kaula, W.M. (1975) Absolute plate motions by boundary velocity minimizations. *J. geophys. Res.* 80, 244–8.

Kay, R, Hubbard, N.J. & Gast, P.W. (1970) Chemical characteristics and origin of oceanic ridge volcanic rocks. *J. geophys. Res.* 75, 1585–613.

Kearey, P., Brooks, M. & Hill, I. (2002) *Introduction to Geophysical Exploration*, 3rd edn. Blackwell Publications, Oxford.

Keen, C. & Tramontini, C. (1970) A seismic refraction survey on the Mid-Atlantic ridge. *Geophys. J. Roy. astr. Soc.* 20, 473–91.

Keir, D. et al. (2006) Strain accommodation by magmatism and faulting as rifting proceeds to breakup: seismicity of the northern Ethiopian rift. *J. geophys. Res.* 111, B05314, doi:10.1029/2005JB003748.

Kelemen, P.B., Yogodzinski, G.M. & Scholl, D.W. (2003) Along--strike variation in lavas of the Aleutian arc: genesis of high Mg andesite and implications for continental crust. In Eiler, J. (ed.) *Inside the Subduction Factory. Geophys. Monogr. Ser.* 138, pp. 223–76. American Geophysical Union, Washington, DC.

Keller, R.G. & Hatcher, Jr, R.D. (1999) Some comparisons of the structure and evolution of the southern Appalachian–Ouachita orogen and portions of the Trans-European Suture Zone region. *Tectonophysics* 314, 43–68.

Kellogg, L.H. & King, S.D. (1997) The effect of temperature dependent viscosity on the structure of new plumes in the mantle: results of a finite element model in a spherical axisymmetrical shell. *Earth planet. Sci. Lett.* 148, 13–26.

Kelly, D.S. et al. (2001) An off-axis hydrothermal vent field near the Mid-Atlantic Ridge at 30°N. *Nature* 412, 145–9.

Kelly, D.S., Baross, J.A. & Delaney, J.R. (2002) Volcanoes, fluids and life at mid-ocean ridge spreading centers. *Annu. Rev. Earth planet. Sci.* 30, 385–491.

Kendall, J.-M. et al. (2005) Magma-assisted rifting in Ethiopia. *Nature* 433, 146–8.

Kennedy, M.J., Christie-Blick, N. & Prave, A.R. (2001) Carbon isotopic composition of Neoproterozoic glacial carbonates as a test of paleoceanographic models for snowball Earth phenomena. *Geology* 29, 1135–8.

Kennett, B.L.N. (1977) Towards a more detailed seismic picture of the oceanic crust and mantle. *Marine geophys. Res.* 3, 7–42.

Kennett, B.L.N., & Orcutt, J.A. (1976) A comparison of travel time inversions for marine refraction profiles. *J. geophys. Res.* 81, 4061–70.

Kennett, B.L.N., Engdahl, E.R. & Buland, R. (1995) Constraints on seismic velocities in the Earth from traveltimes. *Geophys. J. Int.* 122, 108–24.

Kennett, J.P. (1977) Cenozoic evolution of Antarctic glaciation, the circum-Antarctic current, and their impact on global paleoceanography. *J. geophys. Res.* 82, 3843–60.

Kent, D.V. & Gradstein, F.M. (1985) A Cretaceous and Jurassic geochronology. *Bull. geol. Soc. Am.* 96, 1419–27.

Kent, D.V. & Gradstein, F.M. (1986) A Jurassic to recent chronology. *In* Vogt, P.R. & Tucholke, B.E. (eds) *The Western North Atlantic region. The Geology of North America* 1, pp. 45–50. Geological Society of America, Boulder, CO.

Kent, G.M. *et al.* (1994) Uniform accretion of oceanic crust south of the Garrett transform at 14°15′S on the East Pacific Rise. *J. geophys. Res.* 99, 9097–116.

Kent, G.M., Harding, A.J. & Orcutt, J.A. (1990) Evidence for a smaller magma chamber beneath the East Pacific Rise at 9°30′N. *Nature* 344, 650–3.

Keppie, J.D. & Dostal, J. (2001) Evaluation of the Baja controversy using paleomagnetic and faunal data, plume magmatism, and piercing points. *Tectonophysics* 339, 427–42.

Keppie, J.D. & Ramos, V.A. (1999) Odyssey of terranes in the Iapetus and Rheic oceans during the Paleozoic. *In* Ramos, V.A. & Keppie, J.D. (eds) *Laurentia–Gondwana Connections before Pangea. Geol. Soc. Am. Sp. Paper* 336, 267–76.

Kidd, R.G.W. (1977) A model for the process of formation of the upper oceanic crust. *Geophys. J. Roy. astr. Soc.* 50, 149–83. Kieffer, B. *et al.* (2004) Flood and shield basalt from Ethiopia: magmas from the African superswell. *J. Petrol.* 45, 793–834.

Kilgour, B. & Hatch, L. (compilers) (2002) *Magnetic Anomaly Images of the Australian Region* [Digital Dataset]. Geoscience Australia, Canberra.

Kincaid C. & Griffiths R.W. (2003) Laboratory models of the thermal evolution of the mantle during rollback subduction. *Nature*, 425, 58–62.

King, S.D. (2005) Archean cratons and mantle dynamics. *Earth planet. Sci. Lett.* 234, 1–14.

Kirby, S.H., Engdahl, E.R. & Denlinger, R. (1996) Intermediate depth intraslab earthquakes and arc volcanism as physical expressions of crustal and upper mantle metamorphism in subducting slabs. *In* Bebout, G.E. *et al.* (eds) *Subduction: top to bottom. Geophys. Monogr. Ser.* 96, pp. 195–214. American Geophysical Union, Washington, DC.

Kirby, E. *et al.* (2002) Late Cenozoic evolution of the eastern margin of the Tibetan Plateau: inferences from $^{40}Ar/^{39}Ar$ and (U-Th)/He thermochronology. *Tectonics* 21, 1001, doi:10.1029/2000TC001246.

Kitada, K. *et al.* (2006) Distinct regional differences in crustal thickness along the axis of the Mariana Trough, inferred from gravity anomalies. *Geochem. Geophys. Geosyst.* 7, Q04011, doi:10.1029/2005GC001119.

Klein, E.M. *et al.* (1988) Isotope evidence of a mantle convection boundary at the Australian–Antarctic Discordance. *Nature* 333, 623–9.

Kleinrock, M.C. & Hey, R.N. (1989) Detailed tectonics near the tip of the Galapagos 95.5°W propagator: how the lithosphere tears and a spreading axis develops. *J. geophys. Res.* 94, 13801–38.

Klepeis, K.A., Crawford, M.L. & Gehrels, G. (1998) Structural history of the crustal-scale Coast shear zone near Portland Canal, Coast Mountains orogen, southeast Alaska and British Columbia. *J. struct. Geol.* 20, 883–904.

Klepeis, K.A, Clarke, G.L. & Rushmer, T. (2003) Magma transport and coupling between deformation and magmatism in the continental lithosphere. *GSA Today* 13, 4–11.

Klepeis, K.A. *et al.* (2004) Processes controlling vertical coupling and decoupling between the upper and lower crust of orogens: results from Fiordland, New Zealand. *J. struct. Geol.* 26, 765–91.

Klepeis, K.A., King, D., De Paoli, M., Clarke, G.L. & Gehrels, G. (2007) Interaction of strong lower and weak middle crust during lithospheric extension in western New Zealand. *Tectonics* 26, TC4017.

Kley, J. (1996) Transition from basement-involved to thin skinned thrusting in the Cordillera Oriental of southern Bolivia. *Tectonics* 15, 763–75.

Kley, J., Monaldi, C.R. & Salfity, J.A. (1999) Along-strike segmentation of the Andean foreland: causes and consequences. *Tectonophysics* 301, 75–94.

Kloppenburg, A., White, S.H. & Zegers, T.E. (2001) Structural evolution of the Warrawoona Greenstone Belt and adjoining granitoid complexes, Pilbara craton, Australia: implications for Archaean tectonic processes. *Precambrian Res.* 112, 107–47.

Klosko E.R. *et al.* (1999). Upper mantle anisotropy in the New Zealand region. *Geophys. Res. Lett.* 26, 1497–500.

Klotz, J. *et al.* (1999) GPS-derived deformation of the central Andes including the 1995 Antofagasta Mw = 8.0 earthquake. *Pure Appl. Geophys.* 154, 709–30.

Knittle, E. & Jeanloz, R (1991) Earth's core–mantle boundary: results of experiments at high pressures and temperatures. *Science* 251, 1438–43.

Kohler, M.D. (1999) Lithospheric deformation beneath the San Gabriel Mountains in the Southern California Transverse Ranges. *J. geophys. Res.* 104, 15025–41.

Kohler, M.D. & Eberhart-Phillips, D. (2003) Intermediate-depth earthquakes in a region of continental convergence: South Island, New Zealand. *Bull. seis. Soc. Am.* 93, 85–93.

Kono, M. & Roberts, P.H. (2002) Recent geodynamo simulations and observations of the geomagnetic field. *Rev. geophys.* 40(4), doi:101029/2000RG000102, 1013.

Konstantinovskaia, E. & Malavieille, J. (2005) Erosion and exhumation in accretionary orogens: experimental and geological approaches. *Geochem. Geophys. Geosyst.* 6, Q02006, doi:10.1029/2004GC000794.

Koons, P.O. (1987) Some thermal and mechanical consequences of rapid uplift; an example from the Southern Alps, New Zealand. *Earth planet. Sci. Lett.* 86, 307–19.

Koons, P. *et al.* (2003) Influence of exhumation on the structural evolution of transpressional plate boundaries: an example from the Southern Alps, New Zealand. *Geology* 31, 3–6.

Koons, P.O. et al. (1998) Fluid flow during active oblique convergence: a Southern Alps model from mechanical and geochemical observations. *Geology* 26, 159–62.

Korenaga, J. (2006) Archean geodynamics and the thermal evolution of the Earth. *In* Benn, K., Mareschal, J.C., & Condie, K. C. (eds) *Archean Geodynamics and Environments. Geophys. Monogr. Ser.* 164, pp. 7–32. American Geophysical Union, Washington, DC.

Kreemer, C. et al. (2000) Active deformation in eastern Indonesia and the Philippines from GPS and seismicity data. *J. geophys. Res.* 105, 663–80.

Kröner, A. (1981) Precambrian plate tectonics. *In* Kröner, A. (ed.) *Precambrian Plate Tectonics*, pp. 57–90. Elsevier, Amsterdam.

Kröner, A. (1985) Ophiolites and the evolution of tectonic boundaries in the late Proterozoic Arabian–Nubian Shield of northeast Africa and Arabia. *Precambrian Res.* 27, 277–300.

Kröner, A. & Cordani, U. (2003) African, southern Indian and South American cratons were not part of the Rodinia supercontinent: evidence from field relationships and geochronology. *Tectonophysics* 375, 325–52.

Kurtén, B. (1969) Continental drift and evolution. *Sci. Am.* 220, 54–65.

Kusky, T.M. & Polat, A. (1999) Growth of granite–greenstone terranes at convergent margins, and stabilization of Archean cratons. *Tectonophysics* 305, 43–73.

Kusky, T.M. & Vearncombe, J.R. (1997) Structural Aspects. *In* de Wit, M.J. & Ashwal, L.D. (eds) *Greenstone Belts*, pp. 91–124. Clarendon Press, Oxford, UK.

Kusznir, N.J. & Bott, M.H.P. (1976) A thermal study of the formation of oceanic crust. *Geophys. J. Roy. astr. Soc.* 47, 83–95.

Kusznir, N.J. & Park, R.G. (1987) The extensional strength of the continental lithosphere: its dependence on geothermal gradient, and composition and thickness. *In* Coward, M.P., Dewey, J.F. & Hancock, P.L. (eds) *Continental Extensional Tectonics. Spec. Pub. geol. Soc. Lond.* 28, 35–52.

Kusznir, N.J., Hunsdale, R. & Roberts, A.M. (2004) Timing of depth-dependent lithosphere stretching on the S. Lofoten rifted margin offshore mid-Norway: pre-breakup or post-breakup? *Basin Research* 16, 279–96.

Lachenbruch, A.H. & Sass, J.H. (1992) Heat flow from Cajon Pass, fault strength, and tectonic implications. *J. geophys. Res.* 97, 4995–5015.

Lacroix, S. & Sawyer, E.W. (1995) An Archean fold-thrust belt in the northwestern Abitibi greenstone belt: structural and seismic evidence. *Can. J. Earth Sci.* 32, 97–112.

Lamb, A. & Davis, P. (2003) Cenozoic climate change as a possible cause for the rise of the Andes. *Nature* 425, 792–7.

Lamb, S. et al. (1997) Cenozoic evolution of the central Andes in Bolivia and northern Chile. *In* Burg, J.-P. & Ford, M. (eds) *Orogeny through Time. Spec. Pub.geol. Soc. Lond.* 121, 237–64.

Langmuir, C.H., Bender, J.B. & Batiza, R. (1986) Petrological and tectonic segmentation of the East Pacific Rise, 5°30′–14°30′N. *Nature* 322, 422–9.

Larson, K.M. et al. (1999) Kinematics of the India–Eurasia collision zone from GPS measurements. *J. geophys. Res.* 104, 1077–93.

Larson, R.L. (1991a) Latest pulse of Earth: evidence for a mid-Cretaceous superplume. *Geology* 19, 547–50.

Larson, R.L. (1991b) Geological consequences of superplumes. *Geology* 19, 963–6.

Larson, R.L. (1995) The mid-Cretaceous superplume episode. *Sci. Am.* 272, 66–70.

Larson, R.L. & Pitman, W.C. III (1972) World-wide correlation of Mesozoic magnetic anomalies, and its implications. *Bull. geol. Soc. Am.* 83, 3645–61.

Larson, R.L. et al. (1992) Roller-bearing tectonic evolution of the Juan Fernandez microplate. *Nature* 356, 571–6.

Latin, D., Norry, M.J. & Tarzey, R.J.E. (1993) Magmatism in the Gregory Rift, East Africa: evidence for melt generation by a plume. *J. Petrol.* 34, 1007–27.

Lavier, L.L. & Buck, W.R. (2002) Half graben versus large-offset low-angle normal fault: importance of keeping cool during normal faulting. *J. geophys. Res.* 107, 2122, doi:10.1029/2001JB000513.

Lavier, L.L. & Manatschal, G. (2006) A mechanism to thin the continental lithosphere at magma-poor margins. *Nature* 440, 324–8.

Lavier, L.L., Buck, W.R. & Poliakov, A.N.B. (1999) Self-consistent rolling hinge model for the evolution of large-offset low-angle normal faults. *Geology* 27, 1127–30.

Lavier, L.L., Buck, W.R. & Poliakov, A.N.B. (2000) Factors controlling normal fault offset in an ideal brittle layer. *J. geophys. Res.* 105, 23 431–42.

Lawver, L.A. & Müller, R.D. (1994) Iceland hotspot track. *Geology* 22, 311–4.

Lawver, L.A. et al. (2003) The PLATES 2003 Atlas of Plate Reconstruction (750 Ma to Present Day). PLATES Progress Report No. 280–0703. *University of Texas Institute for Geophysics Technical Report* No. 190. University of Texas Press, Houston, Texas.

Lazar, M., Ben-Avraham, Z. & Schattner, U. (2006) Formation of sequential basins along a strike-slip fault – geophysical observations from the Dead Sea basin. *Tectonophysics* 421, 53–69.

Le Cheminant, A.N. & Heaman, L.M. (1989) Mackenzie igneous event, Canada; Middle Proterozoic hotspot magmatism associated with ocean opening. *Earth planet. Sci. Lett.* 96, 38–48.

Lee, C.-T.A. (2006) Geochemical/petrologic constraints on the origin of cratonic mantle. *In* Benn, K., Mareschal, J.C., & Condie, K.C. (eds) *Archean Geodynamics and Evironments. Geophys. Monogr. Ser.* 164, pp. 89–114. American Geophysical Union, Washington, DC.

Le Fort, P. et al. (1987) Crustal generation of Himalayan leucogranites. *Tectonophysics* 134, 39–57.

LeGrand, H.E. (1988) *Drifting Continents and Shifting Theories*. Cambridge University Press, Cambridge, UK.

Leitner, B. et al. (2001) A focused look at the Alpine fault, New Zealand: seismicity, focal mechanisms, and stress observations, *J. geophys. Res.* 106, 2193–220.

Lemieux, S., Ross, G.M. & Cook, F.A. (2000) Crustal geometry and tectonic evolution of the Archean crystalline basement beneath the southern Alberta Plains, from new seismic reflection and potential field studies. *Can. J. Earth Sci.* 37, 1473–91.

Lenardic, A. (1998) On the partitioning of mantle heat loss below oceans and continents over time and its relationship to the Archaean paradox. *Geophys. J. Int.* 134, 706–20.

Lenardic, A., Moresi, L.N. & Muehlhaus, H. (2003) Longevity and stability of cratonic lithosphere; insights from numerical simulations of coupled mantle convection and continental tectonics. *J. geophys. Res.* 108, 2303, doi:10.1029/2002JB001859.

Lenardic, A. et al. (2000) What the mantle sees; the effect of continents on mantle heat flow. *In* Richards, M.A., Gordon, R.G. & van der Hilst, R.D. (eds) T*he History and Dynamics of Global Plate Motions. Geophys. Monogr. Ser.* 121, pp. 95–112. American Geophysical Union, Washington, DC.

Le Pichon, X. (1968) Sea-floor spreading and continental drift. *J. geophys. Res.* 73, 3661–97. Le Pichon, X., Francheteau, J. & Bonnin, J. (1973) *Plate Tectonics.* Elsevier, Amsterdam.

le Roex, A.P., Späth, A. & Zartman, R.E. (2001) Lithospheric thickness beneath the southern Kenya Rift: implications from basalt geochemistry. *Contrib. Mineral. Petrol.* 142, 89–106.

Li, L. et al. (2004) Stress measurements of deforming olivine at high pressure. *Phys. Earth planet. Int.* 143–144, 357–67.

Li, Z.X. et al. (2008) Assembly, configuration, and break-up history of Rodinia: a synthesis. *Precambrian Res.* 160, 179–210.

Lin, J. et al. (1990) Evidence from gravity data for focused magmatic accretion along the Mid-Atlantic Ridge. *Nature* 344, 627–32.

Lin, S.-C. & van Keken, P.E. (2006) Dynamics of thermochemical plumes: 1. Plume formation and entrainment of a dense layer. *Geochem. Geophys. Geosyst.* 7, Q02006, doi:10.1029/2005GC001071.

Lister, C.R.B. (1980) Heat flow and hydrothermal circulation. *Ann. Rev. Earth planet. Sci.* 8, 95–117.

Lister, G.S., Etheridge, M.A. & Simons, P.A. (1986) Detachment faulting and the evolution of passive continental margins. *Geology* 14, 246–50.

Lithgow-Bertelloni, C. & Silver, P.G.(1998) Dynamic topography, plate driving forces and the Africal superswell. *Nature* 395, 269–72.

Little, T.A., Holcombe, R.J. & Ilg, B.R. (2002) Kinematics of oblique collision and ramping inferred from microstructures and strain in middle crustal rocks, central Southern Alps, New Zealand. *J. struct. Geol.* 24, 219–39.

Liu, M. & Yang, Y. (2003) Extensional collapse of the Tibetan Plateau: results of three-dimensional finite element modelling. *J. geophys. Res.* 108, 2361, doi:10.1029/2002JB002248.

Livermore, R., Vine, F.J. & Smith, A.G. (1984) Plate motions and the geomagnetic field – II. Jurassic to Tertiary. *Geophys. J. Roy. astr. Soc.* 79, 939–61.

Livermore, R. et al. (2004) Shackleton fracture zone: no barrier to early circumpolar ocean circulation. *Geology* 32, 797–800.

Lottes, A.L. & Rowley, D.B. (1990) Early and Late Permian reconstructions of Pangaea. *In* McKerrow, W.S. & Scotese, C.R. (eds) *Paleozoic Paleogeography and Biogeography. Geol. Soc. Lond. Mem.* 12, 383–95.

Louden, K.E. & Chian, D. (1999) The deep structure of non-volcanic rifted continental margins. *Phil. Trans. Roy. Soc. Lond. A* 357, 767–805.

Louie, J.N. et al. (2004) The northern Walker Lane refraction experiment: Pn arrivals and the northern Sierra Nevada root. *Tectonophysics* 388, 253–69.

Lowman, J.P. & Jarvis, G.T. (1996) Continental collisions in wide aspect ratio and high Rayleigh number two-dimensional mantle convection models. *J. geophys. Res.* 101, 25 485–97.

Lowman, J.P. & Jarvis, G.T. (1999) Effects of mantle heat source distribution on supercontinent stability. *J. geophys. Res.* 104, 12,733–46.

Lowman, J.P., King, S.D. & Gable, C.W. (2001) The influence of tectonic plates on mantle convection patterns, temperature and heat flow. *Geophys. J. Int.* 146, 619–36.

Lowman, J.P., King, S.D. & Gable, C.W. (2003) The role of the heating mode of the mantle in intermittent reorganization of the plate velocity field. *Geophys. J. Int.* 152, 455–67.

Lowman, J.P., King, S.D. & Gable, C.W. (2004) Steady plumes in viscously stratified, vigorously convecting, three-dimensional numerical mantle convection models with mobile plates. *Geochem. Geophys. Geosyst.* 5, Q01L01, doi:10.1029/2003GC000583.

Lowrie, A., Smoot, C. & Bartiza, R. (1986) Are oceanic fracture zones locked and strong or weak? New evidence for volcanic activity and weakness. *Geology* 14, 242–5.

Lysack, S. (1992) Heat flow variations in continental rifts. *Tectonophysics* 208, 309–23.

Lyzenga, G.A. et al. (1986) Tectonic motions in California inferred from very long baseline interferometry observations, 1980–4. *J. geophys. Res.* 91, 9473–87.

Macdonald, K.C. & Fox. P.J. (1983) Overlapping spreading centres: new accretion geometry on the East Pacific Rise. *Nature* 302, 55–8.

Macdonald, K.C. (1982) Mid-ocean ridges: fine scale tectonic, volcanic and hydrothermal processes within a plate boundary zone. *Ann. Rev. Earth planet. Sci.* 10, 155–90.

Macdonald, K.C. et al. (1988) A new view of the mid-ocean ridge from the behaviour of ridge-axis discontinuities. *Nature* 335, 217–25.

Macdonald, K.C., Sheirer, D.S. & Carbotte, S. (1991) Mid-ocean ridges: discontinuities, segments and giant cracks. *Science* 253, 986–94.

Macdonald, R. et al. (2001) Plume–lithosphere interactions in the generation of the basalts of the Kenya Rift, East Africa. *J. Petrol.* 42, 877–900.

Mackenzie, G.D., Thybo, H. & Maguire, P.K.H. (2005) Crustal velocity structure across the Main Ethiopian Rift: results from two-dimensional wide-angle seismic modelling. *Geophys. J. Int.* 162, 994–1006.

Mackwell, S.J., Zimmerman, M.E. & Kohlstedt, D.L. (1998) High--temperature deformation of dry diabase with application to tectonics on Venus. *J. geophys. Res.* 103, 975–84.

MacLeod, C.J. et al. (2002) Direct evidence for oceanic detachment faulting at the Mid-Atlantic Ridge, 15°45′N. *Geology* 30, 879–82.

Maekawa, H. et al. (1993) Blueschist metamorphism in an active subduction zone. *Nature* 364, 520–3.

Mahmoud, S. et al. (2005) GPS evidence for northward motion of the Sinai Block: implications for E. Mediterranean tectonics. *Earth planet. Sci. Lett.* 238, 217–24.

Makovsky, Y. & Klemperer, S.L. (1999) Measuring the seismic properties of Tibetan bright spots: evidence for free aqueous fl uids in the Tibetan middle crust. *J. geophys. Res.* 104, 10,795–825.

Makris, J. et al. (1983) Seismic refraction profiles between Cyprus and Israel and their interpretation. *Geophys. J. R. astr. Soc.* 75, 575–91.

Malavieille, J. et al. (2002) Arc–continent collision in Taiwan: new marine observations and tectonic evolution. *Geol. Soc. Am. Sp. Paper* 358, 187–211.

Marcotte, S.B. et al. (2005) Intra-arc transpression in the lower crust and its relationship to magmatism in a Mesozoic magmatic arc. *Tectonophysics* 407, 135–63.

Mareschal, J.-C. & Jaupart, C. (2006) Archean thermal regime and stabilization of the cratons. *In* Benn, K., Mareschal, J.C., & Condie, K.C. (eds) *Archean Geodynamics and Evironments. Geophys. Monogr. Ser.* 164, pp. 61–73. American Geophysical Union, Washington, DC.

Marshak, S. (1999) Deformation style way back when: thoughts on the contrasts between Archean/Paleoproterozoic and contemporary orogens. *J. struct.Geol.* 21, 1175–82.

Marshak, S. et al. (1997) Dome-and-keel provinces formed during Paleoproterozoic orogenic collapse-core complexes, diapirs, or neither?: examples from the Quadrilátero Ferrífero and the Penokean orogen. *Geology* 25, 415–18.

Marshall, L.G. (1988) Land mammals and the great American interchange. *Amer. Sci.* 76, 380–8.

Martin, H. (1981) The late Palaeozoic Gondwana glaciation. *Geol. Rund.* 70, 480–98.

Martin, H. (1986) Effects of steeper Archean geothermal gradient on geochemistry and subduction-zone magmas. *Geology* 14, 753–6.

Martínez, F. & Taylor, B. (2002) Mantle wedge control on back-arc crustal accretion. *Nature* 416, 417–20.

Martínez, F., Fryer, P. & Becker, N. (2000) Geophysical characteristics of the Mariana Trough, 11°50′N–13°40′N. *J. Geophys. Res.* 105, 16,591–607.

Martínez, F., Goodliffe, A.M. & Taylor, B. (2001) Metamorphic core complex formation by density inversion and lower-crust extrusion. *Nature* 411, 930–4.

Martínez-Díaz, J.J. et al. (2004) Triggering of destructive earthquakes in El Salvador. *Geology* 32, 65–8.

Marty B., Pik, R. & Gezahegan, Y. (1996) Helium isotopic variations in Ethiopian plume lavas: nature of magmatic sources and limit on lower mantle contribution. *Earth planet. Sci. Lett.* 144, 223–37.

Marvin, U.B. (1973) *Continental Drift: the evolution of a concept.* Smithsonian Institution, Washington, DC.

Mascle, J. & Blarez, E. (1987) Evidence for transform margin evolution from the Ivory Coast–Ghana continental margin. *Nature* 326, 378–81.

Mason, R. (1985) Ophiolites. *Geology Today* 1, 136–40.

Mason, R.G. & Raff, A.D. (1961) Magnetic survey off the west coast of North America, 32°N latitude to 42°N latitude. *Bull. geol. Soc. Am.* 72, 1259–66.

Massonnet, D. & Feigl, K. (1998) Radar interferometry and its application to changes in the Earth's surface. *Rev. Geophys.* 36, 441–500.

Masters, G. et al. (1996) A shear velocity model of the mantle. *Phil. Trans. Roy Soc. London A* 354, 1385–411.

Maxwell, A.E. et al. (1970) Deep sea drilling in the South Atlantic. *Science* 168, 1047–59.

McCaffrey, R. (1996) Slip partitioning at convergent plate boundaries of SE Asia. *In* Hall, R. & Blundell, D.J. (eds) *Tectonic Evolution of Southeast Asia. Spec. Pub. geol. Soc. Lond.* 106, 3–18.

McCaffrey, R. (2005) Block kinematics of the Pacifi c–North America plate boundary in the southwestern United States from inversion of GPS, seismological, and geologic data. *J. geophys. Res.* 110, B07401, doi:10.1029/2004JB003307.

McCallum, I.S. (1996) The Stillwater Complex. *In* Cawthorn, R. G. (ed.) *Layered Intrusions*, pp. 441–83. Elsevier, Amsterdam.

McClay, K. & Bonora, M. (2001) Analog models of restraining stepovers in strike-slip fault systems. *Bull. Am. Assoc. Petroleum Geols.* 85, 233–60.

McElhinny, M.W. & McFadden, P.L. (2000) *Paleomagnetism: continents and oceans.* Academic Press, San Diego.

McElhinny, M.W., Taylor, S.R. & Stevenson, D.J. (1978) Limits to the expansion of Earth, Moon, Mars and Mercury and to changes in the gravitational constant. *Nature* 271, 316–21.

McKenzie, D.P. (2003) Estimating Te in the presence of internal loads. *J. geophys. Res.* 108, doi:10.1029/2002JB001766.

McKenzie, D.P. & Morgan, W.J. (1969) Evolution of triple junctions. *Nature* 224, 125–33.

McKenzie, D.P. & Parker, R.L. (1967) The North Pacifi c: an example of tectonics on a sphere. *Nature* 216, 1276–80.

McKenzie, D.P. & Sclater, J.G. (1971) The evolution of the Indian Ocean since the late Cretaceous. *Geophys. J. Roy. astr. Soc.* 24, 437–528.

McKenzie, D.P. & Weiss, N. (1975) Speculations on the thermal and tectonic history of the earth. *Geophys. J. Roy. astr. Soc.* 42, 131–74.

McLennan, S.M. & Taylor, S.R. (1996) Heat flow and the chemical composition of continental crust. *J. Geol.* 104, 369–77.

McNamara, D.E. et al. (1997) Upper mantle velocity structure beneath the Tibetan Plateau from Pn travel time tomography. *J. geophys. Res.* 102, 493–505. McNutt, M.K. & Judge, A.V. (1990) The superswell and mantle dynamics beneath the south Pacifi c. *Science* 248, 969–75.

McQuarrie, N. (2002) The kinematic history of the central Andean fold-thrust belt, Bolivia: implications for building a high plateau. *Bull. geol. Soc. Am.* 114, 950–63.

McQuarrie N. et al. (2005) Lithospheric evolution of the Andean fold-thrust belt, Bolivia, and the origin of the central Andean plateau. *Tectonophysics* 399, 15–37.

Meade, B.J. & Hager, B.H. (2005) Block models of crustal motion in southern California constrained by GPS measurements. *J. geophys. Res.* 110, B03403, doi:10.1029/2004JB003209.

Meade, C. & Jeanloz, R. (1991) Deep focus earthquakes and recycling of water into the Earth's mantle. *Science* 252, 68–72.

Mechie, J. *et al.* (1997) A model for the structure, composition and evolution of the Kenya Rift. *Tectonophysics* 278, 95–119.

Mechie, J. *et al.* (2005) Crustal shear velocity structure across the Dead Sea Transform from 2-D modeling of DESERT explosion seismic data. *Geophys. J. Int.* 160, 910–24.

Meert, J.G. & Torsvik, T.H. (2003) The making and unmaking of a supercontinent: Rodinia revisited. *Tectonophysics* 375, 261–88.

Meguin, C. & Romanowicz, B. (2000) The three-dimensional shear velocity structure of the mantle from the inversion of body, surface and higher waveforms. *Geophys. J. Int.* 143, 709–28.

MELT seismic team (1998) Imaging the deep seismic structure beneath a mid-ocean ridge: the MELT experiment. *Science* 280, 1215–8.

Menard, H.W. (1964) *Marine Geology of the Pacific*. McGraw-Hill, New York.

Menard, H.W. & Atwater, T. (1968) Changes in direction of sea fl oor spreading. *Nature* 219, 463–7.

Menard, H.W. & Atwater, T. (1969) Origin of fracture zone topography. *Nature* 222, 1037–40.

Menzies, M.A. *et al.* (2002) Characteristics of volcanic rifted margins. *In* Menzies, M.A. *et al.* (eds) *Volcanic Rifted Margins. Geol. Soc. Am. Sp. Paper* 362, 1–14.

Merrill, R.T., McElhinny, M.W. & McFadden, P.L. (1996) *The Magnetic Field of the Earth: paleomagnetism, the core and the deep mantle*. Academic Press, San Diego.

Michael, P.J. *et al.* (2003) Magmatic and amagmatic sea fl oor spreading at the ultraslow-spreading Gakkel Ridge, Arctic Basin. *Nature* 423, 956–61.

Miller, E.L. *et al.* (1999) Rapid Miocene slip on the Snake Range–Deep Creek Range fault system, east-central Nevada. *Bull. geol. Soc. Am.* 111, 886–905.

Miller, R.B. & Paterson, S.R. (2001a) Influence of lithological heterogeneity, mechanical anisotropy, and magmatism on the rheology of an arc, North Cascades, Washington. *Tectonophysics* 342, 351–70.

Miller, R.B. & Paterson, S.R. (2001b) Construction of mid--crustal sheeted plútons; examples from the North Cascades, Washington. *Bull. Geol. Soc. Am.* 113, 1423–42.

Milsom, J. (2001) Subduction in eastern Indonesia: how many slabs? *Tectonophysics* 338, 167–78.

Minshull, T.A. (2002) The break-up of continents and the formation of new ocean basins. *Phil. Trans. R. Soc. Lond. A* 360, 2839–52.

Minster, J.B. & Jordan, T.H. (1978) Present-day plate motions. *J. geophys. Res.* 83, 5331–54.

Mitchell, A.H.G. & Garson, M.S. (1976) Mineralization at plate boundaries. *Minerals Sci. Engineering* 8, 129–69.

Mitchell, A.H.G. & Garson, M.S. (1981) *Mineral Deposits and Global Tectonic Settings*. Academic Press, London.

Mitchell, A.H.G. & Reading, H.G. (1969) Continental margins, geosynclines, and ocean fl oor spreading. *J. Geol.* 77, 629–46.

Mitchell, A.H.G. & Reading, H.G. (1986) Sedimentation and tectonics. *In* Reading, H.G. (ed.) *Sedimentary Environments and Facies*, pp. 471–519. Blackwell Scientifi c Publications, Oxford.

Mitra, S. *et al.* (2005) Crustal structure and earthquake focal depths beneath northeastern India and southern Tibet. *Geophys. J. Int.* 160, 227–48.

Mitra, S. *et al.* (2006) Variation of Rayleigh wave group velocity dispersion and seismic heterogeneity of the Indian crust and uppermost mantle. *Geophys. J. Int.* 164, 88–98.

Miyashiro, A. (1961) Evolution of metamorphic belts. *J. Petrol.* 2, 277–311.

Miyashiro, A. (1972) Metamorphism and related magmatism in plate tectonics. *Am. J. Sci.* 272, 629–56.

Miyashiro, A. (1973) Paired and unpaired metamorphic belts. *Tectonophysics* 17, 241–54.

Mohr, P.A. & Zanettin, B. (1988) The Ethiopian flood basalt province. *In* MacDougall, J.D. (ed.) *Continental Flood Basalts*, pp. 63–110. Kluwer Academic Publishers, Dordrecht, Netherlands.

Mohriak, W.U. & Rosendahl, B.R. (2003) Transform zones in the South Atlantic rifted continental margins. *In* Storti, F., Holdsworth, R.E. & Salvini, F. (eds) *Intraplate Strike-slip Deformation Belts. Spec. Pub. geol. Soc. Lond.* 210, 211–28.

Möller, A. *et al.* (1995) Evidence for a 2 Ga subduction zone: eclogites in the Usagarian belt of Tanzania, *Geology* 23, 1067–70.

Molnar, P. & Chen, W.-P. (1982) Seismicity and mountain building. *In* Hsü, K.G. (ed.) *Mountain Building Processes*, pp. 41–57. Academic Press, London.

Molnar, P. & Tapponnier, P. (1975) Cenozoic tectonics of Asia: effects of a continental collision. *Science* 189, 419–26.

Molnar, P., Freedman, D. & Shih, J.S.F. (1979) Lengths of intermediate and deep seismic zones and temperatures in downgoing slabs of lithosphere. *Geophys. J. Roy. astr. Soc.* 56, 41–54.

Molnar, P., England, P. & Martinod, J. (1993), Mantle dynamics, uplift of the Tibetan Plateau, and the Indian monsoon. *Rev. Geophys.* 31, 357–96.

Montelli, R. *et al.* (2004a) Finite-frequency tomography reveals a variety of plumes in the mantle. *Science* 303, 338–43.

Montelli, R. *et al.* (2004b) Global P and PP traveltime tomography: rays versus waves. *Geophys. J. Int.* 158, 637–54.

Montési, L.G.J. & Zuber, M.T. (2002) A unified description of localization for application to large-scale tectonics. *J. geophys. Res.* 107, 2045, doi:10.1029/2001JB000465.

Montési, L.G.J. & Zuber, M.T. (2003) Spacing of faults at the scale of the lithosphere and localization instability: 1. Theory. *J. geophys. Res.* 108, 2110, doi:10.1029/2002JB001923.

Montgomery, D.R., Balco, G. & Willett, S.D. (2001) Climate, tectonics, and the morphology of the Andes. *Geology*, 29, 579–82.

Moody, J.D. (1973) Petroleum exploration aspects of wrench–fault tectonics. *Am. Assoc. Pet. Geol.* 57, 449–76.

Mooney, W.D., Laske, G. & Masters, T.G. (1998) CRUST 5.1: a global crustal model at $5 \times 5°$. *J. geophys. Res.* 103, 727–47.

Moore, G.F. *et al.* (2001) New insights into deformation and fl uid flow processes in the Nankai Trough accretionary prism: results of Ocean Drilling Program Leg 190. *Geochem. Geophys. Geosyst.* 2, doi:10.1029/2001GC000166.

Moore, G.F. *et al.* (2005) Legs 190 and 196 synthesis: deformation and fl uid flow processes in the Nankai Trough accretionary prism. *In* Mikada, H. *et al.* (eds) *Proceedings of the Ocean Drilling Program. Scientific Results.* 190/196, pp. 1–26. College Station, Texas.

Moore, J.C. *et al.* (1982) Geology and tectonic evolution of a juvenile accretionary terrane along a truncated convergent margin: synthesis of results from Leg 66 of the Deep Sea Drilling Project, southern Mexico. *Bull. geol. Soc. Am.* 93, 847–61.

Moores, E.M. (1982) Origin and emplacement of ophiolites. *Rev. Geophys. Space Phys.* 20, 737–60.

Moores, E.M. (1991) South west US–East Antarctic (SWEAT) connection: a hypothesis. *Geology* 19, 325–8.

Moores, E.M. (2002) Pre–1 Ga (pre-Rodinian) ophiolites: their tectonic and environmental implications. *Bull. geol. Soc. Am.* 114, 80–95.

Moores, E.M. & Vine, F.J. (1971) The Troodos Massif, Cyprus, and other ophiolites as oceanic crust; evaluation and implications. *Phil. Trans. Roy. Soc. Lond. A* 268, 443–66.

Mora, A. *et al.* (2006) Cenozoic contractional reactivation of Mesozoic extensional structures in the Eastern Cordillera of Colombia. *Tectonics* 25, 2010, doi:10.1029/2005TC001854.

Mora-Klepeis, G. & McDowell, F.W. (2004) Late Miocene calcalkalic volcanism in northwestern Mexico: an expression of rift or subduction-related magmatism? *JS Amer. Earth Sci.* 17, 297–310.

Morgan, J.P. & Chen, Y.J. (1993) Dependence of ridge-axis morphology on magma supply and spreading rate. *Nature* 364, 706–8.

Morgan, J.P. & Shearer, P.M. (1993) Seismic constraints on mantle flow and topography of the 660-km discontinuity: evidence for whole-mantle convection. *Nature* 365, 506–11.

Morgan, W.J. (1968) Rises, trenches, great faults and crustal blocks. *J. geophys. Res.* 73, 1959–82.

Morgan, W.J. (1971) Convection plumes in the lower mantle. *Nature* 230, 42–3.

Morgan, W.J. (1972a) Plate motions and deep mantle convection. *Geol. Soc. Am. Mem.* 132, 7–22.

Morgan, W.J. (1972b) Deep mantle convection plumes and plate motions. *Bull. Am. Assoc. Petroleum Geols.* 56, 203–13.

Morgan, W.J. (1981) Hot spot tracks and the opening of the Atlantic and Indian Oceans. *In* Emiliani, C. (ed.) *The Oceanic Lithosphere. The sea* 7, pp. 443–87. Wiley, New York.

Morgan, W.J. (1983) Hotspot tracks and the early rifting of the Atlantic. *Tectonophysics* 94, 123–39.

Morozov, I.B. *et al.* (1998) Wide-angle seismic imaging across accreted terranes, southeastern Alaska and western British Columbia. *Tectonophysics* 299, 281–96.

Morozov, I.B. *et al.* (2001) Generation of new continental crust and terrane accretion in Southeastern Alaska and Western British Columbia: constraints from P- and S-wave wide-angle seismic data (ACCRETE). *Tectonophysics* 341, 49–67.

Morris, J.D. & Villinger, H.W. (2006) Leg 205 synthesis: subduction fluxes and fluid flow across the Costa Rica convergent margin. *In* Morris, J.D., Villinger, H.W. & Klaus, A. (eds) *Proceedings of the Ocean Drilling Program. Scientific Results*, 205, pp. 1–54. College Station, TX.

Mount, V.S. & Suppe, J. (1987) State of stress near the San Andreas Fault: implications for wrench tectonics. *Geology* 15, 1143–6.

Mpodozis, C. & Allmendinger, R.W. (1993) Extensional tectonics, Cretaceous Andes, northern Chile (27°S). *Bull. geol. Soc. Am.* 105, 1462–77.

Mpodozis, C. & Ramos, V. (1989) The Andes of Chile and Argentina. *In* Ericksen, G.E., Cañas Pinochet, M.T. & Reinemund, J.A. (eds) *Geology of the Andes and its Relation to Hydrocarbon and Mineral Resources. Circum–Pacific Council for Energy and Mineral Resources Earth Science Series* 11, pp. 59–90. Houston, TX.

Mpodozis, C. *et al.* (2005) Late Mesozoic to Paleogene stratigraphy of the Salar de Atacama Basin, Antofagasta, Northern Chile: implications for the tectonic evolution of the Central Andes. *Tectonophysics* 399, 125–54.

Müller, B. *et al.* (1997) Short-scale variation of tectonic regimes in the western European stress province north of the Alps and Pyrenees. *Tectonophysics* 275, 199–219.

Müller, R.D. *et al.* (1997) Digital isochrons of the world's ocean floor. *J. geophys. Res.* 102, 3211–14.

Müller, R.D., Royer, J.Y. & Lawver, L.A. (1993) Revised plate motions relative to the hotspots from combined Atlantic and Indian Ocean hotspot tracks. *Geology* 21, 275–8.

Murakami, M. *et al.* (2004) Post-perovskite phase transition in MgSiO3. *Science* 304, 855–8.

Musacchio, G. & Mooney, W.D. (2002) Seismic evidence for a mantle source for mid-Proterozoic anorthosites and implications for model soft crustal growth. *In* Fowler, C.M.R., Ebinger, C.J. & Hawkesworth, C.J. (eds) *The Early Earth: physical, chemical and biological development. Spec. Pub. geol. Soc. Lond.* 199, 125–34.

Mutter, J., Talwani, M. & Stoffa, P. (1982) Origin of seaward-dipping reflectors in ocean crust off the Norwegian margin by subaerial seafloor spreading. *Geology* 10, 353–7.

Mutter, J.C. *et al.* (1988) Magma distribution across ridge axis discontinuities on the East Pacific Rise from multichannel seismic images. *Nature* 336, 156–8.

Myers, S. *et al.* (1998) Lithospheric scale structure across the Bolivian Andes from tomographic images of velocity and attenuation for P and S waves. *J. geophys. Res.* 103, 21,233–52.

Nafe, J.E. & Drake, C.L. (1963) Physical properties of marine sediments. *In* Hill, M.N. (ed.) *The Earth Beneath the Sea. The sea* 3, pp. 794–815. Interscience Publishers, New York.

Nagel, T.J. & Buck, W.R. (2004) Symmetric alternative to asymmetric rifting models. *Geology* 32, 937–40.

Naldrett, A.J. (1999) World-class Ni-Cu-PGE deposits: key factors in their genesis. *Miner. Depos.* 34, 227–40.

Naylor, M. *et al.* (2005) A discrete element model for orogenesis and accretionary wedge growth. *J. geophys. Res.* 110, B12403, doi:10.1029/2003JB002940.

Neev, D., & Hall, J.K. (1979) Geophysical investigations in the Dead Sea. *Sedim. Geol.* 23, 209–38.

Nelson, K.D. *et al.* (1996) Partially molten middle crust beneath southern Tibet: synthesis of project INDEPTH results. *Science* 274, 1684–88.

Nemcˇok, M., Schamel, S. & Gayer, R. (2005) Thrustbelts, Structural Architecture, Thermal Regimes and Petroleum Systems. Cambridge University Press, New York.

Newman, R. & White, N. (1997) Rheology of the continental lithosphere inferred from sedimentary basins. *Nature* 385, 621–4.

Nicolas, A. (1989) *Structure of Ophiolites and Dynamics of Oceanic Lithosphere.* Kluwer Academic Publishers, Dordrecht.

Nicolas, A., Boudier, F. & Ildefonse, B. (1994) Evidence from the Oman ophiolite for active mantle upwelling beneath a fast-spreading ridge. *Nature* 370, 51–3.

Niell, A.E. *et al.* (1979) Comparison of a radiointerferometric differential baseline measurement with conventional geodesy. *Tectonophysics* 52, 49–58.

Nielsen T.K. & Hopper, J.R. (2002) Formation of volcanic rifted margins: are temperature anomalies required? *Geophys. Res. Lett.* 29, 2022, doi:10.1029/2002GL015681.

Nielsen T.K. & Hopper, J.R. (2004) From rift to drift: mantle melting during continental breakup. *Geochem. Geophys. Geosyst.* 5, Q07003, doi:10.1029/2003GC000662.

Niemi, N.A. *et al.* (2004) BARGEN continuous GPS data across the eastern Basin and Range province, and implications for fault system dynamics. *Geophys. J. Int.* 159, 842–62.

Nisbet, E.G. & Fowler, C.M.R. (1978) The Mid-Atlantic Ridge at 37 and 45°N: some geophysical and petrological constraints. *Geophys. J. Roy. astr. Soc.* 54, 631–60.

Nisbet, E.G. *et al.* (1993) Constraining the potential temperature of the Archean mantle: a review of the evidence from komatiites. *Lithos* 30, 291–307.

Norabuena, E.O. *et al.* (1998) Space geodetic observations of Nazca–South America convergence across the central Andes. *Science* 279, 358–62.

Norabuena, E.O. *et al.* (1999) Decelerating Nazca–South America and Nazca–Pacific plate motions. *Geophys. Res. Lett.* 26, 3405–8.

Norris, R.J. & Cooper, A.F. (2001) Late Quaternary slip rates and slip partitioning on the Alpine Fault, New Zealand. *J. struct. Geol.* 23, 507–20.

Norris, R.J., Koons, P.O. & Cooper, A.F. (1990) The obliquely-convergent plate boundary in the South Island of New Zealand: implications for ancient collisional zones. *J. struct. Geol.* 12, 715–25.

Norton, I.O. (1995) Plate motion in the North Pacific: the 43 Ma nonevent. *Tectonics* 14, 1080–94.

Norton, I.O. & Sclater, J.G. (1979) A model for the evolution of the Indian Ocean and the break up of Gondwanaland. *J. geophys. Res.* 84, 6803–30.

Nunns, A.G. (1983) Plate tectonic evolution of the Greenland–Scotland Ridge and surrounding areas. *In* Bott, M.H.P. *et al.* (eds) *Structure and Development of the Greenland–Scotland Ridge. NATO Conference Series IV,* 8, pp. 11–30. Plenum Press, London.

Nyblade, A.A. & Robinson, S.W. (1994) The African superswell. *Geophys. Res. Lett.* 21, 765–68.

O'Brien, P.J. & Rötzler, J. (2003) High pressure granulites: formation, recovery of peak conditions and implications for tectonics. *J. metam. geol.* 21, 3–20.

O'Connell, RJ. & Budiansky, B. (1977) Viscoelastic properties of fluid-saturated cracked solids. *J. geophys. Res.* 82, 5719–35.

O'Reilly, S.Y. *et al.* (2001) Are lithospheres forever? Tracking changes in subcontinental lithospheric mantle through time. *GSA Today* 11, 4–10.

Okino, K. *et al.* (2004) Development of oceanic detachment and asymmetric spreading at the Australian–Antarctic Discordance. *Geochem. Geophys. Geosyst.* 5, Q12012, doi:10.1029/2004GC000793.

Oldow, J.S. (2003) Active transtensional boundary zone between the western Great Basin and Sierra Nevada block, western US Cordillera. *Geology* 31, 1033–6.

Oliver, J. (1982) Tracing surface features to great depths: a powerful means for exploring the deep crust. *Tectonophysics* 81, 257–72.

Oliver, J. & Isacks, B. (1967) Deep earthquake zones, anomalous structures in the upper mantle, and the lithosphere. *J. geophys. Res.* 72, 4259–75.

Opdyke, N.D. & Channel, J.E.T. (1996) *Magnetic Stratigraphy.* Academic Press, San Diego.

Opdyke, N.D., Burckle, L.H. & Todd, A. (1974) The extension of the magnetic time scale in sediments of the central Pacific Ocean. *Earth planet. Sci. Lett.* 22, 300–6.

Opdyke, N.D. *et al.* (1966) Palaeomagnetic study of Antarctic deep sea cores. *Science* 154, 349–57.

Oreskes, N. (1999) *The Rejection of Continental Drift: theory and method in American earth science.* Oxford University Press, New York.

Oreskes, N. (2001) (ed.) *Plate Tectonics: an insider's history of the modern theory of the Earth.* Westview press, Boulder, CO.

Orowan, E. (1965) Convection in a non-Newtonian mantle, continental drift, and mountain building. *Phil. Trans. Roy. Soc. Lond. A* 258, 284–313.

Owens, T.J. & Zandt, G. (1997) Implications of crustal property variations for models of Tibetan plateau evolution. *Nature* 387, 37–43.

Ozacar, A.A. & Zandt, G. (2004) Crustal seismic anisotropy in central Tibet: implications for deformational style and flow in the crust. *Geophys. Res. Lett.* 31, L23601, doi:10.1029/2004GL021096.

Özalaybey, S. & Savage, M.K. (1995) Shear-wave splitting beneath western United States in relation to plate tectonics. *J. geophys. Res.* 100, 18 135–49.

Packham, G.H. & Falvey, D.A. (1971) An hypothesis for the formation of marginal seas in the Western Pacific. *Tectonophysics* 11, 79–110.

Pakiser, L.C. (1963) Structure of the crust and upper mantle in the western United States. *J. geophys. Res.* 68, 5747–56.

Pancha, A., Anderson, J.G. & Kreemer, C. (2006) Comparison of seismic and geodetic scalar moment rates across the Basin and Range Province. *Bull. seis. Soc. Am.* 96, 11–32.

Panien, M., Schreurs, G. & Pfiffner, A. (2005) Sandbox experiments on basin inversion: testing the influence of basin orientation and basin fill. *J. struct. Geol.* 27, 433–45.

Panning, M. & Romanowicz, B. (2004) Inferences on flow at the base of Earth's mantle based on seismic anisotropy. *Science* 303, 351–3.

Pardo-Casas, F. & Molnar, P. (1987) Relative motion of the Nazca (Farallon) and South American plates since Late Cretaceous time. *Tectonics* 6, 233–48.

Park, J. & Levin, V. (2002) Seismic anisotropy: tracing plate dynamics in the mantle. *Science* 296, 485–9.

Park, R.G. (1983) *Foundations of Structural Geology*. Blackie, London & Glasgow.

Park, Y. & Nyblade, A.A. (2006) P-wave tomography reveals a westward dipping low velocity zone beneath the Kenya Rift. *Geophys. Res. Lett.* 33, L07311, doi:10.1029/2005GL025605.

Park, S.K. & Wernicke, B. (2003) Electrical conductivity images of Quaternary faults and Tertiary detachments in the California Basin and Range. *Tectonics* 22, 1030, doi:10.1029/ 2001TC001324.

Parman, S.W., Grove, T.L. & Dann, J.C. (2004) A subduction origin for komatiites and cratonic lithospheric mantle. *S. Afr. J. Geol.* 107, 107–18.

Parsons, B. & McKenzie, D.P. (1978) Mantle convection and the thermal structure of the plates. *J. geophys. Res.* 83, 4485–96.

Parsons, B. & Sclater, J.G. (1977) An analysis of the variation of ocean floor bathymetry and heat flow with age. *J. geophys. Res.* 82, 803–27.

Parsons, T. *et al.* (1996) Crustal structure of the Colorado Plateau, Arizona: application of new long-offset seismic data analysis techniques. *J. geophys. Res.* 101, 11,173–94.

Patzwahl, R. *et al.* (1999) Two-dimensional velocity models of the Nazca plate subduction zone between 19.5°S and 25°S from wide angle seismic measurements during the CINCA95 project. *J. geophys. Res.* 104, 7293–317.

Peacock, S.M. (1991) Numerical simulation of subduction zone pressure–temperature–time paths: constraints on fluid production and arc magmatism. *Philos. Trans. R. Soc. London Ser. A* 335, 341–53.

Peacock, S.M. (1992) Blueschist-facies metamorphism, shear heating, and P-T-t paths in subduction shear zones. *J. geophys. Res.* 97, 17 693–707.

Peacock, S.M. (2001) Are the lower planes of double seismic zones caused by serpentine dehydration in subducting oceanic mantle? *Geology* 29, 299–302.

Peacock, S.M. (2003) Thermal structure and metamorphic evolution of subducting slabs. *In* Eiler, J. (ed.) *Inside the Subduction Factory. Geophys. Monogr. Ser.* 138, pp. 7–22. American Geophysical Union, Washington, DC.

Peacock, S.M. & Wang, K. (1999) Seismic consequences of warm versus cool subduction zone metamorphism: examples from northeast and southwest Japan. *Science* 286, 937–9.

Pearce, J.A. (1980) Geochemical evidence for the genesis and eruptive setting of lavas from Tethyan ophiolites. *In* Panayiotou, A. (ed.) *Ophiolites*, pp. 261–72. Geol. Surv., Cyprus.

Pearce, J.A. & Peate, D.W. (1995) Tectonic implications of the composition of volcanic arc magmas. *Annu. Rev. Earth Planet. Sci.* 23, 251–85.

Pearson, D.G. *et al.* (2002) The development of lithosperic keels beneath the earliest continents: time constraints using PGE and Re-Os isotope systematics. *In* Fowler, C.M.R., Ebinger, C.J. & Hawkesworth, C.J. (eds) *The Early Earth: physical, chemical and biological development. Spec. Pub. geol. Soc. Lond.* 199, 65–90.

Peltier, W.R. & Andrews, J.T. (1976) Glacial–isostatic adjustment – I. The forward problem. *Geophys. J. Roy. astr. Soc.* 46, 605–46.

Percival, J.A. *et al.* (1997) Tectonic evolution of associated greenstone belts and high-grade terrains. *In* de Wit, M.J. & Ashwal, L.D. (eds) *Greenstone Belts*, pp. 398–420. Clarendon Press, Oxford.

Perez-Gussinge, M. & Watts, A.B. (2005) The long-term strength of Europe and its implications for plate forming processes. *Nature* 436, 381–4.

Petford, N. & Atherton, M.P. (1996) Na-rich partial melts from newly underplated basaltic crust: the Cordillera Blanca batholith, Peru. *J. Petrol.* 37, 1491–521.

Petford, N. *et al.* (2000) Granite magma formation, transport and emplacement in the Earth's crust. *Nature* 408, 669–73.

Petit, C. & Ebinger, C. (2000) Flexure and mechanical behavior of cratonic lithosphere: gravity models of the East African and Baikal rifts. *J. geophys. Res.* 105, 19,151–62.

Petronotis, K.E. & Gordon, R.G. (1999) A Maastrichtian paleomagnetic pole for the Pacific plate from a skewness analysis of marine magnetic anomaly 32. *Geophys. J. Int.* 139, 227–47.

Pickup, S.L.B. *et al.* (1996) Insight into the nature of the ocean–continent transition off West Iberia from a deep multichannel seismic reflection profile. *Geology* 24, 1079–82.

Pilger, R.H. Jr (1982) The origin of hotspot traces: evidence from eastern Australia. *J. geophys. Res.* 87, 1825–34.

Piper, J.D.A. (1987) *Palaeomagnetism and the Continental Crust*. Open University Press, Milton Keynes, UK.

Pirajno, F. (2004) Hotspots and mantle plumes: global intraplate tectonics, magmatism and ore deposits. *Mineral. Petrol.* 82, 183–216.

Pitman, W.C. III & Heirtzler, J.R. (1966) Magnetic anomalies over the Pacific–Antarctic ridge. *Science* 154, 1164–71.

Pitman, W.C. III & Talwani, M. (1972) Sea-floor spreading in the North Atlantic. *Bull. geol. Soc. Am.* 83, 619–46.

Plank, T. & Langmuir, C.H. (1993) Tracing trace elements from sediment input to volcanic output at subduction zones. *Nature* 362, 739–43.

Planke, S. *et al.* (2000) Seismic volcanostratigraphy of large-volume basaltic extrusive complexes on rifted margins. *J. geophys. Res.* 105, 19 335–51.

Platt, J.P. (1986) Dynamics of orogenic wedges and the uplift of high-pressure metamorphic rocks. *Bull. geol. Soc. Am.* 97, 1037–53.

Plumstead, E.P. (1973) The enigmatic Glossopteris flora and uniformitarianism. *In* Tarling, D.H. & Runcorn, S.K. (eds) *Implications of Continental Drift to the Earth Sciences*, I, pp. 413–24. Academic Press, London.

Polet, J. *et al.* (2000) Shear wave anisotropy beneath the Andes from the BANJO, SEDA, and PISCO experiments. *J. geophys. Res.* 105, 6287–304.

Pollack, H.N. & Chapman, D.S. (1977) The flow of heat from the Earth's interior. *Sci. Am.* 237, 60–76.

Pollack, H.N., Hunter, S.J. & Johnson, J.R. (1993) Heat flow from the Earth's interior: analysis of the global data set. *Rev. Geophys.* 31, 267–80.

Poulsen, C.J. et al. (2001) Response of the mid-Cretaceous global ocean circulation to tectonic and CO2 forcings. *Paleoceanography*, 16, 576–92.

Powell, C. McA. et al. (1993) Paleomagnetic constraints on timing of the Neoproterozoic breakup of Rodinia and the Cambrian formation of Gondwana. *Geology* 21, 889–92.

Prawirodirdjo, L. & Bock, Y. (2004) Instantaneous global plate motion model from 12 years of continuous GPS observations. *J. geophys. Res.* 109, B8, B08405, doi:10.1029/2003JB002944.

Prescott, W.H. et al. (2001) Deformation across the Pacific–North America plate boundary near San Francisco, California. *J. geophys. Res.* 106, B4, 6673–82.

Prevot, M. et al. (2000) Evidence for a 20° tilting of the Earth's rotation axis 110 million years ago. *Earth planet. Sci. Lett.* 179, 517–28.

Pritchard, M.E. & Simons, M. (2004) Surveying volcanic arcs with satellite radar interferometry: the Central Andes, Kamchatka, and beyond. *GSA Today* 14, 4–11.

Purdy, G.M. (1987) New observations of the shallow seismic structure of young oceanic crust. *J. geophys. Res.* 92, 9351–62.

Purdy, G.M. & Detrick, R.S. (1986) The crustal structure of the Mid-Atlantic Ridge at 23°N from seismic reflection studies. *J. geophys. Res.* 91, 3739–62.

Raedeke, L.D. & McCallum, I.S. (1984) Investigations of the Stillwater Complex: Part II. Petrology and petrogenesis of the Ultramafic series. *J. Petrol.* 25, 395–420.

Raff, A.D. & Mason, R.G. (1961) Magnetic survey off the west coast of North America, 40°N latitude to 52°N latitude. *Bull. geol. Soc. Am.* 72, 1267–70.

Rainbird, R.H., Hamilton, M.A. & Young, G.M. (2001) Detrital zircon geochronology and provenance of the Torridonian, NW Scotland, *J. geol. Soc. Lond.* 158, 15–27.

Ramachandran, K., Hyndman, R.D. & Brocher, T.M. (2006) Regional P wave velocity structure of the Northern Cascadia Subduction Zone. *J. geophys. Res.* 111, B12301, doi:10.1029/2005JB004108.

Ramos, V.A. (1989) Foothills structure in northern Magallanes Basin, Argentina. *Amer. Assoc. Pet. geol.* 73, 887–903.

Ramos, V.A., Cristallini, E.O. & Pérez, D.J. (2002) The Pampean flat-slab of the Central Andes. *J. S Am. Earth Sci.* 15, 59–78.

Ranalli, G. (1995) *Rheology of the Earth*, 2nd edn Chapman & Hall, London.

Ranalli, G. (2001) Mantle rheology: radial and lateral viscosity variations inferred from microphysical creep laws. *J. Geodyn.* 32, 425–44.

Ranalli, G. & Murphy, D.C. (1987) Rheological stratification of the lithosphere. *Tectonophysics* 132, 281–96.

Ranero, C.R. & Reston, T.J. (1999) Detachment faulting at ocean core complexes. *Geology* 27, 983–6.

Rapine, R. et al. (2003) Crustal structure of northern and southern Tibet from surface wave dispersion analysis. *J. geophys. Res.* 108, doi:10.1029/2001JB000445.

Raymo, M.E. & Ruddiman, W.F. (1992) Tectonic forcing of Late Cenozoic climate. *Nature* 359, 117–22.

Reston, T.J., Krawczyk, C.M. & Klaeschen, D. (1996) The S reflector west of Galicia (Spain): evidence from prestack depth migration for detachment faulting during continental breakup. *J. geophys. Res.* 101, 8075–92.

Rice, J.R. (1992) Fault stress states, pore pressure distributions, and the weakness of the San Andreas fault. *In* Evans, B. & Wong, T.F. (eds) *Fault Mechanics and Transport Properties of Rocks*, pp. 475–504. Academic Press, New York.

Richards, J.P. (2003) Tectono-Magmatic Precursors for Porphyry Cu-(Mo-Au) Deposit Formation. *Econ. Geol.* 98, 1515–33.

Richardson, A.N. & Blundell, D.J. (1996) Continental collision in the Banda arc. *In* Hall, R. & Blundell, D.J. (eds) *Tectonic Evolution in Southeast Asia. Spec. Pub. geol. Soc. Lond.* 106, 47–60.

Richardson, S.H. et al. (2001) Archean subduction recorded by Re-Os isotopes in eclogitic sulfide inclusions in Kimberley diamonds. *Earth planet. Sci. Lett* 191, 257–66.

Ringwood, A.E. (1974) The petrological evolution of island arc systems. *J. geol. Soc. Lond.* 130, 183–204.

Ringwood, A.E. (1975) *Composition and Petrology of the Earth's Mantle*. McGraw-Hill, New York.

Ringwood, A.E. (1977) Petrogenesis in island arc systems. *In* Talwani, M. & Pitman, W.C. III (eds) *Island Arcs, Deep Sea Trenches and Back-arc Basins. Maurice Ewing Series* I, pp. 311–24. American Geophysical Union, Washington, DC.

Rino, S. et al. (2004) Major episodic increase of continental crustal growth determined from zircon ages of river sands; implications for mantle overturns in the Early Precambrian. *Phys. Earth planet. Interiors* 146, 369–94.

Ritger, S., Canson, B. & Snegge, E. (1987) Methane-derived authigenic carbonates formed by subduction-induced pore-water expulsion along the Oregon/Washington margin. *Bull. geol. Soc. Am.* 98, 147–56.

Ritsema, J. & van Heijst, H.J. (2000) New seismic model of the upper mantle beneath Africa. *Geology* 28, 63–6.

Ritsema, J., van Heijst, H.J. & Woodhouse, J.H. (1999) Complex shear wave velocity structure imaged beneath Africa and Iceland. *Science* 286, 1925–28.

Ritsema, J. et al. (1998) Upper mantle seismic velocity structure beneath Tanzania: implications for the stability of cratonic roots. *J. geophys. Res.* 103, 21 201–14.

Rivers, T. (1997) Lithotectonic elements of the Grenville Province: review and tectonic implications. *Precambrian Res.* 86, 117–54.

Roberts, A., Lundin, E.R. & Kusznir, N.J. (1997) Subsidence of the Vøring Basin and the influence of the Atlantic continental margin. *J. Geol. Soc. Lond.* 154, 551–7.

Robl, J. & Stüwe, K. (2005a) Continental collision with finite indenter strength: 1. Concept and model formulation. *Tectonics* 24, TC4005, doi:10.1029/2004TC0011727.

Robl, J. & Stüwe, K. (2005b) Continental collision with finite indenter strength: 2. European eastern Alps. *Tectonics* 24, TC4014, doi:10.1029/2004TC001741.

Rogers, A.M. et al. (1991) The seismicity of Nevada and some adjacent parts of the Great Basin. *In* Slemmons, D.B. et al. (eds) *Neotectonics of North America. Decade Map*, 1, 153–84. Geological Society of America, Boulder, CO.

Romanowicz, B. (2003) Global mantle tomography: progress status in the past 10 years. *Ann. Rev. Earth Planet. Sci.* 31, 303–28.

Romm, J. (1994) A new forerunner for continental drift. *Nature* 367, 407–8.

Rona, P.A. (1977) Plate tectonics, energy and mineral resources: basic research leading to payoff. *EOS Trans. Amer. Geophys. Un.* 58, 629–39.

Rona, P.A. (1984) Hydrothermal mineralization at seafloor spreading centres. *Earth Sci. Rep.* 20, 1–104.

Rona, P.A. & Richardson, E.S. (1978) Early Cenozoic global plate reorganization. *Earth planet. Sci. Lett.* 40, 1–11.

Royden, L. (1996) Coupling and decoupling of the crust and mantle in convergent orogens: implications for strain partitioning in the crust. *J. geophys. Res.* 101, 17 679–705.

Royden, L. & Keen, C.E. (1980) Rifting process and thermal evolution of the continental margin of eastern Canada determined from subsidence curves. *Earth planet. Sci. Lett.* 51, 343–61.

Rudnick, R.L. (1992) Xenoliths – samples of the lower continental crust. *In* Fountain, D.M., Arculus, R. & Kay, R.W. (eds) *Continental Lower Crust*, pp. 269–316. Elsevier, Amsterdam.

Rudnick, R.L. & Fountain, D.M. (1995) Nature and composition of the continental crust: a lower crustal perspective. *Rev. Geophys.* 33, 267–309.

Rudnick, R.L. & Gao, S. (2003) The Composition of the Continental Crust. *In* Rudnick, R.L. (ed.) *The Crust*, pp. 1–64. Holland, H.D. & Turekian, H.K. (eds) *Treatise on Geochemistry*, 3. Elsevier–Pergamon, Oxford.

Rupke, N.A. (1970) Continental drift before 1900. *Nature* 227, 349–50.

Ruppel, C. (1995) Extensional processes in continental lithosphere. *J. geophys. Res.* 100, 24 187–215.

Rusby, R.I. & Searle, R.C. (1995) A history of the Easter Island microplate, 5.25 Ma to present. *J. geophys. Res.* 100, 12 617–40.

Sabadini, R. & Yuen, D.A. (1989) Mantle stratification and long-term polar wander. *Nature* 339, 373–5.

Sabadini, R., Yuen, D.A. & Boschi, E. (1982) Polar wandering and the forced responses of a rotating, multi-layered, viscoelastic planet. *J. geophys. Res.* 81, 2885–903.

Saffer, D.M. (2003) Pore pressure development and progressive dewatering in underthrust sediments at the Costa Rican subduction margin: comparison with northern Barbados and Nankai. *J. geophys. Res.* 108 (B5), 2261, doi:10.1029/ 2002JB001787.

Saffer, D.M. & Bekins, B.A. (2002) Hydrologic controls on the mechanics and morphology of accretionary wedges and thrust belts. *Geology* 30, 271–4.

Saffer, D.M. & Bekins, B.A. (2006) An evaluation of factors influencing pore pressure in accretionary complexes: implications for taper angle and wedge mechanics. *J. geophys. Res.* 111, B04101, doi:10.1029/2005JB003990.

Saint Blanquat, M. *et al.* (1998) Transpressional kinematics and magmatic arcs. *In* Holdsworth, R.E, Strachan, R.A. & Dewey, J.F. (eds) *Continental Transpressional and Transtensional Tectonics. Spec. Pub. geol. Soc. Lond.* 135, 327–40.

Saintot, A. *et al.* (2003) Structures associated with inversion of the Donbas fold belt (Ukraine and Russia). *Tectonophysics* 373, 181–207.

Salisbury, M.H. & Christensen, N.I. (1978) The seismic velocity structure of a traverse through the Bay of Islands ophiolite complex, Newfoundland, an exposure of oceanic crust and upper mantle. *J. geophys. Res.* 83, 805–17.

Sass, J.H. *et al.* (1994) Thermal regime of the southern Basin and Range Province: 1. Heat flow data from Arizona and the Mojave Desert of California and Nevada. *J. geophys. Res.* 99, 22,093–119.

Savage, J.C. (2000) Viscoelastic-coupling model for the earthquake cycle driven from below. *J. geophys. Res.* 105, B11, 25,525–32.

Savage, J.C. & Burford, R.O. (1973) Geodetic determination of relative plate motion in central California. *J. geophys. Res.* 78, 832–45.

Savage, J.C. *et al.* (2004a) Strain accumulation across the Coast Ranges at the latitude of San Francisco, 1994–2000. *J. geophys. Res.* 109, B03413, doi:10.1029/2003JB002612.

Savage, J.C., Svarc, J.L & Prescott, W.H. (2004b) Interseismic strain and rotation rates in the northeast Mojave domain, eastern California. *J. geophys. Res.* 109, B02406, doi:10.1029/ 2003JB002705.

Savage, M.K. (1999) Seismic anisotropy and mantle deformation: what have we learned from shear wave splitting? *Rev. Geophys.* 37, 65–106.

Savage, M.K. & Sheehan, A.F. (2000) Seismic anisotropy and mantle flow from the Great Basin to the Great Plains, western United States. *J. geophys. Res.* 105, 13,715–34.

Sawkins, F.J. (1984) *Metal Deposits in Relation to Plate Tectonics*. Springer-Verlag, Berlin.

Sawyer, T.L. (1999) Assessment of contractional deformation rates of the Mt. Diablo fold and thrust belt, eastern San Francisco Bay Region, Northern California. *USGS National Earthquake Hazards Reduction Program*. Final Technical Report No. 98-HQ-GR-1006, pp. 1–53. US Geol. Survey, Reston,Virginia.

Sayers, J. *et al.* (2001) Nature of the continent–ocean transition on the non-volcanic rifted margin of the central Great Australian Bight. *In* Wilson, R.C.L., *et al.* (eds) *Non-volcanic Rifting of Continental Margins: a comparison of evidence from land and sea. Spec. Pub. geol. Soc. Lond.* 187, 51–76.

Schellart, W.P., Lister, G.S. & Jessell, M.W. (2002) Analogue modeling of arc and backarc deformation in the New Hebrides arc and North Fiji Basin. *Geology* 30, 311–14.

Scherwath, M. *et al.* (2002) Pn anisotropy and distributed upper mantle deformation associated with a continental transform. *Geophys. Res. Lett.* 29, doi:10.1029/2001GL014179.

Scherwath, M. *et al.* (2003) Lithospheric structure across oblique continent collision in New Zealand from wide-angle P wave modeling. *J. geophys. Res.* 108, 2566, doi:10.1029/ 2002JB002286.

Scherwath, M. *et al.* (2006) Three-dimensional lithospheric deformation and gravity anomalies associated with oblique continental collision in South Island, New Zealand. *Geophys. J. Int.* 167, 906–16.

Schiellerup, H. *et al.* (2000) Re-Os isotopic evidence for a lower crustal origin of massif-type anorthosites. *Nature* 405, 781–4.

Schilling, J.-G., Anderson, R.N. & Vogt. P. (1976) Rare earth, Fe and Ti variations along the Galapagos spreading centre and their relationship to the Galapagos mantle plume. *Nature* 261, 108–13.

Schmitz, M.D. *et al.* (2004) Subduction and terrane collision stabilize the western Kaapvaal craton tectosphere 2.9 billion years ago. *Earth planet. Sci. Lett.* 222, 363–76.

Schnitker, D. (1980) North Atlantic oceanography as a possible cause of Antarctic glaciation and eutrophication. *Nature* 284, 615–16.

Scholz, C.H. (1998) Earthquakes and friction laws. *Nature* 391, 37–42.

Scholz, C.H. (2000) Evidence for a strong San Andreas fault. *Geology* 28, 163–6.

Schoonmaker, J. (1986) Clay mineralogy and diagenesis of sediments from deformation zones in the Barbados accretionary prism. *In* Moore, J.C. (ed.) *Synthesis of Structural Fabrics in Deep Sea Drilling Project Cores from Forearcs. Geol. Soc. Am. Mem.* 166, 105–16.

Schroeder, T. & John, B.E. (2004) Strain localization on an oceanic detachment fault system, Atlantis Massif, 30°N, Mid-Atlantic Ridge. *Geochem. Geophys. Geosyst.* 5, Q11007, doi:10.1029/2004GC000728.

Schubert, G., Turcotte, D.L. & Olsen P. (2001) *Mantle Convection in the Earth and Planets*, pp. 940. Cambridge University Press, Cambridge.

Schulte-Pelkum, V. *et al.* (2005) Imaging the Indian subcontinent beneath the Himalaya. *Nature.* 435, doi:10.1038/nature03678.

Schulze, D.J. (1989) Constraints on the abundance of eclogite in the upper mantle. *J. geophys. Res* 94, 4205–12.

Schurr, B. *et al.* (2003) Complex patterns of fluid and melt transport in the central Andean subduction zone revealed by attenuation tomography. *Earth planet. Sci. Lett.* 215, 105–19.

Sclater, J.G. & Francheteau, J. (1970) The implications of terrestrial heat flow observations on current tectonic and geochemical models of the crust and upper mantle of the Earth. *Geophys. J. Roy. astr. Soc.* 20, 509–42.

Sclater, J.G., Jaupart, C. & Galson, D. (1980) The heat fl ow through oceanic and continental crust and the heat loss of the Earth. *Rep. Geophys. Space Phys.* 18, 269–311.

Scotese, C.R., Gahagan, L.M. & Larson, R.L. (1988) Plate tectonic reconstructions of the Cretaceous and Cenozoic ocean basins. *Tectonophysics* 155, 27–48.

Scott, D.J., Helmstaedt, H. & Bickle, M.J. (1992) Purtuniq ophiolite, Cape Smith belt, northern Quebec, Canada: a reconstructed section of early Proterozoic oceanic crust. *Geology* 20, 173–6.

Scott, M.R. *et al.* (1973) Hydrothermal manganese in the median valley of the Mid-Atlantic Ridge. *EOS Trans. Amer. Geophys. Un.* 54, 244.

Scrutton, C.T. (1967) Absolute time data from palaeontology. *In* Runcorn, S.K. *et al.* (eds) *International Dictionary of Geophysics I*, p. 1. Pergamon Press, Oxford.

Scrutton, R.A. (1979) On sheared passive continental margins. *Tectonophysics* 59, 293–305.

Searle, D.L. & Panayiotou, A. (1980) Structural implications in the evolution of the Troodos massif, Cyprus. *In* Panayiotou, A. (ed.) *Ophiolites*, pp. 50–60. Geol. Surv. Cyprus.

Searle, M.P. (1999) Extensional and compressional faults in the Everest–Lhotse massif, Khumbu Himalaya, Nepal. *J. geol. Soc. Lond.* 156, 227–40.

Searle, M.P. *et al.* (1999) Age of crustal melting, emplacement and exhumation history of the Shivling leucogranite, Garhwal Himalaya. *Geol. Mag.* 136, 513–25.

Searle, R.C. (1983) Multiple, closely spaced transform faults in fast-slipping fracture zones. *Geology* 11, 607–10.

Searle, R.C. *et al.* (1989) Comprehensive sonar imagery of the Easter microplate. *Nature* 341, 701–5.

Sella, G.F., Dixon, T.H. & Mao, A. (2002) REVEL: a model for Recent plate velocities from space geodesy. *J. geophys. Res.* 107, 2081, doi:10.1029/2000JB000033.

Sempéré, J.-C., Purdy, G.M. & Schouten, H. (1990) Segmentation of the Mid-Atlantic Ridge between 24°N and 30°40′N. *Nature* 344, 427–9.

Şengör A.M.C. & Natal'in B.A. (1996) Turkic-type orogeny and its role in the making of the continental crust. *Ann. Rev. Earth planet. Sci.* 24, 263–337.

Shackleton, N.J. & Kennett, J.P. (1975) Paleotemperature history of the Cenozoic and the initiation of Antarctic glaciation: oxygen and carbon isotope analyses in DSDP Sites 277, 270 and 281. *In* Kennett, J.P. & Houtz, R.E. (eds) *Initial Reports of the Deep Sea Drilling Project* 29, pp. 743–56. US Government Printing Office, Washington, DC.

Shackleton, R.M., Dewey, J.F. & Windley, B.F. (1988) *Tectonic Evolution of the Himalayas and Tibet.* Royal Society, London.

Shamir, G., Eyal, Y. & Bruner I. (2005) Localized versus distributed shear in transform plate boundary zones: the case of the Dead Sea Transform in the Jericho Valley. *Geochem. Geophys. Geosyst.* 6, Q05004, doi:10.1029/2004GC000751.

Shearer, P.-M. & Masters, G.M. (1992) Global mapping of topography on the 660-km discontinuity. *Nature* 355, 791–6.

Shen, Z.-K. *et al.* (2000) Contemporary crustal deformation in east Asia constrained by Global Positioning System measurements. *J. geophys. Res.* 105, 5721–34.

Shen-Tu, B., Holt, W.E. & Haines, A.J. (1998) Contemporary kinematics of the Western United States determined from earthquake moment tensors, very long baseline interferometry, and GPS observations. *J. geophys. Res.* 103, 18,087–117.

Siame, L.L. *et al.* (2005) Deformation partitioning in fl at subduction setting: case of the Andean foreland of western Argentina (28°S–33°S). *Tectonics* 24, TC5003, doi:10.1029/2005 TC001787.

Sibson, R.H. (1990) Conditions for fault-valve behaviour. *In* Knipe, R.J. & Rutter, E.H. (eds) *Deformation Mechanisms, Rheology and Tectonics. Spec. Pub. geol. Soc. Lond.* 54, 15–28.

Sillitoe, R.H. (1972a) Formation of certain massive sulphur deposits at sites of sea-fl oor spreading. *Trans. Inst. Min. Metall.* 81, B141–8.

Sillitoe, R.H. (1972b) A plate tectonic model for the origin of porphyry copper deposits. *Econ. Geol.* 67, 184–97.

Silver, E.A. (2000) Leg 170: synthesis of fl uid–structural relationships of the Pacific margin of Costa Rica. *In* Silver, E.A., Kimura, G. & Shipley, T.H. (eds) *Proceedings of the Ocean Drilling Program, Scientific Results*, 170, pp. 1–11. College Station, TX.

Silver, E.A. *et al.* (1983) Back-arc thrusting in the eastern Sunda arc, Indonesia; a consequence of arc–continental collision. *J. geophys. Res.* 88, 7429–48.

Singh, S.C. et al. (1998) Melt to mush variations in crustal magma properties along the ridge crest at the southern East Pacific Rise. *Nature* 394, 874–8.

Sinha, M.C. et al. (1998) Magmatic processes at slow spreading ridges: implications of the RAMESSES experiment at 57°45′N on the Mid-Atlantic ridge. *Geophys. J. Int.* 135, 731–45.

Sinton, J.M. & Detrick, R.S. (1992) Mid-ocean ridge magma chambers. *J. geophys. Res.* 97, 197–216.

Sisson, T.W. & Bronto, S. (1998) Evidence for pressure-release melting beneath magmatic arcs from basalt at Galunggung, Indonesia. *Nature* 391, 833–86.

Sleep, N.H. (1975) Formation of oceanic crust: some thermal constraints. *J. geophys. Res.* 80, 4037–42.

Sleep, N.H. (2003) Survival of Archean cratonal lithosphere. *J. geophys. Res.* 108, 2302, doi:10.1029/2001JB000169.

Sleep, N.H. (2005) Evolution of continental lithosphere. *Annu. Rev. Earth planet. Sci.* 33, 369–93.

Smelov, A.P. & Beryozkin, V.I. (1993) Retrograded eclogites in the Olekma granite–greenstone region, Aldan Shield. *Precambrian Res.* 62, 419–30.

Smith, A.G. (1999) Gondwana: its shape, size and position from Cambrian to Triassic times. *J. African Earth Sci.* 28, 71–97.

Smith, A.G. & Hallam, A. (1970) The fit of the southern continents. *Nature* 225, 139–44.

Smith, A.G. & Pickering, K.T. (2003) Oceanic gateways as a critical factor to initiate icehouse Earth. *J. Geol. Soc. London* 160, 337–40.

Smith, A.G., Smith, D.G. & Funnell, B.M. (1994) *Atlas of Mesozoic and Cenozoic coastlines*. Cambridge University Press, Cambridge.

Smith, D.E. et al. (1985) Global plate motion results from satellite laser ranging (abstract). *EOS Trans. Amer. Geophys. Un.* 66, 848. Smith, D.K. & Cann, J.R. (1993) Building the crust at the Mid-Atlantic Ridge. *Nature* 365, 707–15.

Smith, M. & Mosley, P. (1993) Crustal heterogeneity and basement influence on the development of the Kenya rift, East Africa. *Tectonics* 12, 591–606.

Smith, W.H.F. & Sandwell, D.T. (1997) Global seafloor topography from satellite altimetry and ship depth soundings. *Science* 277, 1957–62.

Smithies, R.H. (2000) The Archean tonalite–tondhjemite–granodiorite (TTG) series is not an analogue of Cenozoic adakite. *Earth planet. Sci. Lett.* 182, 115–25.

Smithson, S.B. & Brown, S.K. (1977) A model for the lower continental crust. *Earth planet. Sci. Lett.* 35, 134–44.

Snider, A. (1858) *La CrŽation et ses Myst res DŽvoilŽs*. Frank and Dentu, Paris.

Snow, J.K. & Wernicke, B. (2000) Cenozoic tectonism in the central Basin and Range: magnitude, rate, and distribution of upper crustal strain. *Amer. J. Sci.* 300, 659–719.

Sobolev, S.V. & Babeyko, A.Y. (2005) What drives orogeny in the Andes? *Geology* 33, 671–20.

Sobolev, S.V. et al. (2005) Thermo-mechanical model of the Dead Sea transform. *Earth planet. Sci. Lett.* 238, 78–95.

Solomon, M. (1990) Subduction, arc reversal, and the origin of porphyry copper-gold deposits in island arcs. *Geology* 18, 630–3.

Solomon, S.C., Sleep, N.H. & Richardson, R.M. (1975) On the forces driving plate tectonics: inferences from absolute plate velocities and intraplate stress. *Geophys. J. Roy. astr. Soc.* 42, 769–801.

Somoza, R. (1998) Updated Nazca (Farallon)–South America relative motions during the last 40 My: implications for mountain building in the central Andean region. *JS Am. Earth Sci.* 11, 211–15.

Sonder, L.J. & Jones, C.H. (1999) Western United States extension: how the West was widened. *Annu. Rev. Earth planet. Sci.* 27, 417–62.

Spada, G., Ricard, Y. & Sabadini, R. (1992) Excitation of true polar wander by subduction. *Nature* 360, 452–4.

Späth A., le Roex, A.P. & Opiyo-Akech, N. (2001) Plume– lithosphere interaction and the origin of continental rift-related alkaline volcanism – the Chyulu Hills Volcanic Province, southern Kenya. *J. Petrol.* 42, 765–87.

Spence, G.D. & Asudeh, I. (1993) Seismic velocity structure of the Queen Charlotte Basin beneath Hecate Strait. *Can. J. Earth Sci.* 30, 787–805.

Spence, W. (1987) Slab pull and the seismotectonics of subducting lithosphere. *Rev. Geophys.* 25, 55–69.

Spicer, R.A. et al. (2003) Constant elevation of southern Tibet over the past 15 million years. *Nature* 421, 622–4.

Spitzak, S. & DeMets, C. (1996) Constraints on present day plate motions south of 30°S from satellite altimetry. *Tectonophysics*, 253, 167–208.

Spudich, P. & Orcutt, J. (1980) A new look at the seismic velocity structure of the oceanic crust. *Rep. Geophys. Space Phys.* 18, 627–45.

Stampfli, G.M. & Borel, G.D. (2002) A plate tectonic model for the Paleozoic and Mesozoic constrained by dynamic plate boundaries and restored synthetic oceanic isochrons. *Earth planet. Sci. Lett.* 196, 17–33.

Stanley, S.M. & Hardie, L.A. (1999) Hypercalcification: paleontology links plate tectonics and geochemistry to sedimentology. *GSA Today* 9, 1–7.

Stauder, W. (1968) Mechanism of the Rat Island earthquake sequence of February, 1965, with reference to island arcs and sea-floor spreading. *J. geophys. Res.* 73, 3847–58.

Steckler, M.S. (1985) Uplift and extension in the Gulf of Suez: indications of induced mantle convection. *Nature* 317, 135–9.

Stein, C.A. & Stein, S. (1992) A model for the global variation in oceanic depth and heat flow with lithospheric age. *Nature* 359, 123–9.

Stein, S. & Stein, C.A. (1996) Thermo-mechanical evolution of oceanic lithosphere: implications for the subduction process and deep earthquakes. In Bebout, G.E. et al. (eds) *Susduction Top to Bottom. Geophys. Monogr. Ser.* 96, 1–17. American Geophysical Union, Washington, DC.

Stein, S. & Wysession, M. (2003) *An Introduction to Seismology, Earthquakes, and Earth Structure*. Blackwell Publishing, Oxford.

Steinberger, B. & O'Connell, R.J. (2000) Effects of mantle flow on Hotspot motion. In Richard, M., Gordon, R.G. & van der Hilst, R.O. (eds) *The History and Dynamics of Global Plate Motions*.

Geophys. Monogr. Ser. 121, pp. 377–398. American Geophysical Union, Washington, DC.

Stern, R.A., Syme, E.C. & Lucas, S.B. (1995) Geochemistry of 1.9 Ga MORB- and OIB-like basalts from the Amisk collage, Flin Flon Belt, Canada, Evidence for an intra-oceanic origin. *Geochim. cosmochim. Acta* 59, 3131–54.

Stern, R.J. (2002) Subduction zones. *Rev. Geophys.* 40, RG4003, 1-38, doi:10.1029/2001RG000108.

Stern, R.J., Fouch, M.J. & Klemperer, S.L. (2003) An overview of the Izu–Bonin–Mariana Subduction Factory. *In* Eiler, J. (ed.) *Inside the Subduction Factory. Geophys. Monogr. Ser.* 138, pp. 175–222. American Geophysical Union, Washington, DC.

Stern, T. *et al.* (2000) Teleseismic P-wave delays and modes of shortening the mantle lithosphere beneath South Island, New Zealand. *J. geophys. Res.* 105, 21,615–31.

Stern, T. *et al.* (2001) Low seismic wave-speeds and enhanced fluid pressure beneath the Southern Alps of New Zealand. *Geology* 29, 679–82.

Stern, T., Okaya, D. & Scherwath, M. (2002) Structure and strength of a continental transform from onshore–offshore seismic profiling of the South Island, New Zealand. *Earth Planets Space* 54, 1011–19.

Stern, T.A. (1987) Asymmetric back-arc spreading, heat flux and structure associated with the central volcanic region of New Zealand. *Earth planet. Sci. Lett.* 85, 265–76.

Stewart, B.M. & DePaolo, D.J. (1996) Isotopic studies of processes in mafic magma chambers: III. The Muskox Intrusion, Northwest Territories, Canada. *In* Basu, A.S.(ed.) *Earth Processes, Reading the Isotopic Code. Geophys. Monogr. Ser.* 95, pp. 277–92 American Geophysical Union, Washington, DC.

Stewart, J.A. (1990) *Drifting Continents and Colliding Paradigms: perspectives on the geoscience revolution.* Indiana University Press, Bloomington.

Stock, J. & Molnar, P. (1988) Uncertainties and implications of the Late Cretaceous and Tertiary position of North America relative to the Farallon, Kula, and Pacific plates. *Tectonics* 7, 1339–84.

Stockli, D.F. *et al.* (2001) Miocene unroofing of the Canyon Range during extension along the Sevier Desert detachment, west-central Utah. *Tectonics* 20, 289–307.

Stolar, D.B., Willett, S.D. & Roe, G.H. (2006) Climate and tectonic forcing of a critical orogen. *In* Willett, S.D. *et al.* (eds) *Tectonics, Climate, and Landscape Evolution. Geol. Soc. Am. Sp. Paper* 398, 241–50.

Stolper, E. & Newman, S. (1994) The role of water in the petrogenesis of Mariana Trough magmas. *Earth planet. Sci. Lett.* 121, 293–325.

Storey, B.C. (1993) The changing face of late Precambrian and early Palaeozoic reconstructions. *J. geol. Soc. Lond.* 150, 665–8.

Storey, B.C. (1995) The role of mantle plumes in continental breakup: case histories from Gondwanaland. *Nature* 377, 301–8.

Stow, D.A.V. & Lovell, J.P.B. (1979) Contourites: their recognition in modern and ancient sediments. *Earth Sci. Rev.* 14, 251–91.

Suda, Y. (2004) Crustal anatexis and evolution of granitoid magma in Permian intra-oceanic island arc, the Asago body of the Yakuno ophiolite, Southwest Japan. *J. Mineral. Petrol. Sci.* 99, 339–56.

Sun, S.S., Nesbitt, R.W. & Sharashin, A.Y. (1979) Geochemical characteristics of mid-ocean ridge basalts. *Earth planet. Sci. Lett.* 44, 119–38.

Sutherland, R., Berryman, K. & Norris, R. (2006) Quaternary slip rate and geomorphology of the Alpine fault: implications for kinematics and seismic hazard in southwest New Zealand. *Bull. geol. Soc. Am.* 118, 464–74.

Sykes, L.R. (1966) The seismicity and deep structure of island arcs. *J. geophys. Res.* 71, 2981–3006. Sykes, L.R. (1967) Mechanism of earthquakes and nature of faulting on the mid-oceanic ridges. *J. geophys. Res.* 72, 2131–53.

Sylvester, A.G. (1988) Strike-slip faults. *Bull. geol. Soc. Am.* 100, 1666–703. Tackley, P.J. (2000) Mantle convection and plate tectonics: toward an integrated physical and chemical theory. *Science* 288, 2002–7.

Tackley, P.J. *et al.* (1993) Effects of an endothermic phase transition at 670 km depth in a spherical model of convection in the Earth's mantle. *Nature* 361, 699–704.

Taira, A. (2001) Tectonic evolution of the Japanese Island Arc System. *Annu. Rev. Earth Planet. Sci.* 29, 109–34.

Takagi, H. (1986) Implications of mylonitic microstructures for the geotectonic evolution of the Median Tectonic Line, central Japan. *J. struct. Geol.* 8, 3–14.

Talwani, M. & Watts, A.B. (1974) Gravity anomalies seaward of deep-sea trenches and their tectonic implications. *Geophys. J. Roy. astr. Soc.* 36, 57–90.

Talwani, M., Le Pichon, X. & Ewing, M. (1965) Crustal structure of the mid-ocean ridges 2. Computed model from gravity and seismic reduction data. *J. geophys. Res.* 70, 341–52.

Tapley, B.D., Schutz, B.F. & Eanes, R.J. (1985) Station coordinates, baselines, and Earth rotation from LAGEOS laser ranging: 1976–1984. *J. geophys. Res.* 90, 9235–48.

Tapponnier, P. & Molnar, P. (1976) Slip-line field theory and large--scale continental tectonics. *Nature* 264, 319–24.

Tapponnier, P. *et al.* (1982) Propagating extrusion tectonics in Asia: new insights from simple experiments with plasticene. *Geology* 10, 611–16.

Tapponnier, P. *et al.* (2001) Oblique stepwise rise and growth of the Tibet plateau. *Science.* 294, 1671–7.

Tarduno, J.A. & Cottrell, R.D. (1997) Paleomagnetic evidence for motion of the Hawaiian hotspot during formation of the Emperor seamounts. *Earth planet. Sci. Lett.* 153, 171–80.

Tarling, D.H. (ed.) (1981) *Economic Geology and Geotectonics.* Blackwell Scientific Publications. Oxford.

Tarling, D.H. (1983) *Palaeomagnetism.* Chapman & Hall, London.

Tarling, D.H. & Runcorn, S.K. (eds) (1973) *Implications of Continental Drift to the Earth Sciences*, vols 1 & 2. Academic Press, London.

Tarling, D.H. & Tarling, M.P. (1971) *Continental Drift. A study of the Earth's moving surface.* Bell, London.

Taylor, B. & Huchon, P. (2002) Active continental extension in the western Woodlark Basin: a synthesis of Leg 180 results. *In* Huchon, P., Taylor, B. & Klaus, A. (eds) *Proc. ODP, Sci. Results*, 180, 1–36.[online].

Taylor, B. & Martínez, F. (2003) Back-arc basin basalt systematics. *Earth planet. Sci. Lett.* 210, 481–97.

Taylor, B., Crook, K. & Sinton, J. (1994) Extensional transform zones and oblique spreading centers. *J. geophys. Res.* 99, 19 707–18. Taylor, B. *et al.* (1995) Continental rifting and initial sea-floor spreading in the Woodlark Basin. *Nature* 374, 534–7.

Taylor, B., Goodliffe, A.M. & Martínez, F. (1999) How continents break up: insights from Papua New Guinea. *J. geophys. Res.* 104, 7497–512.

Taylor, F.B. (1910) Bearing of the Tertiary mountain belt on the origin of the Earth's plan. *Bull. geol. Soc. Am.* 21, 179–226.

Taylor, R.T. & Scott, M.M. (1985) *The Continental Crust: its composition and evolution*. Blackwell Scientific Publications, Oxford.

Tebbens, S.F. *et al.* (1997) The Chile Ridge: a tectonic framework. *J. geophys. Res.* 102, 12,035–59.

Tegner, C. *et al.* (1998) $^{40}Ar-^{39}Ar$ geochronology of Tertiary mafic intrusions along the East Greenland rifted margin: relation to flood basalts and the Iceland hotspot track. *Earth planet. Sci. Lett.* 156, 75–88.

ten Brink, U.S. *et al.* (1993) Structure of the Dead Sea pull-apart basin from gravity analysis. *J. geophys. Res.* 98, 21 887–94.

Tepper, J.H. *et al.* (1993) Petrology of the Chilliwack batholith, North Cascades, Washington: generation of calc-alkaline granitoids by melting of mafic lower crust with variable water fugacity. *Contrib. Mineral. Petrol.* 113, 333–51.

Tessema, A. & Antoine, L.A.G. (2004) Processing and interpretation of the gravity field of the East African Rift: implication for crustal extension. *Tectonophysics* 394, 87–110.

Teyssier, C. & Tikoff, B. (1998) Strike-slip partitioned transpression of the San Andreas fault system: a lithospheric-scale approach. *In* Holdsworth, R.E., Strachan, R.A. & Dewey, J.F. (eds) *Continental Transpressional and Transtensional Tectonics*. *Spec. Pub. geol. Soc. Lond.* 135, 143–58.

Thatcher, W. (1979) Systematic inversion of geodetic data in central California. *J. geophys. Res.* 84, 2283–95.

Thatcher, W. (2003) GPS constraints on the kinematics of continental deformation. *Int. Geol. Rev.* 45, 191–212.

Thomas, C., Livermore, R. & Pollitz, F. (2003) Motion of the Scotia Sea plates. *Geophys. J. Int.* 155, 789–804.

Thompson, G. & Melson, W.G. (1972) The petrology of oceanic crust across fracture zones in the Atlantic Ocean: evidence of a new kind of sea-floor spreading. *J. Geol.* 80, 526–38.

Thorkelson, D.J., *et al.* (2001) Early Proterozoic magmatism in Yukon, Canada: constraints on the evolution of northwestern Laurentia. *Can. J. Earth Sci.* 38, 1479–94.

Thorpe, R.S. (ed.) (1982) *Andesites*. Wiley, London.

Thurber, C.H. & Aki, K. (1987) Three-dimensional seismic imaging. *Ann. Rev. Earth Planet. Sci.* 15, 115–39.

Thybo, H., Ross, A.R. & Egorkin, A.V. (2003) Explosion seismic reflections from the Earth's core. *Earth planet. Sci. Lett.* 216, 693–702.

Tiberi, C. *et al.* (2005) Inverse models of gravity data from the Red Sea–Aden–East African rifts triple junction zone. *Geophys. J. Int.* 163, 775–87.

Tilmann, F. *et al.* (2003) Seismic imaging of the downwelling Indian lithosphere beneath central Tibet. *Science.* 300, 1424–7.

Tippett, J.M. &. Kamp, P.J.J. (1993) Fission track analysis of the late Cenozoic vertical kinematics of continental Pacific Crust, South Island, New Zealand. *J. geophys. Res.* 98, 16,119–48.

Tissot, B. (1979) Effects on prolific petroleum source rocks and major coal deposits caused by sea-level changes. *Nature* 277, 463–5.

Titus, S.J., DeMets, C. & Tikoff, B. (2005) New slip rate estimates for the creeping segment of the San Andreas fault, California. *Geology* 33, 205–8.

Tohver, E. *et al.* (2002) Paleogeography of the Amazon Craton at 1.2 Ga; early Grenvillian collision with the Llano segment of Laurentia. *Earth planet. Sci. Lett.* 199, 185–200. Tolstoy, M. *et al.* (2001) Seismic character of volcanic activity at the ultraslow-spreading Gakkel Ridge. *Geology* 29, 1139–42.

Tomlinson, K.Y. & Condie, K.C. (2001) Archean mantle plumes: evidence from greenstone belt geochemistry. *In* Ernst, R.E. & Buchan, K.L. (eds) *Mantle Plumes: their identification through time*. *Geol. Soc. Amer. Sp. Paper* 352, 341–57.

Toomey, D.R. *et al.* (1990) The three-dimensional seismic velocity structure of the East Pacific Rise near latitude 9°30′N. *Nature* 347, 639–45.

Torsvik, T.H. (2003) The Rodinia jigsaw puzzle. *Science* 300, 1379–81.

Torsvik, T.H. & Van der Voo, R. (2002) Refining Gondwana and Pangea Paleogeography: estimates of Phanerozoic non-dipole (octupole) fields. *Geophys. J. Int.* 151, 771–94.

Townend, J. & Zoback, M.D. (2004) Regional tectonic stress near the San Andreas fault in central and southern California. *Geophys. Res. Lett.* 31, L15S11, doi:10.1029/2003GL018918.

Trendall, A.F. *et al.* (2004) SHRIMP zircon ages constraining the depositional history of the Hamersley Group, Western Australia. *Australian J. Earth Sci.* 51, 621–44.

Tsikalas, F., Eldholm, O. & Faleide, J.I. (2005) Crustal structure of the Lofoten–Vesterålen continental margin, off Norway. *Tectonophysics* 404, 151–74.

Tsuji, T. *et al.* (2006) Modern and ancient seismogenic out-ofsequence thrusts in the Nankai accretionary prism: comparison of laboratory-derived physical properties and seismic reflection data. *Geophys. Res. Lett.* 33, L18309, doi:10.1029/2006GL027025.

Tuisku, P. & Huhma, H. (1998) Eclogite from the SW-marginal zone of the Lapland Granulite belt: evidence from the 1.90–1.88 Ga subduction zone. *In* Hanski, E. & Vuollo, J. (eds) *International Ophiolite Symposium and Field Excursion: generation and emplacement of ophiolites through time*. Geol. Surv. Finland, 61pp.

Tullis, J. (2002) Deformation of granitic rocks; experimental studies and natural examples. *Rev. Mineral. Geochem.* 51, 51–95.

Tulloch, A.J. & Kimbrough, D.L. (2003) Paired plutonic belts in convergent margins and the development of high Sr/Y magmatism: Peninsular Ranges batholith of Baja–California and Median batholith of New Zealand. *In* Johnson, S.E. *et al.* (eds) *Tectonic evolution of Northwestern Mexico and the Southwestern USA*. *Geol. Soc. of Am. Sp. Paper* 374, 275–95.

Turcotte, D.L. & Oxburgh, E.R (1978) Intra-plate volcanism. *Phil. Trans. Roy. Soc. Lond. A* 288, 561–79.

Turcotte, D.L. & Schubert, G. (2002) *Geodynamics*, 2nd edn Cambridge University Press. Cambridge.

Turcotte, D.L., McAdoo, D.C. & Caldwell, J.G. (1978) An elastic-perfectly plastic analysis of the bending of the lithosphere at a trench. *Tectonophysics* 47, 193–205.

Turner, J.P. & Williams, G.A. (2004) Sedimentary basin inversion and intra-plate shortening. *Earth Sci. Rev.* 65, 277–304.

Turner, S. & Hawkesworth, C. (1997) Constraints on flux rates and mantle dynamics beneath island arcs from Tonga–Kermadec lava geochemistry. *Nature* 389, 568–73.

Turner, S., Evans, P. & Hawkesworth, C. (2001) Ultrafast source-to-surface movement of melt at island arcs from ^{226}Ra–^{230}Th systematics. *Science* 292, 1363–6.

Twiss, R.J. & Moores, E.M. (1992) *Structural Geology*. W.H. Freeman, New York.

Ujiie, K., Hisamitsu, T. & Taira, A. (2003) Deformation and fluid pressure variation during initiation and evolution of the plate boundary décollement zone in the Nankai accretionary prism. *J. geophys. Res.* 108, 2398, doi:10.1029/2002JB002314.

Umhoefer, P.J. (1987) Northward translation of Baja British Columbia along the Late Cretaceous to Paleocene margin of western North America. *Tectonics* 6, 377–94.

Umhoefer, P.J. (2000) Where are the missing faults in translated terranes? *Tectonophysics* 326, 23–35.

Underwood, M.B. *et al.* (2003) Sedimentary and tectonic evolution of a trench–slope basin in the Nankai subduction zone of southwest Japan. *J. Sediment. Res.* 73, 589–602.

Unruh, J.R. & Sawyer, T.L. (1997) Assessment of blind seismogenic sources, Livermore Valley, eastern San Francisco Bay region. *USGS National Earthquake Hazards Reduction Program*, pp. 1–88. Final Technical Report No. 1434-95-G-2611, US Geol. Survey, Reston,Virginia.

Unsworth, M. & Bedrosian, P.A. (2004) Electrical resistivity structure at the SAFOD site from magnetotelluric exploration. *J. geophys. Res.* 31, L12S05, doi:10.1029/2003GL019405.

Unsworth, M.J. *et al.* (2005) Crustal rheology of the Himalaya and Southern Tibet inferred from magnetotelluric data. *Nature*. 438, 78–81.

Upcott, N. *et al.* (1996) Along-axis segmentation and isostasy in the Western Rift, East Africa. *J. geophys. Res.* 101, 3247–68.

Uyeda, S. & Kanamori, H. (1979) Back-arc opening and the mode of subduction. *J. geophys. Res.* 84, 1049–61.

Uyeda, S. & Miyashiro, A. (1974) Plate tectonics and the Japanese Island: a synthesis. *Bull. geol. Soc. Am.* 85, 1159–70.

Vacquier, V. (1965) Transcurrent faulting in the ocean floor. *Phil. Trans. Roy. Soc. Lond. A* 258, 77–81.

Valentine, J.W. & Moores, E.M. (1970) Plate tectonic regulation of faunal diversity and sea level: a model. *Nature* 228, 657–9.

Valentine, J.W. & Moores, E.M. (1972) Global tectonics and the fossil record. *J. Geol.* 80, 167–84.

Valley, J.W. *et al.* (2006) Comment on "Heterogeneous Hadean Hafnium: evidence of Continental Crust at 4.4 to 4.5 Ga." *Science* 312, 1139a.

Van Avendonk, H.J.A. *et al.* (2004) Continental crust under compression: a seismic refraction study of South Island Geophysical Transect I, South Island, New Zealand. *J. geophys. Res.* 109, B06302, doi:10.1029/2003JB002790.

Van Couvering, J.A. *et al.* (1976) The terminal Miocene event. *Marine Micropaleontology* 1, 263–86.

van der Beek, P.A. (1997) Flank uplift and topography at the central Baikal Rift (SE Siberia): a test of kinematic models for continental extension. *Tectonics* 16, 122–36.

van der Beek, P.A. & Cloetingh, S. (1992) Lithospheric flexure and the tectonic evolution of the Betic Cordilleras (SE Spain). *Tectonophysics* 203, 325–44.

van der Beek, P.A. *et al.* (1998) Denudation history of the Malawi and Rukwa Rift flanks from apatite fission track thermochronology. *J. Afr. Earth Sci.* 26, 363–86.

van der Hilst, R. (1995) Complex morphology of subducted lithosphere in the mantle beneath the Tonga Trench. *Nature* 374, 154–7.

van der Hilst, R.D., Widiyantoro, S. & Engdahl, E.R. (1997) Evidence for deep mantle circulation from global tomography. *Nature* 386, 578–84.

van der Velden, A.J., van Staal, C.R. & Cook, F.A. (2004) Crustal structure, fossil subduction, and the tectonic evolution of the Newfoundland Appalachians: evidence from a reprocessed seismic reflection survey. *Bull. geol. Soc. Am.* 116, 1485–98.

van der Velden, A.J. *et al.* (2006) Reflections of the Neoarchean: a global perspective. *In* Benn, K., Mareschal, J.C. & Condie, K. C. (eds) *Archean Geodynamics and Evironments. Geophys. Monogr. Ser.* 164, pp. 255–65. American Geophysical Union, Washington, DC.

van Keken, P.E., Hauri, E.H. & Ballentine, C.J. (2002) Mantle mixing: the generation, preservation, and destruction of chemical heterogeneity. *Annu. Rev. Earth Planet. Sci.* 30, 493–525.

Van Kranendonk, M.J. & Collins, W.J. (1998) Timing and tectonic significance of Late Archean, sinistral strike-slip deformation in the Central Pilbara Structural Corridor, Pilbara Craton, Western Australia. *Precambrian Res.* 88, 207–32.

Van Kranendonk, M.J. *et al.* (2002) Geology and tectonic evolution of the Archean North Pilbara Terrain, Pilbara Craton, Western Australia. *Econ. Geol.* 97, 695–732.

Van Kranendonk, M.J. *et al.* (2004) Critical tests of vertical vs. horizontal tectonic models for the Archean East Pilbara Granite–Greenstone Terrane, Pilbara Craton, Western Australia. *Precambrian Res.* 131, 173–211.

Van Kranendonk, M.J. *et al.* (2007) Secular tectonic evolution of Archean continental crust: interplay between horizontal and vertical processes in the formation of the Pilbara Craton, Australia. *Terra Nova* 19, 1–38.

Van Orman, J. *et al.* (1995) Distribution of shortening between the Indian and Australian plates in the central Indian Ocean. *Earth planet. Sci. Lett.* 133, 35–46.

van Thienen, P., Vlaar, N.J. & van den Berg, A.P. (2005) Assessment of the cooling capacity of plate tectonics and flood volcanism in the evolution of Earth, Mars and Venus. *Phys. Earth planet. Int.* 150, 287–315.

van Wijk, J.W. & Cloetingh, S.A.P.L. (2002) Basin migration caused by slow lithospheric extension. *Earth planet. Sci. Lett.* 198, 275–88.

Vandamme, D. & Courtillot, V. (1990) Paleomagnetism of Leg 115 basement rocks and latitudinal evolution of the Reunion hotspot. *Proc. Ocean Drill. Program Sci. Results* 115, 111–17.

Varsek, J.L. *et al.* (1993) Lithoprobe crustal reflection survey of the southern Canadian Cordillera 2: Coast Mountains transect. *Tectonics* 12, 334–60.

Vaughan, A.P.M., Leat, P.T. & Pankhurst, R.J. (2005) Terrane processes at the margins of Gondwana: introduction. *In* Vaughan, A.P.M., Leat, P.T. & Pankhurst, R.J. (eds) *Terrane Processes at the Margins of Gondwana. Spec. Pub. geol. Soc. Lond.* 246, 1–21.

Vening Meinesz, F.A. (1951) A third arc in many island arc areas. *Koninkl. Nederlandsch. Akad. Wetensch. Proc. Ser. B.* 54, 432–42.

Venkataraman, A., Nyblade, A.A. & Ritsema, J. (2004) Upper mantle Q and thermal structure beneath Tanzania, East Africa from teleseismic P wave spectra. *Geophys. Res. Lett.* 31, L15611, doi:10.1029/2004GL020351.

Vera, E.E. *et al.* (1990) The structure of 0 to 0.2 m.y. old oceanic crust at 9°N on the East Pacific Rise from expanded spread profiles. *J. geophys. Res.* 95, 15 529–56.

Vermeersen, L.L.A. & Vlaar, N.J. (1993) Changes in the Earth's rotation by tectonic movements. *Geophys. Res. Lett.* 20, 81–4.

Viljoen, M.J. & Viljoen, R.P. (1969) The geology and geochemistry of the lower ultramafic unit of the Onverwacht Group and a proposed new class of igneous rocks. *Spec. Publ. Geol. Soc. S. Afr.* 2, 55–85.

Vine, F.J. (1966) Spreading of the ocean floor: new evidence. *Science* 154, 1405–15.

Vine, F.J. (1977) The continental drift debate. *Nature* 266, 19–22.

Vine, F.J. & Matthews, D.H. (1963) Magnetic anomalies over oceanic ridges. *Nature* 199, 947–9.

Vogt, P.R. Ostenso, N.A. & Johnson, G.L. (1970) Magnetic and bathymetric data bearing on sea floor spreading north of Iceland. *J. geophys. Res.* 75, 903–20.

von Huene, R. & Scholl, D.W. (1991) Observations at convergent margins concerning sediment subduction, subduction erosion, and the growth of continental crust. *Rev. Geophys.* 29, 279–316.

von Huene, R. *et al.* (1998) Mass and fluid flux during accretion at the Alaskan margin. *Bull. geol. Soc. Am.* 110, 468–82. von Huene, R., Ranero, C.R. & Vannucchi, P. (2004) Generic model of subduction erosion. *Geology* 32, 913–16.

von Raumer, J.F., Stampfli, G.D. & Bussy, F. (2003) Gondwana-derived microcontinents – the constituents of the Variscan and Alpine collisional orogens. *Tectonophysics* 365, 7–22.

Wagner, D.L., Bortugno, E.J. & McJunkin, R.D. (compilers) (1990) Geologic map of the San Francisco–San Jose quadrangle. *California Division of Mines and Geology Regional Map Series*, Map No. 5A (Geology).

Wakabayashi J. & Dilek, Y. (2000) Spatial and temporal relationships between ophiolites and their metamorphic soles: a test of models of forearc ophiolite genesis. *In* Dilek, Y. *et al.* (eds) *Ophiolites and Oceanic Crust: new insights from field studies and the ocean drilling program. Geol. Soc. Am. Sp. Paper* 349, 53–64.

Wakabayashi, J., Hengesh, J.V. & Sawyer, T.L. (2004) Four-dimensional transform fault processes: progressive evolution of step-overs and bends. *Tectonophysics* 392, 279–301.

Walcott, R.I. (1970) Flexural rigidity, thickness, and viscosity of the lithosphere. *J. geophys. Res.* 75, 3941–53.

Walcott, R.I. (1998) Modes of oblique compression: late Cenozoic tectonics of the South Island of New Zealand. *Rev. Geophys.* 36, 1–26.

Waldhauser, F. & Ellsworth, W.L. (2002) Fault structure and mechanics of the Hayward Fault, California, from double-difference earthquake locations. *J. geophys. Res.* 107, 1–15.

Walker, R.J. *et al.* (1989) Os, Sr, Nd, and Pb isotope systematics of southern African peridotite xenoliths: implications for the chemical evolution of subcontinental mantle, *Geochim. cosmochim. Acta* 53, 1583–95.

Wallace, L.M. *et al.* (2004) GPS and seismological constraints on active tectonics and arc–continent collision in Papua New Guinea: implications for mechanics of microplate rotations in a plate boundary zone. *J. geophys. Res.* 109, B05404, doi:10.1029/2003JB002481.

Wang, E. *et al.* (1998) Late Cenozoic Xianshuihe–Xiaojiang, Red River, and Dali fault systems of southwestern Sichuan and central Yunnan, China. *Geol. Soc. Am. Sp. Paper* 327, 108pp.

Wang, Q. *et al.* (2001) Present-day crustal deformation in China constrained by global positioning system measurements. *Science* 294, 574–7.

Wang, R. *et al.* (2004) The 2003 Bam (SE Iran) earthquake; precise source parameters from satellite radar interferometry. *Geophys. J. Int.* 159, 917–22.

Wannamaker, P.E. *et al.* (2002) Fluid generation and pathways beneath an active compressional orogen, the New Zealand Southern Alps, inferred from magnetotelluric data. *J. geophys. Res.* 107, 2117, doi:10.1029/2001JB000186.

Ward, M.A. (1963) On detecting changes in the Earth's radius. *Geophys. J. Roy. astr. Soc.* 8, 217–25.

Ward, P.D. *et al.* (1997) Measurements of the Cretaceous paleolatitude of Vancouver Island: consistent with the Baja–British Columbia hypothesis. *Science* 277, 1642–5.

Wareham, C.D., Millar, I.L. & Vaughan, A.P.M. (1997) The generation of sodic granite magmas, western Palmer Land, Antarctic Peninsula. *Contrib. Mineral. Petrol.* 128, 81–96.

Watt J.P. & Shankland, T.J. (1975) Uniformity of mantle composition. *Geology* 3, 91–4.

Watts, A.B. (2001) *Isostasy and Flexure of the Lithosphere*. Cambridge University Press, Cambridge.

Watts, A.B. & Burov, E. (2003) Lithospheric strength and its relationship to the elastic and seismogenic layer thickness. *Earth planet. Sci. Lett.* 213, 113–31.

Watts, A.B. & Ryan, W.B.F. (1976) Flexure of the lithosphere and continental margin basins. *Tectonophysics* 36, 25–44.

Watts, A.B., Cochran, J.R. & Selzer, G. (1975) Gravity anomalies and flexure of the lithosphere: a three dimensional study of the Great Meteor seamount, northeast Atlantic. *J. geophys. Res.* 80, 1391–8.

Watts, A.B., Bodine, J.H. & Steckler, M.S. (1980) Observations of flexure and the state of stress in the oceanic lithosphere. *J. geophys. Res.* 85, 6369–76.

Watts, A.B. et al. (1995) Lithospheric flexure and bending of the Central Andes. *Earth planet. Sci. Lett.* 134, 9–24. Wdowinski, S. (1992) Dynamically supported trench topography. *J. Geophys. Res.* 97, 17,651–6.

Wdowinski, S. & Axen, G.J. (1992) Isostatic rebound due to tectonic denudation: a viscous flow model of a layered lithosphere. *Tectonics* 11, 303–15.

Weeraratne, D.S. et al. (2003) Evidence for an upper mantle plume beneath the Tanzanian craton from Rayleigh wave tomography. *J. geophys Res.* 108, 2427, doi:10.1029/2002JB002273.

Weertman, J. (1978) Creep laws for the mantle of the Earth. *Phil. Trans. Roy. Soc. Lond. A* 288, 9–26.

Wegener, A. (1929) *The Origin of Continents and Oceans.* [English translation (1966), of the 4th German edition, by J. Biram.]Dover Publishing, New York, by arrangement with Vieweg, Braunschwieg.

Weissel, J.K. (1981) Magnetic lineations in marginal basins of the western Pacific. *Phil. Trans. Roy. Soc. Lond. A* 300, 223–47.

Weissel, J.K. & Karner, G. (1989) Flexural uplift of rift flanks due to tectonic denudation of the lithosphere during extension. *J. geophys. Res.* 94, 13,919–50.

Weissel, J.K. & Watts, A.B. (1979) Tectonic evolution of the Coral Sea basin. *J. geophys. Res.* 84, 4572–82.

Wellman, H.W. (1953) Data for the study of Recent and late Pleistocene faulting in the South Island of New Zealand. *N.Z. J. Sci. Technol.* B34, 270–88.

Wellman, P. (2000) Upper crust of the Pilbara Craton, Australia; 3D geometry of a granite-greenstone terrain. *Precambrian Res.* 104, 175–86.

Wernicke, B. (1981) Low angle normal faults in the Basin and Range Province – nappe tectonics in an extending orogen. *Nature* 291, 645–8.

Wernicke, B. (1985) Uniform-sense simple shear of the continental lithosphere. *Can. J. Earth. Sci.* 22, 108–25.

Wernicke, B. (1992) Cenozoic extensional tectonics of the United States Cordillera. *In* Burchfiel, B.C., Lipman, P.W. & Zoback, M.L. (eds) *The Cordilleran Orogen: conterminous US. Geology of North America* G3, pp. 552–81. Geological Society of America, Boulder, CO.

Wernicke, B. & Axen, G.J. (1988) On the role of isostasy in the evolution of normal fault systems. *Geology* 16, 848–51.

Wernicke, B. & Snow, J.K. (1998) Cenozoic tectonism in the central Basin and Range: motion of the Sierran–Great Valley Block. *Int. geol. Rev.* 40, 403–10.

Wesnousky, S.G. et al. (1999) Uplift and convergence along the Himalayan frontal thrust of India. *Tectonics*, 18, 967–76.

Westbrook, G.K., Mascle, A. & Biju-Duval, B. (1984) Geophysics and structure of the Lesser Antilles forearc. *In* Biju–Duval, B. & Moore, J.C. (eds) *Init. Repts. DSDP 78A*, pp. 23–38. US Government Printing Office, Washington, DC.

White, G.W. (1980) Permian–Triassic continental reconstruction of the Gulf of Mexico–Caribbean area. *Nature* 283, 823–6.

White, R.S. et al. (1984) Anomalous seismic crustal structure of oceanic fracture zones. *Geophysics* 79, 779–98.

Whitman, D., Isacks, B.L. & Kay, S.M. (1996) Lithospheric structure and along-strike segmentation of the central Andean plateau: topography, tectonics and timing. *Tectonophysics* 259, 29–40.

Whitmarsh, R.B. (1975) Axial intrusion zone beneath the median valley of the Mid-Atlantic ridge at 37°N detected by explosion seismology. *Geophys. J. Roy. astr. Soc.* 42, 189–215.

Whitmarsh, R.B., Manatschal, G. & Minshull, T.A. (2001) Evolution of magma – poor continental margins from rifting to seafloor spreading. *Nature* 413, 150–4.

Wiebe, R.A. (1992) Proterozoic anorthosite complexes. *In* Condie, K.C. (ed) *Proterozoic Crustal Evolution*, pp. 215–61. Elsevier, Amsterdam.

Wiens D.A. & Smith, G.P. (2003) Seismological constraints on structure and flow patterns within the mantle wedge. *In* Eiler, J. (ed.) *Inside the Subduction Factory. Geophys. Monogr. Ser.* 138, pp. 59–81. American Geophysical Union, Washington, DC.

Wiens, D.A., McGuire, J.J. & Shore, P.J. (1993) Evidence for transformational faulting from a deep double seismic zone in Tonga. *Nature* 364, 790–3.

Wijns, C. et al. (2005) Mode of crustal extension determined by rheological layering. *Earth planet. Sci. Lett.* 236, 120–34.

Wilde, S.A. et al. (2001) Evidence from detrital zircons for the existence of continental crust and oceans on the Earth 4.4 Gyr ago. *Nature* 409, 175–8.

Willems, H. et al. (1996) Stratigraphy of the Upper Cretaceous and Lower Tertiary strata in the Tethyan Himalayas of Tibet (Tingri area, China). *Geol. Rundsch.* 85, 723–54.

Willett, S.D. (1992) Dynamic and kinematic growth and change of a Coulomb wedge. *In* McClay, K. (ed.) *Thrust Tectonics*, pp. 19–31. Chapman and Hall, New York.

Willett, S.D. (1999) Orogeny and orography: the effects of erosion on the structure of mountain belts. *J. geophys. Res.* 104, 28,957–82.

Willett, S.D. & Beaumont, C. (1994) Subduction of Asian lithospheric mantle beneath Tibet inferred from models of continental collision. *Nature* 369, 642–45.

Williams, C.F., Grubb, F.V. & Galanis Jr, S.P. (2004) Heat flow in the SAFOD pilot hole and implications for the strength of the San Andreas Fault. *J. geophys. Res.* 31, L15S14, doi:10.1029/2003GL019352.

Williams, D.L. et al. (1974) The Galapagos spreading center: lithospheric cooling and hydrothermal circulation. *Geophys. J. Roy. astr. Soc.* 38, 587–608.

Williams, H. et al. (1991) Anatomy of North America: thematic geologic portrayals of the continent. *Tectonophysics* 187, 117–34.

Williams, Q. & Garnero, E.J. (1996) Seismic evidence for partial melt at the base of Earth's mantle. *Science* 273, 1528–30.

Williams, T.B., Kelsey, H.M. & Freymueller, J.T. (2006) GPS--derived strain in northwestern California: termination of the San Andreas fault system and convergence of the Sierra Nevada–Great Valley block contribute to southern Cascadia forearc contraction. *Tectonophysics* 413, 171–84.

Wilson, D.S. (1993) Confirmation of the astronomical calibration of the magnetic polarity timescale from seafloor spreading rates. *Nature* 364, 788–90.

Wilson, D.S., Hey, R.N. & Nishimura, C. (1984) Propagation as a mechanism of reorientation of the Juan de Fuca Ridge. *J. geophys. Res.* 89, 9215–25.

Wilson, J.T. (1963) Evidence from islands on the spreading of ocean fl oors. *Nature* 197, 536–8.

Wilson, J.T. (1965) A new class of faults and their bearing on continental drift. *Nature* 207, 343–7.

Windley, B.F. (1981) Precambrian rocks in the light of the plate-tectonic concept. *In* Kröner, A. (ed.) *Precambrian Plate Tectonics*, pp. 1–20. Elsevier, Amsterdam.

Windley, B.F. (1984) *The Evolving Continents*, 2nd edn Wiley, London.

Wingate, M.T.D., Pisarevsky, S.A. & Evans, D.A.D. (2002) Rodinia connections between Australia and Laurentia: no SWEAT, no AUSWUS? *Terra Nova* 14, 121–8.

Winter, J.D. (2001) *An Introduction to Igneous and Metamorphic Petrology*. Prentice-Hall, New Jersey.

Wittlinger. G. et al. (2004) Teleseismic imaging of subducting lithosphere and Moho offsets beneath western Tibet. *Earth planet. Sci. Lett.* 221, 117–30.

Wolfenden, E. et al. (2004) Evolution of the northern Main Ethiopian rift: birth of a triple junction. *Earth planet. Sci. Lett.* 224, 213–28.

Wolfenden, E. et al. (2005) Evolution of a volcanic rifted margin: southern Red Sea, Ethiopia. *Bull. geol. Soc. Am.* 117, 846–64.

Woodcock, N.H. & Fischer, M. (1986) Strike-slip duplexes. *J. struct. Geol.* 8, 725–35.

Woodcock, N.H. & Rickards, B. (2003) Transpressive duplex and flower structure: Dent Fault System, NW England. *J. struct. Geol.* 25, 1981–92.

Woodhouse, J.H. & Dziewonski, A.M. (1984) Mapping the upper mantle: three dimensional modelling of Earth structure by inversion of seismic waveforms. *J. geophys. Res.* 89, 5953–86.

Wyllie, P.J. (1981) Plate tectonics and magma genesis. *Geol. Rundsch.* 70, 128–53.

Wyllie, P.J. (1988) Magma genesis, plate tectonics and chemical differentiation of the Earth. *Rev. Geophys.* 26, 370–404.

Wyman D.A. & Kerrich, R. (2002) Formation of Archean continental lithospheric roots: the role of mantle plumes. *Geology* 30, 543–6.

Xie, J. et al. (2004) Lateral variations of crustal seismic attenuation along the INDEPTH profiles in Tibet from *Lg Q* inversion. *J. geophys. Res.* 109, B10308, doi:10.1029/2004JB002988.

Yáñez, G. & Cembrano, J. (2004) Role of viscous plate coupling in the late Tertiary Andean tectonics. *J. geophys. Res.* 109, B02407, doi:10.1029/2003JB002494.

Yamazaki D. & Karato, S.-I. (2001) Some mineral physics constraints on the rheology and geothermal structure of Earth's lower mantle. *American Mineralogist* 86, 385–91.

Yin, A. & Harrison, T.M. (2000) Geologic evolution of the Himalayan Tibetan Orogen. *Annu. Rev. Earth planet. Sci.* 28, 211–80.

Yogodzinski, G.M., Lees, J.M. Churikova, T.G. et al. (2001) Geochemical evidence for the melting of subducting oceanic lithosphere at plate edges. *Nature* 409, 500–4.

Young, G.M. (1992) Late Proterozoic stratigraphy and the Canada–Australia connection. *Geology* 20, 215–18.

Yuan, X. et al. (2000) Subduction and collision processes in the central Andes constrained by converted seismic phases. *Nature* 408, 958–61.

Yuan, X., Sobolev, S.V. & Kind, R. (2002) Moho topography in the central Andes and its geodynamic implications. *Earth planet. Sci. Lett.* 199, 389–402.

Zachos, J. et al. (2001) Trends, rhythms and aberrations in global climate 65 Ma to present. *Science* 292, 686–93.

Zandt, G., Myers, S.C. & Wallace, T.C. (1995) Crust and mantle structure across the Basin and Range–Colorado Plateau boundary at 37°N latitude and implications for Cenozoic extensional mechanism. *J. geophys. Res.* 100, 10 529–48.

Zatman, S. (2000) On steady rate coupling between an elastic upper crust and a viscous interior. *Geophys. Res. Lett.* 27, 2421–4. Zegers, T.E. & van Keken, P.E. (2001) Middle Archean continent formation by crustal delamination. *Geology* 29, 1083–6.

Zhao, D. et al. (1997) Depth extent of the Lau Back-arc spreading center and its relation to subduction processes. *Science* 278, 254–7.

Zhao, G. et al. (2001) High-pressure granulites (retrograded eclogites) from the Hengshan Complex, North China Craton; petrology and tectonic implications. *J. Petrol.* 42, 1141–70.

Zhao, G. et al. (2002) Review of global 2.1–1.8 Ga orogens: implications for a pre-Rodinia supercontinent. *Earth Sci. Rev.* 59, 125–62.

Zhao, W., Nelson, K.D. & Project INDEPTH team (1993) Deep seismic reflection evidence for continental underthrusting beneath southern Tibet. *Nature* 366, 557–9.

Zho, W. et al. (2001) Crustal structure of central Tibet as derived from the project INDEPTH wide-angle seismic data. *Geophys. J. Int.* 145, 486–98.

Zhong, S. & Gurnis, M. (1993) Dynamic feedback between a continent-like raft and thermal convection. *J. geophys. Res.* 98, 12 219–32.

Zhu, L. (2000) Crustal structure across the San Andreas Fault, southern California from teleseismic converted waves. *Earth planet. Sci. Lett.* 179, 183–90.

Zhu, L. et al. (2006) Crustal thickness variations in the Aegean region and implications for the extension of continental crust. *J. geophys. Res.* 111, B01301, doi:10.1029/2005JB003770.

Ziegler, P.A. (1993) Plate-moving mechanisms: their relative importance. *J. geol. Soc. Lond.* 150, 927–40.

Zoback, M.D. (2000) Strength of the San Andreas. *Nature* 405, 31–32.

Zoback, M.D. et al. (1987) New evidence on the state of stress of the San Andreas fault system. *Science* 238, 1105–11.

Zoback, M.L. (1992) First- and second-order pattern of stress in the lithosphere: the World Stress Map Project. *J. geophys. Res.* 97, 11 703–28.

Índice

Os números de página em *itálico* referem-se a figuras; aqueles em **negrito** a tabelas.

A

acreção da crosta
  bacia de Lau 248-250, *249-251*
  configurações de retroarco e de dorsais mesoceânicas, diferenças 250-251
  dorsais de baixa propagação 126
acreção de terreno, mecanismos de 301-304
  crescimento por magmatismo e sedimentação 301-302
    orógeno Lachlan 301-305
  crescimento por obdução de ofiólitos 301-302
    Ofiólito Coast Range 301-304
  origem de terrenos exóticos 301-302, *331-333*
  processos similares àqueles em orógenos modernos 301-302
acreção de terreno e crescimento continental 253, 293-304, 321-322, 369-371
  estrutura de orógenos acrescionários 296-302
adelgaçamento da litosfera na região retroarco 300-301
África do Sul
  grande zona de baixa velocidade registrada no manto profundo 154-155
  superintumescência 348-349, 353
    várias plumas primárias potenciais próximas à *87*, 350-351, 353
água do Ártico, fornece aumento de precipitação sobre a Antártica 363-364
Alinhamento das Ilhas da Páscoa *87*, 89-90
Alpes do Sul, Nova Zelândia 253, 270, 288-289
  exumação de rochas da crosta profunda no lado sudeste 214
  previsões dos modelos coincidem com muitos padrões observados *214*, 215
Alpes Europeus 253, 270
América do Norte, oeste da, terrenos suspeitos *298*
América do Sul
  bacias retroarco extensionais do início do Mesozoico 250-251
    a maioria ocorre sem formação de embasamento basáltico 250-251
    possível análogo moderno, bacia Bransfield *221*, 250-251

  distanciou-se da África 359-362
  orógeno Andino 253-267
  soluções de mecanismo focal de terremotos 254-256, *255*
Américas, Europa e África, semelhança dos contornos de costas 2
análise de terrenos 293-297
  critérios para distinguir a identidade de terrenos 296
  reconhecimento de terrenos 296
  sequência cronológica de acreção 296-297
Andes centrais, estrutura profunda 257-262
  afinamento litosférico sob Puna *259*, 257-260
  espessura da crosta 252, 257-260
  litosfera fria do Escudo Brasileiro ao leste 260-262
  perfis de reflexão sísmica através dos 257-260, *261*
    contrastes com aqueles coletados sob cinturões de montanhas fósseis 257-262, *299, 302*, 321-322
    Moho distinto/visivelmente ausente 257-260
  refletores marcam o topo da Placa de Nazca subductante 257-260
  secção transversal de escala litosférica *260-262*
  zonas de baixa velocidade de onda abaixo do campo de ignimbrito Los Frailes 260-262
Andes centrais 265-267
  acoplamento interplaca mais forte *263*, 264
  evolução do encurtamento (modelo) *264-265*
  forma arqueada (oroclínio) 257-260
  lacunas vulcânicas e segmentos de placa rasos 254-256
  perfil de sísmica reflexão sugere presença de fluidos 241-243, *260-262*
  rotações sobre eixo vertical durante o Neógeno 257-260
  zonas de subducção rasas e íngremes 254-256, *256-257*
    vulcanismo neógeno acima do *slab* íngreme 254-256

Andes centrais e do sul, geologia geral 256-260
  Altiplano-Puna *253-254*, 256-257
    período de intenso encurtamento crustal 256-258
    Ponto Brilhante Quebrada Blanca *261*, 260-262
    zona de ondas sísmico de baixa velocidade sob os 260-262
  Cordilheira Ocidental e Oriental *253-254*, 256-257
  Dorsal do Chile atualmente em subducção 257-260
  modelos simulando deformação nos 283
  região de antearco estreita 257-258
    Precordilera expõe embasamento pré-cambriano 257-258
  região de retroarco *253-254*, 257-260
    encurtamento neógeno 257-258
  zona de falhas Liquiñe-Ofqui 257-260
Andes Chilenos, compressão do arco *232*, 240-241
andesitos
  de alto Mg (boninitos) 312-313
  série calcioalcalina 238-239
ângulo epicentral 9
anisotropia sísmica 35-37, 199-201
  estudos no manto superior 348-349
  medições no manto podem produzir informações sobre o padrão de fluxo 348-349
  na camada D" 35-37, 348-349
anomalias magnéticas 64, 97-99
  anomalias lineares, desenvolvimento sobre a crosta oceânica 71-73
  marinhas 64-65
    dorsal Juan de Fuca 64-65, *66-67*
    justaposição de anomalias positivas e negativas de alta amplitude 64
    separadas ao longo de zonas de fratura 75-76
    usadas para datar litosfera oceânica 69-70
  perfil e modelo sobre o sul da Dorsal Mesoatlântica *72*
anortosito 309-310
  do tipo maciço 370-371

Antártica
  Oligoceno Médio, cercada pelo Oceano Austral *361*, 359-362
  primeira grande acumulação de gelo 359-362
    aquecimento e degelo no Oligoceno Superior 359-362, *362-363*
  separação da África *360*, 359-362
  separação da Índia *361*, 359-362
  súbita acumulação de gelo, Mioceno Médio e Superior 359-364
antearco Banda *ver* zona de colisão arco Austrália-Banda
antearco Mariana *233-234*, 243-245
antepaís andino, estilos de encurtamento tectônico 257-260
  cinturões de dobras e empurrão tipo *thick* e *thin skin* 257, *259*
  empurrões em embasamento de antepaís 257, *259*
  segmentação de antepaís 257-260
arco Aleutas-Alasca, proeminente lacuna na sismicidade 228-*231*
arco das Aleutas, soluções de mecanismo focal de terremotos 226-227
arco do Japão, modelo térmico para a zona de subducção 226-228
arco vulcânico Banda 291-293
arco vulcânico Mariana, crosta fina sob parte ativa 238-239
arcos continentais
  dacitos e riolitos abundantes 238-239
  estruturalmente complexos 238-239
arcos de ilhas
  arco exterior sedimentar 221-223
  arco interior magmático 221-223
  e os antearcos remanescentes, englobam uma bacia antearco 221-223
  e velocidades de ascenção de líquidos 241-243
  grande anomalia positiva 222-223
  maduros, crosta mais espessa 238-239
arcos magmáticos, material acrescido 231-234
arcos remanescentes, subsidência de 246-247
área da Baía de São Francisco
  step-over das montanhas Mission 188-191
  step-overs contracionais
    encurtamento crustal e soerguimento topográfico relacionados a 190-191
    movimento crustal vertical associado a 188-191, *193*
áreas continentais, velocidades altas associadas com 348-349
áreas continentais e clima 363-364
  albedo de áreas continentais depende da cobertura vegetal 363-364
  brisa do mar e do continente 363-364

climas de monções 363-364
cobertura de gelo/neve tem albedo elevado 363-364
intemperismo de carbonatos e silicatos 363-364
resfriamento global perto do limite Mioceno-Plioceno 364
soerguimento do Planalto Tibetano 363-364
áreas intraplaca, relativamente assísmicas 82-83
arrasto do manto
  convecção celular 345-346
  dependente da velocidade da astenosfera 343-344
  necessário para os movimentos de placa do Fanerozoico 345-346
Ásia, em modelos do contínuo de 283
Ásia, modelos de elementos finitos
  efeito da forma do entalhe na distribuição da deformação *284-286*
    escape lateral de crosta 285
  litosfera especialmente viscosa e forte 285
  modelada como uma folha viscosa 284
assoalho oceânico, datação de 73-75
astenosfera 38-39, 42-45
  anormalmente quente 139
    abaixo da África 154-155
  e força de arrasto do manto 343-344
  e movimento relativo de placas 43
  ponto de fusão do manto mais preciso 43
atividade vulcânica 7, 147-155
  grandes províncias ígneas (LIPs) 147-151
  petrogênese de rochas de rifte 150-154
  ressurgência mantélica sob riftes 153-155
atividade vulcânica e plutônica 238-243
  origem de magmas que formam complexos 239-240
    incorporação de sedimentos da fossa 239-240
  tipos de rocha acima de zonas de subducção 238-239
Atlântico Norte
  estratigrafia acústica 22, *23*
  exemplos sugeridos de falhas transformantes 76-78
Atlântico Sul, taxa de espalhamento do fundo do mar 71-*75*
atmosfera
  e água do mar, mudanças na química da 7
  remoção e retorno do CO_2 à 363-364
aulacógenos (riftes abortados) 134, 372
Austrália, oeste da, evidência de colisão e sutura dos crátons Yilgarn e Pilbara 322-325
Avalonia 300-*302*, 331-333
  rifteados do Gondwana *331-333*, 333-334

B
bacia de antepaís Chaco 257-258
bacia de antepaís Ganga 275-276, 278-279
bacia de Lau, modelo de acreção crustal para 248-250
Bacia do Rifte de Adama 136-139, *139*, 140, *141*
bacia Sichuan
  praticamente não deformada 278-279
  topografia a noroeste anormalmente elevada 288-289
Bacia Tarim 284, 286-288
bacias de antearco 221-223, 234-236, 293, *294*, *295*
bacias de antepaís, formação de 266-267, 278-279
  dobras de antepaís e cinturão de empurrão *259*, 266-268
    bacias *piggyback* 267-268
  flexão de cráton continental 266-267
bacias oceânicas 365
bacias *pull-apart* 186, 203-205, 282-283, *282-283*
  Bacia Dagg 190-192, *195*
  do Rio Lempa 190, *189-192*
bacias retroarco 221-223, *222-223*, 246-251
  bacia de Lau 246-248, *247-248*
    manto mais fraco ou litosfera mais fina 223-225
    modelo de acreção crustal para 248-250, *249-251*
  em ambientes continentais 250-251, *250-251*
    mais caracterizadas por litosfera fina e quente 250-251, *260-262*
    no contexto de margens convergentes do tipo Andino 246-247
  estruturas que correspondem a cordilheiras mesoceânicas nem sempre presentes 247-250
  fluxo de calor diminui com a idade 338-339
  formam-se atrás de arcos vulcânicos na placa superior 246-247
  lavas retroarco, variação composicional 248-250
  magmas 248-250
  mais associadas com tectônica extensional e alto fluxo de calor 246-247
  mecanismos postulados para formação de 248-251
    fontes de tensão 248-250
    mecanismo reversão 248-250, *264-265*, *303-305*
  modelo de formação generalizada 249-251
  oceânicas, composição crustal 246-248
  regiões de extensão e acreção crustal 81

rifteamento de arco de ilha existente ao longo do seu comprimento 246-247
bacias sedimentares compressionais 266-270
backstripping flexural 175-176, *175-176*
Báltica 327-329
barreiras de dispersão 55-56
basaltos 68-69
  bacias retroarco, variação na geoquímica 249-251
  cordilheira mesoceânica
    de dorsais de expansão lenta e ultralenta 122-123
    refletem ambiente de fracionamento após fusão parcial 122-123
  derrames basálticos
    continentais 88-89, *88-89*, 134, *135*, 148-151, *150-151*
    toleíticos 150-152
  rifte enriquecido 150-151
  subductantes, reações químicas em 241-243, *243-244*, 243-245
  toleíticos 153-154, 312-313, *312-313*
basaltos de cristas mesoceânicas (MORB)
  contêm fenocristais 122-123
  química de, muitas alternativas 122-123
  xenocristais de nível profundo 122-123
Basin and Range *143*, 206-207
batólitos 238-241
  Gangdese *272-273*, *277*, 278
  granítico Karakorum *277*, 278-279
bauxita 373
  e laterita 53-54
boninitos (andesitos de alto Mg) 312-313
borda Antártico-Australiana, comparação de modelos REVEL e NUVEL-1A 95-96, *95-96*
borda do Pacífico, velocidades acima da média abaixo da 346-347
bulge de flexão 221-225

C

cadeia marinha Havaiana-Imperador 87, *87*, 89-90
  curva mais importante 89-90, *90-91*
  mudança na direção 351-352
  pode ter migrado para o sul 89-90
Calha Nankai, grande prisma acrecionário ativo 231-234, *234-235*
Califórnia, norte da
  Coast Ranges, contração *143*, *193*, 206-207
  microplaca Great Valley-Sierra Nevada 206-207, *207*
Califórnia, sul da
  acomodação de movimento relativo da placa *141-142*, 206-207
  movimento da crosta no, campo de velocidade 206-207, *208*
  rotação do movimento no sentido horário 206-207, *208-209*
  uso de modelos de bloco *208*, 209-210
  zona de deformação amplia 206-207, *208-209*
  ver também Transverse Ranges, sul da Califórnia
camada D" 27-29, 93, 348-350
  age como camada-limite térmica 351-352
  como camada mecânica para convecção do manto 35-37
  natureza da, três regiões diferentes 348-350, *349-350*
  variações laterais e verticais marcadas dentro da 348-350
  zonas de velocidade ultrabaixa (ULVZ) 348-349, *349-350*, 351-352, *351-352*, 352-353
câmara magmática axial 125
  evidência sísmica para 114-116
câmaras magmáticas 122-123
  abundância de voláteis na parte superior 125-126
  desenvolvimento de lente fundida, dorsais de espalhamento rápido 115-116, *117*
  modelo para dorsais de espalhamento lento 115-116, *117*
  profundas, rochas plutônicas cristalizaram resíduos de 239-240
campo geomagnético 17-19
  gerado no núcleo externo 29, 65-66
  nenhuma teoria geral de origem 65-66
  passado e presente 58-60
    acreditou-se ser originado por magneto-hidrodinâmica 58-59, *65-66*
    calculando localização aparente do paleopolo 58-60
    direções de magnetização remanescentes 59-60, 327-329
    mudanças progressivas com o tempo, variação secular 58-59
campos de fontes hidrotermais 114-115
campos de velocidade, modelagem de 208-211
  abordagem do modelo contínuo *207*, 208-209
  modelos de rotação em blocos 208-211
campos magnéticos, geração de 57-58
carbonatitos 365
carbonato de cálcio, secretado por organismos do oceano 363-364
carbonatos
  depositados no topo de depósitos glaciais 329-330
  e depósitos de recife 53-54
  formados no assoalho oceânico 363-364
carvão 53-54
  condições principais para a formação de 372
  placas tectônicas afetam a formação de 372
  processo de carbonificação 372
centros de espalhamento retroarco, acreção crustal retroarco e subducção, ligações 248-250
charnoquito 321
Ciclo de Wilson 182-184, 322-327
  colisão continente-continente 184
  estágios do *182-184*, 184
  muitos ciclos de criação e destruição de oceanos *51-53*, 182-184
  oceanos em expansão e em contração 184
ciclo do supercontinente 327-334
  aglutinação e fragmentação de Gondwana-Pangeia 330-334
  esforços tracionais no interior dos supercontinentes 354, 356
  início e término de zonas de subducção 351-352
  mecanismo de 354-356
    aquecimento interno e reversões episódicas de movimento de placas 354
    células de convecção do manto 349-352, 354
    colisão continental em local de fluxo astenosférico descendente 354, *355*
    dois tipos de eventos de pluma mantélica 356
    mecanismos que promovem crescimento e dispersão 354
  primeiros supercontinentes 329-331
    aglutinação colisional da *Columbia* 330-331, *332*
    Kenorland (único continente) 329-330, *330-331*
    muitos supercrátons 329-331, *330-331*
    Nuna 330-331
  reconstruções pré-mesozoicas 327
    métodos de quantificação dos movimentos de placa 327
  um supercontinente do Neoproterozoico 327-330
    fragmentação de 327-329
    hipótese SWEAT 327-329
cinturão Alpino-Himalaiano 363-364
cinturões de dobramentos e empurrão 231-234
  antepaís 257-258, *259*, 266-267
  Himalaiano *278*, 280-282, 288-289
  tipo *thick* e *thin-skinned* 257-258, *259*
cinturão de dobras apalachiano com cinturão de dobras caledoniano do norte da Europa, continuidade 51-52, *52-53*

cinturões de dobras e empurrão de antepaís, formas de encurtamento 268-270
    Andes, diferenças em estilo e forma ao longo da direção 269-270
        experimentos termomecânicos 269-270, *269-270*
        underthrusting do escudo 270
    Andes centrais, deformação contracional 268-269
    cisalhamento puro 268-269
    cisalhamento simples 268-270
    crescimento lateral de cunhas de empurrão 268-269
    criação de cunhas de empurrão duplamente vergentes *214, 259,* 268-269
    em cinturões tipo *thick* e *thim skinned 259,* 268-269
    superfícies de descolamento 268-269
        mergulhando em direção ao intrapaís 259-262, 268-269
cinturão de empurrão Sevier 144-145, *145-146*
cinturões de montanhas
    colisionais, terremotos de foco intermediário e profundo 81-82
    formação muda taxa de intemperismo na superfície da Terra 363-364
cinturões granito-*greenstone* 309-313
    estrutura crustal 314-317
        estilos estruturais/padrões de afloramento 271, 277, 314-315
        províncias domo e quilha 314-317
cinturões orogênicos 81, 253-304
circulação hidrotermal 24-25, 112-115
circulação oceânica e clima da Terra, mudanças em 358-364
clima
    áreas continentais e 363-364
    como uma barreira de dispersão 55-56
    depósitos relacionados ao 372-373
    e mudanças na circulação oceânica 358-364
    latitude como principal fator de controle 53-54
cobre pórfiros
    em arcos de ilha oceânicos 370-371
    em zonas de subducção 367-369
    formados durante colisão continental 370-371
    raros no Arqueano 370-371
coeficiente de Poisson 21-23, *135, 139*
colisão Amazônia-Laurentia 327-329
colisão arco-continente 253, 291-293
    exemplos ativos 291-293
    oblíquo, Taiwan 253, 293, *294*
    região de arco Timor-Banda 291-293, *292*
    sequência de eventos 291-293
colisão continental 24-25
    e acreção, zonas hospedam ampla gama de depósitos metálicos 369-371

mecanismos 280-293
    entalhe, escape lateral e colapso gravitacional 281-288
    fluxo da crosta inferior e extrusão dúctil 286-293
    história pré-colisional 280-282
    underthrusting continental 281-282
colisão continente-continente 184, 200-201, 253, 270-293
    campos de velocidade superficial e sismicidade 272-276
    entre Índia e Eurásia 270-275, *271-273*
    entre Laurussia e Gondwana 333-334, *333-334*
    geologia geral, Himalaia e Planalto do Tibete 275-279
    movimentos relativos de placa e história de colisões 270-273
colisão Índia-Eurásia 270-271
    colisão principal precedida por colisões menores 271-272
    deformação estendeu-se profundamente no interior da Eurásia 280-281
    exposição de minerais de altíssima pressão (UHP) 271-272
    Placa Indiana
        acomodação do *underthrusting* 281-282
        formação da cinturões de dobras e empurrão do Himalaia 280-282
        mecanismos que auxiliam o *underthrusting 279-280,* 281-282
        resistiu ao encurtamento durante a colisão 280-281
        underthrusting do Tibete 280-281
    possível período de colisão inicial 271-272
    reconstrução da paleolatitude da placa Indiana 271, *271-272*
Complexo Plutônico Costeiro *299,* 297-300
Complexo Purtuniq (ofiólitos), orógeno Trans-Hudson 326-327
complexo Stillwater 321
complexo/intrusão Bushveld 321, 367-368
complexos de núcleos
    formação de Rifte Woodlark 180-182
    metamórficos *146,* 147-148, *149,* 315-317
    oceânicos 119-122
composição do magma, influenciada por condições do local 238-239
conceito de catastrofismo 2
delta do Níger, desenvolvimento após a separação 50-51
reconstrução da região da América Central 50-51, *50-51*
rotação no sentido horário dos blocos da América Central 50-51

conceito de cinturões metamórficos pareados 243-245, *245*
    tentativas de interpretações 246-247
    três pares identificados no Japão 245, *245*
conceito de profundidade de travamento elástico 209-210
concentração de dióxido de carbono (CO_2) e mudança do clima 327-330
configurações continentais iniciais 97-99
configurações da placa, reconstruções de 73-75, *75-76*
continentes, tendem a se agregar sobre o fluxo astenosférico descendente frio 265-266
convergência oceano-continente 253-267
    Andes centrais 253-254, *253-254*
    condições para orogênese 260-262
    encurtamento e orogênese no ambiente retroarco 250-251
    mecanismos de orogênese não colisional 260-267
    sismicidade, movimentos de placas e geometria de subducção 254-257
cordilheira assísmica 254-256
Cordilheira Canadense 322-325
    acreção do Superterreno Intermontano 297-300
        cinturão Omineca representa a sutura 297-300
    orógeno acrescionário principal 296-297, *299*
    eventos de rifteamento 296-299
    Superterrenos Intermontano e Insular 296-297, *299, 302, 331-333*
Cordilheira da América do Norte
    acreção do Superterreno Insular 297-300
        deformação do interior do continente 297-300
        terrenos de arco de ilha Alexander e Wrangellia 297-300
    acreção do Superterreno Intermontano 297-300
    Cordilheira do Sul, estrutura onde ocorre subducção *299,* 300-301
    distribuição e dispersão de terrenos 296-297
    hipótese Baja-BC 297-300
    secção transversal marinha ACCRETE através da faixa costeira *299,* 297-300
Cordilheira dos Andes
    compressão na placa superior e construção de montanhas 253-254
    diversidade da 253-256
    última fase de compressão 254-256
corpos de granito, mineralização associada a alojamento 370-371
corrente do Golfo 358-359
    e camadas de gelo na região do Atlântico Norte 359-362

cráton Kaapvaal 321-322
  inventário de xenólitos do manto 309-310
cráton Pilbara, Austrália
  Bacia Hamersley 322-325, *325-326*
    rochas refletem estabilização pré-cambriana 318-320
  diferenças entre as partes Oriental e Ocidental *314-315*, 318-320
cráton Pilbara Oriental, Austrália 314-317, *314-316*
  desenvolvimento do *Greenstone Belt* Warrawoona 315-317, *319*
  estilo estrutural de domo e quilha explicado 315-320
cráton Slave, final da formação 322-325, *322-325*
  criação do arco magmático Great Bear 322-325
    colisão do terreno de Fort Simpson 322-325
  modelo de velocidade da onda P, terrenos Hottah e Fort Simpson *324*
  terreno Hottah formado como arco magmático 322-325
    colisão com cráton 322-325
crátons arqueanos 370-371
  compreensão de depósitos minerais é complicada 364-365
  formações ferríferas bandadas (BIFs) 309-310, 370-371
  geologia geral *309-310*
    cinturão granito-*greenstone* 309-310, 311-313
    greenstone belts 309-310
    suíte tonalito-trondhjemito-granodiorito (TTG) 309-310
    terrenos gnáissicos de alto grau 309-310
  menor fluxo de calor de superfície de qualquer região 308-309
  zonas de baixa velocidade fracas ou ausentes 308-309
crista marginal Costa do Marfim-Gana
  evidência de dobras e falhas associadas a movimento dextral 203-205
  formação de bacias *pull-apart* 203-205
critério de fratura Mohr-Coulomb 234-236
crosta 19-24, 68-69, 162-163, 165-166, *165-166*
  arqueana 307-308
    análogos modernos 312-313
    modelo de evolução 314, *314*
  continental e oceânica, diferenças entre 25-27
  deprimida, ressurgências produzem subsidência regional 348-349
  espessada por *overplating* e *underplating* 240-242

  mudanças no esforço por falhamento normal 162-163
  proterozoica, geologia geral 318-321
    aparecimento de evaporitos e depósitos tipo *red bed* 318-320
    orógenos com grandes zonas de empurrão dúcteis 318-320, *320*
    províncias/faixas Grenville 318-320, *328*, 327-329
    reflete a estabilização da crosta pré-cambriana 318-320
    regiões altamente deformadas, dois tipos 318-320
    sequências de quartzito-carbonato-xisto 318-320
  retroarco, com características oceânicas, geração de 247-251
  superespessada, colapso gravitacional de 283
crosta continental *3-5, 34-35*
  arqueana, variedade de modelos tectônicos propostos 312-314
    delaminação de uma raiz de eclogito 312-313
    problema com possível ausência de subducção 312-314
    suítes TTG, aplicáveis ao Arqueano Superior 312-313
  crosta inferior 45
    composição e coeficiente de Poisson 21-22, *135, 139*
    diferença entre hidratada e seca 21-22
  crosta média e inferior 21-22
  crosta superior 21-22
    rica em isótopos radioativos de longa vida 338-340
  descontinuidade de Conrad 16-17, *18*, 17-19
  divisão natural em três camadas 17-19, *139, 177-178, 260-262*
  e a Moho (descontinuidade) 16-17, *18*
  fluxo de calor da 21-22, 45-46
  importância de movimentos verticais *3-6*
  mais velha, no início do Éon Arqueano 307-308
  pressão aumenta com a profundidade 19-20
  torna-se mais densa e máfica com a profundidade 21-22
  velocidades sísmicas, variação com a profundidade 16-22
  xenólitos, amostras de material crustal profundo 19-20
crosta oceânica, metamorfismo da 24-26
  circulação da água do mar ocorre na parte superior da crosta 25-26
  circulação hidrotermal deve modificar a química da crosta oceânica 24-25
    responsável pela formação de importantes depósitos de minério 24-25

  metamorfismo hidrotermal, dá origem a assembleias de fácies xisto verde 24-26, *25-26*
crosta oceânica, origem da 124-127
  modelo, processos petrológicos ocorrendo em dorsais oceânicas 124-126
    subida flutuante de material astenosférico quente 124
crosta oceânica 6-7, 21-24
  camada 1 21-22
    contouritas 21-22
    espessa progressivamente a partir das cristas oceânicas 22
    oceanos Pacífico e Atlântico/Índico 22
  camada 2 22, 124
    modelo para, confirmado por estudos sísmicos 125, *125*
    origem ígnea provada 22
    subcamadas 23, 125
  camada 3 23-24, 114-115
    conceito de camada predominantemente gabroica 23-24
    gabroica 126-127
    representa base plutônica da crosta oceânica 23
    subcamadas 23-24
  camadas internas 17-19, 21-24
  criação de 5-6, 93, *94*
  em equilíbrio isostático com a crosta continental 21-22
  estrutura 21-22
  estrutura de velocidade, comparação de investigações 21-22, *22*
  extensão em cristas de dorsais, extensão amagmática 119-122
  "idade de vedação" 114-115
  movimento lateral 6-7
  mudanças na taxa líquida de formação 358
  praticamente estéril de isótopos radioativos 339-340
crosta superior
  crosta continental 21-22, 338-340
  estrutura simples em cristas de dorsais de espalhamento rápido 123-124, *124*
cunhas acrescionárias *ver* também prismas acrescionários
curvas de deriva/migração polar aparente 59-60
  APW para Gondwana, discordância sobre detalhes 60, *62*
    posições do Polo Sul *4*, 60
  assinatura paleomagnética de convergência/divergência de placa 59-60, *62*
  dois métodos de exibição de dados paleomagnéticos 59-60, *60*
  ocorreu deriva continental 59-60, *61*

D

dados de GPS (Global Positioning System), medição de movimento de placa 85-86

décollement 199-201, 231-234, *234-235*, 234-236

deformação, processos de localização e não localização de
   ao longo de transformantes e falhas direcionais 210-211
   durante a extensão 155-157
   durante encurtamento e convergência 253, 266-268, 284, 286-289, 303-305
   enfraquecimento induzido pela deformação 161-166
   estiramento litosférico 155-159
   estratificação reológica da litosfera 165-170
   feedback (realimentação) do abrandamento da deformação 213-217
   flexura litosférica 159-162
   forças de flutuabilidade e fluxo da crosta inferior 157-161
   heterogeneidade litosférica 210-213
   mecanismos de endurecimento 155-156
   modelagem cinemática *138, 142-144*, 155-156
   de extensão continental 155-156
   modelos mecânicos 155-156
   rifteamento magma-assistido 168-170

deformação 217
   contínua vs. descontínua 203-211
      acomodação do movimento 203-205
      campos de velocidade regionais 203-205
      determinação do grau de problemas 205-206
      modelos de blocos rígidos 205-206
      modelos que envolvem campos de velocidade contínua 203-206
      movimentos relativos de placa e campos de velocidade de superfície 205-208
      sensibilidade dos modelos 208-211
   contracional, 231-238, 268-270
      ver também cinturões de dobramentos e empurrão
   direcional, acomodação de deformação 211-213
      modelos de crosta fraca e forte 198-199, 211-213
   e esforço 30
   e terremotos 9-11
   em margens de placa 81
   estilo placa-tectônica 209-211
   extensional 81, 135
   fluência 30
   frágil 30-33
   intraplaca 81
   no manto 35-37

deformação continental
   modelos de bloco 208-210
   problema para determinar mecanismos específicos 210-211

deformação continental, medição da 34-37
   grandes feições tectônicas, deformação 34-35, *207*
      uso de medições por satélite de GPS 34-35
   Radar de Abertura Sintética (SAR) 34-35
   uso combinado de dados de GPS e InSAR 35-37, *194*

deformação dúctil 31-33, 163-165, *164*, 166, 210-211, 215
   fluência por difusão 31-33, 35-37, 162-163
      fluência Coble 31-33
      fluência Nabarro-Herring 31-33, *33-34*
   fluência superplástica 31-33
   fluência tipo *power law* (fluência por deslocamento) 34-37, 45, 162-163
      deslocamento *climb* 31-34
      recristalização dinâmica 31-33
   fluxo plástico, ocorre por deslocamento *glide* 31-33, *32-33*
   Laila Rookh – corredor estrutural de Shaw ocidental *314-315*, 315-317
   por fluxo lento ou fluência no estado sólido 31-33, 205-206

deformação elástica 9

deformação frágil 30-33, 163-165, *164*, 210-211
   e esforço diferencial 30-31
   por fluxo cataclástico 31-33, *31*
   pressão confinante, aumenta com a profundidade 31
   teoria de falha de Anderson 31, *31*
   teoria de Griffith da fratura 30

delaminação
   de crosta oceânica espessa, Eoarqueano 314, *314*
   de uma raiz de eclogito densa 312-313

depósito Noril'sk, Sibéria 367-368

depósitos de bacias sedimentares 371-372
   combustíveis fósseis encontrados em 371-372
   critério principal para desenvolvimento de petróleo e gás 371-372
   controle tectônico da localização de reservatórios 371-372
   migração para *traps* e de petróleo 371-372
   preservação de kerogenos 371-372

depósitos de sulfetos maciços 365, 367-368
   depósitos tipo Besshi 368-369, *369-370*
   minérios tipo Kuroko 368-369, *369-370*

depósitos de sulfetos vulcanogênicos maciços (VMS) 368-369, *369-370*

depósitos desérticos 53-54

depósitos glaciais 53-54

depósitos lateríticos, como fonte de níquel 372

depósitos minerais, proterozoicos 370-371

Depressão Afar 134-136, *138*, 179

deriva continental 1-6, 49-62
   adeptos e não adeptos da deriva, problemas com ambos 3-5
   e expansão do fundo oceânico 67-69
   encaixe aparente das costas leste e oeste do Atlântico 49
   evidência geológica para 51-54
      correlação entre margens justapostas 51-52
   evidência paleontológica 53-57
      distribuição de plantas e animais antigos 53-55
      diversidade de espécies controlada por 55-57
      oceanos como barreiras de dispersão 55-56
      paleobotânica 55-56
      rifteamento continental 56-57
      sutura continental 56-57
   paleoclimatologia 53-54
   paleomagnetismo 56-62
   reconstruções continentais 49-52

deriva polar verdadeira 89-93, 351-352
   análise da Placa do Pacífico usando polos paleomagnéticos 92-93
   e fluxo do manto 93
   método investigativo 91-92
   mudança de litosfera e manto como uma única unidade durante 93
   trajetória dos últimos 200 Ma 91-93, *92-93*

derrame basáltico da Etiópia 88-89, 136-139, 148-151, *150-151*

derrames basálticos continentais 88-89, *88-89*, 134, *135*, 148-151

derrames basálticos da Sibéria 148-150

derrames basálticos das Ilhas Havaianas 148-150

Derrames Basálticos do Paraná 88-89, *88-89*

derrames basálticos do Quênia 148-151

derrames basálticos do Rio Columbia 148-150

derrames basálticos Etendeka 88-89, *88-89*

derrames basálticos Karoo 148-150

descontinuidade de Conrad 16-17, *18*, 17-19, 25-27
descontinuidade de Gutenberg 17-19
descontinuidades de eixo de dorsal 118, *120*
deslocamentos direcionais, acomodaram movimento relativo, terrenos acrescionados da América do Norte 297-300
diamantes e kimberlitos 370-372
dióxido de carbono (CO_2)
   removido da atmosfera 364
   retornado à atmosfera 363-364
distribuição dos terremotos 81-83
   epicentros de terremotos de grande magnitude 81-82
diversidade de espécies, controlada por deriva continental 55-57, *56-57*
domínios magnéticos 57-58
Domo do Quênia 136-139, 150-151, 153-154
Domo Monte Edgar *314-316*
   formação inicial 315-317
domos gnáissicos 277
dorsais de lento espalhamento 107-108, *107, 121*, 177-179
   camada frágil superior deforma por estrangulamento 126-127
   câmara magmática complexa 122-123
   dorsais axiais vulcânicas, fundo do vale interior 123-124
   extensão por falhamento normal 123-124
   falhas delimitadoras 123-124
   fases alternadas de extensão vulcânica e tectônica 123-124
   menor taxa de fornecimento de magma 123-124
   modelo de 115-116, *117*
   muito lentas 126
      dorsais axiais vulcânicas 124
      segmentos magmáticos 123-124
   ultralentas 107-108, *109*, 124
      ver também Dorsal Gakkel
   zona de acreção crustal mais larga 126
   ver também Dorsal Mesoatlântica; Dorsal Reykjanes
dorsais de rápida propagação 107, *107, 118*, 122-123
   alto axial e câmaras magmáticas abaixo de 123-124
   desenvolvimento de lente fundida em 115-116, *117*
   origem da crosta oceânica em 124-126
   segmentações de primeira ordem 118
   segmentações de segunda ordem 118
      criam cicatrizes dos eixos na crosta de propagação 118, 120
   segmentações de terceira e quarta ordens de curta duração 118
   taxa de suprimento de magma 123-124
   transição frágil/dúctil 126-127

dorsais mesoceânicas
   baixas velocidades associadas a 348-349
   criação de novos depósitos minerais 365
   depósitos metalíferos em cristas de dorsais 114-115
   processos acrescionários em cristas 126-127
      transição frágil/dúctil 126-127
   soerguimento e expansão e contração de material do manto superior 112-113
   ver também dorsais de rápido espalhamento; dorsais de lento; dorsais oceânicas
dorsais oceânicas 107-132
   ajuste de crista 97-99, *97-99*
   astenosfera ocorre em baixa profundidade 43
   cinturão de terremotos de foco raso ao longo da crista 81-83, *81-82*
   circulação da água do mar
      através da crosta controla padrão de fluxo de calor 113-115
      transporta calor para a superfície 46-47
   estrutura ampla do manto superior sob 108-112
   estrutura rasa da região axial 123-124
      taxas de expansão e suprimento magmático 123-124
   evidência sísmica para câmara magmática axial 114-116
   fluxo de calor diminui para as bacias em suas margens 338-339
   fluxo de calor e circulação hidrotermal 112-115
      grandes variações no fluxo de calor medido em crosta jovem *108-110*, 113-114
      modelo GDH1, valores de fluxo de calor previstos 112-114
   marcam limites de placas divergentes 81
   modelo de processos petrológicos ocorrendo em 124-126
      estendido para incorporar uma câmara magmática 126-127
   origem de anomalias do manto superior sob 111-112
   petrologia 122-124
   rifte de expansão e microplacas 126-130
      início da propagação da dorsal, causa desconhecida 129-130
      modelo de rifte em expansão 126-129, *127-128*
      modelo de rotação de dorsal de centros de expansão ajustados 126-127, *127-128*
      pseudofalhas e riftes falhados 127-129

      segundo modelo de rifte em expansão e microplacas 128-130
   segmentação ao longo do eixo 115-123
      descontinuidades no eixo da dorsal 121
      formação de *graben* de crista axial 119-122
      fornecimento de magma localizado em centros do segmento 118-122
      segmentos adjacentes, fontes mantélicas diferentes 121
      uso de mapeamento pelo sistema de faixas 115-117
      variação ao longo do eixo da estrutura da crosta 119-122, *121*
   topografia 107-108, *109*
      dorsais de baixo espalhamento (dorsais vulcânicas axiais) 107-108, *107*
      dorsais de espalhamento rápido 107, *107*
      estudo FAMOUS de uma vale rifte médio 107-108, *107-108*
      morfologia geral controlada pela taxa de separação 107
      taxa de expansão ultralenta 107-108, *109*
Dorsal Carlsberg 85-86, 345-346
Dorsal do Chile, subductante 257-260
Dorsal Gakkel
   crosta serpentinizada e com peridotito mantélico tectonizado 126
   evento de expansão de longa duração, magma derivado das profundezas do manto 115-116
   falta de correlação com taxas de expansão 122-124
   marcou contraste ao longo do eixo no fornecimento magmático 124
   níveis altos de atividade hidrotermal em certos locais 114-115
   segmentação da 118-119
   setor oriental de baixíssima velocidade, grandes centros vulcânicos 124
   taxa de expansão ultralenta 107-108, *109*
Dorsal Juan de Fuca *64-65*, 128-129
Dorsal Louisville *87*, 89-90
Dorsal Mesoatlântica 85-86, 122-123, 129-130, 345-346
   campos de fontes hidrotermais 114-115
   crosta fina nas proximidades de zonas de fratura 126-127
   estudos mostram zona de baixa velocidade na crosta inferior 115-116
   experimentos de sísmica refração 108-110, *110-111*
   fornecimento de magma localizado em centros do segmento 118-122
   modelo alternativo de estrutura 108-111, *111-112*

segmentação *118-119*
   de primeira ordem definida por falhas transformantes 118-119
   de segunda ordem definida por deslocamentos oblíquos do eixo da dorsal 118-119
   de terceira e quarta ordens 118-119
   taxa de espalhamento lenta 107, *107*
Dorsal Reykjanes
   dorsal de lento espalhamento, processo de acreção 115-116
   estudo centrado em uma dorsal vulcânica axial com magmatismo ativo 115-116
   volume maior de crosta dúctil 126-127
duplex de deslocamento direcional, explicou *188-191*, 190-192
dutos de kimberlito 26-27, 370-371

E

eclogito 241-243, *243-244*
   Fanerozoico 323-324, *326-327*
   in situ, exemplos mais antigos 325-326
   parece estar presente em litosfera cratônica 309-310
efeito estufa, maior 93
Efeito Estufa 358-359
   níveis altos de CO_2 e maior atividade vulcânica 364
   oceanos quentes levaram à formação de folhelhos negros 362-363
   resfriamento global não associado a diminuição de vulcanismo *94,* 364
   transição para Efeito Glacial 359-362
Efeito Glacial 358-359
   transição para, limite Eoceno-Oligoceno 359-363
efeitos do enfraquecimento da deformação, *underthrusting* continental 288-289
elementos incompatíveis 27-28, 152-153, 309-310
Elevação do Pacífico Leste 119-122
   câmara magmática 126-127
      apenas extensões curtas de lente fundida 115-116
      estudos mostram evidência para o topo em profundidades variadas 114-116
      região com fração fundida alta muito pequena 115-116
      uso de perfilagem por reflexão de propagação expandida multicanal 115-116, *115-116*
   campos de fontes hidrotermais 114-115
   experimento MELT 111-112, *112*
   experimentos de refração sísmica 108-110, *108-110*
   fumarolas negras e fumarolas brancas 365
   segmentada por descontinuidades de dorsais não transformantes 117-118
   taxa de expansão rápida 107, *107,* 112
   topografia de *horst* e *graben* 107-108
   variação de composição nos basaltos 122-123
   zonas de multifalhas 129-131
energia geotérmica 373
energia térmica, condução de placas litosféricas 344-347
enfraquecimento
   atrito plástico/plástico-friccional 163-165, *164*
      e enfraquecimento viscoso, mecanismos combinados 163-165
   da crosta e do manto, pode produzir zonas de cisalhamento com grandes deslocamentos 154-155, *164*
enfraquecimento da litosfera 155-156
   induzido por deformação 171-175
enfraquecimento induzido pela deformação 163-165, *164*
   efeito sensível à velocidade do rifte 163-165, *165-166*
   formação de grandes deslocamentos de falhas normais, dependente de parâmetros 162-163
   pode ser suprimido por outros mecanismos 165-166
   redução da coesão durante a extensão 162-163
enrijecimento da litosfera 155-156
entalhe 281-285
   evolução do modelo de entalhe 282-283
   experimentos de entalhe 281-283, *282-283*
      desenvolvimento de bacias *pull-apart* 282-283, *282-283*
      extrusão lateral, resultando em extensão 282-283, *282-283*
   modelos do contínuo 283
enxames de diques máficos
   colocados em crátons arqueanos e em rochas de cobertura 320-321
   enxame de diques Mackenzie 320-321
Éon Proterozoico 307-308
epicentro 9, *9*
escala temporal geomagnética da polaridade
   para os últimos 160 Ma 71-75, *74-75*
   pliopleistocênica 69-70, *70*
Escudo Brasileiro 270
   Litosfera fria 260-262
   underthrusting provavelmente ocorreu por cisalhamento simples *269-270*
esforço deviatório tracional, iniciação do rifte 154-156
espaço criado para o Caribe 50-51
espalhamento do assoalho oceânico 56-57, 64-75, 96-97, *97-98,* 97-99, 176-178, 358-359
   anomalias magnéticas marinhas 64-65
   conceito concebido, mecanismo proposto 5-7, *6-7*
   datação de fundos oceânicos 73-75
   direção nem sempre constante 126-127
   e deriva continental 67-69
   e elevação do nível do mar 358
   hipótese de Vine-Matthews 66-70
   verificação da 69-71
   inversões geomagnéticas 64-68
   magnetostratigrafia 69-75
   método de levantamento magnético 64
   registra a história de inversões do campo magnético da Terra (teoria) 6-7
   simetria perto do eixo da dorsal 125
   taxas de expansão variando com o tempo 71-73, *71-73*
espessamento crustal 168-170, 284, 286-288, 304
Estados Unidos
   oeste
      estilo placa-tectônica de deformação 209-211
      sequência de margem passiva paleozoica 144-145, *145-146*
   sudoeste, localização da deformação no *143, 187,* 211-213
   ver também Província Basin and Range; Califórnia; Cordilheira da América do Norte; Falha de San Andreas
estiramento litosférico 155-159
   advecção de calor 155-157
   afinamento crustal ou estrangulamento 155-157, 169
   altas taxas de deformação tendem a deixar a deformação localizada 155-157
   efeitos térmicos e mecânicos, diferentes taxas de deformação 155-157, *158,* 157-159
estrutura sísmica 26-28
   camada mais baixa na fronteira núcleo-manto, camada D" 27-28
   grande descontinuidade marca o início da zona de transição 26-28
   litosfera 26-27
   zona de baixa velocidade 26-27
   zona de velocidade ultrabaixa 27-28
estudos de reologia do manto 35-37
Etiópia, área de ocorrência da maioria dos grandes terremotos 134-136, *138*
evaporitos 53-54, 373
evento anóxico 359-362
expansão de dorsal 77-79
experimento MELT (Eletromagnético e de Tomografia do Manto), Elevação do Pacífico Leste 111-112, *112*

extensão continental 81
  e efeitos do fluxo dúctil na crosta inferior 159-161
  modo de núcleo complexo *160*, 159-161
extrusão dúctil 288-291

F

Falha Alpina, Nova Zelândia 200-203, 299
  acomodação direcional oblíqua 215, *216*, 217
  Bacia Breaksea uma vez contínua com a Bacia Dagg 190-192, *195*, *196*
  Bacia Five Fingers 190-192, *195*
  camada sismogênica anormalmente fina 214
  Cenozoico Superior, tornou-se local de deslizamento entre placas 200-201
  espessura vertical da raiz abaixo da Ilha Sul 202-203
    explicações da geometria da raiz 202-203, *202-203*
  estrutura crustal abaixo da *188*, 213-214, *213-214*
  falha transformante dextral 99, *99*
  grande raiz crustal abaixo dos Alpes do Sul *188*, 200-202
    interpretação da deformação do manto abaixo da Falha 202, *202*
  movimento dextral, acomodação de *188*, 190-192, 200-201
  mudança no movimento relativo de placas, colisão continente-continente oblíqua 200-201
  restraining bend 190-192, *195*
  segmento central, estilo muito fraco/não particionado de deformação transpressional *188*, 196-197
  segmento Resolution, bacia *pull-apart* 190-192, *195*
  segmento sul, transpressão particionada direcional *195*, 196-197
  soerguimento e exumação de superfície 214-215
  traços lineares se estendem através da Ilha Sul 186, *188*, 190
Falha Altyn Tagh 278-281, 283
Falha de San Andreas, Califórnia 197-201
  acomodação de deformação 205-206
  evolução da *105*, 101-102
  falha formada em litosfera heterogênea 199-200
  medições diretas de movimento relativo de placa, primeiros métodos 94-95
  modelo de velocidade indica velocidades sísmicas relativamente baixas 199-201
  movimento relativo entre as placas do Pacífico e da América do Norte 205-208
    acomodação por deslocamento dextral 205-206

  fluxo assísmico entre segmentos bloqueados 205-206
  transferência de movimento a leste de Sierra Nevada 206-208
  profundidades de travamento 209-210
  rejeito na falha predominantemente direcional *143*, 199-200
  segmento de San Bernadino 209-210
  segmentos, diferem nos comportamentos mecânicos de curto prazo 205-206
  tempo e método de formação *105*, 197-200
  tentativas de avaliar diretamente a resistência da 217, *218*, 219
    fluência *versus* bloqueios de segmentos 217, 219
    possivelmente reorienta localmente os esforços regionais 217
    região Big Bend, sistema de partição direcional 196-197
    resolução de problemas, medições independentes necessárias 219
  une-se à Junção Tríplice Mendocino com o Golfo da Califórnia *187*, 199-200
falha de transformação/antifratura 226-228
Falha Denali 297-300
Falha do Atacama (Sistema) 85-86, 257-258
Falha Liquiñe-Ofqui, Chile 85-86
Falha Queen Charlotte *299*, 297-300
Falha Tintina, estrutura litosférica mestra 297-300
falhamento
  de empurrão *31*, 232, *ver também* cinturões de dobramentos e empurrão
  direcional 31, 186, *ver também* estilos de falhas direcionais
  direcional oblíquo 190-197, 200-201
  normal *31*, 123-124, 134-136
falhamentos direcionais e dispersão de terrenos 300-301
falhas de borda 137, 179
  alto ângulo 179, *180*
  cresceram pela propagação de segmentos curtos de falhas 178-179
  na flexura litosférica 159-161, *159-161*, 161-162
falhas de rejeito direcional
  continentais grandes 186
  em grande escala 75-78, 217-219
    estrutura em flor negativa ou positiva *196*, 196-197
    segmentos múltiplos e *step-overs* 186, *188-191*
    splays tipo rabo de cavalo podem se formar nas extremidades *188-191*, 196-197
  paralelas à fossa *85-86*
  releasing e *restraining bends 188-191*, 189-192

  tendência de divergir e convergir 190-192, 196
  falhas direcionais e fisiografia, estilos de 186-198
    bacias *step-overs*, *push-ups* e *pull-apart* 186, 189-192, *188-191*, *193*, 206-207
    transtração e transpressão 189
    duplex de deslocamento direcional, leques e estruturas tipo flor 190-192, 196-197, *196*
    escarpas de falhas lineares e feições superficiais de rejeito lateral 186
    partição direcional em transtração e transpressão *188*, *194*, *195*, 196-197
    releasing e *restraining bends 188-191*, 189-192, *194*, 190-192, *195*, *196*
  falhas transformantes 73-79, 81, 97-99, 126-127, 180-182
    dorsal-dorsal 76-78
    limites do segmento de primeira ordem 118-122
    não rígidas 118
    oceânicas, ambientes favoráveis à mineralização 370-371
    saltos de dorsais e deslocamentos de 76-79
fator Q 223-225
feedback (realimentação) do abrandamento da deformação 213-217, 288-289
  aumento da pressão do fluido dos poros 213-214
  exumação de rochas da crosta profunda 213-215
  feedback positivo 213-217
Fennoscandia, ilustrando recuperação isostática 39-40, *40-41*
Flemish Cap 176-178, *176-178*
  Banco da Galícia, zona de transição 176-178, *177-178*
  crosta continental, formada durante rifteamento mesozoico 176-178, *177-178*
  forte reflexão regional tipo S mergulhando para oeste 176-178, *177-178*
  margem de Newfoundland carece de uma zona de transição 176-178
flexura da litosfera 30, 38-40, 44-45, 159-162
  deflexão da crosta por deslizamento sobre falhas normais 161-162
  e compensação flexural isostática 161-162
  e espessura sedimentar em bacias antepaís 266-267
  falhas de borda 159-161, *159-161*, 161-162
  flexão de placa 159-162
    placas fortes e placas fracas 161-162
    formação de falhas normais de grande magnitude 161-162

florestas tropicais 363-364
  atuais áreas extensas 362-363
  precisam de temperaturas altas e muita precipitação 359-363
fluxo assísmico 205-206
fluxo da crosta inferior e extrusão dúctil 286-293
fluxo de calor
  bacias retroarco 246-247, 338-339
  continental, de fontes em profundidades rasas 339-340
  dorsais oceânicas 112-115
    fluxo de calor elevado associado a 338-339
  e circulação hidrotermal 112-115
  elevado 139-141, *139, 141,* 148-150, 246-247
  implicações do 337-340
    fluxo de calor global 338-339, *338-340*
    geralmente diminui com a idade da crosta 338-339
  oceânico, maior parte deve se originar em níveis subcrustais 339-340
fluxo de calor pré-cambriano 307-309
fluxo de calor terrestre 45-47
  energia geotérmica 45
  medições em terra 45-47
  medições no mar 2-3
  outras fontes de energia 45-46
  valores de fluxo de calor 46-47
fluxo de fluidos e mudanças em pressão de fluido de poros, importância em prismas acrescionários 234-237
fluxo dúctil e separação vertical da litosfera 288-289
fluxo viscoso 163-165, *164*
folhelhos negros
  e depósitos de petróleo 93-94, *94*
  e o "Efeito Estufa" 362-363
força de compressão da placa F_{SP} 346-347, 354
  agindo na placa em subducção 241-243, 343-344
força de flutuabilidade negativa (F_{NB}) 343-344, *343-344*
força de sucção da trincheira (F_{SU}) 346-347, 354
  causas possíveis 343-345, *344-345*
  roll-back 248-250, *250-251,* 343-344
força de tração das dorsais F_{RP} 342-343, *343-344,* 346-347
forças de flutuabilidade e fluxo da crosta inferior 157-161
  efeitos da deslocalização da deformação importantes em baixas taxas de deformação *158,* 159-161
  forças de flutuabilidade da crosta 157-159, 260-262
    reduzidas ou aumentadas durante estiramento litosférico 157-161

forças de flutuabilidade gravitacional 285-288
  e extensão no Tibete 283
forças de flutuabilidade por ação térmica 157-159, *157-159,* 168-170
  podem contribuir para tração deviatórica horizontal 354
  podem dominar logo após rifteamento 159-161
forças de flutuabilidade resultantes do espessamento crustal 285
  equilibrada pelas forças de borda do entalhe 283
forebulge 266-267, *276*
formação de montanhas, episódio importante no Cenozoico 363-364
formações ferríferas bandadas (BIF) 309-310, 318-320
  comuns em crátons arqueanos 370-371
    tipos Algoma e Superior 370-371
fosforitos 53-54
Fossa de Tonga, movimento para trás do *slab* do Pacífico por baixo da 248-250, *250-251*
Fossa de Tonga-Kermadec 221
  flexão da litosfera 225-227
Fossa Okinawa 368-369
Fossa Peru-Chile 221, 254-256
  mergulho baixo da zona de Benioff 231
  resistência do acoplamento intraplaca 260-262
  sismicidade aproximadamente equivalente, segmentos da placa rasa e íngreme 260-262
  sumário da distribuição do esforço em zonas de Benioff 228-229, *229-230*
Fossa Mariana *221*
  espessuras crustais 247-248
  flexão da litosfera 225, *226-227*
  zona de subducção 231, *232*
fossas oceânicas 6-7, 221-223, 231-234
  e subducção da litosfera oceânica 221
  atividade sísmica em 222-225
  grandes anomalias negativas 222-223
  profundidade
    controlada pela idade da litosfera subductante 221
    reduzida por subducção de dorsais assísmicas 221-223
fracionamento 151-152
fracionamento de cristal 367-368
fragilização por desidratação 226-228
frente de deformação, prismas acrescionários 231-234
fusão para produzir líquidos basálticos abaixo de riftes 151-152, *152-153*
fusão parcial *112,* 122-123, 151-152, 178-179, 314, 367-368
  alto grau de 310-311

  baixo grau pode aumentar alcalinidade para longe da fossa 238-239
  cristalização fracionada, assimilação, mistura magmática 151-153
  diferenciação de magma à medida que se move pela crosta 240-241
  do manto superior 111-112, *112*
  e extração por fundido, flutuabilidade e depleção química 309-310
  e zonas de baixa velocidade sob riftes 140-141
  segregação do fundido ao longo das bordas de grãos 241-243
  sob arcos, impulsionada por água 239-241
  transporte de fundidos 241-243
fusão por descompressão 150-152, 178-179, 304

G

gases de efeito estufa, concentração atmosférica de 93, 358-359
Geikie, A., "o presente é a chave para o passado" 2
geodínamo
  formulação matemática não foi possível 65-66
  modelagem numérica 65-67
  pode existir em dois estados 66-68
geologia econômica 364-373
  depósito de bacias sedimentares 371-372
  depósitos classificados de acordo com os processos de tectônica de placas 364
  depósitos minerais autóctones e alóctones 365-372
  depósitos relacionados ao clima 372-373
  energia geotérmica 373
glaciação global, Proterozoico Superior 327-329
gnaisses Acasta 307-308
Gondwana 327
  acreção de terrenos 331-333
  cinturão Greenville traçado através da 327-329
  reconstrução da 50-52, *51-52*
Graben do Reno 134
Grandes Províncias Ígneas (LIPs) 87-89, *88-89,* 148-151, *148-150,* 364-365
  alguns derrames basálticos continentais formam-se rapidamente 150-151
  dentro de placas continentais 148-150, *148-150*
  magma máfico, grandes derramamentos
    consequências ambientais da erupção 150-151
    fonte magmática necessária 150-151

nem todas estão associadas a zonas de extensão 148-150
platôs oceânicos dentro de placas oceânicas 148-150, *148-150*
platôs submarinos, formação de 150-151
granitos, primeira aparição no registro geológico 320
granodiorito 240-241
granulitos 243-245
greenstone belts
  arqueanos
    hospedam sulfetos vulcanogênicos maciços 370-371
    sulfetos de níquel hospedados por komatiitos/komateítos 370-371
  domínio *greenstone* Abitibi 311-312, *312-313*
  grupos estratigráficos 309-310
  metamorfismo de fácies xisto verde 309-310

H

Havaí 373-374
Heirtzler et al. escala temporal geomagnética de longa duração *72*, 71-73
  estendida retrocedendo a 160 Ma 73-75
Himalaia e Planalto Tibetano, geologia geral, estrutura profunda 278-281, *279-280*
  abaixo do Himalaia, descolamento crustal 278-279
  Moho
    abaixo do Himalaia *278*, 278-279
    áreas de ascenção *279-280*, 280-281
  Planalto Tibetano, estudado como parte do projeto INDEPTH *278*, 278-281
  sul da sutura Bangong-Nujiang, subducção da litosfera 280-282
  Tibete central, deformação abaixo da sutura Bangong-Nujiang *278*, 279-280
  underthrust da litosfera indiana 280-281
Himalaia e Planalto Tibetano, geologia geral 275-279
  Alto Himalaia 275-276
  Bacia Sichuan, relativamente não deformada 278-279
  deformação na margem norte do Tibete 278-279
    falhas direcionais ativas 278-279
  domos gnáissicos na zona Tethyana, origem não bem entendida 277
    domo gnáissico Kangmar 277, 278
  encurtamento ativo ao norte do planalto 278-279
  fatias de empurrão imbricadas
    acomodam certo encurtamento pós-colisional 275-276
    e sistemas de falhas principais 275-276, *277, 278*
  Empurrão Mestre Central 275-277, 289-291
  Empurrão Mestre de Borda 275-276, *277*, 286, *287*
  Empurrão Mestre/Frontal/Empurrão Frontal, leva rocha em sentido sul para um antepaís flexural 275-276
  se fundem em um décollement comum, Empurrão Mestre Himalaiano 276, *278*
  forças que contribuem para o estado de esforço atual *287*, 286-288
  Sistema de Deslocamento do Sul Tibetano 276-277, *277*, 289-291
  sutura Bangong-Nujiang e Bacia Qaidam *271*, 278-279
  um sistema de dobras e empurrão com propagação antepaís 276
  zona Trans-Himalaiana, batólito Gangdese *272-273, 277,* 278
  ver também sutura Indus-Zangbo
hipocentros de terremoto
  abaixo do Estreito de Wetar e arco Banda 291-293
  distribuição com a profundidade, Andes centrais 254-256, *256-257*
hipótese da Terra em contração 336, *336*
  não mais reconhecida como possível 336
hipótese da Terra em expansão 336-338
  cálculo do antigo momento de inércia da Terra 336-337
  cálculo do antigo raio da Terra 337-338
hipótese de pontos quentes fixos 89-90, *90-91*
Holmes, A., mecanismo de movimento continental 3-5, *5-6*
Ilhas Galápagos 352-353
  evidência do mecanismo de propagação da dorsal 128-129

I

indicadores de paleolatitude importantes 53-54
Indonésia, leste da, evidência de subducção para o norte da litosfera oceânica indiana 291-293, *292*
iniciação do rifte 154-156
  e esforço deviatórico tracional 154-156
  e mecanismo disponível para acomodar tensão 154-156
    separação da litosfera por diques 155-156
  influência de fraquezas litosféricas preexistentes 155-156
intemperismo
  de carbonatos por ácido carbônico 363-364
  de rochas silicatadas 363-364
interações litosfera-astenosfera, componente crucial dos sistemas de rifte 168-170
interface litosfera-astenosfera, não bem definida 44
intrusão Muskox 321
inversão de bacia 267-268
  causada pela variedade de mecanismos *195, 232,* 267-268
  critério comum para reconhecimento, ponto nulo ou linha nula 267-268, *267-268*
  em associação com falhamento direcional *196,* 266-267
  reativação compressional de falhas normais preexistentes 267-269
inversões de polaridade 59-60
inversões/reversões geomagnéticas 64-68
  baixas durante o episódio de pluma 94
  escala temporal da 69-70, *70,* 71
  frequência estimada nos últimos 160 Ma *67-68*
  na metade da década de 1960 conceito amplamente aceito 65-66
  ocorreram a taxas variáveis no passado 66-67, *67-68, 74-75*
Islândia 373-374
isostasia 5-6, 30, 37-43
  flexura da litosfera 38-40
    com o tempo pode agir de uma maneira viscoelástica 38-39
    isostasia flexural 39-40
    litosfera oceânica quando carregada por um monte submarina 39-40, *39-40*
    modelos realistas envolvem compensação regional 38-39
    resposta elástica do carregamento 38-39, *38-39*
  hipótese de Airy 38, *38*
  hipótese de Pratt 38-39
    mecanismo de compensação isostática *38*
  presença de compensação da subsuperfície confirmada 37, *37*
  princípio da 37-38
  reconhecida pela primeira vez no século XVIII 37, *37*
  recuperação isostática 39-41
    controlada pela viscosidade da astenosfera 39-40
    ilustrada pela Fennoscandia 39-40, *40-41*
    taxa fornece estimativa para viscosidade do manto superior 39-41
  testes da 40-43
    anomalias gravimétricas 40-42
    ar livre, anomalias isostáticas de Bouguer e Airy *41-42*

modelagem *direta* 40-41
    teste mais sofisticado 41-42
isótopos radioativos 338-340
    decaimento produz calor terrestre 307-308
Istmo do Panamá, formação e intensificação da Corrente do Golfo 359-362

J

junção tríplice Mendocino *187*, 199-201
junções tríplices
    atualmente 101-102
    estabilidade das 99-102
        evolução de junção instável para estável 100-102, *103*
        geometria/estabilidade, todas as junções tríplices possíveis 104, *104*, 101-102
        limite da fossa 99-100, *99-100*
        limite transformante 99-100, *100-101*

K

kimberlitos 370-372
komatiitos 309-312
    formação de 312-313

L

Laurásia, sustentou variada flora tropical 55-56, *55-56*
Laurência 327
    acreção de terrenos 331-333
    Deriva Polar Aparente, usada como referência 327-329
    rifteada da América do Sul e de Báltica 331-333, *331-333*
Laurussia 327
lawsonita *241-243*
lei da resistência ao atrito de Byerlee 34-35, *36*
leucogabro 309-310
leucogranito 276
limite Arqueano-Proterozoico, mudança na natureza de processos de formação de litosfera 321-322
limite da placa Pacífico-Farallon 128-129
limite litosfera-astenosfera 155-156, 289-291
    controlado por temperatura 112-113
    definição da localização do 308-309
    exumação do e aumento de atividade magmática 179
    se eleva debaixo de um rifte 178-179
limite núcleo-manto 17-19, 26-27, 29, *348-349*
    origem de algumas plumas no 352-353
    possibilidade de o fluxo de calor não ser uniforme 66-68
    regiões de baixa velocidade no 348-349

limites de placas *81-82*
    fossas 81
    instável 99, *99*
    ver também dorsais oceânicas; falhas transformantes
lineamentos magnéticos 68-69, *68-69*, 73-75, 97-99, 247-248
    fonte provavelmente em camada oceânica basáltica 240-242
    interrompidos em zonas de fraturas mestras 64, *64*
    mostrados em mapas magnéticos antes da verdadeira avaliação ter sido realizada 68-69
    simétricos em torno dos eixos das dorsais 64, *65-66*
Linha Tectônica Média, sudoeste do Japão 85-86
litosfera 38-39, 42-45, 161-163
    arqueana, formação de 307-308, 310-314
        cinturões granito-*greenstone* 311-313
    camada deformando por fluxo plástico 45
    camada superior frágil 45
    em deformação 84-86
    espessura elástica (T_e) 44-45
        superestimativa da Te 45
    espessura sismogênica 45
    estratificação reológica da 32-35, *36*, 165-170
    existência de grandes movimentos laterais *64-65*, 75-76
    fina abaixo de dorsais oceânicas 43
    força horizontal necessária para ruptura 154-155
    melhor entendida como uma camada viscoelástica 45
    parte inferior deforma por fluência do tipo *power law* 45
    resfriamento da litosfera
        modelo de meio-espaço 112-113, *113-114*
        modelo de placa 112-113, *113-114*
        modelo GDH1 112-114, *113-114*
    separação vertical como resultado do fluxo dúctil 288-289
    sustentada pela astenosfera 43
litosfera continental 161-162
    alcançou estabilidade tectônica durante o Proterozoico 321
    base não bem definida por dados sismológicos 308-309
    e orogênese *188*, 253, *253-254*
    em deformação, distribuição de deformação dentro da 210-213
    espessura elástica da 44
        cargas oculto ou escondido 44
    pode ser altamente distendida sem ruptura 141-142

litosfera oceânica 255
    base marcada por forte diminuição na velocidade das ondas de cisalhamento 308-309
    comporta-se como uma única placa rígida 34-35, *36*
    criação da, formação de corpos de minérios no interior da 367, *367-368*
    espessura elástica 44
    formação da camada 3 por cristalização de câmara(s) magmática(s) 23-24
        acamamento confirmado por amostragem da Zona de Fratura Vema 23-24
    modelos
        para a formação de 114-115
        para mineralização em 367-369
    profundidade da zona de baixa velocidade (LVZ) 43, 44, *44*
    relação profundidade-idade 112-113, 131-132
        resfriamento e contração, meio-espaço, placa e modelos GDH1 112-114
localização de terremotos 9-11
Lofoten-Vesterålen, margem continental 169-170, *171*, *172*
    estrutura crustal mostra extensão moderada 169-170

M

Maciço Arequipa 257-258
maciços anortosíticos 321
magmatismo
    enfraquece a litosfera e causa a localização da deformação 168-170
    geração de minérios 365
    máfico 150-151, 320-321
        e início do rifteamento 168-170, 365
        grandes pulsos afetaram raízes cratônicas 310-311
    máfico e ultramáfico 367-368
    relacionado à pluma e aglutinação de supercontinentes 356
    ver também atividade vulcânica
magmatismo de arco 238-243
    modelo geral de *222-223*, 240-243, *241-242*
        mecanismos de geração de material fundido 239-242
        profundidade até a zona de sismicidade 240-241
magnetização natural remanescente 57-59
    intensidade em basaltos oceânicos maior do que a magnetização induzida 68-69
    remanescência primária 57-58
        controla formas de lineações magnéticas 68-69

magnetização remanescente detrítica (MRD) 57-58
    rochas ígneas, magnetização termorremanescente (MTR) 57-58
remanescência secundária, adquirida durante a história subsequente das rochas 57-58
    magnetização remanescente isotérmica (MRI) 57-58
    magnetização remanescente química (MRQ) 57-58
    magnetização remanescente viscosa (MRV) 57-58
técnica de limpeza magnética, isola MRQ, MTR e MRD 57-59
magnetostratigrafia 69-75
    anomalias magnéticas oceânicas usadas para datar litosfera oceânica 69-70
manto, convecção no 339-343, 348-349
    células de convecção da 349-352
    evidência para a 346-350
        a camada D" 348-350
        superintumiscencia 348-349
        tomografia sísmica 346-349
    extensão vertical da convecção 341-343
        influência da zona de transição do manto 341-343
    natureza da 349-352
        camada D", como camada-limite termoquímica 351-352
        estabilização do fundo de plumas/ressurgência térmica 351-352
        modo de placa, crucial no resfriamento do manto 350-351
        modo de pluma, libera calor do núcleo 350-351
        modos de placa e de pluma, origens em camadas de limite térmico 349-351
        viscosidade maior no manto inferior 350-352
    processo de convecção 339-342
        convecção em um fluido 340-341, *340-341*
        estabilização do padrão convectivo 340-342
        fluxo convectivo no manto, natureza problemática 339-341
        manto aquecido a partir de baixo e de dentro 340-342, *340-341*
        sem um limite térmico inferior 340-342, *340-342*
    ressurgência
        dois modos de, centrados nos anéis de expansão das zonas de subducção *350-351*
        provavelmente independente do ciclo do supercontinente 356
    viabilidade da 340-342

manto, deformação no 35-37
    fluência por difusão
        provavelmente o mecanismo dominante 35-37
    fluência do tipo *power-law* 35-37
manto 26-29
    composição 27-28
    extensão 26-27
    primeiros modelos de velocidade sísmica 3-D para o 346-347
    zona de baixa velocidade *17-19*, 27-29
        efeitos sísmicos 27-29
        fusão parcial 28-29
        material fundido e velocidades sísmicas mais baixas 27-29, *43*
manto inferior 28-29
    camada D" com frequência caracterizada por diminuição na velocidade sísmica 29
    divisão em camadas D' e D" 348-349
    heterogeneidade termal e/ou composicional 29
    início da ressurgência vertical, Pacífico central e África do Sul 35-37
    mais enriquecida em elementos incompatíveis 27-28
    material parcialmente fundido no 29
    topo do, mais zona de anisotropia sísmica e fluxo horizontal, 35-37
    variações pequenas na velocidade de onda de cisalhamento 346-347
manto litosférico, adelgaçamento do 178-179
    supera o afinamento crustal 179
manto litosférico, diminuição progressiva do grau de depleção desde o Arqueano 321-322, *321-322*
manto litosférico cratônico, características gerais 308-310
    maior velocidade sísmica 308-309
manto superior
    anômalo, origem do sob dorsais oceânicas 111-112
        fusão parcial 111-112, *112*
        mudança de fase pouco provavelmente contribui para o soerguimento 111-112
        possível fonte de regiões de densidade baixa 111-112
    estrutura geral abaixo das dorsais oceânicas 108-112
        ambiguidade inerente à modelagem gravimétrica 110-112, *110-112*
        anomalias de ar livre geralmente nulas 108-110, *108-111*
        compensação isostática por mecanismo tipo Pratt 108-110
    provavelmente peridotítico 27-28
Mar Egeu *134*, 141-142, *143*, 142-144

Mar Mediterrâneo, isolado por crescimento do volume de gelo 359-362
Mar Vermelho, piscinas de salmoura quentes 370-371
    e sedimentos de zinco-cobre-chumbo 365, 367
margem da Costa do Marfim-Gana 203-205
    fases principais de evolução *203-204*, 203-205
    formação 203-204
    representa uma margem fóssil 203-204
    zonas de transição continente-continente estreitas 203-204, *203-204*
    ver também crista marginal Costa do Marfim-Gana
margens continentais, transformantes 202-205
    história das 202-204
    ver também margem da Costa do Marfim-Gana
margens continentais 168-170, 318-320
    acreção às 275-276
margens continentais passivas
    e formação de carvão 372
    ver também margens continentais rifteadas
margens continentais rifteadas 134, 168-179
    carbonatos hospedam minérios de chumbo-zinco-barita encontrados em 365
    evolução das 173-179
    margens não vulcânicas 173-175
    margens vulcânicas 169-173
margens convergentes 231-234
    com obliquidade alta *84-85*, 85-86
    inversão tectônica de bacias/retroarco e intra-arco extensionais 267-268
    metamorfismo em 241-247
        reações químicas em basaltos subductantes 241-245
margens de placa
    acrescionárias/construtivas 73-75, 81, 97-99, 107, 231-234
    destrutivas 81-83, 97-99
margens passivas não vulcânicas 173-175, *174*
    dois membros extremos 173, *174*, 173-175
    podem conter áreas de manto superior serpentinizado exumado 173
    refletores inclinados em direção ao continente173
margens passivas vulcânicas 169-173
    componentes de 169-170
    crosta inferior de alta velocidade, ajuda a dissipar a anomalia térmica 169-170, *171, 172*

cunhas de refletores que mergulham para o mar 169-170
margem continental Lofoten-Vesterålen 169-170, *171, 172*
origem de aumento de atividade ígnea incerta 173
principais fácies sísmicas de unidades extrusivas 169-170, 173, *173*
margens rifteadas, evolução de 173-179
acreção de magma, exumação do manto e falhas de deslocamento 176-179
estiramento e subsidência pós-rifte 173-178
investigação de fatores de estiramento para a escala litosférica 175-176
quantidade de subsidência relacionada à magnitude do fator de estiramento (β) 173-176
transição para a expansão do fundo oceânico 176-178
materiais elásticos, deformação e lei de Hooke 30
mecanismo de força de borda 345-347, *345-346*
compatível com movimentos de placa atuais 346-347
consistente com o padrão de esforço intraplaca 346-347
força de compressão do dorsal 346-347
força de tração do *slab* 346-347
força de sucção da fossa 346-347
mais aceitável termodinamicamente 346-347
placas movem-se em resposta a forças de borda 346-347, *346-347*
mecanismos de placas tectônicas, ocorrência mais cedo de 307-308
medições de satélite de GPS 34-35
mélange, uma mistura caótica de rochas 236-237
mesosfera 45, *45-46*
metalogênese arqueana, muitos aspectos requerem investigação mais aprofundada 370-371
metamorfismo
em margens convergentes 241-247
regional *243-244*, 243-245
meteoritos 19-20
microplacas, no sudeste do Pacífico 128-130, *129-130*
elementos tectônicos da microplaca Juan Fernández 129-130, *130-131*
migmatito 276
mecanismos propostos de formação 243-245
termo textural 243-245
minerais paramagnéticos 56-58
substâncias ferromagnéticas 57-58
mineralização
cenário tectônico relacionado a limites de placas 365, *366*
exalativa 365, 367

modelo contínuo
e modelagem de campos de velocidade *207*, 208-209
simulando deformação (uso de folha viscosa) 283-285
modelos de rotação em blocos 208-211
blocos definidos *208*, 208-209
conceito de profundidade de travamento elástico 209-210
incompatibilidade de taxas geodésicas e geológicas, razões para 209-210
incorporação de elementos de deformação permanente 209-211
transferência de bloco para bloco das taxas de rotação 209-210
problema potencial, dados geodésicos de curto prazo 208-210
sul da Califórnia 209-210
taxas calculadas de cisalhamento da falha 208-209
modelos de sagducção 315-317
modelos diapíricos 315-317, *317*
problemas com 318-320
modelos termomecânicos
controlam largura da zona de deformação 211-213
deformação localiza onde a resistência litosférica é mínima 211-213
envolvendo canal de fluxo e extrusão dúctil 288-291, *290*, 291-293
estrutura termal inicial 289-291, *290*
orógeno Himalaiano-Tibetano, resultados para 289-291, *290*
posição da sutura (S) 289-291, *290*
proveniência do material do canal de fluxo 289-293
falha direcional em litosfera de três camadas 210-211, *212*, 211-213
Moho (descontinuidade de Mohorovii) 257-260
em orógenos acrescionários antigos 300-301
marca o limite crosta-manto 16-17
Moho sísmica e Moho petrológica 126
separado pela Falha de San Andreas 199-200, *199-200*
velocidades aumentam abruptamente em 17-19
Montanhas Transverse Ranges, sul da Califórnia
anisotropia sísmica, estudo da estrutura do manto subcontinental 199-201
deslocamento na falha de San Andreas mais lento 206-207
mecanismos focais de terremotos mostram soluções de cavalgamento em *splays* de falhas *194*, 190-192
Montanha San Gabriel
fraturas/fluidos penetraram ao longo de uma superfície de cavalgamento 199-201

onda cisalhante *splitting* (SKS) medidas revelam manto superior anisotrópico 200-201
raiz crustal espessa abaixo do traço de superfície da Falha de San Andreas 199-201, *199-201*
restraining bend, Falha de San Andreas *187, 194*, 190-192
Monte Diablo, *step-over* contracional 188-191, *193*
movimentos de placa absolutos 85-87, *86-87*
definido pelo critério NNR por pesquisadores de geodesia espacial 86-87, *135*
devem precisar o movimento da litosfera em relação ao manto inferior 85-87
modelo usando informações de pontos quentes 86-87, *86-87*
outros sistemas de referência não seguidos 86-87
movimentos de placa finitos 96-99
espalhamento do fundo do mar, polo de saltos de rotação 96-97, *97-98*, 97-99
polos de Euler, saltam para nova localização 96-97, *97-98*, 97-99
problema da placa triplo 96-97, *96-97*
movimentos de placa relativos 82-86, 200-201, 206-207, 270-273
descritos com o uso do teorema de Euler 82-83
determinação do polo de movimento relativo para duas placas 82-84, *82-83*
limites convergentes, determinação de velocidades relativas 83-84
medições diretas de 94-96
bordas de placas adicionais reconhecidas 83-84
comparação dos modelos REVEL e NUVEL-1A 95-96, *95-96*
determinações iniciais resumidas 94-95
e campos de velocidade de superfície 205-208
independentes de modelos de tectônica de placas 95-96
interferometria de linha de base muito longa (VLBI) 94-95
medidas usando geodesia espacial 82-83
métodos mais antigos 94
movimentos de placa globais, análise mais detalhada 83-85, *84-85*
placas do Pacífico e da América do Norte 186, *187*, 205-208
previsão de direções/taxas de expansão/subducção 73-75, 84-86, *84-85*
revisão usando técnicas de geodesia espacial 95-96
técnica de posicionamento de rádio via satélite 94-95

variação por *laser* de satélites (SLR) 94-95
mudanças na direção, ajuste de falhas transformantes e de dorsais oceânicas 97-99
mudança ambiental 358-364
  áreas continentais e clima 363-364
  mudanças na circulação oceânica e no clima da Terra 358-364
  mudanças no nível do mar e química da água do mar 358-359

N

nível do mar
  aumento global, devido à Superpluma Cretácea 93, *94*, 358
  maiores mudanças durante as eras glaciais 358
  transgressão e regressão marinha devido à mudança no 358
nódulos/encrustações de ferromanganês 365, 367
Nova Zelândia
  zona de deformação na placa do Pacífico 186, *188*, 210-211
  ver também Alpes do Sul, Nova Zelândia
núcleo 29
  interno e externo 29
  ferro líquido, reage com silicatos do manto na Camada D" 29
núcleos cratônicos, formação de 307-308
núcleos de mar profundo, investigações paleomagnéticas de 71
  correlação com resultados de fluxos de lava 71
número de Nusselt *(Nu)*, mede a eficiência da convecção 341-342
número de Rayleigh (R_a), definição 340-342
número de Reynolds *(Re)*, definição 341-342
número de Taylor *(T)*, definição 341-342

O

obdução, de ofiólitos 23-25, 301-302, *303-304*
Oceano Atlântico, reconstrução de continentes em volta do 49-52
Oceano Austral, abriu-se *361*, 359-362
Oceano Iapetus, abertura 331-333, *331-333*
Oceano Pacífico
  central 348-349
  nordeste do, espalhamento do fundo do mar sobre um polo de rotação *97-98*, 97-99
  placas oceânicas reduzindo em tamanho 84-86

Oceano Paleotethys, abertura do 333-334, *333-334*
Oceano Rheic *331-333*, 333-334
oceanos
  barreiras à dispersão de certos animais 55-56
  fluxo de calor diminui das dorsais oceânicas para as bacias em suas margens 338-339
ofiólito Coast Range 301-302, *303-304*
ofiólito de Troodos, Chipre 126
  mineralização no 367-368
ofiólitos 23-27, 277-278, 318-320
  assembleias em orógenos pré-cambrianos 325-327
  correlação com litosfera oceânica *23-24*
  em termos de expansão do fundo oceânico 126
  exemplos preservados e menos equivocados do Eoproterozoico 325-327
  geralmente ocorrem em orógenos colisionais 23-24
  mais de um tipo 24-25
  obdução 23-24, *303-304*
    modelos de, variam 301-302
    muitos mecanismos diferentes propostos 24-25
    podem ter ocorrido logo após a criação 24-25
  possível formação, ambiente antearco 24-25
  sequência ofiolítica completa 23-24, *23-24*
ofiólitos complexos 125
  complexos de sulfeto maciço em 367-368, *367-368*
  depósitos econômicos de cromita em áreas plutônicas 367-368
  exemplos preservados e menos equivocados do Eoproterozoico 326-327
  preservam fragmentos oceânicos antigos 182-184
olivina de alto Mg e ortopiroxênio de alto Mg 310-311
  possíveis mecanismos que permitem segregação e acumulação 310-312
ondas Love *9*, 9-10, 15-16
ondas P 9
  chegam antes das ondas S 9-10
  em zona de baixa velocidade 17-19
  primeiras chegadas sísmicas para grandes distâncias P_n, 16-17
    dentro de 200 km P_g 16-17
ondas Rayleigh *9*, 9-10, 15-16
ondas S 9-10
  em zona de baixa velocidade 17-19
ondas sísmicas 9-10
  ondas de corpo 9-10
  ondas de superfície 9-10
  propagam-se por deformação elástica 9

Oriente Médio, grande proporção de reservas de hidrocarbonetos localizada no 372
  resulta de padrão específico de interações entre placas 372
orogênese 253
  colisão arco-continente, mecanismos de 291-293
  colisão continental, mecanismos de 280-293
  entalhe, escape lateral e colapso gravitacional 281-288
  fluxo da crosta inferior e extrusão dúctil 286-293
  não colisional, mecanismos de 260-262
    acoplamento interplaca na fossa 260-262, *263*
    estrutura e reologia da placa continental 264
  underthrusting continental 281-282
Orogenia Finnmarkian 331-333
Orogenia Grampian 331-333
Orogenia Taconic 331-333
orógeno Apalachiano, dados coletados em Newfoundland 300-301, *302*
  dados de reflexão sísmica podem marcar zona de subducção antiga 300-301, *302*
  terrenos exóticos acrescidos na margem da Laurência 300-301, *302*
    muitos sofreram rifteamento do noroeste do Gondwana 300-301, 331-333
orógeno Capricórnio *320*, 322-325, *325-326*
orógeno Himalaiano-Tibetano 253, 270, *271*, 275-279
  campos de velocidade superficial e sismicidade 272-276
    acomodação da convergência 272-276
    deformação dentro do planalto Tibetano e de suas margens *271*, 272-275
    escape lateral para leste 272-275, *274*
    estilo de falhamento ativo em 272-275, *275-276*
    movimento para o norte em série irregular de passos 274
    penetração da Índia na Ásia 272-275
  construído através de colagem de material exótico soldado à Placa Eurasiana 272-273
  mecanismos de colisão continental 280-293
    entalhe, escape lateral e colapso gravitacional 281-288
    fluxo da crosta inferior e extrusão dúctil 286-293
    história pré-colisional 280-282
    underthrusting continental 281-282

movimentos relativos de placa e história colisional 270-273
   faixa composta evoluiu desde o Paleozoico 270, *333-334*
   nova zona de subducção abaixo de Lhasa 271-272, *272-273*
   resulta de modelo de elemento finito *287*, 286-288
   simulação da deformação da Ásia, modelos do contínuo 283-284
   Tibete 286-288
     extensão pode resultar de forças de flutuabilidade gravitacional 283
     região Longmen Shan, acomodação de movimento lateral da crosta *274*, 288-289
   ver também colisão Índia-Eurásia
orógeno Lachlan 253
   crescimento por adição de magma e sedimentação 301-302, *303-304*, 303-305, *303-305*
   tipos de metais comuns e preciosos formados/preservados 370-371
     mineralização de ouro orogênico 370-371
orógeno Ural, formação do 333-334
orógeno Wopmay, crescimento por adição de arcos magmáticos 322-325, *323*
orógenos
   antigos 253
   colisionais 253
   tipo Andino (não colisionais) 243-245, 253
orógenos acrescionários, estrutura 253, 272-273, 296-302
   ativos, perfis de sísmica reflexão 261, 278, 300-302
   características comuns de 299-301
   Cordilheira Canadense 296-300, 302, 331-333
   oeste da América do Norte 296-298
orógenos do tipo himalaiano 81, 184, 253

P

padrão de anomalia magnética, variação 69-70, *69-70*
paleobotânica, mostra padrão de fragmentação continental 55-56
paleoclimatologia 53-54
   latitude, principal fator de controle do clima 53-54
   reconstruções continentais 53-55
paleomagnetismo 56-62
   campo geomagnético do passado e do presente 58-60
   curvas de deriva polar aparente 59-60
   magnetismo das rochas 56-58
   magnetização natural remanescente 57-59
   reconstrução paleogeográfica baseada em 60, 62, *360-361*
paleopolos 58-60
   determinação da localização de 327
Pangeia 2-5, 327, *333-334*, 354
   formação final da 333-334, *333-334*
   fragmentação
     acompanhada pelo fechamento de oceanos e por colisões *271*, *292*, 333-334, *333-334*
     e radiação adaptativa de répteis 55-57
     heterogênea 333-334
     hipótese da Terra em expansão 336-337
   separada progressivamente 358-359, *360-361*, 359-362
     Cenozoico, África, Índia e Austrália à deriva em direção ao norte 359-362
     Cretáceo Inferior, separação Antártica-África *360*, 359-362
     Cretáceo Médio, passagem aberta entre o Atlântico Norte e o Sul *361*, 359-362
     Jurássico, "Enseada Tethyana" estendida para o oeste 358-359, *360*, 359-362
     Oligoceno Médio, Oceano Austral circundou a Antártica *361*, 359-362
     Triássico Inferior, possível padrão de corrente oceânica de superfície 358-359, *360*
perfis de resistências litosféricas 32-35
   através da litosfera oceânica e continental *36*
   litosfera continental, efeitos potenciais da água na resistência de camadas 34-35, *36*
   podem ser caracterizados por um tipo de "sanduíche de geleia" de camadas reológicas 32-33
perfis magnéticos perto da crista das regiões de dorsais mesoceânicas 71, *71*, *72*, 72
peridotito *309-310*
   alto grau de fusão parcial de 310-311
   serpentinizado 23, 119-122, 126
perovskita 349-350
Placa de Farallon *105*, 101-102
   subductada e afundando 348-349
placa de Nazca, subducção sob a América do Sul 247-248, 254-260
   pode ocorrer rasgo litosférico 255
   visão tridimensional P10.1 254-255
placa Indo-Australiana, litosfera oceânica subductada para norte na Fossa de Java 291-293, *292*
placa Sul-Americana, domínios tectônicos 260-262, *263*, 264
   domínio antearco 260-262, *263*, 264
     acoplamento através da interface oceano-continente 260-262
     resultados de modelagem *263*, 264
   domínio retroarco-antepaís
     controle de deformação 260-262
     reologia da placa continental 260-262
     rotações do bloco 257-260, 264
     variações da resistência de acoplamento interplaca 260-262
placas 6-7, 81
   determinação de posições relativas no passado 97-99
   forças agindo sobre 342-345
     em zonas de subducção 343-344, *343-344*
     força de arrasto do manto 343-344, *343-344*
     força de tração das dorsais F_{RP} 342-343, *343-344*
   movimento relativo ocorre na astenosfera 43
   resistência da dorsal RR 342-343
placas Australiana e do Pacífico, e colisão continente-continente oblíqua 200-201
placas tectônicas 7
   implicações de 358-374
     geologia econômica 364-373
     mudança ambiental 358-364
     riscos naturais 373-374
   mecanismo de 336-356
   mecanismo de condução de 344-347
     mecanismo/modelo de arrasto do manto 344-346
     mecanismo/modelo de força de borda 345-347, *345-346*
   proterozoicas 321-327
     primeiros modelos tectônicos 320-325
Planalto da Etiópia
   soerguimento e astenosfera anormalmente quente 150-151
   vulcanismo coincidiu com abertura do Mar Vermelho e do Golfo de Aden 136-139
Planalto Kerguelen 148-150, *148-150*, 150-151
Planalto Tibetano, elevação do 363-364
   forte intensificação da monção sudoeste 363-364
   modelos atuais para soerguimento implicam soerguimento final súbito 364
planaltos orogênicos e crosta muito frágil 260-262, 278-281

planos de falha e planos auxiliares 10-11, *11-12*
   mostra placa Sul-Americana em compressão 254-256, *255*
   obtenção de uma solução de mecanismo focal 11-13, *11-13*
   orógeno Himalaiano-Tibetano, estilo de falhamento *275-276*, 278-279
   planos nodais 11-12, *11-12*, 12-14, *12-14*
   Transverse Ranges, sul da Califórnia *194*, 190-192
Platô Ontong Java 148-150, *148-150*, 150-151
plumas 352-353
   e elevação do nível do mar 358
   hipótese de pluma controversa 352-353
   primárias 88-89, 352-353
   secundárias 353
plumas do manto 173
   antigas 310-312
   e formação de basalto komatiítico e toleítico 312-313, *312-313*
   e pontos quentes 87-88
   eventos através do tempo, dois tipos 356
   podem formar grandes platôs oceânicos 150-151
   podem fornecer material do manto profundo 150-151
   subida de material máfico flutuante em 321-322
polaridade chrons 69-70, *70*
ponto quente Afar, derrames basálticos na Etiópia 88-89, 150-151
ponto quente da Islândia 88-91, *352-353*
   início e trajetória 89-92
ponto quente Ilha da Reunião 88-89, *88-89*
   pode ter se movimentado para o norte 89-90
pontos quentes 87-91, 354
   arrasto da fusão parcial da ULVZ *352-353*
   atividade oceânica intraplaca, cadeias lineares de ilhas e de montanhas marinhas 87-88, *87*
   cadeias de ilhas 87
      possível explicação da origem 87-88
   critérios para distinguir pontos quentes primários 88-89, 352-353
   distribuição de *87-88*
   e elevação do nível do mar 358
   e Grandes Províncias Ígneas (LIPs) 87-89, *88-89*
   e movimento absoluto de placas 86-87, *86-87*
   faltam similaridades 87-88

hipótese de pontos quentes fixos 89-90, *90-91*
modelos de plumas quentes e de baixa viscosidade 352-353, *353*
plumas secundárias, no super intumiceniação do sul do Pacífico 353
traçados previstos nos oceanos Atlântico e Índico *88-89*, 89-90
três tipos em termos de profundidade de origem 352-353
prismas acrescionários 221-223, 231-237, *238*
   acreção frontal 233-234
   acumulação de sedimentos incluindo olistostromas 234-236
   Calha Nankai 231-235
      taxa de crescimento lateral 234-236
   cavalgamentos fora de sequência 234-235
   cinturão de dobramentos e empurrão 231-234
   circulação de material a longo prazo em 234-236
   crescimento lateral 233-235
   criação de *mélange* 236-237
   décollement 231-235
      deslizamento no 234-236
   desenvolvimento de 214, 215
   e desenvolvimento de bacia antearco 234-236
   forma geral em perfil é de cunha cônica 234-237
      ajustes mecânicos de superfície muito inclinada 234-236
      espassado por encurtamento tectônico 234-236
   frente de deformação 231-234
   grandes anomalias negativas 222-223
   pressão de fluido de poros
      e fluxo de fluidos, sensibilidade a flutuações em 237, *237*, *238*
      mecanismos de aumento e diminuição 236-237
   Taiwan 293, 294
   topo definido por quebra de inclinação da fossa 234-236
   underplating tectônico 234-236
   zona de *protodécollement* 231-234
processos hidrotermais 365
processos orogênicos, não colisionais, importantes condições de contorno, Andes *253-254*, 253-254
processos tectônicos
   Fanerozoico 321
   Pré-Cambriano 307-309
      diferenças no mecanismo inferido de perda de calor 307-309
      visão convencional 307-309
      visão mais recente 308-309

programa de perfuração do Observatório em Profundidade da Falha de San Andreas (SAFOD) *218*, 219
Programa Deep Sea Drilling (DSDP), 3ª Etapa, projetada para testar a hipótese de expansão dos fundos oceânicos 71-73, *73-75*
propagação de riftes 117, 118
   e microplacas 126-130
Província de Basin and Range 82-83, 134, 217
   afinamento crustal heterogêneo em crosta previamente espessada 144-145
   afinamento crustal não uniforme e influenciado por estrutura litosférica preexistente 144-145
   espessura da crosta, história de convergência e encurtamento crustal 144-145
   Vale da Morte, exemplos de extensão de larga magnitude mais jovens 145-146
   variação nas profundidades da Moho 144-145
   deformação amplamente distribuída *141-142*, *143*
      camada sismogênica, implica gradientes geotérmicos altos e afinamento crustal 144-145
      campo de deformação revelado 141-142, *143*, 142-144
      deformação cenozoica entre dois blocos rígidos 141-142
      duas bandas proeminentes de alta deformação 141-142, *143*
      momentos de recorrência de grandes falhas 144-145
      movimento relativo, acomodação de 142-144
      parte significante da tensão pode ser acomodada assismicamente 144-145
      Sierra Nevada e Planalto do Colorado, virtualmente sem deformação cenozoica 141-142
      três subprovíncias mostram distintivos padrões de deformação *143*, 142-144
      Walker Lane e Zona de Cisalhamento Oriental da Califórnia *143*, 142-144, *187*
   exemplo de riftes intracontinentais amplos *134*, 141-142
   falhamento normal de pequena e grande magnitude 147
      acomodação de deformações extensionais elevadas e afinamento da crosta 147
      complexos de núcleos metamórficos *146*, 147-148, *149*

Descolamento de Snake Range 147-148, *149*
deslizamento em falhas normais de baixo ângulo 147-148
evolução de falhas normais de baixo ângulo e grande deslocamento por rotação flexural 147-148
Falha de Descolamento do Deserto de Sevier 147-148, *149*
Falha de Egan 147-148, *149*
Falha Spring Valley 147-148, *149*
falhas de descolamento extensionais 147-148
meio graben assimétrico e soerguimento da lapa 147
padrões de falhas cenozoicas 147-148, *149*
Zona da Falha Wasatch 147-148, *149*
força necessária para ruptura 154-155
manto litosférico fino e fluxo de calor anormalmente alto 147
atividade vulcânica 147
topografia regional excepcionalmente alta 147
valor baixo de T_e 161-162
província ígnea do Atlântico Norte 90-91
províncias de idade
correspondência no Atlântico Sul 51-53
fundo oceânico divido em 73-75
províncias domo e quilha 314-317
cráton Pilbara Oriental, Austrália 314-317, *314-316*
Domo Monte Edgar e complexo granítico 316, *316*
modelo diapírico de três estágios 317, *317*
modelos tectônicos horizontais para 315-317
nove domos graníticos com restos de granitoides TTG 314-315
preservação de estromatólitos 315-317
tratos sinclinais de *greenstone* entre domos granitoides 314-317
vulcanismo félsico 315-317
zonas de cisalhamento e falhas anelares 315-317
províncias ígneas 52-53, *53-54*
províncias metalogênicas 53-54
push-ups, formados onde a região de interseção é comprimida 186

Q

Quênia, sul do, fonte magmática 152-153, *153-154*
química da água do mar, mudanças na 7, 358-359
devido a variações de CO_2 no ar 358-359
variação na razão Mg/Ca 358-359, *358*

R

raízes cratônicas 307-308, 321-322
alteração por colisões entre terrenos e espessamento 311-312
composição distinta 310-311
evolução proterozoica 321-322
frias, quando alcançaram a espessura atual 307-308
mantidas finas pelo calor convectivo do manto adjacente 307-308
mecanismo de zona de subducção para 311-312, *312-313*
opiniões divididas e respeito dos métodos de construção 310-312
outros processos contribuem para a formação de raiz 310-312
reconstruções continentais 49-52
continentes ao redor do Atlântico 49-51
Gondwana 50-52, *51-52*
reconstruções geométricas 49
teorema de Euler 49, *49*
reconstruções pré-cambrianas, natureza controversa de 327-329
red beds 53-54
sobrepostos por minérios disseminados 365
Rede de Sismógrafos Padronizada Mundial (1961) 9-10, 81-82
Rede Sismográfica Global (digital) (GSN) 9-10
região de arco Timor-Banda, estágio inicial da colisão arco-continente 291-293
regiões continentais, fluxo de calor em 338-340
reologia, definição 29
reologia da crosta e do manto 29-37
deformação (limite elástico e esforço de escoamento) 30
deformação dúctil 31-33
deformação frágil 30-33
deformação no manto 35-37
esforço (deviatório, diferencial, principal) 30, 154-156, 354
medição de deformação continental 34-37
perfis de resistências litosféricas 32-35
resfriamento global
não associado com diminuição do vulcanismo 94, 364
por volta do limite Mioceno-Plioceno *362-363*, 364
resistência à flexão (R_B) 343-344
resistência da dorsal R_R 342-343
resistência da placa (R_S) 343-344, *343-344*
resistência de falha transformante 344-345
resistência superior da placa (R_0) 343-344, *343-344*
ressurgência sob riftes 153-155
Rifte-Baikal (Sistema) 134, *134*, 139

Rifte de Galápagos, circulação hidrotermal 113-114
Rifte do Quênia, exumação e aumento da atividade magmática 179
Rifte Principal da Etiópia
alargamento da zona de baixa velocidade consistente com a propagação 140
anomalia de baixa velocidade, Bacia do Rifte de Adama *139*, 140, *141*
Depressão Afar 179
rifte funciona como dorsal mesoceânica de lento espalhamento 179
extensão através do, acomodada assismicamente 134-136
terremotos em torno de vulcões e fissuras 136-139
extensão nas partes central e sul 179
falhas de borda com alto ângulo, cadeias de caldeiras vulcânicas 179, *179*
Golfo do Aden, transição para dorsal mesoceânica de lento espalhamento *135*, 179-180
localização de magmatismo e falhas 179, *179*
norte do
padrão de falhas e segmentação *137*
sismicidade de segmentos de rifte 134-137, *138*
ponto quente Afar, derrames basálticos da Etiópia 88-89, 150-151
Rifte Woodlark 180-182, *183*, 246-247, 250-251
continuidade de processos extensionais ativos 180
desenvolvimento de localização da deformação e expansão dos fundos oceânicos 180-182
evolução pré-rifte 180-182
formação de complexos de núcleos 180-182
iniciação do rifte no Plioceno 180-182
rifteamento continental da Península Papuan 180, *181*, 180-182
ruptura continental
foco atual, bacia rifte assimétrica perto do monte submarine Moresby 180-182
formação passo a passo do 180-182, *183*
rifteamento
magma-assistido 168-170
elevação isostática 168-170, *168-170*
modelo térmico 168-170
rifteamento continental 365
leva ao isolamento de faunas 56-57
modelos de rifteamento 163-165, *164-166*, 166, *167*, 169-170, *169*
riftes
ativos, variabilidade de 134

comparação da estrutura do manto sob 154-155
de largura mediana 166, *167*
estiramento litosférico em 155-159
localização da deformação em falhas e zonas de cisalhamento, variabilidade em 162-163
podem acomodar extensão sem afinamento crustal 168-170
representam estágio inicial da ruptura continental 134
soerguimento de manto abaixo de 153-155
    soerguimento de manto sublitosférico 176-178
tectonicamente ativos *134*
zonas de baixa velocidade sob 140-141
zonas de cisalhamento dúcteis 162-163
riftes amplos, características gerais 141-148
    afinamento crustal heterogêneo em crosta previamente espessada 144-146, *145-146*
    deformação amplamente distribuída 141-145, *141-144*
    e forças de flutuabilidade da crosta 157-159, *160*
    falhamento normal de pequena e grande magnitude *146*, 147-148, *149*
    manto litosférico fino e fluxo de calor anormalmente alto 147
    tensão distribuída 134, 144-145
riftes continentais 134
zonas de extensão 81, 157-161
riftes estreitos, características gerais 134-141
    afinamento crustal local modificado por atividade magmática 136-139, *139, 140*
        afinamento da crosta sob o eixo principal 136-139
        camada inferior da crosta com velocidade alta 136-139
        dados de gravimetria fornecem evidências da modificação por magmatismo *135*, 136-139, *140*
        estrutura de velocidade da crosta abaixo da Bacia do Rifte de Adama 136-139, *139*
        mostra anomalias Bouguer positivas de curto comprimento de onda 136-139, *140*
    bacias de riftes assimétricos delimitadas por falhas normais 134-136
        meio grabens assimétricos *135*, 134-136
        segmentação do vale do rifte 134-136, *137*
        unidades sin-rifte 134-136, *137*
    e forças de flutuabilidade da crosta 157-159, *160*

manto superior de baixa densidade e baixa velocidade com elevado fluxo de calor 139-141, *139, 141*
    soerguimento dômico e vulcanismo generalizado 139
sismicidade rasa e esforço tensional regional 134-139
    padrão de sismicidade, norte do Rifte da Etiópia e de seus flancos 134-137, *138*
    terremotos concentrados em torno de vulcões e fissuras 136-139
    terremotos definem uma camada sismogênica 134-136
riftes intracratônicos, carbonatos hospedaram minérios de chumbo-zinco-barita 365
riscos naturais 373-374
    erupções vulcânicas 373-374
        enxurradas de lama devastadoras 373-374
        extrusão tranquila de magma de baixa viscosidade 373-374
        grandes, não frequentes 373-374
        natureza depende da química do magma 373-374
        nuées ardentes 373-374
    grandes maremotos ou tsunamis 373
        causados por terremotos em falhas que deslocam o fundo oceânico *223-224*, 373
        erupções de Santorini e Krakatoa 373
        escorregamento de Storega próximo ao litoral da Noruega 373
        tsunami do sul da Ásia 373
    terremotos 373-374
        comuns perto de limites de placas e outras zonas de deformação *90-91*, 373
        magnitude pequena, muito comuns 373
        regiões intraplaca 373-374
rochas de rifte, petrogênese de 150-154
    basaltos de rifte 150-153
    definição de tendências sistemáticas de composição difícil 153-154
    elementos-traço e características isotópicas *151-152*, 152-153
    geração de fundido litosférico comum 152-153
    magmas máficos podem ser afetados por fusão parcial 151-153
    manto fundido para produzir líquidos basálticos 151-152, *152-153*
rochas ígneas, comparação de, arqueanas e proterozoicas 320-321
Rodínia 327-330, *328*
    eventos magmáticos de larga escala durante a aglutinação 356
    início da formação 327-329

reconstrução Torsvik 327-329, *329-330*
rompimento *328*, 327-329
vefeito da dispersão em climas passados 327-330

S

secções estratigráficas, correlação entre continentes do Gondwana 52-53, *53-54*
    camadas guia 52-54
Segunda Guerra Mundial, antes da, estudo geológico apenas de áreas terrestres *3-5*
sequência de margem passiva paleozoica, oeste dos EUA 144-145, *145-146*
série alcalina, inclui lavas shoshoníticas 238-239
séries de magma toleíticos 238-239
    acima de zonas de subducção jovens 238-239
serpentinito 130-131
    produção de *233-234*, 240-241
    sedimentar, ocorre em cinturões metamórficos de fácies xisto azul 243-245
serpentinização 300-301
sintaxe 272-275, 278-279
sismologia de terremotos 9-17
    descrições de terremotos 9
    mecanismo de terremotos 10-11
    ondas sísmicas 9-10
    tomografia sísmica 13-17
sistema de arco Izu-Bonin-Mariana *229-230*
    magma, tendências de composição ao longo do eixo do arco 238-240
sistema de arco japonês, tendência de composição aparente 238-239
sistema de arco Mariana, sustentado por crosta *232*, 238-239
sistema de Riftes do Leste Africano *134*, 153-154
    anomalia de baixa velocidade, Bacia do Rifte de Adama *139*, 140, *141*
    derrames basálticos continentais 88-89, *88-89*, 134, *135*
    lagos do 365
    ocorrência de um contínuo de rochas máficas 150-151, *151-152*
    ramo oriental
        centro e norte do Quênia, riftes um pouco mais evoluídos *135*, 178-179
        imagens do manto superior sob 153-155, *154-155*
        magmas derivados de pelo menos duas fontes de manto 152-153
        mudança de orientação 155-156
        Rifte do Quênia, exumação da fronteira astenosfera-litosfera 179

Tanzânia, efeitos das fraquezas preexistentes na geometria de rifteamento 135, 178-179, *179*
riftes intracontinentais estreitos *135*, 134-136
soerguimentos dômicos e vulcanismo generalizado 139
transição rifte-margem passiva *135*, 178-180
ver também Rifte Principal da Etiópia
sistema Himalaiano-Alpino 270
sistemas de arco de ilhas, morfologia geral 221-223, *222-223*
   bacia antearco 221-223
   convexidade geral de 221-223
   região antearco 221-223, 231-234
   típicos de margens de fechamento de oceanos 221-223
slab descendente
   atividade sísmica associada com 223-229
     dobramento flexural da litosfera 223-225, *226-227*
     (b) terremotos gerados a partir do falhamento de empurrão 225, *225-227*, 226-227
     (c) na zona de Benioff 226-228, *226-227*
     (d) mudança súbita de fase de estrutura de olivina para espinélio (falha de transformação/antifratura) *225*, 226-228
     direções do esforço principal de (c) e (d) 226-229, *226-228*
     nenhuma relação entre idade e penetração do manto 228-229
     terremotos profundos, desencadeada de 226-228
     tipo de esforço e resistência durante descida 228-229, *228-229*
slab descendente, estrutura termal de 228, *231*
   fatores de controle 229-231
     aquecimento adiabático 230-231
     calor latente associado com fases transicionais de minerais 230-231
     calor por fricção entre as superfícies superior e inferior 229-230
     condução de calor no *slab*/placa proveniente da astenosfera 229-230
     idade e espessura do *slab* descendente 229-230
     taxa de subducção 229-230
sobreposição de centros de expansão (OSCs) 117-118
   possível sequência evolutiva 118
soluções de mecanismo focal (plano de falha) 10-13
   ambiguidade nas 12-16, *12-13*
     identificação de tipos diferentes de falhamento 12-16

padrão de radiação de onda P, mecanismo de fonte tipos I e II 13-16, *13-16*
padrão de radiação de onda S, fonte tipo I 13-16, *13-16*
padrão de radiação de onda S, fonte tipo II 13-16, *13-16*
soluço de falha de empurrão 12-14, *12-14*
soluço de falha normal 12-15, *12-15*
uso da teoria de falha de Anderson 12-15, 31, *31*
arco das Aleutas *226-227*, 226-227
step-overs 186, 188-191, *188-191*, 206-207
   caracterizados por bacias *pull-apart* 186
   Zona de Falha El Salvador 189-190, *189-192*
subducção
   Arqueano Superior, da crosta inteira 314
   velocidades altas associadas com 348-349
subducção de sedimentos e erosão por subducção 231-234
subducção do tipo Andino, tipos específicos de depósito 368-370
   ambiente retroarco, cinturões de granito com estanho e tungstênio 368-370
   sulfetos de cobre estratiformes 368-369
sudeste da margem vulcânica da Groenlândia 176-178
suítes anortosito-mangerita-charnoquito/granito (AMCG) 321
suítes TTG tonalítica-trondhjemítica--granodiorítica) 309-310, 312-314, 320
   colocação de granitoides quentes em *greenstones* mais velhos 315-317, *317*
     tombamento convectivo 315-317, *317*
sul da África 348-349
superintumescência 348-349
   diferenças entre as da África e as do Pacífico 353
   fluxo astenosférico descendente produz crosta deprimida 348-349
Superintumescência do Pacífico Sul 112, 348-349
   pontos quentes na 353
superentumecimento africano 154-155, 348-349
Superpluma Cretácica 93-94, *94*
   aceitação não universal 94
   criação de diversos montes submarinos/platôs oceânicos no oeste do Pacífico 93, *148-150*
superplumas 29, 93-94
   ascendem da camada D" 93
sutura continental 288-289, 298, *299*, 297-300, 322-325
   e homogeneização de faunas por migração cruzada 56-57

sutura Indus-Zangbo 271-272, *272-273*, 277-278, 289-291
   forma agora o limite sul do Planalto Tibetano 272-273, *272-273*
   separa rochas da Placa Indiana de rochas do terreno Lhasa 277-278
sutura Qinling, coincide com corredor crustal reologicamente fraco 288-289

T

Taiwan, colisão arco-continente oblíqua 291-293, *294*
   processos no estágio inicial 293, *295*
   progressivo rejuvenescimento da zona de colisão 291-293, *294*
   progresso rápido do estágio inicial para o avançado sugerido 293
   quatro estágios propostos 293, *294*, *295*
taxa de crescimento do prisma acrescionário da América Central 234-236
taxa de crescimento do prisma acrescionário das Aleutas 234-236
tectônica arqueana 308-320
   estrutura da crosta 314-317
   tectônica horizontal e vertical 315-320
tectônica do Proterozoico 318-327
   crescimento continental e estabilização cratônica 321-322
     crescimento por adição magmática e acreção de terrenos 321-322
     produção da crosta episódica, pulsos curtos 321-322
   muitas incertezas permanecem 326-327
   placas tectônicas 321-327
temperatura, controla o esforço de materiais em subsuperfície 43-44
teoria da recuperação elástica e terremotos 10-11, *10-11*
teoria geossinclinal 6-7
Terra, composição da 17-20
   composição provável 19-20, *19-20*
   decaimento radioativo durante a história inicial 45-46
   e camada reológica *45-46*
   estimativas podem ser feitas a partir de meteoritos 19-20
   formação 17-19
   peso atômico médio 19-20
Terra, estrutura de velocidade 16-19
   conhecimento das camadas internas 16-17
   Conrad, descoberta de maior descontinuidade 16-17, *18*, 17-19
   construída através do registro dos tempos de viagem de ondas de corpo 17-19
   descoberta da Moho 16-17
   descontinuidade de Gutenberg 17-19
   velocidades aumentam abruptamente na Moho 17-19

zona de baixa velocidade (LVZ) 17-19, 44
Terra 351-352
    clima e mudanças na circulação oceânica 358-364
        influência de processos de tectônica de placas 364
    fase inicial de fusão e diferenciação 45-46
    fluxo de calor através de uma unidade de área da superfície 45-46
    origens possíveis do campo magnético 67-68
    resfriamento secular da 321-322
terremotos
    e estrutura de zonas de subducção 222-229
    foco raso 81-83, *81-82*
    e topografia de dorsais oceânicas 107
terremotos do sistema de arco de ilhas Tonga-Kermadec *223-224*, 223-225
    diferenças na amplitude descrita em termos do fator Q 223-225
terremotos que ocorrem na interface entre placas *85-86*
terreno do arco Famatina *332*, 331-333
terreno Wrangellia, geologia distintiva, bem estudado 297-300
terrenos
    colagem de blocos limitados por falhas 293
    exóticos
        Cuyania para Gondwana *332*, 333-334
    exóticos ou nativos 293
        ferramentas analíticas para a determinação de 296-297
    limites de 293, 296
    magmáticos 296
    nativos na Laurentia 331-333
    suspeitos 296, *298*
    mélange tectônicos e sedimentares 296
    tipos gerais 296-297
    turbiditos não clásticos, carbonatos ou terrenos sedimentares evaporíticos 296
terrenos compostos 296-297
    exemplos 296-297, 299, 302, 331-333
terrenos gnáissicos de alto grau, crátons arqueanos 309-310
tetrápodes, distribuição passada 55
toleítos 122-123, 150-154
tomografia sísmica 13-17, 110-111, 346-349
    áreas sustentadas por manto de velocidade anormalmente baixa 346-347
    fornece informações sobre estrutura 3-D do manto 346-347
    métodos globais
        configuração de estação única 16-17
        método de grande círculo 16-17, *16-17*

    métodos locais
        método de inversão local 15-17, *15-16*
        método telessísmico 15-16, *15-16*
    ondas de superfície, procedimento mais complexo 13-16
    procedimento normal 15-16
    secções transversais através do modelo de velocidade de onda de cisalhamento 348-349
    tempo de deslocamento real de ondas P e S utilizado 13-16
    usada na investigação do arco de Tonga 223-225, *225*
tonalitos 240-241, 309-310
Transformante do Mar Morto 211-213
    extensão não dominante na formação da estrutura profunda 197-198
    Falha Arava, dados sísmicos e de refração *189*, 197-198, *198-199*
    forma parte do limite da placa Arábia-Nubian 197-198, *198-199*
    Moho apenas ligeiramente soerguida 197-198
    zona estreita de deformação 186, *189*
transformantes medição da resistência de 217-219
transformantes continentais 181, 186
    estrutura profunda de 197-203
        Falha Alpina 200-203
        Falha de San Andreas 197-201
        Transformante do Mar Morto 197-198, *198-199*
transição rifte-margem passiva 178-182
    Rifte Woodlark 180-182, *183*
    sistema de Riftes do Leste Africano 178-179
transpressão 128-129
    e transtração 188, 189, 194-197
transtração
    no segundo modelo de rifte expansão 128-129
Trapas Deccan 88-89, *88-89*, 89-90, 148-150
trilobitas cambrianos, barreiras para a dispersão oceânica 55-56
trondhjemitos 309-310
    ver também suítes TTG (tonalita-trondhjemita-granodiorita

U

underplating de magma 304
underplating tectônico 234-236
underthrusting 257-270, 278, 281-282, 343-344

V

valores de isótopos de oxigênio, coincidente com o limite Eoceno-Oligoceno 359-362, *362-363*
vulcões de lama serpentiníticas *233-234*, 243-245

W

Walker Lane *143*, 142-144, *187*, 206-207, *208-209*
    sul da 213-214
Wegener, A. 7
    conceito uniformitarista de deriva 2-3
    Die Entstehung der Kontinente und Ozeane 3-5
    glaciação permocarbonífera 2-3
    pioneiro da teoria da deriva continental 2-3
        teoria baseada em dados retirados de várias disciplinas 3-5
    reconstrução dos continentes 2-4

X

xenólitos 19-20, 26-27
    manto
        análises isotópicas Re-Os fornecem a idade de extração do fundido 310-311
        eventos mais antigos de fusão, Arqueano Inferior a Médio 310-311
        raízes arqueanas dinâmicas, empobrecidas em elementos incompatíveis 309-310
        raízes cratônicas frias rapidamente alcançaram sua espessura atual 307-308
xisto azul 241-243, *243-244*, *247-248*
    também associado a suítes ofiolíticas 243-245

Z

zircão
    comparação dos espectros de idade a partir de populações de zircões detríticos 296-297
    minerais de zircão detrítico, cráton Yilgarn, oeste da Austrália 307-308
zona de baixa velocidade (LVZ) 17-19, *44*
zona de Benioff 73-75, 291-293
    ângulos de mergulho abaixo dos Andes centrais 254-256, *256-257*
    comprimento da 231, *231*
    nova interpretação 223-225, *225*
    terremotos na 222-223, *223-224*, 223-225, *223-225*
    variação no mergulho 231
    duplas abaixo do arco do Japão 226-227, *226-227*
Zona de Cisalhamento Costeira *299*, 297-300
Zona de Cisalhamento Monte Edgar *316*, 315-317
    acomoda extensão horizontal 317, 319
Zona de Cisalhamento Oriental da Califórnia *187*, 199-200, 209-210, 213-214
Zona de Colisão do arco Austrália-Banda 291-293, *292*

Zona de Falha de El Salvador, feições comuns a *step-overs* extensionais 189-190, *189-192*
   bacia *pull-apart* do Rio Lempa 190, *189-192*
   convergência entre as placas de Cocos e do Caribe 190, *189-192*
Zona de Fratura Falkland-Agulhas 77-79
Zona de Fratura Mendocino *105,* 101-102
Zona de Fratura Murray *105,* 101-102
   diferentes deslocamentos 64-65, 76-79
   implica salto da dorsal 77-79
Zona de Fratura no Atlântico Norte, crosta máfica fina 130-132
Zona de Fratura Romanche 203-204, *203-204*
   concreções de sulfeto de ferro descritas na 370-371
zona de transição 28-29
   condições de pressão/temperatura e transformações de fase da olivina 28-29, 28-29
   grandes descontinuidades de velocidade, topo e base 28-29
   transformações de fase, podem definir limite superior e inferior 28-29
zona de transição do manto
   e convecção no manto 341-343
   local onde mudanças de fase em estado sólido ocorrem 341-342
   numericamente modelada em três dimensões 342-343
   pode não ser barreira para convecção através do manto 342-343
   reservatórios químicos podem ser preservados 342-343
   variações pequenas na velocidade sísmica 346-347

zona de transição oceano-continente 169-170
zonas de cisalhamento dúcteis 205-206
zonas de fratura 97-99, 118, 130-131
   Dorsal Mesoatlântica, soluções de mecanismo focal para terremotos que ocorrem próximo a 76-78, *76-78*
   interpretação como falhas transcorrentes de grande escala 75-76
   oceânicas 129-132
      dragagem, rochas recuperadas 130-131
      falhas transformantes indiscretas *131-132,* 131-132
      grandes, cordilheira transversal em associação com *131-132,* 131-132
      intrusões ultramáficas provavelmente contêm minerais 370-371
      marcam tanto o segmento da transformante ativa como seus traços 129-130
      partes fortes e fracas 131-132
zonas de subducção 7, 221-251, 331-333
   anomalias gravimétricas de 222-223, *223-224*
   caracterizadas como acrescionárias ou erosivas *221,* 231-234, *233-234*
   componente paralela à fossa 85-86
   Eoproterozoico 322-325
   estrutura das de terremotos 222-229
   fatores controlando resposta da placa superior à compressão 260-267
   forças agindo nas placas 343-344
   fóssil 311-312, *312-313*
   localização de, fundamentais 349-350
   mergulhos baixos
      dois membros extremos de tipos reconhecidos 231, *232*
      forte ligação com a placa principal *226-227,* 231

      restringem o fluxo de astenosfera na cunha do manto 231
   oceânicas, diversas formas de mineralização presentes 367-370
      bacias retroarco/ensialicas, depósitos tipo veio de ouro e prata 369-370
      cobre pórfiros, uniformidade em todo o mundo 367-369
      subducção Andina, tipos específicos de depósito 368-370
      sulfetos maciços tipo Kuroko 368-369, *369-370*
   rota ilusória de retorno do fluxo às cadeias mesoceânicas 350-351
   sob os Andes centrais 254-256, *256-257*
   subducção de sedimentos e erosão por subducção 231-234
   transformações da fácies xisto azul para eclogito *241-244, 247-248*
   variações nas características 231-234
      de acreção ou erosivas 231-234
      tipo Chileno 231, *232,* 260-262
      tipo Mariana 231, *232,* 260-262
   velocidade de placas subductantes 343-344
zonas de subducção oceano-continente 231, *232,* 231-234, 253
zonas de transferência 134-139
zonas de velocidade ultrabaixa (ULVZ) 348-350, *349-350*
   camada D", desenvolvimento de picos focados em canais estreitos 352-353
   sob pontos quentes principais, super intumiscencia e ressurgências inferidas 348-349, *349-350*
zonas Q 223-225
zonas sísmicas duplas em zonas de subducção 226-227

A escala de tempo geológica e a coluna estratigráfica

Era	Período	Época		*Ma
Cenozoico	Neógeno	Pleistoceno		1,81
		Plioceno	Superior	3,60
			Inferior	5,33
		Mioceno	Superior	11,61
			Médio	15,97
			Inferior	23,03
	Paleógeno	Oligoceno	Superior	28,4
			Inferior	33,9
		Eoceno	Superior	37,2
			Médio	48,6
			Inferior	55,8
		Paleoceno	Superior	58,7
			Médio	61,7
			Inferior	65,5
Mesozoico	Cretáceo	Superior		96,6
		Inferior		145,5
	Jurássico	Superior		161,2
		Médio		175,6
		Inferior		199,6
	Triássico	Superior		228,0
		Médio		245,0
		Inferior		251,0
Paleozoico	Permiano	Superior		260,4
		Médio		270,6
		Inferior		299,0
	Carbonífero	Pensilvaniano		318,1
		Mississipiano		359,2
	Devoniano	Superior		385,3
		Médio		397,5
		Inferior		416,0
	Siluriano	Superior		422,9
		Inferior		443,7
	Ordoviciano	Superior		460,9
		Médio		471,8
		Inferior		488,3
	Cambriano	Superior		501,0
		Médio		513,0
		Inferior		542,0
	(Eon)	(Era)		
Pré-Cambriano	Proterozoico	Superior		1000
		Médio		1600
		Inferior		2500
	Arqueano	Superior		2800
		Médio		3200
		Inferior		3600
		Eorqueano		~4600

* Idade, em milhões de anos (Ma), com base na escala do tempo de Gradstein *et al.* (2004).